中国近现代中医药期刊续编

第三辑

广东医药旬刊
医药卫生专刊

王咪咪　侯酉娟◎主编

2022 年度北京市优秀古籍整理出版扶持项目

北京科学技术出版社

图书在版编目（CIP）数据

广东医药旬刊；医药卫生专刊 / 王咪咪，侯西娟主编. — 北京：北京科学技术出版社，2023.11
（中国近现代中医药期刊续编. 第三辑）
ISBN 978-7-5714-3368-0

Ⅰ. ①广… Ⅱ. ①王… ②侯… Ⅲ. ①中国医药学—医学期刊—汇编—中国—近现代 Ⅳ. ①R2-55

中国国家版本馆CIP数据核字(2023)第206626号

策划编辑： 侍　伟　吴　丹
责任编辑： 吴　丹　杨朝晖　刘　雪
文字编辑： 王明超　刘雪怡　李小丽　毕经正
责任校对： 贾　荣
图文制作： 北京艺海正印广告有限公司
责任印制： 李　茗
出 版 人： 曾庆宇
出版发行： 北京科学技术出版社
社　　址： 北京西直门南大街16号
邮政编码： 100035
电　　话： 0086-10-66135495（总编室）　0086-10-66113227（发行部）
网　　址： www.bkydw.cn
印　　刷： 北京捷迅佳彩印刷有限公司
开　　本： 787 mm × 1092 mm　1/16
字　　数： 725千字
印　　张： 39.5
版　　次： 2023年11月第1版
印　　次： 2023年11月第1次印刷
ISBN 978 – 7 – 5714 – 3368 – 0

定　　价： **890.00元**

《中国近现代中医药期刊续编·第三辑》编委会名单

序

2012年，上海段逸山先生的《中国近代中医药期刊汇编》（下文简称“《汇编》”）出版，在中医界引起了广泛关注。这部汇集了众多中医药期刊的著作为研究近代中医药发展提供了宝贵的学术资料。在《汇编》的影响下，时隔7年，中国中医科学院中国医史文献研究所的王咪咪研究员决定仿照《汇编》的编纂模式，尽可能地将《汇编》中未收载的中华人民共和国成立前的中医药期刊进行搜集、整理，并将其命名为《中国近现代中医药期刊续编》（下文简称“《续编》”）。

尽管《续编》所收载期刊的数量与《汇编》的相当，但其总页数仅为《汇编》的1/4，约25 000页。《续编》中绝大部分内容为中医期刊及一些纪念刊、专题刊、会议刊。除此之外，还收录了1915—1949年《中华医学杂志》（合计35卷，近300期）中与中医发展、学术讨论等相关的200余篇学术文章，其中包括6期《医史专刊》的全部内容。值得注意的是，《续编》还收录了1951—1955年、1957年、1958年出版的《医史杂志》。尽管这与整理中华人民共和国成立前期刊的初衷不符，但是段逸山先生已将1947年、1948年（1949年、1950年《医史杂志》停刊）的《医史杂志》收入了《汇编》。王咪咪等编者认为，将这7年的《医史杂志》全部收入《续编》，将使《医史杂志》初期各种学术成果得到更好的保存和利用。我认为这将是对段逸山先生《汇编》的一次富有学术价值的补充与完善，对中医近现代的学术研究，以及对中医的整理、继承、发展都是有益的。医学史的研究范围不只是中国医学史，还包括世界医学史，医学各个方面的发展史、疾病史，以及从史学角度探讨医学与其关系等。《续编》中收载的文章虽有些出自西医学家之手，但提出来的问题对中医发展具有极大的推进作用。例如，陈邦贤先生在《中国医学史》的自序中指出：“世界医学昌明之国，莫不有医学史、疾病史、医学经验史……岂区区传记遽足以存掌故资考证乎哉！”陈先生将他所研究内容分为三大类：“一关于医家地位之历史，一为医学的知识之历史，一为疾病之历史。”医学史的研究具有连续性。例如，在中华人民共和国成立初期，《医史杂志》登载了一系列具有开创性和历史性的文章，无论是陈邦贤先生对医学史料的连续性收集，还是李涛先生对医学史的断代研究，都对医学史的研究做出了重要贡献。范行准先生的《中国预防医学思想史》《中国古代军事医学史的初步研究》《中华医学史》等，具有极高的学术价值，自出版以来未曾被超越。这些文献多距今已近百年，能保存下来的十分稀少。今天能把这样一部分珍贵文献用影印的方式保存下来，是对这一研究领域最大的贡献。此外，将1951—1958年期间的《医史杂志》也纳入收载范围，完整保留医学史学科在20世纪50年代的研究成果，这很好地保持了学术研究的连续性，故而我对主编的这一做法表示支持。

《续编》借鉴了段逸山先生《汇编》的编纂思路，旨在更为全面地保存和整理中华人民共和国成立前的中医及相关期刊。愿中医人利用这丰富的历史资料更深入地研究中医近现代的学术发展、临床进步、中西医汇通实践、中医教育改革等，以更好地继承、挖掘中医药这一伟大宝库。

李经纬 九十老人

2019年11月于中国中医科学院

前　言

《汇编》主编段逸山先生曾总结道，中医相关期刊文献凭借时效性强、涉及内容广泛、对热门话题反应快且真实的特点，如实地记录了中医发展的每一步，展现了中医人为中医生存而进行的每一次艰难抗争，是记录中医近现代发展的真实资料，更是我们今天进行历史总结的最好参考资料。因此，中医药期刊不但具有很高的文献价值，还对当今中医药发展具有很强的借鉴意义。

本次出版的《续编》具40余册之规模，主要收载了段逸山先生《汇编》中未收载的中华人民共和国成立前50年间的中医相关期刊，以期为广大读者进一步研究和利用中医药近现代期刊提供更多宝贵资料。

《续编》所收载期刊的时间跨度主要集中在1900—1949年。之所以不以1911年作为界限，是因为《绍兴医药学报》《中西医学报》等一批在社会上具有深远影响力的中医药期刊是在1900年之后才陆续问世的。这些期刊开始关注并讨论中医的改革、发展等相关话题，是承载那段岁月的重要历史载体。

在历史的长河中，50年或许很短暂，但在20世纪上半叶的50年却是中医曲折发展并产生深远影响的50年。随着西医东渐，中医在中国社会上逐渐失去了主流医学的地位，学术传承面临危机，以至于连中医是否能名正言顺地保存下来都变得不可预料。因此，能够反映这50年中医发展状况的期刊便成为重要的历史载体。据不完全统计，这批文献有1 500万～2 000万字，包括3万多篇涉及中医不同内容的学术文章。虽然这50年间所发生的事件都已成为历史，但当时中医人所提出的问题、争论的焦点、未完成研究的课题一直在延续，促使今天的中医人要不断地回溯过去，思考答案。

中医究竟是否科学？如何改革才能使中医适应社会需要并有益于其发展？120年前，这些问题就已经在社会上引发广泛讨论。在现存的近现代中医药期刊中，有关这类主题的文章不下3 000篇。

关于中医基础理论的学术争论仍在继续：阴阳五行、五运六气、气化的理论要怎样传承？怎样体现中国古代的哲学精神？在这50年间涌现出不少相关文章，其中有些还是大师之作，对延续至今的这场争论具有重要的参考价值。

像章太炎这样知名的近代民主革命家，曾对中医的发展有过重要论述，并发表了近百篇的学术文章。他是怎样看待中医的？他的观点可以在这些期刊中找到答案。

最初的中西医汇通、结合、引用对今天的中西医结合有什么现实意义？中医如何在科学技术高度发达的现代社会中建立起完备的预防、诊断、治疗系统？这些文章可以给我们以启示。

为适应社会发展，中医院校应该采取何种办学模式？中医教材应该具备哪些特点？在收集期刊的过程中，我们发现仅百余种期刊中就有50余位中医前辈所发表的20余类80余种中医教材。以中医经典的教材为例，有秦伯未、时逸人、余无言等大家在不同时期从不同角度撰写的《黄帝内经》《伤寒论》《金匮要略》等教材20余种，它们在学术性、实用性上堪称典范。然而，由于当时的条件所限，这些教材只能在期刊上登载，无法正式出版，因此很难保存下来。看到秦伯未先生所著《内经生理学》《内经病理学》《内经解剖学》《内经诊断学》中深入浅出、引人入胜的精彩章节时，联想到现在许多中医学生在读了5年大学后，仍不能深知《黄帝内经》所言为何，一种使命感便油然而生。我们真心希望尽可能地将这批文献保存下来，为当今的中医教育、中医发展尽一份力。

中华人民共和国成立前这50年也是针灸发展的一个重要阶段，在理论和实践上都有很多优秀论文值得被保存下来。除承淡安主办的《针灸杂志》专刊外，其他期刊上也有许多针灸方面的内容是研究这一时期针灸发展状况的重要文献。

在中医的在研课题中，有些学者在做日本汉方医学与中医学的交流及相互影响的研究，而这一时期的期刊中保存了不少当时中医对日本汉方医学的研究成果。但如今这些最原始、最有影响的重要信息载体却面临散失的危险，保护好这些文献可以为相关研究提供强有力的学术支撑。

在这50年中，以期刊为载体，一门新的学科——中国医学史诞生了。中国医学史首次作为独立学科出现在世人面前，为研究中医、整理中医、总结中医、发展中医，把中医推向世界，再把世界的医学展现于中医人面前，做出了重大贡献。创建中国医学史学科的是一批中医专家和一批虽出身于西医却热爱中医的专家，他们潜心研究中医医史，并将其成果传播出去，对中医发展起到了举足轻重的作用。《古代中西医药之关系》《中国医学史》《中华医学史》《中国预防医学思想史》《传染病之源流》等学术成果均首载于期刊中，作为对中医学术和临床的提炼与总结，这种研究将中医推向了世界，也为中医的发展坚定了信心。这些医学史文章大都较长，因此在期刊上发表时大多采用连载的形式进行刊登。此外，这类文章也需要旁引很多资料。为了帮助读者更全面、连贯地了解医学史初期的演变过程，以及该学科对中医发展的重要作用，我们决定将《医史杂志》的收集范围定为1958年之前刊行的内容。《医史杂志》创刊于1947年，在此之前一些研究医学史的专家利用西医刊物《中华医学杂志》发表文章，从1936年起《中华医学杂志》不定期出版《医史专刊》。（《中华医学杂志》是西医刊物，我们已把相关的医学史文章及1936年后的《医史专刊》收录于《续编》之中。）这些医学史文章的学术性很强，但其中大部分只保存在期刊上，一旦期刊散失，这些宝贵的资料也将不复存在，如果我们不抢救性地加以保护，可能将永远看不到它们了。

此外，值得一提的是，近现代期刊中的这些文献不只是资料，更是前辈们智慧的结晶，我们应该尽最大的努力把这批文献保存下来。这50年的中医期刊、纪念刊、专题刊、会议刊等，都为我们提供了一段回忆、一个见证、一种警示、一份宝贵的经验。这批1 500万～2 000万字的珍贵中医文献已到了需要保护、研究和继承的关键时刻，它们大多距今已有百年，那时的纸张又是初期的化学纸，脆弱易老化，在百年的颠沛流离中能保留至今已属万分不易，若不做抢救性保护，就会散落于历史的尘埃中。

段逸山先生、王有朋先生等一批学术先行者们以高度的专业责任感，克服困难领衔影印出版了《汇编》，以最完整的方式保留了这批期刊的原貌，最大限度地保存了这段历史。《汇编》收载的48种期刊的遴选标准为中华人民共和国成立前保留时间较长、发表时间较早、内容较完备，其体量是中华人民共和国成立前中医药期刊的2/3以上，但仍留有近1/3的期刊未被收载出版。正如前面所述，每多保留一篇文献就是在多保留一点历史痕迹，故对《汇编》未收载的近现代中医药期刊进行整理出版有着重要意义。

北京科学技术出版社有限公司秉持传承、发展中医的责任感与使命感，积极组织协调《续编》的出版事宜。同时，在该出版社的大力支持下，《续编》入选北京市优秀古籍整理出版扶持项目，为其出版提供了可靠的经费保障。这些都让我们十分感动。希望在大家的共同努力下，我们能尽最大可能保存好这批珍贵期刊文献。

近现代中医可以说是对旧中医的告别，也是更适应社会发展的新中医的开始，从形式上到实践上都发生了巨大的改变。这50年中医的起起伏伏、学术的争鸣、教育的改革、理论与临床的悄然变革，都值得现在的中医人反思回顾，而这50年的文献也因此变得更具现实研究意义。

《续编》即将付梓之际，我代表全体编委向曾给予本书出版大量帮助和指导的李经纬、余瀛鳌、郑金生等研究员表示最诚挚的感谢。

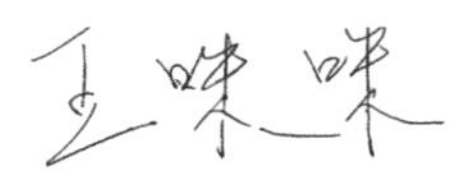

2023年2月

内容提要

本书是《中国近现代中医药期刊续编》第一辑、第二辑的延续之作，又为收官之作，收录了包括《医学扶轮报》在内的文献 11 种。

本书所收录的期刊除来自江浙一带外，尚有广东、山东、四川等地方性中医期刊。受环境和经费等因素的限制，地方性期刊通常存续时间较短、存留期数有限，能够保存至今实属不易。本次将有较高学术价值、历史意义且保存比较完整的地方性中医药学术期刊整理、影印出版，不仅有助于完善近代中医药发展脉络，而且可以间接反映出一些地区近代中医药发展情况，让更多人看到近代地方中医工作者为了传承和发扬中医所做出的努力与贡献。

《医学扶轮报》

中西医汇通报刊，1910 年创刊，月刊，发起人为吴鹤龄，扬州南河下中西医学研究会发行，现存 1 ~ 6 期（1910 年）。

此刊在第 1 期的发刊词中详细介绍了办刊宗旨：“世界医学开化以吾中国为最先，秦汉以后虽见退化，然犹代有贤豪，如孙思邈之裒集古方，许叔微之传记方案，张子和之发明三法，李东垣之发明脾胃……倘能举中国古今来固有之医学与今日东西洋之学说，合一炉而熔冶之，取其精华，弃其糟粕，实事求是，锐志图存，安见吾中国医学不能驾东西洋而上哉！”这是出版此刊的初衷，也是目标。

此刊内容既有中医学术，也有西医学知识。当时西医东渐对中医学的发展具有重大影响，此刊第 1 期第 1 篇文章即陈邦贤先生的《中西医学分科相同论》，第 2 期则有袁焯的《论今日医学界急宜扩张其势力以图自存》，可见此刊编者对中医结合西学非常重视。此刊所载文章学术水平较高，其中《心理疗病法》《切脉为传声之学说》《脑与心互为功用说》《痘科明辨》《察舌辨证法》等文章有很高的临床价值。另外，此刊还引录了许多优秀医案，如《扁仓医案合解》《勉吾轩医案》《春泽堂医案》《春在寄庐医案》《杏雨草堂医案》等。

《现代国医》

中医学术期刊，1931 年创刊，月刊，谢利恒主编，上海市国医公会发行，现存第 1 卷 1 ~ 6 期、第 2 卷 2 ~ 7 期（1931—1932 年）。

此刊编委会成员均为中国近代名中医，包括丁仲英、蒋文芳、陆士谔、吴克潜、张赞臣、陈存仁、秦伯未等。此刊设有医事杂评、言论、专著、学说、医案、方剂、纪载、案牍等栏目。在第 1 卷第 1 期的医事杂评中，谢利恒先生写道："吾今不辨国医之是否不合科学，独问国医之是否不适于现代社会？从国内观之，西医之不能战胜国医，固成绩昭著。即从国外观，德美之赞美中药，日本之复兴汉医……不在国医学术之本身上，而在国医之缺乏时代精神耳。"从这段杂评可以看出将此刊定名为《现代国医》的初衷。

此刊内容丰富，涉及中西汇通、中医办学相关内容。此刊第 1 卷第 1 期就刊登有商复汉的《中西医治疗之比较》、聂崇宽的《中西医之科学观》、严苍山的《中西医之门户见》、胡树百的《中西医之脏燥病比观》等多方面阐明对中西医学汇通看法的文章。首刊刊登了秦伯未的《医校之教材问题》一文，此文提出了当时中医发展迫切需要解决的关键问题。此刊第 2 卷第 2 期特别设立了"中国医学院专号"，专门刊登医学院教师职工的中医研究论文及中医学生的研究成果，以增加中医院校在社会上的影响力。此刊还刊登了有关中医发展问题的文章，如日本富士川游的《日本医学之变迁与中国医学及西洋医学》、郑守谦的《各国趋重中医学说》、李怀仁的《中国医药研究之法门》、姜子房的《中医与中药同时改进说》、陆士谔的《论国医》、俞大同的《中央国医馆与振兴中医药具体方案》等，对中医的发展和改革提出了多种可期的设想。

此刊收录了诸多学术水平较高的名家论述，如朱懋泽的《伤寒温病之我见》和《气病概论》、胡安邦的《伤寒以六方提纲论》和《书阴阳应象大论后》、王辉中的《外感成温与伏气成温的研究》等。此刊亦登载了一些知名医家的医案，如《一瓢砚斋医案》《碧荫书屋新医案》《潜庐医案》《澄斋医案》《尤在泾晚年医案》等。

此外，需要说明的是，在第 2 卷第 2 期封面上清晰地标注着“第二卷第二期”字样，但其目录页却标为“第二卷第八期”，此期又为“中国医学院专号”，其目录与正文内容完全相符，故目录中的“第八期”为误。这种文字错误在第 2 卷第 7 期也出现了。第 2 卷各期出刊时间均为民国二十一年（1932 年），第 2 卷第 7 期却注为“民国二十年（1931 年）”。此刊各期也并非完全按月出刊，如第 2 卷第 3 期出刊时间为 1932 年 1 月，但第 2 卷第 4 期的出刊时间是 1932 年 8 月。故读者应以各期实际内容为准，注意时间标注即可。

《中国医学月刊》

中医学术期刊，1928 年创刊，不定期，现存 1 ～ 11 期（1928—1931 年）。

此刊有一篇很有特色的发刊词，提出中医应勇于革新，向西医学习，指出中医不能“只知抱残守缺，凭借特效之方药以自足，绝不思极深研几，以求学理至当……急起整理，力谋发新，焉可墨守旧说，划地自限，不事创作……抑集思广益以求迈越于西医乎！由前之说，则必尽弃其学，醉心欧化，如戴季陶先生所言，近时青年对于五十年前读物便不肯寓目，是直丧心病狂，自暴自弃，既显示我国无一学术可以独立，尚能免除劣等民族之恶谥乎，此则一国人民之奇耻大辱，非仅医学本身问题而已也……为谋人类健康问题、生命问题，关系至重，本极艰难困苦，而在个人，则有学术之兴趣，引人入胜，不能自已者也。现在受环境压迫，既不能望有力者之提倡，惟凭借社会之信仰，勉自支撑，若再不从学术根本上谋其发展，吾恐数千年圣哲相传无尽藏之义蕴，皆将自吾而斩。医学亦随此潮流而汩没不复矣。故就医论医，吾人应急起直追，以冷静态度，做忍耐工夫，出之以敏锐之视察力，绵密之思考力，精微之判断力，以引动其日新月异自得之兴趣，为中国医学放一异彩，开一新纪元”。

20 世纪 20 年代末正是中医发展最艰苦之时，此发刊词不仅体现了办刊宗旨，更反映出当时的中医人对中医改革的强烈愿望。当时的中医人坚信“吾国固有宝藏，得以由整理而尽泄，俾出陈而发新”，并且对中医的改革发展有着明确的目标和长期奋斗的思想准备。此发刊词鼓舞着新一代中医人不断前进。

此刊发刊地为上海，现存的部分没有关于主编、编委会组成的介绍，但从所载文章可知此刊主编应为民国著名医家陆渊雷。此刊 1 ～ 7 期连载了陆渊雷先生的《改造中医之商榷》一文（其中第 6 期无刊载），这篇数万字的文章中讲到了改造中医之动机、医药的起源是单方、《内经》学说之由来、病理学说与治疗方法之不相应、中西学派之不同、中国的科学趋势、唐宋以后的医学、伤寒之外没有温热、中医方药对于证有特效对于病无特效、中医不能识病却能治病、中医有吸收科学之必要、科学头脑与中国学术的柄凿、细菌原虫非绝对的病源等，这些内容对中西汇通初期一些存在争议的问题明确地提出了自己的观点，吸引着当时的中医人投身到中医继承、改革的队伍中来。陆渊雷先生的这篇文章不仅是几十年前有关中医改革问题的宝贵历史资料，而且对今天的中医发展具有借鉴意义。

此外，此刊还刊有研究医经及临床疾病的70余篇学术论文，这些论文充分体现了此刊的学术价值。

《卫生杂志》

中医学术期刊，1932年创刊，月刊，张子英主编，中医书局发行，现存第1～2卷1、2、5、6、8及13～20、22～24期，第3卷5～6期，以及第4卷1～5期（1932—1935年）。

此刊在“编辑大意”中描述了创刊目的：“我国卫生问题太不讲究，死亡率来得很高……使人人都知道卫生问题的紧要，同时发扬我国医药的精华……非但不反对西药，不攻讦西医，又共同联络研究。”刊中有多幅名人题词，如谢利恒先生的“吾道干城”、蒋文芳先生的“养生宝筏”及钱今阳先生的“康强之道”等。

此刊不仅载有常见病防治方面的文章，如《冬日滋补问题》《皮肤病与血液之关系》等，还收录了《痢疾商榷》《肺结核之超早期诊断》《疟疾经验谈》《喉痧与白喉之别》等涉及传染病防治内容的文章。同时，此刊还设立有特别专刊，对日常多见疾病的相关知识加以普及。例如，“性病专号”收录了有关性病、白带、男女之阴阳痿病等的文章；“服装专号”收录了有关服装与疾病关系等的文章。

另外，此刊也收录了有关学术讨论、医案验方等的论文，如《内科病理治疗大要》《六气致病之原理》《骨蒸的病原和证状》《国医三焦通义》等；同时还收录了一些具有前瞻性的文章，如《中西医学术之趋向解》《中西医药优劣平议》《中医学理是否合乎科学平议》《国医以维护同道改进学术为先务》《关于医药之空间性的讨论》等。

《大众医学月刊》

中医学科普期刊，1932年创刊，月刊，杨志一主编，大众医刊社发行，现存第1卷1～12期（1932年）。

此刊可谓是中西医汇通临床应用的百科全书。其内容十分广泛，包括卫生常识、胃病指南、吐血概论、四季时症、精神病学、肺病讲义、脑病研究、大众医药顾问、小药囊等。此刊所载文章的作者有杨志一、时逸人、张山雷、宋大仁、尤学周、蔡济平等，他们都是当时的名医大家。

在此刊第 3 期中宋大仁写道："伤风……最初为呼吸郁闷，其次为鼻炎，鼻流清涕，发热咳嗽。其在消化器之病，为口中无味，食欲不振，或则腹痛，或下痢，或则为春温诸病，久咳则延成肺痨……通用金沸草散、川芎茶调散加减。有虚体受风，屡感屡发，形气病气俱虚者，又宜顾正解肌，亦不可专泥发散。正气益虚，腠理益疏，病反增矣。李士材曰：风邪伤人，必从俞入，俞皆在背，故背常固密，风弗能干。已受风者，常曝其背，使之透热，则默散潜消矣。"第 4 期中则有一篇探讨食补、药补的文章，该文章提到："食补之原素，一为炭水化物，二为蛋白质，三为脂肪质，四为无机物质，五为维他命，凡此种种，多混合于谷畜果蔬之中。药补之功能，一为温补，能使神经活泼，局部血行畅利，加增脏腑阳气，二为凉补……食补为日常所需要，药补为一时所需要。"此刊还设有"小药囊"栏目，以西医学科对所列各药进行分类，并以中医知识对其进行解说。

由以上内容可以看出，当时中医学者对西医理论的接受程度很高，且西医理论已得到一定的普及。因此，此刊在当时具备了较高的科学性与实用性，同时具有时代价值，值得后世研究。

《幸福杂志》《丹方杂志》

《幸福杂志》：中医验方验案期刊，1933 年创刊，月刊，朱振声主编，上海幸福书局发行，现存 1 ~ 8、11 ~ 12 期（1933—1934 年）。

《丹方杂志》：中医验方期刊，1935 年创刊，月刊，朱振声主编，上海幸福书局发行，现存 1 ~ 12 期（1935—1936 年）。

《幸福杂志》每期列有 10 ~ 12 个专题，其重要内容会在多期中连载，如"胃病研究""吐血概论"等。此刊还载有"长篇专著"，向读者介绍优秀的中医著作，最大程度地向读者普及医学知识，介绍各类疾病的治疗方法。

《幸福杂志》内容全面、浅显易懂。此刊重视养生，所载文章观点独特。如有文章提出要养成良好的卫生习惯，不要吸烟；吃饭要细嚼慢咽，不使脾胃受损；要注意食品卫生、居室卫生、个人卫生等。此刊收载了有关各类人群精确细致的养生方法的文章。

如有文章认为健忘大多由精神衰弱引起，健忘者在生活中要保护与保养脑力，不要过多刺激，勿用脑过度；小儿要注意睡眠卫生；女性要注意月经卫生、孕期卫生、产褥卫生、女子阴部卫生等；要从环境、心理、饮食等多方面对病人进行调理。

此刊的撰稿人多为当时的临床名家，他们所撰有关各种常见病的文章都具有较强的实用性，可称得上是当时的常见疾病手册。例如，尤学周的《脾胃虚弱之简治法》《胃气痛》《胃酸过多》，丁仲英的《胃病与失眠》《胃口不开》，陈存仁的《吐血治疗大要》，严苍山的《便血之研究》，张锡纯的《因凉而得之吐血治法》等。由于这些文章为读者提供了许多疾病的防治知识，因此，此刊成为20世纪30年代具有较大社会影响力的刊物。

1935—1936年，为扩大影响力，《幸福杂志》更名为《丹方杂志》，专门收载有关民间丹药验方之应用研究的文章。尤学周在《丹方杂志》的序中写道："今有《丹方杂志》之刊行，探秘搜奇，深入民间，将灵方妙药尽量披露，介绍于人群，不特为病者谋幸福，而国医药前途亦发见不少光明，实堪钦佩。"张赞臣则在序中表示："今朱君有鉴于此，搜集古来丹方，以为骨干，下及近世丹方，旁及乡村丹方，秘及私家丹方，而为之五官百骸，编为杂志，非其体，达其用，以为苍生。"另外，此刊主编在自序中写道："而于无意中发见不少治病之法，今之所谓丹方者，即道家所赠遗之品也。道家推千其教义，深入民间，同时为人治病，以眩其术，以坚人信仰，丹方亦传入民间，书中偶有记载，皆由道听途说，偶然录下者。关于单方之专书，则少有所见，鄙人于丹方之应用，往往发见不可思议之效力，对于丹方之信力甚坚，故有本刊之发行。"此刊12期共登载了约千首治疗临床各科疾病的方剂，其价值有待后人进一步挖掘。

《中国医药杂志》

中医学术期刊，1934年创刊，月刊，赵恕风主编，中国医药研究社发行，现存第2卷1～12期（1935年）。

此刊为地方性中医药期刊，内容广泛。此刊设有学说、临床各科、医案、验方、来函等栏目，并且非常重视学术讨论，如刊登了唐映书的《瘟疫与温病不同说》、姚肃吾的《春令流行性时疫的病因和治法》、单生文的《中医学理之科学观》、梁惠群的《湿温病与伤寒少阳病异同之点》、林志生的《论气血与风》等。

此刊实用性较强，较为重视验方和医案。除刊登了《隔食症验方》《治疗淋病的效方》《经过实验的喉病奇方》等验方类文章外，还刊登了《治验笔记》《诊伤寒笔记》《论瘟疫之症治》《咳嗽论治》等医案类文章，并引录《植林医庐笔记》《也是斋随笔》及邢锡波的《怀葛斋医案》等。另外，此刊也连载了一些有实用价值的书籍，如《张五云痘疹书》。

综上所述，此刊在一定程度上起到了传播和推广地方中医药的作用。

《医药改进月刊》

中医学术期刊，1941 年创刊，月刊，本刊编审委员会主编，现存第 1 卷 1 ～ 12 期（1941—1942 年）。

此刊发行于四川成都，为地方性中医药期刊。此刊第 1 期的发刊词阐明了创刊宗旨："本社有鉴于此，乃联合同志创办社刊，特辟学术论文、学术研究、整理珍闻等各栏，意在以科学之方法，发皇古医之奥义，且整齐同一步调，一致向前，务使古圣之遗意无余，中西之各美兼备，而我国医之伟迹长留于万世，始可稍尽本社同人之素志。"为体现创刊宗旨，此刊第 1 卷第 1 期便刊载了具有针对性的论文，如《我们对于国医科学化的意见》《为什么要改进中医》。第 2 期《中医管理权》一文指出："我们主张西医应该研究中医学术，中医也应该研究西医医理，两者融会贯通，自不难产生新的医术，为世界医学放一异彩。"此刊连续数期刊登的评论文章《对于建设中国本位医学的意见》对当时中医的改革与发展具有较大影响。

此刊比较注重经方的学习与应用，除刊登一般性中医学术研究文章外，每期都刊登有关于经方的文章，如《桂枝十九方合论》《甘草干姜汤》《芍药甘草汤》《三承气汤麻仁丸》《大青龙汤》《四逆十一方合论》《理中九方合论》《泻心十一方论》等，非常值得经方研习者及临床医生研究学习。

从以上内容可以看出，此刊学术水平很高，是近代中医期刊中的上乘之作。

《广东医药旬刊》

中医学术期刊，1943 年创刊，旬刊，吴粤昌主编，广东医药旬刊社发行，现存第 2 卷 1 ～ 8 期（1943 年 7—11 月）。

此刊是地方性中医药期刊，内容丰富，有较强的理论性与学术性，连载了较多理论性文章，如梁荫天的《中医学术源流》、梁乃津的《略论中西医学之特质及中西汇合问题》、曾天治的《整理中国医学之我见》、蔡适季的《现阶段中医进修问题》等。

其中，《现阶段中医进修问题》具有很强的前瞻性与实用性，其内容包括中医进修的意义、步骤、原则、条件、方式及方法等，对当时乃至现在的中医药发展都有很强的指导意义。

此刊保留了许多具有全局性的中医学术文章，如姜春华的《伤寒新论》及《中医基础学》、钟春帆的《近世内科学》、梁乃津的《霍乱》、缪俊德的《疾病之本相与现象》、袁鉴韬的《中国物理医学之针灸》等。

另外，此刊还刊登了《本草胜识》《中医应用处方集》《实用方剂学总论》《药物各论》等长篇文章，这些文章展现了当时一批致力于研究、发展中医的学者们的学术思想，虽然数量有限，但值得被保存和研究。

《医药卫生专刊》

又名《济世日报佑仁医药卫生》，中医学术期刊，1947年创刊，周刊，施今墨主编，济世日报社发行，现存1～15期（1947年）。

此刊的办刊宗旨是“建医、强种、救国”，即“不攻击西医，也不攻击中医，我们一心一德，把中西各方真实的医药卫生常识，介绍给水深火热中的同胞，同时提供有心沟通中西学术的朋友，及贤明当局，作为参考的资料”。

此刊与报纸类似，没有栏目分类，每期20余页。每期都有相当篇幅的普及卫生知识的内容，如《细菌常识》《为什么会发炎》《蛔虫的生活史》《如何避孕》等。此刊既收录有《伤寒质难》《国药性赋》《法定传染病概说》等学术文章，同时也向读者普及医学器材的知识，如介绍什么是注射器、显微镜等，具有一定的学术性和科普性。

另外，此刊还载有用通俗易懂的语言探讨中医发展的文章，如《中医为什么要争管理权》，强调中医机关“不但要负管理的责任，还要负规划中医药教育方针的责任”，提出科学化的中医仍是中医。

目　录

中国近现代中医药期刊续编·第三辑

广东医药旬刊

廣東醫藥旬刊

要目

第二卷第一、二期

廣東醫藥旬刊社發行

中華民國三十二年七月十五日出版

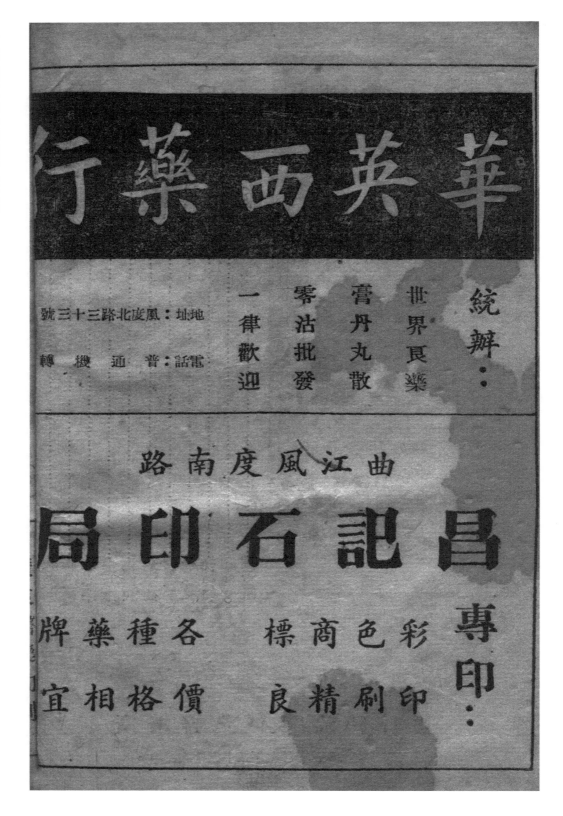

廣東醫藥旬刊 第二卷第一、二期 目次

周年紀念特輯

十日論壇

專著

廣東醫藥旬刊
第二卷第一、二期合刊
民國三十二年七月十五日出版
主編兼發行人：吳粵昌
發行所：廣東醫藥旬刊社（韶州北門大碼頭）
總經售：中國文化服務社廣東分社
印刷者：偉光印刷所
本社工作人員：
黃碩如　陳穀蓀　梁乃津　駱定基
江濟時　陸協民　彭翰　鄧昭常
黃介甫　江鼎石　江泳棠　盧家豪
詹菘康　甄夢初　李龍文
定價：本刊每期二十日發行一次
全年十八期，零售本期特大號仍每冊五元，訂閱預收國幣五十五元，每期出版，先行寄發，按照定價九折優待，寄滿爲止，郵費免收，掛號另加。

目　　次

醫話與醫案

介紹與批評

藥物

常識

稿約

1、本刊各欄絕對公開，歡迎來稿，
2、來稿不拘文體字數學說不分中西，但以有關醫藥，不違背時代與科學者爲限，譯稿須附原著。
3、編者對來稿有增刪權，如不願刪改者，須於稿末聲明。
4、來稿須用稿紙，加標點，以毛筆或水筆楷書，不得一稿兩投，并須附姓名地址蓋章。
5、來稿一經刊出，奉贈本刊，并致薄酬，或現金，或圖書。
6、來稿刊載與否，槪不發還惟長編巨著及附足郵票者例外。
7、來稿請寄廣東韶州北門大碼頭十八號本社編輯部。

週年紀念特輯

週年祝語

汪浩權

在這種世界動亂的時代裏，隨着整個出版界的不景氣，醫學刊物也僅剩寥寥無幾的在勉强支持着。而「廣東醫藥旬刊」居然在這樣驚濤駭浪中平安無恙地渡過了一週年，這果然不得不感謝吳學昌君與諸位編輯的決心與毅力，的確很值得我們的欽佩與憧憬。本來創刊物是一件難事，辦醫學刊物更難，因爲醫學雜誌必須根據事實，不比那些小說雜誌可以造設空中樓閣，而且中醫刊物在一般人認爲時代的落伍者，當然看中醫刊物的主顧們除了中醫同道們外，祇有少數非醫界的讀者，是同情我們的，所以雜誌的內容就不得不通俗與專門雙方並重了。

原來中國醫學雖是一種傳統的經驗之學，也自有他一貫的理論與系統，列代醫家，頗有發明與現代醫學對勘之，若合符節，祇是後人不思上進，故步自封，致受今日之非難與指摘。西洋醫學在科學未發明以前，也根據「地水風火」之所謂四大，與中醫的六氣，不差毫釐，但接受科學以後，竟突飛猛進，雄傲世界了。現在我們所取的步驟與主張，即是運用科學方法，整理中醫固有學術，提精擷華，存其所當存，去其所當去，與現代醫學滙合，使成爲一種綜合的世界新興醫學。「廣東醫藥旬刊」就在這種情形下產生的，現在「一週紀念號」又將呈現與讀者之前，而戰事尚方興未艾，西藥來源已告中絕，我國產之藥物，已引起一般人的密切注意與需要，則國醫與國藥，將在未來新的情勢中將發揮其無比的力量，醫刊的最大任務，即是在利用時機，喚起我醫藥界同道們，站在本位的崗位上共同肩起非常時期最重要的責任，廣東醫藥旬刊在這方面，盡了最大的力量，其功績在中醫革命史上，確有不可磨滅之價值，試一回顧以往各期，當知吾言之不謬，最後吾希望他仍能一本初衷，不受環境的影響而轉移，而永遠執着我醫學前進之大纛！

一三二、三、一五、於上海中國醫藥月刊編輯部。

新的期望，新的奮鬥！

——為廣東醫藥旬刊週年紀念而作

蔡適季

在神聖的民族解放戰爭中，廣東醫藥旬刊能以嶄新的姿態現於南方的重要據點——韶關的一角，無疑地表現着廣東的醫藥同志們，對於中國醫藥的發揚，具有偉大的精神，這不但增加戰時國醫文壇上的光輝，而且足以反映現代國醫藥前途的進步。

為了重要都市的淪陷，戰時物價的騰昂，國醫界刊物大都的停刊了，即如全國文化中心的上海戰後雖然亦繼續出版至廿五種，但據說最近相繼停版了，結果只是曇花一現吧了。廣東醫藥旬刊能夠繼續不斷地出版到一週年，真是值得慶幸的事，這種夙夜匪懈，貫澈始終的精神，當然是要歸功於創辦者的熱心和編輯者的努力了。

但是，抗戰建國的過程中，無論前方後方，都要總動員，不單要軍事動員，政治動員，經濟動員，精神動員，就各種職業部門也要動員，我們是醫藥技術人員，尤其要站在自己的崗位上，為國家民族效勞。因此我們要加緊充分的努力，展開戰時醫藥上的宣傳工作和實際工作，使國醫藥界人士抖起精神，從新奮鬥，這就是我對於本刊今後新的期望。

具體的說，今後本刊的編輯方針，一方面應該側重於有關戰時醫藥文獻的研究探討的揭載，另一方面應該鼓勵全體國醫界人士參加戰時實地工作，才能適合時代的需要。

先從文字方面來說：我們認為目前最迫切，最需要的而應闡揚的文章，是有關戰時醫藥方劑的登載（如創傷驗方秘方的搜集，徵求，刊載），有關戰時醫藥技術的輔導（如介紹各種技術與同濟以及受同道諮詢技術上的問題），醫藥新聞的報導（登載各地或中央頒布醫藥法令或消息）以及流行性疾病的研究討論統計等；而把一般性的理論儘量減少，方足適應時代，迎合國情。

次就實際方面說：今後本刊應該藉文字的廣播，傳遞的力量，從事鼓勵全國的國醫界，一致爲國家民族效命，盡我們技術人員的責任。爲求國醫自身的生存，非積極奮鬥起來不可。否則抗建勝感之後，國醫地位的低落，是很有可能性，擺在我們面前的幾點迫切工作，是應當進行的：

（一）參加戰地救護工作——救護工作，本是醫藥界唯一的任務。抗戰發生後，西醫即被政府徵召而參加戰地服務，我們中醫則因技術上的關係，暫緩徵召，爲了技術的不及人而喪失參加的資格，這是多麼的恥辱呀！我們應該當仁不讓的組織起來，訓練起來，積極起來，把戰地救護技術熟練，然後要求政府准予參加，才是我們的光榮。

（二）舉辦義診所——受着戰事的影響，人生活程度逐漸上升，一般貧民已達到「一家無隔宿糧」的地步，不幸而再發生病，只有任自轉變，哪裏有剩餘來請醫生診治呢？何況被佔區中不願給敵人蹂躪而拋棄家鄉，挨受凍餓，流亡到後方的難民，更是疾病相繼，死亡相隨呢！再則出征的軍人，爲了捍衛國家而走上前線，家庭自然減少一個生產的人，家屬的生活不免要困難。因此我們對於有病無力撩治的民衆與征屬，應予優待，舉辦義診所，便是盡我們一點義務而設立的措施。

（三）發掘創傷驗方——嚴守秘密，這是我們中醫界的致命傷，歷代許多驗方湮沒，真是一件可惜[illegible]事。時代是轉變了，我們應該打破這封建的，頑固的思想，儘量的公開宣佈；尤其是對[illegible]時的創傷驗方，更其需要，爲中醫爭光輝，爲人類造幸福，我們必須這樣做。

（四）參加社會活動——人是政治的社會的動物，脫離不了社會而生存，爲求生活上便利起見，我們該參與社會上的各種活動，在抗建中我們更須認識現實社會的活動情形，如國民月會，節約儲蓄……等，都是直接與我們有互相關係，我們應該參與，改革從前「閉門自守」的錯誤思想，重新建立服務社會的人生觀念。

總之，本刊今後應努力於上列四點工作，才能把握時代，發揮力量，期盡我們的使命。

三十一，十一，廿七日，早于泉卅

周年紀念獻詞

唐鍾湘

廣東醫藥旬刊這個小寶貝，已經誕生一年了，在這一年當中，替人類社會服了不少的務，打破以前的封建思想，將任何秘方竭力公開；把中醫界，每個人的長處，特別表彰出來；那不合醫學學理的五行生尅，談來討厭，他就採用科學的方法來代替；並且指點出現代中醫界四周環境的危機，學術思想的轉新，全部無隱的貢獻到無數讀者們的眼前。使讀者們深深領署到時代的變化，[illegible]那守古的，意志薄弱的，傳統的學術思想，是不能穩定立腳在這個新局面內的。使讀者深[illegible]深的感覺到要想生存於二十世紀醫藥學術競爭的舞臺上，就要迎頭截擊的趕上潮流，將學術革新，以應付現在的新局面，解除當前的危機。而民間的秘方，讀者的心得，又得一爐冶之，供給採用。這小寶貝廣東醫藥旬刊在這幾點上，大家有目共覩，誰都會認定是有價值的。我是個愛讀醫報的人，在抗戰以前，我曾讀過多少種醫藥新型刊物，如中醫新生命現代中醫社會醫報壽世醫報……。他們的內容，有幾種是很有價值的，值得我們注意；但是拿來比較廣東醫藥旬刊這小寶貝的內容的充實，恐怕誰也比不上。這不是我効法那算命先生談褒獎奉承，以博這小寶貝的父母－主編先生們的歡心，他不[illegible]寶拿給人看，事實如此，誰也不能否認的。此外談到文學藝術化，這小寶貝一身備有，我認爲還是一回小事哩！這小寶貝剛剛下地一紀，身體就發育到這樣健全，人人看見愛慕。這樣一來，將來這小寶貝長成，他的發展，不知要到什麼境地呢？如此寶小寶貝的本身，除好的方面外，就純然沒有毛病嗎？那是不然的。我們爲醫的，既然看[illegible]人家的毛病，就應該舉發出來，告訴人家或人家的父母，勸他們診治，這是職責範圍內應作的事情。醫藥旬刊這小寶貝的毛病，在那裏？後且慢慢分別指點出來，請求他的父母－主編先生們特別注意診治，免得病勢蔓延，釀成莫治，要失這小寶貝的生命。我看他的毛病分兩點：

第一、缺少擬案發表：

中醫分科是不完善的，醫藥學術，最是高深，我們治醫的，不是澈頭澈尾的理想的萬靈者，用一個人有限的知識，來應付無窮的病變，當然有捉摸難到的地方，要想駕輕就熟，行所無事，而無疑問，無論你的醫術精明到什麼地位，也會辦不到，但是有疑問，事前事後，應該將事實詳明，筆記出來，醫藥旬刊就應該負責發表，供大家研究。用辯證方法，把事實辯正，得到正確方案，以促醫學進步，而作後來醫學完善分科的準備。

第二、不能如期出版：

我們的求知慾，無論對什麼事情，一到關心，就會切要。醫藥求知慾，在我是個過來人，知道無論比任何事為尤甚。旬刊的意義，是取每十日要出版的。這小寶貝廣東醫藥旬刊，就是害着內因外因的病態，改為雙旬刊，在事理上，也應在二十日中要出版，最少延至一月，但是事實告訴我們，竟有兩月三月，不見旬刊出版，真令我不知悶過幾回氣，望穿雙眼了。我想：我們的同道讀者先生們，一定會有同情心，而望有人向主編先生們建議了！

當這小寶貝廣東醫藥旬刊一周年紀念，在人情上論來，我是個站在客觀有關係的場合內，作了一個讀者，應該特別慶祝，致詞頌揚，表示誠意，方才合法。今日我不這樣，失了性，在這當兒，反把這小寶貝的毛病一一數說出來，真是欠聰明太不懂事討人厭了。

不過我的見解是這樣的：這小寶貝，我一向非常愛慕，有機會常時和他親近，我被他感化了，受過他的陶冶作用，獲了很多的益處。我現在十二萬分的希望，要想這小寶貝安全到長壽，作我們無上的領導者。今天我發現他的毛病，恐怕危害他的生命，所以不惜說的，在這裏絮絮叨叨地紮言了。我很希望他的父母——主編先生們，不要大意，早作診治；我們的同道先生們及讀者先生們，大家勷助為理，達到我意想中的熱望——萬壽無疆！在我可能範圍內，也願意幫幫忙。

一年間

編者

時間不覺已一年多。歷歷情形如昨。當那三十年的十一月。本刊應國防科學運動的高潮而誕生。啼聲初試，創刊詞中即以：「謹抱墾荒者的精神。地質學家之勇敢。以合力耕耘。以開發寶藏。為抗戰建國進軍中。衛生隊伍裏一員尖兵。」「對促進國家民族社會人類健康的刊物。正如其他部門一樣地成為重要工作，是應該而且迫切要開闢史新的園地，以培植出最後勝利的良果！」本此至誠。不辭艱苦。努力按期出版。由單張而擴為冊子。於慘澹經營中一期期地出完了第一卷。中間幾經挫折，遭受印刷經費的困難。而合刊。而脫期。可是。遍佈全國之讀者。並不以此見棄，失望，反而紛賜關切，自發地願為本刊盡力；有期未滿而自請補款者；有代徵得大量定戶者；有請設醫校。徵社員。辦醫藥書籍之印行與供應之建議者；諸如此類來函。近半年來已不下五百餘封了。從這許多寶貴意見。熱烈同情。也就說明了本刊一年間怎樣地在苦幹。社會人士廣泛地起共鳴。以及同人們精神的感奮！

現在。雖已受到了光明和熱力的鼓舞。但嚴格地說。依然離理想的目的還遠。當此醫藥出版界荒欠的年頭。仙人掌也權且移充盆景。本刊一年來能得讀者底偏愛與尊崇，固然是適逢其會。倘稍為檢討一下，則其中自有不少收穫，如促進中醫科學化，推動中醫群體參加社會工作，提高中醫之道德觀等。然而也存在不少缺點，如素材之仍未精純，印刷之不夠美善，發行之辦理欠週等，關於這，本刊是下了最大決心，以求已收穫的更加工，弱點的早消除，從本卷開始實現！

過去的一切，本來是很平凡，也許為了自己久浸在沈悶的氣氛的緣故，對以往重壓得透不過氣來的本刊工作情形，總不能淡然地無動於中。在這夜將闌，燈如豆，靜聽到大地人們鼾搏和呼吸的跳息，感想愈加蕪雜，寫不出什麼文章，只帶來了生活的回憶。

當我正硬着頭皮去發動創辦本刊的時候，像乾燥沙漠中的駱駝一樣走上了遙遠的征程，但早就知道前途蘊藏着豐水草；又像是長跑競賽的一羣，出發前也料到有人會中途退伍，即使懦弱的退伍者，怎樣在流播着無恥的讕言，而忠實爲這運動努力獲得優勝的健兒們，依然會永遠留給人們以深刻的印象。

1，究竟是感情的動物，每看到舊事物日漸滅亡，明知是眞理所決定的命運，還無限戀惜的祈求着它底新生，所以在本刊各期裏充滿了筆端常帶感情的文字，熱誠希望那沈淪於玄學深淵以及自私自利的醫藥界人們，翻然覺悟的共同爲中醫藥革命大業而奮鬥！

今後，我們高舉起新中醫鮮明的旗幟，決定舉辦如下幾項事業：一、新中醫平民診療所，由此雛形以期進展爲時代化之中醫院。二、成藥製銷部：選製合乎科學原理經驗卓效之名方，俾將來發榮滋長以成爲製藥廠。三、醫藥圖書供應部：代銷全國醫藥書刊，及發行本社叢書，以應當前急需。四、學術研究會：組讀書會以進而成立醫校。基上所述，無論人力財力方面，實非本刊少數同人所能肩任，謹熱望於遠近同志，予以大量幫忙，不斷指導！

欣逢此週年紀念日，忝爲墾殖人的編者，摩娑着一期期地本刊，面對那由十餘而至數十的作者芳名，腦膜浮起了千百萬讀者人手一冊的影子，深深的瞭解到這一土壤，不復是一年前的編者和同人們之所有，而成了整個醫藥界以至尋求衛生知識的人們所共有的園地。抱着緊張而嚴肅的心情，忘記了過去的疲勞和昨日的辛苦，以迎接將來光輝美麗的明天。

致內地學者書

姜春華

敬愛的學者：

自從我們現代中醫函授學校的招生廣告於本刊刊出後，紛紛來函詢問，積到現在，差不多有二百封左右的信，足見內地學者向學的熱忱，我對於來信的學者除了欽徽外，却非常地抱歉！因爲我在事前並沒有想到寄遞講義和購買書籍的困難，現在，因了無法寄遞講義，就不收內地學員，人家抱了十二分的熱忱來入學，而我們拒之於門外，這眞是如何對得起人呢？

古人說：「鴛鴦繡出任君看，莫把金針度與人」，那種自私的心理，我最不喜歡，我最喜的是對人獻曝的態度。我雖在各醫學校担任教學，却沒有什麼學給人，僅僅是教，卽是教人學。我以爲把自已學得的教給人，不及教人學的來得好。這有一比方：一個種果樹的人，把果實賣給人，在吃的人雖舒服，然而是有限的，不如把種果樹的方法教給人。使得人有大量的生產盡量的受用好。所以我的教學始終是指導而已，絕對沒有什麼學給人。現在內地學者，既然買不到我的現成果實，不如把種果樹的方法傳出，讓內地學者自已種，自已收，自已吃罷！

學中醫應先學西醫：

不讀西醫書，對中醫學，絕對不能明瞭他的實際。先應讀生理學，再讀病理學總論和各論，然後再讀內科學和藥理學。這些書統讀過了，接着讀中醫書，先讀傷寒金匱，再讀千金外台和劑局方，以後再泛覽黃帝內經，以及金元的學理，再讀些清代醫學家的驗案，如此便成了。

不讀生理學，不能明瞭人體的眞相，對於古人的一小腸廣二五三丈一尺零一的學說，就只有糊塗接受，一弄了糊塗下去了。不讀病理學，不能曉得疾病的眞正原因，那一種病身體上是起了如何的變化，對於古人的七情六氣學說，也只有含糊下去。不讀內科學，不能認識疾病，只能含糊地看着古人書上列着五花八門的證候。不讀藥理學，不能曉得藥物對於病證的作用；對古人的降也，升也，入肺，入心，就莫明其妙。反轉來，讀了生理學，知道人體結構，生活作用，曉得平常中國人說的心，就是大腦；腎，就是性腺內分泌的作用。曉得了撓骨動脈的脈搏，對於古人以寸關尺分部候藏的錯誤，也就知道了。讀了病理學，對於疾病的原因，疾病的眞相，就完全明白了，不再爲古人的「風寒客於人體而爲熱病」，「風寒之中也，始於毫毛，入於腠理，居於經絡……」等學說所惑了，人感了寒，爲什麼會腹痛？爲什麼會泄瀉？病理學會明明白白地告訴你。你恍然大悟之下，必定大喜欲狂。讀了內科學，你能眞認識疾病了，而且可以看得懂中醫書了，曉得張仲景書中所說的病證，約略當於現代醫學上的疾病了。如痙病篇包含腦膜炎，腦脊髓膜炎，破傷風等病。百合病相當於神經衰弱。陰毒相當於白喉。陽毒相當於猩紅熱。千金外台裏，婦人產後中風相當於破傷風，腦貧血等。五勞尸疰，相當於結核病，你如果知道了古書上所說的病證，就是現代的何種疾病，則現代醫書上，會告訴你該病的原因，經過，預後，你看病就有了把握，而且可以運用古人的方藥了。讀了藥理學，對於藥物的作用，就明白了。曉得麻黃，薄荷，是解熱，則對於古人的發表開腠，的含糊話，就明白了。曉得大黃能瀉下，則對於前人用於目赤，齦頭，喉頭，腦脊髓炎等，是誘導作用，不是什麼瀉火了。諸如此類，眞是不勝枚舉。這幾部西醫書，統讀過了，再讀舊醫書，你將有許多新發現。對於現在許多「似是而非」，「牽強附會」，「一知半解」，「自造科學」，你都能清楚鑑別了，到那時，你也知道某人的舊學根抵如何，新學根抵如何？到那時，姜春華的著作你也以爲不值得耗費時間去看了。這些都是我的眞心實話，學者切勿以爲兒戲之談。末了，我再告訴你一個學醫必成的方法，從前有人賣賭錢不輸方，是「不賭」二字。我現在的方法，是「努力」二字，努力就是勤學，天下沒有不勞而獲的東西，凡屬以往和現在的名醫，都是刻苦力學而成，雖也有些靠父祖留下的名氣，而爲名醫的，而在內行看起來，倒底是不行的。生活程度太高，家庭負担太重，不得不多出賣勞力，每天大忙而特忙，寫這勞什子是忙裏抽閒寫出來的，一不暇修辭，學者幸勿以文不佳而忽之！—內地學者於醫學上，倘有所詢只須附足回郵「老郵票新印者無用」寄上海麥其路二七七號—

十日論壇

中國醫學談（七）

梁蔭天

八．中醫學術源流（下）

近百年間，値西洋帝國主義資本主義已至急劇發展，極端的、機械的、唯物論哲學，推倒了封建社會形式，促成以工商業爲背景的自然科學發達起來，由是一切學術思想，尤其是醫學，亦循着這自然科學的途徑，在科學化的社會裏孕育出來，幷造出能帮助考察其所能考察的病體的器具和方法。他們的醫學遂成爲「個體醫學」，其對象祇在於「個人」，其治病之必要條件，亦祇在於「認識病體」，是主張『絕地天通』的；（見余雲岫中央衞生委員會廢中醫提案）與中國固有醫學，取徑不同，更由於彼此歷史環境，社會情形不同；所受其支配下自然發展的進度，因而大異，

關於中醫學之不同，所得於外人口中的客觀評論，現且在這裡介紹一些出來：日醫南拜山氏著「漢醫學研究之種種相」有云：「（1）治病知本源：欲治病達成，不可不知天地之道，萬物之綱紀，變化之父母，生殺之本始，神明之府；現今流行之醫學界，類無斯說，蓋所謂動物醫學，未敢云其近於完備也，至於人間醫學，則今後要加幾多之新研究，同時探究古醫道之要義焉。（2）小宇宙觀：人在宇宙中，可知人究爲大宇宙之縮圖，此爲醫學上之要論，岐伯聖醫在二千年前，於陰陽應象大論中，論人爲小宇宙，苟醫士亦於如斯見地以診人，必能愈人，否則徒從事於醫之枝葉末節，術雖工而不能達治人之道妙，其事有如此者」。

中蘇文化協會名譽會長鮑格莫洛夫，在其「中蘇文化的使命』一文內說：『我們蘇聯國的科學家，現正在開始研究中國醫學上深奧的條理，以及那些頗具天才，而能洞察人體內部組織的學

理；使此項學問，與歐西科學相配合，以能明白種種治病的技術。一（觀此，中國醫學已由美德日諸國先後的注重，進而至現在的蘇聯，也起而注重研究了！）。

本來，人類之能够不斷進化，其文明是由各民族各有的專長，不斷交流着而促成的。外國醫藥的流入中國，遠在宋元之世，（如印度，波斯，大秦，阿拉比亞等，他們同時亦吸收多少中國醫藥），然此不過一鱗一爪，已為中醫學所融化，即清嘉慶以前，歐洲醫學亦非大規模輸入，不為中國人所注意，迨至道光年間，（西歷一千八百四十年）鴉片戰爭失敗以後，外侮頻仍，從此主權旁落，文物無光，一切隨國運而低頭，自然更禁不起正交紅運的帝國主義的物質文明。潮湧般的空前光顧。彼帝國主義者，漸漸對亞洲弱小民族，無所不利用其長，為發其主義的工具，這時的洋醫，有原當教會會長的，有兼使館參贊，代理公使，全權公使的，有些是消滅印度的東印公司派來的，都帶上政治氣味，都可無拘無束地滲透播散着，那時在中國政治上，還未發生作用，直至清末東三省鼠疫盛行，帝俄擬藉口進兵，顢頇的清廷，因恐貽防疫不力口實，釀成國際交涉，迫得敦請列強，共派醫者為官方，越俎代庖，以襄其事，其中醫等祇可另覓房屋施診，此役雖花去國帑一千餘萬元，却增加了弱國服侍強國，急時自保的經驗，經過此番教訓，衛生行政更是絕對的馬首是瞻，步趨惟謹，以免再惹交涉，老家的自當奉屈些時，誰還敢擺出甚麼不合時宜的學術交流嗎？

吾人設想：假如這一百年間，正當漢唐盛世；『萬國衣冠拜冕旒』的時候，自我而創的，恐不祇使西域，訪天竺，入裏海，下南洋的史蹟；更不祇有佛經僧侶方物的入貢，揖讓而來的，恐還有全部的西方文明；以當時的文治武功，士氣國力，堪與外來的帝國主義相匹敵，而採納之，駕馭之，把中西的文明，循着章節正軌而交流融會，並肩發展着，可惜事實並不如此，那『西方的鴻寶，來貢神洲』（丁福保新傷寒論序語）不先不後，覷着異族統治下的中國，創痍遍體，無精打彩的時候，打破大門而來，由於當日國事之無辦法，遂覺得自己事事不如人，失去了民族自信心，畧無自力掙扎，翻陳出新的識力。

又如，假使在清初鼎盛時候，也使不同，洋大夫們除傳教外，即以醫術爲活動工具之一，此時那怕他隨堅船利炮而來，正好僱他來做個侍講，和太醫院的醫官，國醫學的名宿來觀摩，以編纂金鑑四庫的力量，採長補短，整理固有，熔化一爐，並使中醫學由渙散而集中，醫業由封建化的政制，變爲社會化的組織，這是君臨天下者，纘承先緒，休明國故，對民族盡孝的道理，可惜他是異族入主中國，對此當無勁於中，等到末葉的時候，更談不到，更來不及了。

民間方面，咸同以後，瀕海居民，漸有學西醫者，而由國醫兼學或轉學的亦有，至光宣間，醫者對中西醫學匯通的主張與著述，亦曾爲一時的表現，然不論其爲西醫或中醫，而欲匯通之者，類皆就個人職業崗位着想，未及於國族文化的事業問題，抑亦爲當時社會環境，生活環境所限，既無集體研究，更乏分工合作，好學者惟有各個的零星發現，又復散而不聚，提而未議，由於當日未爲行政方面所注意，視爲醫者自身的事，未嘗配合政治力量，爲有步驟有規劃的全部融貫整理，至有後來之鴻溝自限，壁壘森嚴，或互爲指摘，或閑負鳴高，斯更每況愈下矣。

民國肇始，外力祇有加緊縛束，內事更未就緒，國計民生非俟國民革命打開局面，尚無辦法，遑論其他！在此革命時期，國人對學術革命思想，亦風靡一時，故醫界系分子，亦高張旗幟，修言革命，振衰起憊，似爲一種好現象，然徒傳稍誤，方畧有乖，即失去革命意義，失去維新原意，良以本不立則道不新，末流所至，源絕勢移，人皆知 國父革命之可貴，未聞有承認吳三桂洪承疇錢謙益輩爲革命也。

在今日中國醫界立場，既承先代學術付託，復受海外智識薰洗，彼此炎黃子孫，對固有的應如何從根救起？「不是余某的從根救起」對外來的應如何迎頭趕上，使相得而益彰？際茲民族意識，高于一切，文運隨國運轉捩時期，緬懷其源如彼，其流如此；自應乘時一致，有所建白矣。

「待續」

整理中國醫學的我見

曾天治

中學大學畢業生，拿起中醫書籍瀏覽，十九都看了二三頁即丟掉！因爲中醫書不是由淺入深，循序漸進的；那些架空不着邊際的理論，看了二三頁便會頭刺，不能繼續看下去！茲者學校教育社會教育日益發達，不久，什麼人都由學校出身了，請問古今中醫書供誰看？誰倘會研究中醫？

前廣州省立國醫學院規定高中畢業生方能入學。開學後，間有些學生看了學校的講義，及聽教師的講解，不甚滿意，上課時一再質問，雖經教師們一再解答，仍不能使學生心折！以致次學期學生銳減，不退學者任由教師們口講指畫，而自閱自願意看的書。茲者中醫學校已列入教育系統，凡學中醫者，皆須由中學畢業，如果今後的中醫學校教師，也不能令學生心折，誰會入中醫學校研究中醫？中醫生不是會日漸減少？

於是有遠大眼光的中醫，提倡整理中國醫學，用科學方法整理中國醫學，這的確是當務之急。可是提倡了十多年，整理了十多年，整理出來的名著不多見！這又爲些什麼？我用冷靜的頭腦觀察，覺得整理中國醫學的天才，產生得太少，其次整理中國醫學者沒得良好方法！

（甲）整理中醫書的工作，講起來似甚容易，做起來却煩難得很！倘担任整理工作者，沒有責任心，又沒有整理醫學的興趣，往往做了若干天，便不能繼續幹下去！

（乙）整理中國醫學工作者，文字要造詣湛深，能看出古人著書的中心思想，用藥處方的所以然，復能用現代的文筆表白自己的意思，俾學者一看就懂。不然，看古醫書的用意不出，寫作又詞不達意，這樣整理出來的著作，必沒多大價值。

（丙）整理中國醫學工作者，要多讀古今重要的醫籍，融會而貫通之，分析之，更要研究西醫之解剖學，生理學，病理學，診斷學，內科，外科，婦科，兒科……，明其概要，學其編著法，然後整理出來的著作，方有價值。不然，夜郎自大，只在我國故紙堆中鑽研，必不能寫出有價值的文章來！

（丁）整理中國醫學工作者，最少要有十多年的治療經驗，醫治過百數十種疾病，每逢治病，還要將究用藥處方有效有不效之所以然，疾病適應不適應的眞正理由，然後整理出來的著作方有價值。不然做了一二年醫生，只醫過十種八種病，而遽逕撰著，自以爲是，這樣的著作，於中國醫學有何裨益？

（戊）有治療經驗者，來診的病人必衆多，收入必有可觀，可是倘有餘暇，多用以玩古董，講究字畫，不憚煩做整理中國醫學的麻煩工作。日間治病不甚多者，利用餘暇研究醫學，負起整理中國醫學的責任，從事著述，可是月入有限，沒有餘資提供印刷，及登刊告白。這是整理中國醫學沒有多大成績的眞正原因，安得有此五種資格齊全的人起來做整理中國醫學的重大工作？

其次談談整理醫學的方法問題。整理中國醫學，先要確定中醫之生命寄託在那裏呢？據我的意見：

第一在於藥物　中醫能留傳至今者，在乎中藥對普通疾病有功效，能把疾病治愈。中藥有此偉效，記載藥物的書應多量產生，且極精彩。而檢閱坊間的藥物學，能令人滿意者，竟絕無僅有，（郭若定編的漢藥新覺，頗有價值，惜只出了上冊！黃勞逸編的自然科學研究本草學在西醫雜誌發表，亦有價值，惜何未印單行本）這又爲些什麼？編藥物學者醫藥學識有些不充分，又不講究編書法耳！

一、藥物學編著者，要本着一己的治療經驗，參照傷寒論，金匱要略，把常用而效著選出五六百味來，再三研究之，那些不常用或效力不確實者，可棄置不談，學者方易上手。

二、按每種藥的主要功用分類，（分上品、中品、下品、草部、本部：極難記憶！）每類藥，先說明此類藥主治之病症、發生之緣由，情形與本類藥能夠治愈之所以然，然後分別討論每一種藥，使學者一目了然。（例如退熱藥，先說明病人何以會發熱？發熱的情形怎樣？本類藥何以能退熱？）

三、每種藥應分：學名，別名，產地，科屬，全植物之形態，生藥之形態，有效成分之化學分析，藥理作用之人體試驗，性味，主治之症候，製法，用量，禁忌……等項論述，主治之症候，要發揮自己之經驗，指出幾種最重要者，不必抄錄古書，某人謂有何效，以亂人視聽。

此種藥在某方劑中發揮何種療效，亦可引述一二。

此種藥入何經，入心，入肝等臆說，應棄置不談。

編著中藥書，當閱者完全不懂藥性，而以淺顯的文筆詳細論述之，則藥物學的銷數必大，中藥療效必更得大衆信仰也。

第二在於方劑　中藥之有療效，不在乎單味藥，而在乎幾味藥組合之方劑。此等方劑甚多，極有療效者不在少數，惜坊間的方劑書不多精彩，能令人滿意者不可多覯。

一、方劑彙集得太多，常用有效者，不常用無效者亦搜進去。如作者要學者容易上手，須根據治療經驗從新選錄，淘汰失效者。

二、當按治病之功效分類，俾便記憶。

三、要當閱者一些方劑都不懂，而說明方劑之一切：

1.說明該方劑命名之所以然。

2.說明各藥現今之用量，何以方藥中有輕重之別？

3.、說明該方劑何以有四五味藥，又有十數味藥者，其組合之理由安在？

4.、何爲主要藥（君藥）何爲次要藥？（臣藥）

5. 本方劑可發生何種療效？何以會發生此種療效？

6. 何種病症適用本方劑？服若干劑可愈？

7. 本方劑加減法之用意何在？（例如桂枝湯方加葛根，加附子，去芍藥）

8. 說明與類似之方劑有何分別？（例如大承氣，小承氣）

9. 說明製劑法及其所以然。（爲飲、爲末、爲丸、）

10 說明煎藥法及其所以然。（例如用水煎，用酒煎，若干碗水煎成若干？先下後下……）

11 說明服藥法及其所以然（一日服、分服、更服、飯前、飯後服）

如果作者能如是撰著方劑學，則閱者可以一目了然，且感興趣也。（按此方法撰述一已極有研究之方劑學投登本旬刊，想編者必甚歡迎。）

第三在於脈學——診斷學 中醫診脈之有經驗者，對于脈學確有心得，比較西醫診脈，似較精微些。因爲研究中醫時研究脈學，診症時不斷按脈。本來討論脈學的書應多量産生，且應極有價值才對。而檢閱坊間的脈學書，竟沒有一本，堪稱善本！殊堪歎息！我想表彰中醫，整理中醫書，脈學之編著，實不可緩。

編脈學書先要研究解剖學，生理學，病理學，因爲血脈爲循環器主要臟器之一，其構造怎樣？組織怎樣？內容怎樣？正常時怎樣？生病時怎樣？完全明白，方能說明脈理之所以然。

又怎知道婦女受孕？怎知道所孕的是女是男？其脈象怎樣？其理由安在？

死脈怎樣？不致死的脈怎樣？理由安在？

再由脈象，推論望、聞、問三診的見證，推究其理由，說明其所以然，把中醫之四診的秘訣用淺顯的文筆活現紙上，使閱者一看就懂。如再得病人一按，即可完全了解，又能分辨出來，這樣的脈學書，方有價值。

不能用文字記錄出來，不是脈學不精究。醫學知識膚淺，便是文字造詣不深，你看血之壓力，西醫研究出來，又製造了血壓計，計算極準確，又說明其理由，說明其用法，血之壓力不是更難計算，更難形容嗎？怎麼西醫又能用文字表示呢？

第四疾病研究　中醫側重症候，不注重疾病，診脈後對症下藥；西醫分疾病與症候，治療前看症候屬何疾病，然後用藥；這有許多利便。例如咳嗽，症候也，不是疾病，有時爲肺癆病之一症候，有時爲氣管炎，喉炎之一症候，如果醫者診斷是咳嗽爲肺癆氣管炎症候之一，用藥便不易見效，如爲喉炎症候之一，則效如桴鼓，醫者能預知。於是有遠大眼光的中醫，乃照西醫書之編法，有中醫內科學，近世內科國藥處方集……等出版。

編著這樣的中醫書，極其重要，值得提倡，但最怕粗製濫造！凡自己未治過的疾病，中藥未能治癒的疾病，不應編入，以亂學者之頭腦。最好的辦法，是各科醫生，各把自已屢治屢驗的症候，參閱西醫書稱爲何病？屬何系統？而把該病分：原因，症候，診斷，經過，治療經過，處方，方解……等項論述，陸續在中醫雜誌發表。日積月累，篇數逐漸加多，然後由作者彙集爲若干卷，出版發售；或由中醫雜誌社編印單行本發售；如果我們醫界能如此打破守秘陋習，而將研究之結晶公之同好；中醫之聲譽必日高，必深得各層社會信仰焉。

第五傷寒論金匱要畧注釋　傷寒論金匱要畧爲中醫必讀之書，注釋者凡百餘家，可謂多矣！但仍有不少讀者不知道傷寒論是談什麼病？也未能用以療病。故該二書仍有重新註釋之必要。

第一註釋者應研究，說明傷寒論討論什麼病？病在何臟器？原因爲何？（某西醫以爲傷寒論是討論流行性感冒，爲傳染病之一）

第二分六經辨脈證的用意安在？分六經辨脈證當不當？

第三傷寒論的文字有何缺誤？提前？脫節？應根據考據學一一改正。

上述各項已完全明瞭，乃找各經原文，說明各經脈證之現象，及其所以然？處方的法則？效不效之故？

註釋者如能根據自己的治療經驗，現代的新學識註釋，又凡穿鑿之註釋，架空的理論，概不錄入，其造福初學中醫者，眞不淺尠！

第六民間單方 民間有許多草頭樹根，治病效如桴鼓。比較君臣藥收更效快，而且經濟。我們要設法使凡有此經驗方者公開出來，分類編輯爲書，給大家採用。其辦法：（

一採取該藥之標本，倩精繪事者繪出或攝影。

二查出該藥屬何科，何類。

三請化學師分析該藥所含之有效成分。

四、詳述該藥治病之效捨能，主治之病症。

五、詳述該藥之用法。精究其製劑法，使可爲丸，爲散，爲注射劑。

六、詳述治愈之一二病例。

上述六項，我認爲中醫生命之所寄托，值得用精神研究之整理。此外如內經，難經，醫學史，名人傳，各大家文集，各大家醫案……等，可擇印刷精良，文字無脫漏錯誤者，供診餘參考，無庸一一整理。鄙見如是，未曉醫界前輩亦以爲然否？如承指教，不勝感盼！

中華民國卅一年九月卅日寫於龍川老隆科學鍼灸醫學院

專著

傷寒論新論

姜春華撰述

本書爲近代學者姜春華先生主教上海新中國醫學院之宿構，傷寒論在中國醫學史上之歷史與價值，批有定評，無須縷述，顧於科學學理之解釋，尚未參諧，姜君根據現代科學原理，用淺顯生動之文筆，逐條加以注釋，啓導後學，爲進修之徑，誠一代傑作也。

廣東醫藥旬刊吳寄昌君催索本書刊登甚亟，故特徵求姜君同意，錄出郵奉，以慰華南讀者。本書現由原著者重加增訂，列爲現代中醫函授學校講義之一，讀者如欲得更完善之理論時，請加入該校可也。

——中國醫藥月刊主編汪浩權附識

讀法

(一)傷寒論爲漢末著作，其時無現代科學，不能確知病因，以疾病之誘因爲病因，故傷寒之名，僅代表當時疾病之原因，別無他義，不必深求。

(二)傷寒論爲敘述急性傳染病証候之書，其中包含多種急性傳染病，或以爲專論流行性感冒者，此說太武斷。(因古人不能正確認識疾病，自不能如現代著作專論一病，而不涉其他，謂論中包含流行性感冒則可，謂論中無他病則非。)

(三)傷寒論爲仲景之醫案，其當時之記載，完備與否？固不可知，而經抄寫兵火，不無缺損僞奪，晉王叔和編次，亦未必當仲景之舊，後之讀者，對之幾如滿籠亂絲，雖加董理，今亦僅能以藥測證，以證測藥，從藥證上，以識其治療方法。

(四)傷寒論之六經傳變，舊法連篇累牘，使人目迷，無當實際，今從現代醫學以觀之，六經實

（四）為證候羣之代名，傳變實為疾病之變化，一二語可盡，無煩縷述。

（五）傷寒論之方藥，為對證療法，藥物之作用，方劑之配合，現代科學雖尚未能完全解此，然要非舊時色香氣味所可解答。

（六）傷寒論之証候，皆當從現代病理學以求之，既知其真實病理，始識其証候所自，而仲景方藥之作用，亦可因之約畧得其要領。

辨太陽病脉證並治上

（一）太陽之為病，脈浮頭項强痛而惡寒。

傷寒論有太陽，少陽，陽明，太陰、少陰、厥陰諸名稱，此諸名者，乃急性傳染病証候羣之代名也，古人對於疾病不能認識，僅識其証候，集若干之証候，以立一經之名稱，所謂太陽者，即發熱惡寒脉浮頭痛體痛諸証候之代名也。

何以知傷寒為急性傳染病乎？因古人見多數感冒之後，而患發熱之病，夫發熱之病，為急性傳染病首發之証候，古人對於急性傳染病不能辨其屬性，惟見其多發於感寒之後，故以傷寒為名，其有不因於感寒，而其病又不在冬季者，則即以其時間名其病曰「春溫」。曰：「熱病」。惟仍以其病原為寒，意想其潛伏於人體而發作耳！傷寒論自序云：『余宗族素多，向餘二百，建安紀年以來，猶未十稔，其死亡者三分有二，傷寒十居其七。』由此觀之，若非急性傳染病，其死亡何得如是之速，又且傷寒論全書所記証狀，皆為急性傳染病之証候乎。

南海譚次仲云：『傷寒論之六經証候與流行性感冒核之，幾完全相符』。張子鶴云：『傷寒論為論流行性感冒之專書』。夫古人對於疾病屬性難明，專視証候，故常不免混數種疾病為一種，或以一種病分而為數種，在傷寒論中，容有流行性感冒之存在，謂為專論流行性感冒則不可也。

太陽病名稱之意義，以現代醫學觀之，既爲急性傳染病證候羣之代名，其中尙有三種意義焉，其最主要之証候，如爲發熱，發熱乃全身証候，故太陽病第一種含義爲全身証候也，太陽病既爲急性傳染病初起之全身証候，故太陽病第二種含義爲急性傳染病初期証也，（或以爲太陽病即前驅証，其說非是，前驅在新醫學上乃指倦怠不舒而言，非指發熱身疼，倘發熱而身疼，則謂之初期証，不謂前驅証也）。太陽病之發熱，既爲全身証候，又爲時發熱，時發熱即時時發熱無休續之謂，無休續之發熱，即稽留性熱，（相當之高熱連續若干日，早晚變化甚少，相差在一度以內者，謂之稽留熱。）故第三種含義爲稽留性熱。

吾人欲知急性傳染病之何以有發熱証狀，當先知體溫之產生與何以有常溫與變態之故，此而不明，則不能明傷寒論之發熱証狀，夫溫血動物各能保持固有體溫者，即因在一定溫度中生理現象爲維持體溫平衡而起，亦無不可。

人類爲最高等溫血動物，對於體溫之調節最能注意，人類平常溫度，因年齡而不同，兒童稍高，成人稍低，成人常溫度約在攝氏體溫計三十六度五分至八分之間，一日之中，早低晚高，相差不出五分，所謂發熱即體溫超過平溫而升高之現象，發熱在三十七度至三十八度之間，謂之微熱，若四十度左右即是高熱。

若將人體常溫與空氣之溫度相較，後者恒稍低，吾人體溫常由體表被周圍空氣奪去，且呼吸時吸入冷空氣，呼出熱空氣，故體內溫熱常向周圍空氣中放散人體生理現象，始終運行不絕，心臟不斷搏動，呼吸不停，消化器亦連續活動，加以肉體運動時之肌肉動作，凡此諸動作之結果，皆能成溫熱，體內產生之熱與周圍散熱程度若相當，則體溫即爲平溫，若外氣轉冷，體內溫度由體表與呼氣而放散多量於周圍空氣中時，則體溫即不免低降，於是體內乃產生更多體溫，若體內溫熱忽被周圍奪去甚多，體內因迅速產熱之故，即發生惡寒戰慄現象，此外皮膚血管，亦忽收縮，使皮膚呈蒼白色，以免體溫爲寒冷外氣所奪，同時皮面亦緊張而發生雞皮、若體內產熱過多，欲使溫熱速向周圍放散，則皮膚表面血管全部擴張，皮膚呈紅色，又因皮膚表面放散，水蒸氣尙不足，故汗腺亦特加興奮，流出大汗，以助散熱，在散熱之時，呼吸次數亦增加，同時將溫暖空氣上水蒸氣格外呼出甚多，如上所述，溫血動物常使體溫維持平衡，此種調節體溫作用，由於腦內溫熱中樞所主宰，溫熱中樞呈常態時，常態保持平溫，在患傳染病時，體溫中樞受病菌毒素，或毒素產物之作用，而生變態，則體溫多由平溫轉爲高溫，即成發熱狀態。

發熱有急性與慢性之別，急性者即驟然迅速發生之謂，高熱發生最速之時，有所謂惡寒戰慄現象，渾身戰抖，牙齒相鬥，皮膚發生鷄皮，最初感覺寒冷，繼即高熱，此種熱型在急性肺炎與瘧疾病者，常見迅速發熱，體溫增高之時，則溫熱向周圍放散之程度亦增加，故病人感覺寒冷，因欲阻止散熱，故皮膚血管收縮，身體面部均現蒼白之色，而生雞皮，此體溫被周圍所奪之結果，各部肌肉因欲補充溫熱，乃由反射作用而起特別震動（戰慄），以使溫熱增加，至熱的發生與放散至平衡狀態時，惡寒與戰慄始見消滅，而病人亦覺熱燥。

慢性發熱爲每天增加之熱，患者每日增加至一星期左右，達四十度上下，在此種情形之下，病人只覺身體不適，而不覺發熱，既無惡寒更無戰慄此種發熱在腸熱病人，最所恆見。在急性與慢性之間，尙有次急性發熱，病人只覺畏冷，即只有惡寒，而無發熱耳。

發熱症猶有種種程度，第一即所謂熱感，有熱之時，全身覺熱，其次爲全身倦怠，渾身感覺不舒。在發熱之時，大都有頭痛，頭痛之程度，因病人之個性與發熱之原因而不同，有時身體亦生感痛，消化機能普通皆感衰弱，故食慾減退，口渴喉乾，此乃由於身有高熱，身表發散水蒸氣增加而生此反應現象之故。

頭痛亦爲症狀之一，非獨立之疾病，所謂頭痛者，於臨床上乃指頭蓋內及由頭髮發生部達項肩境界區域內所生之壓迫，牽引破裂緊張等感覺而言，其發生原因程度及預後等，千差萬別，熱病時時頭痛，多由於病毒素或便秘時之腐敗物，由腸管吸收或腎藏炎時，貯留於體內之尿素發揮化學之刺激而生之痛感也。頭痛爲發熱時均有之証候，若前額特別痛者，有腸熱症之疑，後頭痛者多爲腦膜炎之初期，他如流行性感冒，丹毒，敗血病，癰疾病或併發腦膜炎時，皆有劇烈之頭痛。

脉浮者，言撓骨動脉之易觸得也，此脉常在發汗期，然亦有不浮者，未可概論。

（二）太陽病，發熱汗出，惡風脉緩者，名爲中風。

古人以汗出惡風爲中風，無汗脉緊爲傷寒，此系因証立名，以便用藥之故，太陽病本爲另一證候羣名，今又拆之爲二，（尚有風溫等分名）學者對於此等名稱，不必深求其故

高熱分利期間，多大汗出者，乃因甚多之溫熱，欲於一時散盡，故非大汗不可，但本條未可執爲分利期之汗出，因汗出及惡風與否，往往視病者之體質氣候環境，疾病屬性而異也。

惡風者，病人見風而有寒感也，無風之時，卽不感寒，病者在身熱汗出之時，往往有此感覺。

緩脈之緩字爲形容詞，其義爲緩和與緊急相對。

（三）太陽病或已發熱，或未發熱，必惡寒體痛嘔逆，脈陰陽俱緊者，名爲傷寒。

發熱証狀爲自覺証候，當體溫逐漸增高之際，病人無惡寒感覺，倘爲次急性高熱，則有惡寒感覺。

體痛亦爲急性傳染病常有之証候。

嘔逆因延髓中嘔吐中樞之興奮而生，多見於初期高熱之時，如出血性黃疸病，急性肺炎，百日欬，猩紅熱，腸窒扶斯，流行性感冒，白喉，腦膜炎，虎列拉，疫痢等。

脈陰陽俱緊，陰陽二字不必究，（浩權按：關於中醫術語上之陰陽，欲知詳細之解釋時，請參閱原著者中醫基礎學說概論有章可也。）所謂緊即緊急之意義，與緩和相對。

太陽病中風和傷寒之分別如下：

太陽病
- 中風——惡風，脈緩，汗出。
- 傷寒——惡寒，脈緊，汗不出。

——待續——

報導

中醫之光

——衛生署特保工作最優人員三人。我中醫佔一人：——

（重慶航訊）衛生署最近特保該署卅一年度工作最優人員，共計三人。一為防疫處處長容啓榮。一為總務處科長白由道，一為中醫委員會專員高德明，業經總裁親予召見，備加勗勉。査高專員前畢業浙江中醫專科學校及中央國醫館特別研究班，於中西醫學造詣均深，並精研法律。在衛生署服務已達六年，現兼任該署法規審議委員會委員及陪都中醫內科治療所副所長，工作極為繁重。此次獲選，實非偶然。於此亦可見中醫參加衛生行政，不特極為可能，抑且頗足勝任愉快也。

衛生署委託籌辦陪都中醫內科治療所

衛生署為促進中醫科學化並提高醫療效率起見，特委託中國醫藥教育社在重慶市區籌設陪都中醫內科治療所，並令派衛生署中醫委員會專員高德明氏兼任該所副所長，俾便協導進行。現聞中國醫藥教育社已積極籌備，所長由該社理事長陳郁兼任，醫師亦經聘定，均係國內名手，計有張簡齋、陳遜齋、高德明、張錫君、[illegible]世安、邱嘯天、胡書城等二十餘人，大約六月中旬，即可正式開診云。

霍亂（一）

梁乃津

第一章 霍亂之沿革及其名義

國醫自來所謂霍亂，不止西醫虎列拉（cholera）一病。今日談虎色變死亡接踵之虎列拉，在吾國起自何時，尚屬問題，據西醫余雲岫先生研究，以為虎列拉在中國流行之記載始自嘉道之間，其言曰：「數千年來我國之所謂霍亂者，皆今日吾輩之所謂類霍亂，即夏日之急性胃腸炎，非由弓形菌而起之流行性霍亂也。即吊脚癟螺之名，亦屬後起。松峯說疫，有陶瘀脹，成於康熙乾隆之間，收載俗名，至詳且盡，尚無此也。據西人之調查，流行性霍亂之發源地在印度恒河下流三角之地，蓋前古已有記載，而其大流行於世界第一次在一千八百十六年至二十三年，第二次在一千八百二十六至三十七年。以吾國紀年計之，第一次世界大流行在前清嘉慶二十一年至道光三年，第二次世界大流行在道光十七年。王氏霍亂論成於道光十八年，而諸葛之序云：「近行時疫，俗有呼為吊脚痧之症，古書未載，舉世認為奇病」。可知此症入吾國尚未久也。又云「今人一聞吊脚之說，遂茫然而指，而不知其即是轉筋霍亂」。則是流行猛烈之弓形菌吐瀉病。附會之以古書霍亂之名。其自王孟英始乎？故吾以為流行霍亂之入吾國，或竟在第一次世界大流行之後。而王氏霍亂論之成。則在第二次世界大流行之末年也。前乎此者。舊籍之所謂霍亂，皆夏秋急性胃腸炎，無傳染之性，發病不過數人，無滅村磨城之慘，即中於飲食，罹之者惟同爨之輩，共席之客而已。不幸而死者，亦不過十之一二，非如今日之霍亂，有燎原滔天之勢，且殺人如麻也。是嘉慶以前之霍亂，與道光以後之流行霍亂，原因不同。道光以後之流行霍亂，乃自黃帝以至嘉淺，中土醫家所未曾夢見者也。」（霍亂沿革說略余氏醫述頁九一—九四）今案：余先生之言頗嫌傷於武斷，謝誦穆先生曰：「中醫病名，時有變革，吊腳痧係後起之民間俗名，即古書之轉稱，不得以未見於古書遂謂古無是病，中國與印度自後漢佛教輸入後，兩國交頻繁，而中印貿易亦交往不絕，安知此病不在嘉道以前早經流染於我國，嘉道時古書載有是病，祇能證明是時有是病，絕不能證明前此無是病，余氏云：「今之所謂霍亂，非古之所謂霍亂也。今之所謂霍亂，其原因爲弓形菌，其病爲傳染性，其特證爲無痛之吐瀉，爲吐瀉物如米泔水，古無有也。自內經著霍亂吐下之文，（原註：素問六元正紀大論氣交變大論靈樞經脈篇等）而有身熱之候（六元正紀大論：熱至則身熱吐下霍亂）知其非今日流行之霍亂，今日流行之霍亂，則肌肉多厥冷也。仲景傷寒論亦有發熱頭痛之文，知其亦非流行之霍亂，巢氏病源候論則云：發則心腹絞痛，千金叙證亦有心腹痛欲熱之言，惟四逆四順湯下，稍近今之霍亂，以其無腹痛明文也。然其竹葉湯證治曰已服理中四順等湯，熱不解者，則知四順湯下之霍亂有熱候也。外臺於霍亂吐利之外，又有霍亂吐利之目，知前者但吐利而無腹痛，然外臺有時行之病，今霍亂不入時行，其非流行之疫可知，非今之霍亂亦可知矣」。案：余氏謂霍亂之特證爲無痛之吐利，爲吐瀉物如米泔水，然古書所記霍亂多雜有急性胃腸炎，急性胃腸炎有腹痛，腹痛爲易使人注意之證候，不腹痛者，其病隱不易使人注意，兩病大致相類，古書記其顯著者，安知不腹痛之眞霍亂不在其中耶。古書記載症狀多失之簡畧，不若近世醫書描摹證狀之詳細，故不言吐瀉物如米泔水，亦不足以決古無是病也。余氏謂霍亂無身熱，有身熱者非霍亂。考章餘杭（太炎）云：「按本論問曰：「病發熱頭痛身疼惡寒吐利者，此屬何病？答曰：此名霍亂，霍亂吐下，又利止，復更發熱也」。即知發熱頭痛身疼在吐利斷後非與同時」。眞霍亂吐利後，往往有熱，此不足異。至素問陰陽大論謂不遠熱而熱至身熱吐利霍亂，其病非霍亂，乃時行吐利，（急性胃腸炎）則章餘杭亦嘗言之矣。外臺於霍亂吐利之外，又有霍亂腹痛吐利之目，知前者但吐利而無腹痛，此眞霍亂也。余氏乃以不入時行疑之，考外臺所載，傳染病，多有不入時行者，亦不足以爲病也」。津案：國醫無細菌學診斷，證候相似之數病，常相混爲一談，一病之證候不同者，亦常分爲數病，此不足諱言，其分類法根本與西醫從細菌學出發者大異。任執一病以細菌學分類法衡之國醫古籍記載，求其同者絕無有。反之，執國醫古書所記之一病而衡之以今日細菌學證明之某一病，亦難得吻合者。必如余氏之言，諸傳染病中除痢疾瘧疾皆有明白特殊證狀可稽者外，（其實痢瘧兩名，國醫與西醫之含義已有不同）。國醫古籍對諸種重要傳染病，幾無一有所論述，其然豈其然？

霍亂之名，吾國記載由來甚久，其含義自與虎列拉不能盡同，今日之虎列拉，包入古書之所謂霍亂，則無疑義，國醫霍亂之舊定義，傷寒論云：「病有霍亂者何？答曰：嘔吐而利，名曰霍亂」。質言之，凡有『嘔吐而利』之病，均名之曰霍亂，急性胃腸炎有嘔吐而利，虎列拉亦有嘔吐而利，故皆名霍亂。今日吾人已知急性胃腸炎與虎列拉實爲兩病，勉强爲之譯成中醫原來病名，則可以急性胃腸炎曰類霍亂，虎列拉爲眞霍亂，於名實較爲無病。

霍亂命名之義，巢源謂揮霍之間，便知繚亂，日本丹波元簡傷寒論輯義云：「文選蜀都賦：「翕響揮霍」。劉曰：「奄忽之間也」。濟曰：「沸亂貌」文賦「紛紜揮霍」善曰：「揮霍亂貌」唐惠琳藏經音義云：「[illegible]霍呼郭反」。按「霍倏忽疾之貌，霍然忽霍皆是也。又霍然倏忽速疾之貌也。……由是考之，大約是倏忽間吐瀉擾亂之意」。觀此則倏忽間吐瀉擾亂之病，是以名之曰霍亂，虎列拉爲倏忽吐利之病。王孟英縱眞首先謂虎列拉爲霍亂，安得謂之爲附會？

又案：余氏謂嘉道以前無眞霍亂之記載，亦非是，龔廷賢萬病回春之虎狼病，張璐張氏醫通之番痧病，皆在嘉道開世界第一次大流行眞性霍亂之前，所述證狀，至少有一大部份爲虎列拉無疑，余氏殆不深考耳！

又案：印度前古虎列拉發源地爲恒河不流，其地密接越南。與我國西南諸省相距不遠，中印交通至少漢時已大開（有人主張前古時中印交通已開，確定何時則尚無定論。上文謝氏謂中印交通起自後漢，不可信。薛愈「漢明帝時始有佛法」亦未是。參看梁啓超佛教之輸入）番僧冉入，難免携帶病菌，我國發生眞性霍亂，比世界第一次大流行較早，乃極自然之事，可信之程度反較強，惜書缺有間，頗難明定起於何代也。

於此可得一結論曰：霍亂乃揮霍間便致繚亂之謂，國醫所稱霍亂病，包括有嘔吐而利之一切病言，急性胃腸炎與虎列拉均屬之。虎列拉爲音譯病名，必欲就國醫原有病名中尋一意譯，則以急性胃腸炎名曰類霍亂，虎列拉名曰眞霍亂，我國虎列拉之發生始於何時，文獻不足，尙難絕對確定，是病在前古時於印度恒河下流之地發作甚烈，其地密近我國西南諸省，至少在漢以來中印交通已大開，番僧傳播，自屬難免，龔氏萬病回春作於明萬曆間，所載虎狼病至少有一大部分甚至全部爲今日之虎列拉，可疑之點甚少，是眞性霍亂之流行於我國，必在世界第一次大流行前，余氏謂嘉道以前不見國醫記載之說，不能成立。

本篇討論之範圍，以眞性霍亂爲主，卽以弓形菌所致之虎列拉爲主。若急性胃腸炎，國醫雖亦名霍亂。（一部分之急性胃腸炎國醫亦不名霍亂）。治療較易，預後較良。且不屬急性傳染病範圍，容於他篇討論之。

—待續—

診餘吟草

春雨寄懷三立連州（三十年舊作）

吳枕戈

兼旬春雨釀春寒。隔歲懷君到筆端。喜見萬行桃李笑。懸知雙照淚痕乾。蘸燈細味來書意。止酒翻憐得句難。正有亂離多少事。歎風吹夢語平安。

附見和原唱

吳三立

近月淫霖更苦寒。閉門枯坐思千端。書來正嘆雨無正。簷溜眞同涕不乾。越燕差池春事晚。吳蠶惆悵會期難。烽烟又報南疆亟。誰得高眠一枕安。

止利劑

楊則民

（一）止利劑之種類

凡腸管排洩次數多於平時者，爲下利，患下利者，因排泄迅速，營養分不及吸收，每易衰弱，迭次更衣，尤感痛苦，因而用藥制止者，曰止利劑。

止利劑有三：着目於全身症狀者，曰「全身療法」，着目於疾病原因者，曰：「原因療法」，着目於腸管局部者，曰：「局部療法」，三者之注意點不同，而用之得當，其奏效一也，全身療法者，一曰：「汗法」，如傷寒論云：「太陽與陽明合病，必自下利，葛根湯主之。」及後世以人參敗毒散治痢疾初起發熱者是。二曰：「利尿法」，如寶鑑之對金飲子，（平胃散、五苓散合方）丹溪之四苓散加蒼朮，濟生之加味五苓散，（五苓加車前）宣明之益痢散（車前單味），皆治下利有效者也。三曰「強壯法」，如傷寒論以理中湯治下利食不下，以四逆湯治下痢清穀不止，及局方之參苓白朮散，選奇方之附子倉米等，皆用參附芪朮等強壯全身以止利者是也。四曰：「健胃法」，如經驗良方之如神散，用芳香苦味劑，（香附、陳皮、神曲、麥芽、豆蔻、蒼，烏藥、甘草）直指方之雞舌香散，用辛辣健胃劑（良羌、辣桂、香附、益智仁、烏藥、甘草）皆屬之。

原因療法者，視病因之如何而定，如仲景之甘草粉蜜湯治蛔虫痢，是以粉霜殺虫也，聖濟以鉛丹丸，輕紅丸治痢疾，是以砒殺菌也，宣明方以輕粉治痢，用之尤多，此皆殺痢疾病原菌或原虫也，（按梅毒痢當然可用）小兒疳痢（寄生虫痢與腸結核痢，易分辨）前人每用殺虫藥與之者，正原因療法之謂，若腸內容腐敗，或食物過多而下利者，則與消導劑，如山查，麥芽，神曲之類是，因宿便積滯，腸受刺激而下利者，則與通下劑，此亦原因療法也。

以上二類，雖有止痢之功，然嚴格言之，終不得稱止痢劑，眞正之止利，宜屬於局部療法，茲於下章詳述之：

（二）止利劑之局部的運用

止利劑之作用，不外三者：

1.靜止腸管蠕動：無論急慢性下利，其腸之蠕動必比平時增速，而以神經性下利爲尤甚，若能靜止腸管，則其利自止，爲是目的而應用者，曰：『鎮靜劑』，如阿片、罌粟壳、莨菪、訶子、檳榔，皆具有此作用者也。

2.維護腸粘膜：下利膿血者，腸粘膜面有潰瘍，而以五倍子、石榴皮、藕節等，得以治之，此等藥物，經近人化驗，具有鞣酸。西人謂鞣酸之於腸管，能一面腐蝕粘膜之潰瘍，一面再能與粘膜結合，造成膠樣體，而作保護潰瘍面，如是，則腸粘膜之潰瘍愈而膿血止，腸神經不再受潰瘍刺戟而蠕動減少而下利可止矣？又白龍骨、代赭石、禹餘糧亦古人止利之藥，近人化驗爲鈣及酸化鐵類，是其有止血防腐作用也，而烏梅亦有腐蝕收斂作用，且具有毒性，能阻止細菌之繁殖亦屬之，故此等藥物，得曰收斂劑。

3.制止腐敗發酵：下利每有糞便奇臭腹脹滿而雷鳴者，此腐敗發酵之徵也，爲是而應用之藥物，可分爲三類，一曰：『行氣劑』，如木香、砂仁、枳壳、厚朴、青皮之芳香藥是。二曰：『吸着劑』，如伏龍肝、赤石脂、白石脂與各種獸炭木炭百草霜釜底墨等諸炭劑是也。

諸陶土與炭劑，前人用以止利，每有奇效，其所以奏效之功，經近人研究而大明，蓋利用陶土與炭（須研細用）之微細粘子，以吸收比自體更爲微小的分子於自體周圍內，陶土獸炭木炭等有此非常優秀之作用，故能吸收腐敗性或有毒性物質，（例如置木炭于濕地，即發生臭氣，因善吸收故也。）吾人利用其內服，使吸收腸內腐敗性物質，令其不得發揮毒性，而下利可自止矣。芳香性行氣藥，有效於止利者，因此等藥物，一面可促進腐敗，瓦斯之排洩，一面又有中止腐敗之功，如是腸神經可不再受此種毒性瓦斯之刺戟，而下利自減矣。

以上皆國醫止利有效之劑。然止利之劑，尚有各種針對局部症狀之副藥在，似不可不於此一詳究之。

（三）止利劑之輔佐劑

用鎮靜收斂制酵等等止利劑而利仍不止者，當治隨伴下利而起之兼症，如腹痛後重，肛門灼痛，洩出膿血等皆屬之，輔佐劑者與止利劑合用，以兼治此等症狀，使止利劑更奏捷效者也，此等症狀有一未除，即足引起復發，是爲吾人習見之事，輔佐藥之重要有如是者，此屬藥物，大抵可分爲五：

1.消炎劑：不論泄瀉與痢疾，腸內面皆起炎症充血之象，若不能消其炎症，下痢即難制止，肛門灼痛必不能除，而黃芩黃連白頭翁等實有此作用者。

2.排膿劑：痢疾因腸粘膜潰瘍，無不下利膿液粘汁，若不設法排除，潰瘍面遂以日大，時人以桔梗枳實（即仲景排膿散去芍藥）貝母治之，爲排膿也。

3.緩痛劑：下利頻數，腸神經受刺激而痙攣則腹痛，直腹筋因受刺戟而痙攣，則腹皮攣急，亦腹痛，而芍藥得以除之，木香沉香肉桂亦得以治之，皆緩痛之謂也。

4.行氣劑：痢疾泄瀉皆有後重，（泄瀉無是者亦有之）之患此直腸感覺過敏，受粘液物的刺激而起，木香檳榔諸行氣藥能緩解之。

5.興奮劑：下利日久病毒已盡，而利猶未止者，爲腸管麻痺弛緩之徵，（故稱滑脫）宜用附子乾姜破故紙巴戟天等興奮之。

（四）止利劑之適應証

失止利非難，難在用之適當，若不當止而止之，豈祇無效，抑其害亦有不可勝道者，如誤服下劑而起之瀉藥性下利，宜用强壯劑，（如理中湯等）因食未熟果實或腐敗食物而起之消化不良性下利，與便秘，糞便腐敗分解而起之宿便性下利等，皆宜用下劑，驅虫蟯虫等而起之寄生蟲性下利，宜用驅蟲劑，腸內發酵消化不良之發酵性下利，宜用健胃止酵劑，因全身衰弱而起之下利，宜用强壯劑，因感冒風寒而起宜下利，宜用發汗劑，因子宮病脊髓癆而起之反射性下利，宜治其本病，因腸弛緩而起之下利，宜用强壯劑，因膽汁分泌減少，腸內容易起腐敗之下利，（糞便奇臭灰白色）宜健胃劑，因胃病而起之下利，宜用健胃劑，因腸梅毒而起之下利，宜驅梅劑，因瘧疾而起之瘧痢，宜制瘧劑，因腸結核而起之下利，宜用强壯劑，因傷寒流行性感冒等而起之下利，與霍亂痢疾而起之下利，宜隨症用諸法治之，凡此皆不得任意用止利劑者也，必俟已用對症療法以後，而利猶未止者，有下列諸條件，方得用止利而無礙。

止利適應症狀，第一可求之腹診，凡腹不滿或雖滿而軟不拒按臍下清冷者，可止利。第二辨時期，已用下劑，汗劑健胃劑等而未止者，及下利日久羸虛弱者，可止利。第三辨糞色，凡糞色淡黃或白，或完穀不化，或如米泔汁，其氣不甚臭者，可止利。第四辨脈微弱無力者，可止利。第五辨病情神經者，可止利，病毒微弱者，可止利，如是而已。

（五）止利劑之處方

國醫用藥，例用複味，良以病情複雜，難以一味奏效也，止利亦然，皆與其他配合用之，例如：

（一）以鎮靜腸蠕動為目的者，外台引必效方，以莨菪與豬油治疳痢，聖濟天仙子丸以天仙子（即莨菪）訶子與橘皮，乾姜治水瀉，又萬靈湯以罌粟殼與甘草治泄瀉，三因方之斷痢湯，以罌粟殼與蒼朮甘草肉果治下痢赤白，葯氏之固腸湯，局方之眞人養臟湯，皆用罌粟殼者，王肯堂謂罌粟殼，治痢如神，正以其有痲痺腸神經之功，與莨菪同也。（按：古之罌粟殼未經割取阿片汁，故用之有效，今葯肆出售之殼，既經割取有效成分，不如改用阿片末，用量成人生末半分熟末一份。）至訶子，聖濟有獨味訶勒丸治痢，而檳榔治痢，更爲人所習用，皆與其他各劑合用之。

（二）以維護腸粘膜爲目的者，如聖濟之黃連散四白散無食子散地榆丸，皆以五倍子（即沒食子）爲要葯，合其他用之以治痢，千金方擣石榴汁，外台醋石榴皮散，神濟黑神散，肘後石榴皮，皆單味治痢，此因二葯含有鞣酸之作用也，至代赭禹餘糧之鐵劑，龍骨牡蠣之鈣劑，用於止利尤所常見，無俟舉例矣。

（三）以制止腐敗發酵爲目的者，陶土劑，如外台引崔氏療水利方，以白赤石脂與乾姜用之，聖濟訶棃勒丸，以赤白脂與訶子，龍骨乾姜治腸滑不禁，至仲景之桃花散赤石脂禹餘糧湯治下利，亦皆利用陶土之吸着作用也，伏龍肝爲黃土，止利有效，自然不外吸着作用也，外台引廣濟黃連丸，聖濟之伏龍肝丸，三物黃連丸，千金又有伏龍肝丸，皆治下利洞洩，至於炭劑，近人試驗結果，均謂木炭不及獸炭，千金方少小下痢篇用鯉魚骨灰，牛骨髓灰，羊骨灰，狗骨灰，（古方之炭實爲燒存性之炭）皆以單味治之，實獸炭也，後世別取百草霜，釜底墨代用之，其奏效不能確實矣。（亂髮灰較有作用）

總之，下利病情既診斷確實，適用於止利劑時，用葯以簡單爲捷，如傷寒外台千金之處方可見矣，如病情複雜，未易確實診斷時，則或合強壯劑，或合消炎劑，或合排膿劑……用之，而鎮靜與收歛合用，收歛與制酸合用，或三者合用，可隨症適量用之，不能拘也

—本節完—

婦科新論（二）

楊子鈞

第二節　妊娠腹痛腰痠

妊娠腹痛，而胎不動，其病不過因食滯，或胃腸寒，或血虛氣滯，是爲母患，尚未及胎，其勢輕，若腹痛而胎動甚，則漏紅，爲母病及子，其勢重，若胎漏腹痛，引腰腰痛不支，爲胎系不固，其勢尤重，常有流產之虞，然虛實不同，病消萬變，此不過言其大者淺者而已。

血虛　婦人懷娠，腹中㽲痛者，當歸芍藥散主之。（金匱）

按『妊娠腹中痛，爲胞阻，膠艾湯主之。』其主治與本條似同實異，蓋彼方有地黃，阿膠，艾葉，於腹痛胎動而致於出血，甚爲有效，此方則有苓朮澤瀉，是於弛緩腹節痙攣外，兼能治胃腸停水，（有眩冒心下悸等自覺證）以此爲例。

子臟寒　婦人妊娠六七月，脈弦發熱，其胎愈脹，腹痛惡寒者，小腹如扇，所以然者，子藏開故也，當以附子湯溫其臟。（金匱）

按　痛而胎脹，此或由於胃腸寒，及子宮虛冷所致，子宮虛冷，易言之，即所謂腎陽虛，腎陽虛則生理燃燒遲緩，水份積儲增多，水分多故覺胎脹，胎脹亦即腹部有膨滿之感覺是也。腸胃寒則腸蠕動亢盛，腸蠕動亢盛則神經上就感覺作痛，故腹痛也。一面因燃燒緩慢，體溫不能外達而惡寒也。小腹如扇者，尾台榕堂氏云：扇扉也，正字通曰：戶之開闔，猶如鳥羽之翕張，故從戶從羽，今驗之，妊娠六七月間，小腹時時縮張，而爲痛者，多發熱惡寒，小便不利，若撰用附子湯，則小便快利，脹痛即差，（按金匱原方失註，諸家俱以爲傷寒論中附子合參苓朮芍之附子湯耳。）

忿怒食鬱　妊娠四五月後，每常胸腹間氣刺滿痛或腸鳴，以致嘔逆減食，此由忿怒憂思過度，飲食失節所致，蔡元度寵人有子，夫人怒欲逐之，遂成此病，醫官王師復處以木香散，（莪朮木香，丁香，甘草）鹽湯下三服而愈。（大全良方）

按此條大概屬於神經性胃病之一，蓋憂愁鬱怒，足以刺激交感神經，而神經受刺戟則消化爲之阻滯，甚則上逆而嘔，最近美國生理學教授卡農氏證明憂懼忿怒時，雖納食，胃液不分泌，腸壁不蠕動，故足以障礙消化云，師復立此方，以莪朮健胃化積，以丁香，木香調氣止嘔，甘草緩其急廹，可謂恰在彀中。

生冷傷脾　凡妊娠胎冷腹脹，兩脇虛鳴，臍下疼痛欲瀉，小便頻數，大便虛滑，皆由胎已成形，而多食瓜果生冷之物，或當風取凉，受不時之氣致令胎冷，皮毛刺痛，節骨拘緊急，宜安胎和氣飲治之。（女科秘訣）

按脾指胃腸吸收作用而言，凡過食生冷，均能使腹腸吸收障礙，而成瀉利，兒食物異常，每易腐敗發酵，而生瓦斯，故腸鳴，刺激腸壁，故腹痛也。治法宜溫胃止瀉，以助吸收，而芳香之劑不足以制止食物之腐敗故也。

又妊娠腰痛最爲緊要，蓋腰爲腎之府，故腰痠急痛爲妊家大忌，痛甚則墮，不可不預防也，然痛必有因，治之宜審其源，或因勞傷其經，宜小品苧根湯。或因挫閃氣滯，宜通氣散，或因腎元虛損，宜青娥丸。若血虛蔭胎，無以養腎，以致腎虧腰痛，宜猪腎丸。通治胎動腰痛，宜千金保孕丸。（女科秘訣）

按（素問脈要精微）腰者腎之府，轉搖不能，腎將憊矣。（標本病傳論）腎病少腹腰脊痛䯒痠。（千金腎臟脈論）腎病發者，令人悽悽然腰脊痛宛轉，凡此皆指副腎分泌機能衰減而言，故宜滋養強壯劑，若偶因閃挫而脈供實氣者，則又非所宜。

醫案舉例

一婦受孕後，時常腰痛，延至四五個月，其痛尤甚，舉發靡甯時，召余脈之，脈虛弦數微濇，此血虛氣滯不能運化以養胎也，投以香砂四物湯，三劑而痛減，後以黑逍遙散（逍遙散加生地）加木香，香附，四劑而安。（女科醫案）

汪石山治一婦懷妊八月，嘗病腰痛不能轉側，大便燥結，醫用人參等補劑，痛益加，用硝黃通利之藥，燥結雖行，而痛如故，汪診之脈稍洪近駃曰此血熱血滯也，投以四物湯加木香，乳香，黃柏，麻仁，服四五劑，痛勢減而燥結潤，復加發熱面赤，或時惡寒，此熱化滯行，邪從外泄也，仍以前方去乳香，黃柏，加柴胡，黃芩，一劑而寒熱除，又背心覺寒，腹痛復作，汪診脈，已平和近軟，此熱滯去而元氣虛，不能衛外以守中也，於前方去黃芩加人參，三劑而諸症悉退，胎孕全安。

徐悔堂云：秣陵馮學園之內，久患痞痛，每發自臍間，策策動，未幾徧行腹中，疼不可忍，頻年醫治不一，其人而持論各異，外貼膏藥，內服湯丸，攻溫清涼，備嘗不效，病已瀕危，謝絕醫藥，迨半月後，病勢稍減，兩月後，飲食如常，而向之策策動者，日覺其長，馴至滿腹，又疑其鼓也，復為醫治，亦不能愈，如是者又三年，忽一日腹痛幾死，旋產一男，母子無恙，而腹痞消，計自初病至產，蓋已九年餘矣，此等異證，雖不恆見，然為醫者，不可不知也。（濳齋女科輯要）

按此婦大概體氣充實，否則九年之久，不死於病，亦當死於藥，又何能懷孕至九年後而安產乎，是誠出乎妊娠常態者也。

附方

（1）當歸芍藥散　治妊娠腹中疼痛。

當歸（三兩）芍藥（一斤）茯苓（四兩）白朮（四兩）澤瀉（半斤）川芎（三兩）

（2）附子湯　治妊娠腹痛惡寒，小腹如扇。

附子（二枚炮）　茯苓　芍藥（各三兩）　白朮（四兩）　人參（二兩）

（3）安胎和氣飲　治胎冷腹痛欲瀉。

訶子『煨』　白朮『各一兩』　白芍　橘紅　木香『各三錢』　良薑『二錢』　炙草『三錢』　生薑『二片』　陳皮『一撮』　或加丁香『五分』以去瓜果之積。

（4）小品苧根湯　治妊娠勞傷腰痛。

生地黃　苧根『各二兩』　當歸　白芍　阿膠　甘草『各一兩』

（5）通氣散　治挫閃氣滯腰痛。

補骨脂『瓦上炒香為末』　先嚼胡桃『一個』，後以溫酒調服『三錢』，空心服。

（6）青娥丸　治腎元虛損腰痛。

補骨脂『炒』　杜仲『炒各四兩』　胡桃肉『三十枚研』　蜜丸酒下『四錢』

（7）豬腎丸　治腎虧腰痛。

豬腰子　一對劈開四片，去油膜，納薑製杜仲於內，合住綁紮，隔水蒸熟焙乾，入青鹽『三錢』　共研末蜜丸。

（8）千金保孕丸　治妊婦腰背痠痛，善於小產，服此可免墮胎之患，

續斷『四兩』、杜仲『八兩』　山藥糊為丸。

——待續——

正誤

本刊上期瘧疾專號內，梁乃津君所著『瘧疾之中西療法及其評價』一文中，第十三頁十八行之（蘇合，香安，息香，）實為（蘇合香，安息香，）之標點所誤。因讀者質疑，特此補正。

——編者——

肺癆病自療法

南海　譚次仲著

肺癆病胡爲乎來，皆由人民教育未普及，缺乏預防肺癆之常識，衛生建設未周密，復疏撲滅肺癆之罟網，用是肺癆菌之猖獗，遂與日俱增，此爲主要原因。再加以抗戰期中，遷徙流離，亡產失業，個人蒙受精神上之痛苦，與物質上營養之缺乏，平時雖擁有強健體魄，所藉以抵抗結核菌之唯一武器，多半日就衰弱，物腐而蟲生，益假該菌以侵襲肆虐之機，此爲次要原因。基上二種原因，然則醫學上所稱內外二因備矣。故近年來肺癆症繼長增高，怵心劌目，雖曰時會使然，寸膠不能澄黃河，然拳拳之忠，願就管蠡以介紹方法藥物於肺癆之病者，是則斯篇之所由作歟。因名曰，肺癆病之自療法。

其一爲精神療法

或問肺癆俗稱不治之症者何也？則應之曰，烏，是何言，從古及今，患肺癆得治癒而獲長生者不知其恒河沙數，蓋肺癆症之取良性經過者，病竈周圍之肺結締織新生特盛，將乾酪化物質封鎖，遏止結核菌之散播，病竈狹小者，往往完全治癒。又有因他病而死之屍體，於解剖時發現舊結核病竈瘢痕。以上二例，皆肺癆病之已深而劇者，不無治癒可能，况病之輕淺者乎。大抵發覺愈早者，則治愈之希望亦愈多。故患肺癆之病人，宜有自信心，不可徒事震怖，則病魔之被戰勝而殲滅，當爲期不遠。若心有所恐懼，即影響於病體，爲治愈之障礙。內經不云乎，心者君主之官，神明出焉。又曰心不明則十二官危。此之謂也。（神明出於腦而曰心者，文字上之習慣也。猶之心理學，吾人不能改稱爲腦理學，其例正同。）

其二爲安靜療法

人體臟腑，各有所司，工作之外，必得有休息之機會，實與個人同。及其病也，休息愈要充份。譬若強患病之人以增加工作，甚愚者知其不能。是故胃腸之工作在消化，有病當節飲食。腦之工作在思考，有病當節思慮。皆休息之法也，肺病亦然。肺之工作在呼吸，肺病則當安靜，禁動作，使呼吸減少，肺得休息矣。反之若動作多則呼吸增，呼吸增則肺勞而有害。爲理甚明。且不限於肺癆爲然，一切肺病人、動作過多，亦喘息不止。況癆病於喘促之外，每因此而咯血加多，熱度亦增，是皆有害之例證。故力求安靜，乃癆病人獨一無二之自療法。在醫學言之，不啻天經地義，而又金科玉律也。然則凡賽跑、蹴球、游泳、馳騁、體操、技擊、等劇烈運動，固當嚴禁。卽遠行、急走、登高、舉重、及家庭用力的操作，均屬不宜。而唱曲、吹 、長談、演講、怒罵、高呼、抹牌、吸烟、吸鴉片等，亦足使肺張翕用力，皆與安靜之原則相違背，不可不注意而謹除之。吾之政治家，有以臥治而稱上理者。肺癆病能守絕對的安靜，則長日就褥，吾決其機轉必良好而出意料。此又醫家之臥治，實癆病自療法之最臻上理者也。

其三爲自然療法

吾人生存於大自然界中，凡自然界現象，大都均與吾人以不可分離之密切關係，是故空氣務要新鮮，日光務求充足，二者不獨爲保持健康之要素，實癆病進退之關鍵。蓋凡充足之日光，足使全身血色素增濃，血行活潑。而新鮮的空氣，更足使肺臟養化暢旺，血流良好，所以操癆病治愈之機轉焉。抑肺癆之原因爲結核菌，此菌對日光照曝之抵抗力至弱，不過五分鐘卽被殺滅，然則太陽所到之處，於癆病人居處周圍至有裨益，亦可想見，且二者乃自然界中所自然而有，所謂取之不禁，用之不竭，造物者之無盡藏，唯肺病與癆病之所共適，適者生存，又天演之公例也。自然療法甚多，一言以蔽之曰，戶外生活四字，凡睡眠飲食辦公研讀等，俱在戶外。帳用疏紗，被勿蒙面，則空氣日光，得保持淸潔與充足，願癆病人切勿等閒視之。

（未完）

近世內科學

急性傳染病篇

（甲）總論

蕉嶺 鍾春帆著

一 論病原

傳染病云者，以其病毒能由甲傳乙，一時期一地方成流行之狀之謂也。比卽古人之所謂疫也。至其原因，近代科學研究，謂爲細菌原蟲作祟，事實俱在，信而有徵，已成天經地義，莫可或疑者也。考諸吾國古代，有謂爲鬼神作怪，如陳思王集「建安廿二年疫氣流行，或以爲疫者鬼神所作」是也。其荒誕無稽，不攻自破。及至明朝，吳又可先生於其瘟疫論自序中曰「夫瘟疫之爲病，非風非寒，非暑非濕，乃天地間別有一種異氣所感。」所謂異氣者，吾儕不難想像而知，蓋已發明細菌之朕兆，深佩先生之識見，高出遠古，眞不愧爲名家。誠以斯時科學未明，無顯微鏡，無從察知爲細菌，爲原蟲，於無可如何之際，無以名之，名之曰異氣耳。然則異氣云者，謂爲細菌之代名詞，亦無不可。奈之何後之學者，不循斯道以研求，反走入玄途，五行六氣，天干地支等，搖筆卽來，且謂六氣爲百病之原，時至今日，守舊者流，亦從而和之，不獨出之於其口，且又筆之於其書。噫嘻！國醫安得不式微耶！又安得不受非難耶？夫六氣不得爲傳染病之原因，僅爲誘因之一耳，陸師淵雷於流行病須知已斥其謬妄。茲敬錄如下「流行病者，一時期一地方患同一疾病之謂，此卽古人所謂疫，亦卽西醫所謂傳染也。故流行病有細菌原蟲爲之病原，中醫之守舊者，見四時之流行病年年相似，乃謂病原是六氣，而非細菌。穿鑿者，又謂細菌卽是六氣，著論發刊，徒資笑柄，何則六氣之數不過六，加以錯綜（如寒濕合化，風火合化等）亦不過十數種。而細菌原蟲之已知爲病原者。已六十餘種，傳染病原因未明者，又二十餘種，此其不同者一。細菌原蟲，因消毒預防而疾病減少，或遏止其流行，六氣則無可預防，預防亦無效，室內之寒煖燥濕，在今日甚易以人工任意調節，然其效力，絕不能與消毒預防比，此其不同者二。故細菌與六氣，決非同實而異名，細菌原蟲，可以人工培養，使人畜服之而病。彼守舊之中醫，能以六氣使人病乎？或曰「六氣屬氣化，故無形質」爲此言者，避實逃虛之計誠巧，然以空言之氣化，敵實驗之細菌，已覺厚顏，且疾病之證候，爲氣化乎？抑形質上之知覺乎？責草根樹皮以療之，爲氣化乎？爲形質上之效力乎？故六氣之病原，空言無據，細菌原蟲之病原，乃信而有徵。六氣云者，氣候之變化，鄙意以爲某種氣候特宜於某種之細菌原蟲之發育，同時足以減少人體對於該病原之抗毒力，且疾病一起，轉相傳染，則流行益廣，故令四時之流行病年年相似，氣候之關係疾病者，如此而已，故六氣可以爲疾病之誘因，而非其原因也，此倒果爲因矣，推古人所以有倒果爲因之錯誤者，實時代之所限也，不足爲古人病也。於科學發明之今日，猶有此等玄說出現，斯實令人不可解耳。差幸一般有識之士，深知科學之是，氣化之非，國醫藥若不從科學以改良整理，必有滅亡之一日，乃羣起大聲疾呼，從事科學整理之工作，發揚國醫藥科學之精神，於是深得社會人士之信仰，政府之重視，下令獎勵，設國醫館以提倡之，復列中醫於教育系統，此誠國醫最光榮之一日，願我同志，遵政府之令，循科學之途，努力研求，以發揚之，以光大之，則中醫之興，可計日而待！

二　治法原理

吾人須知，凡一病之成也，必有原因，復有誘因，而後方能成病。而傳染病之誘因，又不止爲六氣，尚有七情食積之等。蓋此等誘因，最能減弱人體之抗毒力，抗毒力一衰弱，細菌即肆其威，而使人病。否則天賦之抗毒力，可以應付而有餘，雖有病毒，亦不能爲患。吾人知乎此，則治療之原理，可以知矣，一言以蔽之，曰，用藥以補助人體天然之抗毒力耳。

西醫治傳染病之法，有所謂「乏克辛」療法，及「血清」療法之一種。吾人欲知此二種療法之原理，須先明「免疫」之理，然非長篇不能盡，學者欲知其詳，可參觀西醫之細菌學便詳。茲畧述之如下。

「免疫」爲細菌學之學術語，謂對於某種病菌有抵抗力也。有先天免疫後天免疫之一種。

先天免疫者，謂能使人患病之致病菌，下等動物染之而有不致患病者，如腸窒扶斯菌，人染之則易致病，且現最凶之病狀。染於家畜，則罕見有患是症者。如人染破傷風桿菌，最易患破傷風。冷血動物染之，則不致患破傷風。其所以能患是症者，乃因對於是症，無先天之免疫性。不能患此症者，乃因對於是症，有先天之免疫性也。

後天免疫，可分爲自生與他生之二種。自生之後天免疫性，又有終身與暫時之別，終身者，即如先染天花毒而患天花症，在患過天花以後，於本人血中，能生出一種抵禦天花之抗毒力，使終身存在，不再染天花症者是也。暫時者，如曾患流行感冒霍亂者，短期內即能再患，當其前次病愈之際，其體內亦必有免疫性，但不能長時期保存耳。此種免疫性是本人之血中混毒所自生者，故謂之自生也。他生之後天免疫性，乃將已有免疫性之血清，注射於患本病者血中，以中和其毒素，如將白喉毒素注射於馬體，使馬之血中發生一種白喉免疫性，然後取此已有白喉免疫性之血清，注射於患白喉症者之體內，以中和其白喉毒素，使白喉症可得痊癒者是也。此種白喉症之治愈乃由馬體中所生之免疫性，非人體中自生者也，故曰他生也。

「乏克辛」療法者，多用於預防，即以某病減弱毒力之細菌或死菌，接種於人體中，使人體中對於該菌發生一種「抵抗力」或曰「免疫性」者是也。近年常用之霍亂預防注射，即是乏克辛療法之一種。

「血清」療法者，先取某種病菌或其毒素，繼續接種於某種動物，使發生抵抗力，乃采取此動物之血清，作治療人病之用，或竟采取新愈病人之血清，以治該病之初患者，因新愈病人對於該病之抵抗力特強故也。

西醫認為「泛克辛」及「血清」療法，為治傳染病最新最進步之法。然而概括言之，無非利用人體或動物之天然抵抗力，非有他妙巧。殊不知吾中醫治病之法，於此等原理，在數千年前，早已發明，不觀乎吾中醫古籍所載之治法乎？悉隨證候「中醫之證候療法，係對證候羣之療法。與西醫之對單純症候以用藥之對症療法不同，中醫之優點，即在此等處，學者注意以用藥」，蓋證候者，乃體工報告其抗毒力之傾向，而請求吾人援助者也，古昔聖賢，有見於此等機轉，視體工之傾向，而定表裏寒熱虛實陰陽……等證，而作汗吐下和清解溫補諸治法，因勢利導，不足者輔助之，過當者壓制之，在在皆能順體工之要求，以助其天然抗毒力之發揮，此吾中醫經驗之自然療法，所以成績斐然，歷萬古而常新也，吾儕豈可不努力以發揚光大之乎！

三　預防法畧述

傳染病已由細菌原蟲而傳染，可用預防法而使之減少，或遏止其流行，是預防法所以不可不講也。而傳染病之預防法，有專書詳述，本書為便利計，畧舉要而言之，餘請參專書。

(1) 隔離法

凡有傳染病發生，病人家族及菌保有者，皆須隔離，隔離期限之規定，概視各傳染病之潛伏期而定，或檢查其排泄物，不見病菌，始行弛禁。傳染病人平常於預防，極感不便，故以入病院為宜。

(2) 傳染徑路杜絕法

第一病人之排泄物分泌物宜嚴行消毒，以撲滅病菌，方可傾諸於外，衣服及其他用具，亦宜依法消毒，然後方可使用。第二須防室內塵埃之飛散。第三應用水非煮沸消毒不用。第四驅除昆蟲。第五清潔積穢水道，禁用可疑井水。第六傳染病流行時，宜停止戲劇，電影，學校，市塲，公共娛樂所之聚會。

(3) 檢疫

今日交通便利，瞬息千里，而傳染病之由舟車而帶來者甚多，有歐洲之傳染病而傳至亞洲者，亞洲之傳染病傳至歐洲者，其例亦不少，傳播之廣速，實可驚人，是以對於各處來入口之舟車，宜施行檢疫。其法有二。「甲」陸上檢疫，此法效少而難行。「乙」海上檢疫。卽於海口設停船所，遇有由他處，或疫處來入口者檢查之，須經過一定之時間，方許登岸，此時所用之方法，有鎖鋼法，臨檢式二種。鎖鋼法者，對於由疫症流行處開來之船，不論情形如何，均命令停駛，實行消毒。臨檢式者，祇須船入口受檢後，但無他處，卽允登岸。惟海口檢疫，倘有疏漏不密之處，勢必同時并行鐵路檢疫，民船檢疫等……。

(4) 消毒法

傳染病之預防法，除上述者外，其最有效者，厥爲消毒法，用以撲滅病原菌，以防遏其感染與傳播，收效最宏，有學理消毒與藥品消毒二種。而效則無殊，應用則各異，視事物之情形而採擇施行之，獲益不鮮也。

(A) 學理消毒

甲 燒卻法

凡吐瀉物及所用之衣被臥具便器，及其他器具諸不貴重之物，汚染病毒甚而願捨棄者，均可行之，而付諸一炬，燒至淨盡乃可。

乙　蒸氣消毒法

此法如使用適當，可稱爲最完善之消毒法，如衣被臥具布片及一切紗織品毛織品玻璃器陶器磁器及其他礦製或爲木製品等，堪爲蒸熱而不變壞者，皆可用此法行之。惟須一定之裝置，以大甑或蒸籠爲之頗佳，鍋內放水，爐內燒薪，迨蒸至一二小時，即可因沸點之熱度而滅細菌。惟須注意者，革類品，漆器，橡皮附品，糊附品，膠附品，其他塗飾等品，及毛皮，象牙，鼈甲，骨角之類，最易損壞，不可用蒸氣消毒。

丙　煑沸消毒法

此法隨時隨處，得以行之，極爲便利，適於煑沸消毒者與適於蒸氣消毒者同，煑沸消毒須將消毒之物品，全部浸入水中，沸騰後，煑沸三十分鐘以上即得。

丁　日光消毒法

日光之力，亦能殺滅細菌，如衣服被褥等，可晒日光中數時，即可得消毒之效。

（B）藥品消毒

甲　石灰水。

製造之法，取生石灰一分水四分，先置水一半於器內，即投入石灰攪之使溶化，再入其餘一半之水，再攪之即得。病者之吐瀉排泄物，投以此水而攪之，數分鐘後，病菌即行死滅，實爲最經濟之消毒藥也。其用量視吐瀉排泄容量四分之一以上即可。溝渠之消毒亦可用石灰水，若供床下之用，以新化之石灰粉撒布之。

乙　石炭酸水

製法可用結晶石炭酸五分，鹽酸一分，水九十四分。凡石炭酸五分，約加水一分，攪拌或振盪之，逐次注入定量九十四分之水後，再加鹽酸一分，若用溫湯，則其溶解更速。使用時每次須先振盪之。石炭酸水適用於吐物，金屬物品，玻璃器，陶器，磁器，硬橡皮製品，衣服，洗手足，洗木製之家具等，以消毒。惟使用時須注意者，（一）吐瀉物及其他排泄物，須加入藥水同容量，善爲攪拌之。（二）器具與室內一切消毒，須擦拭或撒布之。（三）手足等之消毒，須於洗後，再以淨水洗濯之。（四）衣被等之消毒，須用未加鹽酸之藥水，浸漬六時間以上後，更以淨水洗濯之。

（丙）昇汞水

製法（千倍）即（昇汞一分，鹽酸十分，水九百八十九分）須以昇汞溶解於定量（九百八十九分）之水後，再加以鹽酸。昇汞水性猛毒，且無色臭，危險最大，故貯藏使用時，須加染色（可加洋紅少許）俾容易辨識，以防危險。但不可貯藏於金屬器內，最適於陶器玻璃器木製品等。用於洗濯手足，爲最良之消毒藥，惟洗後須以淨水洗滌之。然有毒性，不可施以飲食之器具，又不可浸洗金屬品玩具等件，因有腐蝕性也。

丁　臭水

製法以臭水一分，水十分至數十分攪勻，以之洒在地上墻壁厠所等處最佳。

其他關于消毒藥品，種類尚多，不勝枚舉，雖然亦堪敷採用。

四　餘論

吾人已知疾病之所以生，實因自身抵毒力衰弱之所致，而減弱抵毒力之原因，不外乎情感食積……等，是故吾人對於飲食，宜加意調節，毋傷其消化機能，則營養不致缺乏。對於情志，善加修養，勿勞心過度，以損其精神。對於性慾，加以節制，勿斲喪過甚，以耗精液。能如是，則營養充足，精神暢快，抵毒力自然強健，雖有猛烈之菌毒，亦豈能爲患哉。此實預防疾病之根本辦法，亦養生之要道，幸國人注意焉！（未完）

中國物理醫學之針灸

東莞　袁鑑韜

何種醫藥學說方合科學，何種衛生之常識方切實際，我知大多數同胞對此尚缺明瞭認識，是以吾粵熱心同志，在新抗戰當中，物質困難之際。而廣東醫藥旬刊，更迭出報，賡續不輟，爲改革國醫科學思想，灌輸國醫藥常識，謀普遍之貢獻，大聲疾呼，不憚煩言，以啓發民衆「醫藥之科學化」「及思想之科學化」冀求達到國民知識與他國國民處於同一水準上，不再爲人蔑爲半開化民族，須懍多數腦力，焚膏繼晷，而課其成，不佞學雖淺陋，用隨長者，前擬彙集名言編著「中國物理醫學之科學針灸古義新解」一書。第以診務蝟繁，文債未清，竟無暇及此，殊以爲憾。今者，以我國針灸醫術，素爲世所重視，遞今豈能湮沒無聞，勉節譯歐美諸邦學者論文數篇，用以應本刊週年紀念，藉我國針灸醫術，早爲歐美諸邦之推崇。所恨文筆枯澀，辭不達意，坐井之議，聊供社會之參考而已。

我國醫學數千年以來，纖緯學說之相承，夙爲歐美學者不齒，然積數千年來之經驗。豈無獨到之處，已爲世界學者所公認，以最近數十年來我國之藥物，經歐西化驗提煉，化朽腐而爲精英者，已不下佰數十種，僉認爲確有治療上偉大之價值，然其學說，往往與我國古說若相吻合，此無他，纖緯之說爲之梗也。我國針醫術肇自靈樞，未嘗無陰陽之說，如十四經穴，如奇經八脈，如五募八會，如井榮俞經合，如子午流注等，未嘗不流于纖緯，然設物寓意，尚覺言之有物，而東西各國醫學界，獨認爲絕有研究之價值，歷多數學者用科學方法，物理的或化學的種種之試驗，證明我國針刺與灸治之醫術，治療功效，業績燦然。竟目爲東方物理醫學之精華，而爲歐美諸邦學者所咨嗟歎賞者。唯我國物理醫學之針灸醫學爲其蒿（口旁）矢焉。

關於我國針灸醫學爲法國醫界之潛心研究均得自前駐華法國領事蘇列摩朗新著之論文茲將其

广东医药旬刊

證引如下：

哈瓦斯社十一月巴黎通訊，此間醫界，現有若干人，研究中國醫學上累世相承之針灸法，西方人士，對於科學進步，素以先進自居，令竟低心下氣，孜孜然致力中外岐黃之術，深足異矣。針灸之術，中國人悉知之，蓋身體內部之器官，與皮膚息息相通，審之病之所在，而於其通於外部，皮膚上之某部分上，畧施刺激，而內部之病可告霍然，此種治療，固不可漠視也。西方醫界，循何途徑，捐棄其本來之學，而從事於素未問津之中國醫術，此乃極有興趣之問題。針灸之醫術，西方之士，亦曾聞之，顧數百以來，毫無一人稍稍介意者，十九世初元，法國人曾有一種探討，與針灸畧有關係，至一八二〇年，巴黎醫科大學教授尉爾「名」拉克辜，「姓」就身體內部器官，與皮膚若干部，分感觸上之聯絡，作種種試驗，其後丹秋醫士將此種試驗之結果，著以為書，名曰針灸法，其試驗次數雖極多，然其結果，殊不甚佳，作者試驗之法，超過相當程度，蓋針灸僅在刺激皮膚之感覺，而試驗者用力過甚，往往刺穿受病之器官故也，事雖如此，而中國針灸術之本來意義，逐漸明顯，而歐洲人對於此道，亦繼續研究矣。一八八四年，法國學者勑文氏著書，名曰胃及腦，證明胃間之病與人身左部相通。一八九三年，又有魏爾氏，說明患肺病者，亦有此種內外相關之情形，不過前後兩人，均以為此種關聯，起於一種布斯特里亞症。「特別為婦人感受一種神經病—一八九四年，英人海得氏，亦謂若干內部器官之刺激可引起皮膚之排泄，由此數人之所發明，而歐洲醫學，漸與中國古代醫術，日邇接近矣。更越數年，有醫家名若皆者，否認希斯特里亞病，能起如此現象。至一九〇六年，其門人受利拉波氏，提出博士論文，得到重要之結論，謂皮膚上之神經混亂，與局部病害相聯，歐洲人士雖因以上諸人之工作，引起興趣。然對於中國針灸之醫術終屬門外漢。其後達卜利提耶爾桑氏，曾著一書，名中國人之醫學，而近來反射法醫治鼻官及脊之試驗，雖與此相近，然在事實上，何為針灸，究為一般人所不能了解，最近蘇列摩朗氏，對於此事始有詳細之說明。蘇摩朗氏前為駐華領事，留心中國醫術，曾譯我國黃帝之內經。此書在耶穌紀元前二千六百年即已存在此外蘇列滿朗氏又得皆列拉爾醫生之援助，著一小冊，名中國之針灸。此書全部問題，加以說明，並列種種試驗。自來西人之於中國醫術者，莫不認爲怪象，以爲非人力所能爲，甚至今日，則事實具在。中國醫學之價值，殊非西方人所能否認矣。不第此也，中國醫學之古，與其國家歷史相埒。西方醫學在科學上雖極完備，然對此數千年之中國舊醫學，固不能不以誠恐誠惶之態度從事研究之也。

中國之針灸醫學

George Soeliede Moeant 原著

中國醫學，其治病重於人體多數之痛點，而每一病，則成一條之經絡，其經絡之經路，則自頭或自胸口至四肢。經有陰陽之分，肢之外側爲陽，內側爲陰。凡有十二條，一條經路之痛點，與一個內臟，莫不有關。是故其經皆以臟名，若大腸經，胃經等是也。此種經絡與我輩醫學上之原理，似若無關。然若心經者，頗合於我輩之所謂心臟焉。心經凡九，其起止則自肘窩內廉至常後指背之端，患心臟病者，其痛常在此點，與我科學之醫者合符節，則其餘經絡，非理想的，可以從而証矣。

中國經絡，有所謂流注者，猶之河渠，周流相通，是故感覺靈敏者，用指按穴，往往發生感覺，此種感覺，在中國數千年前已知其由於經絡之傳達，自頂至指或自踵至頂，刺針後即覺有一種液體沿流經絡，其明証也。十二經是互相連合的陽入陰，陰入陽，循環而走，如環無端。更有二經，一在胸腹，一在背脊，屬於官能之病，於內臟機能無與焉。其胸腹之經，自咽喉至胸骨之端，（上焦）喘咳呼息之病屬之。自胸骨至臍眼，（中焦）消化機能之病屬之。自臍眼至恥骨，膀胱與生殖器之病屬之。其背脊之經，屬於體力之病。中有一穴在第七頸椎以上者，甚爲重要。其穴上端，與腦有關，故直灸不宜針。

（未完）

　

医話與医案

急性腎臟炎沒有正確療法嗎？

蕭俊逸（江西吉安）

一、急性腎臟炎，其致病的原因雖多，但治療之法，祇要將腎臟炎症除去，則因腎炎所起的一切症狀，均能消滅。其主要症狀，爲周身浮腫，發熱，口渴，小便短赤，或混濁色白，或尿中含有血液，脈搏浮滑速數。（若手腫太甚，只得滑數之象，且雖重按。）

據洋醫醫籍說：「急性腎炎，爲重篤疾患，尚無正確治法」。可是，中醫祇患不能辨別病灶所在，苟識病灶所在，則不患無正確療法，據筆者個人的經驗所及，只要認淸症候，識得病灶，用幾劑草根樹葉的「淸腎消炎」藥，便能醫治痊癒，這並非自矜的話，乃係治療結論的事實如此。

本病的病灶是在腎臟，周身浮腫，是因腎的本身發生炎腫，泌尿機能障害，以致尿量減少，因而全身浮腫，身體發熱，乃腎之炎性熱，和體外生瘡瘍發熱是一樣的，但與感冒發熱絕對不同。治療之法，須淸腎以利尿，蓋淸腎則炎腫退，炎腫退，則腎之泌尿機能可以恢復，而小便自利，周身浮腫自消，而體外之炎性熱，亦隨之而解。若不明瞭病理作用，見其尿短身腫，卽用利尿劑，以期消腫，則尿愈利而愈閉。見其發熱，卽用發汗劑，以期解熱，則愈發汗而熱愈甚。因爲利尿的藥物，總不免有刺激腎臟的作用，腎受刺激，適足以增長其炎性，故愈利而愈閉，發汗藥亦同樣有刺激腎臟作用。

基此，則「淸腎消炎」是本病的正確療法，本病所現的一切症狀，都由腎炎而來，祇須淸腎消炎，則因腎炎所起之一切症狀、均得藉以解除。不過，「淸腎消炎」是本病的原因療法，同時、也不妨輔以解熱利尿的對症療法，但須選用清涼性解熱和利尿藥，不可有絲毫刺激作用。

處方用桑葉，枇杷葉，蘆根，茅根，天花粉，冬瓜子、輕清甘寒，以清腎消炎，佐地膚子，車前仁，以利尿，此二味甘寒和緩，有清熱消炎作用，蓋腎炎消，則溲尿利，其利尿功能，是由清腎而而來。用荊芥，連翹，蟬衣，以解熱，此三味具有清涼性消炎功效，本病發熱，乃炎性熱，故用此以消炎，腎炎消，則外熱解，似此，整個方劑的藥效作用，可以「清腎消炎」四字概括之。

然或者詰曰：「此方不倫不類，以治風溫肺炎，則差強人意，今用以治急性腎炎之臌脹病，二則用藥大不相稱，烏乎可」？予曰：「藥物的效能，有共通性，能治腎炎者，則亦可治腎炎，苟泥於本草謂某藥入某經治某病，而不知通融借治，則不免有膠柱鼓瑟之誚，況肺爲水上之源，亦有借治之可能」。

本病療法已如上述，則關於治療方面，已無問題。雖然，醫者苟無堅定的識力，見服藥一二劑，病症不甚減退，輒改弦易轍，則去病愈遠。不知本病是屬於急性，其進行甚速，必須採用頓挫療法，（用大劑一日服二劑甚至三劑）連服二三日以挫病勢，則腎炎由停止進行，乃漸見病狀減退，此時病家必發生相當信念，醫者得以充分展其所長，而收全治的結論。否則，識力不定，投以小劑探試，而病症自若，醫者則必懷疑自己的療法，不能中肯。病家則必因此更醫，此事理所必然者。茲舉治驗數則，聊供參考。

（一）民廿八年，六月間，余房東周君子和乃郎宣珊，年廿餘，患周身浮腫，腹大如抱甕，發熱，口渴，喘息不安，溺短赤，脈細滑數，病延浹旬，醫治無效，周君與其夫人，見病勢日篤，相與對泣，因聚家人共商，乃乘輿來橫就診，（時余因避空襲，挈眷賃居距城三十里之橫江鎮溫家村。）寄居余宅，村人見其病狀，咸稱無生理。余認爲急性腎炎，乃予清腎消炎療法，處方用荊芥錢半、連翹三錢、蟬衣錢半、桑葉三錢、生枇杷葉三錢、蘆根五錢、茅根五錢、黃芩三錢、冬瓜子四錢、車前仁四錢、天花粉四錢、一日服二劑，服至三日，面浮消退，身熱減半，夜眠頗安，服至四日，溲漸清長，胸部浮腫盡消，呼吸復常，服至六日，腹腫消去太半，熱全退，第七日，一日祇服一劑，連服五日，卽告全愈。　此案自始至終，守服一方，共十餘劑，始得全愈。荊芥，連翹，蟬衣三味，是對付發熱用的，當熱退清時，理應除去，但此三味，具有消腎性消炎作用，余用此三味，是取其消炎以解熱，熱雖退，但腎之炎腫，倘未完全消散，故可始終服用，不必於熱退時，卽除去不用。後兩案，俱本此旨。

（二）本市中國銀行，彭君蘭森乃郎，年七歲，於去秋（卅一年）八月間，患面目周身浮腫，發熱口渴，尿短赤，有時混濁色白，（卽蛋白尿）舌苔微黃，脈滑數，余診斷爲急性腎炎，許以數日卽可全瘳。彭夫人謂余曰：「急性腎臟炎，乃危害病，民廿八年，余第×小兒患病，症狀與此兒相同，曾投治泰和省立醫院，斷爲急性腎炎，結果竟不治，今見此兒又患同樣疾病，殊爲焦急」。余設以前法，用荊芥錢半、連翹二錢、蟬衣錢半、桑葉二錢、枇杷葉三錢、天花粉四錢、冬瓜子四錢、黃芩二錢、車前仁四錢、地膚子三錢、生紫菀二錢、一日服二劑，連服兩日，熱退，腫消十之七八，後將原方一日服一劑，連服三日全愈。

（三）去夏，本市柯家巷，胡君迪齋之孫，年九歲，患本病，發熱，口渴，周身浮腫，小便短濁，混有血液，舌無苔而糙，脈滑數，曾經醫治無效，乃就余治。余處方用荊芥錢半、連翹三錢、蟬衣錢半、桑葉二錢、枇杷葉三錢、蘆根四錢、茅根四錢、花粉四錢、冬瓜子四錢、車前仁四錢、地膚子四錢、兩日共服三劑，身熱減輕，面浮畧消，病見小效，遂不更方，囑其照原方再服兩日。越數日，復來求診，乃胸腹腫大更甚，呼吸困難，將有窒息之虞。詢以：「胡爲至此」？胡君曰：「服先生之藥，不見大效，因求急愈，乃改服某西醫之藥，及注射藥針，詎料病反加劇至此，今再懇先生施治」。余仍用前方，囑其一日服兩劑，服三日熱退喘平，身腫大消，小熱漸消，後將藥量畧爲減輕。一日服一劑半，連服四日，身腫全消而愈。

陳漢麟外科專家

中醫証書省字第二二三一號

精醫

續筋駁骨
槍砲刀傷
癲狗咬傷
毒蛇噬傷
新舊風濕
奇難雜症

醫務所　韶關河西韶西北路九十八號瑞麟堂

中醫師蕭鵲如

·眼科內科·

特製
珍珠眼葯散

用法簡便
代刀脫膜
退紅止痛
快過打針

醫務所：韶州風烈路一百號

西醫 郭澤民

照號醫字第十九號

精醫花柳全科
專割包皮過長

醫務所：黃田壩忠孝路

介紹殷實之國葯行

本市風度南路大德堂藥行司理何傑臣君，爲韶市藥界先進，服務社會，忠誠夙著，信譽久孚，向經理其累世相傳二百餘年之著名殷實老字號福生堂藥號，秉承其先代不售假藥劣藥主義，慨然以中藥革命爲職志，尤足令人佩慰。何君近更爲推廣改良中藥工作起見，特在風度南路一一九號開設大德堂藥局，貫澈初衷，選藥務求地道，泡製悉遵古法，不特屏絕曹冒行爲，抑且力矯苟簡陋習，洵所謂坐而能言，起而能行，堪稱國藥界陣容之中堅者也。用是紹介，藉資提倡。

介紹人

吳晉昌　江鼎石　江濟時
黃介甫　詹鑫康　陸協民
江漢榮　甄夢初　黃碩如
梁乃津　彭幹

急驚

沈仲圭

（原因）小兒或感風寒。或積乳食。或受暑熱。皆能生痰化火。火升痰湧。清竅閉塞而病作。

（症狀）牙關緊急。壯熱搐搦。竄視反張。唇口眉眼牽引。口中氣熱。頰赤唇紅。二便秘結。昏悶不省。

（治療）宣竅泄熱化痰熄風法

陳膽星（五分）天竺黃（一錢）鮮石菖（八分）石決明（一兩打）光杏仁（三錢打）雙天蟲（三錢）廣鬱金（錢半）硃茯神（三錢）煅龍齒（三錢）嫩鉤鉤（四錢後入）甘菊花（三錢）大連翹（三錢）抱龍丸（一粒去殼化沖）

（方義）石決。天蟲。茯神。龍齒。鉤鉤。滁菊平肝熄風。抱龍。石菖之宣竅。杏仁。膽星。竺黃。鬱金之豁痰。連翹以泄熱。如肝旺火盛。加羚羊尖（二分）。先沖服。挾食便阻。加檳榔。江枳實各一錢。（時賢朱仁康方）

琥珀抱龍丸　治小兒痙厥。身熱日久不退。便泄神疲。夜煩少寐。

眞琥珀　天竺黃　檀香　人參　白茯苓　生粉草　枳殼　枳實　山藥　南星　珠砂　金箔

（方義）琥珀。硃砂。金箔鎮心神。竺黃。南星。枳殼。枳實利氣化痰。參。苓。藥。草爲調脾和中而設。若邪盛熱熾者。此方不宜濫施。可改用抱龍丸。以鉤藤。菊花。連翹。竹葉煎湯化下。

（利驚丸）天竺黃（二錢）輕粉（五分）青黛（一錢）黑牽牛（炒五錢）右爲末。蜜丸。如豌豆大。每歲服一丸。薄荷湯化下。

（方義）輕粉合竺黃以去痰。佐牽牛以通腑。使痰開火降。亦治驚之法。惟方極峻烈。用宜審愼。

舒緩神經法

全蝎 四隻　殭蠶 四錢　硃砂 一錢　地龍 三錢　皂莢 一錢　爲散。每服五分至一錢。白開水送下。

全蝎、殭蠶、地龍、熄風淸火。治驚要藥。此方及後方皆從拙稿臨症備忘錄選出。原無方名。茲姑僭定名稱。以資整齊。

淸肝養陰法

當歸　生地汁　麥冬　辰砂　天竺黃　龍膽草

（方義）龍膽瀉肝。辰砂寧神。竺黃豁痰，歸地麥冬養陰。蓋宜於火重於痰之症。

『附記』江筆花作非驚論。區驚風爲三。（一）曰痰閉症（急驚）（二）曰木侮土症。（慢驚）（三）曰大驚卒恐。（眞驚）謂世俗竟有以一粒丹丸。名之曰治急慢驚風。欺人乎。欺天乎。按木侮土症。亦有牙關緊急。項强反張。昏睡瘈瘲。而與痰火閉症類似。但此神經（風）症狀。一由脾虛。病原已不相侔。且除此共有之神經症狀外。其他尙有因痰火而發之實症。與因脾虛而發之虛症。臨床鑒別甚易。病因病狀旣異。治療豈能同轍。故筆花非驚之論。剖悉詳明。實有功醫道不淺。

癸未淸明作於北碚中醫院

翰海室醫話稿四則

潮安 張長民

吳存甫治鼠疫法

羅芝園氏鼠疫彙編，載光緒二十一年再續治鼠疫方序云：「遇吳川友人吳子存甫於郡，出所輯治鼠疫法一編。」又載吳氏十七年鼠疫原起，自署『吳宣崇』，是吳氏名宣崇字存甫可知。二十七年，鄭奮揚氏就李雨山氏刊本彙編，加以參訂，成鼠疫約編，更作『吳宣崇子存一』。宣統二年，余德壎氏再就約編轉述，成鼠疫抉微，於吳氏名字，沿鄭氏之舊；余頗疑之。偶讀光緒四年吳川李文泰氏海山詩屋詩話，始知吳氏實字存甫；鄭，余二氏並誤也。至治鼠疫法，余氏更作『鼠疫治法』，據羅氏序，蓋亦誤也。

又羅氏所著爲彙編，鄭氏所著爲約編，謝觀氏中國醫學大辭典及中國醫學源流論，混爲約編一書；余奉仙氏醫方經驗彙編，則直指約編爲羅氏書，殆皆未覩羅氏彙編也，附著於此。

尤氏喉科秘本

尤氏喉科秘本，張海鵬氏輯刊借月山房彙鈔本，及陳璜氏校刊澤古齋重鈔本，皆題「錫山尤氏著」。曹炳章氏主編中國醫學大成，採入是書，改題「尤氏喉科秘書，無錫尤乘撰」。按是書乾隆四十六年佚名氏序云：「陳生在豐，以五十金得是編於梁溪尤氏。」固未及尤乘氏其人，則曹本題尤乘氏者，殊可疑也。夫尤乘氏長洲人，所著增補診家正眼，自署「吳下」；壽世青編，自署「古平江」，則錫山尤氏之非尤乘氏，而爲曹氏之誤，可斷言也。嘗考無錫縣志云：「尤仲仁，字依之，以喉科名。初，御史周濟白一中，官於大獄，得秘方十有七；周死而甥得其方，即仲仁之祖也。」是書喉症驗方，凡十有六，用藥法別有珍珠散一方，合十七方，恰如縣志所云。據此：則梁溪尤氏者，常屬於尤仲仁氏之一裔，從可想見；抑是書之非尤氏一家言，而係佚名氏著之所遺，亦可斷言也。

又楊龍九氏著囊秘喉書，與是書大同小異，而較爲詳晰，惜傳授淵源，難得考證，附著於此。

胡惜黃庭內景五臟六腑補瀉圖

唐胡惜女士，號見素子，居太白山，著有黃庭內景五臟六腑補瀉圖；是書未見傳本，各家書目未收。偶讀道光二十三年周壽昌氏宮閨文選，見其序文，清新俊逸，雖道家言，亦方伎籍；錄之以備目錄學家之參考：

「夫天主陽，食人以五氣；地主陰，食人以五味，氣味相感，結爲五臟。五臟之氣，散爲四肢十六部三百六十關節，引爲筋脈津液血髓，蘊成六腑三膲十二經，通爲九竅，故五臟者，爲人形之主。一臟損則病生；五臟損則神滅，故五臟者，神明魂魄志精之所居也。每臟各有所主：是以心主神；肺主魄；肝主魂；脾主意；腎主志。發於外則上應五星；下應五嶽，皆模範天地，禀象日月，觸類而取，不可勝言；若能存神修養，克己勵志，其道成矣。然後五臟堅強，則內受腥腐諸毒不能侵；外遭疾病諸氣不能損，聰明純粹；却老延年，志高神仙；形無困疲，日月精光，來附我身；四時六氣，來合我體，入變化之道；通神明之理，把握陰陽；呼吸精神，造物者翻爲我所制。至此之時，不假金丹玉液，瑯玕大道；自然神化冲虛，氣合太和，而升雲漢，五臟之氣，結五靈，而入天中，左召陽神六甲；右呼陰神六丁，千變萬化，馭飛輪而適意。是以不悟者，勞苦外求，實非知生之道。是故太上曰：精是吾神，氣是吾道，藏精養氣，保守堅貞，陰陽交會，以立其形，是也。惜夙性不敏，幼慕玄門，鍊志無爲；棲心澹泊，覽黃庭之妙理；窮碧簡之遺文，焦心研精，屢更歲月。伏見舊圖奧密，津路幽深，詞理既玄，賾之者鮮；指以色象，或略記神名，諸氏纂修，異端斯起。遂使後學之輩，罕得其門；差之毫釐，謬逾千里。今敢摭雜管見，罄竭謏聞，按據諸經，別爲圖式；先明臟腑，次說修行，並引病源吐納除疾，旁羅藥理導引屈伸，察色尋證，月禁食忌；庶使後來學者，披圖而六情可見；開經而萬品昭然。時大中二年戊辰歲述。」

孫眞人海上方

冊傳孫眞人海上方，爲明隆慶六年秦王守中氏與千金寶要重刻於耀州眞人洞者，觀二書秦王序可知。裘吉生氏主編珍本醫書集成，曾採是書。考舊唐書，新唐書，獨異志，酉陽雜俎，譚賓錄所載孫氏事跡，皆無著海上方事。按方書藥名上冠「川」字者，始見宋太平聖惠方，而是書於痼冷，蚊虱，牙落蟀章見之；豨薟草出唐陳藏器氏本草拾遺，烏藥出宋大明氏諸家本草，而天臺烏藥之說，始見蘇頌氏圖經本草，此等書皆在孫氏之後，而是書備載之。由此以觀：其非孫氏所著，而爲嘉祐以後人僞撰，可斷言也。嘉靖二十二年喬世寧氏重刻千金方序，以是書爲「贋本依託」信然。

下期要目

介紹與批評

桂枝證自汗與解汗之分別之商討書後

李龍文

中醫新生命三十一期，載有吾家簡靑君之桂枝證自汗與解汗之分別之商討一文，以解剖生理學之立場，辨朱君我樵之非，是誠然矣，然服藥病解之汗其味鹹，桂枝證自汗之汗其味淡，此則徵諸臨床上而可信，是朱君對於醫藥之功，亦不小者矣，此中理由，朱君之解釋旣誤，而簡靑君則但謂朱君之大前提，旣有此二種錯誤，故其結論不能無誤，其所以致誤之理，簡靑君仍未說透，茲不揣淺陋，言之如次，世有名哲，幸垂察焉。

此汗之異，一言而蔽之曰，乃病理機轉現象，與生理機轉現象之異也，蓋健康人之汗，無論大人小兒，以味覺嘗之，其味皆鹹，此因汗液中含有人體各部組織之廢料，其成分，如食鹽尿素酸鹽硫酸鹽……等之故，此爲生理機轉現象之汗也，至於自汗之汗，其味淡，其故有二，一則自汗之汗液，直接從毛細血管輸於汗腺，則組織中之廢料水分，不及吸收，二則自汗之汗量，多於平時，卽以原有之鹹度，溶解於多量之汗液中，其味亦淡，此爲病理機轉現象之汗，固異乎生理機轉現象之汗也，至於病解之汗，於味覺嘗之較諸健康人之汗，其味亦稍鹹，此何故哉，蓋前此停諸於組織中之廢料成分，須一幷排泄於體外，且人當病時，則少沐浴，肌膚之積垢必多，病解之汗量，雖多於自汗，因組織中之廢料，與肌膚之積垢混於其中，況解汗之時，人體由病理機轉已恢復生理機轉之現象，則汗之鹹度自較多於健康之人亦不待智者而知之矣。

倘青君又謂毒菌侵入人體，刺激肌膚神經而起痙攣，因影響於淺層動脈之收縮，肌膚因貧血而感寒，此即傷寒之麻黃證云云，僕對於麻黃症之病理見解，亦未能與倘青君一致，茲亦順便提出個人之意見如下。

細菌入於人體，白血球及助體，若不勝其撲滅，而至繁殖，產生毒素，若僅小量，人體並無若何之感覺，所以然者，因人體中臟器，能中和毒素，而扣留之故也，或者竟因此而不發病，倘若毒素充斥克服人體之臟器時，斯病矣，因菌毒刺激細胞之結果，使新陳代謝速而發熱，且正氣拒除菌毒欲藉血液之輸送而排泄於體外，則皮下血管漲大，即淺層動脈之血液充盈，故脈浮。但因毒素刺激腦部而致腦之神經鈍呆不能應機指揮皮膚及汗腺之活動，故皮下血管雖漲大、而皮膚仍乾燥—皮膚乾燥即無汗—然人身體溫，本高於外界氣溫，即吾梅而論，在夏季最炎熱之時，外界氣溫從未達至百度者、今因發熱無汗，則毒素與熱俱不得放散，毒素愈多，則刺激細胞愈甚，其結果新陳代謝愈速，而體溫愈高，體溫愈高，則體溫與外界氣溫相差愈甚，而感惡寒。此乃毒素刺激細胞之結果。非真外界氣溫有低溫之謂。亦非肌表貧血而惡寒。乃肌表充血而惡寒也，信如倘青君所言，則肌表貧血而惡寒之病，安有脈浮而緊之理邪，即肌表貧血而惡寒之病，亦非可任麻黃湯發汗而愈者也。時賢陸淵雷先生謂傷寒多患於寒冷天氣之時，—傷寒今釋卷一五頁二行——又謂病由抵抗風寒之刺激而起故惡寒，—仝一頁前面末行—，亦似是而實非。蓋發熱無汗而惡寒之病，臨床上觀之，四時皆有。且其惡寒，乃毒素刺激皮膚神經之感覺，與外界氣溫相差愈甚之故，亦非抵抗風寒之刺激而起者也。—又按今釋此段文字，以言單純冒寒之病則甚妥。若欲兼言傳染性之太陽病理，則誠有可議——，因毒素愈盛則刺激細胞愈甚，而發熱亦愈甚，故皮下血管漲大亦愈甚，而成緊脈，緊脈即緊西醫所謂硬脈，乃因脈管壁之收縮神經，受毒素之刺激及浸潤而興奮所致，病至此，必有頭痛身疼，骨節疼痛矣。所以然者毒素愈多，自然療能愈欲驅除病毒向上向外於排泄，於是神經受毒素之刺激，血液之浸潤，有以致之，且肺因皮膚失職，固需營代償作用而喘也。

簡青君又謂傷寒與中風較，中風較傷寒受毒素之作用爲多，云云，僕亦以爲不然。蓋麻黃證與桂枝證之異，豈非汗出與不汗出乎，不汗出則毒素與熱俱不得放散，故肺營代償作用而喘，脈管壁之收縮神經，受菌毒刺激而興奮則爲緊脈，且全身神經受多量毒素之刺激，毒血之潤浸，則全身體痛骨節疼痛。至於桂枝湯證則不然，汗出則毒素與熱俱能放散於體外，病輕而脈管之調節不變，故其脈浮而緩，緩爲健康人之脈，徵之古書而可信，——脈經云緩脈來去亦遲小駃於遲，王冰云、緩者緩縱之狀，非動之遲緩也，張介賓云、緩脈有陰有陽其義有三，凡從容和緩浮沉得中者，此是平人之正脉，若緩而滑大者多實熱，緩而遲細者多虛寒：：龍文按本證脉浮而緩，而未至滑大可知本證較平時不過畧畧上部充血而已——且肺亦無須營代償作用，全身神經受毒素之刺激與毒血之浸潤，亦無麻黃證之甚，有之亦不過輕微，決不致全身骨節疼痛也，即其惡寒與發熱，亦較輕於麻黃湯證，由是言之，桂枝湯證所受之毒素，果得謂多於麻黃湯證哉，惟簡青君所言桂枝證病理見解，不爲無理，——毒菌麻痺其肌膚神經，淺層動脉及汗腺失神經之約制而弛緩侈開，則現充血與自汗，體溫中樞受毒素之刺激起興奮，故雖汗出而溫不爲汗衰云云，——惟其所言，不無錯誤，吾人須知疾病與生理，原無大異，不過數量部位時間及官能異於常態者，即爲疾病，不然桂枝湯證之毒素與熱俱得放散於體外，不藥可愈矣。雖然·自汗則組織中廢料水分不及吸收·則廢料停瀦於體內·且爲細菌營養基·皮膚汗腺之括約·不聽腦神經之指揮·各自起反應作用·致造溫散溫不相調節·即調節機能障碍有一往不返·細胞亦受毒素刺激·新陳代謝亦速於平時·故汗雖異常·而仍發熱也·此亦即熱不汗衰之理·故用桂枝以暢血行·芍藥以舒攣急·大棗甘緩・協芍藥以疏緩組織之攣急・生薑健胃・以降水毒・由以甘草緩其急迫・則全身血運停勻・造溫中樞亦不致起調節障碍・前此停瀦組織廢料・與些微之毒素・亦藉溫弱裂汗之勢・使全身漐漐微似汗出・而一併排泄於體外・斯病愈矣。

至於桂枝湯之服法・簡青君所言・吾無間然・惟須注意者・即桂枝湯證之體溫・決非比麻黃湯證亢進・熱不為自汗而衰・亦非體溫比麻黃湯證亢進之故・實乃造溫中樞有障碍・使造溫與放散不相平勻・及組織中廢料不及吸收之故也・

僕生於當世・而研究醫學於絕續之日・今對於桂枝證自汗與解汗及桂麻二湯之病理・薄有所得・證之西籍例・亦無多遺失・惟淺陋如僕・錯誤在所難免・倘望科學化之國醫鴻碩・不吝賜致・匡其不逮・使成鐵案・則豈僕之幸・亦醫學之幸也・余日望之矣・

肺癆病自療法出版預約

譚次仲著

本醫生曾任梧州全體中醫學會正會長，廣東仁愛院中醫股股長。香港保元中醫學校校長，梧州第一屆中醫考試委員會考列委員第一名。著有中醫與科學，傷寒評註，金匱削繁，內科擇要。醫理淺解。中藥概說。西藥粗知。譚次仲醫學革命論集等行世。近復出肺癆病自療法，定價大洋九十元，預約五折，問事請附郵票，療肺所廣西梧州南環路一〇九號。

譚次仲函授國醫學社增設肺癆病專科

本社照常函授國醫學，並增設面授及函授肺癆病專科研究，集中西艸藥三者之長，收治肺癆病最速之效，乃次仲最近十年研究之所得也。問事請附郵票，通訊，梧州竹安路麥逸民鐵才館。

讀余雲岫闢產後驅瘀及譚次仲謂月經非瘀血之商榷

張穀成

余雲岫著產後惡露不多之無害，謂產後惡露，由胎盤與子宮血管剝離處之出血，停滯於子宮腔內，經若干時後，由子宮之收縮，將血徐徐排除於體外，當子宮收縮時，該部發生陣痛，不得根據此種陣痛，施破血之劑，以免損傷好血。其大旨誠是。然有產後惡露不行，小腹劇痛異常，呼號翻轉，迥非尋常陣痛之比，非用驅瘀較猛之劑，不能奏效。此種病症頗多，為普通中醫所深歷者。意者子宮剝離處之血管破口，將流出血管外之瘀血，吸收而入，變為血塞，障礙血行，因發小腹疼痛，非用驅瘀劑不可者。而余氏之結論，謂產後行血破血之藥，當視如鴆毒，在所嚴禁，血塞為患之說，可以棄而不顧，此實與事實相反。又月經依據中醫經驗，多目為瘀血，非排除不可。而譚次仲謂月經非血液代謝終產物，駁湯本氏月經為瘀血之論。然觀中醫書籍，對於婦人疾病，特注意於月經。月經無塞，則病較易治。余驗之甯信。考婦人科月經血之性狀，與普通血液不同，多呈暗赤色，或棕黑色，從無鮮紅色。其化學的組成檢查尚未充分，常混有多量黏液，較普通血液富於白血球，除血液普通成分外，混有子宮及陰道黏膜之上皮細胞，及少量之塵微體壁。又據生理學近時證明，經血中更有一種毒素，曰月經毒素者。且月經來潮時，常有頭痛，偏頭痛，眼花閃發耳鳴，種種胃症狀，（例如食慾不振，惡心嘔吐流涎等。）種種循環障礙，（例如心悸亢進）脈搏不整，發汗，足冷厥等。更有呈興奮憂鬱等精神症狀者。甚者則如躁狂，沈鬱狂等、眞精神病反覆發作者有之。（月經狂）婦人犯罪，多在月經期中，為古來學者所注目，（

據婦科學）是必經血之毒素，有足以發生以上種種症狀，且有足以刺激神經，使發精神病者。現世對於精神病之原因不能知，是尙未能分析血中特殊物質也。中醫對於精神病之治療，有用破血祛瘀劑者。且經血之產生，由卵巢黃醫之內分泌而起，由此可推知黃體之內分泌爲營生殖機能（卽製造卵子）之工作完成後，血液內遂不需此種物質。且覺其有毒性，而有排除之必要。故月經非無意識之舉動，因其具有毒汁而必須排除，則謂之瘀血，有何不宜。且譚氏又謂常期授乳，脂肪過多，生活改變，想像妊娠等，皆得爲無月經之原因。愚意人身久血液有限，伸於此必屈於彼，常期授乳，則血液必集中於釀乳，生殖機能必暫時停止，此所以無月經也。病理總論曰，月經停止之婦人，每見有全身多脂者，蓋卵巢除製造生殖素（卽卵子）外，更生一種物質於身體組織，營酸化燃燒作用而輸入血中者，月經停止之人，卵巢之機能已廢，營酸化之物質不復形成輸入，此殆脂沈積之所以增多也。由此觀之，脂肪過多者，無月經，乃生殖機能之退減也。其他無月經者，或由生殖機能之退減，或由體質之特異，或由經血之毒素，由他道排除，不得據此卽認月經仍爲生理的血液。且病理學病原除刀殺，火焚，電擊，閉喝等外，多非絕對之病原，有感受寒冷細菌而病者。亦有不病者。故鄙意亦認經閉非絕對之病原也。以非絕對之病原而卽認爲完全非病原其不可乎。譚氏又謂據仲景書並未有認月經爲瘀血之文。不觀金匱治經水不利，用抵當湯。其症狀雖不詳，但其藥物之作用，則爲驅除瘀血也，明甚。且譚氏又引據鄧壽彭經閉九月，腹滿日增，症狀重危，處抵當湯下黑糞，通月經獲愈之治案，譚氏亦自認不解其所以然。謂月經非瘀血可乎。謂不排除無關緊要可乎。余恐後之醫者，據余譚二氏之說，而忽棄產後驅瘀，及調理月經之治，貽誤病者，因不揣愚昧，妄陳管見，希高明者之指正焉。

三二、三、一五、於江西餘干　袁家衡

藥物各論

梅縣　李龍文

龍胆草

（名稱）學名　Badix　Gentiane　（Gentan）

別名　陸游

釋名　時珍云「志曰、葉如龍葵、味苦如胆、因以爲名、」

（品考及產地）宏景云，今出近道，於吳興者爲勝，根似牛膝，其根極苦。——名醫別錄黃勞逸云，產於我國之四川。——新中藥

丁福保云，本品產于中國之齊朐山谷，及歐羅巴之南方等處。……近世藥肆中所出售者多爲次等，惟切成大片者爲上品。有數種常出之龍胆根，如紫色龍胆草，有點龍胆草，藍縷形龍胆草等，而植物學家或以爲紫色龍胆草根，即藥肆中常出售之紅色龍胆草根也。——化學實驗新本草

『日本藥劑師一色直大郎云，胆草呈淡褐黃色，有無數長之鬚根者爲上，倘係暗褐色，或鬚根少者，無用。——漢藥良劣鑑別法』陳仁山云龍胆西藥名眞仙，產安徽省，由漢口運來，一產江蘇鎭江府，由上海運來，一產吉林奉天洮南，由山東烟台牛莊等運來，各處出品，味不相上下，春秋兩次出新。——藥物生產辨

（形狀）爲多年生草，高一二尺，葉如箭簇，形有三縱脉，無柄，對生。夏開白管狀花，生于莖頂。或上部之葉腋，根呈暗褐色。——植物學辭典，長約十糎，濶得五糎，有不整齊之輪節，色灰褐，周圍生副根，横斷面呈褐色。——新中藥

（藥用之部）根

（備治）時珍云，雷斅曰，采得陰乾，用時銅刀切去鬚上頭子，剉細，甘草湯浸一宿，暴乾用。

——本草綱目

（性味）苦澀，大寒，無毒，呈弱酸性反應，味累苦。——新中藥

（成分）賁勞逸云，本品含有Gentiopicrin $C_{20}H_{33}O_{12}$，Gentianase $C_{33}H_{66}O_{33}$ Gentianin $C_{14}H_{10}O_{5}$ Sugas。——新中藥，據日本朝比奈泰彥與依田四郎二氏分析龍胆草之結果，知其所含之主要成分，為結晶性之苦味配糖體，Gentiopikrin，其分子式$C_{16}H_{33}O_{9}\ 1/2\ H_{2}O$，及Gentianose，分子式為$C_{18}H_{32}O_{16}$，但澱粉與Tannin則無含之。——藥學雜誌

（用量）三分至三錢。

（生理作用）入胃後，能助胃液之分泌不足，以促進消化之功能，并能刺激腸壁神經，使腸之微絲血管收縮，且因含有糖質，能助消化酵素之作用。——仝下

（藥理實驗）龍胆入口，能刺激味覺神經，由起唾液之分泌量增加，一八八八年Beichmann氏，以各種含苦味質之藥而試驗之，則謂無論胃液分泌之正常，過多，或缺之，若用此於食後，每見胃液分泌減少，反致消化不良，Buchheim Engel諸氏之試驗，亦得類似之成績，然胃中之苦味質消失時，胃液卽起急劇之分泌，若在食後消化之際用之，則不但有害胃之消化化學作用，卽胃之消化機械作用，亦被障碍。Schnurmann氏試驗以含苦味質藥與病者，見一小時後，胃液中現出鹽酸反應，Ehrling氏以歐産龍胆根在苦味藥中最有防腐作用，但用大量，障碍消化時，有頭痛且顏面潮紅而昏憒者，然以其浸出液注射于犬之靜脈中，不呈如何病候，故欲用龍胆以促進胃液之酸質分泌量增加者，宜於食前半小時或一小時前服之。——科學研究國之國藥

（功效）甲　本經，骨間寒熱，驚癎，邪風，續絕傷，定五藏，殺虫毒。

別錄，除胃中伏熱，時氣，濕熱，熱泄，下痢，大腸中小虫，益肝膽氣，止驚惕。

甄權，治小兒壯熱，骨熱，驚癎入心，時疾熱黃，癰腫口乾。

大明，客忤，疳氣，熱狂，明目止煩，止瘡疥。

元素，去目中黃，及諸睛赤，腫脹，瘀肉高起，痛不可忍。

時珍，療咽喉痛，風熱，盜汗。

乙

好古、益肝膽之氣而泄火。

元素云，龍膽味苦性寒，氣味俱厚，沉而能降……其用有四，除下部風濕，一也。去濕熱，二也。臍下至足腫痛，三也。寒濕脚氣，四也。下行之功，與防己同，酒浸則能上行，外行以柴胡爲主，龍膽爲使，治眼中疾必用之藥。

時珍云：……故龍膽之益肝膽之氣，正以其能瀉肝膽之邪熱也，但大苦大寒，過服恐傷胃中生發之氣，反助火邪，亦久服黃連反從火化之義同。

黃宮繡云，龍膽草大苦大寒，性稟純陰，大瀉肝膽火邪，兼入膀胱腎經，除下焦濕熱，與防己功用相同，故書載治骨間寒熱，驚癇，虫膈天行瘟疫，熱利黃疸，寒濕脚氣，咽喉風痺，并酒炒同柴胡，則治赤睛弩肉。——本草求眞

繆希雍云、龍膽草其味大苦澀，其性大寒而無毒，足厥陰足少陰足陽明三經藥，入足少陰，除本經之熱，腎主骨，故主骨間寒熱。熱極生風，則發驚搐，重則變爲癇病，濕熱邪氣之在中下焦者，非此不去，熱去則諸證自解，五藏有熱則不安，熱除則五藏自定。苦澀而寒，故殺蟲毒，大苦大寒，故能條除胃中所伏熱，及時氣濕熱。熱洩下痢，去腸中小虫，熱清則肝膽之氣亦清，故益肝膽氣而止驚惕也。久服益智不忘輕身耐老，則非其任矣。——本草經疏

丙

李杲，退肝經邪熱，除下焦濕熱之腫，瀉旁光火。

張山雷云，龍膽草亦大苦大寒之品，純以清熱見長。主骨間寒熱者，大寒能清骨也，主驚癇止驚惕者，清熱寧心之効。……續絕傷，定五藏，則因其却熱除邪，而甚之言耳……

……大苦大寒，燥溫勝熱，自能殺虫。別錄云，去胃中伏熱，時氣溫熱，皆苦寒之用，主熱泄下利，亦苦燥濕，與芩連之清濕熱泄瀉，而並治積滯熱利。………益肝膽氣者，瀉其邪熱，卽所以益其正氣，非謂苦寒之品，能補肝膽也。

又云，但本經稱其味濇，則其性能守，而行之于內，故獨以骨蒸者，餘則濇泄肝膽有餘之火，疏通下焦濕熱之結，足以盡其能事，而痃瘕之毒，痈疽之傷，皆屬相火猖狂，非此等大苦大寒，不足以瀉其烈燄，是又下焦之餘義矣。——本草前後集

丁　黃勞逸云，慢性胃粘膜炎有効。——新中藥

為苦味健胃藥，於痴鈍性消化不良，無胃加答兒症狀之消化不良，酒客之消化不良時，均用之。——日本藥局方。）丁福保云，膽草為苦性補藥，如胃不消化，幷病方退而用補其精神，惟此為有名上藥。間有人以治依時而作之病，幷用為驅虫藥，與其他苦味藥相同。——化學實驗新本草

四　惲鐵樵云，若腦脊髓膜炎之輕症，僅發熱後腦痠頭痛者，於尋常疏解藥中加入龍胆草二三分卽得。然胆草不得過七分，多則反化火。

禁忌　便秘胃液者。——新中藥

大損胃氣，無實火者忌用。——本草從新

編者案　本品之効用，以余之經驗憑之，合之古書，徵之科學，可以分為四類，如下：

（一）消炎利尿之功　凡眼球充血腫痛，口腔牙齒咽喉腫痛，用本品可以奏消腫止痛之功；前哲謂本品能治諸腫赤腫痛，咽喉瘜肉高起痛不可忍者，此消炎解熱之功也，又謂除下焦濕熱瀉膀光之火，療黃疸之功者，實不過解熱利尿之功。本品消炎之功，卽西醫所謂防腐作用；然利尿之功，則西醫所未知，抑亦藥理實驗上未得若何之結果。然利尿之功，臨床上殆不可磨滅，舉例以明之，熱泄下利之証，用本品有解熱利尿之功，利尿卽所

以實大便，如是熱自解，而下利自止矣。此則望科學家百尺竿頭再進一步，則利尿之功，自有証明之一日也。

前哲謂龍胆久服令人化火，使人食欲不振者，致本品入胃之後，能助胃液之不足，以促進消化；常情而論，確能健胃。然則謂久服化火，則令人不解？且古人之見解，不過以熱極生寒，

寒極化火釋之，殊不着實際。然則久服化火之理，果安在耶？蓋因食後消化之際用之，不但有害胃化學之消化作用，即胃之消化機械作用，亦被障碍，此正可爲之鐵註脚，吾人非與科學接觸，安能得此智識，是則中醫科學化，豈非當前之急務哉。

解熱止汗之功　凡急性熱病之汗，非由衰弱而來者，用之奏解熱止汗之殊功，故古人謂本品能治小兒壯熱，胃中伏熱等症，實則本品有退熱之功也。

鎮痙之功　本品對于腦膜炎之証候，有卓效之治療，故古人謂能治寒熱驚癇，及驚癇入心，時氣發狂，實則上述之証，用本品時能奏解熱鎮痙消炎之功也，——疏緩神經——

殺虫　至於殺虫之功効，則殆因本品有健胃作用，及產生胃酸之故，胃酸有中和毒素之作用，健胃則使人體組織之來源不致缺乏之虞，且毒素已無從繁殖，則正氣自能驅虫于體外故也。

本品之功用，古人謂能與防己同功者，實因本品有利尿之故。故前哲每謂本品能療急性黃疸足赤腫者是也。致防己之成分，非與本品同，然其功用於臨床上觀之，則有時而同，蓋同有利尿之功也。然則防己之藥效，與本品同賦？是又不然，蓋本品除有利尿之功外，兼有卓效之解熱功用；而防己雖有利尿之功，對于解熱無能爲力也，此即用防已與本品之標準。

（處方例）：龍膽草爲末，入鷄子清，白蜜，化流水，服二錢，治傷寒發狂。（熱性病而有神經

症狀者，）傷寒蘊要。

2，龍膽黃連同入水浸和，點治目赤腫痛。——危氏得效方。

3，龍膽散——直指方　治盜汗有熱。

膽草　防風（等分）每服一錢，溫米飲調下，臨臥服。

4　龍膽丸——和漢藥攷——治疳疾發熱。

龍膽　黃連　使君子　青陳皮　（各等分）

用豬膽汁和爲丸如蘿蔔子大，臨臥時滾水送下。

5，病者頭項彎曲如黃瓜，目上視，神昏抽搐，熱不甚壯，脈不甚數者。——惲鐵樵。

膽草　黃連　犀角　菊花　生地　當歸

回天再造丸半粒，此即所謂腦膜炎是也。

本社成立診療所製藥部醫藥文化供應處啟事

居今日而言改進中國醫學，學術與事業兩者絕對不能偏廢，本社自週年紀念起，決另覓社址，同時舉辦診療所製葯處，醫藥文化供應處之部門，一切皆以現代化合理化爲宗旨。從大處着眼，從小處着手，在預算計劃中，診療所將來成爲中醫院，製藥處擴大爲製藥廠及藥物研究室，藥用植物栽培所等。醫藥文化供應處擴充爲醫藥印書館，以期此之個部門成立，使爲革新中國醫學實地工作之嚆矢。診療所設在韶市商繁地帶，以利便平民病者爲目的，製藥處自製各種成藥，門市批發，本埠外埠，一齊並兼。供應處爲自印及代理中西醫藥刊物而設，各部門均歡迎外資合作，範圍之大小，當視經濟能力爲轉移，今由在韶同志合力成立雛形，本外埠讀者如對此種事業感覺興趣，務請踴躍加入，上述三種組織，除歡迎直接加入資金外，並歡迎分設組織及代理，印有章程，函索即寄。

藥物

本草胜識（三）

范正儒

人中寶

天虛我生半畝園文存贈法國醫士謝璧詩序云：

「仲媳苦患河魚之疾，群醫各說，莫衷一是，每發號痛欲絕，庚午四月一發不止，療治經旬益劇，始就謝璧醫士診察，斷為宮外孕，非割不治，初未敢就試，及至無奈，奏刀剖腹，出一巨物如拳，長可半尺，圍近一尺，重約兩磅，外形似胞，內堅疑骨，直切為三，則竟完全石質，類於馬寶。考之本草，是名癖石，自古以來，從未有於生人腹中取得者，謂能治癥，故保存之，患者被施手術，未覺一些痛苦，匝月而愈，幾有華陀，未嘗深信，今見先生，始信神乎其技者，世固有人也，感佩之餘，爰述經過，以告同病，并誌不忘。」

栩園按：此事詎今已閱五年，予所用之保存液，初為水楊酸，不能耐久，後改硼酸甘油，直至今日，仍完好如初，曾經四十餘種之試驗，俱不能化，內惟輕養化鉀微能溶解，因念輕養化鉀，不能入口，可入口者惟重炭酸鉀，因以重炭酸鉀製為溶液，投入癖石，復加葡萄酸少許，則見立起沸騰，癖石因而活動，頗見消瘦。取出，以化學天秤權之，減重百分之三，再如上法施行一次，亦減百分之三，共試三十四次，居然化淨無餘。由此而知重炭酸鉀實為對症藥物，並不難服，其味鹹而署澀，服量可自五分以至一錢，水三分能溶一分，惟葡萄則味極酸，不能下嚥，因念胃中本是有酸，但飲葡萄釀可矣。因以試管先貯稀鹽酸以仿胃酸，加葡萄釀少許，投入癖石，此際不起作用，及加入重炭酸鉀，即起沸騰而消化較速，更進一步，試取物類相感之義，即以癖石爲引，謊粉少許，與重炭酸鉀混合，貯入膠囊，加熱至攝氏三十七度，居然消化甚速，僅十四次已能化淨。於是豁然貫通，决定可治同樣之疾，顧無此病之人，足供試驗。壬申九月，適有舍親顧君之女，醫師斷爲胃癌，非割不治，顧又不敢嘗試，及既决赴醫院開刀，女則號泣寧死不願，姑以試之。女本善飲，因以葡萄釀加酸，供其常飲，日服三次，每次約容二兩，佐以上述之膠囊，每次三枚，一枚之量爲一公分，服後少頃，即發噯氣，胸胃大覺鬆爽，而小便甚多，恐其導入膀胱或變石淋，乃用人工加爾爾斯泉鹽方式，改重炭酸納爲鉀，導入大腸，由糞便排洩，頗見順利，日漸就痊。因其同里掃墓，乞去一月之量，賀年信來，竟謂早已全癒，迄未復發，日飲葡萄酸三盞，胃納亦健。今其人已嫁，且有子矣，强健逾常，終年無病，蓋其效在葡萄含鐵能補血也。所用癖石之量甚微。統計全量不過九十公分而已。若以馬寶比例，則爲肆售價每分兩元，每一公分需五元有奇，亦可觀矣。然以住院開刀爲比，則仲媳醫費乃至千元以上，家人則受驚恐以及提心吊胆，護持調養至半年之久，其代價益不可計也。顧女得此賴以不死，殆眞可謂活人之實。本草原有人中黃人中白等，然則稱之爲「人中寶」，亦固宜歟！

考天虛我生氏所述之「人中寶」，即本草綱目卷五十二人部之「癖石」謂可消堅癖治噎膈。其集解云：「有人專心成癖，及病癥塊，凝結成石，如牛黃狗寶鮓答之類，皆諸獸之病也。觀夫星隕爲沙淋石淋，及釋氏顱顱結成舍利子，皆精氣凝結而然。故格物論云：石者，氣之核也。羣書所載如寶圭化石老樹化石，皆無情之變異也；魚蛇蝦蟹，皆能化石，乃有情之變異也。世說載貞婦登山望夫化而爲石此蓋志一不分，遂入於無情也。宋史載石工採石，陷入石穴，三年掘出猶活，見風遂化爲石，此蓋吐納石氣，久而與之俱化也。夫生形尚全化石，則頑心織癖之化石，亦其理也。程子遺書云：一波斯人發古墓，見肌膚都盡，惟心堅如金，鋸開中有山水如畫，旁有一女，憑闌凝睇，蓋此女有愛山水癖，遂致融結如此。一宋濂云：一浮屠行大般三昧法，示寂後焚之，惟心不化，狀如佛像，非金非石。又一人行禪觀法，及死火葬，心內包觀音像悉具。醫書云：一人病瘵死，火化，有塊如石，此皆癥癖頑凝成石之驗，故併錄之。一

又虞初支志甲編卷一，見聞隨筆載科爾沁僧忠王，在瞻邑攻破金家樓，獲妖婦郜王氏，訊明處死，剖腹之時，刀不能入，胸中若有物拒之者，王怒，令塗以穢物，仍堅不受刃，因祭力錡印刀口，王親視行刑，劃然闢解，心包之內裹一小人長三寸許，鬚眉畢具，男形，以石灰滲之，凡參謁者皆出以傳玩，殆所謂姹女嬰兒也，是其內丹已結矣。或曰：不然，此種當以心理學解之。情史類編載：至元間，松江李彥直與女郎張麗容相悅，後爲阿參政所得，兩人皆死，焚女，女心不灰，足踐出一物，儼然彥直也。彥直心中，亦有一物相髣。又有一商，泊舟，與岸上女相視，月餘後商去，女死，焚其尸，獨心不死，如鐵，磨之，見中有舟，舟中有人，又一婦好山水，日臨玩成疾，死焚之，惟心不化，堅如石，有波斯胡重價購去，鋸成片，中有山水，樹木如畫。觀此三事，焉知郜王氏心包中之男形，不與此同類也耶？若云內丹，不應成男形，女子太陰鍊形，亦無竟成男形之說。袁氏所云，蓋未解此。

正儒按：凡人專嗜某種事物皆稱癖，癖深者，精神凝聚於壹，因而心血團結，化爲石質，故李時珍所述之陳屍，其癖石皆在心房，見聞隨筆及情史類編所載，亦皆癖石之類，直小說家婉其詞而未識耳。惟此種癖石，與由飲食所致者，又有別焉。人身縱有癖石，從前並無解剖活人而取之者，有之則如郜王氏之例，偶然得之，視爲奇寶，然亦罕聞人間，綱目所收之癖石，亦祇謂由死體中所得，非活物也，又其所述有成人形者，亦指剖而之花斑而言，類乎雲石之文理，能作山水人物形，並非整個能成形也，不可不明辨。今天虛我生氏（現代中國著名工業家陳栩園之別署，著述甚富，）發見一人中寶一及其對症療治法在醫學上確有重大貢獻，亦足以供後賢研究之資

助，故詳錄之。

死人枕

虞初支志載：「南史稱徐嗣伯精醫，以死人枕煮服，治一嫗積年屍注，又以之治張景石蚘，又以之治沈僧翼眼痛見鬼物。王晏問之，三病不同，而皆用死人枕療差何也？答曰：屍注者鬼氣也，伏而未起，故令人沈滯，得死人枕促之，魂氣飛越，不復附體，故屍注可差，石蚘者，醫療既僻，蚘虫轉堅，世間藥不能除，所以須鬼物驅之，然後可散也。夫邪氣入肝，故使眼痛而見魑魅，應須邪物，以鈎其氣，因而去之，所以令埋於故處也。晏嘆服。」

按死人枕即本草綱目卷三十八器部之死人枕席是也。徐氏以鬼物治僻物，確具巧思，醫者意也，此其一例，用畢仍埋於故處，亦不傷及幽靈，最可師法；而方伎之流，心乎利慾，乃有用天靈蓋爲藥餌，以治傳尸病者，殘忍傷神，不足爲訓。陳藏器以死人枕主治尸注石蚘，又治疣目，以枕及席拭之二七遍，令爛去疣，蓋亦徐氏之遺術耳。又聖惠方：療自汗盜汗，死人席緣燒灰，煮汁浴身，自愈，此治陰不歸營之證也。藥籠中物甚夥，何需乎是，近世罕有以入藥用，殆嫌其穢濁有毒也歟？

本社徵求設立分社及擴大徵求社員啟事

本社爲加强工作起見：即日起徵求各地設立分社及擴大徵求社員，社員分普通、贊助、基本三種，權利與義務畧有不同，然無論何種，最低限度亦得下列之享受。（1）免費閱讀本刊。（2）指導習醫門徑。（3）義務解答醫學問題。（4）介紹社員互相聯絡。（5）介紹讀書問題。

設立分社及徵求各地社員，爲本刊社本年度工作重心之一，希各同志擁躍加入，以期完成改進中國醫學之最初任務，印有章程歡迎函索。

常識

「生男育女之一般理論與診斷」

李克蕙

生男育女，自來委之天命，而男女胎孕之形成，向爲醫學上一則神秘之謎，茲將一般學說，列舉如左：

（一）胎分男女

唐千金方云：「經後一日男，二日女，三日男，此外皆不成胎。」宋陳自明婦人良方云：「凡男女受胎，皆以婦女經絕一日三日五日爲男：：二日四日六日瀉精者皆女，過六日皆不成胎。」

道藏經云：「月水止後，一三五日成男，二四六日成女。」

齊司徒褚澄云：「血先至，裹精則生男，精先至，裹血則生女，精血散分，駢胎品胎之兆。」

聖濟經云：「因氣而左動，陽資之則成男，因氣而右動，陰資之則成女。」

李東垣云：「血海始淨，一二日成男，三四日成女。」時憲書載：「七七四十九，問娘何月有，除卻母生年，再加一十九，是男逢單位，是女便成雙。」

陳少懷氏對豐稔之年多生女因歉之歲多生男之問題解釋云：「這是一個很普通的事實，何得會有這樣的情形呢，原來其中也自有很合理的原因，在生活條件最順利的地方，女人會最得利，是沒有疑義的，他吃得較好，較受嬌養，而秉受着較高度的健康體質，卵珠在這種寬裕條件之下，所受的影響，就是受着較多的生物所造成的機緣，發育成雌性的遂亦較多一些，反過來說，如果生活條件變得較爲不利，這時候女人受累便最大，在野蠻人種食物缺乏之時，女人一定吃得少，這一半是由於男子的自私自利。又一半是由於女人天性比較要仁慈些，情願損已來利人，這樣一來，卵珠狀況不寬裕，便造成多生男兒的事實，而且就實際調査所得，我們還可以發覺到家況愈窮的人家，生的兒子常愈多，愈是有錢的人家，往往會得一個兒子都沒有，這誠是一件有趣之事情。

綜上各說，大致可分爲數類，一以精血先後而言，一以日數奇偶而言，一以子宮左右而言，一以女血盈虧而言，在西洋亦有類似之學說，試舉如下：

席伯萊（Hippocrates）云：「子嗣之爲男爲女，視乎父母身體强弱而定。」

薩德委（Sadler）云：「子嗣之雌雄，視父母之年齡爲轉移。」

蓋倫（Ca·len）云：「人類的生產，右半身較溫於左半身，是以胎之近右者則爲男子，近左者則爲女子。」

韋納滑脫Winiwarter氏云，在顯微鏡下實驗，精蟲和卵珠之構造而得其結果云：「男的精蟲有兩種，一種有二十三個染質，（一名染色體）一種有二十四個染質的，女子卵珠的染質只有二十四個的一種，所以受精結果，如有四十七個染質的就生男，有四十八個染質的就生女。」

按席氏薩氏之說，主與父母身體强弱及年齡有關，蓋倫亦以左右爲說，惟與吾國男左女右者適相反，子宮部位，正常位置在小腹正中，所謂左右之異者，殆因胎兒體位稍有左右之偏局揣測言之也，韋氏之說，具體而經實驗，一掃自來空洞揣測之談，似可爲定論矣。然精蟲兩種不同之染質，消長變化，是否與日數奇偶有關，不無研究價值，猶之貓之噬鼠也，在月初則先食頭，月抄則先食尾，屋有數間，貓之捕鼠，亦必隨月之上下弦而循序輪値，即上弦在前間，下弦必在後間也。牛之產犢，月初生者行在母前，月尾產者隨母後，此一般人所熟知者，審斯則日數奇偶，或有相當關係歟。

時憲書之歌訣，則專指女子，凡年齡奇數者，偶月受孕爲男，奇月受孕爲女，年齡偶數者則反是，（所謂七七四十九者，不過通俗易記耳，不如以母年與受孕月數推算，爲直捷了當，）如年十九歲二月受孕爲男，三月受孕爲女也。

王清任氏謂：「更出奇者，此方（指少腹逐瘀湯）種子如神，每經初見之日吃起，一連吃五付，不過四月，必成胎，必須男女年歲與月合成陽數，（即單數）方生子，如男女兩人，一單歲、一雙歲，必擇雙月方生子，如兩單歲或兩雙歲，必擇單月方生子，擇月不可以初一爲定準，以交節爲定準，要知倘有經過二十日結胎者，切記準日期，倘月分不對生女，莫謂余方不驗，」後附直隸布政司素納公六十一歲生子驗案，若王氏此言，或許從多數實驗中所得結論，故言之確鑿如此，若經淨後一三五日與二四六日成男成女，實無法證明其是非，至單月雙月，年歲奇偶，在孕者固易推古男女，即已產有男女者，亦可推驗此法是否確實，惟須注意者，月數須以交節爲準，而年歲記得太素脈訣中會註明，六個月以內者不計，逾六個月以外足一歲算，如民國二年正月生，至民國二十年正月爲足十八歲，若至二十年七月則以十九歲計算也。讀者如有興趣，照此推算，作一報告，從多數統計中歸納其結論，則古人之是非，可以事實證明之，古人之糾紛，亦正待我輩改進也。

（二）轉女爲男

我國習俗，重男輕女，生子曰弄璋，生女曰弄瓦，此詩以璋瓦喻男女也，淳于意有緩急無可使之歎，鄧伯道興天道無知之悲，陳皇后固寵求子，與醫錢九千萬，呂不韋移花接木，視異人爲奇貨，皆以男子能承嗣大統故也，自古惟一楊玉環，能令詩人詠其「遂令天下父母心，不重生男重生女」外，豔羨生女者蓋甚鮮，考之醫籍，亦但有轉女成男方藥，絕少轉男成女方法者，現在男女平等，女子既有繼承財產權，而贅壻須改從妻姓，法律上亦有明文規定，第不知事實上有此嬋娟婦人否耶，一笑。吾國既重男輕女，復有轉女成男方藥，如果効驗確實，人人試用，不幾成為男子世界已，然事實上但見一夫多妻，而轉女成男方法，又未必人人應用也，茲舉合乎學理，而有實驗價值之轉女成男方法兩則於后：

佩雄黃確能得男之奇驗

轉載科學常識

某君有友，籍隸桂省，有祖遺眞雄精一枚，大如雞卵，據云，相傳佩之可以得男，如某君求嗣心切，借與試驗，並授以佩帶方法，欲男欲女，佩法不同，某君欣然受之，與其妻妾佩帶，未逾一稔，連得孿雄，尙以為偶然巧合，又與親友中未子者試之，先後計十五人，得弄璋者竟占十二人之多，其餘三人，一病小產，二人或佩帶不如法，雖未全效，亦云奇矣，某君之友，固博通科學者，對此雄精能令人生男之理，研究多時，苦難理解，厥後攜之赴歐，與一西友談及此事，西友乃德國醫學博士，兼著名化學專家，初亦不信，乃共同研究，因各種分光化驗之法，歷時頗久，近忽發現此雄精得人體溫後，有一種特別放射線，凡礦物質皆有放射線，各各不同，如鐳錠等類，此雄精之放射線，能使微生物各依其雌雄性集於一端，如磁電吸鐵，同性相拒，異性相吸，竟然無異，試驗之法，用一種微生蟲與人之精蟲相類，須以千倍顯微鏡照之，始能辨其雌雄，置於一溝形磁器內，加某種溫度之藥液，使微生蟲能在液內自由游行，布置既畢，始在身傍取出雄精，置於試器之一端，約半小時，再以顯微鏡照之，該微生蟲顯然分集兩端，甲端約百分之九十五為雄性，乙端約百分之九十五為雌性，屢試數種皆然，且男性體溫與女性體溫，試驗時亦有顯然之分別，眞奇觀也，由此觀之，我國舊學說，新學家目為極無理者，安知他日不經科學證明，為極有價值之學理耶。

丹參圓（千金方）

「藥味」丹參，續斷，芍藥，白膠，白朮，柏子仁，甘草各二兩人參，芎藭，乾薑各三十銖吳茱萸，橘皮，當歸各一兩十八銖，白芷，冠纓燒灰一兩，乾地黃一兩半，蕪荑十八銖，犬卵一具乾，東門外雄雞頭一枚

「製法」右十九味為末，蜜和丸，如梧子大。

「服法」酒服十丸，日再，稍加至二十丸。

「主治」治婦人始覺有娠養胎，並轉女為男方。

「議論」論曰，陰陽調和，二氣相感，陽施陰化，是以有胎，而三陰所會，則多生女，但妊娠二月，名曰始膏，精氣成於包裹，至於三月，名曰始胎，血脈不流，形象而變，未有定儀，見物而化，是時男女未分，故未滿三月者可服藥方術，轉之令生男也。

彭罌（Born）攝球Pfyger蔡羅Yyng三人，以蛙試驗結果報告云「尋常所產之卵，雌數微多於雄，設調治母蛙食料，於未產卵之先，則可轉雌為雄，可過百分之九十。

按韋納滑脫氏之說，孕分男女，端由男子精子之染色質不同而分，而彭罌氏等實驗，則調治母蛙食料，可以轉雌為雄，觀此，則千金方以犬卵雄雞頭雄精等藥，令孕婦於始受胎而未判分男女時服食，可以轉女成男，殆非全無根據者歟，惟實際如何，須待實驗證明也。

（三）男女診斷

一　脈象

左脈偏大為男，右脈偏大為女。

按四五個月後，脈象比較可靠，然亦難確據也。

（二）腹形

男胎如釜。女胎如箕。

按男胎體位，背部恰向外側，故母腹成凸圓形如釜，女胎背部多向內側，故母腹平圓如箕。

（三）胎動

男胎動具整個狀，女胎動具散漫狀。按男胎背部近外，故胎動具整個形，女胎反是，故動作散漫。

（四）動作

姙婦前行，夫從後急呼之，左面首者是男，右面首者是女。按男胎重心偏左，女胎重心偏右，故注意力常有左右之別。

又法：孕婦如圖，夫從後急呼之，以左右分判男女，尤切。

（五）臨產

男作覆勢，女作仰勢。按覆勢仰勢，此為男女胎位不同之具體表現，胎兒在孕，體位通常足向上，頭向下，背向母前，足向母後，手足緊縮，男女胎位稍有分別，具如上述，至於橫生倒產，乃少數之變例，並非天然姿態也。

治水蛭之特效藥——蜜糖

羅晉坤

日前閱貴刊第十五六期，內有蕭艾君關於水蛭寄生人體一文，閱後不禁使人驚異，其寄生人體後為害之大，眞令人談虎色變之勢。茲特錄一治水蛭之特效藥，以供參考。

本家業醫已三世，昔年祖父傳下一治小兒疳積傷目方，其中有用水蛭脫膜者，該方亦甚奇驗。其法如下：

用水蛭數條，盛於小瓶內，入蜜糖少許，不久瓶內之水蛭皆自吐涎沫而死，水蛭之體則縮至一團，其狀如炸後之豬油渣，隨後即將水蛭之體濟取出，再入少許之白玉錠，以毛筆攪和，即以毛筆尖點入小兒生膜之眼內，不久其膜自脫。由是觀之，水蛭遇蜜糖則死，蜜糖可治水蛭則無疑矣。特錄出以供世人參考，或有所補救也。

廣東興寧興田路立民醫務所

編輯室廣播

編者

編完這一期，心裏感到異樣的輕鬆和喜說，本來原先打算在這第一周年的日子，出一個紀念耑號，把本刊一年來歷史，實踐中工作，一一的報導，無如爲着許多文獻與統計材料，未能及時作系統的整理，加以積壓各地學者的佳稿太多，只好改耑號爲特輯，將先收到的幾篇紀念文字，連同編輯者底「一年間」刊出，至原來的計劃，惟期待於第二個周年了。這裏，謹向惠以大文或題調詞先進諸君致謝。

這次大可以打破了一般的老例，對本期所收稿子，再不必多贅一辭，以「少說話多做事」的態度更爲確實，固然這回體裁的作品勾淨得頗堪私慰，每一篇都有其學術的涵義，還是讓高明的讀者去細細地研討和評價。

不過有幾句話誠摯地在此提出，是本刊從本期起，一切都有了新的進展，單從出紙的數量而說，已比前增加了一倍，同時經濟力與人力亦充實得多，相信不會如過去的一再脫期，但熱望於遠近的讀者諸君，對本刊作爲基石的擴大徵求定戶，徵求社友的工作，多多地予以幫忙。

韶關市 風度中

永壽堂

採辦國產 地道生藥

揀選泡製 鮮明飲片

參茸燕桂 名貴補品

經理環球 膏丹丸散

零沽批發 無任歡迎

特聘 鄧昭常老醫師 駐堂應診

韶關市 風烈路

永安堂

……馳名蠟丸……

依方監製 各項丸散

揀選各省 鮮明飲片

代理中西 名家藥品

零沽批發 無任歡迎

特聘 廖殿材中醫師 駐堂應診

總發行風烈路一支店昇平路開張

韶關市 黃田壩

中興藥局

是國藥界新軍 爲患病者良友

中醫師 黃碩如 主持醫務 精理內科

韶關市 風度北

廣芝館精良國藥

—是中藥配劑之理想藥局—

敬聘 陳敬潮老醫師 駐堂應診

港粵

永生藥行

四大良藥

心胃氣痛散

馳名癬藥精

驚風嬰兒散

立止頭痛粉

到處風行 人人滿意

新行興寧興田路九號

曲江總代理世界大藥房

廣東醫藥旬刊社叢書第一種

臨床藥典

徵求預約

梅縣李龍文編著
同里吳粵昌校閱

現階段的科學化中國藥物學專著，環顧出版界中，無可否認地使人興貧乏之感！尤其當這中藥日漸世界化的時代，關於研究而發揚中藥的任務，更已成爲每一個新中醫共同努力的指標。本書作者李龍文先生，早已有志於斯，積十餘年經驗，參中外學理，以科學方法編成此書，分析藥物七百餘種，精簡切用，全書用三十二開上等土紙排印一厚冊，都十餘萬言，凡臨床醫家，社會人士，允宜人手一編。每冊定價國幣六十元，預約七折，以本年八月底截止。遠處以郵戳爲憑，九月底出書。優待本刊讀者，照預約價再加九折，初版出僅千冊，欲購從速，郵運費暫先收十元，多除少補惠歘請寄韶州北門大碼頭本社。（接受外地讀者函請，預約期延長至九月底止，出書期不更改）

科學針灸醫學院招生

廣東省衛生處處長黃雯博士曰：「針灸療法操術簡單，頗合經濟原則，尤其是處於今日民窮財盡的中國更宜研究傳資提倡……」

針灸療病，功效最偉大，而且快愈，經濟安全利便，爲人人所應研究之醫術。經用針灸治療沉痾痼疾一百八十種的曾天治醫生，用科學方法整理後，面授函授均可成功，散居五大洲之二百餘面授函授畢業生，一致認爲解決生活，職業，疾病唯一捷徑云。前在省港設院。現遷廣東韶川老隆鎮福音堂側

廣東醫藥旬刊第一卷合訂本 開始發行預約

本刊出版以來，以宗旨純正，內容精藝，編排新穎，作者如林，備承讀者贊譽，竟幸一紙風行，故出僅半年，存書早罄，各方索補，數逾二千。茲爲應此需求，及以明本刊艱苦前進精神起見，特將創刊至廿四期本刊，編印合訂本，全書五十餘萬言，執筆者數十人，用上等土紙精印三十二開一厚冊，原價每部一百元預約七折，其優待本刊讀者，及截止期，出書期均同臨床藥典的辦法。

內政部登記證警字第八二○四號
廣東圖書雜誌審查處審查證雜字第五九○號
中華郵政特准掛號認爲第一類新聞紙類

本期特大號零售每冊仍售國幣五元
自由定戶先收定費國幣五十五元

韶關五里亭藝織山 偉光印刷廠承刊

家家不可不備人人不可不讀的……

廣東醫藥旬刊

要目

第二卷第三，四期
廣東醫藥旬刊社發行
中華民國三十二年八月廿五日出版

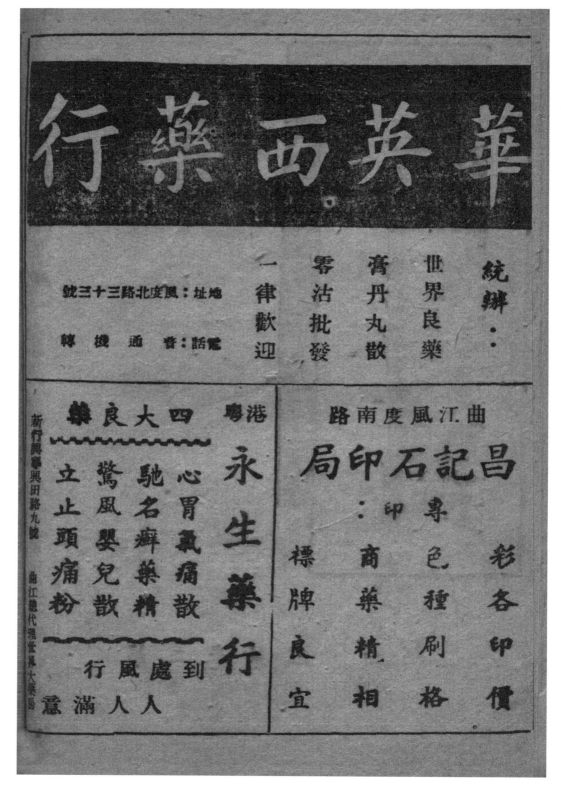

廣東醫藥旬刊

第二卷第三、四期目次

廣東醫藥旬刊

第二卷第三、四期合刊
民國三十二年八月二十五日出版

主編兼發行人：吳粵昌
發行所：廣東醫藥旬刊社
（韶州北門大碼頭）
總經理：中國文化服務社廣東分社
印刷者：復興印刷所
本社工作人員：
黃碩如　陳薇瀏　梁乃津　駱定基
江濟時　陸協民　彭幹　鄧昭常
黃介甫　江鼎石　江漢榮　盧家豪
詹益康　甄夢初　李龍文

定價：本刊每期二十日發行一次全年十八期，零售本期特大號每冊八元，訂閱預收國幣五十五元，逢期出版，先行寄發，按照定價九折優待，寄滿為止，郵費免收，掛號另加。

目次

介紹與批評

藥物

報導

鳴謝

近本社蒙左列諸先生，自動捐贈本社基金。雅意熱忱，至懸深感。謹此鳴謝，並致 敬禮！

曲江	何寶琦先生	四百五十元
曲江	鄒宗賢先生	二百五十元
南雄	張景述先生	二百五十元
衡陽	李文卿先生	二百元
吉安	李克憲先生	一百元

本刊廣告價格每期計算

封面內頁）	七五〇·元
封　底全	八〇〇·元
封底內頁面	七二〇·元
普通專頁（	四五〇·元

稿約

1. 本刊各欄絕對公開，歡迎來稿，
2. 來稿不拘文體字數學說不分中西，但以有關醫藥，不違背時代與科學者爲限，譯稿須附原著。
3. 編者對來稿有增刪權，如不願刪改者，須於稿末聲明。
4. 來稿須用稿紙，加標點，以毛筆或水筆楷書，不得一稿兩投，并須附姓名地址蓋章。
5. 來稿一經刊出，奉贈本刊，并致薄酬，或現金，或圖書。
6. 來稿刊載與否，概不發還惟長編巨著及附足郵票例外。
7. 來稿請寄廣東韶州北門大碼頭十八號本社編輯部。

現階段中醫進修問題

蔡適季

一　導言

中國醫學經過悠久的年代，能夠延續到現在，還保持它本來的面目，一部份固由於它自身有不可泯滅的價值，大部份却由於先哲後賢啓廸發明的功績；才能使它在中國學術史上佔一重要地位，在世界醫藥史中成一主要洪流，奠定東方醫學的永久基礎，造成燦爛光輝的實用科學。

先哲後賢的啓廸發明，決不是偶然的，而是憑藉他們夙夜匪懈，繼續不斷努力的結果。換句話說：就是他們知道進修的重要，和學習的方法，纔有這偉大功績的表現。

但近百年來，我國思想運動，因受專制思想所影响，學術界的活動，完全以科舉爲中心，一般學者咸對八股駢文進攻，致中國學術發生嚴重的偏枯症狀，把實用科學摒棄不顧，有關生命的醫藥，亦豈能例外，因此中國醫學便逐漸式微了，何况在歐風東漸，西說侵入，思想界又受其薰陶，一般學者趨之若鶩，認爲中國固有文化，不足與西洋文化相抗衡，又遂轉向鑽研西洋學說，而把我國固有學術置之度外，醫藥文化，又豈能例外，於是中國醫學在雙重的壓迫下，更加沒落了。

針對上述的原因，我認爲中醫界有緊急復興中國醫學的必要。這不但與　國父恢復固有文化，　總裁發揚固有知能的宗旨相契符，而且可融合中國醫藥於世界醫藥中，造成醫學的特殊體系。那麼要怎樣去復興呢！以我的意見，第一個先決的條件，必須提倡進修了。爲甚麼呢？因進修是復興的基本手段和主要工具罷了。

二　中醫進修的意義

進修是什麼？從文字的解釋，是改進修學的意思；從意義上的分析，是自已努力求取知識技能的一個概念；從教育上的說明，是一種自我教育的學習方法。人類爲求滿足生活的需要，不斷地改善自已的經驗，因而發生「向上」的慾望，進修便是達到此種目的的手段。換句話說，它就是一種自已訓練的科學。羅德說：「講求自已訓練，足以使我們知道怎樣運用教育原理，和怎樣將所受過的一種職業訓練之一部或全部實用出來。我以自已訓練是可以增長知識的價值的。」（註一）的確不錯，我們要怎樣運用那天賦才能去求得知識與技術，進修便是一條康莊大道了。

爲什麼要進修呢？

第一、確定生活觀念。活人總得有一個生活觀念，這是不論甚麼人都不可少的，何況在科學文明的時代，自然生長性的觀念已不適合，必須要有目的意識性的正確理論，才能滿足人生願望。進修可以從現成的人生經驗中，改進自已的人生經驗，進而確立一個富有「前進」意義的生活觀念，所以我們有進修的必要。

第二，接受創造知識。我們研究醫藥所需要的一切，斷不能親自從頭做起，而該接受現有醫藥知識，以節省時間；再而從現有的知識中，去創造出新學說來、進修就是體認新知識融化新學說的基本過程。所以這兩件事是統一的，最初的進修爲的接受知識，以後的進修就是創造學說，要接受才有創造，要創造就須接受，完全的進修歷程，在求知識方面是包括這兩件事。

第三、建立醫藥文化。「醫藥文化」是文化部門中的一環，是保衛人類生命的主力軍。它的任務是預防人類疾病，促進人類健康，進一步說，它能增加社會的活力，持續民族的生雅。」（註二）進修時便可由現有的醫藥文化中去體認融會，而重新建立一個立理論基礎體系——中國本位醫藥文化。[illegible]

總括起來說：中醫進修的意義，就是中醫界努力求取有關職業上一切知能的自我教育方法，以為鞏定生活觀念，接受創造知識，建立醫藥文化的主要工具，俾我國固有醫學能復興于中國，宏揚于世界，這就是中醫進修的偉大意義。

三　中醫進修的步驟及原則

既然明瞭中醫進修的重要意義，那麼進一步便要理解怎樣進修了。在沒有敘述進修方法以前，必須首先知道進修的步驟及其原則，然後才可按步就班的做去。範圍方面我們可分為三方面來討論：

（一）讀書——讀書是開一「知識之寶庫」的鎖匙；我們要獲得知識，必須向書本裏面去追求，讀書便是達到目的的良好方法。所以進修的第一個步驟就是讀書。

（二）研究——單單讀書，是不會創造新學說新思想的；一定要經過研究的過程；始能探究真理，發揮理想；所以進修的第二個步驟就是研究。

（三）創議——創議是發表自己思想學說的重要過程。我們要把自己研究的結果貢獻給學術界，必須要經過此種手續，然後才能達到進修的最終目的。所以進修的第三個步驟就是創議了。

其次說到進修的原則，我們也可分左列數方面來談：

（一）應該以發揚中國醫學為目標——本來進修的目標固然可以根據進修者的需要來自已確定的；但是站在中醫界立場的我們，當然要以發揚中國醫學為其主要目標，才不會違背中醫進修的意義。

（二）應該確定一個進修中心—醫學上的科別很多，如兒科，婦科，內科，外科，針灸科……等；醫學上的基礎科學也很多，如生理，病理，藥物，處方……等；我們的生命很短促，除基礎知識而外，斷不能一一求精；所以應該擇一種科目或科學，奉爲終身進修的中心，以免無所適從。

（三）應該利用科學進修方法—科學方法是一種有系統有組織有次序的歷程，它能給與進修時莫大的輔導，所以我們應該利用它；否則，仍舊用書塾式的背誦或硬記，一定是會減少進修效率的。

（四）應該以歷史考據作進修基礎—「歷史是一部記載人類或事物，從古到今的史蹟，文化的進步和因果關係的書籍。它有審察過去，明瞭現在，預測將來的功用。中醫的歷史根基是深厚的，一切名作家均有相當年代，像內經，傷寒論等是，我們要用科學的方法去研究它學說的價值，及其對於現代醫學的影響，便須考據它發生時的真僞和因果，來斷定真實價值」。（註三）我們進修時亦須以這點爲基礎，才能發現中國醫學的精髓。

四　中醫進修的條件

（一）工具　語云：「工欲善其事，必先利其器」，欲求事業的成功，必先有良好的工具；所以善於進修的人，往往對於工具方面，力求充實完備。假如你要經濟的話，那可以從旁的方面節省，工具絕不能經濟，因爲工具和進修有莫大關係，可以盡量地購買也不行，應該經過選擇的手續，否則不但多費了錢，而且怕那所買的工具反會使我們的工作發生障礙，所以特把應用的工具列舉于左：

（1）書本——書本是知識的寶庫，進修時的主要工具。但是古今中外的書籍，浩如瀾海，單就醫書來說，其卷帙之繁，種類之多，眞是多得「汗牛充棟」，對如此繁多的書，我們應該縝密的選擇，把自己興趣所近，或與醫藥有關，或與某科相聯的書來看；同時讀過的書，應該保存起來，非到萬不得已的時候，不可把書賣掉，假如經濟困難的話，儘可向圖書館或朋友借來看，惟應該立即筆記，並須保持清潔，以免遺忘或損壞。

（2）筆記簿——這也是進修時不可缺少的工具，我們應該選擇一個適當的筆記體制，保持同一式樣，才能使參攷便利，否則便無從組織，更無從編制了。最好是採用活頁本，因爲它有許多好處：（一）便於分類裝釘，（二）可以把各種筆記納於一個本子，（三）便於重加整理，（四）容易找到所需資料；所以活頁本是最適宜的筆記編制。

（3）筆——每一個願意進修的人，必須要有具備一枝自來水筆和一枝活動鉛筆；因爲看書或做筆記時，需要好筆來幫助書寫。若用毛筆或木柄鉛筆，在做筆記時常因磨墨削木耗費很多時間，所以很不經濟。自來水筆或活動鉛筆既然書寫便利，又可節省時間，實是一種良好工具；但須注意的，就是要養成天天裝墨水的習慣，才不會遇到乾筆的困難。

（4）字典辭書——字典及辭書是找生字或辭語的書本，我們應該購置一本，置於座右，以便索引；除此以外，特殊的醫藥辭典亦應購備一本，以爲找醫藥上參攷資料之用。

（5）其他用品——除了上述用品之外，還有其他工具，像各種圖表手冊、滑尺、廢紙袋、書架、書夾、橡皮帶、漿糊、墨水、剪、尺、橡皮、洋刀、打洞機是，都是日用進修必需品。

（二）知識　我們中醫進修的時候，必須先對各種科學都有基本知識，才可獲得高深學問，創造嶄新學說，茲分述于後：

（1）語文學——中國古代語文與後世不同，如內難諸經，傷寒雜病諸論，文辭質樸，措詞簡奧，若非對國學有根抵者，必難洞悉其蘊，所以進修時應先治國學方可；推之如英德日等國文字，亦應選讀一二種，以爲研究外國醫藥書籍之準備，故古今語文的研究，外國語文的學習，皆爲中醫進修時應有的努力。

（2）目錄學——進修時求助于目錄學，中外各國皆共同承認爲節省時間，經濟腦力的絕妙捷徑，卽就醫學一科而論，欲知關于此科之需要書籍，並何人所著作，就可檢查目錄，一目了然，再則自己藏書或著作之編配，亦有偏重目錄學的幫助；可惜中醫界尚少此種目錄指導，故未能充分發揮讀書效能。

（3）基礎科學——欲瞭解中國醫學的奧妙，尤須先認識現代科學的特徵，才能把握時代，融會貫通，至少限度，對於生理、病理、細菌、免疫、藥物重要基礎學科，必須充分明瞭，乃可登堂入室，發揚國粹。

（三）決心　「決心就是意志力有意識的運用，是制勝障礙產出結果的促進力，是心靈的活動，是使人類奮發起來的那一點火光。你有了決心，就能够依着審度力所認可的路程走去，而且能够達到任何一個高度。」（註四）　總裁說：「　國父在遺訓中特別告誡我們『貫澈始終』這句話，就是成功立業最緊要的精神，具體的講：就是要有恆心和毅力，例如我們研究一種新的學問，今年不成功，明年繼之，明年還不成功，後年繼之，以至成功爲止，如果終身還不能成功，便傳給學生或子孫繼續研究，不達目的不止。」我們中醫進修時應認淸這一點訓示，才能達到成功的希望。

五　中醫進修的方式

中醫進修的方式，可分爲兩種，一是個人進修，一是集體進修，前者宜於問題的研究，後者合於知識的追求，兩者都有互相關係，茲述于下：

個人進修，個人進修的運用：第一要自己先確定進修目標——目標是工作的指導，以全部醫藥或中國醫藥爲本位，或以各科爲進修單位，均須確定淸楚，其次再計劃進修程序——計劃是進修的根據，未有實行進修之前，就應先有計劃，無論何種事業，計劃卻是第一要緊

•訂定計劃時要注意到的事情是：（一）時間之利用及限制。（二）費用的預算及支付。（三）工具的購置和使用。最後乃實行進修計劃——依照計劃逐步實行，務期達到目的。

集體進修。運用集體的組織，從事進修，其效果一定比個人所得的較優。

（一）進修社的組織——邀集本地的同道，組織進修社，或擴展至他地，共同組織進修社。進修社的任務是1、規定進修時間。2、選定進修書刊。3、社員進修的督促。

（二）集體進修的進行——

1、分組精讀——將選定的書刊，按照各會員的興趣及心得，派其分組精讀，而後再另定期間，報告讀書內容要點。

2、提要報告——定期另集全體會員，各人報告自己進修過的書刊要點及心得。這樣，一個人的進修，許多人便得到益處。

3、座談講演——以講演或座談的方式，使社員報告自己進修的心得，收交換知識的益處。

4、交換筆記——規定社員讀書或研究時須一律寫筆記，此項筆記，必須彼此交換，使增加進修所得知識，理解和心得。

六　中醫進修的方法

進修方法是進修手段的手段，是達到所要求或所預定的目的的基本過程。我們要進修，必須明瞭方法，然後才有辦法着手。從前古人所用的進修方法，大都是用注入式的，硬把書本或經驗印在腦海中，因此所得到的效果甚微，所費的時間又很多，眞是很不經濟的事。現在這裏所介紹給同仁的，是科學的進修方法。所謂科學，就是有系統，有組織的學問；所謂科學的進修方法，就是有系統有組織的修學方法。茲分讀書、研究、創議三方面來敘述：

（甲）讀書方法

前面說過，中外古今的書籍浩如淵海，一個人的能力和生命有限，怎樣能全部多閱讀過呢，因此需要經過一番的選擇，選擇以後，再用下列兩種方法閱讀。

（一）略讀　有些書籍，在它內容上、作用上說，都不大重要，為了節省時間起見，可以約略一點。這種書籍，可以瀏覽一遍，或是讀其主要的一部分，把重要的摘記下來就可以了。

（二）精讀　將基本重要書籍，以精讀的方法去閱讀，使重要的知識，不因閱讀時間的不够而遺漏。它的方法，可以分成四部份來講：

「第一是學　讀書首先的目的，就是要從書中去得一些東西，在我叫做學。（一）……讀它固必要了解句讀詞意，但尤必要了解體系以明白整個的書。（二）一部書都要陳述一個理論，而每個理論都是一套邏輯，讀書的能事，在把握它的邏輯。（三）每一部書的理論，都是其研究的方法（即研究所用的手續），讀書要從這個地方着眼，才能不失大體而了解它的基礎。（四）一部書都有它的中心……讀書要把握它底中心才好。（五）一部書有它的敍述方法……讀書時也要注意。

第二是思　思就是思維或思索，把書上所說的拿來想。（一）思起於疑，沒有疑便沒有思，所以對於書要有懷疑。（二）要站在批判的立場，作為發覺疑難的方法。（三）懷疑與批判，均須注意事實。（四）思維之時，必須憑藉整理的本質的科學的事實批判才站得住。（五）一個理論應該是能够自圓其說，並且要合於事實的邏輯融貫。

第三是寫　寫就是寫筆記，把學和思的工夫統一起來。它是完成學和思的手續，並且它自身就是思的外現和深化。（一）是摘錄——把書上很好的語句和段落抄下來。（二）是撮述——這可以表現全書的體系，有記憶和備忘待考的作用。（三）遇有疑問或關於未解決的都要記下來。（四）讀書所有的心得，應該納入筆記之中。

第四是用　經過學、寫、思三種工夫，還要用書。（一）把讀後的拿來說——無論讀書所遇到的疑問心得，所理解的體系理論，都可拿作說話的資料，說就是思維，就是溫習，同時又可得着人家底意見，觀感有益。（二）把讀後的拿來寫——或者把它作材料用，或介紹文字，或者做成書評發表，都是好的。（三）把讀後的拿來引——不用就引就是徵引，徵引可以助長記憶，助長理解，對於基本的和重要的書，特別是含蓄豐富的書，要這樣才好。而摘錄的名言至理，若不徵引，那是沒有用，又很易忘記。」（註五）

（乙）研究方法

研究是一種憑藉客觀的真理或實驗來判斷是非，解決問題的良好方法。中醫科學研究的意義是：「利用中國舊有的醫藥學說、傳記、筆記、醫案……等，從錯綜什亂的事象之中，以客觀的態度，探求共因果法則的相互關係，列為一個系統，因而發現或證實醫藥間的真理的一種手續。」（註六）它的方法，可分為一般的和特殊的兩方面。

（一）一般的方法　進行的程序，大概可分為五個步驟。第一步預先根據下列兩個標準：（一）適合中國醫學上的需要，（二）適合研究者的興趣和能力來選擇問題。第二步再利用直接或間接的方法，搜集與該問題有關係的材料，以供研究。第三步把搜集成功的材料，加以精密的整理。第四步把所得的材料，加以比較研究，找出一個概論來，然後用事實或經驗加以判斷，確定結論。第五步再把自己研究的經過，撰擬報告發表，以便社會人士知道。

（二）特殊的方法　可分為歷史法、調查法、實驗法三種。（一）歷史法是徵集歷史上的材料，如文獻紀錄及各種器物等，用科學的研究，去尋找因果法則的關係，而求得合理解決的一種方法。它的步驟是1.搜集史料，2.鑑別史料，3.尋求因果。（二）調查法是發現事實的一個普通方法。它的步驟是1.擬定計劃，2.搜集材料，3.整理材料，4.解釋意識。（三）實驗法是實際證驗證明原理原則的一個最好方法。它的步驟是1.確定目標，2.決定方式，3.進行試驗，4.發表報告。

（丙）　創議方法

創議包括創造和議論兩項文章；前者是利用自己的思想創作一種新學說，後者是根據參攷所得的材料，加以有系統的組織，而兩者的共通點則是把它利用書面發表出來，這與前述讀書和研究有切審的關係。因為讀書和研究的目的，都是為要創作一種新思想或發揮自己的感見出來；現在分別敘述如下：

創作文　創作與思想最有聯帶關係，「思想的發表，好像巨廈的建築，它，第一必須要有一個印象或目標，第二一定要有充分的好材料，第三必須要有應用材料的靈敏手腕，這才能把一個思想完善地發表出來」（註七）。簡單一點說，創作文的要素，應該包含（1）有什麼問題，什麼目標，或是什麼困難，（2）村料，（3）方法等三方面，才能把自己的思想表現出來。

議論文　根據書本或他人言論參攷所得的資料，加入自己的意見，而組成的論文，可以分作五步手續：第一步是挑選一個適當的題目，第二步是材料的搜集和選擇，第三步是紀錄這些材料，第四步是組織這些材料，第五步把它寫起來。」（註八）

七　尾言

總之，現階段中醫進修問題，無疑地是有緊急提倡的必要。欲使中國醫學永久存在，充實發展，我們中醫界必須加緊地去進修，從讀書方法中去求得知識，從研究方法中去發現新知，從創議方法中去宣導己見，然後才能達到目的。惟本論所述者，僅一概括方法，至於詳細進修方法，除研究方法已詳于拙著「中醫科學研究法」而外，其餘則待諸異日，當繼續披於本刊，以正敎于同仁。

註一：見美國羅德著「怎樣訓練你自己」中譯本
註二：見拙著「建立中國本位醫藥文化」載上海中國醫藥月刊二卷七期
註三：見拙著「中醫科學研究法」載上海國醫導報三卷二期
註四：同註一
註五：見葉青著「談讀書」載教育什誌二十五卷第三號
註六：同註三
註七：見美國克勞福著「怎樣修學」中譯本
註八：同註七

卅二年二月八日晚于泉州

本社成立診療所製藥部醫藥文化供應處啓事

居今日而言改進中國醫學，學術與事業兩者絕對不能偏廢，本社自週年紀念起，決另覓社址，同時舉辦診療所製藥處，醫藥文化供應處三部門，一切皆以現代化合理化爲宗旨，從大處着眼，從小處着手，在預算計劃中，診療所將來爲中醫院，製藥處擴大爲製藥廠及藥物研究室，藥用植物栽培所等。醫藥文化供應處擴充爲醫藥印書館，以期此三個部門成立，使爲革新中國醫學實地工作之嚆矢。診療所設在韶市繁盛地帶，以利便平民病者爲目的，製藥處自製各種成藥，門市批發，本埠外埠，一齊並兼。供應處爲自印及代理中西醫藥刊物而設，各部門均歡迎外資合作，範圍之大小，當視經濟能力爲轉移，今由在韶同志合力成立雛形，本外埠讀者如對此種事業感覺興趣，務請踴躍加入，上述三種組織，除歡迎直接加入資金外，並歡迎分設組織及代理，印有章程，函索即寄。

專著

中醫基礎學

姜春華撰

序言

中國任何學術，無由淺入深之書籍，學者苟能貫通，則全貫通，苟不能貫通，卽全不貫通。而醫學一門，尤見其然。中國醫學基礎書籍，如靈樞、素問、傷寒、金匱、王氏脈經、巢氏病源諸書，類皆卷帙浩繁，文義深奧，苟不致力研求，殊難識其旨趣，得其要領，後世醫家，教子授徒，有鑒及此，間亦撰爲入門淺釋諸書，然而不失之簡略，卽失之淺簿，若欲將認識疾病之知識，與夫治療之方法，於簡短文字中，完全表明，亦甚難矣！夫中國醫學，其形式似與科學醫學大相逕庭，但究其實際，固不甚遠異也，或以爲中醫雖有生理、病理、診斷、藥理、治療諸學說，但多玄說，又且爲另具一種特殊形式之學說，與科學醫學的理論格不相入，不知中國醫學與科學醫學其名實雖不相孚，而在系統上又各自成一系統，但在事實上則多相同，蓋醫者理也，世無無理論之醫藥，中醫而不合理，早無存在之餘地矣，譬之大黃瀉下，黃連健胃，中醫則因其作用而設詞以說明之，其所說之藥理，雖非眞理，但其事實固眞也。西醫則憑化學的分析而加以實驗，從而說明其藥理，故其理眞而事確，觀二者之說理雖殊，其在效果上則一也。由此可知中西醫學在事實上有其共同之點，在理論上不妨其相異也。惟治西醫不通中醫之學者，遂譏中醫爲玄醫，治中醫而不通西醫之學者，亦復夜郎自大，蓋中西醫學名實大異，系統懸殊，欲以彼貫此，或以此通彼，非沉潛其間殫精密索，不克能達。無怪其各不相知而互是互譏也。然而中醫之學果難知乎？曰實不難也。中醫以科學研究之則甚易，以玄學研求之則甚難矣。中醫基礎書籍，初學所以不易領悟者，雖則由於文字深奧，而以往學者以玄學爲之解釋，致使後學難覓出路，實爲最大原因也，初學者倘能獲得以科學解釋中醫術語之說者，則中醫之實質易明，持此以讀中醫舊籍，卽無扞格之弊，譬諸啓門得其鑰匙，不但入門，亦且升堂入室矣。

第一章 陰陽

陰陽之說，在中國學術上占極重大之地位，其原出於易，當時作易者之陰陽觀念，殆產生於自然現象，周易姚氏學云：「陰陽之義配日月，故易字從日月，象陰陽也。」其說近似觀於往古典籍，幾無不涉及陰陽，而道家爲尤甚。古人對於疾病之觀念，多有以爲出於陰陽者，莊子曰：「疾爲陰陽之患。」左傳醫和論六氣曰：「陰淫寒疾，陽淫熱疾。」晏子春秋曰：「景公病水臥十數日，夜夢與二日門不勝。晏子朝，公曰：「夕者夢與二日門，而寡人不勝，我其死乎？」晏子曰：「所病者陰也，日者陽也，一陰不勝二陽，故病將已。」呂覽重已篇曰：「室大則多陰，臺高則多陽，多陰則蹶，多陽則痿，此陰陽不適之意也。」班固曰：「醫經者，原人、血脈、經絡、骨髓、陰陽、表裡，以起百病之本，死生之分。」觀此諸說，可見古人對於疾病上之陰陽觀念，極爲普遍，茲據中醫經典素問靈樞傷寒等疏而論之，以闡明中醫之陰陽觀念，學者對此一壽之陰陽觀念明瞭，則對後世之陰陽學說，可迎刃而解矣。

第一節 宇宙之陰陽觀

素問四氣調神論云：「夫四時陰陽者，萬物之根本也，所以聖人春夏養陽，秋冬養陰，以從其根。」古人觀察自然現象，見一切生物至春夏而繁榮，秋冬而凋寒，尤以植物爲然，遂意以爲陽主生長，陰主收藏，秋冬倘無收藏則春夏無以生長，因曰聖人春夏養陽，秋冬養陰，以從其根，所謂聖人者，乃指善能以自然爲法則之人也。

又陰陽離合論云：「天爲陽，地爲陰，日爲陽月爲陰：……陰陽者，數之可十，推之可百　數之可千，推之可萬。」此以二物相對而舉如此，相對者多至無窮，故曰推之可萬。

又、陰陽應象大論云：「陰陽者，天地之道也，萬物之綱紀，變化之父母，生殺之本始，神明之府也」。此以宇宙間一切事物，不脫陰陽軌範。淮南子云：「天地之襲精爲陰陽，陰陽之專精爲四時，四時之散精爲萬物」。古人不但以宇宙萬物屬之陰陽，且以宇宙間事物之變化皆出於陰陽也；神明猶言主宰造化之機。淮南泰族訓云：「其生物也，莫見其所養而物長。其殺物也，莫見其所喪而物亡；此之謂神明」。古人見植物之自然而萌芽，自然而凋落，生殺無形，遂意想其爲神明所主，而神明者，又爲陰陽也。

又云：「故積陽爲天，積陰爲地，陰靜陽躁，陽生陰長，陽殺陰藏。」古人以爲太初之時，本屬混沌，其後輕清者上升爲天，重濁者下降爲地，輕清爲陽，重濁爲陰，上升爲陽，下降爲陰。陽旣輕清，輕清則動，故曰躁。陰旣重濁，重濁則凝，故曰靜。（後人以病之躁動者爲陽，病之靜者屬陰。原本於此。）

又云：「水爲陰，火爲陽」。王冰云：「水寒而靜，故爲陰，火熱而躁，故爲陽。」古人設喻比象，於此益見。又云「水火者陰陽之徵兆也。」又云：「陰陽者，血氣之男女也。」此以陰陽喻血氣，有如男女性，氣爲陽如男性，血爲陰如女性。又云：「左右者，陰陽之道路也。」此以左右喻陰陽，如左右之分野，左爲陽則右爲陰也。

第二節　人體上之陰陽

素問陰陽應象大論云：「故清陽出上竅，濁陰出下竅，清陽發腠理，濁陰走五藏，清陽實四肢，濁陰歸六府。」竅指人身之腔洞，上竅乃指上部之腔洞，如眼，耳、口、鼻。下竅乃指前後陰，上竅排出者，如涕淚、氣、唾。下所排出者，如尿屎，此以上下之部位分清濁陰陽也。又所謂清陽發腠理者乃指蒸發不見汗滴之水汽，濁陰走五藏者，乃指已經吸收之營養份輸送於各組織也。實四肢者，指已輸送於四肢之營養份發生作用也。歸六府者，指排泄廢物也，此乃以陽爲人體之作用，而陰乃人體之物質也。

又云：「陽化氣，陰成形」。陽既指人體作用，故曰化氣，氣者指活動之原力也。陰既指人體之物質，故曰成形，成形者，言其實有固定之形體也。

又金匱眞言論云：「夫言人之陰陽，則外爲陽內爲陰，言人身之陰陽，則背爲陽，腹爲陰，言人身之藏府中陰陽，則藏者爲陰，府者爲陽，肝心脾肺腎五藏皆爲陰，胆胃大腸小腸膀胱三焦六府皆爲陽。」此段詞意明顯，背爲陽者，因一切動物皆背脊向上，腹部向下，向上爲陽，向下爲陰，古人以人亦如此也。以肝心脾肺腎爲陰者，以陰主藏，藏爲靜的方面，因其藏而不瀉爲靜的方面，故以之爲陰，胆胃腸膀胱三焦爲陽，以陽主府，府爲動的方面，因其瀉而不藏，爲動的方面，故屬之爲陽，其實此皆非絕對者，言人憑其直覺與推想，區別爲二，極爲粗陋。

又云：「背爲陽，陽中之陽心也，背爲陽，陽中之陰肺也。腹爲陰，陰中之陰腎也。腹爲陰，陰中之陰肝也。腹爲陰，陰中之至陰脾也。」按前節所分之陰陽，爲藏瀉之陰陽，此節則以解剖的部位而言，以人體直立而言之，則心在上爲陽之陽肺在下爲陽之陽，肝在上爲陰之陰，腎在下爲陰之陰，脾更下則爲至陰矣。

第三節　生理上之陰陽

素問生氣通天論云：「陽氣者，若天與日，失其所則折壽而不彰，故天運當以日光明，是故陽因而上衞外者也。」古人以人身之有陽氣，如天之有日，天無日則萬物不生，人身有陽，即可以衞外，抵抗外來之侵略，如國防線然，故曰衞外，此處之陽，其意爲人體之抵抗作用也。又云：「陽氣者，精則養神，柔則養筋」。此古人以陽氣亦有[illegible]差，神指精力，筋指肌肉。

又云。「陰者藏精而起亟也，陽者衞外而爲固也。」起亟二字，舊註無定解。汪氏云：「起者，起而應也，外有所召，則內數起以應也，如外以順召則心以喜起而應之，外以逆召，則肝以怒起而應之之類也」。於起亟二字無解。馬氏云：「衞氣有所應於外，營氣即隨之而起，夫如是之謂起亟也」。按古人之意以陰爲藏精（物質），陽爲衞外（作用），陰如軍火儲藏處，陽如炮火之發出，備外間發炮，而貯藏處將炮彈絡繹運出，不絕於途，所謂起亟也。意如下圖：

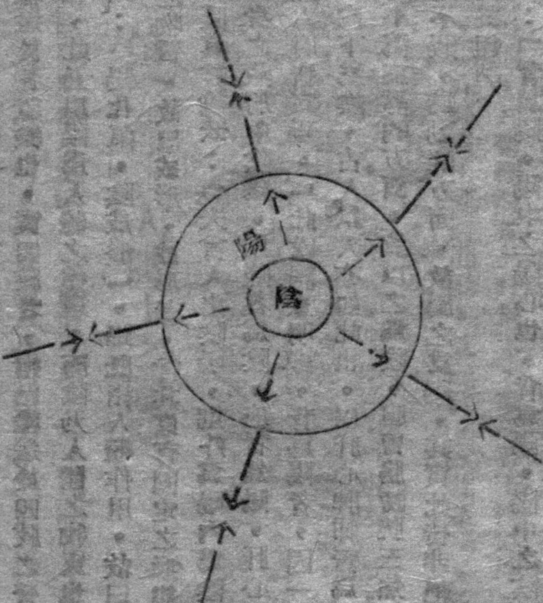

內圈爲陰
外圈爲陽
內圈發出者指起亟
外圈發出者指衞外
外圈之外留內者爲侵犯者

又云：「凡陰陽之要，陽密乃固，兩者不和，若春無秋，若冬無夏，因而和之，是爲聖度。故陽强不能密，陰氣乃絕，陰平陽祕，精神乃治，陰陽離決，精神乃絕。」古人以陽不當强，如陽强則陰必耗，陰耗則精絕矣。譬諸國家，陽爲武人，武人專政，則窮兵黷武，必至國力大衰，一蹶不振矣。

第四節　病理上之陰陽

素問生氣通天論云：「陽氣者，煩勞則張精絕，辟（襞）積於夏，使人煎厥」。目盲不可視，耳閉不可以聽，潰潰乎若壞都，汩汩乎不可止。」按古人以陽氣過煩則亢盛，如是積至夏日，乃生煎厥之病。煎厥病者，視其証候類乎神經衰弱。（煎如水之煎，厥指假死。）

又云：「陽氣者，大怒則形氣絕，而血菀於上，使人薄厥」。按古人以爲陽氣因大怒則形氣絕而血菀於上，遂致血鬱成爲薄厥之病。—（菀同鬱。）

又云：「陰不勝其陽，則脈流薄疾，並乃狂，陽不勝其陰，則五藏氣爭，九竅不通。」古人以爲陰陽當平衡，如陽盛而陰不勝則脈流薄（迫），疾並乃狂矣，倘陰盛而陽不勝，則五臟氣[illegible]竅不通矣，此因陰主藏，今因陰盛之故，遂致氣爭，陽盛之病似指急性傳染病之見腦症狀者，腦症狀爲不合生理規律之動作，動作爲陽，故曰陰不勝其陽，陰盛之病極少見，蓋古人相對名詞耳！（只有陽虛而非陰盛）

又陰陽應象大論云：「陰勝則陽病，陽勝則陰病，陽勝則熱，陰勝則寒。」古人以陰爲寒，以陽爲熱，如陽盛則熱矣，如陰勝則寒矣。

又云：「陽勝則身熱，腠理閉，喘粗爲之俛仰，汗不出而齒乾，煩冤，腹滿死，能冬不能夏，陰勝則身寒，汗出身常淸，數慄而寒，寒則厥，厥則腹滿死，能夏不能冬。」按陽勝之病，乃急性熱病喘粗似兼呼吸器病，腹滿疑爲鼓腸，此皆熱性病中常見之症狀。陰勝之病，則不能確知，但其症爲身寒，身常淸，數慄而寒且厥，古人以陰陽區病之寒熱爲兩大類，後世以之定治療方針者也。」

又調經論云：「陽虛則外寒，陰虛則內熱，陽盛則外熱，陰盛則內寒。」此仍以寒熱相對爲詞，古人以陽爲熱，倘其人陽虛則外寒矣，陰虛則內熱者，以陰讓步於陽，陽專肆其威，故內熱也。陽盛則發越於外，故外熱，陰盛於內，致使內不熱而爲寒也，吾人於此等處，不必定以陽爲機能，陰爲物質，心知古人想象相對論之意義可矣。

又脈要精微論云：「陽氣有餘爲身熱，無汗。陰氣有餘爲多汗身寒。」陰如水，陽如火，陰有餘，故有汗，陽有餘，故無汗。

靈樞刺節眞邪論云：「陰氣不足則內熱，陽氣有餘則外熱。」又云：「陽勝者則爲熱，陰勝者則爲寒。」按此二語與前所引略同，其想象如下圖：

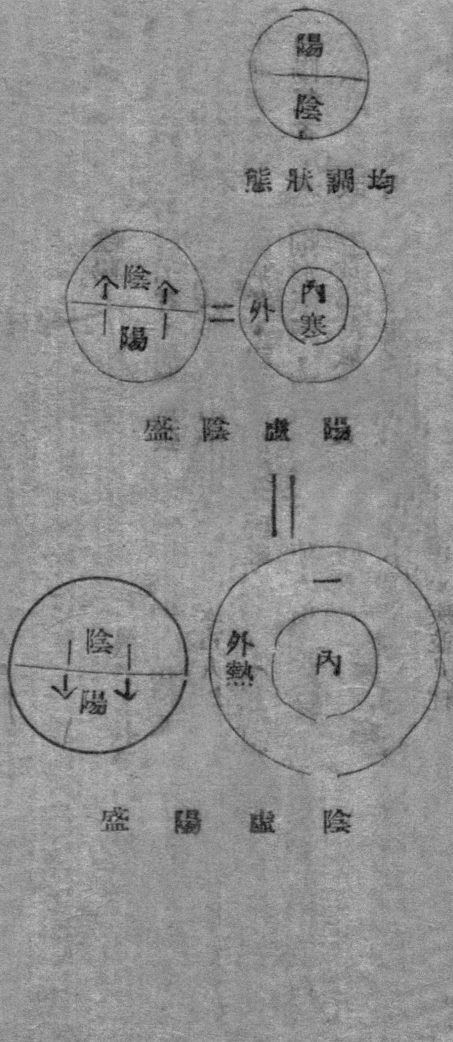

按內經作者以陰爲寒，陽爲熱，仲景之意與之相同，傷寒論云：「病有發熱惡寒者發於陽也，無熱惡寒者，發於陰也。」又云：「病發於陽，而反下之。」皆以熱爲陽寒爲陰也。

第五章　氣味之陰陽

素問陰陽應象大論云：「陽爲氣，陰爲味。」按此氣乃指鼻所嗅着之香臭，香嗅由於物質之揮發，味乃舌對物質之感覺，古人以香臭無形，故屬之氣，屬之陽，酸苦有質，故屬之味，屬之陰。

又云：「陰味出下竅，陽氣出上竅，味厚者爲陰，薄爲陰之陽，氣厚爲陽，薄爲陽之陰，味厚則泄，薄則通，氣薄則發泄，厚則發熱。」按陰既係味，既係質，有質即有重，重故出下竅，陽既係氣，氣輕而清，故出上竅，味厚（濃）者，乃爲陰，倘味薄則爲陰中之陽矣，氣厚原爲陽，但倘氣薄則爲陽中之陰矣。氣味厚薄則泄者，古人意想其厚薄之有如斯作用，此雖非固定公式，但氣之與味，其作用自殊，如芳香者俱揮發性有戟刺作用，甘濃者，具滋養性有補償之作用，後世設藥理，取諸內經其意義不過如此而已。

又云：「辛甘發散爲陽，酸苦滑泄爲陰。」按辛甘藥氣重，故爲陽，酸苦藥味濃，故爲陰，總此不過以氣味之大概爲言，非固定之公式，學者切勿拘泥而以古人爲非。（本章完）

本社徵求設立分社及擴大徵求社員啓事

本社爲加强工作起見，即日起徵求各埠設立分社及擴大徵求社員，社員分普通、贊助、基本三種，權利與義務略有不同，然無論何種，最低限度亦得下列之享受：（1）免費閱讀本刊。（2）指導習醫門徑。（3）義務解答醫學問題。（4）介紹社員互相聯絡。（5）介紹讀書問題。

設立分社及徵求各埠社員，爲本刊社本年度工作重心之一，希各同志踴躍加入，以期完成改進中國醫學之最初任務，印有章程歡迎函索。

方劑學

樊天徒

解表劑（包括發汗劑解肌劑透疹劑）

（一）解表劑之定義

解表劑云者，驅除病毒從肌表發泄之方劑也。凡發汗劑，解肌劑，透疹劑，均稱之，斯三種方劑，原可細爲類別，分欄討論，祇以古人命名定義，不甚嚴謹，麻黃湯本爲發汗劑，而有時名爲解肌；桂枝湯本爲解肌劑，而有時稱其發汗，漫用無別，由來已久，加之事實上，發汗劑雖含有解肌之作用，解肌劑亦何嘗無發汗之可能，而發汗解肌之方劑，復多少含有透疹之作用，三者之所由分，不過用藥有輕重，及配合之微異而已，初無劃然之界限可言。是故與其多立名目，徒亂人意，毋寧統名之曰解表劑，反較爲清醒易曉，泛應曲當，惟爲便利初學，俾於應用時，識其宜忌，知所抉擇起見，爰就其功用較著者，註明某爲發汗劑，某爲解肌劑，某爲透疹劑，舉例言之：如麻黃湯可爲發汗劑代表，桂枝湯可爲解肌劑之代表，升麻葛根湯可爲透疹劑之代表，此殆因其功用顯著，而結構特殊也。至若功用籠統，難以軒輊者，則不復強爲類別。

（二）解表劑之作用及其指證

發汗劑之作用，爲亢進血行，刺激汗腺，或其主宰之中樞神經，使汗液分泌機能增進，藉以放散鬱遏之體溫，發泄過剩之水分，俾病毒得從肌表排泄於體外，故凡因病毒之刺激，致皮下血管收縮，汗腺緊閉，散溫機能減退，體溫與水分均嫌過剩者，均宜賞用之。例如：感冒或傳染病初期，見惡寒、發熱、頭痛、身疼、無汗、脈浮緊諸證時，賞用發汗劑，則汗出熱降而諸症輕減。若原因單純，病毒不重者，竟可因此一汗而全解，此數見不鮮之事也。又如皮下組織間水分過剩，發生皮水腫，而腫勢盛於身半以上者！亦適用發汗劑，以驅除過剩之水分，仲景所謂「治水者，腰以下腫，當利小便，腰以上腫，當發汗，卽愈。」及「皮水，其脈浮，外證浮腫，按之沒指，不惡風，其腹如鼓，不渴，當發其汗」，是也。又如痲瘋、梅毒、痛風、僂痲質斯等病，大抵由於病毒隱伏體內所致，若兒有發熱，脈浮之表證，則爲體工有驅除病毒從表解之傾向，此時可利用其自然療能，而賞用發汗劑，藉皮膚之蒸發，以促進毒素之排泄，其症可漸見輕快，如要略麻黃加朮湯證，桂枝芍藥知母湯證均是也。

解肌劑之作用，爲調和血行，舒暢神經，解除風寒病毒之刺激，恢復肌表神經血管汗腺之正常生活，凡因病毒之刺激，致肌表神經血管汗腺生活失常，而見時而有汗形寒，時而無汗身熱，頭目不爽，身體倦怠，諸種表證者，均宜賞用之，大論所謂「太陽中風，脈陽浮而陰弱，陽浮者熱自發，陰弱者汗自出，嗇嗇惡寒，淅淅惡風，翕翕發熱，鼻鳴乾嘔者，桂枝湯主之」，是其例也。

透疹劑之作用，爲鼓舞皮下血管之血行，促進抗毒力之產生，使癍疹病毒，因皮血管之充血，而得大量從肌表發泄，不致逗留體內，侵害內臟，凡痲疹，天花，猩紅熱，風疹，以及發斑熱等急性發疹病之初期，疹點欲出未出，以及抗力低弱，發疹不暢者，均宜賞用透疹劑，俾抗力增進，排毒迅速。

（二）解表劑應用之藥物及其配合之法度

解表劑應用之藥物，以解表藥爲主體，常用之解表藥不下二三十種，其中有發汗作用甚著者，有僅能散表解肌而不能發汗者，有透疹之功獨擅者，此外尙有並非解表藥，祇以常配伍解表藥而見用於解表劑中，後人不察，遂誤認爲解表藥者，藥均爲一一提出，詳爲說明。

傳學者藉此一點知識，將來研究古今解表劑，觀其選用之藥物，藥量之重輕，便不難識其功用何若矣。

發汗之藥，當以麻黃爲巨擘，麻黃能開發汗腺，故散體溫，排除體內過剩之水分，有發汗利尿諸作用，並能舒緩氣管肌之痙攣，爲平喘之要藥。香薷浮萍木賊草西河柳四藥，均仝具發汗利尿之作用，其功能殆與麻黃相近，惟平喘爲麻黃所獨擅。而香薷發汗利尿，獨宜於暑期。浮萍西河柳有卓著之透疹作用，木賊草善治眼結膜炎。此其同而不同之點。

桂枝含有芳香性揮發油，能亢進血行，溫養神經，能使肌表淺層動脈暫時充血，以解除風寒病毒之刺激，爲解肌劑中之代表藥，配以麻黃，則能治表實而發汗，配以芍藥，則能治表虛之自汗。

麻桂同用，力專於發汗，然若協以芍藥，則發汗之力較弱，而解肌之功爲顯，故葛根湯，桂枝二麻黃一湯，桂枝麻黃各半湯，小青龍湯諸方，均得適用於時而有汗，時而無汗之證也。

桂枝能增高血壓，亢進血行，凡機能亢進以及陰虛陽亢之病，確不甚相宜，故叔和有「桂枝下咽陽盛則斃」之告誡，然據吾之經驗，若協以黃芩大黃等消炎泄熱之藥，則此種禁忌，便無甚價值，例如陰旦湯，桂枝加大黃湯，方中雖有桂枝，何嘗不可用於此等症候，可見方劑中之藥物，有配合之妙用，不可與單味藥一例論。

麻黃與杏仁同用，功能平喘鎮咳。麻黃與石膏同用，則平喘之外，並能消災解熱。麻黃雖爲發汗藥，若配以石膏而不協以桂枝，則發汗之力微，而解熱逐飲之功著，故越婢湯麻杏石甘湯，均得適用於汗出證。

麻黃與附子同用，則解表之中，寓有強心扶陽作用，此麻黃附子細辛湯，麻黃附子甘草湯，所以爲心陽不足而有外感者設也。

麻黃發汗之力雖大，然一錢麻黃之力，亦不過與二錢香薷或四錢浮萍相若，俗工敢用香薷浮萍至三五錢之多，而不敢用數分至一錢之麻黃，縱遇麻黃證，率以蘇葉荊防代之，夫蘇葉能開發肺氣，發汗散寒，荊防亦有發汗解表作用，用代麻黃，原無不可，然婢學夫人，終不若麻黃之儀態萬方耳。

薄荷除發汗解熱作用外，有解凝消腫健胃諸作用，諸腫瘍而有表證者多用之，惟發散之力甚大，表虛多汗者愼之。

荊芥防風雖均有發汗作用，但力甚微，欲恃其發汗，非用大量至三四錢不爲功，荊芥有消血解毒解熱鎮痙諸作用，適用於感冒、頭痛、產褥熱、破傷風、血中毒、膿毒症，以及婦女因經產而來，小兒伴發熱而來之痙攣驚搐等症，防風有鎮痛緩下作用，適用於感冒性頭痛身楚，關節疼痛，僂麻質斯等症，痢疾有表症者，亦宜之。

胡荽又名芫荽，發汗透疹之力亦著，惟習慣上多用於外治，湯劑中罕用之，凡麻疹肌被緊閉，透發不暢者，恒用胡荽煎湯熏洗，以開發汗孔，擴大皮血管，俾疹毒發泄暢利，其效極可靠。

紫蘇葉能發汗，並能舒開肺氣，其功用頗近於麻黃，惟功力較弱，大抵紫蘇五錢，乃等於麻黃一錢而已。

豆豉一味，本無甚發汗作用，而近人多有用作發汗藥者，余試用之，竟亦獲些微發汗之功效，初頗疑其與溫湯取汗之徯徬相若，終不信其果能發汗也，近與藥舖中人言及，始知藥舖中所售之豆豉，均曾用麻黃水煮過，至此乃恍然。又憶及早年曾聞人言，謂始作俑者，爲一孟河名醫，在姑蘇行道，見當地時醫，不解用麻黃，病家亦不敢服麻黃，此名醫乃異想天開，囑藥舖中用麻黃水煮豆豉，凡彼認爲應用麻黃者，輒用豆豉，藥舖中配其所處方中有豆豉者，輒以麻黃水煮過之豆豉予之，表面不過豆豉而已，暗中已不啻用麻黃，此其用心甚苦，本情有可原，但妄加炮製，使藥物變性，浸失古義矣。夫豆豉有解肌解熱健胃整腸諸作用，因含有醱酵作用，能鼓舞胃氣，未嘗不可用爲發汗藥之輔佐。例如葱豉湯，雖爲發汗劑，而其發汗之功，在葱者多於在豉。研究藥物有素者，當能辨之，不煩鄙人饒舌也。但卽以葱豉合和而論，其發汗之力亦甚弱。觀於肘後葱豉湯方後，有「若汗不出，更作，加葛根三兩」。及「若不得汗，更作，加麻黃三兩去節，服取汗出爲效」云云。可徵吾言不爲虛誕矣。

羌活獨活能發汗散寒，尤能鎮痛，故感冒，惡寒發熱，寒多熱少，頭痛身楚，背上寒如水澆，舌苔白，無熱象燥象者，必用之。

葛根爲清涼性生津解渴透疹解熱藥，本無發汗作用，凡津液不能外達以作汗者，遇麻桂證時，雖投以麻桂，亦不得汗出，必須加葛根以起陰氣，然後乃得蒸蒸汗出而解，此惲鐵樵先生所經驗，於病理藥理固一貫可通者也。

葛根升麻均有透發痘疹之作用，但葛根能治項背肌肉神經之痲痺，升麻能治直腸與膀胱肌之痲痺，葛根能生津解熱，升麻能解毒利咽，此二藥主治同而不同之所在也。

柴胡爲消炎解熱解凝藥，對於腺體發炎腫硬有特效，雖非解表藥，然因腺體發炎而起之惡寒發熱或寒熱往來，須賴之以解除。

生蒼朮能發汗利尿，太無神朮散用之，然惟於濕家宜之，若普通感冒，屬於呼吸系統者，則不甚相宜也。

蟬蛻茅根，均有透疹解熱作用，適用於疹發未暢時，迨疹出已齊，則蟬蛻卽不宜用，而茅根仍可任用無妨。蓋蟬蛻透疹之力強，而茅根則解熱之功著，痲疹出齊之後，過於透發，則易於劫營，而清涼解熱之中，略含透發之品，則排毒泄熱，最合於病機。

牛蒡子有解熱解毒利咽緩下諸作用，利於咽喉痘疹諸病，但無透疹力，而俗醫謂其能透疹，謬矣。

藿香雖爲興奮藥，而發汗之力甚微，晉李用以健胃鎮嘔，所謂芳香化濁者，確有用處，若用以發汗解表，則不足恃矣。

時方解表劑中之辛夷、藁本、白芷，川芎、蔓荊、秦艽之類，大抵取其鎮痛而用之，非取其解表也，故雖屬表證，而身體骨節無甚痛楚者，均可不必取用也。

前胡只能解熱，不能解表，其解熱之功略同於柴胡，古方中柴胡前胡常互用無別，而吾之習慣，脇肋病而不及於肺者，用柴胡。若肋炎延肺，咳嗽有熱象者，則用前胡。因前胡能消炎下氣，善治氣管炎喘息咳嗽也。

生薑雖非解表藥，而解表劑中常用之，殆取其興奮作用，助長解表藥之效力而已。

（四）解表劑之組織法

解表劑之組成，當然取用解表藥爲主體，若目的在發汗，則於解表藥中擇其有發汗作用者用之。若目的在解肌，而不在發汗，則擇解表散寒而不能發汗，或雖能發汗而力薄性緩者用之。若目的在透疹，則擇其長於透疹者用之。惟各類藥物，功能雖相近，而宜忌各有不同，選擇之道，是在病者之兼症是否與此藥之其他作用相合爲準。表藥既已選定，然後略加和裏之品，其目的或以矯正藥味，或以和胃安腸，如薑棗甘草之類是也。此外因證候之所急，分別配以適用之藥，例如內挾痰飲水氣者，佐以祛痰利水藥，如小青龍之用，半夏細辛，麻黃加朮湯之用朮是也。內有發炎徵象者，配以消炎解熱藥，如大青龍之用石膏，葛根解肌湯之用芩，石是也。血液中毒者，配以消血解毒藥，如延年水解散之用大黃，芩是也。心臟衰弱者，配以強心藥，如麻黃附子甘草湯，桂枝加附子湯之用附子是也。氣陰不足者，配以益陰補氣藥，如新加湯之用人參芍藥，麻黃人參芍藥湯之用參耆歸芍是也。

解表劑可與和裏劑同用，可與強心劑同用，可與消炎劑解毒劑祛痰劑以及利水劑等同用，獨不可與攻下劑同用，其理由爲解表劑之作用，爲向上向外，攻下劑之作用，爲向裏向下，向上則不能向下，向裏則不能向外，方向適相反，勢不得同時並行而不悖也，故病在太陽，則病之重心在表，縱有裏實症，亦當先解其表，表解已乃可攻裏，此仲景之大法也；觀於大論陽明病表未解者之宜麻桂，可知也。或曰：誠如君言，則大柴胡，水解散，涼膈散，防風通聖散，均非表裏雙解劑乎？何以用之輙能奏效也。曰：大柴胡非解表劑也，柴胡本非解表藥，乃解熱藥也。大柴胡乃少陽陽明方，而非太陽陽明方也。涼膈散爲陽明病適用之攻裏泄熱劑，而非解表劑，應用涼膈散者，固絕無惡寒體痛之表証也。水解散則爲解表解毒劑，雖有大黃，不過協桂枝以解血毒，初不敢其攻下也。且証有主從，藥亦有主從，水解散中有大黃而無芒硝，明眼人固知其攻下之力，不足與麻桂發表之力爭功也。至於通聖散之纖穠，雖從水解散脫胎，然藥味龐雜，以視水解散之精醇無疵，不逮遠矣。

（五）解表劑之禁忌

使用解表劑之目的，無非使病毒從肌表發泄而已。此唯病之重心在表，體工有驅病從表解之傾向，而見惡寒發熱頭痛等表証者宜之，若表證已解，病之重心不在表而在裡，病毒已無從表解之可能者，則解表劑爲不適用矣。但病之重心雖已入裡，而表証仍然未解者，則攻裡之前，宜先用解表劑以解其外，此陽明病應用承氣湯者之所以有先用麻桂解外之法也。

發汗劑能放散體溫，體溫不及者之忌用發汗劑，固不待言，即體溫雖高，而原因係由於生溫亢進，不關於散溫失職者，亦不宜漫用發汗劑；如誤用之，非但熱不解，且不免愈汗而熱愈高，甚或神昏發斑，此乃誤汗刼其營血，陰亡而陽愈亢也。大論所謂「發汗已，身灼熱」，以及「熱深厥深，應下之，而反發汗者，必口傷赤爛」，諸條，均指此而言，蓋發汗促進散溫，雖可以解熱，而解熱之方法，却不僅限於散溫之一途，尚有抑制生溫之法在也。試以西藥論，用安替比林疋蘭卡品等，固可以退熱，用奎寧亦可以退熱，而前爲促進散溫，後者則為抑制生溫，作用既殊，應用時自各有攸宜也。

發汗劑能發泄水分，當然能影响於血液營養液，故體內水分不足，或陰虛貧血者，均不宜發汗劑，此大論所以有瘡家、淋家、汗家、亡血家，以及咽喉乾燥者，不可發汗之明訓也。又體內水分雖嫌過剩，而水氣在裏不在表，在下不在上，亦不可發汗，若誤汗之，則水氣泛濫，而見眩悸衝逆等證，如大論所謂「發汗後，其人臍下悸，欲作奔豚者，苓桂甘棗湯主之」是也。

發汗最能損心力，心臟衰弱者，不可發汗，如大論所謂「脈微弱者，不可發汗」、「尺中遲者，不可發汗」、「身重心悸者，不可發汗」，均是也，若心弱而誤汗之，則厥逆，筋惕肉瞤，而見真武湯證矣。

解肌劑如桂枝湯之類，發汗之力甚微，宜若無甚禁忌矣，然病無表證，無表解之趨勢者，亦所禁用，大論對於桂枝湯，曾有「上衝者可與……不上衝者不可與」之明訓，所謂上衝，殆謂正氣向上向外，有表解之趨勢之謂也。審是則解肌劑若何可用？若何不可用？殆可知矣！

（六）使用解表劑之注意點

透疹劑只宜於痘疹欲出未出，及出而不暢，出而未齊之時，若疹出已齊，則絕對禁用，因疹出已齊，則當清營解毒，不得再事升發，恐升發太過，驅迫其血，而有溶血出血之變也。

發汗以遍身漐漐微汗出者，最為合法，若汗出不周遍，或大汗流離者，均不宜。因前者為汗出不澈，病必不解，後者為大汗亡陽，心力轉致衰弱，抵抗力低減，病則有增無減也。

服解表劑後，宜溫覆，縱然藥力到達時，有些微煩熱，亦不可揭被貪涼，否則不易出汗，或汗出不澈。

一服汗出已澈，餘藥即勿服，不必盡劑，恐過汗招致衰虛也。

如胃腸無共積滯，服解肌劑後，可啜薄粥少許，以促其蒸發。

服透疹劑後，宜避風，並宜溫覆，俾疹出易暢。

汗後宜避風，否則易於復感冒，此因表氣虛故也。

服發汗劑後，若汗出不止，審其果屬心弱亡陽，便當強心扶陽，如真武湯四逆加人參湯等。若心臟不甚衰弱，僅為表氣虛者，可用溫粉撲之。

（七）著名解表劑之檢討

（甲）概論

舊說謂桂枝湯證為風傷衛，麻黃湯證為寒傷營，大青龍湯證為風寒兩傷營衛，此種陳言，先哲已早有辨其非者，時至今日，已無辯駁之必要，置而勿論可也。然大論太陽篇中，麻桂青龍葛根諸方，所治究係何種病？吾輩中醫，誠不容不加以研討。當吾治醫之初，以為某方可治某某系統病之見某某症候者，後乃知此種假想，實未為允當：蓋中醫之多數方劑，不能一定有效於某某病，而能有效於某某症候羣。而某某症候羣，復不限於一種病所獨有，有時或為多數病所共有，中醫之方劑，除少數配合特殊，治效只限於某病，不可泛用外，大多數則可以泛治多種病。吾人果能識得某方適應於某某症候羣，以後凡遇此種症候羣，便投以此方，輒能見效，雖不問其果為何病可也。例如麻黃湯，所治為惡寒、發熱、頭痛、骨節疼煩、脈浮緊、無汗、口中和，或咳、或喘者，此為麻黃湯之指證，亦即麻黃湯所適應之證候羣也。此種證候羣，大抵為熱病前驅期所共有，不僅流感傷寒為然。喘咳為呼吸器病，呼吸器病而見此種症候羣者，固然適用麻黃湯，即病之不關於呼吸器，無喘咳之症者，果見此種症候羣，麻黃湯亦得應用而獲效。至於桂枝湯、葛根湯、大青龍湯等，亦均各有其適應之證候羣，（各方適應之症候羣，將於各論中分別討論，茲不贅）有此證候羣，無論何種病，均可投以所宜之方而獲效，此吾研究方劑學之不二法門，守之不敢或渝者，其法雖笨，而用時輒靈，所守雖狹，而應用甚廣，凡能識得中醫學三昧者，當不以余言爲河漢也。

時賢姜君佐景謂：「麻黃湯証麻杏甘石湯証之病所偏於肺，桂枝湯証白虎湯証之病所偏於胃，葛根湯証葛芩連湯証之病所偏於血脈神經。」以病所立論，雖本於慈溪柯氏方治各有領域之說，而比較爲新穎，足備學者之參考。惟吾以審証用方之經驗証之，覺姜氏之說，猶未能愜心貴當，完全無疵也。夫麻黃能舒緩氣管之痙攣，並能開發汗腺，汗腺之開闔，與肺呼吸有密切之關係，謂麻黃湯麻杏甘石湯能治肺，吾無間然矣！桂枝有溫胃之作用，葛根能已項背強几几，若謂桂枝湯有溫和胃腸之功用，葛根湯有治理血脈神經之可能，吾亦可以不持異議，今謂桂枝湯証之病所偏於胃，葛根湯証之病所偏於血脈神經，則吾竊期期以爲不可，蓋吾用桂枝湯以調節血行之偏頗，用葛根湯葛芩連湯以治急性胃腸病之見某某証候羣者，均能取效甚捷。仲景不云乎？「太陽陽明合病，必自下利，葛根湯主之。不下利但嘔者，葛根加半夏湯主之。」嘔與下利，謂非腸胃症而何？姜君自己不云乎？「桂枝能活動脈之血者也，芍藥能活靜脈之血者也。」然則桂枝湯之所主，與其謂其偏於胃，毋寧謂其偏於血脈也已。

又據吾之臨床經驗，認爲麻黃湯証與大青龍証比較爲少見，而葛根湯証桂枝湯証，則時時遇之，此因長江下流氣候溫和，人民體格較弱，肌腠較鬆，出汗較易，縱患無汗之熱病，除極少數受病過重，體氣壯實者外，大多數投以葛根湯、桂麻各半湯、桂枝二越婢一湯之類，輒能汗出而表解煩除，固不必藉重麻黃青龍諸方之峻劑也，至於桂枝湯，非但善治有汗之外感病，並善治許多消化系循環系神經系雜病之見表証者，故應用之機會尤多，葛根湯所治，除所謂「太陽陽明合病」外，並適用於各種發疹性熱病之初期，且性較和平，非若麻黃青龍諸方之禁忌森嚴，故應用亦較廣。

曹擷巢先生所疏麻黃湯，其中麻黃竟有用至四五錢之多者，此點殊不易學步，鄙人積多年之經驗，用麻黃之分量，一劑中最多不過二錢，普通不過七八分，已足得暢汗，去年滄揚州樂善施任持佛實和尚之傷寒麻黃湯証，初投麻黃一錢未得汗，繼增至錢半仍不得汗，後乃加麻黃至二錢，始遍身漐漐汗出而解，吾用經方，麻桂硝黃，細辛薑附，甚至水蛭蝱蟲甘遂芫花，均所習用，惟用量總不肯過重，寧可一劑不知而再加，不敢過劑而重傷病者之正氣也。

張元素製九味羌活湯，自謂可代麻黃桂枝青龍諸方，其實藥味雜糅，不合法度，合其羌防芎芷薑葱之力，未嘗不可以代麻黃而發汗，但協以黃芩生地，則血壓低降，縱能發汗，其力亦微。至於桂枝湯証大青龍湯証，則更非羌活湯所能治，以川芎生地不能代桂枝湯中之桂芍，羌防黃芩更不足以代大青龍湯中之麻桂石膏也。

又人敗毒散，雖屬後世方，但用治流行性感冒之初期，無論為神經型為胃腸型抑為呼吸器型，均可奏相當之功效，倘醫辨症不能精細，用經方者無膽識，今得此方，亦差足以塞責矣。

舊說謂傷寒宜以辛溫解表，可用麻桂，溫病宜以辛涼解表，當用桑菊銀翹，吾對於寒溫學說，不甚贊同，曾著「傷寒與溫病」一文以闢之，載江都國醫報中，蓋何種為傷寒？何種病為溫病？何種方劑為辛溫？何種方劑為辛涼？此中殊不易言，太陽傷寒，遷延不解，傳入陽明，當用白虎承氣諸湯者，殆為數見不鮮，麻桂相協之方劑，固屬辛溫，若再加石膏大黃黃芩之類，例如大青龍水解散等，即辛溫與寒涼混矣。且溫熱家奉吳氏鞠通之書為金科玉律，而吳氏條辨中第一方，即為桂枝湯，桂枝湯固非辛涼之劑也，何以竟適用於風溫溫熱溫疫冬溫諸病耶？又大論陽明病，表未解者之可與麻桂，溫病條辨下焦篇中之不廢薑附，一病之前後，既可溫清異治，可知強分某病為傷寒，宜用辛溫，某病為溫熱，宜用寒涼者，言雖若

中国近现代中医药期刊续编·第三辑

有理，究不可諱於通方也。

透疹劑除葛根湯外，解肌升麻湯，升麻葛根湯均爲極佳之方劑，若病毒重，熱勢鴟張者，則尉後葛根解肌湯大可賞用。又麻科活人書中，亦有葛根解肌湯，（其方爲葛根、前胡、芥穗、牛子、連翹、蟬蛻、木通、赤芍、甘草、燈芯。）治麻捷要中、有麻黃散。（麻黃、升麻、人中黃、牛子、蟬蛻）亦具有解毒透疹之作用，誠能於此數方，加以研討，則治療發疹性熱病之初期症候，有餘師矣。

——待續——

吳粵昌
梁乃津合編

「中西混合治案彙編」徵稿啓事

現在或將來我國最理想之醫學，厥爲中西混合，到現在爲止，中西醫學界同志對此類治案當已不少，吾人爲大闡風氣並堅醫藥界及社會人士混合治療之信念起見，特擬徵集中西醫界同志之治案，編成一書，謹定辦法數則，敬希各同志踴躍應徵及指教，鄙人等幸甚，中國醫學前途幸甚，中華民族及世界人類幸甚。

（一）凡合中西混合之治案，無論中西藥並投或利用現代科學儀器診斷後，純予中藥治療者，大病小病皆所歡迎。

（二）病名一律採用世界醫學之最新者，如因診斷其他關係，不能十分確定時，則在某種最接近之疑似名下加「？」號。

（三）案中最好詳列以下所標一案中所希註明之點一如爲事實上有所不能或爲該案行文之便利計增加或減少，可由作者斟酌變通之。

案中所希注名之點：

（甲）姓名、年齡、性別、職業、籍貫、住址、時間。（乙）既往証（A）遺傳歷（B）過去病歷（G）現病歷（丙）現在証（A）一般現在証（1）體質、身材、體重、骨骼、營養、狀態（2）體位、姿勢（3）面貌、神識（4）皮膚（5）體溫（9）脈搏（7）呼吸（8）顯明的特徵（B）各部現在証頭，頸，胸，腹，四肢（丁）治療及治療經過（戊）治療方法之所以及方解（己）結果

下劑（總論）

楊則民

甲、醫治作用

1. 用於習慣性便秘。因食物不宜，運動不足，精神過勞，生活不規則，以及由於衰弱狀態，慢性弱病，致腸蠕動緩慢而起便秘者，宜用下劑。

2. 用以排除腸內容物。食物中毒，或服毒物，或腸內容異常發酵，及菌體毒素或寄生物鬱積腸管者用之，可使有害物迅速排除。

3. 以誘導目的用之。腦出血，腦脊髓及其被膜之炎症與充血眼內之炎症，鼻出血過多，胃出血不住，齒齦炎等，用之以亢進腸蠕動，使腹腔臟器起適度充血，則遠隔臟器之血量因之減少，而炎症充血等症可以消退，此古人稱爲降火者也。

4. 用以減少身體之水分以退水腫。

5. 用以催促炎性滲出物之吸收。心臟性，腎臟性，門脈鬱血性之浮腫與腹水，（即4項）滲出性肋膜炎，水腫性脚氣等，用之以旺盛腸之分泌，使水分滲漏增多，可以排去多量之水分，且與飲食物同入於腸內之水分及分泌之消化液分，因用下劑，能使不追吸收就此排洩，間接可使身體之水減少也。

6. 用以催經。下劑中有強刺戟性，且刺戟大腸特甚者，則腹腔起充血，鄰接之骨盤腔亦起充血，故可用爲催經劑如經閉，經痛，月經不調諸症。

7. 用以解熱。急性熱病經過中，每有便秘，糞便過久，則毒素經吸收而發高熱，甚引起意識障礙，斯時用下劑以排除之，即身涼神靜，

8. 用以促進利尿，尿閉因尿素浸潤組織，或滲入腸管而起下利時，用之以促進尿素

之排除，則尿毒得解，尿利可通。

9.用以止吐。 消化不良而起頑固嘔吐，用下劑使不消化物得由腸管迅速排出，則嘔吐可止。

10用以消退內臟炎症。 胸廓（肋膜、肝臟、胆道）胃部有炎症，若診知非爲化膿性者，用之可以奏消炎退熱之效，此因循環於腸之血量增加，則炎症臟器內血量自減也，作用與（3）條同。若腸已有炎症而用之，量輕微刺戟，亦有增劇之虞。

乙、下劑之藥物

大黃 蘆薈 巴豆 大戟 甘遂 續隨子 萆麻油 藤黃 芒硝 黑丑 芫花，營實（即薔薇子） 鼠李子 番瀉葉 蜂蜜 硫黃 輕粉 牛蒡 蓯蓉 及其他含有膠質油質之品

丙、下劑之分類

A 以效用分爲四種：

1.峻下劑—作用强烈，排泄水樣便者是。（腸鳴腹痛利多）

2.緩下劑—作用緩慢，排泄粥狀便者是。（腹痛下利次少）

3.軟下劑—作用較緩，排泄常度便者是。（比通常多一二次）

4 潤下劑—作用極微，只使排便較易耳。（與通常同）

B 以性質分爲四種：

1、刺戟性下劑：如大黃，蘆薈，甘遂，巴豆……之屬是。

2.腐蝕性下劑：如輕粉是。

3. 鹽類下劑：如芒硝是。

4. 潤滑性劑下：如蜂蜜　草蔴油，肉蓯蓉，及桃仁，杏仁，麻仁之屬是。

按峻下，緩下，軟下之分，與用量大小有關，若用之過量，雖蜂蜜亦能與中量大黃同功，而大黃用量，尤應注意及之。

丁、下劑之各別作用

凡內服能使排便較通常迅速者為下劑，然下劑對於生體之影響，各隨其偏性而治效不能相同，古稱「大黃瀉實，芒硝軟堅」，正此之謂，若不灼知其偏性而混用之，其害可勝言哉！茲略述下劑各藥之偏性與適應證，其詳待諸下述之各論。

1. 腸與下腹部有輕微炎症或充血者，當用芒硝，不當用刺戟性之大黃等下劑，轉使炎症與充血增劇。

2. 若以消炎之目的，欲誘導之使腹腔充血者，當用大黃，瀉葉，蘆薈等刺戟性下劑，不當用芒硝。

3. 腸內容乾燥而排泄困難（便秘）者，其人壯實，當用芒硝以軟堅，其人衰弱，當用蜂蜜，肉蓯蓉（大量）以潤下，若兼胃熱，可用大量鮮石斛任之，而不當用大黃，引起腹痛，以困病人。

4. 腸蠕動緩慢而不排便，當用大黃以亢進蠕動，不當用芒硝，此久臥病人而便祕者，所以主用大黃也。

5. 如有中毒狀而急須排除者，當用巴豆或大量大黃等峻下劑，不當用緩下之芒硝。

6. 水腫或滲出性炎症，如欲奪去身體水分，或以促進其吸收者，當用大黃，甘遂，黑丑等刺戟性峻下劑，使腸分泌亢進，且妨礙腸內容水分之吸收，不當用芒硝。（弘按：西醫藥理學鹽類瀉劑服後腸壁不易吸收，且有奪取水分之性，故服此劑之濃厚溶液，有減少體內水分之效，故可用於浮腫及水血腫，楊氏第六條所述「不當用芒硝」誤矣。）

7.腸內容乾燥且蠕動緩慢者，則芒硝與大黃合用，而二者合用，奏效更可峻快，如大承氣與調胃承氣湯是也。

8.孕婦或盲腸炎而有當用下劑之機會時，宜用芒硝，不當用有刺戟性之大黃，使子宮或患部引起充血而釀成墮胎或腸穿孔之虞。

9.習慣性便秘，月經不調，虛弱閉塞，宜用蘆薈，不當用大黃，因大黃有一卡他耳汀酸」，是以引起便秘，而通經之效，又不如蘆薈也。

10痔病便秘，當用軟下調下劑，不當用峻下劑引起痔出血，如蜂蜒硫黃之屬是。

11腸有寄生虫集團或菌體堆積而當用下劑時，宜用輕粉硫黃之屬，如牛硫丸之類是。

戊、下劑與伍藥

用下劑時，每有兼症，若不顧兼症，而唯下之是務，卽未有不失敗者，外醫好用單味，下劑不知伍用他藥，其術至劣也。國醫無論古今人，用下劑時，必伍相當臣使藥，此治療獨到處也，然昧者不察，以爲他藥與下劑同時並服，則一瀉以去，於藥效乎何有？於病體乎何補？不悟尋常下劑（卽緩下軟下劑），奏效每在三四小時以後（或有經七八小時者），其時「非下劑」成分，早被吸收以去，而作用於病體矣。若爲峻下劑，古方如準繩之甘遂散，深古之大黃湯，皆爲單味。如仲景之十棗湯，後世之大黃牽牛丸，如神丸，大禹功湯等，純爲下藥，而無兼治旁症之品矣。茲依前人成法，於下劑伍藥稍論述之，其詳待諸下述之各論：

1·急性熱病末期，或全身衰弱（如少陰症）而有便秘者，用下劑，將有虛脫之虞，則加用附子，如仲景之大黃附子細辛湯是。

2·營養衰弱而便秘者，用下劑慮奪去小腸營養液，更易衰弱，則加用人參當歸，如吳又可之黃龍湯是。

3·腸內醱酵（腹滿腸鳴）而便秘者，則加用厚朴枳實以制醱驅風，如仲景之大小承氣湯，後世之大黃茴香丸是。

4·腸有炎症，用下劑刺戟，慮使炎症增劇，則加用黃芩黃連以消炎，如仲景之三黃瀉心湯，千金之黃連解毒湯是。

5·貧血衰弱或病後而便秘者，則加用當歸生地蓯蓉等以益血潤腸，此為時師所習用者。（便秘因血少潤腸，宜用潤腸劑如五仁、人參、蓯蓉、鮮首烏、知母。若因氣少傳送之力，宜加參附，半硫丸等）。

6·老人便秘，由於腸神經麻痺不能蠕動者，雖日用大黃而便秘如故，此即古人稱為虛秘冷秘者也，則加用附子人參之屬，以興奮腸神經而通便遂效。

7·腸神經極度麻痺而便秘者，大黃雖用一兩而仍無效，則加用麝香少許以興奮之，通便可以立效，此為李挺得意之經驗。

8·寄生虫集團及病菌積滿腸管而起腹痛者，則加用胡黃連檳榔烏梅等殺虫劑以下之，奏效便捷。如消疳（驗方）消積丸（錢乙方——丁香、砂仁、烏梅、巴豆）是。

9·赤痢，腸炎，痔瘡初起，每有裏急後重之症，此由直腸發炎肥腫而然，則加用芩連白頭翁之屬以消炎退腫，下劑可立時奏效，如仲景之白頭翁湯是。

10 血塞，血栓塞，或門脈鬱塞而起之淤血症，子宮癥結而起之經閉，則加用桃仁，紅花，水蛭，䗪虫之屬以下之，如仲景之下瘀血湯，桃仁承氣湯是。

11子宮有炎症而腹痛經阻者，則加用胆草，芩，連之屬，如古方當歸龍薈丸是，月經不調而須催經者，則加用當歸，川芎之屬，如古方當歸蘆薈丸是。

12非承氣症而有腹痛腸鳴幽門之鬱滯狀（古稱肺火鬱於大腸），則於軟下劑中加用桔梗（大量）枳實（適量），而大便可以立通。

13單用大黄易起腹痛，則加用甘草（極量）以緩之，如古方大黄甘草湯，調胃承氣湯之類是。

14峻下劑單味，每易引起慢性下痢，則加用代赭石赤石脂以制之，如千金之紫圓是。

以上爲國醫用下劑時加用佐藥之例，此則外醫所宜熟思深考而取法者，誰謂國醫無科學上之價值也歟！

巳、下劑之禁忌

1.表症未解者不得用，用之則熱毒內陷。（古稱內陷）

2.病後或貧血衰弱者，不得用峻下劑，用之，則腦貧血而易虛脫。

3.一下之後，不得再下屢下，屢下則腸內營養液分被奪去，人易陷於虛弱，然邪毒甚者，不在此例。

4.孕婦或產婦與下腹部有炎症時，不得用峻下劑，用之則墮胎及使炎症加甚。

5.消炎用下劑，但使腸蠕動亢進，足以引起腹腔充血已足，而不當大下。

6.習慣性便秘，當設法使其自下，下劑但於不得已時用之。

7.已下利者不得用下劑，用之則下利將愈甚。（熱結旁流或積結旁流除外。）

8.峻下劑以泄瀉四五次爲度，若過度，宜設法止瀉。

9.熱性病有宜用下劑者，但以一次爲度，否則腸受劇烈刺戟體溫往往增高，有危險。仲景傷寒論以下劑爲大戒，古方於下劑輒有「以利爲度」之附言，正以此故。

10痔疾不得用峻下劑，用之，則出血將愈甚。

11營養不良，不得用下劑，用之則養分被排泄，營養不良將愈甚。

——終——

肺癆病自療法（二）

譚次仲

其四爲強壯療法

肺癆屬慢性病，經過大概徐緩，凡慢性病身體多漸衰弱，病卽間接增惡，故必適用強壯療法，以增進胃納及營養爲要義，尤其是肺癆病人，若能使胃納佳良，則體重增加，肺之局部症狀，因而輕快，轉歸亦趨良好，醫界之所公認也，唯欲體重增加，則美食不如多食，然又不能強使多食，且患癆人多食慾不振，故唯有時時變換食物以維持其食慾，更佐以健胃劑，使其嗜食，則適口而果腹矣，此強壯療法之自積極言之，若消極言之，則情慾務求抑制，未婚者不婚有手淫習慣者戒除之，此事於本病自療之意義更爲重大，至酒類使血管擴張，血行加疾，紙烟則戟刺氣管，衰弱神經，均非強療法所許，於肺病尤爲不宜。

其五爲藥物療法

以上四種療法，癆病人能篤信而行之，乃可進而與論藥物矣，雖有病療之以藥，癆病又何獨不然，唯在肺癆則藥物療法，不能與各種療法分離，惜多數癆病人唯知亂藥雜投，不惜以寶貴之身，供動物的試驗，結果能滿意者幾何，此實爲最大的謬誤，故不信各種療法，而唯藥是求，雖有良藥，未見其有濟也，且藥物未易言，昔人云，用藥如用兵，又曰，兵猶火，不戢將自焚，曠觀誤藥而促命期者，在癆病何止數數覯，是故用藥綦難，有病以藥自療，則醫者不減其難，況癆病人多不知醫者乎，今祇就能治病而無害之中藥十方，提供採用，藉以完成癆病自療之義，願世之君子，鑒其苦心，原其譾陋。

（甲）鈣劑及健胃劑

治癆之中西藥物，雖異同參半，而循理用藥，則絕無區別，一言以蔽之，皆對症療法是，觀醫聖張仲景虛勞篇，一以應用鈣劑及健胃劑為主，皆與科學醫治癆合轍，蓋虛勞篇（勞同癆）第一方為桂枝加龍骨牡蠣湯，其文云，男子遺精，女子夢交，桂枝加龍骨牡蠣湯主之，而龍骨牡蠣則純粹中藥之鈣劑也，惜行篋無書，僅就記憶，祇取牡蠣爾證明之如下，浙江黃勞逸所著「中藥化學之研究」一書，具言牡蠣含鈣，廣州中大第一醫院內科醫生張公讓先生，亦屢為余言牡蠣含鈣，且謂中大醫院外籍醫生甚賞用之，恆作散劑投病人以代乳酸鈣云云，余個人經驗，牡蠣確有止血，解熱，排痰，利尿，止盜汗，斂遺精之功，具鈣劑作用，治肺癆有卓效，且此種種作用，證之古義實多符合，仲景金匱虛勞篇，既以牡蠣所配方為第一方，而篇中以亡血盜汗失精為主要症狀，即不啻以牡蠣治之矣，此牡蠣止血斂汗治遺之明文也，又金匱中風篇風引湯云，除熱，而方中有牡蠣，又金匱瘧疾篇修園附入外台柴胡桂薑湯，治寒多微有熱，而方中有牡蠣，此牡蠣解熱之明文也，但熱而曰微者何也，蓋牡蠣於微熱有效，高熱無效也，又傷寒論柴胡加龍骨牡蠣湯治小便不利，而牡蠣澤瀉散治病後腳腫，此牡蠣利尿之明文也，不特此也，考之本草備要，更明示牡蠣有化痰止咳，老血（老血乃日久之血症）崩帶，斂汗遺精，治虛勞煩熱，與利濕之功，然牡蠣一物，自中醫藥效觀之，非含鈣其孰能語於斯。

中醫治勞之第一方為鈣劑，既如上述，第二方為小建中湯，而小建中湯即健胃劑也，又證明之如下，陳修園註云，建中者，建立其中氣也，龍在經云，治虛勞而必以建中者何也，蓋中者脾胃也，（中醫之脾即生理學之膵乃重要之消化機關，與生理學造血之脾，同名異實詳証在拙著中醫與科學）虛勞不足，納穀者昌，故必立其中氣，中氣之立，必以建中也，古人稱建中即健胃之別名，陳龍之言，可資確證，且建中湯之君藥爲桂枝，而桂枝在西藥爲芳香健胃劑，與中藥無二致，夫建中爲健胃之別名，建中湯君藥之桂枝，又爲健胃之要藥，然則仲景治虛勞歸以健胃立法，其誰曰不然，夫前既言之，胃納進則體重增，肺之局部症狀自輕快，所以爲治肺癆之正法也，抑桂枝不僅健胃，又能理肺，在西藥凡芳香劑，如桂枝等，大概能緩解氣管支神經痙攣，而奏排痰鎮咳之效，反而觀之中醫仲景痰飲一症，主以苓桂朮甘湯，亦以桂枝爲君藥，夫痰飲即慢性氣管支炎，爲中醫界所周知，因痰飲篇原文有咳喘脅痛，及久咳數歲之言，又曰病痰飲者，當以溫藥和之，宜苓桂朮甘湯主之，此痰飲即慢性氣管支炎之明證，而仲景即以桂枝主治之：然則考之中醫桂枝，亦健胃而兼理肺之要藥也，亦彰彰明甚，然則仲景治虛勞用桂枝，比之科學醫治肺癆之應用機怪等劑，更酷似矣，總之根據實驗，汰其玄說，新醫舊醫，其揆一也。

（乙）肺癆的症狀及診斷

然尤有進者，仲景虛勞症是否即今科學醫之肺癆，此問題在邏輯又最重要之問題焉，吾嘗考之矣，仲景虛勞篇之見症爲羸瘦、亡血、心悸、盜汗、遺精、失眠、腰痛、下利、腸鳴、食不化、手足煩熱、兩目黯黑、疾行則喘，此於肺癆症狀已極清晰，唯未備言發熱乏力咳嗽，亦未明言病在肺，巢氏病源論引申其義曰，虛勞而咳嗽者，傷於肺也，陳修園醫學從衆錄亦嘗補發其義曰，勞症多發熱咳嗽，徐忠可註仲景虛勞篇亦云，勞字從火，未有勞症而不發熱者，勞字從力，未有勞症而力不疲者也，合觀諸說，則肺癆之症狀備矣，以此論之，中醫之虛勞，即科學醫所稱肺癆，在症狀的診斷，至爲明顯，而治虛勞之鈣劑健胃劑兩法，亦即爲治肺癆之中醫定法，益無可致疑。

但牡蠣頗難消化，有胃病素因者宜注意，桂枝性尤燥烈，非一般癆症所宜，要之鈣劑及健胃之法則不可易，所謂聖人爲百世之師，無遠弗屆，歷久彌彰，信不誣也。

（丙）肺癆人原因及誘因

茲更溯論肺癆之原因，肺癆之原因爲結核菌，古人未有顯微鏡，當然不能發見，但久已知癆症傳染，試觀嚴用和濟生方論云，癆瘵一症，爲人大患，傳變不一，甚至滅門，又陳修園註金匱虛勞篇附八獺肝散一方，稱此做主鬼疰一門相染，（鬼疰即肺癆別名詳註在拙著金匱削繁）云云，凡此皆足証中醫在昔亦知癆症傳染，且肺癆之原因爲結核菌，而誘因每借感冒及婦人胎產後而起，蓋因衰弱發作，肺癆皆然，陳修園註金匱虛勞篇薯蕷丸一方有云，風邪外感，日久不愈，時而偶有發熱，偶有咳嗽，尤易見於婦人胎產之後，皆爲虛勞之根蒂云云，古人於肺癆之誘因，其論見又有如此者。

（丁）肺癆之中藥處方（重量照桂省新定稱秤戥）

茲仿仲景虛勞篇小建中湯健胃鎮咳之意，立爲下方，（子）

防黨二錢，白朮三錢，雲苓五錢，炙草錢半，法夏三錢，陳皮五分，北味五分，川連五分，麥芽四錢（未經發芽者無效）

右煎頓服，即加味四君子湯，陳修園稱胃氣爲生人之本，四君子湯藥性和平，補中健胃，胃納增進，五臟六腑俱受其益云云，與上文稱體重增加，肺之局部症狀因而輕快說相一致。

又仿仲景金匱麥門冬湯潤肺之意，立爲下方，（丑）

麥冬四錢，磁石四錢，打代赭石二錢，款花三錢，女貞子五錢，法夏三錢打，旱蓮草五錢，

右煎頓服，主咳喘無痰，按子方近溫，丑方近滋。

又仿仲景虛勞篇主龍骨牡蠣湯酌用鈣劑之意，立爲下方。（寅）

白薇三錢，龍骨三錢，牡蠣三錢，炙草錢半，炮羌炭錢半，北味七分，金釵斛三錢，白芍三錢。

右煎頓服，主咳喘，咯血，潮熱盜汗，遺精等症，均有卓效，宜持久服之。

又仿仲景金匱用射干紫菀鎮咳之意，立爲下方（卯）

紫菀四錢，防黨二錢，雲苓五錢，五味錢，阿膠錢，知母二錢，浙貝四錢，甘草錢半，桔梗二錢。

右煎頓服，主咳嗽咯血，即時方之紫菀湯。

又仿仲景金匱吐血篇瀉心湯用大黃止血爲誘導療法之意，立爲下方（辰）。

食鹽一錢

右煎滾水冲服，每日一次至二次，主少量咯血，痰中帶血。

又仿仲景虛勞篇黃芪建中湯補虛之意爲下方。（巳）

黃芪五錢，防黨三錢，或代以較佳之參二錢，當歸二錢，雲苓五錢，炙草二錢，棗仁三錢，遠志二錢，白朮三錢，木香錢，後下，元肉八分。

右煎頓服，主補虛，且此方並主肺部大量出血，症見脈微肢厥眩暈喘促時有卓效，余嘗用之，即時方之歸脾湯也。

又仿仲景虛勞篇用酸棗仁湯安眠之意立爲下方。（午）

酸棗仁八錢，柏子仁五錢，干地黃三錢，川連五分，當歸五分，知母錢半，硃砂二分。

右煎在睡前二三小時頓服主失眠。

又仿仲景金匱紫參湯止肺痛之意立爲下方（未）

丹參八錢，延胡三錢，桃仁二錢，赤芍五錢，金鈴子錢半，香付錢。

右煎頓服，主肺痛，並主婦女月經不來，

又仿仲景虛勞篇腰痛用八味腎氣丸之意，立為下方。（申）

桑寄生八錢先煎，金狗脊五錢，生薏仁六錢，牛膝三錢，獨活三錢，杜仲三錢，白芍三錢，浙貝母四錢，

右煎頓服，主腰痛，

又仿仲景虛勞篇薯蕷丸之意立為下方（酉）

地骨皮四錢，青蒿二錢，柴胡三錢，銀胡五錢，黃連錢，知母錢半，秦艽三錢，炙草錢，

右煎頓服，主發熱，即時方之清骨散，

各方照舊司馬稱八折乃合，以上肺癆病自療法完，

民國三十一年十二月　譚次仲著於廣西蒼梧

近世內科學

急性傳染病篇

蕉嶺 鍾春帆著

（乙）各論

（一）腸熱病（腸窒扶斯）日人譯作傷寒（中醫舊稱濕溫）

（釋名）腸窒扶斯者，爲窒扶斯菌爲患之病也，以其病症在腸，故曰腸窒扶斯。清代之所謂濕溫，即此腸窒扶斯。仲景傷寒論中，有若干証候，皆是濕溫，故濕溫實隸屬於傷寒，而爲傷寒分証之一。日人故以此譯名歟？

（病因）本病由傷寒桿菌傳染而起，該菌於一八八〇年爲 Eberth 及 Koch 兩氏所發見，其後經 Gaffkg 氏確定者也，其侵入之門戶，主爲口腔，即細菌與食物飲料同時嚥下，侵入小腸之淋巴裝置，由此經淋巴管而淋巴腺而胸管而入血中（起菌血症）乃傳播於全身，故病者之血中，亦含有本病之桿菌。本菌喜宿於腸，然時亦棲於腸間膜腺，肝，脾，腎等臟，故大小便中含有此菌甚多。本病之傳染蔓延，太半由此媒介，而媒介機會，厥例孔多，約而言之，誤飲混有大小便之污水，即坑廁附近之井水，本病流行地之下流河水，或看護人家族，直接因洗濯病衣，誤粘大小便於手指而傳染。此外或由呼吸，或由衣着，均爲本菌侵襲之門。而晚近德醫之調查，謂本病流行，往往因搾乳者不潔，由牛乳所媒介云。

本病好犯少壯者，五歲至廿五歲之男子居多，五十以上老人，殆不多觀。精神感動，消化障碍，身體過勞，爲其誘因。第一回傳染，多終身免疫，是故傷寒病人，殆爲得後天性免疫，而無再染之虞。本病於八九十三個月爲最盛，自春徂夏，其勢稍殺。此氣候之關係也。

（症候）

潛伏期，感染細菌經一定日期，始現固有之疾病，此時期稱曰潛伏期。本症之潛伏期不一定，因傳染時之菌數及體質等有異，普通爲一至二週。前驅症狀爲全身倦怠，食慾不振，頭痛，四肢痠痛，繼以惡寒，旋即發熱，口渴不喜飲，胸悶，舌苔白膩，身有汗，而熱勢不爲汗衰，大便秘或下利，口渴發熱，舊說屬於熱，不喜飲，苔白膩，多汗，舊說屬於濕，濕溫之名，殆由於此。

第一週，前述諸症著明，每日體溫列級上昇作階梯式，全身倦怠，頭痛，腰痛，食慾不振，煩渴時愈見增進，脈搏比較緩徐，大便多秘結，口燥，口唇及皮膚亦乾燥，舌被乾燥白苔，脾臟腫大，故左季肋部常覺鈍痛，即中醫所謂胸脅苦悶者是也。睡眠不安，往往現一過性鼻衄血，第一週之末，五至七日，即中醫所謂一候，熱度達攝氏三十九度或四十度以上，早晨身熱略低，午後又高，舊說所謂午後身熱，狀若陰虛也。

第二週爲劇期，高熱稽留不去，早晨與傍晚，熱度雖仍有相差，但不出一度之外，因熱度勾留，故名稽留熱。在高熱持續之下，病者發生各種神經症狀，如神昏譫語，循衣摸床等，脈搏著明徐緩，胸腹兩部生薔薇疹，其色類赤，大如豌豆，指壓則退，腹部稍膨，觸迴盲部，較常過敏，壓迫之如發雷鳴，大便屢起下利，下稀薄淡黃豌豆汁狀物，往往放阿摩尼亞臭，食思缺乏，舌苔作茶褐色，或發黑燥裂，由舌尖向內方漸次剝離，舌尖清淨成三角形，名曰三角舌，唇焦齒垢，且帶咳嗽，有氣管支炎症之徵，尿中則常現蛋白。

第三週熱漸弛張，熱度早晚相差甚大，故曰弛張熱。輕症者，熱度漸次下降，病勢逐漸減退，神經症狀亦逐漸消失，薔薇疹退去，而胸腹部續生小水泡，中醫謂之白痦，西醫謂之汗疹𤼵疱，諸症狀緩解，而向恢復期。若重症者，陷於心機衰弱，最可怕者，爲腸出血與穿孔性腹膜炎，斯時體溫驟降，脈搏細小，即舊說所謂亡陽也。本病此期，可謂生死之大關鍵。

恢復期，汗疹消退，病人著明衰弱貧血羸瘦，因些微之原因，體溫容易上昇，脈搏頻數，食慾異常亢進，恢復期長短不一，普通三至四週之間。

在濕溫之全經過中，恆併發其他疾病，病者多不死於濕溫，而死於併發病，常見之併發病，約有下列十一種。

1.心臟衰弱　2.肺炎　3.支氣管炎　4.黃疸　5.腎臟炎　6.膀胱炎　7.中耳炎　8.耳下腺炎　9.咽頭炎　10口腔炎　11脚氣　欲明上列各病之症狀，可參閱各該篇。

（診斷）謝誦穆先生於此病甚有研究，著有濕溫論治一書，發表心得甚多，茲引其說如下。

臨床診斷，以辨認證候爲主，其最顯著之證候，約有四點。

（1）初期熱度逐日升高，作階段式。

（2）上午熱輕，下午熱重。（以體溫計測之，實成表格最佳）

（3）依理熱度高，脈搏應增數。此病脈搏與熱度，多不相應，大抵熱度高而脈搏反遲，有熱度在三十九度或四十度，而脈搏祇九十至一百至。

（4）胸腹發薔薇疹。（眞性腸窒扶斯疹粒較大，疹數不多，發生部位，僅在胸腹部。發疹窒扶斯疹粒較小，色較紅，疹數較多，胸腹之外，腿臂等處皆有）

其他脾臟大，迴盲部疼痛雷鳴，在診斷上亦有價值。而熱度脈搏舌苔，尤爲病勢利鈍之表徵。

（1）熱度與脈搏　第一星期熱度逐漸升高，如階段式，第二星期作稽留熱，第三星期作弛張熱，見前證狀門。本病之熱，午前六至九時最低，午後五至六時最高。重症之極期，有延長經過至六星期以上者，病者多不能支持，預後往往不良。在劇期心臟衰弱，或腸出血，則熱度一落千丈，突然降至攝氏三十六度以下，脈搏增加至一百以上，若幸而恢復，則經時後體溫重復升高。

脈搏如常在一百三十至以上者，心臟已衰弱，爲危險之象。脈搏細數而速，爲心臟已呈衰弱之徵。

（2）舌苔　傷寒全書云，口唇在極期時，多數燥裂，其上覆以黑色痂皮，易出血，舌纖大，舌面爲深褐色，乃至灰黑色之苔所覆，所謂煙煤色舌苔是也。或舌尖與舌邊，毫無舌苔，其苔結在舌之中心，病勢進行，則舌苔發黑色，此因鼻與齒齦出血之故。迨病勢稍退，舌苔剝離，又舌苔之剝離，乃自舌尖向後而退，成三角形，是名傷寒三角，其後中央部及邊緣，總行剝離，故舌面清潔乾燥潮紅，乳頭腫脹，舌因之粗糙，約至第三星期，始行消失。本病人之舌，若令其出口腔，則舌之前部發震顫。

沙允武曰，依不佞經驗，舌苔之變化，與疾病之經過及預後，有密切關係，茲就管見所及，略述數端如次，倘冀高明指正！

（一）傷寒（指濕溫）病人之初期，或傷寒之輕病者，在舌側緣，及舌尖之小部，可見白色薄苔，有時此小部竟成三角形，若此薄苔逐漸消失，則病必易愈，可爲預後佳良之徵兆。又此苔自消之傾向，常與全身病狀，爲食慾與熱型等并行，但有時舌苔雖日漸改良，而熱仍維持在三十八度內外，遷延較久者，祇須無其他合併症，亦決無意外之慮。惟遇病人熱雖降至三十七度以下，一切症狀雖亦大覺輕快，而舌苔獨不見改良者，則尚未可樂觀，此時宜防病勢再燃，病人起居飲食，務須深切注意，總之，須俟舌苔恢復，方稱平安。又傷寒經過中，發生再燃者，爲數甚不少，此時若注意其舌，自不難証明病苦之尚未充分復原也，但其苔象，僅此程度而止，並不增惡者，預後尚屬佳良，無論再燃係如何程度，結果總有就治之望。

（二）舌苔日薄而厚，且由舌尖瀰漫於舌面及側緣部，其色亦由白而汚，有時竟帶黃色或褐色者，爲病之徵兆，此種苔象，大約須閱一星期，方有變化，其變化時，如逐漸褪化，而變爲薄層，色亦漸顯紅潤，則病已轉機，其預後大半爲良性。

（三）初爲厚白苔，在短時日中，即移行於褐色或綠色者，則爲重症，且不特此，即其他一切症狀，亦均重篤，故預後之良否，不易決斷，往往有更進而爲極烈之乾燥狀態，或生龜裂，呈小出血狀，同時更至腸出血者亦不少，其預後大概不良。若更進一步，甚至口唇幷口腔粘膜，全部乾燥，處處乾燥，處處出血，其苦狀殆非言語可以形容，如斯之現象，其預後可決其絕對的不良。即偶有獲取良好之經過，一般症狀，亦呈好象，若舌苔不見改良，時其預後亦難樂觀。又如舌苔久不消失，持續乾燥，病勢遷延，終取消耗症或敗血症而死者，其例甚多。但此時舌苔褪薄，由乾燥狀態，變爲濕潤狀態，而舊有龜裂現象，漸呈治愈傾向，則其預後亦未必不良。此外更須注意者，此種舌苔，有時自然消失，惟消失後，舌面光滑，呈猩紅熱舌狀，且極度乾燥，仍致龜裂，則其預後亦不良。

（四）病狀若取異常經過，例如熱雖下降，僅及三十七度內外，而食慾不振，惡心不已，意識不明者，其舌苔亦必汚穢乾燥，此際均爲死徵，或漸次心臟衰弱而斃，或起意外心臟麻痺而斃，或全身發生無數溢血斑，或所謂敗血症而斃，以上所述，不過及其大概，其他尚有種種變化，勢難盡舉，要之，傷寒病人之舌苔，與一切全身病狀，如食積熱型精神狀態并行，蓋由解剖學言，舌係消化系統之一部，傷寒之病灶在腸，故舌與腸，常取同一趨向，而互爲表裏，吾人觀察舌，即不啻觀察腸之變化，是亦理之易明者——關於傷寒症之鱗爪

濕溫醫案選曰，曾根據古說，參以新知，凡濕溫症之舌色紅絳，其治法蓋不可一概而論，例如濕溫兩候以下，病人之舌面，恆作深褐色如豬肝，苔面或有灰膩之苔被覆，或竟無之，是因熱度過高，體中水分爲熱所燃燒，水分因之缺乏，此時腸之潰瘍，已在進行時期，一面產生毒素，吸入血中，故濕溫病舌作豬肝色，乃水分缺乏，毒素最盛之發現，病已瀕於危篤時矣。

若病人之舌僅絳紅色，尚未至紫褐程度，是病人之水分雖缺乏，尚不甚，血液中之毒素，亦未嘗瀰漫，病雖重可治。

濕溫兩候以下，病勢減退，熱候逐漸下降之際，則所被覆之厚苔，亦漸剝脫，斯時之潰瘍，亦進於結痂期，而逐漸治愈，如果心臟衰弱，則已剝脫之舌面，光紅乾燥，蓋精力也不足，口腔之分泌物減少所致也。（全身之體液均減少）古人名之曰鏡面舌，極言光澤乾燥，捫之反滑者，亦爲病久體液缺乏，且爲心臟衰弱之先聲也。病將愈，舌無苔而淡晦，此病久貧血之故也。

故濕溫病之舌無苔而紅問題，大別之乃有四種（一）紫褐色。（二）鮮紅色。（三）鏡面色。（四）淡晦色。吾嘗見病人以口中乾燥，舌輾轉其中，其苔因而剝褪，舌遂現本質者，故濕溫症恢復時期之舌無苔，爲自然的宣化，病進行時期內舌無苔，爲被動的剝褪，醫者此等處亦不可不細爲觀察也。——時濕溫論治診斷門

（治療）本病今日尚無特效藥，祗用對症療法耳。

藥法

濕溫之熱，可用柴胡葛根以解之。胸悶腹滿，全身倦怠，食慾不振者，可選用厚朴，木香，蘇梗，陳皮，藿香，白蔻仁，姜半夏，蒼朮，青皮，只壳，枳實，砂仁等芳香劑。蓋胸悶者，乃淋巴鬱滯，脾腫之徵。全體倦怠，腹滿，食慾不振者，機能弛懈之徵。用芳香劑以提壯神經，活潑機能，促進淋巴液之流行，誠適合之至。

多汗，口膩，不喜飲者，中醫謂之濕，可兼用枝子，黃芩，黃連，茵陳，苦參等苦寒劑以去其濕，即中醫所謂苦寒燥濕者是也。又有消炎收斂作用，濕溫病腸中有潰瘍，芩連苦參爲對症之藥，古說謂能解毒厚腸胃者，即在此歟？

一二週之間，如病毒强，抵抗力亦强時，而現身熱灼手，呻吟亂語，臥不安席，乾嘔，舌質絳者，可用芩連枝栢以降輯其熱勢，兼用丹皮，赤芍，生地，元參之類，以清解血中之毒素，有薔薇疹時，尤不可少。

患濕溫病者之心臟，最易爲傷寒菌所侵害，且因經過長久，心力更易衰弱，每有在病之經過中，突發心臟衰弱而死者，是不可不愼也，故初期見其脈搏微弱時，宜於對症方中，加少量之强心劑以維持之，麝香其首選也，每服五厘或一分，開水沖服。六神丸亦可選用，以六神丸中，亦含有强心之成分也。

在劇期高熱持續，而現各種神經症狀，如神昏譫語，循衣摸床，唇焦齒垢時，此時腦神經有陷入麻痺之傾向，心臟有陷入衰弱之可虞，宜一方急用大隊解熱劑，如石膏，知母，花粉，青蒿，白薇之類以解熱，一方兼用麝香或犀角或紫雪丹以維持心臟之機能，以興奮腦部之神經，雙輪并進，方克有濟，否則，若單解其熱，熱度雖降低，而心臟已衰弱矣，蓋解熱劑最能壓抑心力故也。若單强其心，心力雖加强，而熱度反益增高矣，蓋強心劑最能加速循環，致熱量之生產增加故也。欲其兩全，合用最妙。考附子，乾羌為中藥最強之強心興奮劑，且能振起全身細胞生活力之功，此時附羌，可不必用，以此時細胞之生活力，尚未衰弱故也。吾中醫之治法，完全隨病勢進退以用藥，所謂隨機應變，活活潑潑者是也。學者於此等處，宜三注意焉。

若一面心臟衰弱，一面津液乾涸時，亦宜一面用附子等以強心，一面用生地，元參等以滋液，雙管齊下，心臟既得維持，津液亦不致乾涸，亦兩全之妙法也。

若心臟衰弱，而又見亡陽陰寒之証時，如脈微，汗出，膚冷等，是周身細胞之生活亦已衰沈矣，可急用附子乾羌人參之類，以振起細胞之生活力。

附心臟衰弱預兆之診斷

謝頌穆先生曰（一）濕溫病者服大隊清熱藥後，舌上黑色醬色之礙苔，一齊剝褪，露出鮮泽光滑之苔面，此名鏡面舌，應防其心臟衰弱而虛脫。（二）濕溫久利，或便秘多日，而大便忽下者，應防其虛脫。（三）煩躁中有陰躁，昏譫中有鄭聲，皆應察其是否心臟衰弱，以脈搏神氣斷之。（、二十節濕溫論治一四頁

如發熱津液乾涸，而見舌光絳乾燥而無津液時，可一面用柴胡，石羔，知母，芩連之類為主，以正本清源，一面兼用生地，元參，麥冬之類為輔，以救其標。惟切不可用石斛，熟地炭，龜板，阿膠之類，蓋此等藥最膩膈留邪，而生地，元參，麥冬則有解毒生津之功，實不可同日語也。

如病人舌苔黃褐而乾燥，腹部脹滿而微痛者，或便秘日久，恐病者自家中毒時，不妨用大柴胡或調胃承氣以通之。液涸者，可合用增液湯。燥結不甚者，可用火麻仁

，郁李仁，括蔞仁，杏仁泥，淡竹瀝之類潤通之，輒有熱隨便通而降，脈隨便通而和之快。惟病經二候，雖有下症，亦宜審慎。

謝誦穆先生曰：利小便藥之作用，在使尿量增加，而排除血中之雜質，應用於濕溫，使血中毒素迅速排出，亦能減輕病勢，故濕溫有延長之傾向，而無危急之症狀時，希用利小便藥，亦爲必要。（濕溫醫案選云：凡濕溫症兩候，身熱不退，舌白胸悶，便溏溲赤，除芳香化濁，苦寒燥濕之外，更有利濕一法，如赤茯苓，澤瀉，米仁等，果小溲通暢，則血液中之毒素，易於外泄，乃妙法也）

一面身灼熱，一面便溏，此爲逆症。濕溫尤不宜便溏，便溏者多腸出血，止便溏宜用利小便藥，利小便即所以實大便也。

強心劑能亢進血壓，使腎臟內之血壓同時增高，亦呈利尿之作用。——節濕溫論治一六頁

若併發鼻出血者，如血量不多，不必止之，鼻衄後，熱度必暫時低減，傷寒論亦有衄乃解之條文。如出血量過多，可於對証方中，加多量枝子甚驗。

若併發腸出血者，審爲熱証，可用犀角、生地、赤芍、丹皮之類（如犀角地黃湯）審爲寒証，可用附子、乾姜、灶心土、赤石脂、阿膠、白朮、蘄艾之類（如桃花湯黃土湯）或阿片，或嗎啡等，能使腸管安靜，而能促進血栓之形成，爲腸出血之間接止血藥。

陸師淵雷曰：若下血滿腹劇痛，腹面登時高起或凹陷，面色登時青白，脈登時微細，汗登時大出如油者，爲穿孔性腹膜炎，法在不救。雖用上述二方（即桃花湯黃土湯）但盡人事而已。

下血而屬實者，宜桃核承氣湯。其証小腹或小腹偏旁硬滿而痛不可按，病人多譫妄

或急醫醫人是也。——節流行病須知

謝誦穆先生曰。皮下溢血，或作點狀，或作班狀，即所謂發班，此病在濕溫劇期發現，顏色不青黃者，危險尙少，用大隊清熱藥後，能逐漸消去。（應多用石羔。）若發現於濕溫之第四星期後，顏色青黑者，大抵爲敗血性，病不治。——節濕溫論治一七頁

若併發支氣管炎，或肺炎者，又兼用杏仁，象貝，杷葉，桑葉，桑皮等以鎮咳，以竹瀝，半夏等祛其痰。喘咳特甚，氣急鼻煽者，可用麻杏甘石湯。

併發黃疸者，可用茵陳五苓散，枝子柏皮湯等。

方選

（方一）小柴胡湯仲景

柴胡一〇·〇　黃芩四·〇　法夏七·〇　太子參四·〇　生羌四·〇　大棗四枚

（未完待續）

五年來對於惡性瘧疾的探討及有效治療的研究之經過

蕭艾

一　中醫對惡性瘧之認識及處理與民間之謬見

瘧疾本來是一種具有頑固性的病患，而惡性瘧疾更可以說是「頑固之尤」，並且，病家稍一延宕，或是醫者治療不得其法，便立即會招致死亡。

作者於民國二十七年夏，避難到贛南尾閭的大庾，這山城裡經常所流行的疾病，不外瘧疾、痢疾、肺炎、傷寒數種，就中以瘧疾獨多，特別是惡性瘧疾，一年四季都很流行。

從病名上說：「惡性瘧疾」應該就是我國醫籍上所稱的「癉瘧」，熱型和普通良性瘧疾迥不相同，寒熱往來的症狀極不明顯；或者乾脆地說：簡直沒有惡寒，發熱時間很久，熱度非常高，往往在四十一度以上，所以稱爲壯熱。當時對於這種症候的治療，大都以白虎湯爲主劑。

又本病熱型較輕的，常爲不及三十八度至三十九度左右的發熱。沒有畏冷，或怕冷的現象很輕微。這應當稱之爲「溫瘧」。至於發熱的時間沒有一定，或熱波增減不規則，而多在夜間病勢加甚，病人徹夜不寐，口渴引飲，至清晨病勢略見緩解，等到上午十點鐘以後，便又漸次煩熱不寧起來。越到下午越覺苦楚。所謂「三陰瘧」一症，便是這一種。

他如熱高時患者自訴的錯覺症，其病在俗間叫做「鬼瘧」。或病患由于山行而得，謂之「瘴瘧」。以前我國醫家對於瘧疾分類，多至數十種，頗嫌過於繁雜，每有因爲一種的誘因，便另立一病名，譬如由飲食不慎而恰好發病，卻喚作「食瘧」等是。這是否當時醫者對于瘧疾的病理和病源理解不够，抑所謂「巧立名目」自詡爲「發明」呢？我覺得那許多病名，大半都不合理。

如果惡性瘧疾，我們要取用舊有的病名，那麽「溫瘧」一詞，倒頗適用，或者本病在山林地帶，儘可稱做「瘴瘧」。如贛南、粤北、湘、蜀、雲、貴等處，本病的盛行，確然和氣候有關，那所謂「瘴氣病」，無非就是惡性瘧疾。因此，我們可以知道喚本病爲「瘴瘧」似較近理些。若說到「癉瘧」我想沒有成立的必要，病人光是發熱，但因爲肌表充血的緣故，體內溫度有時會隨着這不協調的狀態而感到不足，於是發熱雖高，病人反有蓋被和喜歡熱飲的見症，間或也有在動作的時候，發生少許惡寒現象，不過這種惡寒現象異常微弱而不顯著罷了。故癉瘧並非絕對的不畏冷，那末，有了溫瘧一名，也就無需乎癉瘧這個名兒了。「鬼瘧」是在發熱時病人妄言妄見因而得名，這是患者視神經的錯覺和言語中樞受不住高度的熱灼而起的症象，又或因發熱日久，影響腦神經而發生精神症狀也。不能成爲鬼瘧立名的理由。「三陰瘧」呢？是內着病毒（寒濕或濕熱）深入三陰，沒有惡寒發熱的太陽表症，沒有寒熱往來的少陽半表半裡症，甚至于也沒有燥矢狂譫（鬼瘧的譫語，病人在態度上比較地安靜，和躁狂的現象迥異）的陽明裡實疾。然而惡性瘧症的本身就不會有三陽症，它的傳變的徑路，是開始即爲太陰，繼而少陰以至厥陰，假使病變的經過還好，同時醫者沒有誤治，本病始終不至離開太陰，或者以少陰爲終點而趨於治愈。因此上，「三陰瘧」一名亦難存在。或者說：「三陰瘧」是因爲發在夜間，和一般有別，則三陰瘧不專屬惡性瘧疾可知。但我的意思是：三陰瘧很容易令人走向死亡的轉歸，普通寒熱分明的瘧疾，即使至夜而發，却會漸次的把發病的時間望下挪，慢慢的移到凌晨一兩點鐘，乃至於天明，而且預後概良，死亡率可說是極小。惡性瘧疾發在深夜的我們且不說，就是整日燒熱而一到午刻更加劇烈的，也是每逢晚上時則覺得困頓，比方煩熱，大渴，不欲眠，總是到夜裡更其厲害。通常所稱爲「陰擔子」的。原即指此。所以，三陰瘧無疑是惡性瘧疾。還有，本病的一種具有間歇型的，微熱雖也有休止的時候。但是，熱度退不很清。最低約爲三十七度五分微熱。而且爲時極短暫。三五個鐘頭後，熱勢又復增漲。它的間歇發熱的時間也極爲紊亂，或在早晨，或在下午，或在夜間，在夜晚發的固不必談，就是日間發的，病人也仍是以入夜爲更不寧，從這上面，我以爲三陰瘧當然即是惡性瘧疾，實無別立一種名稱的必要和可能性。

還所謂「陰擺」子，鄉下老百姓抑稱之爲「陰燒」，都認爲這種病吃「燥藥」（濕性與熱性的藥劑）既不獲效，而服涼藥則尤苦。贛南一帶的鄉下人一說是這種病，沒有不畏之如虎的。

的確，惡性瘧疾的難於治愈，原是不可否認的事實，自己在臨床治療上，常常感到棘手，有時候病情的劇變每易令人在一種匆遽的時間內，發生措手不及之嘆。

當受理一個本病患者的診療之後，默察既往經治醫師的處方和病案，總覺得惡性瘧疾絕不是這一類藥劑所能收效的。雖然自己當時也還是在「暗中摸索」。幾年前，我曾低聲下氣請教過許多地方上的有名或不出名的醫生，連用燈心艾火爲人燒灸的那些不識字的「燒火先生」們我都一一請問過。他們有什麼可靠的辦法呢？不是說「標痧」，便是「斑痧」或「痧氣」太重。他們的理由是：大庾專出產鎢砂，而西華山裝砂子的水一直流到章河裡面，所以河水的性質便變得很寒涼，當地人的病脫離不了「痧氣」，那是風土使然。在西華山沒曾翻採之前「痧氣」病乃是絕無僅有的。把鑛砂的「砂」當作病氣的「痧」，顯然是從諧音上發生的誤會或誤解。但還不過是民間的訛傳，和「燒火先生」那一班郎中們出于「文盲」的謬見，不足深怪的。

然而當地醫家却有一個共同的信念：道是因着地方的水寒，人們都屬寒體，故本病的治療多主用辛熱與溫和之類藥物。而總括起來說：此病之「不好醫」則是一致公認的。

今年夏初，我應聘來贛州中醫療養院，問起同道們對于本病的治療，有的回答是「很困難」，有的卻拿「為什麼沒有辦法？」來答我的「有沒有辦法」的發問。

可是一位認為「有辦法」的同道醫治了很久的病家，因症勢沒有進步而由我接手診療時，湊巧就正是一個惡性瘧疾。一看以往的處方，和病候的經過，使我又不禁輕輕地發着嘆息。由此想起了我所敬愛的兩位粵籍道友，張景述兄和吳粵昌兄。記得那次我赴南雄出診，景述兄曾感慨地問我：「惡性瘧疾有什麼好的治劑？」抱歉是我僅報以啞然一笑。那還處巴蜀的沈仲圭先生也曾賜書商論本病治法，他們的虛懷若谷和學者態度真足感動和鼓勵學人。

二　西醫對特效藥之運用及惡性瘧之併發與續發症

此刻且不談關于惡性瘧疾之國藥有效療法，試一探索近世西藥對于本病之療效究為何如？又西藥之處理本病的成績，和病的預後怎樣？亦為有深切瞭解的必要。

據德國拜耳藥廠報告，阿的平（Atebrin）之治惡性瘧疾確有偉效。同時撲瘧母星（亦名百司母因 Plasmoguine）的功能亦復強大確實。多年來，西醫界固已公認，此二藥的治療價值，當然也不容任何人否認。許多西醫在確斷病人所患為本病後，即與若干量之阿的平或撲瘧母星，卻少有依照拜耳廠的規定劑量，甚或施用一二日後即行停止。五年當中，我在幾個縣份裏所見西醫界正式醫師們之治療方法，都是這樣。自然，在血液檢查上，惡性瘧疾已獲到精確的鑑別後，阿的平或百司母因的投服與劑量多寡，原該視疾患本身的需要而定。不過由於業務上的便利，有經上項療治的患者因復發而轉手來我處就治者，亦不乏人。據個人考察結果，大多還是劑量太輕，不夠驅滅瘧蟲，致有愈後再發或病勢雖減而仍不能告痊的情事。最近我曾見有用四片〇．一公分的阿的平為本病的一全劑量者。若說是因藥價太高，（民國二十八年間每片售法幣六角，現時每片約售法幣三四十元）病家經濟能力不容許有超過此劑量之更高負担，故誠爲兩片一劑，連服二日量以冀獲效者。其實則不然。至於結果，患者仍是未能治愈，可是原來的醫師却始終認定劑量並無不足。

以前，家長兄從重慶來信，也說他數年來爲瘧疾所困擾。他向有不慣服用奎甯的習性，每次只有注射阿的平一針及更行注射二鹽酸規甯兩三支，於是瘧患頓除，而經過不久時日，病又再發。直到本年秋後，才施用食餌營養療法而獲愈。過去我嘗去函告訴他：何不試要求醫生依拜耳廠所定的阿的平和撲瘧母星劑量與服法來施治，但家兄回信裡却未曾提到這一層。究竟是否該主治醫師不願采納這個建議呢？還是別有原因？

我的經驗是：無論任何頑固與症勢異常險惡的惡性瘧疾，只要先服阿的平四五日，繼服百司母困二三日（二者每日都是服用三片）即可收全治並根治之效。縱然病人已到了昏迷的狀態或者喉間發生鼾鳴，牙關拘急不開，又或口張目呆等腦症狀表現的時候，灌服阿的平（注射當然更好）沒有不奏效奇捷的。還有三個症候我們在臨床上不能不注意，而且很重要。

（A）凡面部和膚色淡黃而兼呈慘白色，帶着惡性貧血的徵候，同時面目浮腫，四肢及通身腫脹，指甲慘白無華，小便色黃如茶汁狀，這種病人，無疑患的是惡性瘧疾。他的脈搏通常在一百二十八至三十六之間，有達一百六十至七十的。病人大都穿着較多的衣服，有怯冷的徵象。我們不必用體溫計去測他的溫度，即可知其體溫很高。最少有三十九度至四十度五的熱度。但是你不可告訴病人說他有發熱，否則他一定發生反感，辯白他只覺惡寒，並不會發熱。（當然病人也有知道自已發熱的。）他的脈搏的急疾，雖然在我國脈書上稱爲「雀啄」的脈型，但普通脈象並不細小，也不怎麼沉微，相反的，却是相當地滑大，所謂動，疾，兩種脈形者是。那種「纍纍然如貫珠」，「其來應指」在脈診上極易體認。不過有時脈搏不甚有力，帶一點「芤」形，這是因爲「血尿」頻仍，瘧虫破壞赤血球太多的緣故。偶或也有脈形細小的，祇是弦、急、動、滑四種形象必然具在。不然的話，那便已是病人彌留時最後一剎那的脉微了。他的舌苔是淡白膩滑，呈現惡液質的狀態。綜觀以上所舉病情，我們可以毫不猶豫地知道患者爲惡性瘧，並知其膨脹乃屬瘧脹，他的心、腎、肝、脾四種臟器，必然有着病變。在診斷時應該施行腹診和聽診。國醫的診斷項目：是望、聞、問、切四種。但要像這樣的病患，我可以放肆說一句，只須「一望」便可以斷定它是瘧疾（惡性），不必檢查血液。因爲從個人經驗上說，憑着我的望診是從不會失敗過的。可是呢，病症雖已明瞭，却還得仔細地施用各項檢查，藉由此可知道病者是否另外還有別的疾患哩！

（B.）惡性瘧疾多有發脾臟腫大而兼肝硬變者 Splenomegalie mit Lebercirrhose，貧血，赤血球及血色素遞減，徐發腹水，肝臟縮小，排尿減少而含多量尿酸鹽類。這種腹水便是我國舊來所稱的「臟脹」，並且是「單腹臟」。因肝臟門脉鬱血關係，胆汁的排泄機能發生障碍，而皮膚及粘膜的黃染度也便增加。病人的脉搏約在一百跳以外至二十餘。脉形每呈弦細小勁，好像拉緊的弓弦般的。雖然病人自訴瘧疾已好，實際上總不免有三十七度五至三十八度四左右的輕熱，有時在勞動和稍受氣候變化的刺激之後，體溫便會馬上升騰起來。看了這般大腹便便的模樣，和萎黃貧血的膚色，我們可知這絕不是一般的腹水，而十九是惡性瘧的不良轉歸。再一察脉形與溫度及既往症，就可以確定病患的根源了。此處應注意的事項是即「單腹脹」有廣義與狹義之分：狹義的純爲結核性腹膜炎，廣義的則包括腹膜癌腫。腹膜炎。脾臟肥大。肝臟硬化等的腹水。這類的腹水，便是所謂：「濕熱或寒濕流入脾陰（瘧原虫盤踞脾臟，而肝萎縮，肝門脉鬱血），脾陽不振，中土失健運之權，於是蘊濕作脹」。的說法。

（C.）有些病人患着鼻衄，而這種衄血却有規定的時間，或早晨，或午刻，或下午，或夜晚不等；又或者時間無一定，紊亂得很，每天或早或晚的會衄一次血。血止了，潮熱便退清，而且體溫很低，往往在三十六度五以下。但在血止後數小時內，體溫又漸漸昇騰，甚至達三十九度五以上的熱度。病人呈明顯的貧血徵狀自不消說，脈形芤大而數，舌淡紅，苔晦白，眼珠無神采，眼白帶一種黯淡的黃色，通身膚色痿淺黃而晦暗，耳閉或耳鳴。這些，我們也可診斷爲惡性瘧疾當中所併發的壞血症。如果惡性瘧的病原不除，這種血也就無法制止，「血盡而死」。直個眞要弄到這樣的田地呢。

關於上列三症，其危險性之大，實無異於本病陷入腦症狀時候之險惡。然就阿的平的施用效率來講，卻可說不成問題。譬如A.項，其瘧腫乃多屬于腎臟性水腫，而服阿的平一劑量，病原既除，腫亦隨之全消。曾有一婦年二十六，病惡性瘧，四十五天，規甯及中藥均反覆服用，無效，周身漫腫，目胞腫脹如桃，脉至一百七十，熱高四十一度八。膚色黴黃貧血的證狀很顯明，病家見病勢垂危，試邀我去診治，我說：「服阿的平可愈」。依言照服，次日腫消十之六七。續服二日，便已全部治好。像這樣的例子很多，不勝枚舉。B.項的瘧後「單腹脹」，服用阿的平也有殊效。僅說一例：有男性患一單腹臌脹一月，西醫主用抽腹水，中醫用逐下劑，而病勢如故，嗣且腹部日大　如十個足月的懷孕。求治於我，給診察他的病情，確定他是瘧疾的貽後病，用阿的平與撲瘧母星先後服一全劑量，脹消腹平。三十七度五六分的輕熱也退清了。不用任何下藥和利尿劑，腹水竟自然而然地排泄乾淨。在臨床上豈不是一樁快事麼？C.項惡性瘧後的鼻衄。用止血藥無效。有中學生患此，注射孟納妥耳（拜耳藥廠）和新亞鈣劑及葡萄糖氯化鈣均不見功，服中藥十灰散，犀角地黃湯，六味地黃湯等，衄血愈多，又改服溫熱藥劑如保元湯，止衄散，千金當歸湯，黑神散，二加龍骨牡蠣湯等，也沒有效驗。後來血衄盡了，祇流出些淡黃的水樣液，那時他們來找我想辦法。我診過後，告訴說沒有什麼救了，這正應了張氏醫通的話：「久衄鼻流淡黃水者死」。除非有人給他輸血，我才有替他醫治的餘裕。第二日鄭學壘就病故了。不久，有某省營公司職員患此，服茅花湯湯及注射鈣劑都不能止血，我說，吃阿的平一全劑量，同時注射丙種維他命必愈。連治二日，即霍搖可。我敢斷定，假如不是這個療法，病者必有招致前侶的危險。（未完）

中醫証書省字第二二二號

陳漢麟外科專家

精醫

續筋駁骨

槍砲刀傷

癲狗咬傷

毒蛇嚙傷

新舊風濕

奇難雜症

醫務所　韶關河西韶西北路九十八號瑞麟堂

新法速愈花柳白濁

擅治頑癬花柳，白濁，皮膚，毒症，藥費經濟，收効神速，遍醫無効者，速來，負責根治，疑毒，眞毒，一診分明。

韶西羅沙橋頭公餘醫社醫師袁鑑韜

李六持

紅白痢丹

耑治痢症　去濕除熱

洗腸掃毒

敢誇藥王

各大藥店均有代售

介紹殷實之國藥行

本市風庭南路大德堂藥行司理何傑臣君，爲韶市藥界先進，服務社會，忠誠夙著，信譽久孚，向經理其累世相傳二百餘年之著名殷實老字號福生堂藥號，秉承其先代不售假藥劣藥主義，慨然以中藥革命爲職志，尤足令人佩慰。何君近更爲推廣改良中藥工作起見，特在風庭南路一一九號開設大德堂藥局，貫徹初衷，選藥務求地道，泡製悉遵古法，不特屏絕膺冒行爲，抑且力矯苟簡陋習，洵所謂坐而能言，起而能行，堪稱國藥界陣容之中堅者也。用是介紹，藉資提倡。

介紹人

吳粵昌　黃介甫　江漢榮　梁乃津

江鼎石　詹益康　甄夢初

江濟時　陸協民　黃碩如　彭幹

疾病之本相與現象

繆俊德

疾病發生之原因爲本相。疾病表現之徵候曰現象。本相與現象，各自有別。舊說則混同一論，罔知抉擇，斯不可以不辨。

研究疾病之本相，從而可知各個疾病之特點，認識其眞面目，此則西醫之長處也。推測疾病之現象，已現未萌變化無端之症候，把握靈活手眼，此則中醫之長處也。臨床醫家，倘能於中西醫學，均有造詣，無主奴之見，偏曲之私，橫梗胸際，則活人之術，必有可觀。

舊說錯誤之點頗多，皆爲昧於本相之知見，獨就外表現象下以臆斷而已。（一）如中風，腦出血之病也，由年老者之血壓高，或動脈硬化而來，且於勞動烟酒之戒不知謹慎，梅毒痛風糖尿，未能根治，皆可發生本病。然在舊說則不然，劉河間主熱，李東垣主風，朱丹溪主痰，皆誤以中風之外候，認爲中風之本相者也。其實中風之病灶在腦，病理解剖證明其事，信而可徵也。（二）因門靜脈鬱血，結果成水腹，僅外狀觀之，臍突腹脹，水勢泛濫，而曰濕困中州，亦舊說之慣技也。（三）各種傳染病發高熱，面色青白，脈搏軟而不整，曰心內膜炎，中醫則視爲少陰病，未嘗知其心臟內膜有炎徵也，徒謂外假熱而內眞寒，以致學者，祇可意會，不可言傳，而病至此，隨醫家本領之高下，用藥成效有差異，墨守家技，千百年來無寸進者，實由於此。於是吾得而言曰，明瞭疾病之本相者，治病必得其本，但憑外候妄施藥石，不免捕風捉影，時或勞而無功。

吾人對於固有之症候診斷法以外，應多吸收新知，採用西法，以爲他山之助。望聞問切，多從病人之自覺症與他覺症，運用手眼，決定用藥之標準。在昔傷寒論以各種症候羣，分屬六經證治，爲仲景之設計，別具機杼，予人以轍徑矣。於今行道之中醫，未必能細別繁複之症情，一依六經對症下藥，而六經之估價，亦復低落，醫學演變，已非昔比。雖在西醫亦不能盡捨症候診斷，然在無法求得疾病之眞相之前，權宜一用。苟能知其本相，從而發明治法，則於醫學，乃有進步。且症候診斷時有舛錯，略舉數例，以爲徵信。（一）某婦產後發熱譫語，延某儒醫診，曰、暑濕也，見有熱候，則黃連石膏，見舌上苔黃膩，云未化燥，則白朮木香，旋見面浮肢腫，與黃芪附子，病未匝月，卒至於死，而未知乎其病爲產褥熱也，昧於細菌學，不知本相故爾，而中醫又多誤認爲蓐勞者也，蓐勞乃產後之結核病，又與產褥熱異，症情相濫，臨床醫家，最感棘手者，莫此爲甚。（二）若依六經之說，惡寒，表證也，而急性粟粒結核有惡寒一候，將用麻黃桂枝，有濟於事乎，憑症診斷，能知其病爲粟粒結核乎。捫心自問，中醫不識病，其言不爲過也。（三）旋毛蟲病，前期似胃腸炎，後期似傷寒，從症候診斷，畢生雖知其有寄生蟲，罔知殺蟲，將何以愈其病。（四）見頭痛嘔吐，眩暈痙攣，羸瘦諸症，試想中醫應下之斷語爲何，無非邪犯肝經，木剋土，一籠統之名辭耳。安知眞相爲腦腫瘍或爲腦膿瘍乎，服盡中藥，百無一效，內科外科，本屬強名，中醫長於內科亦聊以解嘲耳。

吾人腦海中，所知之病愈多，則其臨床愈覺小心，惟恐忽於診斷，所謂江湖愈老愈寒心，誠爲閱歷之談。醫學本非易事，吾之言此，特非抑中揚西，惟願有識之士，同此警覺而已。

霍　亂（二）

梁乃津

第二章　原因及誘因

一八八三年科和（RHoeh）氏於埃及與印度之霍亂病人屍體，發現一種細菌證明為本病病原，名之曰霍亂弧菌（Holeravhrionen）其狀如撇，故又有譯撇狀菌者，長徑為結核菌之半，幅略大，屢見兩個或數個連結為弧形，或S形，或螺形，故有弓形菌之稱，亦有直名之曰霍亂菌。發育最適當之溫度為三十五至四十度，十六度下則發育停止，但雖較低之溫度亦不能殺滅，對乾燥之抵抗力甚弱，附于手上約過二小時即因乾燥而死，若處在濕潤之環境，生活力却頗强，在濕潤食品中，可活至八小時，濕潤衣服中，可生活至十二小時，本菌培養頗易，其詳宜參看細菌學專書。

自來國醫論述霍亂之原因，多歸咎於飲食不慎與「困濕」，因而「清濁相干」「亂於腸胃」，古人之所謂霍亂，包括虎列拉與急性胃腸炎（歐洲霍亂亦為急性胃腸炎之一）是飲食不慎或「困濕」之足以招致者，至少亦應為虎列拉與急性腸胃炎兩種病，兩病之原因，純以細菌學眼光觀之，殆不相侔，惟兩病之病灶根本同在消化器，消化器病變足以誘發虎列拉與急性胃腸炎為已知之事，古人之言，亦非憑臆妄說也。

飲食不愼與「困濕」可以直接發生急性胃腸炎，在霍亂則祗可為誘因，古人所說之霍亂原因，與其謂眞霍亂，毋寧謂類霍亂之為近，古人中言虎列拉原因之最得眞者，張錫駒傷寒直解庶幾近之，其言曰：霍亂者不由表入，不涉形層，大都邪從口鼻直中於內，「古無顯微鏡細菌學，認疾病之誘因為原因，中西無異致，蓋誘因易見，原因不易見也，然能避免誘因，則非有特殊情形，受害者絕少，傳染病發生之三因鼎立說，（原因、誘因、素因、）至今不能移易，誘因而外，古人亦並非無道及原因之一二者，上舉張氏之說可概見，若其細義，識慮乃在無顯微鏡為之研究證明，此則時代知識所限，自難求全責備，須知國醫學之短長並不在是，惡之者執此以為當定國醫退處不進步不可救之口實，固屬武斷不公之言，愛之者皮附古人一二，欲化腐臭為神奇，殆真所謂買櫝還珠者矣！

「困濕」為國醫術語，何以謂之「困濕」，「困濕」又何以發生胃腸炎及霍亂，頗須說明：

一、陸淵雷先生金匱今釋云：「濕之為病可分二類，曰外濕，曰內濕，外濕者，空氣中水蒸氣飽和，汗液不得蒸發，因不得適量排泄也。……內濕者，因炎症所起之炎症性滲出物也，炎症初期患部之毛細血管擴張，呈充血症狀，血液之流動成分及固形成分常滲出於管外，滲出管外之流動成分名炎性滲出物，其停瀦於體腔內者為飲，浸潤於組織中者即為濕，甚者則為水腫，水腫與飲，固皆濕之類也，炎症之屬於卡他性者，多發於胃腸，子宮，咽頭，氣管枝等有粘膜之器官，其時粘膜液由毛細血管滲出漿液，而粘液之分泌亦同時增加，此種病變發於胃，則為痰飲，發於子宮則為帶下，發於咽頭氣管枝則為喉癢咳嗽，是皆吾所謂內濕……」。

今案：陸先生之說明覈可從，其所說乃就金匱書中之「濕」的範圍言，固無以易，若從國醫病理學上整個之所謂「濕」，所包猶不止此，除上述者外，一部分之神經系症　亦有屬於濕之範圍，原古人對於濕之概念，大抵由於認為體內蘊積應該排泄而不排泄之液體而言，乃比象液體之濕氣以來也。凡生理上所應排泄而不排泄或排泄而不充分與乎排泄及吸收水分之機能有障碍時，皆謂之濕，倘胃腸有病變，食物太多，或食不潔之食物，霍亂菌附着於食物而混入腸中，現在知識所及，霍亂菌入胃，在健康者胃腸中其胃液及腸上皮對病菌有殺滅及抵抗之力，此種力量胃強腸弱苟胃腸發生卡他，其組織為炎症滲出物所浸潤，胃液（胃酸）不免減少或稀釋，胃壁與腸上皮減低其防預抵抗之本能。病菌乃得一良好發育機會，疾病遂起，又如胃消化力弛緩，腸蠕動亢進，內容通過迅速，或腸吸收水分之原發性減退與乎因腸壁異常而分泌多量之液體混入腸內容之中，此種情形中，任有其一，均足以發生腹瀉，馴而致於胃腸炎，並足以誘發霍亂及類霍亂，凡此皆飲食不慎與胃腸「困濕」互爲因果乃演成一清濁相干亂於腸胃」之情，循是而發生眞與類霍亂之胃腸病也。

其次：腎臟爲專司排泄之器官，其生理機能爲排泄體內新陳代謝所生之無用，或過剩物質，腎臟一旦有病變，新陳代謝產物排泄機能必受障碍，眞霍亂病人之預後與小便利否有極大關係，類霍亂亦可以利小便爲要着，眞霍亂經過中有發生腎炎及尿中毒者甚多，霍亂腎炎之症狀，在霍亂之初期常起尿閉，即不閉亦必尿量減少，其尿極濃厚，並含蛋白質及各種截圓柱體與腎上皮細胞赤白血球等，皆國醫之所謂「濕」象。尿毒症雖多不屬於國醫所謂濕之範圍，按之動物試驗，摘除其腎臟或結紮腎臟之輸尿管，則尿毒症之中毒性神經系症狀如嘔吐，痙攣昏睡等，與人類同樣發生。則尿毒症之重大原因爲小便排泄不能適量，亦言可喻。眞霍亂之病者，其貽後症多有慢性腎炎糖尿，死後解剖，腎臟亦有甚大之變化，眞霍亂病人與腎臟有極密切關係可想而知，腎臟有病變必影響其小便之排泄，小便排泄減少或濃厚，國醫多責之「膀胱受濕」。國醫所謂膀胱，乃解剖上之實質的腎臟，國醫之所謂腎，乃今日之內分泌。治療藥物則爲「去濕利小便」，以今日醫學名詞釋之，可以謂之曰「消炎利尿」此國醫以霍亂爲「困濕」之又一理由，絕非空談可知也。

由是言之，國醫關於霍亂之原因及病理，雖非切實詳知其眞正原因。所言却極有根據，吾人衞生之道，果能循其所說，誘因不足，非有特殊情形受强有力之重大原因，決難成病，曾有西人吞服霍亂菌一杯，結果不過微微腹瀉，此即誘因不足之故也。

「困濕」而發生霍亂之「溼」，若循陸先生之說言之，自然屬於「內濕」。此亦所當知者。

第三章 傳染路徑及感染機會

本病之傳染絕對與空氣無關。傳染路徑主要不外下列數種：（A）病人排泄物投入水源或汚染病毒之衣物在水源洗滌，病菌混入水中以後爲人取以飲用，致有一時發現多數病人之可能。尤以航海中拋棄汚物入海時更多危險。（B）病毒附着於器物，蒼蠅輾轉飛翔，最易傳播病毒。本病及腸熱（腸窒扶斯）痢疾等一切消化器傳染病，蒼蠅均爲罪首。

病人排泄物及沾染病毒之汚物，皆可直接間接傳染他人。其永續排菌性質雖較腸熱爲弱，流行時帶菌者之意義仍甚重大。侵入門戶主爲口腔，病菌入口腔後在常態則爲胃內鹽酸所殺滅。如遇病菌存在食物中心部及胃液缺乏或胃內停留時間較少時，則成鹼性入腸發育。

交通方面：亦與本病有極密切之關係，交通利便及人烟稠密之區最易流行本病此當與傳染機會有關。其次氣候與季節亦關係甚大，本病之流行自初夏爲始，與八九月而達於極點以後漸少，入冬而患本病者絕對稀有，本病發作開始之時間多在夜間，尤爲習見之事，又土地與衛生環境之良劣可爲本病發生成正比。不潔之地最易流行，低濕地常較高燥地易發生，個體方面：胃酸不足者，急慢性胃腸炎患者，易爲所侵，此外身心過勞亦足爲本病誘因，暴飲暴食及患本病貧者較富者爲多，固爲吾人所熟見。本病一次患病後雖得免疫性，然僅三四月仍有再感可能。

第四章 病理解剖

主要者。爲腸之變化與各臟器水分缺乏，及血行障碍等。腸之變化以廻腸爲最，霍亂菌多數存在於腸內容及腸黏膜上皮細胞層中。又因肌肉强直之故，屍體常呈「劍俠姿勢」。心臟方面，左室收縮，血液大部分集於右室及腔靜脈，與硬腦膜，靜脈竇內。脾不腫脹，肝臟萎縮，輸胆管每爲濃厚胆汁所塞。腎臟方面，其皮質常見靜脈性鬱血，尿管上皮崩壞，且呈實質性腎炎之像。

第五章 症狀

潛伏期一至四日，極少數亦有數小時或七八日者。病之發作期，經過輕重並不一律，其病狀經過大别之有如下數種：

（1）霍亂泄瀉 先來頗爲激烈之腸卡他症狀，腹不痛，且無裡急後重，而泄下多量之薄便，一日中約三至八次，食慾不振，口渴，疲倦，有時起嘔吐，無尿，及輕度腓腸肌痛。此等症狀，在本病流行時，常有多數人發生，然不致不會變重。亦有經過數日後，移行於重症者，則上述情形，稱之爲「霍亂前驅瀉」。

（2）輕症霍亂 症狀略較前者爲重，全身倦怠，食慾不振，嘔吐極烈，大便帶米泔水樣物，脈頻數細小，四肢厥冷，尿利減少，腓腸肌多發痛，痙攣，聲音嘶嗄，上述各症，治療如不失當，旬日間即消滅，但亦有一度治愈後，再來同樣之發作者，經過較重時，本型與重症霍亂殊無截然之分界。

（3）重症霍亂 突然而來重篤症狀者較少，大抵先來中等度之泄瀉，數小時或一二日，是稱之曰「前驅瀉」，又可名第一期症狀，從第一期前驅瀉移行於第二期，則爲冷厥期（或稱假死期）其時急起强度之全身萎弱，心悸亢進，惡寒煩渴，食慾消失，及口腔黏膜乾燥且有裂創，呈白色厚苔，泄瀉頻數，一小時有十次以上，並無腹痛及裡急後重，雷鳴殊甚，糞便初稀薄而含胆汁，旋即爲無色水樣，混有白色絮片，所謂「米泔水便」，無臭氣，腹不痛而大雷鳴及糞便米泔水樣，爲本病最可注意之點，隨泄瀉而來者，更有激烈之嘔吐，吐出之物初混食渣，其後則純爲胃腸滲出液，並多少混有白色米泔水樣物。因病者吐瀉頻作，體內水分損失極大，故有煩渴之感，舌燥而被苔，進而爲皮膚皺縮，眼眶陷沒，顴骨及鼻梁尖出，即所謂霍亂顏貌也。本病腹部通常扁平柔軟，但亦有時陷沒而示抵抗，隨霍亂顏貌而來者，有手足厥冷，四肢末端及口唇發紺，體表溫下降，（直腸則有時呈高溫，體內外溫度著明差異，爲以後不良之兆。）又因心臟衰弱之故，心音及脈搏微弱，重症者在數小時後已不能觸知脈搏，血壓下降，血液濃稠，胸內苦悶，心悸亢進。呼吸困難而淺表，聲帶乾燥，聲音嘶嗄，（所謂「霍亂聲」）尿利減少或全閉，即排尿其量亦極濃厚，含有蛋白質及各種截圓柱體與腎上皮細胞及赤白血球等（所謂「霍亂腎炎」）更有一重要之中毒症狀，即爲痛性痙攣，以發於腓腸肌爲主，亦有時見於趾股腕及手中各部，旋發旋止，遇此第二期症狀據西醫統計過半數在二至三日中歸於死亡，重症者則自發病至死不過一——十小時，是稱之曰「電擊性霍亂」，如病較輕及治療得法，則耐過厥冷期後乃轉移於恢復期，吐瀉漸止，略帶常態，心力復而脈強，四肢亦溫，尿漸利，此時暫存身體疲勞及脈搏不安定等情形，不久亦告消失，少數病例有既經脫險之後經過數日再發上述各症而死者，亦有轉而爲霍亂傷寒者。

（4）霍亂傷寒或昏迷期　本型續發於霍亂假作或既經脫險之後，故有名本型爲霍亂第三期症狀者，其發作忽然而來高熱，頭痛，四肢痛，全身萎弱，有時精神略爲興奮，不移時而意識消失入於睡眠狀態，脈搏初尚強盛劇烈而略數，旋即微弱再現發紺，呼吸深而有雜音，雖有泄瀉，但不如厥冷期之甚，其性狀與普通大便相去不遠，有時四肢發紅斑及玫瑰疹，（所謂霍亂疹本型腎炎殊甚，有時死於尿毒症之下。）

又有一種不吐不瀉而來心胸脹悶，腹中疼痛，或如板硬，或如細縛，或如筋弔，或如錐刺刀割，欲吐不能，欲瀉不得者，名乾霍亂，法當速取吐瀉，一部分之真霍亂亦確有此型，但如腓腸肌不現痛性痙攣者，大抵多非真霍亂。

此外又有一部分霍亂之經過現裡急後重下痢如赤痢樣者，詳診斷條中。　（待續）

中國物理醫學之針灸（二）

袁鑑韜

中國針灸醫師，不但知痛癢與內臟之關係。且知氣的循環與存在，其治病也，大抵根據創傷能白火傷能紅之理也。是故用針以治紅、痛、抽搐。用灸以治白、冷、無力。而又醫於針的反應，各人之不同也。於是又得悟其疾病之預後。概括言之。可分三種，刺針後，肌肉絕無抵抗。如針戳豆腐者。則其病不治。既進針而忽覺障碍，若魚之吞餌者，則其病可治。進針絕難，膚堅如革者，則其病或治或不治。此三種不同之反應。於是得證明氣力之重要焉

無論何病，其發生也。皆由於氣之失其平衡。而治氣之法，莫過於用針。因其理論之不同。於是有所謂學派者分焉。

（1）根據各人對於針的反應之不同。而又於據氣循環的假說，以判定用針之效用。是恢復氣的循環，謂爲氣止在一處爲治病之因。

（2）承認氣的循環，但以爲氣之循環是附屬的。治病則賴於內臟機能之健全與否爲標準。針的效用，是對於內臟起一種充血或鎮靜作用。此二派之主張，一是加緊循環之力量，以衝破障碍，一是除去障碍，以恢復氣之循環，要之中國之醫，大多注意於氣所從來，而爲治病之根據。彼知一切生物，皆受命太陽，醫諸植物，春夏則繁殖，秋冬則凋謝。又如生活，日出而作，日入而息，如陰陽之說，由此分焉。

在二千五百年前，常有人謂針之功效，祇能移動氣而不能發生氣，設有人焉。氣力衰弱，已至絕境，則必借外間之氣而補償之，是說也，吾儕歐洲科學的心理並不反對在科學上謂之神聖緊張 Agget 氏嘗言我們身體上的力量，好像是固定的，失於此處，則得於彼處。Trewe: Cere 氏，亦言在世界上的力量，是固定的。我們所謂感覺動作營養分泌，全是力量的

表現之一種，我們得用神經以管理之調和之 Dootie 氏亦言。生命的現象，是氣力的變化。與世界上一切的現象相同。

中國人究有變痛之病，適於針灸之治療乎。考其理解，頗與吾人不同，一宜分別氣血，病氣者可變其位置。病血者則否。其論病也，注意其過或不及。筋骨之病。別為二種。曰痹，曰痿。痹者，有熱，有痛也。痿者，或冷，或麻木也。又半身不遂之症，亦別為二種，曰偏風，曰偏枯。偏風，起於卒中，有痙攣之現象。偏枯則為麻痹，萎縮。治半癱，則分顏紅顏白。其治療上顏紅易於顏白。此吾歐人所絕感困難者。針的成績（1）以減痛苦，效能迅速。（2）為消滅症狀。（3）則真實治愈。一五七五年醫學入門嘗曰，金針治病，莫善於筋骨病。神經病，半身不遂等症。任何療法均所不及也。亦能治傷寒，但病體與經過之久暫，於治療成績，亦極有關係。

中國人嘗分為用腦用力二種。用腦者感覺性大於用力者。故其治療上亦因之而異，有病時覺全身筋絡都有感覺者。有病雖甚篤，而未嘗發生感覺者，此宜針刺。又病經過之久暫，亦極有關係。病暫者，一針已見功效，病久者，非針數次不易見功。

然則金針治病，確能愈病乎。抑病勢已治，其病機仍在進行乎。自然治愈乎。病已消滅，不過表現其些微痛苦乎。此種疑問，至今未易解決。或謂金針治病，是一種暗示作用。又是不然。試以金針試於畜類，則其功效尤顯。夫畜類之感覺僅微，何以能見功效。則心理作用與醫學上關係甚微，從此可知矣。然則心理作用與醫學，果無關乎。曰，是又不然。當醫師刺針之先，嘗用言以安慰之。假刺數次，使病者不防而刺之。令病者目不旁瞬，俾其眼不至震顫，凡此皆關乎心理者也。嘗觀難經，其所記述。大多使病者注意於針，從可知中國人於心理的影響於身體，實有深切之研究。吾人且不用新醫學知識，解釋針治之作用及其價值。不久之前，吾歐人知內臟未嘗有感覺。故以手觸其肝、胃、肺、部。未嘗覺痛，其苦痛實在皮膚也。然內臟雖無感覺，而內臟之痛苦不能影射於皮膚。吾歐人知減輕內臟的痛苦。宜用火灼皮膚，或用芥末外敷，俾其發泡。或用冰囊刺戟。俾其麻痺，行之亦已有年。至最近甫用科學的方法。從理療。一八九四年 Bonver 氏發明刺戟延髓中樞。以治淹溺氣閉，而用手抽其舌，俾恢復其呼吸及心臟的行動。氏又用火灼鼻，粘膜，以治許多輕微之病。至於內臟痛苦，影射皮膚的問題，則尚在研究中。吾人祇知皮膚的一定部位上能影響於內臟功能。今乃知皮膚受傷的減內臟之痛苦焉。Naroondeng 氏最近發論文題為（生物特異性）。曾想到中國人善用圓𠌵路。以刺戟表皮。假使把中國的經絡。射於理想的橢圓動土，則人的方體。可成橢形焉。且 m. 且於人的纖維，放大眼光，能知人的抵抗力及氣波的循環。血液的化學作用。然於神經系方面。則所得僅微，彼安知刺戟皮膚一點。能立時影响於腦脊髓。由腦部傳達於病的部分哉。吾人以反射治療，未能解釋金針之效用。而可異者，金針穴道，能與藥物痛點適合。多數生理學家，認一個機能病，能在表面上現其痛苦。無病者服藥，常能致病。其內臟雖無感覺，而表面上往往發生痛苦。而尤奇者，藥物所發生之痛苦，與中國金針治病之穴，頗想符合。譬如刺戟中府，能治肺病，咳嗽、臭摻、鼻涕、嘔吐、作恐、膨脹。不消化、呼吸困難。皮膚痛、出汗、發熱。荷藥物治療家，以微量之藥，置於中府。亦得敏捷穩之效果。由此以觀。最古的針法，豈僅合於吾歐最新的科學哉。而其超過吾歐科學的知識且不少焉。

中國醫藥月刊社啓事

本刊現因寄遞困難，紙張限制，不得已屢減少出版數，對於內地讀者，暫以千份為限。超過之數，只好抱歉，事非得已，還盼讀者鑑諒。又今後刊費，擬依照出版時計算，請先交半年刊費念元寄費十五元，按期隨市價轉移，多還少補。又預定概自四卷一期起。代定處：江西吉安實華樓念二號李克憲診所　滬社上海徐家匯南長橋鎮汪浩權診所

介紹與批評

臨床藥典序

吳粵昌

一中醫往何處去一？一中藥真能愈病一！在今天，這兩個口號的提出，已不算新鮮而且是豐富現實意義的學術問題了。前者涉於整個醫學體系的理論範圍，尚有待於將來的演變；而後者呢，側重藥物療效的實證，無須再作論爭，漸能把握到藥物性能的深入核心的研究。所以，當這中華民族醫藥，還未曾堅强建立，還未曾給近代社會以深刻認識之前，不獨未遭受時代洪流所摧毀，相反地能使現階段人們對這陳舊的中醫藥，由鄙視而漸起懷疑，由懷疑而進加探討，由探討而産生信仰，也就指出了它偉大生命的潛長，和孕育着存在世界醫學史的獨立精神。

如何使中華醫藥生命及其獨立精神，得到培養與發揚，以完成它底歷史任務？爲了這，必須吸取大量數理化各門科學來分析中藥，必須研求出每一中藥的定性定量，配合藥理與病理所起作用的統一；再加上經驗統計的實例，然後才可産生辯證的結論；才可理解到由單味藥而複合組成的中國方劑的特點與治療效能的所以然。這樣才可促進中藥世界化，才可表現中國醫學的真價。

龍文同志英勇堅毅地向此目的邁進，十年如一日。運用數理化之科學素養去探求中醫藥的精髓，深感於中藥科學研究方法之迫切需要，乃編就此書，初稿寫於五年前，歷有增删，向未發表，今夏來韶，共爲廣東醫藥旬刊致力，屢談及當前藥物學著作貧乏得可憐，始出本書見示，讀後覺得內容選擇精當，體例解釋新穎，檢閱便利，定義明確，所收藥物七百餘種，採用中西學理，雖然算不了怎樣的權威作，但也的確是一部切合實用的臨床藥物辭典，就決意選印，作爲廣東醫藥旬刊社叢書第一種，並於百忙中略加校勘，匆匆地恐未能盡着校閱的責任。

這是本書印行的動機及其經過情形，也許將來高明的讀者，對本書各藥的解釋文字，會感到太簡短而不詳，這裏特別該補充說明，爲了作者另編成「藥物各論」鉅著，其中每藥都作了極詳盡的發揮，而本書則純然以簡明扼要爲主，計劃著兩書出版後的相輔而行，去展開新中藥科學研究工作的運動。

誠然，這是一條新闢的路，以往雖有過許多開路者，而目前走起來，總還有荊棘崎嶇之感，渴望而更相信將來人多行了，就自然會成爲康莊大道。

以上，一些關於中國醫藥片斷的感想，隨筆寫了出來，算是本書的序，並以獻給作者和讀者。

建國三十二年「九一八」十一週年紀念日吳粵昌於廣東醫藥旬刊編輯室。

下期要目

藥物各論（二）

香附

李龍文

名稱 學名 Cynrus Botnndus

別　名 莎草根。雷公頭。香稜。

釋　名 本品根莖相附，連續而生，可以合香，故名。別錄云：莎草不云用苗，而用根，後世皆用其根，名香附子，而不知莎草之名也。其草可爲笠衣，及雨衣，疎而不沾，故字從草從沙，亦作蓑字，因其爲衣垂緌如孝子蓑衣之狀，故又從衰也。

科　屬 屬莎草科，爲莎草之根。

品考與產地 陳仁山云：香附產廣東，以三水橫江爲最，清遠南沙大墟均有出，下四府安南亦有，但產味略淡，用羌汁燒酒醋童便製之，則四製也，但今人所製多用鹽代童便，本屬不合。——藥物出產辨

形　狀 爲多年生草，葉細長而莖，如故莎，故名。春月從宿根生苗，高一尺許，葉似管而小，三脊有光澤，夏月於莖頂生花穗，開紫黑色花，地下莖匍匐繁殖其新根，旁生鬚根數塊，成爲一株，外部黃赤色，內部濃褐色，質頗呈堅實。

藥用之部　根，

修治　時珍云：凡採得連苗曝乾，以火燎去苗及毛，用時以水洗淨，石上磨其皮，用童子小便浸晒搗用，或生或炒或以酒醋鹽水浸，諸法各從本方，又稻草煮，味苦。

性味　甘微寒無毒。

成分　本品據東人之研究其成分，含有精油，（主要成分，爲Cyperone 15 H 34及Cypersl C13H24o.）脂肪酸及phusul性物質。——日本藥學雜誌第五百號。

作用　有健胃鎮痛及促進消化食物之功，對于婦人之黏液性子宮分泌物，有制止及減少之效。——丁福保

效能甲　蘇頌云：治心腹中客熱，膀光間連脇下氣妨，常日憂愁不樂，心忪少氣。

李東垣云：治一切氣霍亂吐瀉腹痛，腎氣膀光冷氣。

時珍云：散時氣，寒疫，利三焦，鮮六鬱，消飲食，積聚，痰飲痞滿，腑腫腹脹脚氣，止心腹肢體頭目齒耳諸痛，婦人崩漏帶下，月候不調。

乙　時珍云：香附之氣，平而不寒，香而能竄，其味多辛能散，微苦能降，微甘能和，乃足厥陰肝，手少陽三焦，氣分主藥，而兼通十二經氣分，生則上行胸膈，外達皮膚，熟則下走肝腎，外徹腰足，炒黑則止血，得童便浸，炒則入血分而補虛，鹽水浸炒，則入血分而潤燥，青鹽炒則補腎氣，酒浸炒，則行經絡，醋浸炒，則消積聚，羌汁炒，則化痰飲。

王好古云：香附治膀光兩脅氣妨，心忪少氣，是能益氣，乃血中之氣藥也，本草不言治崩漏，而方中用治崩漏，是能益氣而止血也，又能逐去瘀是推陳也。

張石頑云：香附是血中之氣藥也，蓋血不行，隨氣而行，氣逆則鬱，則血亦凝

3·

滯。氣順則血亦隨之而和暢矣。

李士材曰：乃治標之劑。惟氣實血未大虛者，宜之。不然，恐損氣而燥血，愈致其疾矣，世俗泥於女科仙藥之一語，惜未有發明及此者。

張山雷云：香附辛味甚烈，香氣頗濃，皆以氣用氣，故治氣結為病，而其色帶紫，中心較黑，質又堅實重墜。則雖以氣勝，而與輕舉升騰之辛溫諸藥不同，故能深入血分，下達腎肝，王海藏所謂陽中之陰，血中氣藥，深得物理自然之妙。又辛溫氣藥，飄舉有餘，最易耗散元氣，分動肝腎之陽，且多燥烈，則又傷陰，然此物雖含溫和流動作用，而物質已堅，則亦善走而亦能守，不燥不散，皆其特殊之性，故可頻用而無流弊，[illegible]未嘗不外達皮毛，而與風藥之解表絕異，未嘗不疏泄解結，又非上行之辛散可比，好古謂本草不言治崩漏，是益氣而止血也，頤謂雖不可認益氣，而稍有舉陷之力，丹溪謂須用童便浸過，蓋嫌其辛味太燥，以下行為監佐之義，頤意調肝腎者此法最宜，或有以醋炒以青鹽炒者，其理蓋亦如此。時珍謂其氣平而不寒，香而能竄，其味多辛能散。微苦能降，微甘能和，為足厥陰肝手少陽三焦氣分主藥，而兼通十二經氣分，頤謂氣結諸證，故肝胆橫逆肆虐為多，此藥最能調氣，故瀕湖謂之耑入足厥陰。其實胸脅痺結，腹笥䐜脹，少腹結痛，以及諸疝，無非肝絡不疏，所謂三焦氣分者，合上中下而以一貫之用，故無論其何經何絡也，李氏又謂生用則上行胸膈，外達皮膚，熟則下走肝腎，外徹腰足，……且藥肆中又皆製之，色黑，尚何得生者可用。然胸膈氣滯，亦皆投之輒應，可知本性使然，故不在乎製藥之微為區別者也。

禁忌

陰虛氣弱者忌

編者按　本品爲芳香性苦味質藥作用不强烈，有效於促進消化器官之機能，爲健胃之藥，然觀以上諸家之注釋，視香附爲氣病之總司，（時珍）婦科之主師，（石頑）作爲婦科仙藥，又謂本品施用諸病，可頻用而無流弊，（張山雷）實皆醫家妄說，載鬼一車，何則？凡藥性皆有所偏，醫者因其性之偏，而治療種種不同之病，安有治諸病頻用而無流弊者耶？試將其主治與相配藥並列而研究之，效用之眞僞，判然明矣，今將本草綱目香附條配合與作用列之如下：

1．益氣　人參　白朮　（香附）
2．調血　當歸　地黃　（香附）
3．降火清熱　梔子　黃連　（香附）
4．升降諸氣　沉香　木香　（香附）
5．引氣歸元　小茴香　故紙　（香附）
6．決壅消脹　厚朴　半夏　（香附）
7．解散邪氣　紫蘇　葱白　（香附）
8．消磨積塊　三稜　莪朮　（香附）
9．煖子宮　艾葉　沉香　紫石英　（香附）

右列九條觀之，則除去香附而用餘藥，其醫治作用，斷不因香附而減卻，此則徵諸藥理而可信，是香附僅有健胃鎮靜之功可見已，凡消化器之神經性諸病，而有輕度疼痛，嘔噦，鬱塞症狀，如古人所謂鬱者，用之有卓效，此亦健胃鎮靜之功，且是故凡男婦之病而有消化不良，且神思抑鬱者，用之有效，否則無效，可斷言也。

處方例

1　香蘇飲（局方）　治四時感冒　香附　紫蘇　陳皮　炙草　羌[illegible]

2　香附散（得效）　治心腹痛痛而不可忍者，　香附　良羌　等分每服二錢重

米飲調下

3 香桔湯—良方　治七情所傷，中脘不快，腹脅脹滿，　香附　橘紅　甘草　半夏　羌壽煎

·4 小烏沉湯—局方　治心腹刺痛，　香附　烏藥　甘草

報導

醫師法

卅二年八月廿八日立法院通過
九月廿日國民政府公佈并同時廢止中醫條例
及西醫條例

（重慶航訊）醫師法：1.凡爲醫師，須經醫師考試及格。2.考試之法，得以檢覈行之。3.經醫師考試及格者，得請領醫師證書。4.開業時，應向所在地縣市政府，呈驗醫師證書，請求登錄發給開業執照。5.歇業復業或移轉時，應於十日內向該管官署報告：死亡者由其最近親屬報告。6.非加入醫師公會不得開業。7.醫師非親自診察，不得施行治療開給方劑，或交付診斷書。其非親自檢驗屍體者，不得交付死亡診斷書及死產證書。8.醫師處方時，應記載下列事項：甲、自己姓名，證書及執照號數，簽名蓋章，乙、病人姓名，年齡，藥名，藥量，用法，年月日。9.，醫師如診斷傳染病人，或檢驗傳染病之屍體時，應指示消毒方法，并於四十八小時內，向該管官署報告。10醫師如無法令所規定之理由，不得拒絕診斷書，檢案書，或死產證書之交付。11醫師不得違背法令，或醫師公會公約，收受超過定額之診療費，開設醫院者亦同。12醫師對於危急之病症，不得無故不應招請，或無故遲延。13醫師公會分縣市公會及省公會，並得設全國公會聯合會於國民政府所在地。14醫師公會之區域，依現有之行政區域；在同一之區域內，同級之公會以一個爲限，但中醫得另組醫師公會。15醫師主管機關爲衛生署。

甘草

汪浩權

學名　Glycyrrhiza glabra. L

異名　甘草（本經）蜜甘　蜜草　美草　國老　落草（以上別錄）靈通（記事珠）美丹（神農本經）抱罕草（本草原始）倫蜜珊瑚（輟耕錄）粉草（羣芳譜）

科屬　蝴蝶花科 Papuluaceae 荳類植物之宿根草。

產地　內蒙古　東三省　山西　陝西　甘肅　新疆　西藏　四川之西北等處。

形態　多年生草本。春季從砂地下匍匐之鞭狀宿根生苗，高二三尺，葉互生爲羽狀複葉，往往自十餘片小葉而成，小葉作長卵圓形，葉莖俱有毛茸，夏秋間於葉腋開淡紫色蝶形花，花冠淡紅色，花後結莢實。根長二三尺之鞭狀，小圓形粗三四分，表面有縱皺襞，呈灰褐色。

藥用部分　根稍節　生用　蜜炙用

鑑別　擇其外皮薄，肉色深黃堅實者爲上品，若根大而皮厚，肉色淺而輕虛，或中心黑色者次之。

性味　呈弱酸性反應。

成分　主成分爲甘草甜，此外爲樹脂、苦味質、澱粉、木蜜醇、龍鬚朵素等。

用量　八分至一兩

處方名稱　粉甘艸　炙甘草　清炙草

生理作用　除作矯味藥外，於咽喉有緩和滋潤促進喉頭氣管之分泌，於粘膜創面等處無化學的刺激，而有粘液性機械的包攝，以防禦其他的刺激，入胃後消化溶解不迅速，吸收亦非常緩慢，故欲使藥物作用於腸等，宜兼用本品，內服大量時，腸內容稠厚發爲瀉下，用于腸管之加答兒症狀時，則被包腸壁，以防刺激，故有抑止疼痛，鎮靜反射蠕動，以促治愈之效，尤以腸管內刺激性之分解產物發生之時爲然，於腐蝕性或刺激性物質之中毒，有緩和包攝以護胃腸粘膜，故爲刺激性藥物之調味，及爲防止瀉下藥驅蟲藥之峻效而配入之。

主治應用

（本經）五臟六腑寒熱邪氣，堅筋骨，長肌肉，壯氣力，金瘡尰，解毒。（別錄）溫中下氣，煩滿短氣，傷臟咳嗽，止渴，通經脈，利血氣，解百藥毒。（甄權）主腹中冷痛，治驚癇，除腹脹滿，補益五臟腎氣內傷，令人陰不痿，主婦人血瀝腰痛，凡虛而多熱者加用之。（大明）安魂定魄，補五勞七傷，一切虛損驚悸煩悶健忘，益精養氣，壯筋骨，通九竅，利百脈。（東垣）去咽痛，除邪熱，補脾胃，潤肺。（好古）吐肺痿之膿血，消五發之瘡疽。（時珍）解小兒百毒，瀉火止痛。（藥徵）主治急迫，故能治裏急急痛攣急，旁治厥冷煩躁衝逆之等諸般迫急之毒。

近人議論

森島氏曰甘草不僅有緩和迫急之效，且能具有一切粘滑之醫治功用，如需粘滑藥時，可以甘草代用之。

葉橘泉曰本品之醫治效用，嚴之近世研究，東西各國應用于醫藥上與我國古人記載相同者，爲之鎮咳祛痰，生津止渴，緩和滋潤，粘滑豆類解毒，保護喉頭氣管，胃腸尿道等內膜諸作用，可謂彰明著者也。至生津止渴之功，可以甘草煎成濃膏，配入其他薄荷等清涼劑，製成口香糖類，如仁丹八卦丹均係本品爲主劑，其解毒之效，因本品之液汁，遇毒素中之 Aekaeofd 則結合爲甘草糖酸鹽而沈澱，對于水爲不溶性，故在人身中不易吸收，其解毒之理，蓋可證明，治煩滿短氣，溫中下氣者，觀于甘草乾薑湯甘草苓桂五味湯所主治可也。傷臟咳嗽，于排膿湯之治肺痿肺癰蓋可明瞭。腹中冷痛，婦人血瀝腰痛皆悉屬神經攣急，以甘草緩和攣急，有鎮靜鎮痛之功，其內含有種類蛋白質等，多少含有營養性之強壯作用

，——國產藥物之研究

章次公曰吾儕從仲景用甘草之方劑，剖析其藥效，有與西說暗合者述之如次•（一）調味藥諺云「藥裏的甘草」極言甘草能協和諸藥。在仲景方，凡某藥有特殊臭味，多用甘草以矯正之，如甘草恆與附子生半夏同用，所以解其辛辣之味是也•

（二）祛痰藥　少陰病二三日咽痛者可與甘草湯，不差者與桔梗湯•又欬而胸滿振寒脉數，咽乾不渴，時出濁唾腥臭，久久吐膿如米粥者，爲肺癰用甘桔湯，皆見民間治乾欬不爽，用冰糖梨子蒸食，此即糖類有促進咽喉氣管分泌之作用也。

（三）中醫用甘草最大功用，即在緩和作用，芍藥甘草湯治脚攣急，甘麥大棗湯治臟躁，此二者，所謂甘苦急，急食甘以緩之•他如煩渴驚悸厥逆諸般急迫緊張現象，甘草無不可緩和之，東洞翁曰甘草治諸般急迫之毒也•得其旨矣，近世外科多用甘草，蓋取解毒之意，實則本品爲富粘滑性之物質，可以包擁創面以緩和刺激疼痛痛已•（四）緩下藥，以甘草爲緩下藥吾國無此記載，時賢高思潛謂調胃承氣湯之甘草，非硝黃之監制藥，正所以協助硝黃下利者，據幼科金鑑初生便閉，以甘草枳實爲治，綱目引崔衍所傳方以炙甘草治赤白痢，梅師方以甘草一兩，豆蔻七個治赤白痢或即取甘草之緩下職•編者近治赤白痢少腹痛後重，以芍藥甘草湯予之，芍藥常兩許，甘草可五六錢，亦取其緩下之用也，——藥物學

編者按　甘草與生薑大棗，古方多列入矯味劑，試觀經方書，凡某方中某藥有特殊之刺激性足以妨礙胃腸消化者，恆用甘草以佐之，本草稱其調和諸藥是也，甘草與祛痰藥同用，能緩和滋潤口腔喉頭氣道之粘膜，以促進氣管之分泌，以收排痰之效•瘍科多用爲解毒藥，內服中凡某一証候，而須用某藥時，而此藥具有毒性，足以損害體力，可以甘草監制之，無藥流弊，此本經所謂解百藥毒是也•甘草又爲緩和藥，能安撫胃腸，和緩諸般急迫拘攣，如腹痛咽痛瀉痛疝痛及中毒性之吐利•其作用與大棗相仿•甘草用其大量有緩下作用，甘草又爲健胃強壯藥，能加速胃腸之消化機轉能以奏健胃之效•

編輯室廣播

編者

本期各文的內容和作者，不必再行介紹，第一次在本刊與讀者相見的樊天徒先生為江蘇醫門望族，又是惲鐵樵陸淵雷兩醫學大師的高足；故新舊學問皆造詣至深，尤精於症候療法及方劑等學，著有國藥叢談診斷學方劑學等稿。本期所登的方劑學，值得我們注意。

我們擬在可能內出幾個特輯，如「中醫之路」「不治症」「我的……或我……的……」等視徵集稿件先後情形如何而刊出。「中醫之路」討論重心，乃在如何實行中醫科學化現代化以配合世界整個學術發展一切新中醫的建設工作，注重事實，不涉空談，像已經沒有問題如中醫亟宜科學化等，大可不必重提舊事的，我們當然不必去再費工夫。「不治症」為一件醫學上饒有趣味的事情，無論從某一疾病某一臟器或一般的証候上來研究和討論，皆於學理和臨床上裨益不少，甚望同志不惜將秘公開。「我的……或我……的……」範圍甚廣，如我的學醫經驗，我的研究什麼問題的經驗，或我所見的醫學上某種事情等，好的壞的，祇要不是無病呻吟，都值得我們檢討，以上各種特輯稿件，懇切期望諸位惠寄。此外還該出什麼特輯或有其他意見，甚望讀者對我們不客氣地說話。

為中醫藥界同志便於聯絡和研究起見，準備由本刊作媒介，舉行一個通信運動，作者讀者有願參加的，請將通訊地址寄下，以便來期在本刊登出，惟因篇幅關係，讀者中暫時祇限長期定戶。

本刊承欲發觀者士譯稿，皆望同文諸君注意，

因為篇幅或續稿未到等關係，已經預告了的幾篇文字不能在本期刊出，除在這裡向作者和讀者致深深的歉意外，可能的準在下期補登。

韶關市
永壽堂
風度中

採辦國產地道生藥
揀選泡製鮮明飲片
参茸燕桂名貴補品
經理環球膏丹丸散
零沽批發無任歡迎

特聘 鄧昭常老醫師 駐堂應診

韶關市
永安堂
風烈路

馳名蠟丸

依方監製各項丸散
揀選各省鮮明飲片
代理中西名家藥品
零沽批發無任歡迎

特聘 廖殿材中醫師 駐堂應診

總發行風烈路一支店昇平路開張

韶關市黃田壩
中興藥局
是國藥界新軍 爲患病者良友

中醫師 黃碩如 主持醫務 精理內科

風度南路
春和國藥行
▲選辦地道國產藥材
▲精工配劑忠誠服務

敬聘中醫師
吳粵昌先生應診
時間：每日晨五時至七時 午后二時至七時

韶關市忠信路第一號二樓
大路美術廣告社
·專營美術工程設計·廣告圖畫·
·美術裝飾·大小印刷·精工木[illegible]·

本社敬聘國醫
詹益康醫師 爲本社常年醫事顧問

臨床藥典及廣東醫藥旬刊第一卷合訂本

——展期出版啓事——

本社叢書第一種李範文先生編著之「臨床藥典」及本刊第一卷合訂本，前經徵求預約，迭承 遠近讀者紛紛惠款訂購，爭足興奮。此二書原定九月底截止預約，并於是時出書，惟邇來本市警報頻仍，阻滯工作，加以印刷方面亦催排至臨床藥典全書之三分一，幾經催促，始着復決於十月底完工交貨，至本刊第一卷合訂本更須延期於十一月方可出書，似此未能如期出版之情形，誠非得已，深勞預約者渴望，愧歉無已！現爲答謝愛護本刊遠近讀者及熱心中醫藥人士起見，特定凡在此二書出版展期之前惠款定購，一律仍優待作預約計算，即藥典六十元七折，合訂本壹百元七折，本刊讀者均再加九折，郵寄費先收十元，多除少補，定購處韶州北門大碼頭十八號本社。

廣東醫藥旬刊

要目

第二卷第五・六期
總號第廿九・三十期
廣東醫藥旬刊社發行
中華民國三十二年十月五日出版

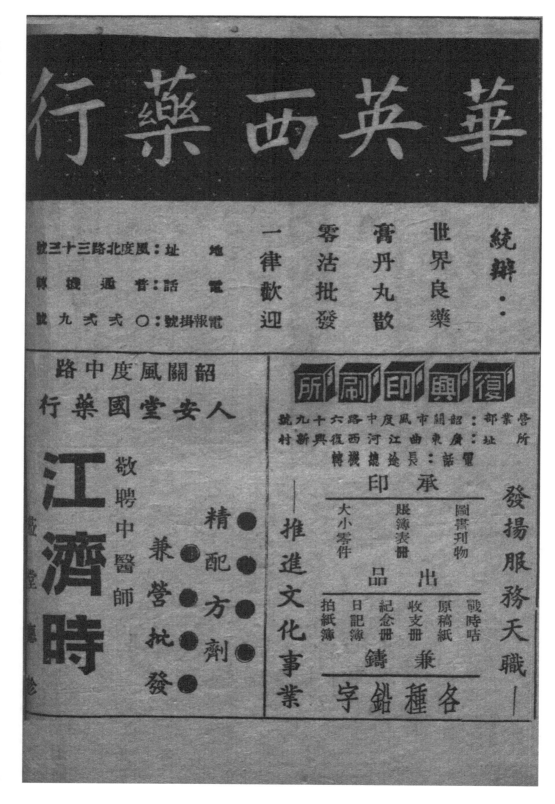

廣東醫藥旬刊

●第二卷第五、六期目次●

廣東醫藥旬刊

第二卷第五、六期合刊

民國三十二年十月[redacted]五日出版

主編兼發行人：吳粵昌

發行所：廣東醫藥旬刊社（韶州北門大偶頭）

總經理：中國文化服務社廣東分社

印刷者：復興印刷所

本社工作人員：

黃碩如　陳敬潮　梁乃津　駱定基

江濟時　陸協民　彭　幹　鄧昭常

黃介甫　江鼎石　江漢榮　盧家豪

詹益康　甄夢初　李龍文

定價：本刊每期二十日發行一次，全年十八期，零售本期特大號每冊八元，訂閱預收國幣五十五元，每期出版，先行寄發，按照定價九折優待，寄滿爲止，郵費免收，掛號另加。

目次

介紹與批評

藥物

報導

鳴謝

本社現蒙左列諸先生，自動捐贈本社基金，雅意熱忱，至足深感，謹此鳴謝，并致敬禮！

重慶　曾天治先生　二百二十元

曲江　劉昌熙先生　一百元

稿約

1. 本刊各欄絕對公開，歡迎來稿。
2. 來稿不拘文體字數，學說不分中西，但以有關醫藥，不違背時代與科學者為限，譯稿須附原著。
3. 編者對來稿有增刪權，如不願刪改者，須於稿末聲明。
4. 來稿須用稿紙，加標點，以毛筆或水筆楷書，不得一稿兩投，并須附姓名地址蓋章。
5. 來稿一經刊出，奉贈本刊，并致薄酬，或現金，或圖書。
6. 來稿刊載與否，概不發還，惟長篇巨著及附足郵票例外。
7. 來稿請寄：廣東韶州北門大碼頭十八號本社編輯部。

特稿

中醫委員會工作概況

——在衛生署紀念週報告全文——

高德明講
楊增銓記

今天因主任委員陳文虎先生未來，本會的工作，由本人代爲報告。在未報告工作以前，想順便把本會的設立和組織先約畧介紹一下。

本會是二十六年二月在南京正式成立，他是依據當時衛生署組織法的規定設立的，所以本會的設立，是有「法」的根據，是經常的，是固定性的，和署中其他因特定事件臨時組設的委員會，如獎勵醫藥技術審查委員會，營養研究委員會，在性質上有根本不同的地方。

本會是署內的一個組織部門，這是前署長劉瑞恆先生的解釋，所以就大體講，應該與其他各處室——如醫政處保健處會計室統計室等——沒有多大的差異，不過，有兩點是比較特殊性的。第一點本會有獨立單位預算，就是本會所用的經費，和署中的經費是劃分的。從這點上看，本會很像一個附屬機關，不過本會並沒有印信或關防，不能以會的名義，對外正式行文。第二其他各處室組織的領導方式，都是採主任制，是由一個主管長官來處理決定一切事務，而本會是採委員制的，是由委員共同的商討來決定一切。從這點上看，本會又似乎很像是一個審議或建議的機構，然而本會在事實上，却負有行政執行的實際責任，這是和其他各處室不盡相同的地方。

至于本會目前的實際組織，是根據現行衛生署組織法第十七條規定，設有主任委員一人，委員九人，專員二人，編審一人，科員一人，書記二人，機構是異常簡小，同時經費更少得出人意外，因爲本會全年的經費，到現在還祇有二萬六千餘元，在物價如此高漲的今天，要想運用這些錢來推行一些事業，委實是萬分艱苦的事。

關于本會的設立和組織現況，剛才已經大致報告，現在繼續來報告本會的工作，我想分三點來講：

第一點本會應該做些什麼？關于這點，普通都是在一機關的組織法上規定得明明白白，就是所謂職掌範圍。而本會的職掌，因爲組織法上僅僅規定「掌理關于中醫事務」，因此就有好多人不很清楚，有的以爲本會是專門研究陰陽五行的，有的以爲本會的性質，大概與中醫診療所不會差得很遠，所以時常有人來請我們診病，這實在是職掌規定得太含混的緣故。但是，我們的工作，却並沒有就此讓它含混下去，因爲我們很瞭解署方的立場，它是一個以技術的配合來推進行政的最高衛生組織，同時我們又更明白本會的一切，認清本會的工作對象，是中醫，本會的工作方式是管理，本會的工作使命是在求改進，求發展，本會的工作目標是在使中醫科學化，國藥合理化。所以凡是有關中醫的事，如中醫資格的審定，中醫人才的訓練，中醫所辦的醫院診所，中醫所用的藥品，中醫所調製的成藥，中醫所編著的圖書，以及爲中醫而開設的中藥房等，在行政上，無論直接或間接的，本會都負有管理和改進的責任。

記得過去署中擬訂處務規程，本會曾建議署長，將本會的職掌，概括地規定進去就是在處務規程第十五條規定的，計有六款：

（一）關于中醫醫療機關及中醫藥團體的監督登記事項。

（二）關于中醫資格的審定，及業務監督事項。

（三）關于中醫藥人員的訓練養成事項。

（四）關于國産成藥的審查，及中藥商的監督事項。

（五）關于中醫藥圖書的審查編訂事項。

（六）關于中醫藥設施的獎助指導，及其他行政事項。

這六款規定，雖不能具體地綜合地包括本會的工作全部內容，但至少我們可以說這是本會應該做的事，還是第一點。

第二點本會已經做了些什麼？　關於這一點我想爲說明便利計，就依剛才說過的六款工作來逐一報告。第一款工作是「中醫醫療機關及中醫藥團體的監督登記」中醫醫療機關的設立，本來不多，登記的更少。在重慶方面，祇有振濟委員會辦了一所中醫救濟醫院（現改名北碚中醫院），重慶市政府辦了五所診療所。不過，在廿八年年底本會會擬訂了一種非常時期縣市中醫診療所組織通則，規定各縣市政府在非常時期，如果因醫療上的需要，都可依據這個通則籌設中醫診療所。聽說各省設立的很不少，但是派署備案的却不多，祇有三十幾所，以河南省爲最多，估有二十多所。至于中醫藥團體可以分爲三類：第一類是自由職業團體，如中醫師公會。第二類是文化團體，如中醫中藥研究會學會等。第三類是商業團體，如各地國藥商業同業公會都是。關于中醫師公會本會會與社會部會同擬訂一種中醫公會組織規則，現規則已經行政院公布施行，現在依這規則組織成立的中醫師公會，計有二十五單位，還有好多尚未報來。中醫藥文化團體過去是相當的多，抗戰以後，因爲人員的流動，尤其地方淪陷的關係；在留着的實在不多。現在具有全國性的團體，只有中國國醫學會與中國醫藥教育社，此外還有十幾個地方團體，至於國藥商業同業公會，因爲本會與經濟部的共同督促，現組織成立的，已有三百六十七單位，將來準備再和社會部經濟部加緊合作，希望每一個比較大的縣份，都有這麼一個中醫藥團體的組織。因爲團體的普徧組設，對于我們行政的推行，是有很大的便利與幫助的。第二款工作是「中醫資格的審定」依中醫條例第一條第二項規定，是由本署授權省市政府辦理。不過省市政府在審查給證以後，應該把所有給證中醫的姓名、年籍、及資歷，按月報署備案，可是各省市政府並沒有完全照辦，因報來的不多，截至現在止，各地給證中醫，經報署備案的，只有五千三百四十二人。抗戰以後，有好多在淪陷區或國外執業的中醫，因爲地方政府不能在當地行使職權，所以都無法領得職業證書，本會爲補救起見，在廿七年年底會擬訂了一種非常時期中醫領證暫行辦法，凡是在淪陷區或國外執業的中醫，都可向署中直接領證，截至現在止，發給證書的中醫，計淪陷區四百壹拾人，國外壹百拾弍人，合計伍百弍拾弍人。第三款工作是「中醫藥人員的訓練養成」這款工作，非常重要，因爲要在整理或改進一件事業，從訓練人員，教育人員着手，這是最基本最合理的途徑。本會曾幾次想建立一個規模比較完善的訓練機構，都是因爲經費沒有奉准。無法舉辦。僅僅在二十八年委託中國醫藥教育社辦了一期研究班，計有三十多人，也是因爲經費欠充分的關係，不能達到理想的成功。第四款工作是國產成藥的審查及中藥商的監督，除中藥商監督部分，因爲衞政處的職掌內會有規定，爲求管理集中及事權統一起見，就由衞政處主辦，本會處於輔助地位。至國產成藥因爲有好多地方牽涉到中藥的技術範圍，不能不由本會會同審查，截至現在止，經本會審查的已有一千餘件，此外還有古方國產成藥，如六味地黃丸，牛黃清心丸之類，亦正在審查整理，將來預備編訂一種嶄新的實用的「丸散膏丹全集」一分發各地中藥商遵照配製，以期劃一，並爲將來改進的張本。第五款工作是「中醫藥圖書的審查編訂」關于中醫藥圖書的審查，在廿九年十二月署中曾頒訂了一種審查中醫藥圖書暫行辦法，凡是在國民政府成立後發行的中醫藥圖書，都應該送審，後來中央圖書雜誌審查委員會成立，這個辦法隨即廢止，現在審查的，都是中央圖書雜誌審查委員會轉送來的，爲數不多。至于實用圖書的編訂，已經印刊的只有王藥雨先生編的醫藥叢刊「四川大黃」一種，這也是受了經費的限制，不能大量的印刊。此外正在編寫的，計有三種。一種是陳昭譔先生編的現代中醫診斷手冊，還有兩種是本人抽暇寫的實用國產藥物提綱和實用方劑學總論，純粹是應用現代的理論，來說明來解釋古醫籍的實用精華部分，裡面絕對沒有一點玄學的色彩，這是本人敢向諸位保證的。第六款工作是「中醫藥設施之獎助指導及其他行政事項」這款工作包括太廣，一時也說不了許多，現在選擇幾件比較重要的報告一下，第一件是協助中國製藥廠改良製藥技術，中國製藥廠原名中華製藥廠，是由振濟委員會中央國醫館提倡設立的，本會爲謀該廠製藥技術，澈底改善起見，除自廿七年起按月補助一筆技術費用外，並派技士張軾儒前往協助研究，當時確有相當的進步。後來因爲該廠人事變動，同時本會經費亦相當窘絀，就暫停協助。第二件是會同新運總會設立了一所重慶市中醫聯合義診所，這是去年九月設立的，本人也親自參加義診，頗得社會的信仰和稱譽。最近因爲委託中國醫藥教育社主辦的陪都中醫內科治療所，業已正式成立，爲集中人才力量起見，就把原來的義診機構，暫行停辦。現在內科治療所所長由陳主任委員親自兼任，本人奉派担任副所長職務，刻正以全力推進所務，因所中各醫師均極熱心努力，預料將來業績必遠在義診所之上。以上是本會已經做的幾件事。這是第二點。

第三點是本會將來準備做些什麼？　關于這一點現在雖沒有詳盡計劃過，但是本人覺得有兩件工作，是本會必須準備做，而且是應該切實下功夫做的，此刻不妨順便先提一提。第一件就是「全國中醫中藥現況的普査」，因爲現在全國究竟有多少開業的中醫？散佈在什麼地方？究竟那些地方生產那幾種藥物？每年的生產是多少？我們都不能作確切的答覆。這是非常慚愧的事，也實在是非常不應該的事，因爲我們如果不能澈底明瞭，全國中醫中藥的眞實情形，那可以說就無法來管理推動和改進，更談不到什麼中醫中藥的總動員問題。所以「全國中醫中藥況現普査」，實在是本會必須準備做的工作。第二件是「開業中醫的訓練」，這一件工作，過去雖沒有辦威，但是將來還得準備辦。因爲本會很清楚，中醫界目前最大的缺陷，並不完全在中醫學術的本質上，而大半是在一般開業中醫的水準太低落；所以如果要想澈底地改進中醫，那末必先訓練開業中醫，提高開業中醫的水準；然後整個中醫藥事業，才能在共同的努力創造中，展開一個新的正確的前途。

（附註）本文係依據高德明先生所講述者，逐一筆記，如有錯誤，當由筆記人負責。

十日論壇

略論中西醫學之特質及中西匯合問題（上）

梁乃津

九、六、鄧煜華先生致書吳粵昌同志，對本刊選稿態度提出若干意見。粵昌兄看完給我看。因他診務較忙，其他事情也較多，特擬由我代筆作答。我因鄧先生的意見和我們有多少不同，而鄧先生的厚意熱腸，感激之餘，又不能不作稍詳細的解釋。執起筆來，一說便說到如標題所舉的大題目，原祇作爲復函的稿寫好一看，覺得不甚滿意。乃索性從新寫成此文。文中所論，當然有非答鄧先生範圍以內者，因別立題目，謹以此作爲答復鄧先生，並以就正於注意此問題的學者。

中國醫學應該改進，大槪已經一致承認，所謂改進，對於現狀就當然有所變更，改進之道，該以科學化爲原則，一可以說已經不成問題，可惜「科學化」的範圍甚廣，絕對相反的意見也同樣可以不背「科學化」的三字前題。到底祇該在中國醫學本身中科學化？還是吸收建築在自然科學的現在西洋醫學來科學化，抑或全部西洋化？這些題目很早就有人討論過。其實都未免是多餘的事，可惜當時好像沒有人想到拿這樣題目來討論是否正當的問題，泰半原因，是他們悞認現代自然科學爲西醫專有物。其實假使參加討論的人們一想，無論什麽學術都有時代性，都是要跟着時代向前，中醫也不能例外，一時代有一時代的學術精神，在時代精神中一國有一國的環境和條件，自然科學是現代的時代精神：得之者强，失之者弱，現代西洋醫學以自然科學爲基礎，是極自然而應該的事。中國現代醫學以自然科學爲基礎，同樣也是自然而應該的事。西洋醫學比我們早一點接受這門科學，是他們學風和環境所使然，我們遲一點接受是我們學風和環境的限制，天下很少偶然的事情，這中間當然有其所自。不過：今後的醫學大端應向自然科學方面發展是必然的。無論什麼國家，拿自然科學做基礎來研究醫學，祇是時間問題，不能說應該與不應該，我們拿自然科學的基礎來研究中醫學，並不是有意西醫化，更不是所謂什麼投降西醫。學術並無分國界，自然科學的成果並非西醫專有物，從自然科學結來的醫學成果，也並不一定是臨床西醫才可用。

這樣說來，也許有人會問：誠如此說，西醫既然早一步接受時代學術精神，中醫就自然較西醫遲進一步，這種說法，單從「學」的方面來看，我承認是不錯，但我們要知道，這是從「學」的方面來看是如此而已。臨床醫學多半是靠從經驗得來的「術」：學是根據研究得來的學理，臨床事實與學理，有時並不能一致，而且，世界上很多事物都是在沒有學理以前就拿來實用的。中醫有悠長的歷史，統治着廣大的幅員，實驗人口之多，世界上任何醫學都沒有比得上。其可貴處乃在「術」而不在「學」。「學」的方面，西醫學跟着自然科學日日蓬勃起來。我們中醫：在目前的確不無愧色。但是自然科學的發達：不過是最近兩三百年間事，一部悠長的學術進化史，二三百年的先進後進，值得什麼介懷？不寧惟是：古人對於中醫學的努力，依我們今日看來雖然他們的工作最少有一半是白費，可是；他們若肯把精力用到別個方向去，成就斷不止此，但還是為時代性所限，我們不應太過責備，至於他們的研究精神和方法，確有一部分可以做我們的模範，我們萬不可以看輕他。他們所做的工作，也確把我們所應做的已經做去或者替我們開出許多門路來。我們不能不感謝他們。更不能不努力將他們辛苦得來的寶藏發掘，好為我們民族爭光榮，為世界醫學放異彩！

抑中國醫學吸取自然科學之所以較西醫為遲，甚至吸取時還有若干爭端與猶預，上面說過，是因為彼此學風和環境不同之故，說到此，我們就該來研究一下中西醫學的特質問題。

四　要研究中西醫學的特質，首先要研究中西文化的特質，醫學是文化產物之一，當然不能走出它所由孕育的文化圈以外獨往獨來。

從大體說：人類文化是人類生活的總和。生物由地理環境關係而影响到生質，人也如此，由生質影响到生活，由生活影响到文化。這都是自然之數。人類生活雖有物質和精神之分，然物質的享受，總不能脫離本身以外，與身內身外皆有關係的，甚至維繫物質生活的，最重要莫如學術思想，學術思想的出發點大致不外兩端：就是情感和理智。宗教藝術……等屬於前者，哲學科學等屬於後者。

宗教和藝術直接與醫學關係較少；醫學的出發點多由於哲學或科學，這裡先來研究一下科學和哲學是什麼。

要對科學和哲學下一個謹嚴正確的定義，很不容易，現在先說明兩者有什麼分別，明白此點，科學和哲學的概念自然不成問題。

先講科學：科學有廣義狹義之別，廣義的科學，凡是一種有系統的確切知識都屬之，就此義言，哲學也是科學之一，狹義的科學是專指社會科學自然科學而言，並不包括哲學，算學邏輯學等。更狹義的科學：即我國目前一般人心目中的科學概念，乃專指自然科學，是專門研究自然現象而對事實有所肯定的學問，如天文學，則對於日月星辰有所肯定，化學則對於原子分子等有所肯定。反之，邏輯學哲學等，對於事實並無所肯定，講的都是空架子，如邏輯學講的都是理論，並沒有事實存在，全是空的。哲學雖然和邏輯學方面較近，但與邏輯學又有不同，邏輯學完全是空架子，講的與事實無干，哲學則並不是完全與事實沒有關係，哲學上所有之命題也有說到事實的，不過是形式的說法對於事實並無所肯定。

科學；對於事實有所肯定的能作積極的解釋。哲學雖說到事實，但對於事實無所肯定，沒有積極的解釋，這是科學和哲學的大概分別處。

哲學給我們的知識既是形式的，故哲學所有的觀念，也都是形式的觀念，沒有內容的。

例如：哲學所討論的三大中心，一是宇宙觀念二是理納觀念三是道體觀念，都是形式的，就宇宙觀念來說哲學的宇宙和科學的宇宙就有不同，天文學所指的宇宙，乃指星球太陽系等而言，是一種物質結構有積極的觀念，哲學的宇宙是指大全一「大全」即所有一切東西的總稱，既不能叫我們知道一切東西是什麼，又不能叫我們知道一切切西有多少：所以這種觀念是形式的。

醫學的對象是人類或其他生物疾病和治療預防等方法，人類其他生物都是自然界產物，都是有物質結構的東西，所以醫學的研究亦貴能証實，貴有積極的解釋，就此方面言，醫學爲純粹的自然科學是沒有問題的。

不過我們知道，醫學的最大對象是人類，人是整個的東西，整個的人從環境中生活，從生活中患病，從患病中（或患病前）求醫，醫生醫治一個病人，同時也是與社會一份子接觸，整個的病人，除由組織器官等構成個體機械地營其生活常態外，還有一個同等重要的情感作用營其精神生活，身體上的物質動作固足以支配情感（如神經有變異及若干種心臟病皆能影響情感生活），情感動作足以支配物質，其例尤顯。（笑與哭即爲情感支配物質的顯例）自然科學主要的爲研究自然界的物質現象，醫生要應付整個的人，更須研究人在世界上的一切，若僅從自然科學觀察所得，仍祗限於人體中物質現象，如此則最多祗能了解全人的一半。我們知道：醫生該了解人體的結構和機能，更該瞭解人體一切生命現象，故醫生必須認識人是一個有智慧的生命，進而研究人類一切生活的總和，惟其如是，醫學亦與一切獨立科學相同乃整個的而非片斷抽象的。因此，醫學却亦含有哲學的意味。西格里斯人與醫學說：「許多醫生平時並不必有意研究哲學，然而黑剎克蘇的斯講得很對「醫生而兼哲學家，那就像一個神了，」我們一定得有哲學家的眼光才能看到人的整個，「醫學的人類學」研究人於健康或疾病時物質與心理的整個，研究那智慧的主人翁（人）這種學問是有基本用處的」又說

：「從深奧的古文到新聞紙類，文學裡充滿了生活的鏡子，我們因爲日常工作的壓迫，幾乎忘掉讀書，把文學的豐富材料拋棄了。一首詩描寫一件情感也許比一大篇論文還要深刻。一本小說或一篇戲劇有時能給我們一個心理作用的分析比同樣題目的科學論文還要透澈，這完全在乎我們能不能運用和體會它。我願意大家能利用這種幷不難找的機會來擴大我們的目光，補充自己的經驗，而叫我們的理智更加深遠，讓我們的一生總包括闊遠的思想而不像一個到處不關心的狹隘的技術師：我們是醫生；就應當與人類並肩走着，要知道空架子並不能給你醫治和引導病人的能力。這種能力是由明瞭人和生活的深切知識得來的。」（商務版顧謙吉譯本頁六八——七〇）因此醫學領域乃不能不及於哲學的範圍，中國醫家常常到處拿倫常日用的東西來比擬的研究醫學，原是醫學裡擴大眼光之一道。前些年張鳳教授曾爲文討論過中醫的學術問題，以爲中醫學是「藝術的，」當時很引起一班人的反對，更有若干對中醫懷着多少成見的人，以爲中醫的治學方法是「玄學的」其實同樣是片面的觀察。中醫學術是跟着整個中國學術前進的，中國學術自有其獨特精神，不能以歐西的「藝術」「科學」「哲學」「玄學」等名詞範圍它。我們承認中醫有很多地方不及西醫，卻也見到中醫有很多地方勝過西醫之處。

中國是向來不大注意於自然科學的，甚至簡直可以說沒有自然科學存在。哲學方面卻有很多獨到處，卻和西洋哲學體系有些不同，前些年的中國西洋哲學者，拿西洋哲學作架子將中國的東西一鱗半爪甚至斷章取義地勘上去，結果就見不到中國哲學的長處，由此可以知道中國和西洋的學術，實不能處處以彼例此。

現代的西醫學，尤其理論方面，確是以近代科學爲基礎的，中醫除了最近十餘年日本和我國若干學者外，一向總是走着東方哲學的路子，我在上文曾不憚費詞說了許多哲學和科學的不同點，爲的是便於說明中西醫學的不同處，這種科學和哲學的歧趣，到處可以看到中西醫學的不同，近人每詆中醫無生理解剖病理等學，有也是錯誤百出，這一點，除了時代所限外，還有關係到治學態度的問題，因爲西醫太半建築在科學的精神，他研究醫學的一切，對於人體生理病理，全從有物質結構的地方着眼，如所有自然科學一樣，對於事實是有所肯定的能作積極的解釋的。中醫從哲學的路子去觀察研究，他祇求治病，對於人和疾病從病人和病狀本身上作整個的觀察，雖然有若干地方較哲學爲積極，又有若干地方和玄學一樣的冥渺，大體上也是和哲學一樣對於事實無所肯定，也沒有積極的解釋。現在一般中醫的衞道健者，他們雖然說他們所講的全是事實，全能肯定，一切都不是空的，這種說法，很顯然的看到他們也打算給中醫學一種積極的解釋，不過，他們的說法有什麼法子可以証實？這就有點問題了，我說這些話，也許有人說我鄙薄中醫，其實並不然，中醫對於醫學上一切問題的觀察自有其方法，並非如外行者所鑑口而道的玄渺，不過它和西醫到底有點不同罷了。其不同之處，例子至多，譬如說「血」。西醫說的血就是在血管裡循環的血液，說「氣」就是呼吸的氣體，說痰就是氣管枝分泌的痰涎，正如科學家說日月星辰的宇宙一般。老老實實的指明那一件東西，不疑不惑，可以說完全肯定，也可以拿出積極的証據來。中醫所說的血並不是在血管裡循環的血液，說氣并不是呼吸的氣體，痰也不單是氣管枝分泌的痰涎。乃致於它所說的心、脾、肺、腎，你若當它是循環器的心，呼吸器的肺……那就大錯了。它說的心、肝、血、痰，都別有所指，所指的非復全是物質結構的東西，正如哲學家的宇宙一樣，乃指某種意義的現象，而且不能給界說的。譬如說血病痰病肝病！……！幷非眞全是血或痰患了病、不過別指一種現象爲血病痰病肝病……而已。再拿一個病來說：中醫說是中風，西醫說是腦出血，中醫說是傷寒，西醫說是腸窒扶斯，驟然看來似乎是甚疎的不同，其實乃因彼此所說的話來歷有異。彼此觀察疾病所操方法不同之故。西醫說腦出血是從死人的腦中解剖而得的病灶，它的方法它的來歷，就是檢察實驗。中醫中風傷寒的話是從外表上觀察現象而說，中醫無論觀察什麼總是不變更現狀的。西醫恰恰相反，總是要作變更現狀的看法。中醫看任何事物都是把它當作整個的東西，所以要整個的看。西醫則不然，它一定要變更現狀，不拿那個東西當整個，總要換個樣子來看，解析了來看，因它以爲就那樣整個的來看，看不出什麼來，故必要打開來看，就如對着一個病人，它也是不拿他當整個的人來看的，它不當他是一個不可分的人，祇當他是由別種東西（血肉筋骨所成的器官）合起來的。中醫則不然，它是認爲這整個的人病了，無論什麼都要從整個中下手，所以它對於病灶沒有西醫那樣注意。有人說中醫不識病灶，根本就不配做醫生，這是他們未認識中西醫眞面目的皮相之論，我不是說做醫生可以不明病灶，不過要知道，治病之道，除了明病灶之外，不是無路可通罷了。中醫坐此短處，當然是應該設法的，西醫處處實事求是的精神，眞值得中醫去模仿，但是目前那種單方面近乎斷章取義的研究法，假如他們對於中醫的眞諦有所領略，怕也該深思一下。這不止生理解剖病理等如此，中西醫這樣兩種不同的態度，是無論什麼地方都可以看到它的一貫性的，且看中國藥物，人參，白朮，茯苓、甘草……那一樣藥的性質怎樣，作用怎樣，都祇作一個概括的說明，這就因爲他看它是整個的東西，那性質效用都在整個的藥上，不認它是什麼化學成份的東西而去分析有效成分來用。西醫便不然，幾乎每一樣藥都把天然物分析檢定來用，與此剛剛相反，這並非中國人特別不好，研究特別沒出色，爲的是研究的態度不同。

講科學的人常常批評哲學的形式知識太空洞，沒有用處，批評中醫的人，雖然不認識中西醫的特質如何。大體也一致認爲中醫的形式知識太空洞，沒有用處，這在某種意義說是對的，不過，哲學之用，雖非科學家之所謂用，它也自有其用處的，我們拿馮友蘭先生的話來看看：

「如果科學家來批評哲學是太空洞沒有用，我承認哲學不能有如科學所有之用，科學的用處可以叫我們對於自然界有積極的知識。還能够叫他們對於自然界有控制的權力。此種科學的功用，確爲哲學所沒有的。但是不能說哲學沒有這種功用就說是沒有用了。因爲我們可以說：學問的用處，不祗於像科學那樣的用處。這樣哲學也就有用了。

科學的用處，在於增進人的知識加強控制自然的權力。哲學的用處，在於擴大人的眼界心胸，提高人的境界，普通人的眼界心胸，只限於只可感覺不可思議的範圍，只限於具體的東西。如果想了解多一點，超過了感覺，則他的眼界心胸，便不爲具體事物所限，而到了不可感覺只可思議的範圍，倘想了解爲進一步，可以到不可思議也不可感覺的範圍，這就是天地境界了。所，哲學的用處，是可以提高我們的境界。」（對於儒家哲學之新修正）

（未完）

肺癆病自療法補正

譚次仲

上期本刊肺癆病自療法一篇內，其五爲藥物療法壹，（甲）鈣劑及健胃劑段，「余個人經驗，牡蠣雖有止血，解熱，排痰，利尿，止盜汗，斂遺精之功，其鈣劑作用，治癆有卓效」句下，加入：「且此種種作用，徵之古義，實多符合，觀仲景虛勞篇既以牡蠣所配合各藥爲第一方，而虛勞篇見症以亡血盜汗失精爲主要症狀，深不啻以牡蠣治之矣。此牡蠣止血斂汗止遺之明文也。又金匱風引湯曰除熱，而方中有牡蠣。又金匱瘧疾篇備附入外台柴胡桂薑湯，治瘧多寒微有熱，而方中有牡蠣。此牡蠣解熱之明文。但熱而曰微者何也？蓋牡蠣於鎮熱有效，高熱無效也。又傷寒論柴胡加龍骨牡蠣湯治小便不利。而牡蠣澤瀉散治病後腳腫。此牡蠣利尿之明文也。不特此也，考之本草備要，更明示牡蠣有化痰，止咳，老血，（老血乃日久之血症）崩帶，（崩帶即婦女子宮出血）斂汗，遺精，治虛勞煩熱，及利濕之功。然則牡蠣一物，自中醫藥效觀之，非含鈣其孰能語於斯。」一段。而所接連之下句「陳修園由小品篇移入二加龍骨牡蠣湯以代本方尤有深意」句刪除。

方劑學

解表劑（二）

樊天徒

乙　各論

一、桂枝湯

（方藥）　桂枝　芍藥　炙甘草　生薑　紅棗

（適應症）　凡時而無汗形寒，時而汗出惡風，無論其有汗無汗，其身半以上，類有微熱，頭痛，或不甚痛，但昏沉不爽，口中和，不渴飲，舌苔薄滑，脈浮，按之不甚緊張者，本方主之。（按此種症候，多見於感冒之初期，有時有鼻鳴流涕之兼症）。

又時而頭面烘熱，時而四肢怯寒，檢體溫不過較常溫微有高下，撫皮膚頗潤澤，既不覺有汗，亦不現乾燥，而身體倦怠，食思不振，間有乾嘔，舌脈均無熱象者，本方亦主之。（按此種症候，大抵非外感病，凡胃腸不調者多見之。又直腹肌攣急，或腸部攣痛，亦常與此種症候併見，本方亦極爲合拍。）

（禁忌）　若皮膚粟起，惡寒甚，皮膚乾燥，絕無汗意，脈搏浮而緊，且數急者，不可投本方。又舌苔黃膩，見發熱現象，以及血壓過高，曾經失血者，均宜愼用。

（附論）　桂枝湯爲仲景書中第一方，其應用極廣泛，其適應証與其禁忌，已述之如前，此俱本諸多年經驗而言，殆無可疑議者也。至其藥理果何若，則頗不易言，蓋方劑爲多數藥所組成，其作用較爲複雜，與單味藥之作用不同科，若以單味藥之藥理解釋方劑，殊未能周洽允當；卽以桂枝湯論之，當然以桂枝芍藥爲主要藥，桂枝含有揮發油，有發散作用，有興奮作用，能亢進血壓，煦和神經。芍藥含有安息香酸，有收斂作用，有緩和作用，能沉降血壓，安靜神經。桂枝能使皮下血管擴大，引血趨於表。芍藥能使內臟血管擴大，引血趨於裏。二藥之作用，實居相反的地位，照理，兩種相反相背的勢力，同時存在，勢必互相牽掣，互相拮抗，其結果不免於減削或冲消其作用，但以桂枝湯之藥效言之，迷走神經弛緩者服之能止汗，汗少者服之能發汗，肌表充血，蒸蒸發熱，交感神經興奮者服之，可神安而熱退，肌表貧血，嗇嗇惡寒，精神鬱滯者服之，可神旺而表和，一若桂枝芍藥，各得盡其所長，發揮其作用而不相悖者，寧非極有趣味值得研究之問題乎！意者辛甘發散為陽，酸苦涌泄為陰，桂枝為陽藥，其作用迅速而短暫，芍藥為陰藥，其作用徐緩而持久，二藥雖同用，而作用有先後，於是乃能各得其所而不相抵牾，此一解也。不然，則二藥同用之後，因和合而產生一種新作用，此種新作用，殆含有二藥之個性而中和之，亦屬意中事，猶之男女合而產生子女，其子女必具其父若母之遺傳性，但不必盡同其父母耳！此又一解也。果如是，則桂枝湯之藥理，乃可窺其涯略矣！蓋桂枝湯具桂芍二藥之作用而中和之，宜乎能使血液遍行周匝，無此盈彼絀之虞，使神經舒悅和暢，無緊張弛緩之變，服藥之後，初覺胃中有暖感，旋即由頭面而遍及全身，覺蒸蒸發熱，漐漐汗出者，是桂枝之作用先期發見也，繼而汗歛熱退，體泰而神倦者，是芍藥之作用繼續表見也；血液初因桂枝之作用而趨於表，繼因芍藥之作用復趨於裏，一開一闔，周身之血行乃和勻無偏頗，神經初因桂枝之煦燠而興奮，則肌表風寒病毒之刺激得以解除，繼因芍藥之鎮靜而舒暢，則腹肌腸管之攣痛得以緩和。古人謂桂枝湯能調和營衛，其在斯乎？其在斯乎？

甘草除緩急解毒矯味諸作用外，尚有三個作用，一為安胃，使藥力不致與胃神經十分相忤。一為遲留藥力而緩之，俾其作用不致過猛，或消失過速。一為通經脈，利血氣，協桂枝以和肌暢表之血行，（如桂枝甘草湯即其例也）協芍藥以和暢內臟之血行。（如芍藥甘草湯即其例也）本方中之用甘草，究竟取其何種作用？殊不必强解說可也。此外生薑協桂枝以解表溫胃，大棗協芍草以緩中補虛，隨手拈來，均能妙合，非但性味和平，香甜可口，抑且功用廣溥，靈驗非常，先哲製方之妙，洵令人驚歎不置，受用無窮也。

二、麻黃湯

（方　藥）麻黃　桂枝　杏仁　炙甘草

（適應證）凡惡寒發熱，頭痛身疼，咳嗽氣粗，無汗而喘，口中和，脈浮緊者，本方主之。

（禁忌）本方爲發汗劑，凡水分缺乏，以及心力衰弱，體溫不足者，均忌用。

（附論）麻黃湯爲太陽病篇中之主要方劑，凡感冒以及急性傳染病之初期，見惡寒發熱無汗症候者，用之以排毒散溫，每每取效甚捷，奈近世醫工，懾於麻黃之能使人大汗亡陽，故雖遇麻黃湯的對之症候，亦斷斷不敢用麻黃湯，即治經方者，則放言高論，自詡慣用麻黃湯，一若麻黃湯應用極廣，絕對無危險者然，吾以臨床經驗繩之，覺前者之徂識淺陋，固無可諱言，而後者之涉於夸誕，亦足貽誤後學，須知麻黃湯爲發汗定喘劑，發熱而無喘證者，縱然無汗正不必即投麻黃湯。江浙人體氣甚薄，腠理不甚厚密，凡無汗之發熱，事實上預防即已勝任愉快，若用經方，則宜葛根湯桂麻各半湯者多，而宜麻黃湯者少，若濫用麻黃湯，雖不必遽爾大汗亡陽，而發汗太過，轉足虛其衞陽，反不若葛根湯之安穩而少流弊也。然則麻黃湯果無用武地乎？曰：是又不然，麻黃湯能定喘發汗，果屬汗腺因病毒之刺激而緊閉，惡寒發熱，頭痛身疼，咳逆喘息，脈陰陽俱緊，絕無濡象，肌膚粟起，以手撫之，絕無潤氣，舌苔滑，口中和，不煩渴，絕無津液缺乏之象者，是時投以麻黃湯，必見效甚捷，且必無流弊，若不用麻黃湯，而投以別藥，決不能如麻黃湯之速效，至若營血不足而尪瘠，或心陽衰弱而脈微，麻黃湯誠爲禁藥。又若生溫亢進，熱高煩躁，或因心臟衰弱，肺鬱血而喘息者，麻黃湯亦絕不合拍，誤投必生變，此殊不可忽視。總之經方用藥，味簡而力專，方與證合，則效如桴鼓，方與證反，則變生俄頃，醫生審證處方，自有準繩，憚於藥峻而不敢嘗試者，固非；疏於審證而濫投重劑者，亦妄也。

二、葛根湯

（方藥）葛根　麻黃　桂枝　芍藥　生薑　炙甘草　紅棗

（適應證）凡惡寒發熱，頭痛身疼，項背強急，脈浮緊無汗，或下利，口中乾，不欲多飲者，本方主之。又凡身有隱疹，或痢疾初期，見惡寒發熱無汗之表證者，宜先用本方，解表，透發病毒。

（附論）葛根湯解表透疹劑也，其應用之廣，遠在麻黃湯之上，葛根能起陰氣，協麻桂以發汗，則透邪解表之力極可恃，且桂枝得芍藥相協，既可調節血行之偏頗，並可防汗液之大泄，非若麻黃湯專於發汗者之禁忌森嚴也。

要略以本方治痙，所敘症狀頗類腦膜炎，今人遇腦脊髓膜炎症，輒用本方多不效，吾意葛根湯所治之痙，實非腦膜炎，當係末梢神經病，與續命湯之所主殆相類，不過有輕重之分耳。又吾以經驗言之，小兒熱病，熱高而無汗者，往往發痙攣，亟解其熱，則痙攣自已，此時用本方加黃芩治之，有良效，若果見腦膜炎之證候，則本方非其治矣。

吾嘗謂葛根湯與麻黃湯雖同爲發汗劑，而治理之地域不同，麻黃湯治理之地域在表爲汗腺，在裏爲呼吸器，葛根湯治理之地域，固亦爲汗腺，而側重於項背一帶，在裏則爲消化器，（胃腸）此其異也，葛根能攝取消化器中之水分及病毒，使從肌表發泄，用以輔佐麻黃以發汗，大可補麻桂之不逮，惲鐵樵先生嘗用麻黃湯治一無汗之傷寒症，連進而汗不出，偶憶及大論有「傷寒三日陽明脈大」一語，心中忽有所悟，乃於原方中加葛根一味，旋卽汗出而解，審此，可知病毒未及於腸胃時，發汗藥中正不必嘗用葛根，若已及於腸胃，則發汗解表藥，非用葛根不爲功。

各種發疹性之熱病，其病毒大率以皮膚爲出路，醫者因勢利導之，當用透疹劑，以助其發泄，葛根湯故透疹劑也，其透疹之效用，固當歸功於葛根之鼓舞胃氣，麻黃之開發汗腺，然桂枝亢進血行，芍藥和營解結，二者之功，亦不可沒，假使有麻葛而無桂芍，則疹透未必暢而速，此吾近年來新得之經驗，彌足珍貴者也。

四、葛根加半夏湯

（方藥）卽葛根湯原方再加半夏一味

（適應證）凡葛根湯證兼見嘔吐者，本方主之。

（附論）或問太陽與陽明合病，何以自下利，又何以不下利者則嘔，曰：太陽病，表病也，陽明病，胃腸病也。凡傳染病，表不解，汗腺緊閉，病毒無從發泄者，必傳經，或傳陽明，或傳少陽，而事實上傳陽明者爲比較的多見，傳陽明云者，病毒之重心，移於胃腸之謂，迨已傳陽明時，若太陽證已罷，則逕名爲陽明病，若太陽證仍然存在，則名爲太陽陽明合病。太陽與陽明合病，必無汗，若有汗而見陽明症，則逕名曰陽明病，而不名曰合病矣。所謂「陽明病自汗出」是也。夫外既無汗，津液不得外泄，勢不得不隨病毒重心之轉移而聚於腸胃，腸胃受病毒之影響，分泌增加，上迫者必嘔，下迫者必下利，嘔與下利，乃胃腸救濟之作用，其目的則在驅除病毒而已，果其時太陽證已罷，則在胃者可以吐出而愈，在腸者可以下利而愈，無如胃腸病之外，尙有所謂太陽病者在，太陽病固非吐利之所可已也。此之吐利，謂爲體工之錯誤可也，錯誤者當糾正，葛根湯葛根加半夏湯，其的對方也。

五、大青龍湯

（方藥）麻黃　桂枝　杏仁　炙甘草　生石膏　生薑　紅棗

（適應證）凡惡寒發熱俱甚，煩躁不得眠，渴欲飲水，檢其體溫約在三十九度四十度之間，自訴內如火燒，外如冷水澆背，全身骨節疼痛重着，難以轉側，面色時而發赤，時而蒼白，毫毛畢直，肌膚粟起，撫之乾燥，絕無汗意，脈象浮按沉取，俱緊滑有力，氣息咻咻，口有熱臭者，此所謂表寒而裏熱也，本方主之。

（禁忌）脈浮取雖滑，而沉取不甚緊張者，此心力不甚強也，不可與本方。皮膚間雖不見有汗，但細撫之，膚間尚有些微之潤氣，不見十分乾燥粟起者，是蒸發機尚未完全障礙也，不可與本方，因本方發汗之力太峻。恐招致大汗亡陽也。寒熱雖甚，而無煩躁不眠症者，不必與本方，因麻黃湯已足以治之，無取乎石膏也。身疼痛重着不見煩躁不眠症，而見踡臥欲眠症者，此少陰症也，誤投本方，必筋惕肉瞤大汗亡陽，欲辨此者，可於脈象中求之，少陰症脈多沉細微弱，絕不見浮滑緊張象，即間有見浮脈者，亦必不任按，所謂虛而大者是也。

（附論）大青龍為仲景書中一峰大方，就發汗劑中諸方衡之，當以本方之藥力為最峻，雖麻黃湯猶非其倫也，故選用本方時，尤當審慎，否則禍不旋踵，仲景於方證中之一再叮嚀垂誡，並示止汗之溫粉撲法，可以深長思矣。

本方之組織，殆為麻黃湯與越婢湯之合方也，越婢湯之功用，在除煩逐水，麻黃湯之功用，在發汗定喘，本方則兼二方之功能，惟越婢湯有麻無桂，故有汗者不忌。本方則麻桂並用，故脈微弱汗出惡風者，服之必筋惕肉瞤而為逆。麻黃湯有麻桂而無石膏薑棗，故只能發汗定喘，不能逐水除煩，本方則於發汗定喘之外，尤長於治水氣，故金匱用之以治溢飲。又本方麻黃之用量，較麻黃湯中所用者重一倍，得桂枝之相協，故其發汗之力，較麻黃湯為尤峻．石膏得麻桂之相協，則泄熱逐水之力，亦當較越婢湯爲强，此吾人所當細心體認者也．

吾人審諦果歸，撰方用藥，自有準繩，當不患濫用重劑以取禍，惟初學之士，狂妄庸工，或不免於孟浪而濫投本方者，吾意果因誤服本方而見筋惕肉瞤，則救逆之法，當不出眞武湯茯苓四逆湯桂枝加附子湯桂甘龍牡湯諸方，擇宜用之，當可挽救，但焦頭爛額爲上客，終不若曲突移薪，愼之於始也．吾願撰用本方者，勿以人命爲兒戲可也．

六、麻黃加朮湯

（方藥）麻黃　桂枝　炙甘草　杏仁　白朮

（適應證）凡惡寒發熱無汗，小便不利，身體骨節煩疼，或氣急喘滿，或一身浮腫，舌水滑，脈浮，按之有力者，本方主之．

（禁忌）與麻黃湯略同．

（附論）本方之功用，爲發汗利尿，善治風濕骨節煩疼，兼有表證之病，大抵急性關節炎僂麻質斯一類病可用之．其功效不減於水楊酸製劑也．但症候較重者，宜加防己以排除尿酸水毒，加防風以鎭痛，則效力更可恃矣．

七、小青龍湯

（方藥）麻黃　桂枝　芍藥　甘草　細辛　乾薑　五味子　半夏

（適應證）凡惡寒發熱，咳嗽喘息，胸膈煩悶，痰涎多，喉中有聲，胸部有濁音，打診上有水泡音，此類病，不外急性肺炎及滲出性胸膜炎等．若舌苔水滑不渴飲，脈浮者，宜本方．若病狀擴大，欬逆上氣，倚息不得臥，煩燥者，則須於本方加生石膏，若表證差解，而熱勢鴟張者，則又屬越婢及麻杏石甘湯之所主，非本方之所宜矣．

（禁忌）無表證者勿用。乾性咳嗽忌用。本方雖有麻桂，但發汗之作用不強，因五味芍藥，有收斂作用故也。凡不咳時無汗，咳則微汗出者，亦可用，非若麻黃湯大青龍湯之禁忌森嚴也。但表虛汗多者，究不若苓甘五味薑辛夏杏湯之較爲適合矣。

（附論）小青龍湯爲感冒性濕性咳嗽之特效方，凡外感風寒，內傷，生冷之嗽咳，見證果如吾前文所述者，投以本方，無不效如桴鼓。蓋本方之用麻桂，不僅取其發汗表解而已，麻黃能舒緩氣管之痙攣，桂枝能平衡氣，用治感冒性喘咳，實最爲允當，此外細辛半夏之祛痰，乾薑五味之鎮咳，四藥相協，爲虛寒性濕性喘咳所不可或缺，觀於射干麻黃湯，厚朴麻黃湯，苓甘五味薑辛夏杏湯，均用之以祛痰鎮咳，可知其功效之確當。小青龍湯證而兼見煩躁者，必加石膏，始克奏效，石膏除消炎除煩作用外，並能制止分泌，與麻黃配合，最能鎮欬平喘，用治肺炎氣急，其功效殊卓越。

八、麻黃杏仁甘草石膏湯

（方藥）麻黃　杏仁　生石膏　炙甘草

（適應證）凡時而有汗，時而無汗，有汗時熱不甚，無汗時則壯熱，咳逆喘息，甚則氣急鼻扇，胸脅滿悶，凡呼吸煩渴欲飲，脈浮滑而數者，本方主之。

凡呼吸系之溫病，發熱喘咳，無論其有汗無汗，本方皆可用，尤以急性肺炎白喉痲疹時之初期，見証如前文所敘者，投以本方，可收立竿見影之效。

（附論）前賢對於本方證治，頗有疑議，以爲汗出而用麻黃，無大熱而用石膏，似與仲景大法不合，殊不知麻黃必協以桂枝，而後發汗之力始猛，本方中有麻無桂，雖能發汗，其力亦僅，觀於要略「續自汗出」而用越婢湯，「腠理開汗大泄」而用越婢加朮湯，可見麻石配合之方，倘不協於桂枝，則無汗者可用，有汗者亦可用也。至於無大熱三字，却有點研究，竊以爲無大熱是由於汗出所致，果無汗，熱必高，不曰無熱，而曰無大熱，可見其人體溫必高於平時，惟散溫未失職，體溫之去路未閉，故熱不甚耳！散溫未失職，而體溫仍高於平時，足見來源多於去路，生溫亢進，散溫不足所致，審是，則汗出無大熱之用麻石，乃無庸有所懷疑，而生溫未亢進，散溫未失職，汗出而體溫不及彀者之不宜本方，更爲灼然可見也。（未完）

吳粵昌 梁乃津 合編「中西混合治案彙編」徵稿啓事

現在或將來我國最理想之醫學，厥爲中西混合，到現在爲止，中西醫學界同志對此類治案當此不少，吾人爲大開風氣幷堅醫藥界及社會人士混合治療之信念起見，特擬徵集中西醫界同志之治案，編成一書，謹定辦法數則，敬希各同志踴躍應徵及指教爲幸！

（一）凡含中西混合之治案，無論中西藥幷投，或利用現代科學儀器診斷後，純予中藥治療者，大病小病之案皆所歡迎。

（二）病名一律採用世界醫學之最新者，如因診斷或其他關係，不能十分確定時，則在某種最接近之疑似名下加（？）號。

（三）案中最好詳列以下所標「案中所希注意之點」，如爲事實上有所不能或爲該案行文之便利計，增加或減少，可由作者斟酌變通之。

案中所希注意之點：

（甲）姓名、年齡、性別、職業、籍貫、住址、時間。（乙）既往証：A.遺傳歷。B.過去病歷。C.現病歷。（丙）現在証：A.一般現在証，1.體質、身材、體重、骨骼、營養、狀態。2.體位、姿勢。3.面貌、神識。4.皮膚。5.體溫。6.脈搏。7.呼吸。8.顯明的特徵。B.各部現在証、頭、頸、胸、腹、四肢。（丁）治療及治療經過。（戊）治療方法之所以及方解。（己）結果。

傷寒論新論

姜春華

（舊註新釋）方氏云：「寒爲陰，陰不熱，以其著人而客於人之陽經鬱而與陽爭，爭則蒸而爲熱。」按內經以寒爲陰，熱爲陽，方氏以之釋本條之一寒邪一但陰爲不熱者，今病人反熱何也？遂以爲陰客於人體之太陽經（太陽經陽也）陰陽交爭，故爲蒸熱，若附會家必曰陰指病菌，陽抵人體抗病力，交爭則其反應現象也。方氏又云：「已發熱者，時之所至，鬱爭而蒸也。未發熱者，始初之時，鬱而未蒸也。」按既以發熱爲陰陽交爭，故以未熱釋爲未爭，已熱釋爲時至而爭也。

錢吾云：「體痛者，寒傷營分也。營者血中精專之氣也，血在脈中，隨營氣而流貫滋養夫身者也。此因寒邪入於血脈之分，營氣濇而不失於流行，故身體骨節皆痛也。」按古人以營爲血之精氣，本流貫於一身，今因受寒之故，遂致營氣濇而不快，故體痛，今人或釋營爲血中之營養份爲隨血液滋身之物，合之舊說，不無可通，惟無以解釋體痛之故，須知中醫之說，不能完全適合科學之說也。體痛乃因病的或病之產物之刺戟而然，舊時乃釋爲營氣濇而不暢，不知急性傳染病之發熱者，血行正暢也。

金鑑云：「胃中之氣，被寒外束，不能發越，故嘔逆也」。按此解殊不通，何以故？以太陽經主表主外，原不涉胃，胃屬陽明，嘔吐爲胃証候，今於太陽病中見胃証候，故別作解釋，謂爲胃氣被寒外束，不能發越，不知嘔逆，正胃氣發越也，若寒氣釋爲病的刺戟，殊免且可通。

丹波元簡云：「驗之病者，有其未發熱則脈沉緊，而其已發熱則脈浮緊者，視診之際，宜仔細辨認也。」按此說甚是，未發熱指惡寒期，此時體表動脈收縮，故沉而緊，發熱之際，是體表動脈擴張，放散溫熱之時，故脈背而緊也。」

（四）傷寒一日，太陽受之，脈若靜者爲不傳，頗欲吐，若躁煩，脈數急者，爲傳也。

舊時「一日太陽」有謂本於內經熱論，「一日巨陽受之」，二日陽明受之，或謂一日二日三四五六日者，猶言第一第二第三四五六之次序也，非計日限病之謂，二說雖較後者爲是，推原文之意，猶言人傷於寒，第一日即當見太陽証耳。

脈若靜爲不傳者，亦其脈安靜，病不傳入裡也。頗欲吐，煩躁而脈數急，則病傳入裏也。今欲釋傳與不傳之証候，當先釋本條文「傳」之意義。

觀本條「傳」字之意義，乃言証候之傳變，非謂疾病之轉變也（病無可變）。夫急性傳染病初發，一般的爲發熱頭痛，當其本病應有之特殊形態尚未顯露之際，可以謂之未傳，而一般性傳染病尚未顯現循環的，胃腸的，呼吸的，神經的局部証候時，亦謂之未傳，否則即謂之傳變矣。當病者欲嘔吐而煩躁，其脈又數急，可知病勢囂張，已見胃腸神經循環諸局部証候，較之單純的太陽病爲嚴重，而進於另一階段，此條之傳與不傳，乃指太陽病候証不進入或進入另一階段之所謂也。

躁煩爲神經証候，高熱之時，病人常有躁煩之狀態，此與人之性格，亦有關係，性情安靜能耐疾苦者，不甚見之，性情躁急不能耐疾苦者少有疾苦，已躁煩不堪矣。

脈數急者，因病人欲使剩餘溫熱發散於體外起見，血液循環乃特旺盛，流通體表皮膚中之血量亦見加多，使溫熱由體表方面更多發散，故脈搏之數加多，而含有高熱之血液直接刺戟心臟收縮有關係之腦脊髓中樞內流過，此種中樞興奮之結果，亦使心臟更加多搏動，今曰脈數急，想見熱漸高，證候較劇矣。

普通熱病，其熱度與脈搏相比增加，其比例大約體溫增一分，脈搏多四次，凡流行性感冒，肺炎等，即熱度與脈搏比例增加，但亦有脈與熱不相比而增者，如腸熱病，其熱雖高，而脈搏轉少，是其特徵。

（舊解新釋）錢氏云：「傷寒一日，太陽受之者，即內經熱論所謂一日巨陽受之，二日陽明受之之義也」。按此解牽強，不知仲景之六經，與內經熱論之六經不同也。又云「因太陽主表總統營衛，故先受邪也。」釋見前。又云：「然寒傷營之證，其脈陰陽俱緊，或見浮緊之脈，若一日之後脈安靜，恬退則邪輕而自解，不致傳入他經矣。倘見證頗覺欲吐，則傷寒嘔逆之證，猶未除也。況吐則邪入犯胃乃內入之機，若口燥而煩熱，脈數急者，為邪氣已鬱為熱，其氣正盛，勢未解，故為傳經之候也」。按古人以寒邪勁急，其脈當緊，今不緊而靜，當是病輕，凡病之輕淺者，其脈不變，疑此為感冒之輕淺者，其病易愈，故曰「不傳一，若吐，古人意以為邪入於胃，此邪即是病的刺戟嘔吐中樞興奮之故，若躁煩脈數，是熱盛之候，疾病有纏綿之勢，故曰傳經之候，此段舊注代以現代術語，殊可通。

（五）傷寒二三日，陽明少陽證不見者，為不傳也。

陽明證為不惡寒及惡熱，身熱，心煩，口渴，不眠。少陽證為寒熱往來，胸脇滿，喜嘔，口苦，耳聾。舊說謂二日當見陽明證，三日當見少陽證，其說穿鑿非是，本條所謂不見陽明少陽證為不傳者，其第一意義，乃指太陽熱型未轉為陽明熱型或少陽熱型也。太陽為稽留性熱型，前已言之，陽明之熱型為弛張性熱型，少陽為間歇性熱型，陽明病篇有潮熱之熱，潮者潮水之有增減進退之謂也。其熱多在日晡所，日晡所在下午，即科學醫學所謂弛張熱型是也。少陽篇謂寒熱往來，往來者即一去一來，休作有時之謂，如此之熱型，即科學醫學之間歇熱也。今將各種熱型經過，分述於下，以便參閱。

（一）稽留性熱型　常謂最高熱，日差不過一度，每見於眞性肺炎，間亦見於斑疹傷寒，丹毒，急性粟粒結核者。　傷寒發熱大抵漸次上升，其熱曲線呈階梯狀是為初期，如是繼續上升，四五日或六七日之後，即達極度稽留不退，經過一二週謂之極期，然而漸漸弛張，依次下降，謂之解散期，輕症病人正常經過者，統計日數，雖不過三週，然臨症經見者，大抵以經過四週爲多，但傷寒更有取異常經過者，末期遷延不退，往往繼續數星期之久，又傷寒除上述普通熱型外，有所謂破格熱型者，原因不一，大抵因外界影响，使熱性溫度變動而來，或初病之際，濫用解熱劑致熱型不整者，其他眞性肺炎發熱之際，常有惡寒戰慄，然後體溫升騰，即達於極度，故其初期不過數小時，體溫旣達稽留不退而呈稽留性熱型。

（二）弛張性熱型　熱度高下不一，日差常在一度，乃至一度半之間，熱性病中，所見熱型，此類最多其熱型卽稱弛張熱，如傷寒之第三期膿毒症，敗血膿毒症及結核症等，最爲顯著，倘弛張熱之日差在三四度以上者，特稱爲消耗熱，常見於肺結核症，又經久之化膿症所發之熱，曰化膿熱。

（三）間歇性熱型　熱發作不過數時間，體溫雖達最高度，常有間歇時間，其時病者體溫正常，全身爽快如健康者無異，此爲特徵，此種熱型，常見於瘧疾，其他亦有見於膿毒症者，但其發作不如瘧之整然不亂，即在間歇期間亦見微熱。

除上述三種熱型外，更有所謂回歸熱者，患此病者，常惡寒戰慄，體溫驟達高度，然而稽留不退，繼續數日之久，最後發汗退熱體溫降至平溫以下，如是數日無熱更見發作如前，如是反復數次而愈。其二意義，乃指未顯露消化系的神經系的証候也。陽明之心煩不眠，少陽之耳聾爲神經系的症候，陽明之口渴，少陽之胸脅悶、喜嘔、口苦乃消化系的証候，此等証狀多因該臟器受熱的影响，或合併而生，今以不見此諸証候，遂謂之不傳，要之陽明少陽之消化系神經系的証候熱乃由熱而生，倘太陽之熱型未變，而遂見此等証候者，亦可以謂之傳，不過病中似常以熱型之轉變爲第一條件耳！

（舊釋新解）金鑑云：「傷寒二日陽明受之，三日少陽受之，此其常也」。按此說均於內經熱論，不知仲景恰不爾也。又云：「若二三日陽明証之不惡寒及惡熱，身熱心煩口渴不眠等証，與少陽証之寒熱往來，胸脅滿喜嘔，口苦耳聾等証不見者，此爲太陽邪輕熱微，不傳陽明少陽也。」按上述少陽陽明二項証候具見如該篇，此等証候，既不見，其爲病之輕微可知，故釋爲太陽邪輕熱微。

方氏云：「不傳有二：一則不傳而遂自愈，一則不傳而猶或不解。」按不傳自愈者，爲輕微之病，不傳而不解未必是輕微之病，其他証候，尚未顯現，或在二三日以後再顯現也。」又云：「欲皆以脉証所見爲準，只豪之物，物數計以論經，則王道遠矣」。按此說極通。

（未完）

傳染病流行史一新聲：韶市發現「黑水熱」（Schwarzwasserfieber）

本病自來祇認爲熱帶病之一，十一月上旬，梁乃津同志曾遇一例，病者爲女公務員，年廿六，八月起患瘧疾，向服西藥，至近旬，寒熱發作期漸遠，約在十二至十五日間發作一次，西醫至此頗致疑於再歸熱，驗之無再歸熱螺旋虫發現，乃再給與奎寧及砒素等治瘧劑，寒熱發作期距離又轉近，乃由友人潘君（潘君亦爲梁君友人）介紹邀梁君診治，見其有急劇性黃疸及血色素尿，頗有本病嫌疑，乃囑病者試往西醫院驗明檢驗是否本病，結果竟得證明，病者乃再邀梁君診，收效尚佳，今已大致痊愈。後此例三四天，梁君又遇一門診病人，其經過與上述大略相似，乃又囑往西醫院檢驗，亦得同樣答覆，惟後例經過較劇，梁君診療兩天後，勸病者入西醫院留醫，結果仍不治。經此兩例後，再向韶市醫院調查，始知月來本病除上述兩例外，尚有三數病者發現云。按：據西醫報告，患此者大都爲久居瘧症流行地帶而又因長時期不規則的服用奎寧或安知必林，美藍，及過勞等，皆足引起本病。要之，觀其人之素質如何，凡久居瘧疾流行地方，有受藥物或其他足以破壞赤血球之原因或誘因，本病乃可發作。案諸事實，本病多發於熱帶瘧之後。地中海沿岸及非州印度等地時有發現，在我國則過去尚未見有正式報告，此問題，大有研究價值，甚望醫藥界同志及社會人士留意及之！

中醫應用處方集

沈仲圭編

時令病

傷風 感冒

主證：噴嚏，鼻塞，欬嗽，頭痛，惡風，發熱，身體倦怠。

△疏散泄肺法　杜蘇梗　牛蒡子　廣橘紅　冬桑葉　薄荷梗　白杏仁　象貝母　淨蟬衣　苦桔梗　粉前胡　滁菊花　挾食者加南查炭焦六麯

△香蘇散　統治四時感冒。

製香附　蘇葉　陳皮　炙甘草　生薑　鮮玉葱　有汗加桂枝。無汗加麻黃。鼻塞流涕加薄荷。痰喘嘔逆欬嗽酌加半夏，茯苓，杏仁，桑葉，貝母。噯腐吞酸加枳殼，建麯。食滯加麥芽，山查。頭痛，骨節疼痛，酌加川芎，羌活，獨活，發熱甚加黃芩，梔子，淡豆豉。口渴加天花粉。胸悶不舒加栝蔞仁。數日不大便，舌苔黃，腹中滿。酌加大黃，玄明粉。難以安眠加薑汁炒竹茹。婦人經水適來，加丹參丹皮。

△神白散　治惡寒，發熱，肢痠，骨痛，無汗。

白芷　甘草　淡豆豉　生薑　葱白

濕溫 腸窒扶斯

主證：熱型弛張，晨輕午後漸增，舌胎厚膩，胸次窒悶，脈搏不與體溫成正比例，大便溏瀉或秘塞。

王香巖濕溫三法：

邪在衞分，証見微寒發熱，頭痛胸悶，便泄溺赤，或渴，或否，宜清膈熱，開中焦，利濕熱，如連喬，薄荷，焦山梔，黃芩，鬱金，藿香，豆豉，廣皮，蔻仁，滑石，通草。

邪在氣分，証見身熱口渴，胸悶嘔噁，骨節痠痛，白㾦不透，宜宣肺化痰，解肌泄熱，如連喬，浙貝，牛蒡子，杏仁，竹茹，青蒿，鬱金，豆卷，山梔，蘆根，薄荷。

邪陷營分，証見神昏不清，耳聾無聞，舌絳而燥，脈弦而數，宜清營泄熱，泄痰宣竅，如羚羊角，銀花，丹皮，鮮石斛，竹瀝，石菖蒲，萬氏牛黃清心丸。

△三仁湯　治濕溫身熱，胸悶，體重，泛噁，不飢，苔白微黃，渴不引飲，溲黃。

杏仁　通草　米仁　厚朴　滑石　白蔻仁　竹葉　半夏

仲圭曰：此方開上閘，啓支河，燥中焦之濕，爲濕溫尚未化熱，舌苔厚膩之主方。

△甘露消毒丹　主治發熱，倦怠，胸悶，腹脹，肢痠，咽腫，斑疹身黃，頤腫，口渴，溺赤，便秘，吐瀉，瘧，痢，淋濁，瘡瘍等症，但看病人舌苔淡白，或厚膩，或乾黃者是暑濕熱疫之邪，尚在氣分，悉以此丹治之立效。並主水土不服諸病。

飛滑石十五兩　綿茵陳十一兩　黃芩十兩　菖蒲六兩　川貝　木通各五兩　藿香　射干　連翹　薄荷　白蔻仁各四兩　各藥曬燥生研細末，每服三錢。開水調服，日二次或以神麯糊丸如彈子大，開水化服亦可。

△牛黃清心丸　治溫邪內陷包絡，神昏舌強，胸悶懊憹，舌絳胎黃。

牛黃　雄黃　黃連　黃芩　梔子　犀角　鬱金　硃砂各一兩　珍珠五錢　冰片　麝香各二錢五分　研末蜜丸，每重一錢，金箔爲衣蠟匱，功效較萬氏牛黃清心丸爲勝。

——未完——

婦科新論（二續）

楊子鈞

第三章　胎漏

婦人懷孕後，子宮脹大，靜脈受其壓迫，血流不暢，淤塞充溢，每易於血管破裂而出血。他如劇度之勞動，及精神意志上劇烈之刺激，或性慾過分之衝動，均能使生殖系器官充血，而致於出血者，國醫之論此，有所謂衝任氣虛者，有榮經有風者，有癥痼爲害者，有胞阻者，有激經者，凡此種種，實各有其病因證候，以爲治療之方是也。

衝任氣虛　陳良甫云：「夫姙娠滿胎者，謂姙娠數月，而經水時下，由衝任脈虛故也。衝任之脈，爲經絡之海，起於胞內，上爲乳汁，下爲月水，有娠之人經水所以斷者，壅之養胎，蓄之以爲乳汁也，衝任氣虛，則胞內泄不能制其經血，故月水時下，亦名胞漏血，血盡則人斃矣」。——節錄大全良方

王孟英曰：「懷姙臨月，並無傷動，驟然血下不止，腹無痛苦者，名海底漏，亟投大劑參蓍，十不能救其一二，此由元氣大虛，衝任不攝而營脫於下也」。

按古人以衝爲血海，是衝或指大動脈。任主胞胎，而以任爲輸卵管（輸卵管係卵巢與子宮相通之道路，幼齡時係緊相盤繞，迨成年則不甚紆曲，如曾產婦則輸卵管變作直形，以其逐漸伸直，故卵巢中卵子成熟，即由此以輸入子宮，經故曰：「二七而天癸至，任脈通，太衝脈盛，月事以時下，故有子」。近代醫者，又以督脈屬動物性神經，專司官能知覺等之隨意動作，任脈屬植物性神經（亦名交感神經），專司臟腑血管，及各腺之一切不隨意動作，如身體上之營養，生殖及腺體內分泌等之作用，關係尤切，故所謂衝任氣虛者，大抵貧血不足以營養神經，而神經亦現衰弱，因而失其調節血行之職，往往易致血管破損，而成漏下，

故昔人治此，多用阿膠、鹿膠、歸、地、黃蓍等，以爲補益衝任之意，其實卽凝固血管，增加血液中膠質及榮養素而已。

榮經有風　曾有以妊娠，月信不絕，而胎不損者，問於產科熊宗古，答曰：「婦人血盛氣衰，其人必肥，旣娠之後，月信常來，而胎不動，若使以漏胎治之，則胎必墜，若不作漏胎治，則胎未必墮」。今推宗古之言，誠有旨也。所以然者，婦人榮經有風，則經血喜動，以風勝故也，旣榮經爲風所勝，則所來者非養胎之血，以此辨之，醫者知榮經有風之理，專以一藥治風經，信可止，或不服藥，胎亦無恙。——節錄產乳集

按昔賢嘗以荊芥、防風、炒炭治此症，以爲炒黑，則入血分，能宣血中之風，本經言荊芥能破結聚氣，下瘀血，實則本藥爲芳香劑，含有揮發油，故能疎通血液中之瘀滯，卽古人所謂木鬱則達之之意，此不治漏而漏自止，反是，若以膩補施之，未有不愈止愈劇者，此治醫之所以貴乎識證也以此。

癥痼爲害　婦人宿有癥病，經斷未及三月，而得漏下不止，胎動在臍上者，爲癥痼害妊娠也。（按本條原文害妊娠下，有「六月動者前三日經水利時胎也，下血者後斷三月衃也」廿一字文不馴順，當有闕，故從皇漢醫學刪之。）所以血不止者，其下不去故也，當下其癥，桂枝茯苓丸主之。——金匱要略

按癥腹結病也，史記扁鵲傳曰：「見五臟癥結」。尾台氏曰：「蓋謂腹中有凝結之毒，按之應手可徵知者」。湯本氏曰：「癥痼卽血塞之謂也，謂婦人臍下本有瘀血塊，當妊娠未滿三月，而子宮出血不止。且膝下有胎動者（金匱原文爲臍上。恐係膝下之誤，因未滿三月之胎，子宮未嘗有達於臍上之理。）是瘀血塊爲妊娠之障碍也，若子宮出血不止，而癥亦不去者，當以本方下其瘀血」云云。嘗攷妊娠病理學，妊娠生殖器出血原因甚多，最要者爲子宮燥，子宮內面紅腫，陰道內之靜脈瘤破裂，流產前胎盤剝離過早，

均能使生殖器出血云，而余雲岫氏亦謂婦女腹中癥結，大多數是腫瘤，尤其是子宮肉腫子宮糜爛，很能够使子宮出血，未可遽武斷以爲血塞也，此語似較湯本爲着實。

胞阻 師曰：「婦人有漏下者，有半產後，因續下血都不絕者，有妊娠下血者，假令妊娠腹中痛爲胞阻，膠艾湯主之。」——金匱

按：尾台氏曰：「妊婦顚躓，胎動沖心腹痛引腰股，或覺胎萎縮狀，或下血不止者，可用此方，胎不殞者，卽安，胎若殞者，卽產。勿誤藥室方函口訣云：「此方爲止血之主藥，故不僅用於漏下胞阻，千金外台並用於妊娠，跌仆傷產，及打樸傷損，諸失血，千金之芎歸湯，局方之四物湯，皆以此方爲祖，而阿膠之滋血，艾葉之調經，加以甘草之和中，其效至爲神妙。

激經 婦人受孕之後，仍復行經者，名曰激經，爲血有餘，若孕婦無故下血，或下黃赤汁豆汁，而腹不痛者，謂之胎漏，若其胎已傷而下血者，其腹必疼，孕婦又有尿血一證，腹不痛，然與胎漏之症，又不同，蓋尿血出於溺孔，漏血出自人門。（按蕭賡六云：「胎漏下血頻出無時，尿血溺時方下，不溺則不下，以此爲別。）三者俱下血，而各不同治者，不可不詳辨也。——醫宗金鑑

又云：激經無他証相兼者，不須用藥，其胎壯子大，而經自停（脉經云：「大抵妊娠經來不多，而飲食精神如故，六脉和緩滑大無病者，血盛有餘也，兒大自不來耳。」與此同意）。若胎漏下血熱，多屬血熱，宜阿膠湯清之，或漏下黃汁，或如豆汁甚多者，其胎乾枯，必倚而墮，宜用黃蓍湯（黃蓍二兩，糯米一合），或銀苧酒（苧麻根紋銀煎酒），若尿血則是膀胱血熱，宜四物湯加血餘、白茅根以凉之（沈堯峰云：尿血小薊飲子甚妙）。

按張景岳云：「妊婦經血不固者，謂之胎漏，而胎漏之由，有因胎氣者，余嘗診一婦人，脈見滑數，而別無風熱等証，問其經水則如常不斷，但較前略少耳！余曰此必受姙者也，

因胎小血盛有餘而然，後於三月之外，經水方止，果產一男，故胎妊之婦，多有此類」。據此，是張氏所診，實卽金鑑所謂之激經也，此誠超乎生理之常態，未可以恆理論，換諸西說妊娠之後，月經所以不復來，其故由於月經，是卵子刺激而起的現象，卵子既然受妊，粘於子宮壁上，自然不爲再刺激而引起月經，卵巢的產卵機能，亦因妊而停止進行，所以懷孕後，月經不復再至，職是之故。今金鑑及景岳氏所云，既受孕而復行經，不可謂非其生殖器官，有超出常人之生理者也，又昔賢謂血如屋漏水，沉黑不紅，或來時斷，或有塊淋瀝不休者，虛候也，不可誤與寒涼之藥，一說經來時如米泔水，如屋漏水如豆汁之黃濁粘液者，是濕痰濁，流入胞中所致，斯二說實相反，總之尙宜詳診色脈虛實，斯無遁情耳。

一說月經是由卵巢黃體所分泌的物質刺激而起的現象，茲考證於下：

近世婦科學謂卵巢所分泌之物質，能刺激子宮粘膜，使細血管充血及破裂，於是而血液溢出，是爲月經。

又廣濟醫刊載：「行經的理由」說卵孵黃痕，（卽黃體）所生一種內分泌，這種內分泌刺戟激子宮粘膜，能使充血便成月經，行經行可以使子宮粘膜和卵巢子有吸着的作用，並能扶助卵子的生者。

又醫藥學載：「女性內分泌素研究之最近進展」一文，據德國某氏的研究，卵子成熟時，女性內分泌素（亦名刺激素），爲血液所吸收刺激性器官而發生性慾週期，如無成熟卵子，則可用女性內分泌注射以發生性慾週期，且許多學者，在猴類試驗，均得與上相同之結果，注射此素於未發育之幼猴及摘除卵巢之成年猴，尙能使月經再現，臨牀上應用於月經反常月經停止之婦人，約有百分之八十，能使月經再現云。

沈堯峰曰：「妊娠經來，與漏胎不同，經來是按期而至，來亦必少，其人血盛氣衰，體必肥壯，漏胎或因邪風所迫，或因房室不節，血來必按期，體亦不必肥壯，且漏胎之因，不蘊風邪房室，更有血熱肝火諸症，不可不察脉辨症，風入脉中，其脉乍大乍小，有時隱起，所云一味治風藥，是舉卿古拜散（即華陀愈風散——荊芥略炒爲末服三錢，黑豆淬酒調服）血熱症必五心煩熱，治以黃芩，阿膠涼血之藥，肝火內動，脉必弦數，併見氣脹腹痛，治以加味逍遙散，房勞症，脈必虛，宜人參，或虛而帶數，宜六味湯。

醫案舉例

（一）江陰宿治王嗣部安人，孕三月，腰腹遞痛，漏下不止，氣湧脹悶，連江診視，六脈弦數，平昔脈極沉細，此必怒動肝火，挾相火而生內熱，喜脉不滑，未致離經，猶可保也，以條芩，白朮，枳殼，香附，茯苓，阿膠，白芍，當歸，陳皮，並調鹿角煅細末，酒淬一錢，更進抑青丸，一服痛已，數劑平服——六科準繩。

（二）一孕婦，房勞太過，衝任脈傷，經血漏泄，故胎動下血，勢不可遏，脈軟濇數，重按無神，令急服補陰益氣煎，加血餘炭，赤石脂，炒黑薄荷炭，棕灰數服，血止胎安。——女科醫案

（三）滿洲少婦懷娠漏血，醫投補藥，漏如故，間或不漏則吐血，延踰二載，腹中漸動，孕已無疑，然血又溢於上下，甚至納食即吐，多醫不能治，孟英診之，脈滑數有力，是氣實而血熱也，症一屬虛，補藥反能助病，愈補愈漏，胎無血蔭而不長，其所以不墜者，氣分堅實耳！與大劑清營藥，血溢遂止，而稀沫頻吐，得飲即嘔，口渴心忡氣短似促，乃用西洋參，麥冬，知母，石斛，枇杷葉，竹茹，柿蒂，生白芍，木瓜，更加烏梅，投之覆杯即安，次日能吃飲矣。——潛齋醫案

（四）汪李玉先生之夫人，懷麟七月，忽患胎漏如崩，先延西醫治療，斷爲胎盤前置，急須剖腹去胎，否則血崩不止，必致母子俱亡，或問剖腹之後，子能活乎？曰：「子必不活

」。又問：「母能保乎」曰：「母難必保。病家聞言，惶恐已極，乃急轉請中醫診治，迭延數人，至六日夜間，崩冲益劇，勢將虛脫，急來邀余，入房血腥甚盛，床前被褥，盡屬殷紅，診其脈象細數，舉按躁疾，面色皎白，舌苔黃膩，頭目暈昏，心悸懊憹，腰背痠疼，少腹墜痛，胎動不止（胎胞位置不在子宮上段，而居下段者名曰前置胎盤，更有所謂中央前置之分）知係陰虛而生內熱，以致胎動太過，胞脈損傷，血熱妄行，崩冲不止，過因血去太多，氣隨血脫，大有急救莫及之勢，當仿古人血熱宜清，血脫補氣之法，用錢氏安胎飲重加人參治之，服後崩漏太減，諸恙俱輕，病家為防將來難產計，乃先向產科預訂，並延診察，不料該西醫謂此症極重，非剖腹不可，否則有性命之虞，病人聞此大恐，遂增頭暈心悸，面紅烘熱等症，復來延余，診其脈左寸關動躍非常，知係大恐後，擾動元神，頗有復崩之虞，再以秘旨安神丸合膠艾湯加減治之，諸恙霍然，精神漸復，嗣以崩後體污，遂思濯足，詎意甫畢，胎氣又傷，下血復劇，急急再來請診，按其左脈已離經，右脉尚平，少腹陣陣作痠，腰痛欲墜，因思胎漏已延九日，大崩亦既三次，胎難再安，遂用保產無憂丹加減，一面補其母體，以免虛脫，一面催其早產，以免久延，夜間服藥之後，黎明即安然產下，惟胞衣午已破損，產後母子俱安，闔家感激，曾登報以鳴謝云。——醫學實驗錄

附方

（1）桂枝茯苓丸　治妊娠癥痼下血　桂枝　茯苓　芍藥　丹皮　桃仁　各等分　末之煉蜜為丸。

（2）膠艾湯　治妊娠下血，腹中痛。　當歸三兩　芍藥　乾地黃各四兩　川芎　阿膠　艾叶　甘草　各二兩　右七味，清酒三升合煎去滓內膠令消盡。

（3）阿膠湯　治胎漏下血　生地　白芍　當歸　川芎　阿膠　黑梔　側柏葉　黃

苓　等分

（4）補陰益氣煎　治勞倦傷陰及胎漏等症。　人參　當歸　山藥各二錢　熟地四錢　陳皮　甘草　柴胡各一錢　升麻三分　生薑三片

（5）安胎飲　治妊娠腰痛，下血不已　熟地　當歸　白芍　川芎　阿膠　艾葉　黃耆　地榆　甘草各等分　生薑四片　紅棗四枚

（6）秘旨安神丸　治血虛驚悸，神魂不安。　雲苓　麥冬各一兩五錢　遠志　白朮　川貝　川芎各一兩　歸身五錢　桔梗　甘草各五錢　杏仁二兩　蜜丸硃砂爲衣。

（7）保生無憂散　治婦人橫生倒產。　黃芪一錢　當歸二錢　酒芍　川芎各一錢五分　兔絲子二錢　川貝母一錢　川樸　炒枳殼　羌活各六分　荆芥穗八分　艾葉五分　甘草五分　生薑二片

（8）抑青丸　治惡阻，水藥俱吐。　黃連一味爲末，粥糊丸，麻子大，每服二三十丸。

——編者附註：此文續自一卷廿一、廿二期——

（未完）

如何治療濕温？

萬友生

濕溫証，近世謂卽腸窒扶斯（或稱腸傷寒或稱腸熱証），有一種桿菌爲病原，其菌多從口腔侵入，營巢寓于小腸淋巴組織，病菌逐漸繁殖，乃由小腸淋巴蔓延而及于全淋巴。

于此須知者，爲淋巴之生理：淋巴者，乃由毛細動脉管滲出之液狀成分，凡細胞之間隙中，隨處均爲淋巴所充滿，淋巴均流動于淋巴管內，最後乃入于血管，淋巴管之起始部，爲細胞之間隙，卽所謂淋巴腔是。此雖爲類似毛細血管之簡單腔管，然集合之後，卽成爲較大之淋巴管，其由兩下肢腹部，及左側之胸部頸部上肢分出者，乃成爲一條大淋巴管，名曰胸管，在頸之基部，通入左側之鎖骨下靜脉中，其由右側之頸部上肢胸部而來者，則成爲右側總淋巴幹，而入于右側鎖骨下靜脉中，此淋巴之構造也；至其機能，乃在毛細動脉管與細胞間，爲物質交換，與氣體交換之媒介，詳言之，卽一面在淋巴與細胞之間，營交換作用，一面在淋巴與血液之間，營交換作用也。

若淋巴受病菌之侵害，則淋巴爲之壅滯，益以病菌繁殖，毒素滋生，充斥于淋巴，瀰漫於血液，凡人體受病毒之刺激，立卽產生抗毒力以抵抗之，抵抗之現象爲發熱，病毒一日不解，則發熱一日不除，濕溫發熱，通常須經過三星期，其病毒之難解，從可知矣；其所以胸悶者，淋巴胸管壅滯故也，胸腔之內，心肺居焉，淋巴胸管壅滯，心肺必受影响，夫心主循環，肺司呼吸，心受影响，必致循環不暢，肺受影响，必致呼吸不利，故濕溫胸悶，雖屬淋巴管壅滯之徵，然影响所及，心肺實受其害焉；小便短少者，淋巴壅滯，水分之排泄不暢也：腹滿大便秘結或溏而不爽者，小腸淋巴壅滯，紅腫發炎之象徵也；濕溫病灶在腸，舌與腸同一趨向，而互爲表裏，故觀察舌苔，卽不啻觀察腸之變化，濕溫舌苔，多是垢膩，初起色白者，腸中濕重熱輕也，微黃者，熱漸盛也，深黃者，熱已熾也，老黃如醬，焦黃轉黑，則熱已極矣，所謂濕者，卽淋巴液之停瀦也，所謂熱者，卽腸粘膜之炎腫也，腸粘膜炎腫不消，則進行而生瘡，生瘡潰爛，則腸出血矣，潰爛過深，則腸穿孔矣，出血間或可救，穿孔百無一生，此治療濕溫，所以有取於淸腸消炎也。

淸腸消災者，所以消退腸粘膜之炎腫，腸粘膜炎腫消退，則所謂出血穿孔諸危候，未由而生；然淸腸消炎，則損害心力，爲不易之事實，濕溫病，因淋巴壅滯，障礙循環，心臟本受其害，倘徒知淸腸消炎之能護腸，而置心臟于不顧，其結果之可慮，不待言矣；故淸腸消炎，雖爲護腸之良法，而不能護心，然則護心，將用何法乎？曰：不外疏導淋巴之壅滯而已！疏導淋巴之壅滯有二法：曰利小便，曰芳香化濁是也，利小便，所以潛導淋巴管水道之淤，芳香化濁，所以疏通淋巴管氣機之鬱滯，淋巴之壅滯旣辦，則胸悶頓除，心臟不受影响，而肺臟亦受其利矣。

由是觀之，治療濕溫，當以淸腸消炎，與疏導淋巴合用，爲良法矣；近時治濕溫者，莫不知有三仁湯焉（杏仁　白蔻仁　薏苡仁　半夏　厚樸　通草　滑石　竹葉），第不知三仁湯止能疏導淋巴之壅滯，而不能淸腸消炎，所以難收全效；蓋腸粘膜之炎腫不消，其結果之危險，亦堪致人于死耳；凡苦寒如黃連、黃芩、黃栢、苦參、等藥，均具有極大淸腸消炎力量，且有制止腸中濕溫桿菌活動能力，或竟能撲滅之也。

癸未季秋之朔寫于吉安田侯路之診室

汪浩權緊要啓事

拙編「中國醫藥月刊」廣告，自於本刊露佈以來，承讀者紛紛預定，令人心感，惟邇來郵遞困難，紙張限制，又以環境所限，對於內地讀者，不得已而減收念份，頃已額滿，後至只好回璧，此中苦衷，殊非得意，乞讀者原諒。又此次所收刊費計半年（六期）法幣念元，郵費念元，茲一併附告。

傷寒腸出血之有效療法

李龍文

當傷寒——即腸窒扶斯，中醫則謂之濕溫，俗稱單燒，亦稱爲大熱症——腸出血之際，審其爲虛症，若有膿汁混入而血少者，宜傷寒桃花湯增乾羌，加附子金銀花生地阿膠之屬；若下血量多而無膿者，宜金匱之黃土湯加赤石脂黑地榆之屬；於此須注意者，則用參附，干羌，不宜大量，且須用滋潤之藥——生地麥冬阿膠——以佐之，庶無流弊。

審其爲熱症，則宜千金犀角地黃湯，加赤石脂阿膠亂髮霜金銀花之屬；若毒素盛，起臥不安而呻吟者，則宜用前方合外台黃連解毒湯以治之，若心臟衰弱，宜再加六神丸予之。

若未出血之際，面色蒼白，熱度極高，神昏譫語，脈搏頻數而軟，乃由於毒素所形成，若煩渴汗多者，宜傷寒白虎加參——用西參洋——合生地赤芍藥白薇青蒿之屬，或另用局方紫雪丹一錢，分兩次沖服亦佳。若口不渴者宜千金犀角地黃湯加連喬金銀花梔子之屬，另以六神丸十二粒，分二次送服可也。

若乎肢體振戰，怔忡驚悸，循衣摸床，眩暈而便溏，甚或人事不知者，宜瘟疫論人參養榮湯；——即辨惑生脈散與局方四物湯合方，去川芎加知母橘皮甘草——若間歇熱較著者，宜六書升陽散火湯，以上隨證加犀角地黃，若心臟衰弱者，宜加附子爲佳。

按當上述證候之際，卽行注射肝臟之製劑，加肝補濃 Campolan，或肝製劑Liuer-Extract，或服Lextron, Hepatract等藥，當可補前方之不及，而收偉大之效果比比也。然則肝臟因何有此偉大之作用，茲先言其生理之作用，蓋肝藏能儲蓄多量之血液，舉例以說明之，如右心臟發生病變時，則其肝靜脈收縮，而含多量之血液，使之成爲海棉體，此肝臟之功能一也，肝臟能製造胆汁，使排出腸道，而奏其消化作用，此肝臟之功能二也。肝臟含有星彩狀細胞，能產生網狀內皮細胞三也。炭水化物，變爲澱粉，蛋白質變爲蟻酸，尿素及尿酸等之形成

・脂肪一部份儲蓄於肝內，此肝臟有新陳代謝作用四也，凡毒物之小量時，在肝藏內能儲藏，或因此而中和，使人不致有中毒之虞，此肝藏有極大之解毒作用五也。且含有維他命B與C，及呼吸酵素類似體 Glutathione 故除有提高新陳代謝及血管活動能力外，有卓効之止血作用六也。（維他命C能使一切內臟出血，發生極大之止血作用，爲公開之事實）

吾書至此，讀者亦已明白，以肝臟治斯病，不過奏提高新陳代謝活動血管能力，補助解毒作用，網狀內皮細胞增生，與止血之作用而已。

傷寒症候，已如上述，乃由毒素形成（Toxinbildung）心藏受害，得肝臟治療之後，而回復正常，乃肝臟之作用，若已出血，則兼奏止血之効，國內科學家，已有先我而言之者，夫復奚疑。

惟肝臟內服，常人有一極大之錯誤觀點，卽謂有燥火作用。此服法不善之過，非肝臟實有燥火作用，蓋肝臟因含有維他命之故，不能久煑，否則不獨無益，而反有害矣。（肝臟硬化，爲難消化之物，）肝臟內服，有補血解毒止血之功，鐵案如山，不容否認，寄語世人，毋葸葸過慮，放胆用之，切不可因服法不善而疑肝臟之功能，是所望也。

惟同道中，又有不諳注射手術，內服肝臟治療斯症，又恐世人之詰責，對此不免興望洋之嘆！僕今思得一法，可補其缺，爰提於此，藉供同道之參攷。其法維何，蓋卽運用上述之原理，用上述之方劑，加入解毒，（銀花犀黃）補血，行血，（潞黨當歸）外用松葉一束，與前藥同煎，亦能奏佳良之効果。蓋松葉含有大量維他命C之故。此法以平淡之品，能奏卓効之功，證諸藥理，決無疑義，至價格之廉，尤合節約之旨，願我同道試而用之，當知余言非謬也。

傷寒一症，其治癒之難，在疾病中，允推巨擘，尤以腸將出血時，已出血時之治療爲甚，僕對斯症，頗有一得，爰提於此。公諸同道，尚幸明哲之士，不吝賜教，使成鐵案，則醫學幸甚，僕亦幸甚，企余望之。

霍亂（三）

梁乃津

（六）併發症及續發症

併發症以中耳炎爲比較多見，小葉性肺炎、大腸、小腸、喉頭、女陰部等之狄扶的里亞性炎症，子宮出血，敗血症，腮腺炎，末梢部蜂窩織炎及壞疽等，均有發現。有時續發便秘與泄瀉更迭之慢性腸障礙，續發神經衰弱及憂鬱狂等，亦時有之。

（七）診斷及預後

症狀完備者，診斷不難，如不完備時，所應鑑別大致有歐洲霍亂及砒中毒兩種。眞正可靠之確診，當仍爲細菌學的檢查，然此病起於倉卒，尤以夜間爲多見，先予對症的處置，殆爲必要，本病根本亦無特效療法，國藥治療如時間可及，確有實效。特國醫自來無細菌學診斷，治療雖愈，亦無確鑿不移之統計，乃不大爲世人所注目耳。

與本病所應鑑別之病，大概有如下述：

（1）歐洲霍亂　非因霍亂弧菌而起，却呈酷似霍亂發作之急劇性胃腸炎，是稱曰歐洲霍亂。蓋與本篇所述之弓形菌眞霍亂之發源印度而名亞洲霍亂之對稱也。歐洲霍亂多由飲食不衞生而起。此外斑疹傷寒之胃腸型，亦有稱爲歐洲霍亂或諸司脫拉司霍亂（Cholera Nostras）者。其經過呈輕症霍亂類似症狀。但腹痛頗烈預後多吉。

（2）砒中毒　症狀頗如霍亂。然患病者口中常有燒灼及乾燥之感，胃部常痛，嘔吐之起常先於瀉利，且帶血液，小便之分泌往往不全停。故不難區別。

眞霍亂診斷既確，當注意其症狀以判預後。霍亂泄瀉及輕症霍亂治之得當，中西醫藥皆可痊愈，電擊性霍亂預後不良者多，據一般統計算霍亂死亡率平均為百分之四十至五十，在諸急性傳染病中僅亞於鼠疫而已。流行之初，死亡較衆，入後漸漸減少，本病尿利與否，於預後甚有關係，究全無尿者死亡在百分之五十七以上，不發乏尿症者僅百分之四・八，五十，發生伏脈期者預後極不良，大約五分之四必死，死亡之最多者，在發病之一二日內，過此期間死者約僅五分之一，年齡方面，十至廿歲最佳，孕婦老人小兒不良，後貽症之有無常繫於尿利重現之遲早，脈微滑者輕，濇數者重，伏而欲絕形成結代者難治，遺尿不知，氣脱不語，膏汗如油，燥欲大飲水，四肢不收，舌卷囊縮者，皆不治，體表與直腸溫度呈顯著之差異，一在常溫之下，一在常熱之上者多不良。

（八）預防與攝生

本病之預防與公共衛生行政有極大關係，歐西各國公共衛生之有今日受此病刺激推進不少。預防之第一步，應先圖侵入之制止，厲行海港及舟車船隻飛行機檢疫，倘在已有本病發生之區域，速將病人及疑似者隔離嚴行一切消毒，吐瀉物以百分之五石炭酸（即加波力）水或石灰乳為最妥，個人則在流行時須特別注意胃腸之衛生，胃腸如有病變，足以助長感受素因並為誘因，已如上述，故本病流行之際，一發見胃腸症狀立須醫治。飲食物方面，宜戒絕冷飲冷食，一切飲食物均應煮沸。冰水，雪糕，涼粉，大菜糕之類，多經生水冲雜之飲食物，最宜注意。脫皮之生果，亦不宜食。街邊切開零售之西瓜等物，應絕對不食為佳。腐敗之東西不宜食，自不待言，稍為久貯之東西，亦不宜。故食物無論何種，均應罩起，勿為蒼蠅所着，在公共場所飲食尤宜注意，有外表上頗為清潔衛生，而實際卻依然足為傳染之媒介者。此外日常起居貪涼露宿足以減低身體之抗病力，亦應注意，避免急劇之胃腸炎，多數為大吃細膩生冷之後兼之以露宿，翌日即刻發病，若遇霍亂流行，自足為強有力之誘因，或原因，（因霍亂菌附在食物）最宜留意。張景岳云：「夏秋新凉之交（案當云夏秋之際爲較妥）或急風暴雨或乍寒或乍暖之時，此皆陰陽相駁之際，善養生者最於此時宜慎，外而衣被，內而口腹，宜增則增，宜節則節，略爲加意，則却疾亦自不難，其或少有不調：……則霍亂、吐瀉、絞腸、腹痛、瘧疾之類，頃刻可至。（景岳全書雜症謨）

霍亂菌液之注射卽死菌注射，目的爲促進人體之自動免疫性，宜於每年四五月間行之，今日盛行之預防注射，卽屬此種，有效期間約半年，惟其效亦非絕對的，故仍以注意攝生爲首務，近來有人行「內服菌液」預防法，爲一種經口免疫法，北司來的克（Besredka）氏創行於蘇聯，後來幾經改良，一般認爲較注射預防有效。

此外家庭中則淸潔水源，驅滅蒼蠅，如有病人發生，則厲行隔離，病人之吐瀉物應卽澆以極濃之臭水或石炭酸水，過一二小時然後傾棄，則菌已不活。

患病之後，與一切胃腸病相同，宜先予以流體食物，米食極不相宜，作者對夏秋時一切胃腸病人初愈之際，喜先予馬鈴薯糊。法以馬鈴薯磨爛與鷄蛋豆漿等同煮，先甚稀輕，然後逐漸加强其硬度，此外，淮山、苡米等粉，亦可加入糊中，起初一二次不予鷄蛋更佳，如此調攝靜養三數日，方可予以飯食。

（九）療法

大量生理食鹽水之注射，（靜脈或皮下均可）西醫認爲本病最主要而有效之唯一療法，對體內水分缺乏及血液濃稠煩渴等，皆有好影響，且使腎臟排泄毒素機能旺盛，此外，强心療法亦極重要，如咖啡精，樟腦油，尼可命，可拉明等，均在初期卽行注射，電擊性霍亂每次〇、五——一、〇之腎上腺素肌肉或靜脈注射，或以半公撮腎上腺素加入半公升食鹽水徐徐注射，在下利時，昔好以鴉片鹼劑等治療，今則多數認爲不相宜，歐炭及白陶土等，至今一部份醫生仍好用之，但又有多數人不主張應用此等藥劑。又有若干人好行洗腸術，效果殊不可靠。此在中醫學理言之，大不適宜。嘔吐之處置常令服冷塊或氤仿碘酊等洗胃。惜其效不過一時，對腓腸肌痙攣用 Chlouofarmel 摩擦或鴉片注射，至絕脈期則全身設法加熱，給與多量熱飲料，並行熱性全身浴，熱性包纏或熱油摩擦等。

本病急劇者一——三小時可以畢命，生理食鹽水之注射效力亦非十分可靠。有注射一二次似已向愈而迅即復作者，如此，則須注射四五次方能獲效，旋旋注旋死者，實際上亦數見不鮮，尤以電擊性霍亂更難把握，其預後，據統計本病死亡率在歐西各國設備完善之醫院，經生理食鹽水之注射及施行各種對症處置，死亡率平均仍至少在百分之四十以上，我國醫院設備完善者極有限，鄉僻之區及城市之距離醫院較遠者，更不必論。且此病普通醫院實有不便收容之處，目前我國要人人患病，能得可靠之醫生爲之診治，已覺難能，更何論設備完善之醫院！

通權達變，本爲醫者一大要務，亦爲司治醫政者一大要務，善察病者經濟能力及地方環境而隨時應變，的確爲我國目前社會當務之急，不寧爲是，西醫藥目前程度對本病治療成績殊不能饜吾人之望，食鹽水之注射固有多方面好影響，謂爲根本而安全之辦法，倘有待於研究，實地上，生理食鹽水之效力既如上述，其他强心洗腸洗胃摩擦溫熱諸法對症處置，亦百病皆然，實效如何，仍當待諸實驗報告也。

國醫治療本病，原有合理之辦法，國藥對於胃腸良劑至多，然環觀今日一般情形，大滿人意之成績却亦確不多覯，此則吾人未加發掘及好用王孟英輩重病輕取之果子藥不無關係也，吾今謹爲我國醫界同志與者告，霍亂之病，急劇異常，其嚴重情况絕非輕取所能濟事，藥物所以治病，『藥不瞑眩厥疾不瘳』，今日醫風爲「輕靈劑」一流，取巧所誤，日趨式微，蓋亦久矣！我輩猶不及時努力振奮頹風，勇斷果行，則將臨大事無以決不疑，欲爭上流，不可得也！

尤有進者，普通國醫界同道對於消毒預防等知識實嫌太淺，吾人不能諱言，霍亂傳染至速至易，臨床際病，亟宜自爲防範，此亦所當注意者！

寒熱虛實爲國醫治療規律四大綱領，當詳傳染病總論傳染病之療法中，此不具論，所當說明者，霍亂之名，在舊籍中含義既如上述，惟其所包者廣，治療大法之宜寒宜熱或瀉實補虛，久成爭論頗烈之問題，西說傳入後，國醫界中亦不少知有虎列拉與急性胃腸炎之所謂眞類霍亂之分，然其對眞類霍亂之寒熱補瀉問題，迄無劃一見解，究其實，則所謂寒熱霍實云者，不過古人治醫側重臨床治病，爲便於說明臨床時扶擇治療，用藥大綱計，乃設此相對之抽象名詞耳。殆非分寸不可移之一定律一一般的嚴謹界限也，夫綜合病者體質環境氣候季氣及其臨床證狀以決定治療方針，此種辦法，本爲國醫之特長（詳傳染病療法章）寒熱虛實乃國醫對諸種疾病證候羣之分類方法，可爲國醫特長之一，研究國醫者自不容忽視，若過於細求，則病準多有寒熱虛實之現象雜然存在者，斤斤乎寒之熱之，吾人將無病可治矣！

尋前人治霍亂之方劑與醫案類多寒熱並用，是實際上寒熱云云，固不無變通也、霍亂原爲極端嚴重之急性傳染病，古人亦固認霍亂爲「清濁相干陰陽淆亂」者，治療方劑之寒熱錯雜，亦應認爲所當然之手段，今列古今人所論霍亂療法數則，並予略爲疏通證明，俾先領略治療霍亂之概念，然後詳將作者意見說明。

（一）『山陰田雪帆明經，著時行霍亂指迷，辦正世俗所稱吊脚痧一證，以爲此眞寒直中少陰肝經（津案「少」字疑爲「厥」字之誤少陰爲心腎，肝乃足厥陰）即霍亂轉筋是也。初起先腹痛或不痛（案當注意「或不痛」三字）瀉利清水，頃刻數十次，少者十餘次，未幾手足抽掣，嘔逆、口渴、厥逆、聲嘶、脈微欲絕、舌短、目眶陷、睛上視，手足青紫色，或遍身青筋硬突，汗出脈絕，急者旦發夕死，緩者二三日至五六日而死，世醫或認爲暑濕，妄投涼瀉，或認爲痧氣，妄投痧藥，鮮有不斃，宜用當歸四逆加吳茱萸生姜湯冷服輕者二三劑即愈，重者多服幾劑，立可回生，眞神方也，如嘔者加製半夏三錢，淡乾姜一錢，口渴恣飲舌黃，加姜汁炒川連五分爲反佐所謂熱因寒用也（王孟英霍亂論醫案篇引）

津案此文所言，全是眞霍亂症狀，據田氏之說，則當歸四逆加吳茱萸生姜湯乃爲眞霍亂之主方，當歸四逆爲張仲景傷寒論方。其主療文云：『傷寒足手厥寒，脈細欲絕者，當歸四逆湯主之，若其人內有久寒者，宜當歸四逆加吳茱萸生姜湯主之，』藥爲當歸，桂枝，芍藥，細辛，甘草，通草，大棗，吳萸，生薑共九味，此等藥品治手足厥寒脈細欲絕若干前賢頗有徵詞。考此方出傷寒論厥陰篇，厥陰篇原爲專論寒熱錯雜而四肢厥逆之病，與純寒無熱之少陰篇專論心臟衰弱病宜乾姜附子之四逆湯有不同，霍亂病在固有學理言之，正寒熱錯雜中寒多熱少之病，四肢厥寒，脈細欲絕，吐瀉痙攣諸象，當歸四逆湯中之桂枝，白芍，細辛，通草，吳萸，生薑皆健胃藥與痙攣吐瀉之症正合。惟已至厥冷脈細欲絕時，則斷非當歸四逆諸藥所能獨任，宜加入附子乾姜以強心臟復脈，附子且須生用，量必五錢以上，乾薑大約爲附子之半，如此而應用於眞性霍亂亦誠心安理得。惟當歸四逆湯中桂枝，細辛，通草諸味，在厥冷脈伏尤其汗出時則不宜多用，此時桂枝可易肉桂（古人桂枝與肉桂用法本無大別詳陸氏論醫集）細辛數分即够，通草大約與細辛同量，又霍亂病者煩渴而脈伏同時並可加入人參麥冬五味子，以符古人復脈之義，此三味藥用於霍亂。吾人從理論上推之亦甚相宜。當歸四逆湯中之甘草大棗，實不用爲佳，此病變生倉卒，宜選若干帶有揮發性之品（古人所謂走竄之藥）肉桂即其一，樟腦，吳萸，酒炒木瓜之類，强心健胃而帶有揮發性，惟川連爲有力之苦味健胃藥吳萸拌炒，亦所以促其藥力之發揮，田氏云：「手足冷過肘膝，色見青紫加製附子三錢，腹中絞痛名轉筋入腹加酒炒木瓜三錢。」附子製過力量已減，三錢尤嫌太輕，木瓜對於霍亂，殆爲要藥之一。三錢實無濟於事，考木瓜有興奮强壯作用，爲有力之酸味强壯鎭斂藥，對於貧血而來之足腓痙攣僂麻質斯性關節痛，衰弱性脚氣之萎弱無力及一切四肢拘攣攣痛，古人皆極賞用之。霍亂之腓肌痙攣，用之爲宜，不言可喻。酒爲興奮性强壯藥虛脫失神及急性心臟衰弱時用少量可奏興奮强心之效，且能助藥力之發揮，對體力衰弱病人，並有提神興奮之功，又能亢奮胃腸機能，增進消化吸收，以炒木瓜治霍亂，其理由亦即在是。酒炒木瓜治霍亂不必腹中絞痛爲然也。由是言之，田氏之言大體乃無誤，腹不痛而吐瀉，古人認爲寒症現象乾薑附子之用可無贅言。第古人混眞類霍亂爲一，殆未細加注意於腹痛有無之說明耳。若臨床治病學有根底者，自有權衡，不會僨事者以此。中醫無細菌學甚至生理病理學而能應付各種疾病者亦以此。又王孟英爲溫熱專家，處處誡人不可輕用姜附，畢生用藥多專甘寒，故對田氏之言頗有攻擊，其是非俟文再論之。

（三）「霍亂無脹無痛而但嘔吐不寧者，此脾胃受傷虛寒症也。若胃氣微虛兼滯者，宜六君子湯或溫胃飲主之。若但虛無滯者宜理中湯或五君子煎主之，若虛而無寒者，止用四君子湯或五味異功散亦可，若陰寒在陰分水中無火（按眞霍亂之病狀在國醫固有學理言，乃陰分虛寒，水衰火竭之象，虛字有時亦可作虛寒解，若然，則張氏言霍亂之源殊近理。）若吐利四肢拘急脉沉而遲此脾胃症也。宜四君子加姜附厚朴或理陰煎主之。轉筋腹痛者。（案不腹痛亦可如此）因胃氣暴傷以致陽明厥陰血燥筋攣而然，法當養血溫經乃爲正治，若邪滯未清者，或先和胃飲加肉桂木瓜主之。若氣虛者宜四君子湯加當歸肉桂厚朴木瓜之類。陰虛血少者宜理陰煎加肉桂木瓜主之。又治轉筋法，男子以手挽其陰，女子以手揪兩乳，此千金法也」（景岳全書雜症謨）

津案，景岳之言未必遽爲眞霍亂而發，國醫學有一原則爲「症候同則治法亦同」（指整個證候羣而言若各個證狀亦如是則是頭痛醫頭脚痛醫脚之庸醫矣）故眞霍亂亦可括之。就大體論，此等方法亦多足以治類霍亂，爲其太平淡緩慢也。然眞霍亂於臨床之際，亦未嘗不可爲隨症加減之助，故並列之，眞霍亂時熱地炙草尤宜愼用，文中所述各方，見下方劑節中。

（三）「嘔吐頻頻語失音，肢寒煩渴汗淋淋沉微欲絕浮虛散，救脫連苓四逆參。」自註云：霍亂吐瀉連次不止，手足寒至肘膝，冷汗淋漓，指爪青白，目眶低陷失音吧短，脈沉微欲絕，或浮虛欲散者，此三焦厥陰俱病，少陰逆症，更兼口渴煩躁，用茯苓四逆人參湯加川連旣濟法，冀幸服後身溫躁止，脈續轉細，爲陽回即生，若更兼微煩微渴者，用茯苓四逆加麥冬。（岳曾昌霍亂括要）

此案與第一段田氏之言頗相近，當合而觀之，所當注意者，田氏未甚注意於躁煩與口渴之療法，厥逆吐利口渴煩躁用茯苓四逆加人參川連麥冬，王孟英輩決無如此手筆，霍亂心臟衰弱宜用四逆加人參，嘔吐煩渴宜用川連茯苓。霍亂病人以補充水分爲要着，麥冬古人謂其擅於滋液救焚，惟危急時滋液藥太多足以掣興奮強心之藥力，少用又嫌力薄，故分量最宜斟酌，王孟英於此却具獨到處，今錄其醫案一則如下：

（四）「七月十八日夜，予患霍亂轉筋甚劇，倉卒間誤服青麟丸（大黃製劑）錢許，比曉，急邀孟英診之，脈弱如無，耳聾目陷，汗出肢冷，音啞肌削，危象畢呈，藥恐遲滯，因囑家慈先濃煎高麗參湯亟爲接續，隨以參、朮、白芍、茯苓、附桂、乾姜、木瓜、苡仁、扁豆、蓮實爲方，一劑而各症皆減，次日復診，孟英曰：氣分偏虛，那堪吐瀉之泄奪，誤餌苦寒微陽欲絕，昨與眞武理中合法脾腎之陽復辟矣，剛烈之品，可以撤去，蓋吐瀉甚而津液傷，筋失其養，則爲之轉，薛生白比之痙病，例可推也，凡治轉筋最要顧其津液，若陽旣回而再投剛烈，則津液不能復而內風動矣，此治寒霍亂之用桂附亦貴有權衡，而不可慢無節制至隳前功也，即於前方裁去薑附肉桂加黃芪石斛服至旬日而愈。（周光遠輯錄王氏醫案卷二）

津案：霍亂保存水分及補充水分，皆爲要務，此案脈證治法皆是眞霍亂，錄之以視國醫以藥物保存水分之一方法，但滋液藥性皆滋膩危急時當愼其劑量，前已言之。（未完）

医話與医案

龍田醫案

潘掌綸

風痰煩躁

小兒身熱而嘔，下利數次，醫用天保采薇湯，一服，即痰涎上湧，手散、口張、目直視、汗出如珠。又用薑附六君重加附子，亦罔效。綸診之，謂痰已大動，豈可再動，於前方去半夏陳皮，一服，脉稍平。繼思汗已大動，豈可再用薑附辛辣之品再劫，於前方又去薑附，一服，汗止。此夜，痰復上湧氣喘，倉卒之間，凶症百出。復思經曰：「在上者因而越之」；乃用探吐之法，比即吐出痰杯許，氣平風息。翌日，平安。此夜，風痰又大動，較前愈甚。乃用黃耆防風煎湯，以小竹竿插入肛門，使藥氣內通，以逐內風。比即大便通，口噤略鬆。內服 附片捌錢 首烏陸錢 北防風式錢以平風溫經。繼用 焦术陸錢 附片捌錢 上桂壹錢煎服。再用探吐之法，吐出痰碗餘。前症盡除。煩躁忽至。用茯苓四逆湯（茯苓 人參 附子 炙草 干薑）去干薑加 肉桂 淡竹葉 粳米，全愈。蓋茯苓四逆湯，仲景原爲治煩躁者立一標準。內中人參茯苓去心煩，干薑附子去腎躁，但干薑過散，因易以肉桂；竹葉爲驅虛煩之上品。粳米爲解煩渴之聖藥。前用剛中剛以勝陰復陽者，取飛騎突入重圍，搴旗樹幟，使既散之陽望幟爭趨也。後用剛中柔劑，調元轉鈞，收成帷幄者；蓋陽既安堵，即宜休養其陰也。

下痢肢厥

一人患痢，肢厥、脉遲、日輕夜重，醫執以「行血則便膿自愈」之法，愈危。綸速進四逆湯，數服，手足稍溫；痛與便膿血不愈。用大炷艾火灸關元穴七壯。比夜，痛大作，下穢物大塊形似胞胎。次日，痛痢俱減，於是改用人參敗毒散一服，似與前法大異，不知濁氣已下，清氣未升，敗毒散輕清之品，一以升陽氣，一以達木鬱也。繼用溫補脾腎藥收功。不用濇劑，恐邪氣留連；不用下劑，恐正氣漸虛；調理旬日而愈矣。

小腹脹痛

一婦始病小腹痛，繼而腹痛，繼而口出臭氣穢不可聞，用理陰煎略效。次或溫氣，或行氣，或散氣，或補氣，手慌脚亂，漸至胸腹大脹而厥，易醫用眞武湯加桔梗，翌日效，再易方而病復作，復易賀醫，大壯脾胃，驅逐陰邪，乃時愈時發。此非賀醫之難起斯病，蓋以前此之誤，非有大力不能挽回元陽。謂之曰：「賀治甚妙！但藥力難勝，必重劑而後見功。病雖篤，尚有胃氣可治！」附片二兩 椒仁五錢 干薑三錢 雲苓五錢 一服效。而論者謂此藥過烈，恐傷眞陰，必加熟地，減附片，方得陰陽兩平，足稱穩當。用之，而風起發厥，飲食難入，凶症百出，再無一冀其生者。綸曰：「脉有胃氣，病猶可爲！」於是暫用外攻之法，丹田穴灸十八壯，命門灸一壯。比頓腹內大溫。用 附片二兩 干羌二兩日服二劑。明日起。恐陰氣再干陽道，變獨火丹，日進二服。附子干羌連服七日。後方用烏頭赤石脂丸作湯。蓋赤石脂中州之正品，中州病即以中州之物治之。嘉言謂：「赤石脂丸有鍊石補天之妙用也」。今夫人知有溫氣、補氣、行氣、散氣，抑知尚有堵邪遯邪氣攻衝之嚮，令陰陽二氣並行不悖者！此方非仲景不能制，非嘉言不能評！醫之兵事，大寇方平，不得不於所患之處，重加鎭守以防後患也。

痿痺難行

一人兩足痿痺，舉足難移，始以五積散，繼用獨活寄生湯，稍效；易八味石斛劑，愈甚。夫肢厥脉遲，而八味右歸不效者，以葯味過靜故也。用後方一服立效。數服，全愈。溫經活絡湯 獨活錢半 杜仲弍錢 澄茄弍錢 仙茅弍錢 兎絲子二錢 熟地六錢 製烏（此味是否與首烏待考）五錢 加皮三錢 續斷二錢 熟附子四錢 枸杞四錢 松節二錢 碎補二錢 淫羊藿錢半 甘草一錢茄根引好酒兌服

陽明頭痛

一人傷寒日輕夜重，自午後發熱，汗出，頭痛，通宵不寐。醫作陰虛治，不效，作陽陷陰中，愈甚；舌生黄胎。按脉大而有力，乃陽明實熱症，用大承氣湯下之，即愈。

胎熱累母

一娠婦滿身壯熱，思欲卧冰，表之不散，清之不散，脉和病重。時與老醫飲酒，執壺問曰？「壺熱否」？曰：「熱」又問曰？「酒熱乎？壺熱乎？」曰：「酒熱。」予曰：「病在斯矣。」老醫愕然曰：「何」？予曰：仲景陽明條下，有發熱汗多急下一法。彼因陽熱大蒸於內，以致陰液亡於外，急下以救陰液，治其內即解其外也。此則胎熱大蒸於內，以致母熱響應於外也。乃子病而母不病也。故脉和病重如此。於是大清胎熱：用 條芩二兩 知母八錢 生地一兩 一服而效。以此知仲景書，不可不細心體會也。

母病累子

伯男生甫三月，母携歸外家，時方六月，壯熱，汗出，遍身紅疹。解表清裡，愈治愈危。已至束手無策。旋因其母病，疑夜發寒重，始悟曰：「病在母而不在子。蓋小兒每夜入重被內，吮乳，以致汗多亡陽也。」方用 黄耆一兩 附片六錢 一服而愈。（移下第55頁）

翰海室醫話（三）

潮安　張長民

經效產寶

今世所傳經效產寶三卷，後附續編一卷，原爲日人刻本，題「唐節度隨軍昝殷撰集，相國白敏中家藏善本。」光緒間，張金城氏購得之，遂以刊行；凌德氏爲撰序文，斷然以爲北宋本焉！

考昝氏書，唐書藝文志，宋史藝文志，郡齋讀書志，讀書後志等所著錄，皆作產寶，證類本草及婦人良方，其所徵引者亦同；今是書題經效產寶者，果何所據乎？按是書自姙娠千金易產方論以下，多撰集他書，凡小品，經效，崔氏，廣濟，集驗，張文仲，千金，千金翼，必效，深師，救急，古今錄驗等十二種，就中經效特多；證類本草引產寶外，亦別有經效方。然則經效與產寶，自是二書；今是書題經效產寶，其非昝氏之舊明矣！

丹波元胤氏醫籍考引丹波元堅氏云：「是書久佚，唐愼微，陳自明諸家，徵引頗夥，猶多挂漏；惟散見醫方類聚中者，條理較詳，尙可裒錄。蓋證以旁見他書者，似十得八九矣！宋志作三卷，通序亦同，云「五十二篇，三百七十八首」。讀書（後）志作，二卷二百七十八方」。然類聚所收，猶有三百二十餘方，篇目之數亦合；則後志兩二字爲誤寫明矣。友人船橋經中，從類聚錄出，以經閉帶下並姙娠爲上卷，以坐月產難爲中卷，以產後諸證爲下卷」。醫籍考中，又載周頲氏序文一篇，較婦人良方所引者爲詳，當係採自類聚者。今考是書所載，僅四十一篇，二百七十五道，並缺周氏序文，以姙娠產難爲上卷，以產後爲中下卷；則是書固非船橋氏所輯之本，而出於別一日人之手也。題爲相國白敏中家藏善本，特以欺世而求售耳！凌氏以為北宋本，殆失考矣！曹炳章氏主編中國醫學大成，採入是書，提要中因襲凌氏之說；謝觀氏中國醫學大辭典，亦據凌氏為說，蓋亦疏矣。

產寶三卷，讀書後志以為二卷，丹波氏已辨之；按文獻通考亦作二卷，唐志則作一卷，皆非也。昝氏唐人，據周序及讀書志可知；後志以為偽蜀，婦人良方以為朱梁，錢陸燦氏產科秘本，亦以為梁人，陸淵雷氏改造中醫之商榷，則以為宋人，亦皆非也。

又按周氏序曰：「作小論三篇，次於序末。」婦人良方所引，一篇而已。考是書續編，所載周頲傳授濟急方論，與良方所引同篇，而文字互異；附方凡四道，則為良方所無。又載濮陽李師聖施郭稽中論，二十一證，凡十六道，及產後十八論，凡九道。觀其強足三篇之數，而不知李氏等為周氏以後人，蓋亦慭矣！附著於此。

診脈三十二辨

管玉衡氏診脈三十二辨，裘吉生氏主編三三醫書及珍本醫書集成，皆收載之，然前者為三卷本；而後者為一卷本，殊乖刊書體例矣！

是書時逸人氏三三醫書評曰：「前半部概行抄襲；後半部整抄醫宗必讀脈法心參原文。」按管氏自序曰：「一辨，大略也。自二辨至七辨，宗伯仁之六脈，而著其所統，共得二十脈。……自八辨至十二辨，則詳述十二經源流。……自十四辨至三十二辨，則究極脈中變化之奧；有全取諸書者，則標其目。」考一辨至七辨，三三本上卷也。其三辨至七辨中，除採摭滑伯仁氏之診家樞要外，以取材於李士材氏診家正眼為多。八辨至十二辨，三三本中卷也。其述十二經源流，以攀自素問陰陽應象大論，靈蘭秘典論，六節藏象論，藏氣法時論及靈樞本神，經脈等篇者為多。時氏以「概行抄襲」一語了之，評書者宜不若是也。十四辨至三十二辨，三三本下卷也。十四辨標引醫宗，十六，三十及三十一等辨，標引脈語外，其不各辯，實亦全取諸脈語也，抑醫宗必讀之脈法心參，大半剽竊於脈語；是書所引醫宗之他四辯，即醫宗竊自脈語者之一。時氏不察，以為「摘抄醫宗必讀脈法心參原文」，殆失考矣！

又按脈語中有運氣脈一篇，故上部有脈下部無脈下部有脈上部無脈中，有「論在運氣脈中」一語。是書雖改題辯有脈無脈，仍著錄「論在運氣脈中」一語；吁亦傎矣！

宋異僧咽喉脈證通論

咽喉脈證通論，舊傳宋異僧遺於杭之千佛寺者，道光五年（1825）年，許褳氏校刊是書，其所撰序文中，已置疑為「元、明間一巨手。」考是書以取材自瘡瘍全書者為多，喉瘡一篇，全據全書錄入；全書為隆慶間竇夢麟所偽撰，則是書非宋，元人所著，可斷言矣！棉花瘡一名，始見王肯堂氏證治準繩，而是書於爛喉癬一篇見之；王氏書成於萬曆間，然則是書特萬曆以後人所偽撰矣！

又道光廿一年（1841），姚晏氏重刊是書，有氏序文一篇，及其弟姚衡氏序文一篇。光緒間，其子姚覲元氏又加跋輯入咫進齋叢書中，曹炳章氏主編中國醫學大成，即採是本也，其世傳南雅堂醫書外集所收者，改許氏序文，題武進伯雄氏書。」改姚衡氏序文，題「光緒十年三月之望，上海劉至喜書於春星草堂。」姚晏氏父子序跋，概被刪去；蓋書賈者之所為也。並著於此。

程德恆小兒科家傳秘錄

小兒科家傳秘錄一卷，題「醫士高明程德恆康圃氏手輯，恆其德軒藏稿，後學樵西福幼氏手抄。」業師許小士先生，藏有二部，曩以門下之誼，承贈一帙；蓋光緒19年（1893）南海羅崧駿氏校刊本也。是書有云：「我家六代業醫，幼科為最良；余亦廿年來閱歷幼科，因而留心記認；所有祖傳，及自己所得祕奧，一一實錄於此。」則是書蓋程氏一家言也。計自羅氏校刻以來，五十載矣！各家醫學書目未收，傳世亦寡；今錄序文於下，以為目錄學家參考焉：

「余少攻舉子業，即好習岐黃書。竊嘆瘵瘋一門，向無善本；俟有暇時，即欲著書以問世。至小兒一科，自北宋錢乙藥證直訣出，厥後作者日增。然或傳而襲謬，或偏而失中；求其提綱挈領，執簡馭繁者，絕少傳本；近惟莊在田遂生，福幼編，頗著於世。第此係補偏救弊之書，且專為痘症，慢驚而設；其於治療小兒之法，猶未備也。昨友人攜來兒科一帙，蓋程氏家藏祕本也。囑余校定，將付梓以廣其傳。披閱一過：症候該以八門；治法約以六字。其理明而確；其詞簡而該；其論證立方，有條而不紊，宜伊家奉為鴻寶矣！但其中魯魚亥豕，訛錯甚多；因為細加釐訂，庶不失廬山真面。人能家置一編，素習是科者，固可參觀而得其指歸；即未習是科者，亦可按方以拯其疾害。尤望樂善諸君，見無不傳，傳無不廣；於以利濟羣生，同登壽域。則是編者，豈非赤子之金丹；兒科之圭臬也哉！書既成，因樂而為之序。昔光緒癸巳歲仲夏月，南海羅崧駿序生氏，題於羊城之思范軒。」

三十二年八月二十日，張長民於潮安醫藥社沙溪辦事處：

（接上第51頁）

厥後：陳氏子病與此症相合，醫作疹症治。時亦炎暑。診曰：「其母得毋病瘧而夜發乎」？曰：「然」。用前方治，亦愈。

鴻生謹按前案，因病者脉和而測其癥結在胎；後案因母患瘧夜發，而悟其病不在子；此等精妙洞察，不獨可為「頭痛醫頭」「足痛醫足」者慟下一針砭，且可於「隔二」「隔三」治術外，別樹一診斷法門，堪為後學矜式！

（完）

經方實驗錄

漆紹康

桂枝甘草龍骨牡蠣湯　治發狂甚效

余之堂兄維軒，因酒後發狂，自縊者數。乃將其取下，即亂打人，亂擲物，如此約半月許，氣始餒。延余診之，脈細數無力，詢之不能道其所苦，狀若癡呆，聞聲響即驚而復欲狂。余素知其酒量頗大，并詢得是日亦未多飲，是其非純由酒精中毒可知。蓋其環境不良，常懷憂鬱，神經已大受其擾。今因酒精刺激，神經過度興奮，故精神錯亂而發狂。迨後神經麻痺，故狀若癡呆也。其聞聲響即欲驚狂者，因神經受此過度興奮之餘，尚呈不安之象也。脈細數無力者，心力亦衰減也。余沉思良久，忽憶仲景有「醫以火迫劫之，亡陽，必驚狂」之例，遂予此方。取桂枝強心，龍牡鎮驚斂神，甘草和中。服二劑，神識漸清。繼予磁硃丸調理半月而愈。

桂枝加厚朴杏仁湯　治心臟性喘息及氣管枝炎甚效

（一）同事鄭書記，忽患呼吸迫促，上下氣不能接續，出息搖肩，心悸亢進，（其動應衣）脈細數無力，每分鐘一百三十餘至，體溫三十六度八，面青唇微，，狀甚危殆。余思脈搏體溫如此，當為心臟衰弱之徵。桂枝有興奮強心作用，仲景云：「喘家，作桂枝湯加厚朴杏子，佳。」因予此方，一劑脈搏即有規律，呼吸亦稍平。再劑，病大減。惟轉現咳嗽，復予苓甘五味薑辛半夏杏仁湯，以治其欬而愈。

（二）市府黃科員之女，年一歲許。初患感冒，經中西醫診治無效。延余診之，聽診肺尖及上葉現喘鳴，頭之兩側，靜脈怒張，目上視，昏睡鼻扇，氣喘，出息搖肩，時現驚搐，喉中痰鳴如牽鋸，體溫三十六度五，脈搏數急，指紋青浮，已達命關，危狀畢具。余曰：「

此枝氣管炎而兼心臟衰弱之危候也，治療殊感困難。」黃君力請，乃予桂枝加厚朴杏仁湯，幷間服西葯 Snlfathiazole 。連服二日，諸狀稍減，喘息稍平，鼻搧不作。惟喉中仍作水雞聲，復予仲景射干麻黃湯。因病家畏麻黃，故易以薄荷，更間服西藥麻黃素。連服二日，諸症大減。繼予調理肺胃而安。

桂枝生薑枳實湯　治心懸痛，諸藥不能治者，甚效。

同事劉君，患心胃痛，諸治不效。初請余診，余以西藥哥羅顛（此物治諸痛極效）與服，痛稍止。旋復作如故，復予健胃鎮痛劑。亦如前，得藥則止，俄又作如故，乃憶及此方，即書予之。服大吐，吐出水涎甚多。渠以為藥誤，趨余處請詢。余曰：「無恐，此即病去之徵也，當復服。」渠連進弍劑，而病如失。（余蓋考皇漢醫學，而見該方有服吐水之狀，故知其必愈也。）

龍膽瀉肝湯　治顋腫甚效

本部傳令雷，患兩顋腫大，延及頭面耳輪，亦腫硬，不能食，不能言，口亦不能張，頭亦不能轉動，腫部且痛甚，脈滑數而弦。余思此與大頭瘟症相似，但前人所用普濟消毒飲，殊嫌複雜。因憶及傷寒有耳前後腫，師用小柴胡之例，遂予小柴胡湯加花粉、去生薑。一劑，病不減，而顋勢且略增，小便數黃微痛。乃予龍膽瀉肝湯，一劑病大減，再劑即能進食，而腫消皮脫。復予前方，去歸、加連喬、桑葉、藕葉，以梔仁易梔子而愈。

生半夏治疔瘡神效

同事熊君，亦軍醫也。面部患疔，（西醫名癤）用石炭酸罨包，（此為西規定療法）數次無效。聞人云：此物甚效，因命人尋得，用酒醋磨搽腫部，數次即愈。後又試驗多人，俱應效如響，誠妙藥矣！（圭按：余不諳瘍科，治疔無經驗，僅知以七味消毒飲——野菊汁、蒼耳子、銀花、甘草、蒲公英、黃栢、連翹、——加川連、紫花地丁、（移下第63頁）

致肥之道（日記選錄）

沈仲圭

陳俊編健康之路第八章「你要做胖子嗎？」略謂致肥之道，非由閑逸愉快，乃因情緒上之騷擾，促成一種內在之推動力，使人過量貪食。以人受振濟時，常會變胖爲證。夫以精神上之煩擾，爲肥胖之原因，適與吾國古訓「心廣體胖」之義，背道而馳。余自民國十九年以來，體重漸減，民國二十七年入川後，消瘦益甚。攬鏡見容，顴聳輔削；靜夜撫身，髀骨高突。自思消瘦之來，殆由胃病乎？余每日所進食物，多寡靡定，若將所進食品，衡量其熱量，恐不滿二千卡。故規定食單，選配各種滋養易於消化之品，多餐少食，安閑靜養。則轉瘦弱爲強壯，亦非難事。當此國難時期，百物飛漲，爲一般公務員經濟力量所許可之滋養品，約有糙米、雀麥、黃荳製品、有色蔬菜、胡蘿蔔、洋芋、番茄、豬肝、豬血、雞蛋、荳漿、落花生、紅棗等十數種而已。酒能使人肥胖，睡前飲少量之淡酒，既可寧睡，亦以強身。凡物皆有利弊，要在善用之耳。本草綱目引劉松石保壽堂方，用白色苦參三兩，白朮五兩，牡蠣粉四兩，爲末，雄豬肚一具，洗淨，砂罐煮爛，石臼搗，和藥，乾則入汁，丸小荳大，每服四十丸，米湯下，日三服。久服自肥。按豬肚補羸助氣（蘇恭）苦參平胃氣，令人嗜食（弘景）此方致肥之道，蓋得力於苦參之開胃進食也。又綱目果部胡桃條云：「補氣養血，食之令人肥健」。此因胡桃多油，補充吾人脂肪之效也。古方有胡桃酒胡桃粥用胡桃、杜仲、小茴三味浸酒，是名胡桃酒，治虛損腰疼。胡桃和米煮粥，是名胡桃粥，治陽虛腰痛，及石淋五痔，別有服胡桃法，初服一顆，每五日加一顆，至二十顆止，周而復始，常服令人能食，骨肉細膩光潤，鬚髮黑澤，血脈通潤，養一切老痔。按胡桃淡食，味殊一美，若以鹽炒糖煎，則鬆脆可口，惟所含維生素，未免爲高熱破壞矣。

三十二，七，六，記於北碚中醫院

痰喘咳嗽鍼灸治驗記

孫幼峯

針灸治療疾病，最有效驗，而且迅速確實，不獨爲吾國最古的療法，即現今各國醫生，亦有採而用之者，並證明具有科學之價值。惟用以治療頑痼不愈之疾患，頗有效驗，中醫之合於科學之處甚多，惜未被科學家一一證實闡揚，致數千年之靈驗法術，仍被時代人物目爲不科學，淪於一蹶不振之境地，歧黃有知，能勿悲乎?!幸民間尚不乏師古研習者流，或得自家傳或從師授，施之對症，沉疴立起，遠勝洋法百千倍之上，惜未能普遍傳習，致菁華漸湮，不無遺憾。

筆者亦曾研習此道，雖略領皮毛之術，並嘗爲人療病。茲將最近治一老年咳嗽病，純用針法治療之經過，記錄於后。

患者鄧姓年六十二歲貴陽人，住本市中華南路宋華豐金店後進，素有痰飲咳嗽之疾，本年四月二十一日經吳重民君介紹延至寓所，但見病者仰臥床上，骨瘦如柴，數日僅進茶水米漿等液體物，大便五六日一行，結如羊屎，須用物挖出，小便赤短，六脈沉小，兩尺更弱，氣逆咳嗽，痰色黃稠不爽，胃脹，胸肋作痛，舌焦黃而帶黑，翹首即覺頭昏。余爲之刺內關，魚際兩針，比覺神經微微痠脹，氣至胸中舒暢，喉間痰鳴停止，病家異常歡喜。次日再診時，覺痰稍活而咳輕，胸疼胃脹大減，二便亦通，食慾增進，脈微有力，舌焦黃，再針刺左內關，魚際、中脘、肺俞、及左肋天應，（未針前右向側臥作疼，已刺後停止）二十四日三診，病人能起身靠坐，精神漸佳，但咳痰仍未爽快，胸肋在咳時，仍不爽快，大便仍結，刺足三里，太淵、魚際、中脘、豐隆、右肺俞，右肋間天應，列缺。二十六日四診，咳減神清，胃納增強，能下床榻，大便微結，小便澀短，六脈漸有力，面與兩足，微現浮象，舌黃不焦，刺右合谷，兩列缺，太淵、魚際、下脘、足三里、豐隆等穴。越三日，據吳君云：病已全愈，能行步至堂前拜佛矣。

三十二年六月二十九日於貴陽南京路診所

景天室醫案

吳粵昌

傷寒（濕溫　腸熱　腸窒扶斯）

友人李爵元君，任職於財政部第四稅警總團，住本市黃田壩復興山上，其女公子名湘年六歲，患傷寒幾瀕危敗，延請救治，僅兩星期卽告痊安，當其起病之初期，（前驅期）曾服余方一劑，旋以爲已愈，且因住地距余診所甚遠，故未續診，迨數日後病勢漸露，乃就近延西醫作瘧疾治之，交第十日病益劇，始焦急而親自來請，幸其夫婦均堅信不搖，其間交第六診病當最惡化時，猶能鎮定，不爲親友所亂，只誠摯詢請，謂倘病至無從下藥之絕望時期，則希明告，俾送救濟或防疫醫院，免影响其餘兒女，以便處理。余以情感及責任心所動，乃不憚辛勞，每日赴診，竟喜轉危爲安，精神至感快慰，今値此病流行季令，謹將方案公諸本刊，以就正海內先進。

初診　三十二年九月十八日，傷寒經旬，脉濡數，舌根黃，熱型稽留，昏譫口渴，腹部灼熱，溺短便溏，是心力已呈衰弱，病勢頗重，急宜强心淸腸解熱復法：靑蒿三錢　黃芩錢半　川連八分　旱蓮草　竹茹各八錢　茅根　杷葉各六錢　蘆根一兩　川朴一錢　潞黨三錢　至寶丹一個

二診　九月十九日，神稍淸，譫語略減，無大便，痰多，夜間較昨稍安，病勢猶在進行，冀腦症狀不加劇，續發症不再增，尙可無虞，仍以强心安腦淸腸解熱法：靑蒿　銀胡　條芩　白微各三錢　川連二錢　茅根　竹茹各八錢　旱蓮艸六錢　蘆根兩半　至寶丹一個

三診　九月廿日，下午腦症狀漸平，熱度日降，痰多咳甚，大便兩日不行，口仍渴，耳下腫按之痛，舌苦尙黃而尖邊微絳，脉柔滑，腹部仍烙手，以宣肺化痰淸腸鎭欬主治：靑蒿

絛芩　銀花炭　枳實炭　蔞仁　川貝　銀胡各三錢　川連　苦參各二錢　杷葉六錢　茅根鮮竹茹各八錢先煎

四診　廿一日，上午十時，傷寒第十八日，腦神經症狀未袪，熱勢雖稍平，但咳劇痰盛，耳下腫，痛日甚，唇焦齒垢，脈濡滑帶數，舌根黃苔尖絳，大便不暢，神衰，腹滿而熱，是腸熱未罷，續發肺炎，兼淋巴腺腫，病雖險惡堪虞，幸日來救治尚可圖功，冀能安渡至第二十一日，使交恢復期，則告平順，現當清肺消炎清腸解熱雙管齊下，鎮定以赴，竭力圖維，庶可人定勝天，沈疴可挽：青蒿　桑白　蔞仁　川貝　北杏各三　蘆根兩半先煎　杷葉六錢　鮮竹茹一兩先煎　冬瓜仁四錢絛芩　枳實炭二錢川連錢半　自加生絲瓜二隻先煎

五診　廿二日上午十一時，咳減痰鬆，大便溏泄一次，夜寐不安，譫語尚多，口渴能飲，但舌黃苔漸剝而轉絳乾，根仍黃糙，脈形濡數不整，神衰暑甚，肺症狀雖輕減，而心腦轉呈嚴重，急於大隊清熱養津中主以強心安腦之品，免趨敗境。蘆根一兩，生地　茅根六錢元參　赤芍各四錢　連翹　冬桑　知母各三錢　忍冬　丹皮　青蒿各二錢　紫雪丹四分沖服

六診　廿三日上午九時，脈糊，唇焦出血，咳痰未已，身熱又高，腹部尤甚，昏譫口渴，夜仍躁擾不寧，計病歷，現交第廿日，今明兩日爲傷寒進行達最高潮期，如悉心拯救，堅定不搖，尚有可爲，未應消極，稍一猶疑失措，則不啻坐觀其敗也。鮮竹茹八錢先煎　生地六錢　元參五錢　知母四錢　青蒿白微　赤芍　冬桑　川貝　連翹　花粉各三錢　丹皮二錢紫雪丹四分沖，六神丸二粒鬪服。

七診　二十四日上午十時，迭投强心安腦養津解熱，并鮮橙、梨、藕、荸薺、　蔗汁各數杯，昨宵下半夜稍靜能寐，渴、熱、咳、痰、譫語均減，大便醬色溏泄兩次，脈象漸有規律，舌苔絳黃亦退其半，腹部已不甚烙手，且能略進麥片湯半小碗，神亦較清，是藥效顯

著，宜乘勝續進。

鮮竹茹八錢先煎　生地四錢　麥冬　元參　川貝各三錢　苦參　花粉　赤芍　冬桑各二錢　黃柏　條芩各錢半　雲連　青皮各一錢，安宮牛黃丸一個用藥汁溶化服。

八診　廿五日上午十二時，舌苔突剝淨如常人，惟唇呈昏血之狀，黎明解黑堅糞一枚，腹部平復，昏譫漸已，只虛羸大著，咳痰未豐，病勢雖交恢復期，而心力仍時虞衰弱，養津解熱，肅肺清腸中佐以強心，方無意外。　杷葉　茅根各五錢　青蒿　北杏　川貝　冬桑　丹皮　赤芍各三亦　潞黨二錢　條芩錢半　川朴　青皮各一錢　雲連八分。

九診　廿六日下午一時，耳下痛止腫未消，咳未淨，面色蒼白，氣聲短促不調，二便仍暢，胃漸思食，心弱脈循環不利，了無疑義。

青蒿　赤芍　丹皮　潞黨各三錢　北杏　杷葉　川貝各四錢　茅根五錢　蘆根六錢　川朴錢半　川麝香五厘沖服

十診　廿七日下午二時，耳下腫消七八，氣道稍舒，喘息較順，食慾亦振，能進薄粥麥片數次，險境雖平，只體力剡難驟復耳。

鮮竹茹八錢先煎　蘆根六錢　枇杷葉　絲瓜絡各五錢　北杏四錢　赤芍　川貝　浙貝各三錢　潞黨二錢　川朴　枳壳各錢半　四碗水煎一碗分兩次服。

十一診　廿八日下午一時，諸恙日平，大便不暢，病雖大退，然猶未能驟補，守肅肺清腸健胃法，當漸告痊復，薏仁　浙貝　北杏各三錢，杷葉　絲瓜絡各四錢　潞黨二錢　川朴　枳實炭　蘇夏各錢半　鮮竹茹六錢先煎

十二診　廿九日下午二時，眠安，思食，溺暢，便通，耳下腫亦全消，咳痰已淨，只須日增粥食，體力自能充健，竹茹六錢先煎，浙貝　絲瓜絡　杷葉各四錢　薏仁三錢　潞黨　苦參　北杏各二錢　川朴　枳實炭　龍胆草各一錢　三碗半水煎一碗分三次服

十三診　卅日上午九時，色脈佳，眠食美，濟調善後可安，鮮竹茹二錢　杷葉六錢
乾地黃　絲瓜絡各四錢　蔞仁　蘇夏　浙貝　白芍　開麥冬各二錢　苦參二錢　枳實炭錢半
枳殼八分　龍胆草錢

十四診　十月一日上午十一時，大便稍艱，津氣究難驟復，以苦味健胃復甘潤生津法，當暫停藥餌，可開始進飯，隔四日後，再以復脈法去阿膠加肉蓯蓉栢子仁，間日按服四劑，得告痊愈，乾地黃　鮮竹茹各六錢　大麻仁四錢　蔞仁　浙貝　元參　開冬　白芍各二錢
開柏　蘇夏　苦參各二錢　龍胆草一錢　三碗半水煎大半碗溫服

（接上第57頁）

上貝治疔瘡初起，或以白菊花生甘草各四兩，水煎頓服，渣再煎服，重者不過兩劑即消，又孟河丁甘仁治紅疔方，用淡黃昇藥二錢半、眞雄黃三錢、蛇殼一條、全蝎七只、蜈蚣七條、斑螯一只、輕粉一分、耳垢一分、燈黃存性，研細末，貯磁瓶，勿洩氣，用時放清涼膏上貼患處，無論初起已潰，均極奏效。可貼至收口爲止。但藥性毒烈，切勿入口，忌食豆腐青菜。又云：如貼上發痒方合，倘或作痛，即非疔矣，則不可用。生疔瘡者，貼此藥，無忌葷腥。以上三方，雖亦有驗，然究不如生半夏之簡便而奏捷效也。）

沈仲圭曰。湫君紹康。西醫界之先進也，嘗貽書下詢傷寒疑義。僕舉所知以答。頗加賞許。並於晉翰中知君常以國藥挽救危疾。因請錄視驗方。用資借鏡。即蒙以長箋。臚列經方治驗實例六則。反覆翻讀。愛不忍釋。復商於君曰。「如此佳案。足以垂醫鑑而活蒼生。一盍播之杏林。以供醫者取法乎。」君首肯。遂迻錄一通，代投醫刊。幷題其端曰「湫君經方實驗錄。」

（完）

介紹與批評

贈周復生君再版葯業指南序

任應秋

老友復生周君藥業指南之作。成於民國三十年。時余經商留渝。偶或過從。得見其稿。周君復競競謂余曰。中醫界之出版物。已足汗牛充棟。舉凡評註傷寒。疏義內難。辯正方脈。無不各竭其努力之能事，獨於國藥之改良徵僞。無一計及。人棄我取。遂得孜孜以成此書。余聆雅言。即知周君之精審。獨有造詣。非芸芸所可企及者。心竊儀之。即欲有序。嗣因浮梁上下。頹未脫而周君之書已付梓傳。歲不我與。忽忽兩更寒暑。周君之書竟風行告罄。而再版又將出以問世矣。友誼關切。得卒無一言乎。夫藥爲醫生之武器。無藥即不可治病。藥不良尤不足以療疾。藥僞雜而醫生不自知。是猶軍隊中混入間諜而不聞。槍彈朽壞而不檢，偶爾臨陣。其貽害豈可勝道。上古神農岐伯。知醫識藥。醫藥一龕。取效輒驗。漢唐而後。醫葯訣別。醫者知名而不識物。藥入射利之手。則惟利是圖。而不辨質。影冒代替。不一而足。於是醫所立方。每因藥劣而罔效。病人未察。責醫不及藥。長茲以往。害將胡底。有清之季。醫生藥生共掌御藥房藥品。以供御用。其組織爲我國所創見，並有關於吾國藥業文獻。略述梗概。以饗同道。御藥房隸屬於內務府。始設於順治十年。房中計設太醫院合藥醫生二名。合太監帖式領催聽事碾藥蘇拉六十七名。康熙時增設聽事碾藥蘇拉三十名。合內副管領帖式庫掌領催共八十四名。雍正復增設召募合藥醫生六名。管領下合藥醫生四名。聽事碾藥蘇拉四名。共十四名。乾嘉之際、遞增至八十八名。宣統攝政雖短。而御藥房之醫藥生。竟增至九十餘人。陳列藥品，計達三百四十餘種。與本草綱目所載相距雖遠。較諸民間藥房所存幾纖有之。鴉片遠其治痢有特效。御藥房陳之。惟民間藥房不敢有。金鷄肋康熙時雖已傳入中土。以其非國產。故不列入。當時排斥西藥之精神。可見一般。新著藥品不能保存者。用時於一定處所領用。如紅棗荔枝白菓青梨之屬。取自掌儀司。兔雀之屬。取自都虞司。桃柳槐桑之屬。取自奏宸苑。油胆豬胰之屬。取自飯房。丁香油之屬。取自武英殿。沉香陸安茶之屬。取自廣儲司。牛乳之屬。取自慶豐司。人乳黃白蠟燒酒之屬。取自掌關防管理內管領事務處。修品各種丸散膏丹。俱令太醫院委派醫官會共本處官員監視修合。所需藥料。令太醫院醫官詳細驗視。擇其佳者。交送應用。新到藥品。俱由合藥醫生驗看稱收。分別存記。每三月一次支領藥味。每年進呈黃冊僅有咀片用存數目。共修合炮製各種藥味之器皿。除粗磁乳鉢之外。其中貴重者爲金銀製。如二成色金乳鉢一件連杵。銀五穀鑵飯重二百七十兩。連蓋頭號銀鍋重一百兩。連蓋二號銀鍋重七十兩。頭號銀乳鉢重七十兩。連蓋二號銀乳鉢重十四兩。連蓋靶銀碗重二十六兩，銀杓重九兩。又一杓重八兩。大銀漏子重五兩。二號銀漏子重三兩五錢。小號銀漏子二。各重二兩五錢。均由廣儲司磁庫收藏。是此組織健全。修合如法。珍集廣類。配備精當。設置完善之中國藥業。惜其僅供一人之享用。苟擴而充之。設爲民衆之標準藥局。於中國藥業改進前途。豈非一大關鍵。乃革鼎而還。一蹶不振。龐雜滋深。弊端百出。政府漠視之，一任商賈糊塗。醫生漠視之，不倡導而改革。幸周君之書。及時而出矣。登高一呼。風從萬里。願與舉中國藥業同人共展讀之。民國三十二年七月十四日任應秋寫於江津醫室。

關於中國醫學大辭典和漢醫家及醫籍之修正

潮安張長民

弁言

謝觀氏中國醫學大辭典一書，爲我國醫學辭書中之流行最廣泛，是書在學術界所佔地位之重要，無待言贅；然訛逸旣多，未始不爲讀者所詬病，施濟羣氏辭典宜隨時修正一文（醫葯專刊十四期：民國廿八年四月十四日出版），蓋亦有感於是書也。

余數載而來，於謝氏是書，頗思有以修正之。顧是書取材，大半採自古今圖書集成醫部，整理修正，事倍功半；用是擱置之，而未遑執筆也。

考國醫學之改進，實有借助於和漢醫學之必要，無庸諱言。和漢醫學之醫家及醫籍，謝氏書收載最早，可爲是書較有價值之一部。然遺逸無論矣，十條之中，誤恆六七。余近旣草和漢醫學書目（約收千種，較婁吉生氏皇漢醫學書目一覽增一倍半，分載書目，卷數，著者，存，佚，未見）之後，爰以其餘暇，摘錄成篇，逐一修正。旣以就正有道；並希謝氏於今後是書再版時，能檢校而修正之，則余斯作爲不虛矣。

其一　和漢醫家

（大西保光）日本人，著有脈原學書。

（大橋尚因）日本人，著有疝癥積聚論。長民按：論，篇譌。

（小板元祐）日本人，著經穴纂要。長民按：板，阪譌。

（山本世儒仲直）日本人，著有洛醫彙講。長民按：仲直，世儒字；宜刪。

（山田正珍）日本人，著有傷寒論集成，傷寒考。

（中西惟忠）日本人，著有傷寒論辨正。

（丹波元周）日本人，著有黴瘡新書。長民按：丹波，片倉譌；宜併入後（片倉元周）條。

（丹波元堅）日本人。著有藥治通義，傷寒廣要，金匱要略述義。長民按：所著尚有診病奇侅，傷寒論述義。

（丹波元胤）日本人，著有難經註疏。長民按：註疏，疏證譌。

（丹波元簡）日本人，著有金匱要略輯義，傷寒論輯義，素問識，觀聚方要補，扁鵲倉公列傳彙考。長民按：金匱下漏玉函二字；所著尚有靈樞識，醫賸，脈學輯要，救急選方，

（丹波紹翁）日本人，著有黃帝蝦蟆經。長民按：紹翁，丹波元胤字；黃帝蝦蟆經，係日人刊行中國古醫籍，非元胤所著；本條宜刪。

（丹波茝庭）日本人，著有診病奇侅。長民按：茝庭，丹波元堅字；宜併入前（丹波元堅）條。

（令郁亮）日本人，著醫事啓原，脚氣鈎要。長民按：原，源譌。

（元悅）日本人。著子元子産論。長民按：元，並玄譌；玄悅，姓賀川；宜別著（賀川玄悅）條。

（元璞）日本人，著運氣論口義。長民按：元璞，姓未詳；口義一書，江南圖書館有藏，待考。

（元簡廉夫）日本人，著靈樞識。長民按：元簡，姓丹波，廉夫其字也；宜并入前（丹波元簡）條。

（內藤希）日本人，著醫經解惑論。長民按：希，希哲譌。

（公言）日本人，著古醫言。長民按：公言，姓吉益，爲則字也；宜併入後（吉益爲

則）條。

（天泰嶽）日本人，著有復古傷寒論徵。

（太田無聲）日本人，著噎膈反胃論。

（片倉元周）日本人，著有青囊鎖採，黴科發蒙。長民按：鎖，瑣譌；所著尚有黴癘新書，傷寒啓微。

（北山壽庵）日本人，著北山醫案。長民按：醫案一書北山友松所撰，其孫壽庵所集；宜改著（北山友松）條。

（古居元醫）日本人，著有金匱要略註解。長民按：古居元醫，名古屋玄醫著；宜別著（名古屋玄醫）條。

（正淑大亮）日本人，著有傷寒脈證式。長民按：正淑姓川越，大亮其字也；宜別著（川越正淑）條。

（伊藤大佐）日本人，著傷寒論張義定本，長民按：佐，助譌；大助所撰，爲傷寒論張義，傷寒論定本，係高谷德彰所撰；定本二字宜刪。

（吉益爲則）日本人，著有藥徵等書。長民按：所著尚有古書醫言，補正輯光傷寒論。

（多紀元堅等殘）日本人，著醫心方。長民按：多紀元堅等殘，丹波康賴譌；著（丹波康賴）條。本條宜刪。

（早川宗安）日本人，著傷寒論實義。

（尾臺逸）日本人，著醫餘等書。

（岑嗣）日本人，著金蘭方。長民按：岑，峰譌，峰嗣，姓菅原；宜別著（菅原峰嗣）條。

（杉田豫）日本人，著有黴瘡新書。

（郇井）日本人，著有藥徵續編。長民按：郇井，名謂：宜補。

（宗恂）日本人，著運氣一言集。長民按：宗恂，姓吉田：宜別著（吉田宗恂）條。

（宗時俊）日本人，著醫家千字文註。長民按：宗，惟宗謂，宜別著（惟宗時俊）條：時俊所撰，爲醫家千字文：註字宜刪。

（松井閱）日本人，著脚氣方論。

（松岡元達）日本人，著食療正要。長民按：元，玄謂。

（直寬士栗）日本人，著晋唐名醫方選。長民按：直寬，姓喜多村，士栗其字也：宜別著（喜多村直寬）條：所著尚有蚘志。

（長澤道壽）日本人，著有口訣集等書。

（後藤）日本人，著艾灸通說。長民按：後藤，名省：宜補。

（津田世賞）日本人，著傷寒論選註。

（香川修德）日本人，著一本堂藥選。

（冢田經子常）日本人，著傷寒一家言。長民按：冢，塚謂，子常，經字也：宜刪。

（馬師問）日本人，著馬經大全。長民按：馬師問姓名可疑，大全一書，江甯圖書館有藏，待考。

（高野山）日本人，著醫方大成論鈔。

（康頼）日本人，著有醫心方。長民按：康頼，姓丹波：宜別著（丹波康頼）條。

（野喬）日本人，著有溫故秘錄等書。長民按：野喬，名伯遷：宜補。

（筑龍）日本人，著金匱要略方論襯註。長民按：筑龍，劉棟謂：宜別著（劉棟）條。

（賀川元迪）日本人，著產論考。長民按：元，玄謂：考，翼謂。

（新井元圭）日本人，著有食物摘要等書。

（嘉多村直）日本人，著蚘志。長民按：嘉多村直，喜多村直寬譌；宜併入前修正（喜多村直寬）條。

（管長沼之）日本人，著有鍼灸則等書，長民按：長沼之，周桂譌。

（維常）日本人，著治瘟編。長民按：維，惟譌，姓淺田；宜別著（淺田惟常）條。

（橘春暉）日本人，著有傷寒論分注。

（濟齋源養德）日本人，著脚氣類方。長民按：濟齋，養德字；宜改著（源養德）條。

（獨嘯庵）日本人，著有漫遊日記，論醫頗精。長民按：獨嘯庵，姓永富；宜別著（永富獨嘯庵）條；目，雜譌。

（雖知苦齋）日本人，著有啓迪集等書。長民按：雖知苦齋，曲直瀨道三別號，宜別著（曲直瀨道三）條。

（櫟蔭拙者）日本人，著醫賸。長民按：櫟蔭拙者，丹波元簡別號；宜併入前（丹波元簡）條。

（鶴田眞尊）日本人，著補正輯光傷寒論。長民按：鶴田眞尊，吉益爲則譌；宜併入前（吉益爲則）條。

補遺

（丹波雅忠）日本人，著醫略鈔。

（月湖）日本僧人，著全九集。

（原昌克）日本人，著瘈狗傷考，叢桂偶記。

（深根輔仁）日本人，著本草和名。

長民按：以上係參照醫籍之部增補。（待續）

藥物

苜蓿

宋大仁

我人看到這二個字面，似乎很典雅，因爲從前詩句中都引用着，原來苜蓿也是一種可以充飢的蔬菜，不過一向不爲人重視，賤不堪言，即如陸游所謂：「苜蓿堆盤莫笑貧」。薛令之自悼云：「盤中何所有，苜蓿長闌干」。本品本非我國所有，張騫自大宛帶種歸，今處處有之，屬豆科，爲二年生草本，平臥地上，葉爲羽狀複葉，自三小葉而成，花軸自葉腋出，生三花至五花，花小色黃，蝶形花冠，莢果呈螺旋狀，有刺，可供蔬食，或肥料，俗稱金花菜，盤歧頭，亦即就是我人常常看到聽到的所謂草頭。惟其人們都看它爲賤物，而處着這個飢荒年頭，那末再也不要小覷它了，其實它何嘗是賤物呢？含有維他命ＡＢＣＥ很豐富，不再看重它，很是罪過，曾經上海雷氏德醫學研究院化驗，茲將其原文報告翻譯如下，可見其富於營養，可爲魚肝油及橘子[illegible]的代用品。

苜蓿（Medicago Denticulata Willd）

——雷氏德醫學研究院化驗報告：——

水分	蛋白質	脂肪	炭水化物	粗纖維	熱量	灰鹽
百分率	百分率	百分率	百分率	百分率	10gm	百分率
82·88	5·93	0·14	9·51	0·13	65	1·39

鈣	燐	鐵	鉀	維他命				
				甲	乙	丙	丁	戊
百分率	百分率	百分率	百分率	4	4	74·9·17		1.2
0·168	0·064	0·0076	0·314	+++	++	+++	—	+++

本草脞識（四）

范正儒

鱯魚

鱯魚，俗名蛇頭魚，一名斑魚粤俗稱爲生魚（英文學名 Ophiccphalus Maculatuslaccp）與黑鱧魚（Ophiccphalus aigus Caugon）同類而異種，故他處或呼爲黑魚烏魚等名，暹羅華僑稱爲坐鱸魚，以其較鱸魚爲小也。黑鱧產於浙江江蘇及長江以北諸省，鱯魚則產於福建廣東廣西及湖南諸省，凡河川湖沼池塘中，皆適合其棲息，而繁殖力亦異常强大，殊堪驚異。我國每年產額以數百萬元計，佔民生經濟上極重要地位。現在美國舊金山檀香山等處所養之生魚，乃由吾國僑民輸入，故名爲中國魚。（China—Fish）南洋等處之湖沼池塘中，因氣候炎蒸，養殖尤廣，爲魚類之主要食品，功用不在草魚之下，俗謂暹羅土人賴有鱯魚以養生，洵非虛語。

按本品爲脊椎動物魚類之一，體長而壯，尾部扁削，無分叉，全身皆生黑斑紋，底褐黃色，頭純圓，顎突出，頂不成條之黑劃，兩眼之間有大斑點，腹胸兩鰭之處，呈灰白而帶淡黃色，基部微呈橙紅，雄者肛門較小，其排洩生殖膣爲細管狀，雌者肛門較大，其排洩生殖膣追近肛門，生性暴戾而貪饕，常互相殘殺爭噬，故名鱯魚。其生理構造之特點，端在其呼吸作用，離水能耐久不死，普通魚類，僅能用鰓呼吸已經溶解水中之空氣，惟鱯魚則兼有鰓膣之氣膣，各位於左右二腮膣之上面。形作橢圓，能藏適量之空氣，並有充滿血管之附着褶管，以吸收空氣中之氧養，而維持其在陸地上之生活，故其鰓瓣粗短甚不發達，職是故也。

本品性味甘平無毒，肉富蛋白質，無脂不膩，功同石首魚，多食不發病，普通爲佐膳補益之品，有無治病功効，遍查諸家本草，並無紀載。惟據民間經驗，治婦人乳閉症良効，蓋此魚因其內臟縮小，腹腔亦較短，肌肉異常發達，估全體百分之八十以上，故其供營之價值亦甚高。功能滋乳活血，健胃益腎，助氣利水，合生蘿蔔煮之，成爲一種濃厚之蛋白質液汁，乳汁稀薄者大可購食以養身，惟曝乾者肉作赤色，名鯇魚乾，南郊居有賣，合芹菜沙糖煮食，味頗不惡，但功力較遜耳。

鯇魚之在廣東未抗戰前，每年估計全省可産二百五十萬斤至三萬五千担，總金額約達百數十萬元，荷盛爲養殖，其利尤溥。惟自廣州淪陷後，珠江沿岸各縣均成戰地，已不復如前發達，養殖方法，以鯇、鯪、鰱、鱅，及靑魚等混養最爲合宜。長六七寸者已能生殖，三月至九月爲孵化時期，而以四五六七等月爲最盛，一雌産卵一千五百至二千粒，多在水草茂盛之處，小卵受精後，三四天即發眼，五六天孵化成稚魚，二三星期後，形態構造漸酷似其親魚，專攝取浮游小虫以爲食，迨及成長，則捕食小形動物，若塘水肥飫，餌料充足，則長大特速，放養時爲一斤，經一年後之飼養，可增重至三斤有奇，其性强悍，他種魚類少敢與抗衡者，泳時推進力甚速，得奔流則跳躍尋丈，魚肆盛淺水木盆中，能耐數月不死，全身有黏滑液質，氣息微腥，如同鰻鱺以糠殼洗去良，活時不易捉住，或以木槌重擊其頭使斃，方可去鱗剖腹作膾食之，紅燒者味尤腴美，價亦昂，大者較小者貴，華北諸省多不喜食，價亦極賤，潮汕養殖甚稀，嗜食者少，故人多不識，反以爲南洋之特産，因詳考之，以供博雅君子之參證焉。

蠔肉

蠔，名蠣，純雄無雌，故又名牡蠣，房殼如石，亦曰蠣房，又名古賁，每一房內，有肉一塊，隨殼爲大小，數十相連，層纍重疊，高至六七尺或一二丈，水底見之如山，俗呼爲蠔山。韓愈詩：「蠔相黏爲山，百十各自生」，蓋紀實也。潮汕瀕海，水產極多，蠔爲其著名之一種，土人符以海旁一帶岩礁沙泥及碼頭之基柱上鑿取之，蠔本貝類，亦蚌屬之一，多寄生於隣水之石塊木柱上，俟潮退時，只取鐵片鑿去其殼，便可取用鮮瑩之蠔肉。亦有將蠔與殼全行鑿下，盛之於箱，攜至家中，從容挖開蠔殼，取肉後，以搜積其殼晒令熱，仍沉水中，明年即復生肉，否則取供藥用，即本草之左牡蠣殼。異物志云：「一海濱人以石燒紅散投水中，蠔生其上，取石得蠔，蠔性本寒，得火氣其味益甘，謂之種蠔，海有蠔田，即蠔房之田也。」十一月採，以大者爲佳，今粵東沿海諸縣多產之，歐美諸國亦盛行養殖，視爲海錯珍品。

酉陽雜俎云：「生食曰蠔，白醃食曰蠣黃，味皆美。」按蠔肉亦曰蠔甫，屬軟體動物類，肉呈乳白色，質柔軟，有如棉絮，故厨良工比爲「太真乳」，中山香洲之蠔油蠔甫，尤著稱於世，爲烹飪之佐味品。性味甘溫無毒，或作甘鹹微寒，煮食微加羌絲良，治虛損，調中，解丹毒，婦人血氣，以羌醋生食，治丹毒，酒後煩熱止渴，惟脾虛精滑者忌之。其成分含動物性澱粉及滋養素甚富，分析之爲水分八九．九九，蛋白質八．四五、脂肪．八九，灰分○．七七，在貝類中爲最易消化之食物，又本品因其無血，戒殺生者，多取以佐膳，滋味美而物力省，潮俗各餃飯店，以甘薯粉及生葱絲和水調成稀糊狀，入鮮蠔肉調勻，淨猪油烙煎如大餅，次以鴨蛋或雞蛋打鬆炙透，加芫荽、胡椒、魚露等調味品，名曰「蠔烙」，甘香腴美，補而不滯。蘇頌曰：「牡蠣肉炙食甚美，令人細肌膚，美顏色，」良非虛譽。蓋其活血充肌之功，蘊爲美容之食餌療法，西說以本品含多量之格利可根，能增進人體之營養，對於肺結核症有間接治療之功効，此可治虛損之旁證也。——未完——

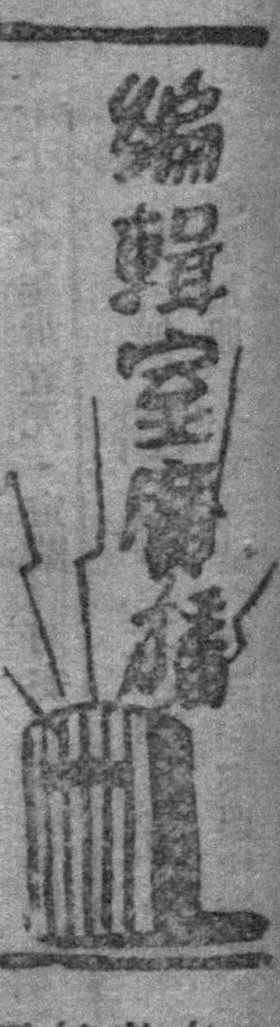

編輯室廣播

本期雖延誤了月餘才出版，但能夠在焦急、懊惱、抱歉的繚亂心情下和讀者見面，總還算是幸運！爲着編者於本年九月梢，防空疏散衣物連同本刊未印原稿三十二篇，本人中醫証書，開業執照各一張，寄放友人底電台堡壘中，意外遭遇到該電台一差役私逃，將上列各物攜去無踪，除私人損失而大嘆倒楣外，最痛惜的是失去稿件中，有幾篇爲作者未留副本的初稿，尤以蕭艾君「五年來對懸癰探討及有效治療研究之經過」的後半篇；李寵文君「藥物各論」未完稿，「回歸熱之研究」，和張恭文，鄭石天，周復生，蔡適爭等二十餘位先生的大作，在一方面飛函分請補寄，一方面竟源源地新奉到大量佳稿，當即非常起勁將這期而且連下期的稿子都編好，預算可能追上以後的出版期。

這次初見於本刊作者，有高德明，宋大仁兩先生，謹特爲讀者介紹：高先生畢業浙江中醫專門學校，及法政專修班，現任教育部中醫教育專門委員會委員，衛生署中醫委員會專員，法規審議委員會委員，陪都中醫治療所副所長等職，曾出版「新刑法之理論與實用」一書，幷新著「實用方劑學」，已將總論十章，惠寄本刊，由下期開始刊載。宋先生爲吾粵中山人，向留滬創辦中西醫藥社，上海胃腸病院，是現代採科學方法以促進中醫世界性之實行者，近承賜稿多篇，先發表藥物「首烏」一文，亦是以代表其治學方法的評價。

姜春華先生「傷寒論新編」是續自本卷一、二期，而「中醫基礎學」續稿未到，致本期中斷，類此情形，還有其他作者幾篇長稿，實對讀者多感不便，爲避免此缺憾計，謹掬熱忱，懇惠稿諸先生予以改善！同時幷聲明第一卷未完各稿之登否，內有「眼科金玉賦註釋」原已刊完，僅餘眼藥散方數條，因無多大價值，故不再登出而結束該文。「溫病方歌」以冗長而篇幅寶貴，亦決中止。「中國醫學談」本於二卷一、二期登完，誤植「未完」二字。「國醫科學處方之古義新解」著者袁鑑韜君事忙停載數期，當俟其續寫。

本刊上期第78頁報導稿，原爲醫師法，惜因手民誤行重排「中醫之光」，迨將該頁補印時，已寄出一千冊，今特各附寄補印之一張，請自行粘上。惟該頁所印之醫師法，本係立法院通過原稿，實非國府公布者，現正式公布之醫師法全文已奉到，準下期刊出。

今後，計劃按期報導有關醫藥的一切動態，望愛護本刊的作者和讀者經常供給這類材料，以建立國內外醫藥界的聯絡通訊網，而本刊願負起中樞的使命。

末了，報告一件不幸的消息：如皋繆俊德先生因肺病咯血於九月十七夜十時逝世，親老子幼，身後凄然，新中醫陣營少一戰士，痛悼奚如！

下期要目

介紹新著

中西醫學比觀 張公讓著
全二冊一百元　寄費五元
發行所梅縣松口平民醫院

藥業指南 周復生著（增訂重版）
全一冊定價卅元、外埠加郵二元三角
購書處：重慶中一路八十四號濟生堂

中華醫藥選刊 李克蕙編　本社代售
全一冊卅五元寄費五元

藥理篇增訂再版　李克蕙著　本社代售
每冊廿五元寄費五元

仲景脈法學案 任應秋著　本社代售
全一冊卅元寄費五元

任氏傳染病學 任應秋著　本社代售
上卷一冊一百元寄費五元

瘧疾學 梁乃津著　本社代售
全一冊廿五元寄費五元

內政部登記證警字第八二〇四號
廣東圖書雜誌審查處審查證雜字第六五〇號
中華郵政特准掛號認爲第一類新聞紙類

本期特大號零售每冊零售國幣八元
自由定戶先收定費國幣五十五元

廣東醫藥旬刊

・要目・

第二卷第七・八期
總號第卌一・卌二期
廣東醫藥旬刊社發行
中華民國三十二年十一月十五日出版

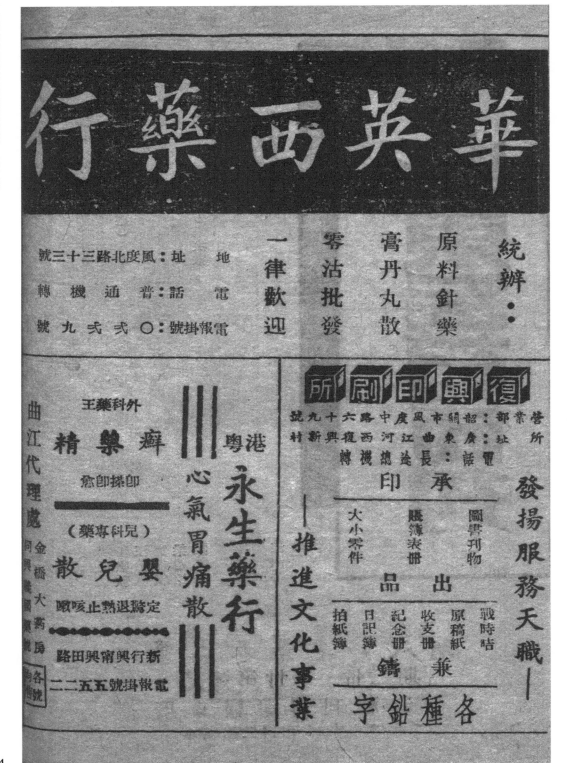

廣東醫藥旬刊

・第二卷第七・八期目次・

十日論壇

專著

醫話與醫案

廣東醫藥旬刊
第二卷第七、八期合刊
民國三十二年十一月十五日出版
主編兼發行人：吳粵昌
發行所：廣東醫藥旬刊社
（韶州北門大偶頭）
總經售：中國文化服務社廣東分社
印刷所：復興印刷所
定價：本刊每期二十日發行一次，全年十八期，零售本期每冊八元，訂閱預收國幣五十五元，每期出版，先行寄發，按照原定價九折優待，寄滿爲止，再函知惠款續訂，郵費免收，挂號另加。

目次

藥物

報導

鳴謝

本社現蒙左列諸先生，自動捐贈本社基金，雅意熱忱，至足深感，謹此鳴謝并致　敬禮！

吉安　蕭俊逸先生　一百元
重慶　周復生先生　一百元
蕉嶺　鍾思潮生先　一百元

十日論壇

略論中西醫學之特質及中西匯合問題（下）

梁乃津

中西醫學不同的地方，當然不能全拿科學和哲學來比擬。西醫學並非絕對沒有哲學成分，中醫學含科學的事實更不少。不過，也藉此可以知道多少中西醫學異同的消息。其次，我們讀馮先生這段話，可以從新注意一下哲學和科學的用處。一般人都說西醫是自然科學的，中醫是哲學的或是玄學的。上面說過，中醫學就是中醫學，並不能硬要勘上它是哲學或科學玄學等範圍。我這樣說，似乎籠統得很，但，如果有人不以爲然，請看我們「國學」裏面的東西，無論如何都不能說它無用。那這東西，你說它是科學呢？還是哲學和玄學？拿科學玄學哲學……以致於其他什麼學問來向「國學」一一分門別類，總覺好像剩出些什麼或是缺了些什麼一樣。要加以整理，不加點中國化是不行的。（將來逐漸進步達到混合之境自然例外）中醫學也是如此。要從中醫學裏一一爲之分門別類，祇有從中醫學自己本身去下手，什麼合科學，什麼不合科學，認爲合的就算好，認爲不合的一概算壞，這樣辦法，總不免有些厚誣古人。彼此學術基礎不同治學方法不同，所得成績有異，不是希奇的事，那有一方面全對，一方面就全不對的道理？現在我們認爲天經地義的科學定律，是從古人的成績改正了。「後知視今，猶今之視昔」，安知將來沒有人把我們認爲天經地義的定律推翻了呢？這樣話本來絕對不應向尊古最深的中國人說，但我認爲中國目前確乎要努力科學的學問追上人家，卻不要太迷信了科學，尤其不應把自己的一切都失了自信。果夫先生說得好，『有若干病人的心目中，對於自己的或者眼前的藥，總不相信，須必向遠的地方去設法，能够從外國來最好，猶如有些青年不信自己中國的一切，而去信從外國的一切是一樣。惟其這種漠視眼前事物和不明自己祖宗努力的成績的人太多了，所以中國固有的醫藥，大半還少被人重視了。』中國醫學的學理也是一樣。須知學問各有其獨到處，也各有其用處，西醫學的方法是自然科學的方法，醫學該向自然科學的路去走是事實，中醫學的方法大抵是哲學的方法，醫學雖不能全拿哲學的方法去統馭，却也不能全棄，它也自有其用處，最可注意的就是現代自然科學並不是絕無錯誤的，以現在自然科學所得知識解決不了中醫學問題，因此便給中醫學一個『不合科學』的怨評。不惜抹煞一切，不是別有存心，便是太不深察。在目前的情況下，如果有人能平心靜氣對兩者都作客觀的研究，當然更好，否則單方面作窄而深的研究，也勝過牽强附會的所謂『匯通』的說明，徒使兩敗俱傷，過去從事中西匯通的人，多限於自然科學方面，從這一方面來下手，自然科學以外的就當然祇有放棄，這就不啻一輩子跟着西醫後面跑，結果中醫的長處，除了最顯明的臨床藥治療成績外，反而湮沒不彰，這確是應該糾正的錯誤，上面已經那馮先生和西格里斯博士的話來提醒一下我們的頭腦。西格里斯博士所憧憬的『醫學的人類學』，顯然就是感覺到西醫目前的學術範圍和治學方法要補充，方足以成我們理想中具體的醫學。那種補充材料，中醫學裏實在多得很，祇是仍要我們費些氣力拿出來人家才能知道，無論什麼，自己的東西想要拿來大家享受，最適合的當然是自己去做，這是我們從事醫學的人所當注意的。

西醫受近世紀自然科學發達之賜，儀器輝煌耀目，說理層次井然，一般人無不引起相當印象。中醫並非無創獲，其所得大半在平凡中而來。也是不爲一般人未予重視的原因之一。這種情形，中西醫學爲然，中西一般學術也是如此，錢穆先生批評中西歷史的進展過程說：『中國史之進展，乃常在和平形態下以舒齊步驟得之，若空洞設譬，中國史如一首詩，西洋史如一本劇。一本劇之各幕，均有其截然不同之變換。詩則只在和諧節奏中轉移到新階段，令人不可劃分，所以詩代表中國文學之最美部分，而劇曲之在中國，不佔地位。西洋則以作劇爲文學家之聖境。即以人爲証，蘇格拉底死於一杯毒藥，耶穌死於十字架，孔子則夢奠於兩楹之間，晨起扶杖逍遙，詠歌自輓。三位民族聖人之死去，其境象不同如此，正足反映民族精神之全部，再以前舉音樂家與網球家之例喻之，西洋史正如幾盤精采的硬地網球賽，中國史則直是一片琴韻悠揚也」。（國史大綱引論頁十一）西醫之長，人人易見，中醫之長，每爲人所忽畧，此中消息不難想像，近人常說中醫治病成績誠不可沒，中醫理論則荒謬不足道者多，此亦屬事實。蓋中醫自來從事研究的人甚多，品流複雜，末流所播，有時自然難免走入歧途。但治病是中藥，運用中藥來治病的究竟是中醫，要求得中藥治病的知識技能，斷不能一下子把運用中藥來治病的學理棄而不顧。中醫的學理，誠然荒謬者多，其中却有若干部分驟看似乎很玄渺，換了一個方法去研究觀察，有時却極新穎而有至理，譬如藥理學，前人多注重色味的研究，本來沒有什麽神秘可言，一經配上五行生尅的學說，就令我們生在今日的人覺得虛渺不可靠，其實色素治病的事實，既然早就有人注意到，假如西醫的色素療法事實原理未發現，而我們也能早點脫得離五行生尅的八陣圖，將我們固有的色味些學理加以合理的整理說明，促起人們注意，那黃色素治什麽，藍色素治什麽的問題，整個醫學界的發現，怕也比現在具體得多吧。中國醫學一部分的眞價值，常常在這類看似空浮的學理中是不容否認的。我並不主張而且很堅決的反對我們去復古，但換一個方法和眼光，不要爲現代還未能解釋宇宙萬有事物的科學、哲學等所囿來觀察和研究中國醫學是應有的事。再如說，中醫書籍，時有說到某某病源爲什麽鬼厲或是什麽陰陽怪氣，要講虛茫冥渺，再沒有過此的了，可是若果細細尋思一下，換一個方法和眼光，試看古人說的什麽鬼厲，或是什麽陰陽怪氣，常是說某種病源誘因以外別有某種原因的病源的代名詞。古人看到了某種疾病，斷非單是土地氣候的變化等誘因所能招致，又沒有我們今日很易得來的顯微鏡可資研究。時代知識所限只好歸之鬼厲瘴毒等作祟，這種鬼厲瘴毒的懷疑和說法，就是促起後人實地尋求病源的開端，所謂鬼也者，拿科學方法去研究找尋，就可成功了現代的微生物學。另一方面換了一個較易入耳的「精神」兩字，用一種比較抽象的哲學方法去研究，就是成了一種較爲平實的「精神分析學」，從這方面引伸觸類，對於人類的精神生活和心理狀態。可以了解不少，予醫學的裨益也就不言可喻。這裏所舉的例不過是顏色和鬼厲，再拿中醫學其他的名詞和學理，換一個眼光和方法去引伸觸類的研究，給醫學開闢若干新園地，前途正未可限量，這也是開擴心胸提高境界的一端。

過去，做中西匯通工作的人，多遍向於中醫自然科學化的路，這固然是一條很重要的大道，但斷非單走這條路所能收大功，和保存與發現中醫的固有所長，醫學大半是自然科學範圍內事，哲學和其他若干學科對醫學也有相當重要，現在我們大家大概都已經明白醫學該向自然科學的大道前進了。上面說過好幾次，現代西醫學是建築在自然科學上的，中醫學大體上是由哲學方法去出發，我們大量吸收自然科學的成果來補充和研究中醫學，同時也應研究中醫之長，無論治學方法和臨床成績，都該拿去補充西醫學之短，開擴現代醫學的心胸，提高現代醫學的範圍和境界，這種工作十分重要，我們如果做得好，不怕世界學者不注意，從此漸進，不難成爲世界上一種新型美滿的醫學，將來如何，這要看我們的努力和政府的政策而定，也許並不能如我們所理想的路向去走。但無論如何，我們出一分力，就可以收到一分成果，中華民族的力量是偉大的，世界醫學的前途，和我們關係着實不小！

本文至此可以暫告結束，附帶在此答覆幾句鄧先生的來函。

首先我個人該向鄧先生致歉，鄧先生函中聲明不要將他來信發表，而我們竟在這裏偏要公開而且擴大地說了一大堆話。本來極不應該。但，我想鄧先生既爲中國醫學前途着想而說話。醫學非我們幾個人的事，這或者能邀鄧先生的原諒！

鄧先生叫我們選稿不要太西化，應該站在中醫立場發表純粹些中醫的作品。這一點，鄧先生的居心和好意，我們很明白，有若干地方在本文且已說了出來。故鄧先生的話，在原則上我們是極端贊成的。但爲中醫以致整個的醫學眞正前途計，確乎不能不大量地西化一點。我個人認爲目前中醫刊物的選稿態度。該如上文所說：「醫學的大部分是自然科學，但哲學甚至其他學科也不可廢，從中醫學方面來看，該大量吸收自然科學和西醫學的成果來補充和研究。同時更應努力研究中醫之長，無論治學方法和臨床成績，都該拿去補充西醫學之短，開拓現代醫學的心胸，提高現代醫學的範圍和境界」。本此前題，如果有純粹中醫色彩的好作品，當然歡迎不暇，本刊發表的各種文字中含有不少「迷彼忘我」嫌疑的文字，這在我們今日所需要的程度下，比量較多，乃自然之事。相信現在中醫同道中與鄧先生同樣觀點的人一定不少，因乘此機會向大家說明一下。一則好爲後來者知所務，一則請鄧先生等一班人明白我們的苦衷而加以原諒，是否有當，歡迎大家對此問題多多討論。

末了還得聲明，本文執筆署名既然是我，文責當然由我個人自負，筆者雖是旬刊裏的一員，但並非旬刊的法定發言人，本文的意見大半是筆者個人的意見，不過旬刊諸子中大家旣引爲同志，相信也相去不會怎樣遠，但仍希望讀者不要以個人的意見爲旬刊的意見。

卅二、十一、廿七、曲江。

汪浩權緊要啓事

拙編「中國醫藥月刊」廣告，自於本刊露佈以來，承讀者紛紛預定，令人心感，惟邇來郵遞困難，紙張限制，又以環境所限，對於內地讀者，不得已而減收念份，頃已額滿，後至只好回璧，此中苦衷，殊非得意，乞讀者原諒。又此次所收刊費計半年（六期）法幣念元，郵費念元，茲一併附告。

專著

實用方劑學總論

高德明

第一章　藥物之定義與作用

在未講述方劑學正文以前，應畧言藥物定義及其各種作用，庶讀者對于藥物先具有一種基礎概念，則以後本書研討各藥物之配合或使用問題，自不至有扞格不入之虞。

藥物云者，係指對于生體組織具有化學性或物理性親和力之物質而言。其由此種親和力在相互間所生之反應，謂之藥物作用，或稱藥理作用；與中醫所言之藥性頗有相似之處。玆將藥物之各種作用分別說明如次：

一、直接作用與間接作用　生體諸臟器互相關聯，一臟器受藥物之作用起有變化，其相關之他臟器亦不免連帶受影響。當此之時，前者所受之變化，謂之直接作用。後者連帶引起之影響，謂之間接作用。譬服昆布，海帶，則甲狀腺之分泌亢進，此直接作用也。其結果至于物質代謝亢進，此則昆布海帶之間接作用也，又如附子，萬年青，使心臟興奮，血行旺盛；同時小便亦因之暢利。此血行旺盛者，即直接作用也。其因血行旺盛而繼起之小便暢利，乃附子，萬年青之間接作用也。此外如因呼吸麻痺而發痙攣，因心臟麻痺而起虛脫；亦間接作用之例也。

二、局部作用與吸收作用　局部作用者，即藥物在適用之場所，逕吸收于血中而所現之藥理作用也。或爲外敷之作用于皮膚，或爲內服之作用于消化器黏膜，或爲吸入之作用于氣道黏膜，以及種種之適用而作用於尿道，膀胱、陰道、子宮等處。其他皮下注射以及種種深部注射之作用于各該部，皆爲局部作用也。吸收作用者，藥物由適用之場所而吸收於血液中、更由循環而運於全身所發生之作用也，故亦名遠達作用。如蘇葉，薄荷等，經吸收後所呈之發汗作用均屬之。

三、化學作用與無化學作用　生體組織之構造，其精巧似一複雜之機器，凡藥物具有之作用，能直接與生體細胞相化合而破壞之，譬猶能破壞構成機器之機件者，謂之化學作用。此種具有化學作用之藥物，在國產藥物中，殆不多覯。若西藥則如强酸化劑，重金屬，鹽類等有强大親和力之物質均是。反之，藥物之作用，僅能使生體機能起變化而毫不破壞生體細胞，譬猶機器之輪軸間雜以塵砂，祇妨碍其轉動，而並不損及機器實質者，謂之無化學作用。如服鴉片或曼陀羅其精神機能全歸消失。迨鴉片或曼陀羅排泄後，即能清醒，此皆無化學作用之實例也。

四、治療作用與副作用　多數藥物之作用，並非單純，每能同時對于兩種以上之臟器發生變化。而醫師治療上所欲利用者，僅爲其中一種或二種之作用，此種臨床上所必需之作用，即係治療作用。亦稱主作用。在此項治療作用之外，非吾人所需要或且有妨治療之作用，槪謂之副作用。如麻黃一藥，即具有發汗、利尿、擴瞳等作用，其中發汗利尿二作用，爲臨床上所需要者，此即治療作用。如擴瞳等非爲吾人所需要者，是即麻黃之副作用也。此種副作用，中藥較西藥爲不顯著。惟醫師使用藥物時，固不可不注意及此，如有副作用應力求減少，否則於病家有損無益也。

五、蓄積作用與習慣作用　藥物入於生體，不久即將排泄分解或結合而消失其原有之藥力，故欲持續藥物之作用，必須反覆投藥。但此時應加注意，苟上次投與之藥，其作用尚未完全消失之際，再投前藥，則上次有餘未盡之藥，與二次續投之藥通力合作，兩步併成一多，遂起蓄積作用。其結果與用藥過量者同，蓋即藥物起急性中毒之作用也。

蓄積作用之强弱，多以藥物持續力之長短爲差；而藥物持續力之長短，復以藥物之排泄變化遲速爲準。故藥物入于體內，其排泄速者卽在臟內變化，皆無蓄積作用。如藿香、砂仁、荳蔻等揮發性之藥物均是。反之，藥物在體內之排泄變化遲緩者，如水銀硃砂等，倘逐日連用之，自不免有起蓄積作用之危險。

依吾人平時臨床用藥之經驗，大概動物性藥物吸收較易，排泄亦速，植物性藥物吸收雖不若動物藥物之易，但排泄卻相當速。故以上兩類藥物，起蓄積作用者不多。惟有礦物性藥物排泄變化，均較徐緩，尤以重金屬爲甚。如鉛入人體內，經三星期後猶能於尿中証明鉛質存在，故時與鉛屬接觸之油漆匠，排字工人，鑄字工人等，每易患鉛疝痛與鉛中毒炎，此實蓄積作用使然也。

藥物反覆使用，除呈現上述之蓄積作用外，尚有發生習慣作用者，卽俗所謂「藥癮」。乃同一藥物長時連用，則生體中起代償機能，以與藥力對抗，使之平衡，致藥物漸漸不能發揮其效力，如烟，酒初服時，多起眩暈咳嗆等輕性中毒症狀，但連用之後，復試以初次之量，卽不起該時現象，此卽習慣作用，亦稱防毒作用，究其原因不外四種（一）藥物之吸收漸變徐緩（二）藥物之排泄漸速（三）藥物在體內易致破壞（四）生體組織對于該藥之感受性漸次減弱。

藥物中呈習慣作用最顯著者，如鴉片等麻醉藥，初服一毫有效者，繼必倍之，初服一厘堪耐，在繼雖倍之而仍堪耐，習慣自然，宛如飲食之不可或缺，倘絕其供給，則全身機能頓起種種障碍，有因此不能營生理的生活機能，此種現象在醫學上名之禁避現象，實卽慢性中毒之現象也。

第二章　方劑與方劑學

我國醫學，垂四千餘年，而方劑之學，從無專籍可稽，素問曰：「上古使僦貸季理色脈，而通神明」。路史曰：「神農命僦貸季理色脈，對察和齊，摩踵諷告，以利天下，而人得以繕生」。是病理診斷治療諸學，於此已粗具雛形矣。惟皇帝以上，類皆以砭石治病，且無文字記載。神農嘗百草以療病，雖筆之史冊，要皆主用單味藥，某藥可治某病，某病可服某藥之傳說；所謂民間方是，並無方劑之含義，迨後社會進化，人情錯綜；生事較繁。致病之因，亦日益複雜。古時習用之單味藥，已不足概治一切千變萬化之疾病，智者乃倡製方之法，集衆藥於一方而調劑之，或用以專療，或用以兼治；或以相輔，或以相制；苟配合得宜，則收效之宏，奏功之速，輒非單味藥所能企及，於是製方調劑之學，漸為時重。研治者既衆，闡明自多。降及近代，因國內有識中醫之倡導，及日本皇漢醫之鼓吹；方劑學在中國醫藥學術中，儼然成一獨立之專門學科。民國二十六年五月，復由行政院衞生署正式列為中醫考詢科目。（見衞生署廿六年五月八日修正公布之中醫審查規則第六條第二項規定）最近教育部頒行之中醫專科學校暫行課目表亦列有方劑學一科。其重要性固不問可知也。（　）

凡有二種以上藥物之配合使用，吾人均得名之方劑。而所謂方劑學者，執要言之，即係研究二種以上藥物之集體效能，配合方式，及使用法則之學問也。此種學問所以能在藥物學領域中，別樹一幟，實以其有下列之七大特長：

一、助長藥物之治療作用　吾人治療便祕時，若單用大黃，雖亦具有瀉下作用。然對于燥結之宿便結塊，仍難迅速奏效。此時如改用方劑，配以兼有瀉下溶解二作用之芒硝，即能助長大黃之瀉下作用，而易達通便之目的。此所以大承氣湯、桃核承氣湯、大黃牡丹皮湯等，均併用此二藥也。

二、得從多方面驅除病毒　治病之目的，不外驅除病毒。然驅除病毒之方面不一：有可使從口腔出者，有可使從皮膚汗腺出者；有可令自肛門或尿道而出。例如黃疸病乃因胆管發炎胆汁色素混入血中，遂遍染全身組織而生，故可利用發汗藥，使色素由皮膚而出；或利用利尿藥，由尿道而泄其色素；或利用消炎藥，以消除胆管之發炎；或利用瀉下藥，由腸管而去其炎症，皆足治療黃疸病也。惟此時如僅用單味藥，則發汗者不能兼令色素自尿道出，利尿者復不能併使色素由皮膚排泄，至消炎瀉下者，則其效力更形單薄，故黃疸之治癒，亦必因而稽緩。倘此時即改用方劑，便可配合發汗、利尿、消炎、瀉下諸藥於一劑，使體內病毒同時從多方面排除，而易達迅速治癒之目的。如仲景麻黃連翹赤小豆湯即是其例。該湯劑係由麻黃、連翹、赤小豆、梓白皮、杏仁、甘草、生薑、大棗配合而成。麻黃有發汗作用，則存于組織中之胆汁色素，可同汗液而排泄于體外。赤小豆與梓均有利尿作用，是其黃又可由尿道泄出。連翹兼有消炎作用，則胆管之炎症，可因之而消除。杏仁之用，或爲祛痰，而期一部分黃色色素，再同痰而唾出之。至生薑、甘草、大棗之用，概爲健胃，因病人多食慾不振之故。準斯以觀，可知方劑治病之精到周密，實非單味藥所堪比也。

三、可同時兼治二種以上之症候或疾病　一種疾病，並非僅具有一種症候，（症狀）往往有同時併發二種以上之症候者。如貧血病，即具有皮膚蒼白，呼吸迫促，心悸亢進，消化障礙，大便秘結，頭暈耳鳴，惡心嘔吐等症候。此時苟用單味之補血藥，每難奏效。若改用方劑，配合補血、健胃、平腦、鎮靜諸作用之藥物于一劑，如天王補心丹、歸脾丸之類，即能迅速達治癒之目的。又疾病之發生，有時亦有併發二種以上之疾病者。如猩紅熱（爛喉痧）之併發腎臟炎，膽石症併發黃疸；均爲吾人臨床上所習見。對于此種併發病，若仍用單味藥治療，每令人有顧此失彼或措手不及之憾。而方劑便爲解除此種遺憾而設。因其能於同一方劑中，配合各種適應於原發病及續發病之有效藥物，而使併發各病同時兼治之也。

四、制止藥物之副作用　藥物中之有副作用，已如前章所述。而方劑實有制止此種藥物副作用之效能。茲爲舉例明之，如石榴根皮爲驅除條蟲之要藥，其根皮愈新鮮，則效力愈强，然用量過大，往往引起惡心嘔吐等副作用，若配合生薑或甘草等同服，即可減輕其副作用。又如用地黃麥冬皆富有膠質之藥，每易妨礙消化，減退食慾，若配用芳香性或辛辣性健胃藥，如砂仁豆蔻之類，即能制止其妨礙消化之副作用。故昔人處方時，恆有用砂仁拌炒之地黃，義實在此。

五、防遏藥物之蓄積作用　同一藥物，若反復投用，有時能引起藥物之蓄積作用，此已于第一章中約畧述及，而方劑則頗可防遏此種蓄積作用之發生。蓋方劑與單味藥不同，單味藥治病，於效驗不甚顯著時，往往增加該藥之分量，以期待其效果。而藥物之蓄積作用，每易在此種增加之場合下發生。若方劑則異是，雖治同一疾病，而方劑輒有數個至數十個之多，各依其效力之强弱，而有所不同。即以通下劑言之，通下劑中效力最緩和者爲五仁丸，用此丸而無反應時，則擇其較有力之通下劑，如麻仁丸、潤下丸、小承氣湯等，若仍不應，則更用最劇烈之通下劑，如大承氣湯、備急丸等，藥量並不增加，而方劑則大有高下；因各方劑之組織配合，均屬殊異，故雖反復投用，亦決無蓄積作用之弊，此實方劑之優長處也。

六、避免藥物之習慣作用　同一藥物，反復投用，亦有發生習慣作用者，其原因已詳於第一章中，不復贅述。茲所應加說明者，即方劑如何能避免此種習慣作用。方劑爲二種以上藥物之配合使用，吾人固早已言之，惟方劑之應用，異常活潑，並非一成不變，恆視病勢之所趨，而隨時變更其配合組織，雖連日服之亦無習慣作用之流弊。因其每一方劑所配合之藥物，皆隨疾病之進退，而有所增減變易。且同一藥物若與其他各種藥物配合，則其原具之作用，亦難免有因而相異之處。故事實上欲令病者對于某方劑中之某一藥或某數藥發生習慣作用，殆屬極不可能之事。

七、便利藥物之服用　方劑除具有上述之六大特長外，尚有便利服用之優點。因方劑於應用時，可配製成各種便利疾病之劑型，如藥物有惡臭或其他不快氣味時，可製成膠囊劑，將藥末或藥汁儲入膠囊內服用。或配合煉乳、糖漿、蛋黃、蜂蜜等，製成乳劑服用。均可遮矯藥物不快之氣味。此其一。吾人服用藥末，通常一回量至少須二分五厘以上，（即一克以上）但劇毒藥類，如樟腦、砒石等，用量均極微少，於秤取及服用，皆屬不便。倘此時配入無甚作用之白糖、甘草末、澱粉、滑石等，製成「十倍」或「百倍」之散劑，即可祛除上述之困難。此其二。又如患直腸、子宮、尿道等疾病，往往非內服藥物所能迅速奏效。如方劑即可用，固狀脂肪、可可豆脂、或蠟等配合有效藥物，製成肛門栓劑、陰道栓劑或尿道栓劑等，應用于各該疾患部分，而使藥效易于發揮。此其三。他如配製成含漱劑、塗擦劑、注射劑等，應用於口腔、皮膚、皮下、肌肉、或靜脈諸處，均較單味藥之服用，為方便而有利也。

草决明與鴉蛋子

周復生

草决明：本草云：草决明即青葙子之原名也，本經列為下品，又名野雞冠花子，有赤白各種，葉可作茹，勝於家雞冠葉，鄉人皆知以治目疾。草决形狀為扁圓之種子，大厘許，色黑，極類家雞冠花子。時下川黔各省藥店，均訛稱馬蹄决明為草决明，說草决明為青葙子，若干年來，無人勘正，良可慨也。馬蹄决明又稱决明子，色青綠，如斜角小豆，長分許，與茳芒决明一類二種是也。古方書載及近今醫師處方箋上所定之草决明，當以黑色小子之青葙子與之，始不致誤。二物雖均能明目，其名同而性味本質實不同也。

鴉蛋子：產於雲南迤南地方，係木本小樹圓葉結實三粒相併，中有一稜，（形如落花生之外殼）據當地土人云，能治痔疾，非草本之苦參子也。今蜀中藥肆，悉以木雅蛋充苦參子治痢，服者咸云無效，余頗異之。已故名醫張壽甫，極譽鴉胆子治痢功效，載在衷中參西錄中，此必別有原因，後得友人從貴陽帶來之苦參子亦名鴉胆子數十粒，狀如赤豆，橢圓形，色淡紅，且不甚堅硬，去皮極易，外以外桂圓肉包裹，每服三十餘粒，無不獲效。據此，木鴉蛋與苦參子功效迥殊，俗云「真藥治真病」信不誣也。

傷寒論新論（三）

姜春華

（六）太陽病發熱而渴，不惡寒者爲溫病。

此條乃將太陽証又拆出溫病証，其與傷寒中風相異處卽溫病惡熱是也。陽明證亦惡熱，但陽明以消化系証顯著爲特徵，溫病則否也。

其實所謂溫病者，卽將急性傳染病之適宜於寒性療法者，名之曰溫病耳。發熱之時常有口渴喉乾之証，此乃因身有高熱體表發散之水蒸氣特別增加，故有此反應現象也。

（舊釋新解）金鑑云：「發熱不渴惡寒者、太陽証也，發熱而渴不惡寒者，陽明証也，今太陽病始得之，不俟寒邪變熱轉入陽明而卽熱渴不惡寒者，知非太陽傷寒，乃太陽溫病也。」古人以熱渴不惡寒爲陽明証，今得病卽熱渴不惡寒，是爲溫病而非傷寒矣。又以原條文有太陽病三字，遂稱之爲太陽溫病，蓋太陽之義，金鑑亦以爲初病之義也。

又云：「由於膏粱之人，冬不藏精，辛苦之人，冬傷於寒，內陰已虧，外陽被鬱，周身經絡早成溫化，所以至春一遇外邪，卽從內感寒邪者，則名曰溫病」。按古人冬不藏精有二解，一指精液，一指精氣，所謂膏粱之人，乃指飲甘食肥富貴之人，富貴之人，妻美妾嬌，必至旦旦而伐之，如斯則冬日之精不能藏，冬無精至春感寒遂病溫。一指冬日耗散精氣，精氣耗散，遂至春而病溫，辛苦之人，概指農工負販，其在冬日，亦奔波勞碌，虧其內陰（內陰名似液體，實指體質方面之消耗。），富人之精未藏，窮人之陰消耗，則是兩類者，皆[illegible]陰虧，陰虧故感寒卽成溫也。譬之一株樹，冬日錮[illegible]，曝之日中者，水份消失（陰消），至春一焚卽成烈焰，其未經日曝者，水份未失，至春雖置洪爐亦不見易焚，古人意想人身中之陰，在冬不耗散，至春卽不易病也，夫體力過於耗蝕，對於抵抗疾病之能力，必至削弱，中西見解，初無二致，特不唯冬時爲然，四季皆如此也。亦且傷寒與溫病，不過証候之差異，無所謂外陽被鬱，周身經絡濕化」。

（補遺）舊解新釋

（第一條）方氏云：「太陽者，六經之首，主皮膚而統榮衛，所以爲受病之始也。」故內經六經之次序，首爲太陽，故曰太陽爲六經之首，古人以太陽經所主之部屬爲皮膚，故云主皮膚，榮衛古人認之氣血，以爲血爲質，而營爲用，氣爲本而血爲用，營出於血，而衛於氣，古人意想人身之初步抗病機能爲營衛，營衛出於氣血。譬之汽車之引動力爲營衛之作用，汽油化成，汽爲營衛，而汽油則氣血也，表即表膚，營衛調之，其實乃指體表之有熱感耳。方氏又云：「强痛者，皮膚營衛一有感受，經絡隨感而應，邪正爭擾也」。邪指病毒正指身體抵抗力，此指急性傳染病初期菌毒之病理反應。 方氏又云：「惡寒者，該風而言也。風寒初襲表而鬱於表，故不勝，復被風寒外迕，而畏惡之」此言風寒在表，乃指正在發熱而惡寒之際，正發熱故惡寒，說見新論。

程應旄云：「太陽病，便知爲皮膚受邪，病在腠理營衛之間，而未涉乎藏府也」。皮膚受邪，乃指身體發熱頭項強痛之証，邪在腠理營衛者，言病在於表，即急性傳染病初期之証候。

（第二條） 方氏云：「發熱，風邪干於肌膚而鬱蒸也」。此指熱病初期之病理，意謂風邪客於肌膚而蒸熱。 又云：「汗出腠理疎玄初開而不固也」。汗出古人意爲腠理疎玄府開，古人以皮肉爲腠理，緊則汗不出，今疎故汗出，玄府指汗孔，孔開故汗出，其實乃指汗腺之分泌汗液也 又云：「此以風邪鬱衛，故衛逆而主於惡風」。古人以一寒傷營，風傷衛」。意以營衛轄營爲外，風傷較輕，寒傷較重。

錢氏（錢潢）云：「緩者緊之對稱，非遲脈之謂也，風謂陽邪非勁急之性，故其脈緩也」。古人以風爲陽邪，寒爲陰邪，寒氣勁急，風氣和緩，意想寒見於脈亦勁急，風見於脈亦和緩，故以脈象斷之，此乃古人以自然現象而爲之說也，因古人見冬日之寒氣勁急春日之風氣和緩故耳。

（七）若發汗已，身灼熱者，名風溫，風溫爲病，脈陰陽俱浮，自汗出身重，多眠睡，鼻息必鼾，語言難出，若被下者，小便不利，直視失溲，若被火者，微發黃色，劇則如驚，時瘛瘲，若火熏之，一逆尚引日，再逆促命期。

本條之證，極合流行性感冒之證候，觀本條之意，若曰病人身熱用藥發其汗，乃汗已而身灼熱，此爲風溫病也。若被下云云，則以爲誤治所致，其實卽不施此項療法，亦能現此種證候，因疾病自有其個性，有其必然顯現之證狀也。

各病之區別如下：

太陽病	中風	汗出惡風脈緩
	傷寒	無汗惡寒
	溫病	無汗不惡寒而渴或有汗
	風溫	自汗身灼熱脈浮

發汗已身灼熱，名爲風溫者，言經過發汗之後，身灼熱及風溫病也，風溫之病，有下述諸證也。脈陰陽俱浮，指左右手之脈俱浮也。自汗出乃指未用發汗藥，病者亦自有汗也。身重多眠睡，乃神經系證候。鼻必鼾，乃鼻加答兒。語言難出，亦是神經系證候。若被下者，乃指病者曾被瀉下也。病者因瀉下之故，遂小便不利，直視失溲，按小便不利之

証，或由於腎臟病，或由於膀胱之病，今現於瀉下之後，殆由於水份失去較多，以致小便減少，現不利証狀，而直視失溲皆爲神經之証候。

若被火者，言以火攻之，遂發黃色，劇則驚癇瘛瘲，驚癇瘛瘲亦爲神經系証候，發黃乃發溶血性黃疸，凡血球破壞過多，混合於血液之時，肝臟因血色素製造胆汁者，但過多之血色素，遂使胆汁特多而溢於血中，乃現黃疸，若被火熏之，言前治已逆，一逆尚可引日，若再逆則促命期矣。

中醫之療法，在古代極爲簡單，內經時代僅有針灸及少數之湯藥，至仲景時代較爲進步，已有方若干，有藥若干，然其方法猶爲未備，在彼時僅有汗吐下數法，且以爲此數法可以應付一切疾病，倘病之向愈，以爲係由此等方法而愈，倘疾病惡化，遂亦以爲係由此等方法未能適合運用而致，其實疾病自有其個性，其經過與轉歸，皆有一定之途徑，不必由於誤治；古人不明乎此，往往以病之惡化，歸咎於治法，觀本條之証候，極合流行性感冒，流行性感冒不由誤治而有此証，可以知矣。仲景診斷疾病對死生輕重之分判，乃在注意重要臟器之病變，人身最重要之臟器，乃心肺腦，病者之臟器不可得見，醫者所資以診斷者，乃在呼吸、脈搏、體溫，腦症狀之變態，呼吸以候肺，脈搏以候心腦，體溫則與心肺腦三者均有關係，蓋體溫之發生，本於全身細胞之新陳代謝，而主宰於大腦之溫熱中樞，及肺之呼吸與血液之循環，故此四者之變化，爲判斷疾病生死輕重之要點也。

常人呼吸每分鐘十七次，倘過速則爲喘，脈搏每分鐘七十二次，倘過速過遲則病亦危，體溫華氏九十八度六爲常，倘過高過低則病亦亟，腦症狀雖不可以數計，然失其常態則病亦亟，如昏睡譫妄，直視痙攣是也。

凡疾病之心肺腦體溫有重大變化時，病多危劇，右條之神經症狀甚劇，故曰一逆尚引日，再逆促命期也。

『舊註新譯』成氏(無己)云：『傷寒發汗已，則身涼，若發汗已，身灼熱者，非傷寒爲風溫也，風傷以上，而陽受風氣』。按古人以『風傷於上，濕傷於下，』地面之濕，脚易感着，而潮濕之處，亦易生脚部疾患，故曰濕傷於下。風吹來時，人之上部又易感風寒之疾患，故曰風傷於上，古人又以上部爲陽，下部爲陰，風傷於上者，即傷於陽也。又云：『風與溫相合則傷衛，脈陰陽俱浮，自汗出者，衛受邪也』。按古人以衛爲氣，言此氣行於脈之外，今因風與溫之故，衛氣乃傷，傷則脈自浮，汗自出矣。又云：『衛者氣也，風則傷衛，溫則傷氣。身重多睡眠者，衛受風溫，而氣昏也』。按此處之氣，乃精神証狀，腦之作用也。又云：『鼻息必鼾，語言難出者，風溫外甚，而氣擁不利也』。按此乃指呼吸不利與言語不利之証爲氣擁，此處之氣，乃指各該部之機能也。又云：『若被下者，則傷藏氣，太陽膀胱經也，內經曰：『膀胱不利爲癃，不約爲遺。溺癃者，小便不利也，太陽之脈起自內眥，內經曰：『瞳子高者，太陽不足，戴眼者，太陽以絕』。小便不利，直視失溲爲下後竭津液，損藏氣，風溫外勝，經曰欲絕也爲難治。若被火者則火助風，溫成熱微者，熱瘀而發黃，劇者熱甚生風，故驚癎時瘛瘲也。』按藏氣仍指人身重要藏氣之活力，古人以小便不利直視失溲之神經証候爲下後竭津液，藏氣之故(此藏氣指腦)熱瘀發黃，古人殆有見製膽，蘊鼓鬱熱而黃，遂以爲人身中亦因熱瘀而發黃也。熱則生風之說，源出內經，蓋古人見於空氣受熱而上升，他處冷空氣來填補，所起之風的現象，遂謂生風，又風主動，故以搐搦驚癎之動屬之，將與內經系統以東北生風，風生木，木生肝，肝主筋，筋主搐令之搐搦驚癎乃風之病也。

程氏云：『冬時傷腎則寒水被虧，是溫病源頭』。按古人以腎爲太陽之藏，膀胱爲太陽之腑，統屬於寒水，冬時腎既傷，是寒水相虧，水虧故生溫病，故云是溫病源頭，後世醫家因之產生滋陰涵水之療法，以爲有自至理者，不知亦對証療法耳。

（八）病有發熱惡寒，發於陽也，無熱惡寒者，發於陰也。發於陽者七日愈，發於陰者六日愈，以陽數七陰數六故也。

古人以熱爲陽，以寒爲陰，有熱而惡寒，遂謂發之於陽，以無熱而惡寒，遂謂發之於陰，急性傳染病類皆有熱，今曰無熱，熱不著耳。

急性傳染病之經過有定期者，以陽熱病之經過恆三四星期，肺炎之經過約十日或兩星期，猩紅熱約一星期，有無定期者，如腦脊髓膜炎，如瘧疾，今曰六日七日愈者，實無此等事實，而以陰陽推斷，尤爲事理之所無。

（舊註新釋）程氏云：『經有六，陰陽定之矣。陰陽之理雖深，寒熱見之矣，在發熱惡寒者，陽神被鬱之病，寒在表而裏無寒，是從三陽經爲來路也』。按古人以經雖有六，而分爲陰陽二者，陰陽不可得見，寒熱可以見之（內經陽勝則身熱，陰勝則身寒。）陽氣被鬱則發熱而惡寒，此乃寒鬱於表，裏無寒也。故曰從三陽經爲來路。又云：『在無熱惡寒者，陰陽獨治之病，寒入裏而表無熱，是從三陰藏爲來路也。』按古人以無熱惡寒爲陰邪獨治，意以爲寒氣入於裏，故使表無熱也。倘表有寒則當鬱而爲表熱矣。三陰主裏，故曰從三陰藏而來，又云：『同一證而所發之源自異，七與六不過奇偶二字辨，特舉之爲例，以配定陰陽耳。曰子上宜活看』。按此說特通。

黃竑活人大全云：『或問發熱惡寒，發於陽，無熱惡寒發於陰。且如傷寒或發熱或未發熱，必惡寒體痛二說，皆曰惡寒，如何辨之？曰：「傷寒或發熱或未發熱，必惡寒體痛嘔逆，頭項强，脈浮緊」，在此陽可發汗，若陰證則無頭痛，無項强，但惡寒而倦，脈沉細，此在陰，可溫裏也』，按黃氏辨之甚核，在陽者乃急性傳染病之熱性症候，陰證則爲虛衰，或近於虛脫之候也，溫裏卽用熱藥之意，如薑附輩是。

——未完——

方劑學（三）

樊天徒

解表劑（包括發汗劑解肌劑透疹劑）

九、桂枝麻黃各半湯

（方藥）桂枝　芍藥　甘草　生薑　紅棗　麻黃　杏仁

（適應證）凡太陽病，蒸發機能微有障礙，時而形寒無汗，時而發熱若有汗，似瘧非瘧，皮膚作癢而不粟起，脈浮滑而不弦緊。是時若用桂枝湯，則汗不得出，而表終不和。若用麻黃湯，則恐大汗如水流漓，徒虛其表，而病亦不解，斟酌於麻桂二方之間，惟有本方與桂二麻一湯爲宜。

按桂枝二麻黃一湯，方藥與本方悉同，惟分量略異，所主之証候亦相去不遠，故從略。

十、桂枝加厚朴杏仁湯

（方藥）桂枝　芍藥　甘草　生薑　紅棗　厚朴　杏仁

（適應証）凡桂枝湯証，（見前）而胸滿喘咳，舌苔白膩者，本方主之。

十一、桂枝加葛根湯

（方藥）桂枝　芍藥　葛根　甘草　生薑　紅棗

（適應証）凡桂枝湯証，（見前）而項背不和，轉側時有拘急感覺者，本方主之。或桂枝湯証，而膚間出隱疹，或下利者，本方亦爲的對。

十二、栝樓桂枝湯

（方藥）桂枝　芍藥　甘草　生薑　紅棗　栝樓根

（適應証）凡桂枝湯證，（見前）而見津液缺乏、口渴、便難、筋肉强急者，本方主之。

（附論）要畧以本方治身體几几，當卽桂枝加葛根湯証之較重者，東洞謂此方當有葛根，實不爲無見云。

又本方所主之身體强急，當係末梢神經因津液缺乏失於濡養之病變，斷非腦脊髓膜炎一類病，腦膜炎而見角弓反張，肌肉强硬之証者，別有方，非本方所能治。

十三、桂枝加附子湯

（方藥）桂枝　芍藥　甘草　生薑　紅棗　附子

（適應証）凡桂枝湯証，汗多，惡寒甚，小便困難，腰股痠重，四肢拘急，脈搏浮而不任按者，本方主之。凡素體陽虛者，感冒時多見本方之証候，又太陽病，桂枝湯証，誤服發汗藥，汗漏不止，亦易招致本方之証候。

（附論）按本方治陽虛而有表証者之方劑，非治亡陽之方劑也，其症候較亡陽症爲輕，若果汗出如雨，脈微欲絕，手足逆冷，面㿠神萎，則的係亡陽，當予四逆輩；非但本方力有不逮，抑且不可用，因本方有桂枝，是有表証存在，若病至亡陽，則生活機能已極其衰弱，抵抗力幾於消失，絕無表證可見，誤投桂枝，必致僨事，太陽篇中有，「其氣上衝者，可與桂枝湯，方用前法，若不上衝不可與之」一段告誡，上衝固是指衛逆，亦可見正氣向上向外之抵抗力仍然存在，若亡陽証，則正氣已無復能作向上向外之抵抗矣，故桂枝不可用。

太陽篇第九十三條：「傷寒，醫下之，續得下利，淸穀不止，身疼痛者，急當救裏，後身疼痛清便自調者，急當救表，救裏宜四逆湯，救表宜桂枝湯」。愚意若表裏之緩急難分者，則以本方加术治之亦得。

十四、新加湯

（方藥）　桂枝　芍藥　甘草　生薑　紅棗　人參

（適應証）本爲桂枝湯證，因發汗不得法，汗出太多，原證未除，反覺身疼痛，脈沉遲者，本方主之。

（附論）　凡急性熱病，發汗只當遍身漐漐微似汗出，若汗藥太峻，或溫覆過當，致汗出如水流漓者，非但病不除，抑且傷其津液，津液之來源在胃腸，假使腸胃機能未衰減，津液當自復。設腸胃機能衰弱，津液之來源不繼，則肌肉失養，必拘攣而疼痛，且血管中液體不足，則血壓低降，其脈搏必沉遲，如此則投以本方，必能絲絲入扣，效如桴鼓。但身疼痛脈沉遲，極類少陰病，與三一八條附子湯証，幾無從分別，且發汗後，身疼痛，與桂枝加附子湯証亦相去不遠，初學於此，每每惘然，莫知所適從，是不可以不辨。大抵傷寒論例，即藥可以知病，用桂枝者必見衝逆症，否則必屬表不和，用參者必見心下痞鞕症，否則必是脫血或氣亡津液，用附子者必見陽虛証，換言之，陽氣大虛者，不得用桂枝，縱有衝逆或表不和證，非用桂枝不可者，亦必與附子同用，無單用桂枝理，恐得之便厥也。陰傷而陽未虛者，忌附子，恐陽亢更足傷陰也。今觀本方，有桂有參而無附，桂枝加附子湯，有桂有附而無參，附子湯，有參有附而無桂，則三方之判別，尚何難之有，至於脈沉遲，身疼痛，固類附子證，但脈沉有用承氣而身痛有用麻桂者，單就脈沉身痛而論，殊不足據以用附子，附子自有其適應之主要症候在，蓋附子之功能，爲振興全身細胞之生活機能，凡心臟衰弱，生溫低降，所謂陽虛者，方適用之。脈沉身痛由於陽虛者，自當用附子，脈沉身痛不屬陽虛而由於亡津液者，則附子爲禁藥，此亦可據爲施用本方時之商酌，然後附子湯，亦絕對不致誤投矣。

十五、陰旦湯

（方藥）桂枝 芍藥 甘草 黃芩 乾薑 紅棗

（適應証）凡桂枝湯証，而口苦虛煩，腹痛，腸鳴，或下利者，本方主之。

十六、麻杏苡甘湯

（方藥）麻黃 杏仁 薏苡仁 炙甘草

（適應証）凡全身關節拘攣疼痛，惡寒發熱，日晡所劇，小便不利，或喘滿有水氣者，本方主之。

十七、麻黃附子甘草湯（傷寒論）

（方藥）麻黃 附子 甘草

（適應証）凡外感病，惡寒發熱，寒多熱少，身重腿痠，踡臥欲寐，脈沉而細，或浮取不任按，舌苔淡白者，本方主之。

又凡甘草麻黃湯証，（皮水、身浮腫、氣急、脈浮）脈浮不任按，或不浮而沉小，見心陽不足之象者，本方亦主之。

十八、麻黃附子細辛湯（傷寒論）

（方藥）麻黃 附子 細辛

（適應証）凡外感病，惡寒發熱，寒多熱少，胸滿喘咳，心下有水氣，舌苔水滑淡白，脈不浮而沉細者，本方主之。

又本方兼治（一）虛寒性頭痛引腦。（二）咽喉鬱血性疼痛，俱有著效，但其全身症狀，必如吾人上文所述者，方爲合拍。

（附論）麻附二方爲强心解表劑，殆爲心臟衰弱而有表証者設也，惡寒發熱，頭痛身重，氣急無汗，表証也，但惡寒甚而發熱輕微，脈象不浮滑而沉小細弱，可見其人心陽之衰弱，抗力之不足，夫無汗之表証，固當用麻黃以解之，但心陽不足者，誤發其汗，則不免有厥逆亡陽之變，兩全之道，惟有麻附並用之爲得，用麻黃所以解表邪，用附子所以扶心陽，麻附相協，則心力强然後表邪易解，表解已，而心力不致過於衰弱，此經方之妙用也。至於胸滿喘咳，心下有水氣者之加細辛，身疼氣急膚間有水氣者之加甘草，則隨證加減，因時制宜、神而明之，存乎其人矣。

又二方除解表，强心，平喘，逐水作用外，並能治鬱血性咽痛。（口腔粘膜呈淡紅色，獨咽喉深紅若紫，不腫而痛。）及鬱血性頭痛，（頭重而痛，痛連巔頂，顏面不紅，不發熱，脈不浮滑而沉濇。）等証。二方可通用，惟麻附細辛湯之藥力，較諸麻附甘草湯爲重耳！

十九、白薇散（千金）

（方藥）麻黃　白薇　杏仁　貝母

（適應証）凡惡寒發熱，熱多寒少，咳嗽氣急，頭痛，煩躁不眠，汗少痰多，脈浮而數，按之有力者，本方主之。

按呼吸器型流感及支氣管肺炎之初期，有宜本方者。

二十、延年水解散（千金）

（方葯）麻黄　桂枝　大黄　黄芩　芍藥　甘草

（適應證）凡惡寒發熱，頭痛身疼，面紅目赤，膚間有疱疹膿瘡，苔黄舌赤，口氣穢惡，腹滿實痛，脈滑數有力者，此血液中毒，表裏俱實之重症也，可以本方解表泄熱。

按丹毒（以頭面丹毒，所謂大頭天行者，最爲合拍）。以及敗血膿毒症之見大實大滿症者，投以本方，可收著效。若血毒過重，再加升麻犀角。（貧病可以玳瑁代之）則其效更準確迅速，可無取乎磺醯胺一類之化學製劑矣。

（附論）本方乃解表泄毒劑也，雖有麻桂，而發汗之力有限，因方中既有芍藥之收斂，復有大黄黄芩之沉降血壓故也。否則身有膿瘡疱疹，而投以發汗劑，寧非與仲景「瘡家不可發汗」之明訓相悖乎？又本方雖有大黄，却非瀉下劑，因大黄不與芒硝配伍，則瀉下之力較弱，不足與麻桂解表之力爭長也。大抵大黄桂枝與相協，善治血液中毒及血行變調，大黄與芍藥相協，力能疏通鬱血，並能誘導血液之行，以消上部充血發炎之症，故本方施用於頭面丹毒極有功效。又大黄與桂芍相協，善治腹中實痛，觀於桂枝加大黄湯之所主，可知也。

二十一、解肌湯（千金）

（方藥）葛根　麻黄　芍藥　甘草　黄芩　大棗

（適應證）凡惡寒發熱，頭項强痛，腹攣痛，脈浮，少汗氣粗，或下利，或覺口乾者，本方主之。

按麻疹痢疾及流行性腦脊髓膜炎之初期，有宜本方者。

二十二、葛根解肌湯（肘後）

（方藥）葛根　麻黄　桂枝　芍藥　甘草　大棗　黄芩　生石膏　大青

（適應證）凡葛根湯證，而壯熱煩躁，身發斑疹，或咽喉口峽發炎腐爛者，本方主之。

二十三　解肌升麻湯（千金）

（方藥）麻黄　杏仁　生石膏　甘草　升麻　芍藥　貝母

（適應證）凡麻杏甘石湯證，而咽喉腫痛，咳嗽痰多，有肺炎，麻疹，白喉，猩紅熱嫌疑者，可先予本方。俟其病狀顯著，然後隨宜施治。

二十四　升麻葛根湯（錢仲陽）

（方藥）升麻　葛根　赤芍　甘草

（適應證）凡惡寒發熱，身疼肢楚，目痛鼻乾，膚間隱紅，有發疹嫌疑者，可投本方，蓋本方爲透疹劑也。

二十五　麻黄散（治麻捷要）

（方藥）麻黄　升麻　人中黄　牛蒡子　蟬蛻

（適應證）麻疹初期，形寒身熱，咽喉紅痛，膚間隱紅，氣粗少汗，舌紅，脈緊數有力者，此病毒重，肌表實，疹出不爽也，可以本方透疹解毒。

二十六　葛根解肌湯（麻科活人）

（方藥）葛根　前胡　荊芥穗　牛蒡子　連翹　蟬蛻　木通　赤芍　甘草　燈芯

（適應證）麻疹初期，形寒身熱，咳嗽，目赤多眵，鼻乾、喉燥、口渴、便祕、溲赤，間有煩躁者，可予本方。

按本方爲後世方之比較可取者，但據吾之經驗論之，殊不及前選諸方之功效準確也。

二十七　葱豉湯（肘後）

（方藥）豆豉　葱白頭

（適應證）凡外感病初期，形寒發熱，頭痛，脈浮，少汗，無他證者，可予本方，然藥力平淡，輕症或可見效，重症殊不可恃。

二十八　柴葛解肌湯（陶節庵）

（方藥）柴胡　葛根　羌活　白芷　黄芩　芍藥　桔梗　甘草　石膏　生薑　紅棗

（適應證）凡惡寒發熱，頭痛身楚，眉稜骨痛，鼻乾口乾，咽痛，或熱有弛張，或高熱稽留，而間有形寒者，可與本方。

二十九　香蘇飲（局方）

（方藥）香附　紫蘇　陳皮　甘草

（適應證）惡寒發熱，頭痛，胸滿，噯氣，食思不振者，可予本方。

三十　芎蘇飲（澹寮）

（方藥）川芎　紫蘇　柴胡　乾葛　陳皮　半夏　桔梗　枳殼　木香　甘草　茯苓　生薑　紅棗

（適應證）惡寒發熱，頭痛身疼，嘔逆咳嗽，胸痞痰多，腹痛泄瀉者，可予本方。

三十一　敗毒散（活人）

（方藥）　羌活　獨活　柴胡　前胡　川芎　枳殼　桔梗　茯苓　甘草　薄荷　生薑

（適應證）且憎寒發熱，頭痛項强，身重肢楚，胸膈苦滿，鼻塞流涕，咳嗽有痰，舌苔淡白，脈象浮滑，大抵為流行性感冒之初期症候，無論其為神經型，為呼吸器型，抑為胃腸型，可先予本方，以解表，表解已隨證施治可也。

三十二　香薷飲（局方）

（方藥）　香薷　厚朴　扁豆　（原方加黃連，名四物香薷飲，原方加茯苓甘草，名五物香薷飲。）

（適應證）凡暑令飲冷貪涼，致惡寒發熱，頭痛無汗，腹痛泄瀉，舌苔白膩水滑，胸中滿悶者，本方主之。若嘔者加黃連，泄瀉甚多心下悸者，加茯苓甘草。（解表劑完）

（著者附言）本編所選三十餘方，於古今著名之解表方劑，殆已畧備，雖滄海遺珠，在所不免，然古今方書，汗牛充棟，特效方劑，殊難備載也。鄙人所藏醫籍，於此次中日事變中，散佚過半，去年應門人劉篤公之約，擬南遊滬濱，復將燼餘之書，選擇若干種，預先寄滬，不料後又因事羈絆，未能成行，現在手頭參考書極少，故本編所選各方，未能就原書一一校正，或數典忘祖，或藥味訛誤，容於將來刊印單行本時，再為補正。

中醫向來祗有方書，卻無方劑學，故本編實係創作，毫無憑藉，體例容有未合，尚希海內方家，予以教正，不勝企禱。

尿

——仲景病理學案之一——

任應秋

尿爲人身重要之排泄物，由腎臟司之。金匱水氣病脈証篇曰；腎水者，其腹大臍腫，腰痛不得溺，陰下濕如牛鼻上汗，其足厥冷，面黃瘦，大便反堅。是古人早知腎爲司尿之所，失其排泄之職，乃病爲腎水，今人溺於腎者作强之官，技巧出焉。膀胱者州都之官，津液藏焉，氣化則能出矣之說，而責中醫誤解腎藏，不知尿所從出。彼不知素問金匱眞言論曰；北方色黑，入通於腎，開竅於二陰，藏精於腎，故病在谿，其味鹹，其類水。又陰陽應象大論曰；北方生寒，寒生水，水生鹹，鹹生腎，云類水，云味鹹，云開竅於二陰，其非指腎之排尿也而何。又素問五常政大論曰；涸流之紀，其病癃閟，邪傷腎也。因腎爲邪傷，而尿遂癃閟不通，其實尿之出於腎也，尤爲明確，復奚疑哉。尿之成分，分有機成分無機成分兩種。有機成分如尿素、尿酸、馬尿酸、尿色素、炭水化合物、各種之有機酸、及酵素等是也。無機成分如氯、硫酸、燐酸、硝酸、矽酸、鈉、鉀、鋰、鈣、鎂、鐵、炭、氮、氧等是也。就中在腎臟中合成者，僅馬尿酸而已。餘則由他處產生，依血行入於腎，而排除於尿中者也。尿本味帶鹹，可知古人謂鹹，確由實地經驗得來。糖尿則味甘，有特殊之尿臭，又因諸種之食物及藥物而異厥臭。放置稍久，則有錏臭。尿色通常淡黃。尿量少者則色濃。病人之尿，則其色有種種之變化。血尿，胆汁色素尿，（黃色）其著例也。常尿畧呈弱酸性，而在多量菜食時，消化時，及各種病態時，亦有呈鹼性者。每日排泄之量，成人二十四小時間約一公升半，至二公升。女子較少。約一公升至一公升半。然亦有因飲料之攝取及發汗等，而上下其量。如患下痢嘔吐，食道及幽門狹窄，滲出液或滲漏液之潴溜，或吸收糖尿病，尿崩症，（消渴）心臟機能不全等。每增加至三公升以上。或減少至半公升以下。或竟無尿症者有之。茲就仲景氏論著範圍，有關於尿之疾患者，畧述如次。

1. 尿色素之病變

傷寒，不大便六七日，頭痛有熱者，與承氣湯。其小便清者。知不在裏，仍在表也。

少陰病形悉具，小便白者，以下焦虛有寒，不能制水，故令色白也。

小便利，色白者，此熱除也。

少陰病八九日，一身手足盡熱者，以熱在膀胱，必便血也。（以上傷寒）

黃疸腹滿，小便不利而赤。

黃疸病，小便色不變。（以上金匱）

尿清不黃色，當是健康人之尿。吾人既知尿之來源，係由他處產生，依血行入於腎而排除者也。病傷寒至六七日，小便清而正常，雖未大便，但即可憑尿之正常顏色，而知其病未演進，而爲治療處方之決定。下焦有寒，故令色白。色白者，熱除也。然則，色白之尿，當係寒症矣，惟此寒字，當作機能衰退的意義解。因臨床經驗，凡尿色白者，惟糖尿及消化不良尿始多見之。前者多爲膵內分泌機能衰減。後者則爲胃消化機能衰減。以病灶實質言，機能衰減者，亦有炎症。故不可斷其爲寒熱之寒也。況兩者均見於少陰病乎。況其明言下焦虛乎。便血條，古今辯傷寒論者，皆死泥於桃核抵當諸條，而論爲大便血，不知上文明言熱在膀胱，何得妄作大便解，豈其不知本有血尿病乎。血尿之血，由於腎、腎盂、膀胱、尿道而來。並由其排尿時最初最後之尿色濃淡，可推知其血何自而來。故依其含量之多少，有肉眼的血尿，及顯微鏡血尿之別，肉眼的血尿，依其排尿時發現之先後，而有初期血尿，總期血尿，及全身血尿之別。可排尿於三個之尿器而判明之。含血量少者，得在顯微鏡下檢出赤血球以證明之。然則，此條之尿血，在古人無顯微鏡的批判之下，當可斷爲肉眼的尿血症，並其血自膀胱尿道而來也。

傷寒論除僅述血尿症外，絕未見尿黃或赤者。惟素問至眞要大論曰，火淫所勝，民病注瀉赤白，少腹痛，溺赤。又曰：厥陰之勝，化而爲熱，小便黃赤。又曰：少陽之勝，耳聾溺赤。又曰：少陽之復，渴飲水漿。色變黃赤。又刺熱篇曰：肝熱病者，小便先黃。又厥論曰：少陰之厥，則口乾溺赤。靈樞經脈篇曰：胃足陽明之脈，有餘於胃，則消穀善饑，溺色黃。據此，可知尿色之黃赤，其原因決不一致，有爲火淫所勝者，有爲厥陰所化者。前者爲實熱症之尿黃，大有膽色素增多，或呈劇烈之酸化作用之可疑，亦即經謂少陽之勝，有餘於胃之說也。後者爲虛熱症之尿黃，當係液少不敷溶解尿素諸酸之故。此即竹葉石膏湯。龍膽瀉肝湯。八味地黃丸。補中益氣湯同能治尿之黃赤也。黃疸病而便赤，純爲胆汁滲入尿中之故。黃疸病而疸不黃赤，是胆汁未能滲入尿中，每於黃疸病之初期見之。

2. 尿量之病變

太陽病，小便利者，以飲水多，必心下悸。小便少者，必苦裏急也。

若不大便，六七日，小便少者，雖不能食，（一云不大便）但初頭鞕，後必溏，未定成鞕，攻之必溏，須利小便，（以上傷寒）

肺痿之病，……小便利數。

氣盛則溲數，溲數卽堅。

男子消渴，小便反多，以飲一斗，小便一斗，腎氣丸主之。

渴而不利，小便數者，皆不可發汗。（以上金匱）

量之多少，已畧如前述。故大論亦知飲水多者，小便必多，飲水多而尿不多，是尿積於膀胱而不得出，膀胱填滿，則小腹裏急，乃爲必然之象。恐大便溏而先利小便，是腸之吸水機能障碍。是皆爲症候的尿減少病，其他尚有食餌性尿減少。（液體攝入極少）一時的尿減少。（如腎疝痛，結石閉塞，腎血管痙攣性縮窄，）手術後尿減少（與失血麻醉有關係）時，腎臟炎時，亦恒起高度之尿減少，右列金匱所載四條，均爲多尿症。如小便利數，而成肺痿，是由尿量排泄過多。而至津液消亡，失其營養之故，溲數而大便堅，或不利，與尿多消渴，亦爲尿之過分排泄，水分偏滲於膀胱，則大便堅而不利。胃無津液即爲消渴。津液既因多尿而感缺乏，天然不能再汗，凡此數者，均可名之曰多尿症。飲一斗，小便一斗，曰食餌性多尿症。多尿而至於肺痿。而至於不可再汗。而至於大便堅。而至於消渴。是爲多尿之有繼續性，已成爲病狀，每見於腎性疾病。糖尿病。尿崩症。心臟病。血壓上升時。浮腫減退時。腹水或肋膜腔滲出液吸收時。各種臟疾患之際。當循其本病而根治之。上列之腎氣丸，即屬於腎病疾患及糖尿疾患。如興奮時之多尿。及反射時之多尿，是由機能的神經興奮而起。又有單於夜間多尿者，曰夜尿。以神經質之人爲最多見。（未完）

本社擴大徵求社員啓事

本社爲加强工作，以充實新中醫藥事業之陣容起見，擴大徵求遠近醫藥同人及熱心衞生教育之社會人士加入本社！社員分普通，基本兩種，權利方面，最低限度可得下列之享受：（1）免費閱讀本刊。（2）指導習醫門徑。（3）義務解答醫藥問題。（4）介紹社員互相聯絡。（5）本版及外版之圖書代購與優折。

此次擴徵運動，爲本社本年度工作重心之一，敬希各地　讀者踴躍參加與廣泛介紹，以期完成改進中國醫學之最初任務。印有章程，函索即奉。

痢疾發凡

汪浩權

古人以大便排洩困難（欲便不爽），腹中苦疼痛，裏急後重所下如粘液物者，謂之腸澼澼下（包括腸炎之類混稱，出血性腸炎，古人亦以爲腸澼，蓋排便時亦見澼下）。後世始稱爲痢疾。此因古人概念名稱，不及泰西醫籍詳備，西籍因痢疾病原有異，分爲桿菌性赤痢及阿米巴痢（即原虫痢）二種。讀者須知中醫古籍敘述疾病之證候較詳，對於疾病之名稱，却不甚措意，故大多數即以此最著之證候現象爲病名。所以然者，中醫之特長，在歸納若干種證候之顯現，以探索病原，取爲治療用藥之標準，故根據証候以命名，乃不期然而然之結果，此因古人爲時代智識所限，實未可厚非也。然而吾儕臨症，既未能如徵西醫之可以驗菌，而欲辨此病者究係菌痢或虫痢之作祟，其惟一之鑑別診斷法，安得不注意此証候上之異點。

古人對於痢疾，頗注重糞便之形色。痢疾所下純粘液便者，在中醫稱爲白痢，下血液便者，稱爲紅痢，血液與粘液混雜者，曰赤白痢。民間因之，又有葷（紅色）素（白色）之分，其實要不外桿菌性與原虫性而已。前哲又以紅者屬熱屬血，白者屬寒屬氣，按國醫之寶貴價值，蘊蓄於此種術語中，故瞭解中醫藥上之術語，實爲改進中醫之首要，原來古人許多治療原則，都寓於此，吾人決不可以現代目光而忽視之。

痢疾之通常証狀。大凡細菌性者，全身証狀重篤，一般均爲急性，反之，原虫性者，全身証狀輕微，而經過緩慢，故臨証多者，當不難辨別，尤以本病流行時爲甚，大抵細菌性者爲流行性，原虫性屬地方性，茲將二者之區別點，分述於後：

（一）溫度——檢查溫度，可作辨証之一助，惟並非爲必然的，若初起溫度甚壯，戰慄，三日之間，往往現神經証狀（此三條件具備，古人稱之爲夾表痢，宜先解表，後治痢，喻氏嘉言有逆流挽舟法）如近日之流行性赤白痢之類，此亦屬菌痢之特徵，然熱高者未必菌痢有之，其他腸病之具有傳染性者，皆有高熱，此却不可不注意，此在中醫，首先解表，然後治痢，古人且有表裏雙解法，解表雖係退熱之一法，唯其病灶重心在腸，雖用退熱，其熱未必即退，吾人治痢，解表法雖非必要，但並非謂不可用，若係腸炎，則解表仍爲要着，治痢而兼表証者，古人經驗用大柴胡湯。（在高熱者可以解表攻裏）四逆散，（解表）敗毒散之類，而後者猶爲近代所賞用，本方之組織，有三大特點，即具有「退熱」「殺虫」「排除粘液」是，蓋菌痢須殺菌，虫痢當殺虫，此乃中西醫共同之目標，茲將方中各藥列下。

解熱
- 柴胡
- 前胡
- 荆芥
- 防風（緩下）
- 薄荷（制止發酵）

排除粘液
- 桔梗（殺虫）
- 枳實
- 甘草（緩下）

鎮痛
- 羌活
- 獨活
- 川芎

（二）神色——眞性赤痢（菌痢）之神態，異常懊憹不安，舌邊尖紅而擴大，（虫痢則多見厚膩苔）嘔吐，（古人遇痢疾嘔吐不食謂爲噤口痢，此因毒素刺激胃神經現中毒現象）痢症初起見嘔吐者，未必即是噤口，如嘔吐而兼舌光紅者，此營養缺乏之故，若見白糜者，已成口腔炎，此在古人謂爲胃敗，在金元時代盛行之輕清療法，如陳倉米及石蓮花露之類一切花露，均可一用，蓋此種花露，均具營養作用，既輕靈，又能利溲，意在解毒也，此與太西賞用之維他命丙，其意義實同也。

（三）眞性赤痢晝夜俱劇（虫痢則夜間次數頻繁），左側S腸部如索狀物，按之痛，大便純赤（紅者中帶粘液，白者當辨其是否粘液），間挾腸粘膜，其赤白相雜者，多爲虫痢。

（四）便之性狀——痢之性狀頗特別，有純粘液而瀰漫性混合血液者，有血點附着於粘液之一部，又有血塊多包裹粘液者，病愈時則混雜糞便，乃作淡灰白色，挾雜點狀粘液與血。其在桿菌性痢，所下作精液臭，虫性痢則不然，若有壞疽組織排出，則作腐肉臭，痢向愈時，所下成條屎而附有膜狀塊之粘液若血。

其他鑑別診斷法，須借重顯微鏡檢查方可。述痢疾之鑑別法竟，於此略述中醫之治療法。

西醫痢疾在中醫治療上，首重消熱（消由腸之炎症，以免蔓延擴大，間接有滅菌之能力）本屬一貫之正治，其通常應用之藥物，有下列數種：

白頭翁（赤痢用之，大多極速轉成粘液便，由此可推古人用白頭翁治腸風便血，亦具深刻意義）苦參片 秦皮 榆皮 黃柏 黃連 馬齒莧 槐花（以上均有殺菌作用而後洛文能止血）銀花炭 薺菜花炭（營養）

患痢者無不苦裏急後重，澀滯暫之意，痢必有積，「無積不成痢」之觀念，深入人心，故歷代相傳，賞用下劑設「通因通用」一法，以排除腸內容物（排泄毒素）爲目的，而一切附着於糞便中之細菌的產物，經此一擊，盡被排出體外，痛隨痢減，寧非快人快事。裏急後重以現代病理學觀之，爲肛門括約肌發生痙攣，因而起病理的刺激作用，故爾，非但不可攻下，且需要麻醉（民間用雅片灰塗肛門，即此意），但初起者，收斂藥絕對禁用，痢有食積者，仍須應投消導劑，此類藥物，計有大黃 芒硝（鹽類下劑，即西藥之硫酸鎂），能使大便稀薄」枳實 黑白丑 郁李仁 檳榔 山查等（中醫攻下之藥物，首推大黃，大黃主成分爲蟻酸，其蕩滌積滯之功，實令人稱道。（大黃爲植物性下劑，作用於腸爲刺激之蠕動，時有腹痛之弊，協白芍之和緩，則疼痛較少，熟大黃，攻下之力相差甚遠，若腹痛者，可用熟大黃也。）裏急後重之外治法，吾師章次公顯嘗用：紅茶 烏梅肉 石榴皮 五倍子 陳蓮房（植物性收歛劑）煎湯薰洗肛門，蒲茜加風茄花，惟風茄花有毒，切勿入口，薰後便意頻數（指後重）自然減少，按此法甚便，讀者不妨試用。

痢疾腹痛，中醫止痛之藥物頗豐，除通常應用者有 川楝子 延胡索 香附 青皮 甘松 木香（主成分含有揮發油為痢疾止痛之效藥）赤芍 羌活 獨活等諸種鎮痛藥外，中醫又有和血之法，如：當歸 川芎 白芍（含有安息香酸，除止痛外，又具收斂作用。）艾葉之類。正氣虛弱者，可加人參 肉桂（國醫所謂溫通）。噤口痢，可在對症方內，加入 菖蒲 豆蔻 陳倉米 石蓮肉等，一般醒胃之品。蓋毒素侵犯消化系統，則往往造成噤口之主要因素，古人頗賞用 參連石蓮之法，但得入口，便易進治。

痢疾一入恢復期，收斂之藥即可採入，此類藥有 御米殼 訶子肉 石榴皮（殺虫之） 蓮房 五倍子 烏梅肉（據孫云台言醃梅治痢有特效）等。

此外治痢之藥物尚多，此僅述其大概而已，其見於載籍而經驗確有特效者，又有下列數種，茲一併附錄於後：

（一）馬齒莧——此藥具有殺菌消腸諸作用，據西醫余雲岫之實驗，對於細菌性赤痢，確有特效。（原文見現代醫學及摘錄中國醫藥月刊）

（二）苦參子七粒，桂圓肉包裹吞服，前人著述中記載甚詳，民間亦普遍賞用，其善治原虫痢，功效在西藥「愛美丁」—「藥特靈」之上。

（三）馬鞭草治阿米巴痢，為民間素著者，單方研究社葉華林君，曾將其實驗公佈於世。

（四）陸定圃冷廬醫話載：『白槿花治赤痢甚效，其法以白槿花五六朵，置瓦上炙灰，調白糖湯服之，若採花晒乾，次年用亦有效。』按白槿花為吾鄉醫者處方所常用。又有一名鳳尾草，一名鷄腳草，治痢亦良，產井邊者佳。

（五）痢流行時，見便溏者，亟以紅糖拌山查末，吞服，神效。

——一九四三，一〇，六，於滬西長橋鎮——

近世內科學（三）

蕉嶺 鍾春帆著

急性傳染病篇

腸窒扶斯

右七味，剉作二百西西煎劑，去渣一日分二次服。

適應証：濕溫早期，寒熱往來，胸脇苦悶，時時噁心，舌苔白者。

加減法：可酌加赤苓，米仁，蒼朮，厚朴，黃連之類。若熱不高，無噁心，有口渴者，去半夏，加花粉。

（方二）大柴胡湯〔仲景〕

柴胡一〇・〇　黃芩六・〇　法夏七・〇　大黃五・〇　枳實五・〇　芍藥一〇・〇　生羌七・〇　大棗四枚　右八味，剉作二百五西西煎劑，去渣，壹日分三次服。

適應証：濕溫發熱，大便不通，舌苔燮黃，胸悶腹痛，耳聾昏沈者。

（方三）調胃承氣湯〔仲景〕

大黃七・〇　元明粉五・〇沖　炙甘三・五　右三味剉，以一百西西水先煎大黃炙甘去渣，內元明粉更上火微煮令沸，少少溫服之。

適應証：濕溫發熱，便秘，舌苔黃褐或黑，腹痛拒按者。

（方四）增液湯〔吳鞠通〕

元參三〇・〇　麥冬二三・〇　生地二三・〇　右三味剉，作二百西西煎劑，去渣，一日分三次服。

適應証：津液乾涸，而大便秘結不行者，以此潤之，其便自通。

（方五）黃連解毒湯「外台」

黃連七・〇　黃芩七・〇　黃柏五・〇　梔子七・〇　右四味剉，作二百西西煎劑，去渣，一日分二次服。

適應證：濕溫一二週間，身熱灼手，煩悶，乾嘔，呻吟譫語，臥不安席，舌質絳者。

（方六）蒼朮白虎湯「醫通」

知母一〇・〇　石羔二〇・〇　甘草五・〇　蒼朮七・〇　粳米一〇・〇　右五味剉，以水三百西西，入粳米煎去渣，再入餘藥，煎去渣，一日作二次服。

適應証：熱高煩躁，呻吟亂語，臥不安席，舌苔白，大渴汗多，脈洪大者。

（方七）葛根芩連湯「仲景」

葛根一〇・〇　黃芩七・〇　黃連五・〇　甘草四・〇　右四味剉，作二百西西煎劑，去渣，一日分二次服。

適應証：發熱下利，痞悶，心煩，氣喘，汗出，項背强急者。

加減法：利小便藥可隨意加入。

（方八）生羌瀉心湯「仲景」

生姜七・〇　干姜四・〇　太子參六・〇　法夏一〇・〇　黃芩七・〇　黃連四・〇　大棗五枚　炙甘五・〇　右八味剉，作二百西西煎劑，去渣，一日分二次服。

適應証：心下痞悶，乾噫食臭，腹中雷鳴，下利發熱，嘔逆，脅痛，鼓腸等。

（方九）梔子厚朴湯「仲景」

梔子一二・〇　厚朴八・〇　枳實六・〇　右三味，剉作一百五西西煎劑，去渣，一日分二次服。

適應証：腸熱病胸痞腹滿，口膩舌白，身重倦怠。

（方十）甘露消毒丹（佚名舊傳葉天士製無憾）

飛滑石五〇〇・〇　綿茵陳四〇〇・〇　黃芩三〇〇・〇　石菖蒲二〇〇・〇　川貝母二〇〇・〇　藿香一二〇・〇　木通一五〇・〇　射干一二〇・〇　連翹一二〇・〇　薄荷一二〇・〇　白豆蔻一二〇・〇　各藥曬燥生研細末，（見火則藥性變熱）每服一〇・〇，開水調服，日二次，或以神曲糊丸如彈子大，開水化服亦可。

適應証：發熱倦怠，胸悶腹脹，肢痠，咽腫，斑疹，身黃，頤腫口渴，溺赤，便秘瘧証。但看病人舌苔淡白或厚膩，或乾黃者，悉以此丹主之。

（方十一）清瘟敗毒飲（余師愚）

生石羔二五・〇　小生地一〇・〇　烏犀角三・〇　眞正川連三・〇　梔子五・〇　桔梗五・〇　黃芩五・〇　知母一〇・〇　赤芍一五・〇　元參一〇・〇　連翹一〇・〇　甘草五一〇　丹皮六・〇　鮮竹葉一〇・〇　右十四味剉，作三百西西煎劑，去渣，一日分三次服。

適應証：余師愚云，此十二經泄火之藥也，凡一切火熱，表裏俱盛，狂躁煩心，口乾咽痛，大熱乾嘔，錯語不眠，吐血衄血，熱甚發斑，以此爲主方。蓋斑疹雖出於胃，亦諸經之火，有以助之，重用石膏，則甚者先平，而諸經之火，自無不安矣。若疫証初起，惡寒發熱，頭痛如劈，煩躁譫妄，身熱肢冷，舌刺唇焦，上嘔下泄，六脈沈細而數，即用大劑。沈而數者，即用中劑。浮大而數者，用小劑。如斑一出，即加大青葉，併少佐升麻四五分，引毒外透，此內化外解，濁降清升之法，治一得一，治十得十，以視升提發表而加劇者，何不俯取錫堯之一得乎。

（方十二）紫雪丹「局方」

金箔五百頁　寒水石六○○·○　磁石六○○·○　石膏六○○·○　滑石六○○·○　以上丼擣碎，用水六千西西煮至四千西西，去滓入下藥：羚羊角屑一五○·○　犀角屑一五○·○　青木香一五○·○　沉香一五○·○　丁香二五·○　元參二○○·○　升麻一○○，○　炙甘五○·○　以上入前藥汁中，再煮取一千五百西西，去滓，入下藥：樸硝二○○·○　硝石八○○·○　二味入前藥汁中微火上煎，柳木篦攪不住，候有七百西西，投在木盆中半日欲凝，入下藥：硃砂五○·○　當門子二○·○　二味入前藥中，攪調令勻，磁器收藏，藥成霜雪而色紫，新汲水調下。（此丹各藥舖有成藥發售）

適應証：此丹具有解毒，辟穢，清神志之功。凡病毒瀰蔓於全身，而發神昏譫語，狂易叫走，循衣摸床，班疹等症，其效如神。

（方十三）至寶丹「局方」

犀角　玳瑁　琥珀　硃砂　雄黃各三○·○　龍腦三·○　麝香三·○　牛黃一五·○　安息香三○·○　金銀箔各五十張（本事方多人參天竺黃各三○·○天南星一五·○）右藥各取淨末，入安息香烊化，和煉蜜少許為丸，每丸乾重二·○·二箔為衣，蠟殼封固，臨服剖用，人參湯下一丸。

適應證：神昏譫語，循衣摸床，手足掣動等。

（方十四）四逆湯「仲景」

附子一五·○　乾姜一○·○　炙甘一○·○　右三味剉，作一百五十西西煎劑，去滓，一日分二次服。

適應證：心臟衰弱而見亡陽之証，如惡寒四肢厥冷，脈微，汗出，下利清穀等。

（方十五）犀角地黃湯「千金」

犀角四・〇　生地五・〇　丹皮七・〇　赤芍一〇・〇　右四味剉，作二百西西煎劑，去渣，一日分二次服。

適應證：腸出血之屬熱者。

（方十六）黃土湯「仲景」

灶心土四〇・〇　炙甘　乾地黃　白朮　附子　阿膠　黃芩各一〇・〇　乾姜五・〇　右八味剉，作三百西西煎劑去渣，一日分二次服。

適應證：腸出血之屬寒者，下血甚多，面色萎黃，體瘦，脈弱，舌白，厥冷汗出。

（方十七）桃花湯「仲景」

赤石脂二〇・〇　乾姜一〇・〇　粳米一〇・〇　右三味，以水一百五十西西，煮米令熟，去渣，內餘藥煎，去渣，一日分二次服。

適應証：腸出血之屬寒者，下利便膿血，滑脫失禁，四肢厥冷，顏面失色，脉微細者。

（方十八）大桃花湯「千金」

赤石脂二〇・〇　乾姜一〇・〇　當歸一〇・〇　龍骨一〇・〇　牡蠣一〇・〇　附子八・〇　白朮八・〇　炙甘四・〇　白芍五・〇　人參八・〇　右十味剉，作三百西西煎劑，去渣，一日分三次服。

適應証：同上，而寔一等者。

（方十九）桃核承氣湯「仲景」

桃仁五・〇　甘草四・〇　桂枝四・〇　大黃七・〇　芒硝一〇・〇　右五味剉，作二百西西煎劑，去渣，一日分二次服。

適應証：治腸出血之屬實者，其証小腹或小腹兩旁鞕滿而痛不可按，病人多譫妄，或悲擘罯人者是也。

(方二十)茵陳五苓散「仲景」

茵陳一〇・〇　猪苓八・〇　茯苓一〇・〇　澤瀉五・〇　白朮八・〇　桂枝五・〇　右六味研細末，開水和服一〇・〇，一日三次服。

適應証：腸熱病併發黃疸者。

(方二一)梔子蘗皮湯「仲景」

梔子一五・〇　甘草六・〇　黃蘗一二・〇　右三味剉，作二百西西煎劑，去渣，一日分二次服。

適應証：同上。

(方二二)麻杏甘石湯「仲景」麻黃五・〇　杏仁一〇・〇　石羔二〇・〇　甘草五・〇右四味剉，作二百西西煎劑，去渣，一日分二次服。

適應證：主治煩渴，喘咳。凡併發支氣管炎，肺炎，有煩渴喘咳者，悉主之。

(方二三)竹葉石羔湯「仲景」

竹葉一〇・〇　石羔一〇・〇　半夏一〇・〇　麥冬一〇・〇　太子參一〇・〇　炙甘五・〇　粳米二〇・〇　右七味，以水三百西西煮米令熟，去渣，內餘葯，煎沸去渣，日分二次服。

適應證：凡正氣虛弱，遍身發熱，心胸煩悶，津液乾涸，虛羸少氣者。

(方二四)乾地黃湯「良方」

生地一〇・〇　黃芩五・〇　黃連三・〇　柴胡一〇・一　芍藥一〇・〇　炙甘五・〇　大黃五・〇　右七味剉，作二百西西煎劑，去渣，一日分二次服。

適應證：病勢漸退，病人漸安和，熱猶未盡退者。惟大黃功專瀉下，與此症不合，宜刪去。

（方二五）參胡芍藥湯「入門」

柴胡一〇·〇　黃芩七·〇　枳實七·〇　赤芍一〇·〇　太子參一〇·〇　生地一五·〇　麥冬一〇·〇　知母一〇·〇炙甘五·〇　生羌五·〇　右十味剉，作三百西西煎劑，去渣，日分三次服。

適應証：病勢漸退，病人漸安和，餘熱未解，脉息未緩，大便不快，小便黃赤，或渴或煩，不得安眠，不思飲食者。

（方二六）人參養榮湯「瘟疫論」

人參五·〇用西洋參更佳　五味子二·〇　麥冬七·〇　地黃一二·〇　當歸一〇·〇　芍藥一〇·〇　知母一〇·〇　橘皮五·〇　炙甘五·〇　右九味剉，作二百五西西煎劑，去渣，一日分二次服。

適應証：病退後，體液太濃厚，現所謂津液乾燥者。

（方二七）紫蘇飲

柴胡一〇·〇　黃芩八·〇　半夏一〇·〇　太子參一〇·〇　炙甘五·〇　生姜五·〇　大棗四枚　紫蘇六·〇　香附五·〇　橘皮四·〇　右十味剉，作二百五西西煎劑，去渣，一日分二次服。

適應証：病後耳聾者。

（調護）本病之看護，宜避去一切之刺激，而安靜臥床，屢屢變換臥位，以防褥瘡及就下性肺炎之發生。而飲食之調護，尤宜注意，蓋食物之影響疾病至深且大也。茲述其宜忌如下。

謝誦穆先生曰「西醫主多進流動體，蓋不但使腸部少受摩擦，且病者消化力弱，亦使其易於吸收也，通常治療重症感冒，若胃有食滯，則發汗藥不能盡量發揮其威力，卽使佐以消食藥，然胃有食滯者，其痊癒亦必較緩，必多服一二劑，蓋人體抵抗力，一面須抵抗感冒，一面須對付食滯，抵抗力分則單薄，藥力不以輔助抵抗力，抵抗力薄，則藥效亦爲之減色，此一定不易之理也。濕溫病者之消化力弱，若多進不易消化之食物，橫梗於中，亦必有此害。

飲料分三類。一爲銀花露，可代茶可煎藥，藿香露青蒿露銀花露枇杷葉露地骨皮露等罹用。病者思鷄汁，而嫌其膩者，亦可蒸露飲之，本草綱目拾遺引道藏集云，「鷄露能大補元氣，與人參同功，氣流色白，益血助脾，長力生津。」（節錄）濕溫醫案選四。多服開水之法，吾聞之於鄧君源和，其理由爲傷寒桿菌，在腸內繁殖後，排出一種毒素，隨血液而循行各部，侵害各部組織，故傷寒症重險時期，發生昏憒譫語，皆此種毒素爲祟，多飲開水，既能沖淡血液中之毒素，減少其侵害能力，幷使此種毒素，易於排泄，不致久稽人體。

一爲果實之汁，如梨汁藕汁甘蔗汁鮮橘汁。橘汁富於維他命，梨汁清肺，藕汁止血，蔗汁養胃，皆可常飲，汗少口渴，氣息不舒時，取蔗汁梨汁各一小杯，和入藥中，每漐然汗出。

一爲米汁，以糙米數撮，水煎，勺取清湯，亦資榮養，濕溫有時併發脚氣，糙米汁富於乙種維他命，能預防之。

凡粘膩之物，如藕粉厚粥濃肉汁皆忌，食之往往劇變，驟致高熱神昏譫語。此病初起一二日，經解肌消導後，必覺腹餓，斯時病者宜抑制食慾，僅可多進流動體食物，否則食物積滯，必致變病，在病體垂愈時，亦覺食慾旺盛，斯時亦宜留意進食，勿使食復。——濕溫論治——

有熱時主進流動體食物，如上舉之花露果汁米汁及牛乳等，以增加榮養，免陷於饑餓。

下熱後三至四日，可進薄粥藕粉麵包柔軟米飯等。副食物用鷄蛋魚肉（鯽魚、草魚等）碎肉（鷄肉、牛肉等）。而貝類及烏賊等硬性食品，須禁忌。植物性食品選柔軟而缺乏纖維之蔬菜，如馬鈴薯，蘿蔔，百合，豆腐等。食慾完全缺如者，則任之，不可强食，以傷消化力。而蘿蔔、甘藍菜，蕃茄等菜湯，可以常食——以含有乙維他命，能預防脚氣之發生。

恢復期食慾異常亢進，往往因此過食或食餌不攝生而再發，引起腸出血，腸穿孔之危者，此時飲食，當特別注意。

（預防）本病患者之大小便，含有本菌特多，傳染均由此媒介，故患者之排泄物，不得任意拋置，須經過消毒後，方可放出。消毒品最佳最廉者，莫如石灰奶，病者之排泄物，可與同量之石灰奶攪合之，約二小時本病菌卽可殺死。廁所之內，亦須灑以石灰奶。本病者之痰中，有本菌時極少，若倂發肺炎時，則有肺炎球菌，痰盂可用百分之五之石炭酸或（Lásol），病菌當能死。病者之汚衣，置一桶內，加百分之三之石炭酸，用火煮過之後，方可洗濯，以免傳染。病者已離床，凡其用過之器具，須一律按消毒法料理之，卽地板墻壁，亦不可忽畧。

最新預防本病之法，卽於未病之先，注射已殺死之本病菌。其法以一針尖（lase）已死之傷寒菌與一CCm生理食鹽水相合，消毒後，注射於胸部皮膚之下，共注射三次，每八天一次，此法須不若種牛痘，預防天花之可恃，然其結果，亦殊能令人滿意也。（本章完，本篇未完，待續）

霍亂（四）

梁乃津

（五）「霍亂吐利四逆之證，多起夏間，依大論（卽傷寒論）熱多欲飲水者，用五苓散；寒多不用水者，用理中丸；四肢拘急，手足厥冷者，用四逆湯；脈不出者，用四逆湯；兼煩燥欲死者，用吳茱萸湯，並見霍亂。少陰二篇，余十六歲時，嘗見一方數百里中，病者吐利厥冷，四肢攣急，脈微欲絕，老醫以四逆湯與之，十活八九。三十歲後，又見是證，老醫舉四逆湯，吳茱萸湯與之，亦十活八九。此皆目擊，非虛言也。而五苓散證則絕少見，理中證亦其不亟者耳。……徐靈胎以為大論所謂霍亂者，因於傷寒，而今吐利出於夏時則非霍亂，四逆湯服之必死。不悟大論所說者屬傷寒，而今之發於夏秋間者為寒疫，叔和序例云，從春分以後至秋分節前，天有暴寒者，皆為時行寒疫，夫以陽盛氣柔，脈素惰緩，為寒所迫，則病更亟於傷寒。是以發熱頭痛之霍亂，夏秋間不可得見，而死期猝至，亦無有經過者，則以傷寒尚緩，寒疫驟暴也。徐氏所謂服四逆湯必死者，此乃夏時偶傷飲食使然，本非霍亂。夫嘔吐而利，其病衆多，非獨霍亂一候。嘗見霍亂起時，老醫與四逆吳萸用之神效，改歲偶有患吐利者，新學不識，竟與四逆至斃；其識者，或與半夏瀉心湯，病則良已：則前者為眞霍亂，後者為尋常之吐利爾。霍亂無有不吐利，（按乾霍亂當除外、津）而吐利不必皆霍亂。大論太陽篇，傷寒發熱汗出不解，心中痞鞕嘔吐而下利者，且以大柴胡湯主之。此與霍亂乃有冰炭之殊矣。然其辨之亦易明也。大柴胡證為傷寒多未罷者，與夏秋間霍亂暴至者固殊，諸瀉心證，初無手足厥冷脈微欲絕之狀。且霍亂所泄者如消米汁，而溶便甚少，非若滯腸垢之夾雜者，自非粗工，安有目昧黑白者也，若眞霍亂症，發於冬時，與傷寒相屬者，頭痛發熱容有之矣。發於夏秋與寒疫相屬者，則熱象不可得見。是以經言長夏善病洞泄寒中。

徐靈胎王孟英乃云絕未見傷寒霍亂者，豈當時適未遇之，抑過爲矯誣之論也？……西人治霍亂有以雅片劑止者，此即斗門方中之止利法也。民間無醫，亦有以礬石石榴皮澀止者，其用與鴉片同，輕者得之止，劇者仍無以愈之。獨以鹽水注射脈中，雖危亟亦有起立。按鹽水探吐，本千金治乾霍亂法，而今施於吐利，世多不辨其故。余以鹽水能收攝血脈，……能凝血亦能調血，……霍亂血結如塊，用鹽水者，非取其剛，而取其柔。夫治有異法而同愈者，鹽水與四逆吳萸二湯近之矣，非溫涼相反之謂也。』（章太炎霍亂一章）

『民國十五年夏，鄞范文虎以書問曰，前此二十載霍亂大作，非大附子一兩連三四劑不治，前此五年霍亂又作，似紫雪和生薑汁，井水冷調服亦愈。去歲霍亂又作，以酒炒黃芩一二兩治之。今歲霍亂又作，僕用王清任解毒活血湯進三四劑，服後化火熱得已，而進薑附者多不救，將歲時不同不可執一乎，答曰：嚴用和云，吐利之證，傷寒伏暑皆有，非獨霍亂，醫者當審而治之。夫常病之吐利者，自腸胃漏泄而出，是以利必有溏糞，吐必有餘食，霍亂之吐利者，自血液抽汲而出，是以瀉如米汁，而溏糞餘食鮮見。且腸胃亦又與相格拒，無腹痛狀，心合於脈，脈爲血府，故血液抽汲則脈脫，脈脫而心絕矣：夫以血脈循環內擬水溝，其凝聚之力甚固，曷爲不能相保，使如懸霤奔瀑以去哉？此中則以爲寒直中少陰，（原註心臟是）西人則以爲血中有霍亂菌，二說雖殊，要之邪併血分，心陽撓敗，力不能抗則無異，俗方或取明礬，石榴皮，銅青爲治，皆有殺菌用，大方唯以通脈爲主，是猶兵法攻守之異也。王清任爲解毒活血湯也，彼爾有之以爲功，其主藥乃在桃仁，紅花，紅花五錢，行血通脈之力亦不細，桃仁八錢，則入血殺菌之功優矣。足下又以其方進三四劑，所以治有奇效，非夫徐王歧說比也。然清任自云，一兩時後，汗如水，肢如冰，是方亦無功，仍以附子乾姜大劑治之，然則始起卽厥者，必急用用薑附可知也。足下謂今歲進薑附事多不救，此進薑附者何人哉？意其診斷不審，以傷暑吐利，爲霍亂，則宜其不救矣。夫大疫行時，非遽無常病也，長夏暴注，汩汩乎不可止者，其劇疾亦與霍亂相似，醫者狃於所見，遂一切以霍亂命之，識病先誤，其藥焉得其效耶！？去歲用黃芩而愈者，亦必腸胃常病也，凡諸吐利，輕者進六和湯亦即止，甚者以半夏湯心湯與之，什愈八九，及霍亂作，而半夏瀉心湯不足任者，以其所吐利者出自血液，而非腸胃水穀之餘，故合芩連乾姜半夏之力而不足以遏之也。若夫胃腸常病，則黃芩自擅場矣。僕以爲霍亂初起，腹不作痛，利如米汁，其可斷爲霍亂已明。唯厥逆未見，或不敢遽與四逆，而理中平緩，不足以戡亂禁暴，專任黃芩，又有不辨陰陽之過，無已可取聖濟附子丸爲湯，以附子强心，以乾姜黃連止利，以烏梅殺菌，每服六錢，（原注生附子一錢，乾薑黃連各一錢五分，烏梅二錢）是亦與清任第一方同功，賢於專任黃芩萬萬也。紫雪生姜汁治法，僕記前五年霍亂作時，亦多賴附子得起，此仍四逆之流亞，不知服紫雪生姜汁者，果何証狀，恐腸胃不調吐利之候，必非眞霍亂也。」（章太炎霍亂論三章）

津案：章先生爲國學大師，革命先進，醫學乃其餘緒耳。所論霍亂，大抵多勝前人，要亦不敢完全同意，當於下文詳論之。與章先生同時，對霍亂之觀察與治療大抵相同者，有惲鐵樵先生，手頭無惲書不能引，觀章說亦可知其概矣。記得惲說與章說稍異者，惲氏主張眞霍亂用四逆去甘草加吳茱萸，即乾姜生附子吳萸三味也。惲氏並强調的注意吳茱萸一味。謂宜重用。又以爲眞霍亂急不能緩，一方藥味不宜多，多則反爲直搗中堅之制，故主張治霍亂獨此三味藥。大意如是。於附子乾姜治霍亂之解釋，亦以强心爲主。後來陸淵雷先生，於流行病須知霍亂章中，對眞霍亂亦主張四逆及通脈四逆。並主張於大危急時宜中西合法。（似乎惲說亦如此）並詳細說明其所以然之故，其言曰：

（六）「下利甚多，嘔吐而腹鳴，或稍有腹痛，四肢冷或拘攣而痛，小便不利，宜眞武合小半夏湯。

下利不止，厥冷，煩躁，四肢攣痛，腹肌亦攣，肉脫，面青，眼凹，聲嗜者，宜四逆湯

・附子須生用，至小每服五錢，重則七八錢至兩許。乾姜亦須二錢以上，以下數方同・若心下痞鞕者，加人參・

前證下利攣痛益甚，手脚冷過肘膝，神氣萎靡，粘冷之汗，流出不絕，脉微細或至不見者，通脉四逆湯，即前方倍用乾姜・

前証胸口悶塞，乾嘔，甚或打呃者，多不可救・宜通脉四逆加猪胆汁湯。

若吐利漸止，惟餘厥冷，煩躁，攣痛，汗出，打呃，小便不利者，仍極危險，宜茯苓四逆湯。

以上諸方，可酌加藿香，佩蘭，清暑藥，不可多，多則與脫証不相宜。又凡小便不利或尿閉者，宜用開水，時時調服五苓散，小便通則危險減・

若皮膚瘦得可怕，脈不見，血管將次乾癟者，服以上諸方，仍恐不能保全，宜速送西醫院，灌注鹽水・西醫院照例不許服中葯，若能兼服以上所舉對証方，回恢復尤速・為什麼道理呢？因為平常吃喝了飲食，入腸胃給消化，好吸收到血管裏，從血管輸送到全身，全身各組織，便從血管裡吸收到滋養料・害了霍亂病時，霍亂菌的毒素，起一種作用，使胃腸生吐瀉，胃腸裏原有的飲食物與他種液汁，完全瀉完了時，便把血管裏的液汁，倒吸到腸胃裡去，作他的吐瀉物。血液被吸收得濃厚時，又把組織中的液汁，經血管而倒吸到胃腸裏，一齊臌兒吐瀉出去・這樣拚命的倒吸吐瀉，眞比敲精吸髓還利害，人可以立刻乾枯下來。所以霍亂有一種特徵，便是病人落瘦得非常之快，人乾癟了，果然活不成・但霍亂病死，等不及乾枯，只要血液被吸收得濃縮，血管中壓力低不來，血循環漸次停止，這病人便哀哉伸腿了。所以霍亂的死，不是直接死於霍亂菌毒，乃是死于血循環不能維持，明白了這層道理，就可以明白吃薑附與注鹽水的道理了。原來薑附能吸住體內液汁，不給它倒吸而吐瀉掉。鹽水呢，補充它已吐瀉掉的液汁・所以皮皺脉伏之際，體內液汁喪失已多，立停止吐瀉，已經兔不丁危險，而況薑附服下去，還須經過相當期間，纔能發生效力，在未顯效力之時，病人依舊源源吐瀉，如此存亡呼吸之頃，不如直接補充他的液汁，保存的希望比較多些。醫生在此際萬萬須摸出良心把營業競爭的心思，暫時收起，一心只望保全病人的性命，勸他立刻就西醫注射鹽水爲是。中醫自己備了器具鹽水注射，也來嘗不可，不過對於鹽水灌注的學理與方法，須澈底透明了，方能動手，若一知半解，鹵莽從事，很容易闖亂子，最緊要是鹽水的濃度太淡了，會使血球脹破而崩壞，太濃了，會使血球乾癟。二者的結果，皆極危險，因爲鹽有吸收水分之力，而血球中也有鹽質，鹽水淡了時，血球吸收鹽水。濃了時，鹽水吸收血球故也。吾人飯菜必須鹽，飯菜太鹹時，又必口渴思飲，這是生理上一種天然調劑功能，使飲食物保持適鹹度。鹽水灌注，須有一定濃度，亦是此理：此外消毒方法，灌注的劑量，次數，時間等等，亦須不失矩矱。

從上述的中西治療法看來，中醫是保存未喪失的水分，西醫是補充已喪失的水分，皆從水分上施治，不管菌毒。菌毒皆聽憑病人的抵抗力去對付。這有兩個原故：一則霍亂病人的死，乃是直接死於水分喪失殆盡，不是直接死於菌毒。二則菌毒在非藥物所能對付，只有人或動物的天然抵抗力對付得了。因此中西醫的治法，一樣是照顧水分，不管菌毒，從這一點看來，中西學理方法根本相同，有人說中西合不起來，可知是不對了。又可知霍亂的舊說，什麼清濁相干，亂於腸胃，治法須升清降濁等等，簡直是一派夢話了。（津案升清降濁云云，於急性胃腸炎言之，不無一部分理由。）

保存水分：病重時自來不及。補充水分，初起病也可用得。那麼，只要是霍亂，不管初病重病，一律灌注鹽水好了，你那點子附子乾姜，獻寶也似的定要把給病人吃，定要換身自養，宜不是老臉貪圖生意經麼？……薑卻不然，薑附本是興奮强壯藥，能振起身體上各種機能的衰弱，身體中的液汁，從胃腸入血，從血入組織，這是生理機能常態。（移下第56頁）

医話與医案

中西藥治瘧經驗談

張公讓

近來閱本刊頗多論治瘧之文，瘧疾在西南確為一大患，我回廣東四五年，每年所治幾乎百分之八九十是瘧，聞江西湖南廣西一帶流行病皆以瘧疾為多，滇南貴州更不必說了，未知四川湖北等處是否如此？吳粤昌先生來函索稿，余不才先以本篇應之。

瘧疾先發冷寒戰，後發高熱頭痛口渴，後出汗退熱而輕快，全經過約七八小時，如此日日發作一次（重複傳染），隔日或隔二日發作一次（此為三日瘧最少見），若惡瘧則微感惡寒多無寒戰，即發高熱初一二發尚輕，漸發漸重，至三四發後常高熱稽留一二日不退，狂渴，頭痛，昏迷，譫妄，有似腦膜炎者，危症叢生，小兒患瘧，其瘧陣常不規則，非如成人之整齊可認也。

夏秋發熱病幾乎十分之九是瘧，有不發寒熱單發咳嗽者，或下瀉者，或頭痛者，或身痛者，驟觀之不能辨別為瘧，但檢血可得瘧原虫，以治瘧法治之即愈，故瘧症殊多面目，無經驗之醫生，常致誤診也。但瘧疾因血球破壞甚多，三四發後面目必現污黃色，小便必短赤帶紅色（血色素排洩也），此可以與其他熱病或腸窒扶斯辨別者也。

治瘧之法，不論二日瘧，三日瘧，或惡瘧，皆以規寧（金雞納霜）為第一，阿特平，撲瘧母星皆不可靠，危篤時阿特平且無起死回生之功，靜脈注射規寧半至一瓦每可挽回危症，此為余屢試不爽者也。注射宜取市售瓶裝完全消毒者，注射時須極慢，快則有虛脫之虞，病人須臥床不可起坐，起坐亦至虛脫。一次余為起坐病人注射，該病人忽小便不禁，大汗，振戰，將見虛脫，余即令病人靜臥乃安。所以注射規寧有二要訣，第一注射須慢，第二病人須臥床也，雖昏譫迷妄瀕脫之危病，靜脈注射一瓦亦可挽救，請中西醫界注意此點。有云靜脈注射常至病人於死者，嶺東某某大醫院曾有二例，此恐為重病必死者，非規寧靜注之罪也。又聞一人在高熱時，醫者為靜脈注射規寧，（不知一瓦或半瓦傳聞不明）口鼻流血而死，靜脈注射規寧，時有危險之報告。但余年來治愈數千人，皆用靜脈注射，未見有危險者。且重篤者注射阿特平不救，注射規寧始得救，事實俱在，不能謬妄。（但孕婦不可用規寧，宜用撲瘧母星及阿特平）

規寧今多用為口服，危急重症則非靜脈注射不可，肌肉注射亦佳，但其效力不及靜脈之大。口服於瘧發前二三小時服大量為佳。注射宜於瘧發前一小時，若危急重病則可不擇時候。如心臟衰弱者則先注射樟腦強心劑。但強心劑亦不可多用，每見惡瘧病人脈微細衰疲似可用羌附劑者，仍須用柴胡白虎湯，故知治瘧溫藥不可妄用，宜偏寒涼也。

治瘧除用規寧外，鹽類瀉劑亦極重要，瀉鹽可減腦壓，可以降熱。瘧疾不論輕重，有瀉無瀉，初起皆可連瀉數日，瀉鹽朴硝皆可用，大黃亦可加入，或先用甘汞一劑，（甘汞有利膽作用）每日取快瀉一二次為度。

瘧疾熱高頭痛昏譫時，為減輕病人痛苦起見，可服少量安知必林或披拉米端。（可加咖啡因）汗出熱退，瘧陣可以縮短。但解熱劑不可用大量，因能衰弱心臟，且大汗能損人原氣。熱水拭身利用水氣蒸發，亦可解熱，可兼用之。

治瘧能善用規寧及瀉劑，則十得六七矣。中藥則常山為第一，常山可代規寧，瘧發前三四小時煎服四五錢能截止。敝松口平民醫院贈醫施藥日數十起，規寧價昂，多以常山代之，亦效。中藥之對症治療（治熱渴頭痛），余經驗以大柴胡湯合白虎湯加朴硝為第一，其主要在石膏，蓋新陳代謝過盛時，體內生一種酸毒，石膏或能解之也。每見昏譫熱高者得大量石膏而解，柴胡白虎加芒硝湯解熱劑耳，功似安知必林，宜於瘧發時或前二小時服，待瘧發時既吸收入血，可奏解熱之效，若瘧退後始服則無熱可解矣。（凡解熱劑在發熱時有效，常溫時無效），茲舉最近二例，以請教當世！

四月前一少婦年二十七，爲夫棄，歸母家，患惡瘧，高熱昏迷二日不醒，其父及兄以爲必死，送入醫院，余爲檢血得半月體，爲靜脈注射規寧半瓦，肌肉注射半瓦，次日即醒，給與大柴胡合白虎湯加桃仁紅花朴硝，（破血藥治惡瘧亦佳）再注射規寧如昨，如此三四日即愈，再調理一週出院。

陳某年二十，興寧人，在潮汕前線任接電話職，病瘧半月，回家，船至松口，高熱昏迷，船夫以爲必死，棄於岸，本院得報派人抬回醫院爲注射服藥如前法，次日即醒，三日全愈，再調理八九日出院。規寧之靜脈注射誠有起死回生之力，回憶前歲有一青年，病瘧三月昏迷打噎，衰弱欲脫，中西醫皆以爲不治，余先爲注射樟腦强心後靜脈注射規寧一瓦，再肌肉注射半瓦，竟以得救，嗚呼亦云幸矣。

六〇六治惡瘧，余經驗效力不大，可合規寧用之，病後調補，硫鐵劑可用，中醫則參、芪、歸、地、首烏、山茱萸，之類可用。

盲腸炎之治驗

梅縣 謝則仁

廿八年六月四日，溫百朋請診其女公子，年十四歲，其症狀發三十九度熱，已十日稽留不退，食慾不振，惡心嘔吐，舌薇厚苔，口渴，大便秘結，右腸骨窩有發作性痛，觀之微腫，按之堅鞕，聽之無異音，脈一百一十至，極細心不正形，當斷爲盲腸炎。百朋即曰，曾文琳西醫生，前幾日亦斷爲盲腸炎，然則中西醫診斷皆同，其爲盲腸炎無疑，吾女之病，可無慮矣，當處方大黃牡丹湯，加連喬花粉知母柴胡與之，七日復診，腫處已平，熱亦退去，將前方除柴胡，囑其間日服一劑，服至四劑而愈，後十日右腸骨窩又復痛，并發三十八度熱，再請復診，處方單大黃牡丹湯與之，服三劑全愈，不復發。

卅二年四月十日，謝北岳來所，述其父六十餘歲，發熱，口渴，舌苔甚厚，右腹角甚痛，經西醫師沈顯良，斷爲盲腸炎，主服大健鳳，已痛止熱退，惟前二夕復發，熱與痛如前，聞先生曾治愈百朋之女，請開方治之，當告以病未經檢驗，是否盲腸炎，尚未証實，今據爾所言，經醫師診斷，且痛在右腹角，盲腸炎極易再發，種種觀之，或無可疑，准處方試服，有效可服二三劑，如誤吾不任咎也，亦書大黃牡丹湯方，加連喬花粉柴胡知母與之，一劑即效，服至四五劑而愈，後半月又發，大便秘結，發熱，腹痛，囑其服前方，全愈。

同年六月廿八，診溫友均之女之病，年十八歲，病者曾讀書，據述起始身體異常疲倦，一二日後惡寒戰慄，發熱頗甚，頭痛，口渴，舌薇厚苔，食慾不振，嘔吐，大便秘結，色黑而臭，尿量極少，且略赤色，右腸骨窩痛頗劇，惟有作止云云。吾診時病如前，檢其熱四十度，右足屈起則痛稍減，觀之腫脹，觸之雖硬而軟，聽之有摩擦音，且有些少輕微水泡音，脈搏細小不正，斷爲盲腸炎。病者又述曾請溫泰華醫師診治，亦斷爲盲腸炎。吾再告以痛處既有水泡音。恐已化膿，惟此種奇嚮無多，想仍可獲愈，卽處大黃牡丹湯方加連喬花粉柴胡知母與之。囑其服二劑後，再作商量，因病者貴藥，每劑須二日纔服完也，至三日復診，水泡音已除，熱亦退減，早晨則無熱，吾復診時在下午一點，發熱三十八度，大便能每日一通行，頗暢快，囑其照前方服之，至四劑而全愈。

盲腸炎之原因：或爲宿便，或爲異物，如果核骨片毛髮糞石等，或爲各種菌類，如大腸菌及結核肺炎等等細菌，侵入爲害。

盲腸炎之症候：此病常發於少年，十餘歲至三十歲爲多，老年較少，男人爲多，女人較少，初起多逐漸而來，有便秘者，亦有下利者，右腸骨窩疼痛，痛有發作性，及持續性二種。食慾不振，噁心嘔吐，惡寒戰慄，發熱常三十八九度，有至四十度者，病人常疲倦異常，如腸中有宿便時，便起瓦斯蓄積，因而起鼓腸，打診成鼓音，或一種濁音，且有硬固之腫脹，可以觸知。尿量減少，呈暗赤色。若慢性病，僅盲腸部硬結脹痛，微熱，食慾不振而已。又盲腸炎，往往續發盲腸周圍炎，或腸穿孔等等危險症候。其熱性滲出物，有漿液性纖維素性及膿性等分別。若既化膿，腸已穿孔，其滲出液延及他處時，常發腹膜炎等病。

盲腸炎之豫後：大抵少年者多良。大人每有二三日輕快後再發者，則多不良。至併發腹膜炎，及自家中毒等，則危險殊甚。

盲腸炎，仲景稱爲腸癰。金匱曰：「腸癰之爲病，其身甲錯，腹皮急，按之濡如腫狀，腹無積聚，身無熱，脉數，此爲腸內有癰膿。薏苡附子敗醬散主之。」其身甲錯者，氣血集中腸部，肌膚不得營養，致皮膚乾燥，如鱗甲之交錯也，腹皮急如腫狀者，腸部發炎紅腫，且有炎性滲出物以脹塞也。按之濡者。因有毒在盲腸，腹內無積聚也。身無熱，脈數，似不一定。薏苡附子敗醬散主之者，尤在涇曰。薏苡可以破毒種利腸胃。敗醬一名苦菜，治暴熱火瘡，排膿破血。附子則假其辛熱，以行鬱滯之氣。

金匱又曰：「腸癰者，少腹腫痞，按之卽痛如淋，小便自調，時時發熱，自汗出，復惡寒，其脈遲緊者，膿未成，可下之。脈洪數者，膿已成，不可下也。大黃牡丹湯主之。」一少腹腫痞者，右腸骨窩腫脹痞硬也。按之卽痛如淋者，盲腸部發炎而腫痛，或延及會陰精腺也。小便自調者，明其非淋也。發熱汗出惡寒者，內病毒太甚，正氣極力抵抗，故發熱。氣血聚集在盲腸部，以事救濟，外則不能收攝汗腺，故汗出。調節機能不能應付氣溫，故惡寒。是仲景之腸癰，以生理病理言之，卽今日之盲腸炎無疑。大黃牡丹湯主之者，陸林曰，癰在大腸，隱於少腹。用大黃牡丹湯，排其膿血，從大便而下。尤在涇曰，大黃牡丹湯，腸癰膿已成未成，皆得主之。故曰有膿當下，無膿當下血。

陸君淵雷曰，盲腸蚓突之炎，當其發炎而膿未成之際，服本方，則炎性滲出物隨下，其狀亦似膿。方後所云有膿當下，蓋指此，非眞膿成之際，亦可用本方也。膿成與否，爲本方與薏苡附子敗醬散之界畫，不容假借。其証候在腫痛處之痞鞕與濡軟。在寒熱與無熱。在脈之遲緊與洪數。按薏苡附子敗醬散，未經用過，不敢妄言。惟大黃牡丹湯，治盲腸炎確有效。然亦當及早圖之，若化膿腐敗，至腸穿孔時，想必難爲力矣。

中醫用藥治病，全利用人身之天然抵抗力，至抵抗力不足時，用藥物以輔助之者也，人身一種疾病，必有一種病毒爲患，如病原菌虫之類。其侵入人體，至白血球淋巴液等不能圍滅時，病毒得以乘機肆虐，發作刺激，久之神經受傷，則發炎而紅腫，病遂作矣。發熱惡寒，非疾病之本體，乃正氣起而抵抗病毒之現象也。盲腸炎之病灶在盲腸，盲腸在腹腔內，大小腸之交界處，大便常秘結，故用大黃芒硝以通大便。大便通暢，則病毒泰半隨大便去矣。病既發炎紅腫則充血，充血所以聚白血球以圍殲病毒之故，病由細菌爲患，故用瓜子桃仁以滅菌。毒處既發炎紅腫，故用連翹花紛丹皮知母以消炎退腫。然病毒果俾在盲腸部，發熱何以遍及全身肌表，必毒素由血運行，遍及全身，則全身起抵抗而發熱。是病毒既普遍全身肌表，當然由汗孔去。且淋巴液有積留異物功能，反往往害及自己，故加柴胡以疏達淋巴。使剩餘之病毒，盡從汗孔去也。

仲景生于漢末，去今約二千年，當時無科學智識，其所發明之病理治法，按於今日科學之醫，若合符節。世界演進，為一定律，交通愈廣，病變愈多，仲景當日所發明者，固不能盡今日之病變，今日科學發達，仍不能盡解仲景當日之哲理，此仲景所以為醫聖也。此中醫所以有研究之價值也。

（接上第49頁）

惟其機能衰弱了，把持不住，纔被它從組織入血，從血入腸胃，一步步倒行逆施起來，如今用薑附去興奮強壯它，恢復生理機能，方能達到保存水分的目的。上面說雖為經過相當時間發生效力，就是這個緣故。但是，薑附所振起的，不單是保存水分的機能，全身各種機能都興奮到，那產生抗毒素的機能，自然也同時興奮，而霍亂病的恢復，自然也格外快了。比不得鹽水，除補充水分外，別無他種效用。設比喻：倭寇侵佔東三省，熱河，把東三省，熱河的富源出產，忙不迭的搶著搬往三島，這好比害了霍亂病，把水分忙不迭的吐瀉掉，東三省，熱河的民衆，平白地失去衣食之源，飢寒欲死，政局勸募些舊衣，黑麵包，辦辦救濟，希望這些民衆不因飢寒而死，自動的想法打退倭奴，這好比灌注鹽水了。並不辦救濟，祇把民衆喚起來，訓練起來，教他們運槍炮戰器，教他們攻守方法，民衆們愛國心未死，自然把倭奴打得七零八落，恢復失地，重發富源，這好比吃薑附了。明白了這些道理，可知霍亂初病時，吃薑附比注射鹽水功效更大，恢復更速，即便病重而必須灌注鹽水。灌注後，兼服薑附，自然是救濟訓練雙管齊下的方法，可知並不是貪圖生意經挾身自吝的話了。」（未完）

翰海室醫話稿（四）

潮安　張長民

黴瘡祕錄

又申宋竇漢卿氏瘡瘍經驗全書，四庫全書提要，已辨其爲明竇夢麟氏所僞託，言無待辯證。世傳澹洪瞻巖氏浩然樓刊本，凡五十卷，其第十三卷列黴瘡秘錄。曹炳章氏中國醫學大成提要云：稱陳司韶氏序文，謂「是書爲丸韶所著」，是也。曹氏又云：「竇夢麟轉錄陳書，然抑爲浩然樓洪瞻巖私增此卷也耶？」殊不可解，姑待賢者考正之耳。「按原南陽氏毅桂偶記與註：瀕湖輯司成黴瘡秘錄，以崇禎壬申（5年；1632）就。後閱宋竇漢卿瘡瘍全書，全部十三卷，康熙中洪瞻巖，陳友恭所校。其中載黴瘡秘錄，而又有小異同。稽之全編，漢卿裔孫夢麟增補而行世者也。其序有「隆慶元年（1567）」之語，因疑隆慶崇禎，相去六十年，陳司成何物，而竇氏成說自爲己說。後又得瘡瘍全書一部十二卷，無黴瘡秘錄文，但曰「宋燕山竇漢卿輯著，明三衢大酉堂繡梓」。乃知昔日所閱瘡瘍全書，加陳司成黴瘡秘錄，而射利當時，即康熙中洪、陳二人之所爲也。讀者宜知之！」又考明殷仲春氏醫藏目錄，亦載瘡瘍經驗全書十二卷；從知浩然樓本全書中之秘錄，又蓋洪氏所私增也。

醫病簡要與溫暑醫旨

裘吉生氏主編之三三醫書中，有張畹香氏之醫病簡要一卷，（[illegible]）曹炳章氏主編中國醫學大成中，亦有張氏之溫暑醫旨一卷。二書皆有邵越瑚氏序文，前序作於民國二年（1913），後序作於十八年（1929）。按後序有云：「二十餘年前，余于交孫晴巖兒處，得到其醫案一帙，觀其於十八年（1889），另撰…，別具學識，…借鈔以備論證之助。今旋失無存，前二年，…都門…搜得。復得一帙，與前帙大同小異；惜乎…數十頁，而醫案更有…；余名之曰張氏溫暑醫旨。「下又前序有云：「今年秋，其賢孫…前年由河南回來，出其祖手著簡要，並附醫案兩卷。凡傷寒、溫邪、風溫、熱入血室、痢疾、瘧疾、伏暑等證，分門別類，……爰名其書曰醫病簡要。」據此，前序所謂：「旋失無存」者，即指醫病簡要一卷及醫案二卷也。簡要既刊於三三醫書中；醫案曹氏亦據陳…庭氏藏鈔刊入大成中，張氏書佚而復存，且得廣傳於世者，未始非裘、曹二氏之功也。今以醫旨校簡要六書，除舌苔辨、辨疹三篇全同外；傷寒治論、三溫邪、風溫、熱入血室、痢、暑六篇，醫旨有論有案，簡要有案無論；又醫旨瘧、中二經所屬、切脈三篇，皆簡要所無。由是觀之，簡要蓋醫旨之節編本耳！裘氏18年序所謂「參數十頁，而醫案更有逸…者」，乃對簡要並醫案三卷言之也。

眼科良方

…其…氏經驗良方，第一…百八十九方，凡列眼科二十一證，題「葉天士先生眼科良方…屬…人…符…生…識」，符氏刊書年月，惜余所藏者其前缺數頁，難得考證；然帽中紀年…於光緒24年（1898），則其書爲是年以後所刊行者可知。近得抄本眼科良方，題「…者在戊申年抄」，…光緒34年（1908）也，全書…列十六證，似爲抄者所遺。其前有二序，楊杏氏序僅云眼科良方，不著葉氏之名；胡鼇氏序改題眼科神應方，稱余煌吉氏命其抄附於經驗良方之後。然則符氏題葉氏者，疑屬僞託；而經驗良方一書，疑余氏亦先有別本刊行。今錄二序於下，以備考校；

「秘傳眼科良方，凡病目者，依方治之，應手立效；刊刷之願，…心…之。道己未（咸豐九年：1859）北上，默念此志可酬。榜後南旋，道經吳郡，購回百五十冊；

時遇有知心，輒相將贈。但冊數無多，而典門遠隔，兼以近遭兵燹，舊板諒必無存，深恐良方湮沒，用是再尋梨棗。望仁人君子，轉相印送，行見撥翳雲於法界，則老眼無花；曙慧日於康衢，則醫方有草。豈特障魔不作；抑且智慧常明矣。是爲序。嶺南楊譽杏山人誌：一

一千方易得，一效難求，雖由諺語，實醫家之至論也。余君煌吾，得眼科神應方一冊，皆昔年自治治人，藥到除病；屢試屢驗，百不失一者。命予抄附於經驗良方之後，以廣海內有斯疾者，得此方而藥之，皆可撥雲霧而見天日，以見余君之一片婆心云。敢不並誌冊端。漁村胡縉謹誌：一

行軍方便便方

行軍方便便方三卷，題「新化生白盧齋白生羅世瑤集編」。是書袁吉生氏採入三三醫書中，提要極加讚美。蓋觀其採摭閎富，有若博集群書者。實則是書取材，大半採自通天曉一書耳！今就卷上備錄一篇校之：是篇計列二十六方，凡註明引靜耘齋，南村輟耕錄，肘後方，食療本草，王氏農書，淮南萬畢術，仙拈四要，本草綱目，臞仙神隱書，齊民要術，古今秘苑，海外三珠等書，計十二方，皆見於通天曉。又第一方及第八方，出惠直堂經驗方；第五方出靜耘齋集驗方；第六方出太平廣記；第四方亦皆見於通天曉，而是書未註明出處者。究之羅氏所集，特武備志六方，奇門大全一方，劉禹錫嘉話錄一方，及未註明出處二方，計僅十方耳！

追述補[illegible]有效驗方——潮來散

胡愔黃庭內景五臟六腑補瀉圖　丁福保氏歷代醫學書目曰：

（移下第62頁）

[illegible]晉黃庭內景五臟六腑[illegible]圖[illegible]丁福保氏歷代醫學書目曰：[illegible]

闡述一張有效驗方——痢疾散

（轉下第62頁）

僅十方耳！

[illegible]

是李松石鏡花緣之驗方

是細菌性赤痢之治療劑

葉博泉

[illegible]細菌性赤痢，乃由赤痢桿菌侵入腸內而起，初起時，桿菌僅侵蝕腸粘膜，遂發急劇之下痢腹痛，裏急後重等之腸管局部症狀，繼乃分泌毒素，遍及全身而發生中毒之全身症狀。[illegible]或[illegible]，故其治療之法，必須急將體內充斥之細菌毒素排除[illegible]，以免中毒[illegible]，始能功效可期，[illegible]痢疾散，是李松石鏡花緣之驗方，其方之組成，均與上述之治療原理恰合，故功效非常確實。[illegible]百發百中。民國十八年夏，[illegible]上海[illegible]和救疫所採用，據丁君[illegible]云：「凡是遇到痢疾病人，看他的症[illegible]輕重，[illegible]把藥末（指痢疾散）給他吞下，用溫暖的滅菌水（即蒸溜水）過口，[illegible]重病[illegible]服，[illegible]不應手而愈，[illegible]萬[illegible]云」。鄙人研究痢疾有年，對於痢疾之治療原理，與痢疾散之藥[illegible]作用[illegible]，多年來每遇痢疾，必先用蓖麻子油以驅滌其腸內積糞，使[illegible]菌[illegible]，[illegible]後再以痢疾散分作數次服之，多獲[illegible]效，[illegible]赤痢之良品也。

「痢疾散」—蒼朮（泔浸）叁兩炒焦　生川軍壹兩炒　製川軍壹兩炒　杏仁霜式兩去皮尖去油　羌活式兩炒　[illegible]

「製法」—以上[illegible]

味去淨外皮，用麵粉糊包好，外用細紙浸濕再包一層，置爐灰中煨透，取出，微去外面所包之[illegible]

麵粉層，便是煨草烏矣，惟製好後即須密貯瓶內，勿久置空氣中或潮濕處。

「藥理作用」 蒼朮爲芳香性健胃藥，兼有發汗利尿之作用，常賞用於消化不良，胃腸內容物醱酵而起之腹脹頭痛遍體痠痛等，在本病則可制止腸內容毒物質之醱酵，更藉其發汗利尿之作用，以排除體內充斥之毒素或中和之，況羌活有發汗解熱鎮痛作用，對於毒素之排除，與蒼朮實有協同作用，凡此可證諸玉真散之用羌活防風白芷，華陀愈風散之用荊芥，皆發汗解熱劑也，而經驗於破傷風症有效，則其效也，必對其細菌與毒素，有撲滅或中和之作用，否則，曷克臻此，故痢疾散之姜活與蒼朮，其所以奏效之藥理正同。草烏頭，有麻醉鎮靜之功，燒炭存性，不失原有效力，且炭末散布腸中，有止瀉整腸吸着消炎之作用，對於痢疾泄瀉食餌中毒等症，均奏卓效，杏仁，畧有麻痺性，故有鎮咳之能，且常用於胃痛及神經性嘔吐等，按赤痢之消化管感覺非常銳敏，劇者每便必嘔，而杏仁之麻痺鎮靜作用，可以減却其一切過敏症，致生製川軍共藥二兩，若以本方每次內服適量一錢衡之，則其所占之分量爲一分八厘，倘以李氏原方所云大人每次祇服四分，則其含量更少，故本方之用川軍，以其量小，乃取其制酵健胃止瀉之功，而非取其瀉下也，即實驗上亦未見其有瀉下之作用，更証之本方川軍與蒼朮及草烏炭末同用，於水瀉亦甚有效，益可知也，甘草，富含粘液質樹膠澱粉等，用於腸管之加答兒及痢疾時，有緩急安撫之功，綜觀全方之藥理，實有中和毒素（或撲滅病原菌）解急定痛與健胃制酵吸着止瀉之靈效，救急扶危，一服見功，非無故也，其有改蒼朮爲石榴皮者，豈知本方立方之旨哉。

「主治」 一切初起紅白痢疾，尤其細菌性赤痢，水瀉亦效。

「禁忌」 久痢下稀淡血水者忌用。

「服量」 大人每服一錢至二錢許，小兒減半，四歲以下四分一，幼兒再減，一日數次

「處方」 1.痢疾散二錢　右爲一包，頓服。

2·草蓖子油　二〇·〇——三〇·〇　右量作一次頓服，遲四點鐘續服下方

痢疾散　三錢　右分三包，每次服一包，隔三時一次，此法治痢，輕者一日愈，重者不妨多服數日，良效

「附言」按景和救疫所，其組織與各救疫所或各醫院之專以中醫或西醫爲主者不同，此則中西並備，中醫部由祝味菊先生担任，西醫部由譚以禮先生担任，其餘尚有許多助理員及實習生等，以破除成見，捨短從長，增加治療效率爲旨，丁君成萱是該所實習生之一，痢疾散是該所當時救治赤痢唯一主要之有效藥物，惟痢疾散一方，雖屢有效，但爲歷來醫者所罕用，僅知之而已，良可惜也，攄其主因，約有三端，一爲不明此方之藥理作用，以爲蒼朮羌活草烏蒸杏仁等，實非普通治痢之藥，乃疑其藥效，二因草烏爲有毒之品，懼懼然不敢應用，三即有好奇心或胆識修者擬而試之，但用時又按照該方原有所記之服量每次僅三四分，因其量小而效微，遂起輕視之心，凡此者爲良方湮沒之由，今由實驗而知其確效，鄙人乃再將其治療原理與藥理作用，表而出之，使知其然而不知其所以然者堅其信心，未祇非李氏之功臣也，抑亦爲學者所樂聞歟。

（接上第53頁）

一黃庭內景五臟六腑圖一卷，女子胡愔撰，天一閣鈔本。按舊本內景譌作內府，今校改。陳詩庭云：「通志畧作胡惜撰，誤」；按此即前書漏補寫二字也。

張介賓宜麟策　按宜麟策續編，爲河與洛堂氏所著；見氏保嬰易知錄，追記於此。

經效產寶　按經效一書，唐王燾氏外臺秘要已有引用；補誌於此。

翰海室醫話稿二十則，爲醫籍雜識，彙爲甲篇，發表於此；國內不乏研究醫籍學者，幸辱教之！

民國32年10月10日張長民於湖安醫藥社沙溪辦事處：（完）

悟廬醫案　傳染病篇之一

江濟時

傳染病之起，原因誘因素因三者缺一不爲功。就中土地氣候病毒（微生物）相互之間，關係尤切。基於「萬物皆生於有」之例，氣候與土地，無病毒固不足以成病。氣候病毒兩者縱甚相得，無適宜土地以爲生存立脚之基，病毒亦無由生活。病毒與土地既具，無適當之氣候，病毒不合「適者生存」條件，不移時亦惟歸淘汰而滅亡。凡百生物皆如是，傳染病毒其一例也。

瘧病多生於山嵐熱帶之地，尤以新闢山地爲最，故以吾粵而論，廣州香港曲江，瘧疾較量，有星月之比，廣州蚊多山少，瘧疾不見大流行。香港蚊少山多，瘧疾多於廣州數倍，曲江山多蚊多，而氣候較熱，瘧疾多於香港亦數倍。今秋天氣亢旱，恐瘧更見流行，此乃氣候環境適宜瘧蟲發育滋長，而瘧疾遂形滋蔓披猖之明例。由是言之，病毒氣候土地與瘧疾流行關係之孰輕孰重，吾人固可深長思也。更有進者，抗戰以還，國民營養問題嚴重，加以生活起居流遷動盪，亦是爲助長瘧疾流行要因之一。今秋瘧疾多而厲，於此事實情形，顯然關係不少，其治法，亦與去年時有差別。客秋曲江瘧疾多適用大小柴胡或溫胆桂枝白虎等，法青蒿鱉甲湯之類應用亦甚少。今秋則非用「育陰滴血」「透營解熱」之藥頗難奏效也。今擇一二例案，藉旬刊銷行較廣之篇幅公佈，就正有道，高明幸垂教之！

病者楊南，住東河壩楊家村，就診時發熱已十餘日，服辛溫苦寒藥數劑，病不減。本年十月十五日初診時，症狀爲口渴暮熱，有輕度昏迷，脈細而強，汗出甚多，動則頭眩而昏厥。舌乾絳，舌蹇語澀，口張囈語時發。治以扶元防脫育陰爲主，方爲人參另燉勻服四錢，茯神，川石斛浮小麥各八錢，生煆龍骨生煆牡蠣各一兩，白芍六錢，（移下第68頁）

報導

醫師法

三十二年九月二十二日公佈

第一章　資格

第一條　中華民國人民經醫師考試及格者得充醫師

第二條　對於具有左列資格之一者前條考試得以檢覈行之

一、公立或經教育部立案或承認之國內外專科以上學校修習醫學並經實習成績優良得有畢業證書者

二、在外國政府領有醫師證書經衛生署認可者

前項檢覈辦法由考試院會同行政院定之

第三條　中醫具有左列資格之一者亦得應醫師檢覈

一、曾向中央主管官署或省市政府領有合格證書或行醫執照者

二、在中醫學校修習醫學並經實習成績優良得有畢業證書者

三、曾執行中醫業務五年以上卓著聲望者

第四條　有左列各款情事之一者不得充醫師其已充醫師者撤銷其資格

一、背叛中華民國證據確實者

二、曾受本法所定除名處分者

第五條　經醫師考試及格者得請領醫師證書

第六條　請領醫師證書應具聲請書及証明資格文件呈請衛生署核明後發給之

第二章 開業

第七條 醫師開業應向所在地縣市政府呈驗醫師證書請求登錄發給開業執照

第八條 醫師歇業復業或移轉均應於十日內向該管官署報告死亡者由其最近親屬報告

第九條 醫師非加入所在地醫師公會不得開業

第三章 義務

第十條 醫師非親自診察不得施行治療開給方劑或交付診斷書其非親自檢驗屍體者不得交付死亡診斷書及死產證書

第十一條 醫師執行業務時應備治療記載病人姓名年齡性別職業病名病歷醫法

第十二條 醫師處方時應記明左列事項

一、自己姓名證書及執照號數並簽名或蓋章

二、病人姓名年齡藥名藥量用法年月日

第十三條 醫師對於診治之病人交付藥劑時應於容器或紙包上將用法病人姓名及自己姓名或診療所逐一註明

第十四條 醫師如診斷傳染病人或檢驗傳染病之屍體時應指示消毒方法并於四十八小時內向該管官署報告

第十五條 醫師檢驗屍體或死產兒如認為有犯罪嫌疑者應於二十四小時內向該管官署報告

第十六條 醫師如無法令所規定之理由不得拒絕診斷書檢案書或死產證書之交付

第十七條 醫師關於其業務不得登載或散佈虛偽誇張之廣告

第十八條 醫師除正當治療外不得濫用鴉片嗎啡等毒劇藥品

第十九條　醫師不得違背法令或醫師公會公約收受超過定額之診療費開設醫院者亦同

第二十條　醫師對於危急之病症不得無故不應招請或無故遲延

第二十一條　醫師受公署訊問或委託鑑定時不得爲虛僞之陳述或報告

第二十二條　醫師對於因業務知悉之他人秘密不得無故洩漏

第二十三條　醫師關於傳染病預防等事項應遵從該管行政官署指揮之義務

第四章　懲處

第二十四條　醫師於業務上如有不正當行爲或精神有異狀不能執行業務時衛生主管官署得令繳銷其開業執照或予以停業處分

第二十五條　醫師受繳銷開業執照之處分時應於三日內將執照繳銷其受停業之處分者應將執照送由衛生主管官署將停業理由及期限記載於該執照背面後仍交由本人收執期滿後方准復業

第二十六條　醫師未經領有醫師証書或未加入醫師公會擅自開業者由衛生主管官署科以五百元以下罰鍰

第二十七條　醫師違反本法第十條至第二十三條之規定者由衛生主管官署科以三百元以下之罰鍰其觸犯刑法者除應送司法機關依法辦理外並得由衛生署撤銷其醫師資格

第五章　公會

第二十八條　醫師公會分市縣公會及省公會並得設全國公會聯合會於國民政府所在地

第二十九條　醫師公會之區域依現有之行政區域在同一之區域內同級之公會以一個爲限但中醫得另組醫師公會

第三十條　市縣醫師公會以在該管區域內開業醫師九人以上之發起組織之其不滿九人者得加入鄰近區域之公會或共同組織之

第三一條　省醫師公會之設立應由該省內縣市醫師公會五個以上之發起及全體過半之同意組織之其縣市公會不滿五單位者得聯合二以上之省共同組織之

第三二條　全國醫師公會聯合會之設立應由省或院轄市醫師公會七個以上之發起及全體過半數之同意組織之

第三三條　各級醫師公會之主管官署為主管社會行政機關但其目的事業受衛生主管官署之指揮監督

第三四條　各級醫師公會依其級別設理事監事其名額如左

一、理事三人至三十一人

二、監事一人至九人

前項理監事之任期不得逾三年連選得連任一次

第三五條　醫師公會應訂立章程造具會員簡表及職員名冊並請所在地社會行政主管官署立案並應分呈衛生署備查

第三六條　各級醫師公會之章程應載明左列各項

一、名稱區域及會所所在地

二、宗旨組織任務或事業

三、會員之入會及出會

四、理監事名額權限任期及其選任解任

五、會員大會及理監事會會議之規定

六、會員應遵守之公約

七、貧民醫藥扶助之實施辦法

八、經費及會計

九、章程之修改

十、其他處理會務之必要事項

第三七條　各級醫師公會會員大會或理監事會之決議有違反法令者得由主管官署撤銷之

第三八條　醫師公會之會員有違反法令或章程之行爲者公會得依理監事會或會員大會之決議將其事實証據報經衛生署核准予以除名並應分呈社會行政主管官署備查

第六章　附則

第三九條　本法施行細則由衛生署會同社會部擬訂呈請行政院核定之

第四十條　本法自公布日施行

（接上第63頁）

石菖蒲錢半，炙草三錢，遠志四錢，十六日復診，脈較應指，汗收，頭暈口渴減，舌之絳者上層現黃薄苔，便溏譫語，暮熱囈語等無甚變化，處方仍以前法加減。人參遠志于朮各三錢，生龍骨生牡蠣各一兩，茯神川石斛各六錢，生石決八錢，白芍五錢，石菖蒲錢半炙草式錢，十七、八兩日照前方加減。十九日啖稀粥三次每次碗餘，日下黃稀糞三四次，帶有膠粘狀物，脈滯强緩，舌有黃垢苔，腹間有微痛，譫語舌蹇亦退，能起坐不寐精神較佳，口渴而津起白膠沫，藥以生津運脾法爲治，川石斛雲苓各六錢，白芍丹參五錢，生鱉甲八錢，生石決一兩，潞黨南豆衣雞內金各四錢，元參三錢，炙草二錢。廿日暮熱退，而轉間日發作，廿一日方仍如前法加減。廿三日大便下黃膠糞二三次，口中膠沫如舊，脈强緩，從此胃納日佳，精神日振，聲漸[illegible]宏，再以滋癃運脾生陰爲治，首烏白芍南豆衣各五錢，鱉甲一兩，石斛雲苓各六錢，生黨三錢，知母錢半，烏梅肉二枚，炙草一錢，廿九日照前方加烏梅兩枚，廿四爲熱期，暮熱不見，口中膠沫亦減，腹中微痛脈緩，日進稀飯三次，每次二碗，此乃胃腸濕熱餘邪未淨，津液未復，再以輕淡生津爲治，竹葉沙參各二錢，冬瓜仁葦根石斛各四錢，南豆皮雞內金花粉竹茹各三錢，赤芍一錢，加減三劑，共十二診，遂告痊愈。

編輯室廣播

本期論壇「略論中西醫學之特質及中西匯合問題」一文，是接續上期刊出梁乃津同志執筆，全文作爲代表編者敬答鄧鐵濤先生對本刊選稿態度提出問題的商榷而寫的，文中除引發科學與哲學之理論體系，及其基本認識，和編者微有不同外，至醫學主題之見解，與本刊立場完全一致，讀本文末所附聲明，語多自謙，不失學者之風，殊深佩慰。

時賢任應秋先生，名重醫林，著述甚豐，傳誦於世者有「傳染病學」，「仲景脈法學案」二書，近承惠以新著仲景病理學案之一「尿」，吸收西學方法與精華，闡發仲景病理之奧義，本期開始刊載，尚希讀者注意。「中西藥治瘧經驗談」，是張公讓醫師近年研究瘧疾所得之臨床紀實，所指出最易忽略，最易錯誤，最應採用之幾點事項，誠爲當前撲瘧運動中之大好貢獻。張醫師致力新舊醫學融會工作有年，其新出版「中西醫學比觀」鉅著，足以代表。梅縣新國醫研究所主辦者謝則仁先生，爲國內提倡新中醫教育健者之一，以豐富之科學思想研討傷寒金匱甚勤，對此頗有心得，其治醫文字向不輕易發表，現蒙寄贈「盲腸炎之治驗」一章，不啻爲採經方以代替手術之一鐵證，亟載本刊，公諸海內。中國名方埋藏於醫書外之其他載籍者不少，近賢向此尋求者亦漸不乏人，葉橘泉先生在本期刊出之「闡述一張有效驗方痢疾散」，其拓荒工作所穫良果及其價值，實堪倡導。

醫師法已於九月二十二日國府正式公佈，并同時廢止中醫西醫條例，這一單行法之施行，無疑是我整個醫界（不分中西）的合法地位的奠定，更反映到中醫界獲得法律上的平等，值得使人興奮！本刊熱望醫界同人對此切身權益，加以重視，盡量發揮意見，冀他日能蒐集起來，編印一個「關於醫師法」之特輯，始不負政府提高醫師地位的本意。

下期出版「方劑學專號」，主要稿是沈仲圭先生的「中醫經驗處方集」，謹此預告。

今後讀者來函，無論是交發行部或編輯部，務希每次函中，寫明通訊址。

本期稿擠，故須定排印之葉橘泉譯「後世要方解記」，及編者的「悼繆俊德先生」，同時張長民君「關於中國醫學大辭典……」，操子鈞君「婦科新論」兩續稿，因收到過遲，均未克刊出，謹此致歉。

本社工作同仁一覽

姓名	籍貫	科別	地址
黃頤如	海豐	內科	本市武溪北路中興
江濟時	番禺	內科兒科	本市仁愛南路
黃介甫	曲江	同上	本市孝悌路
吳夢昌	梅縣	婦兒科	本市北門大馬頭
梁乃津	南海	內科	本市民生路福生堂
盧谷康	番禺	內科	本市忠信路一號
陸協民	番禺	外科眼科	本市孝悌路
甄學初	台山	內科婦科	本市中正路德和堂
彭銓	南海	內科	本市風度南大德堂
陳薇瀾	番禺	內外科	本市風度北廣芝館
江鼎石	花縣	內科眼科	本市東河中正路一
駱定基	花縣	內外科	本市東河中正路
王德茂	普寧	內科婦科	本市黃田壩商場後
張景述	南海	內外科	南雄永康路號廬
李龍文	梅縣	內科	梅縣丙鎮二天醫廬

本社社員

類別	姓名	年齡	籍貫	出身	通訊地址
基本	張夔	四八	貴州貴陽	上海鐵樵中醫學社畢業	貴陽省府北路卅四號
基本	李傳祿	廿五	廣東南雄	南雄縣立中學畢業	南雄新田鄉公所轉
基本	鄒宗賢	卅一	廣東曲江	廣東國醫傳習所畢業	韶州韶西北路忠記內
普通	許導三	廿六	廣東普寧		普寧流沙西社
普通	潘潔平	卅四	廣東順德	華南國醫學院畢業	韶州黃田壩
普通	田達炳	卅二	湖南芷江	沅郡中學	芷江北正街80號抗建書局
普通	馬宜	廿四	湖南湘潭	第七軍分校畢業	湘潭居仁街楊鼎豐轉
普通	王宗文	卅三	廣東興寧		興寧興田路子才醫務所
普通	陳維邦	三十	廣東和平	天津國醫函授學院畢業	和平縣古寨東和號轉
普通	王桂生	四九	廣東始興	始興縣立師範畢業	始興頓崗墟廣生堂

（因篇幅所限，本社社員，以入社先後爲序，按期刊出。）

本社啓事一

本刊此次擴大徵求基本讀者，深蒙各地同道諸君，及社會熱心醫藥文化事業之各界人士，紛賜鼎助，幸獲初步成果，至目前止，基本讀者已增加十份之五，尚望始終愛護，繼續進行，使本刊將來之銷流數量，爲醫藥出版界一破紀錄，此本社所致予崇高敬謝而不勝其盼禱者也！惟本刊今後以銷數頓增，對按期寄奉時，難保無間因郵誤或容有疏虞，致讀者偶爾失收，則希　明示，俾於原定款內扣除該期刊費及加掛號寄費補奉，以副熱望，而免本社損失，並希諒察爲荷。

本社啓事二

本社舉行大規模徵求社員運動以來，得承遠近醫藥界志士，熱烈惠然參加，志願入社，殊堪感奮！今者，本社所收來函，除大部份加入普通社員外，另一部份則渴望爲本社基本社員，但均感於苦無介紹者（社章規定基本社員入社須有基本社員二人以上之介紹，提交董事會通過），乃殷殷以此見詢，爲此，謹列要點如下：凡有意加入本社基本社員諸君，如經本社發出箋函——或工作同人中有函，邀請入社者，可不必再覓其他介紹，可將志願書及基金掛號寄交本社，俾便辦理。再者，各方紛函自動請設分社，關於此項辦法，係指每省及本省每縣之本社基本社員除入社半年後工作成績優異，應由董事會函請其組織外，凡能於當地徵得社員（不論基本普通）廿名以上，或按期推銷本刊五十份以上者，均得設立分社。因未克一一答謝，謹此公開奉覆，尚祈　采納爲幸。

本社啓事三

本社抱致力學術，服務社會之決心，兩年來工作同人，以百折不撓之精神，抽萬忙備有之時間，分頭並進，共赴事功，雖進展之預期已達，而事務之繁冗日增，單以來函問病及一切有關醫藥範圍疑難問題之請求解答者，亦已日凡數十，應付爲艱，積壓如山，迄難清理。且多屬空函詢問，致物質精神耗費頗大，今後礙難長此不加限制，特擬訂辦法兩則，俾臻完善：（1）凡非本社社員及基本讀者，來函問病，每次收費五十元，保證於信到五日內，妥爲詳覆。（2）凡非本社社員，來函詢請學術上或其他一切醫藥問題之解答，每次收費三十元，并以不超過六個題目爲限。但如屬本刊基本讀者則只收郵件費五元。信到後如無特別情形，十日內奉覆。

內政部登記證警字第八二〇四號

介紹新書

醫政漫談　全一册 正中紙五十六元 土報三十七元　陳果夫著　本社代理

中西醫學比觀　第一卷五十元　寄費五元　張公讓著　本社代售

藥業指南　全一册定價卅元·外埠加郵二元三角　周復生著　增訂重版 本社代售

中華醫藥選刊　全一册卅五元　寄費五元　李克蕙著　本社代售

仲景脈法學案　全一册卅元　寄費五元　任應秋著　本社代售

任氏傳染病學　上卷一册一百二十元　寄費五元　任應秋著　本社代售

瘧疾學　全一册廿五元　寄費五元　梁乃津著　本社代售

中國醫學之精髓　每册廿五元　寄費五元　張鴻生著　本社代售

吳粤昌主編：現代中醫藥叢書之一

臨床藥典

李文龍纂著

：廣東醫藥旬刊社印行：

本書出版始伊，優待本刊讀者函購，照定價九折實算三十六元，并免收郵寄費，如不通匯地區，郵票代洋，八折計算，以新版一角至五圓者爲限。又如函購十册以上，特照卅六元再加九折，上述優待辦法，至三十三年一月底止。總發行所：廣東韶州北門大碼頭廣東醫藥旬刊社。

廣東醫藥旬刊第一卷合訂本改印選集繼續徵求預約啓事

本刊第一卷合訂本，因爲印時計算篇幅，逾三百餘頁，超過發預約時之印費幾達一倍，更因預約份數，距原定額所差尚遠，故合訂本計劃決難實行，特改善爲出版選集，即將第一卷出刊至二十四期之佳稿，以最嚴謹之態度選印若干篇使成單行專册，仍開始徵求預約，每册先收六十元，多還少補，擬於兩月後出書，至前所交款預約合訂本諸君，亦俟本選集出版時，按原價折算發奉。現本刊第一卷尚有十一期至二十四期（中缺十七、十八期）約數十份餘存，每册定價五元（均兩期合刊）購者函商印奉。

一　本刊每册零售國幣八元

中国近现代中医药期刊续编·第三辑

医药卫生专刊

濟世日報 右任

醫藥衛生專刊

創刊號

——本刊每逢星期一出版——

本報登記證內政部京警滬字第三八六號

發行人 章勤　社長 章紹鼎　總編輯 施今墨

本期目錄

中華民國三十六年八月十一日　濟世日報社發行　本期售價國幣四千元

社址上海哈爾濱路富春里四號　電話四五二七二

發刊詞

建醫·強種·救國！

不攻擊西醫，也不攻擊中醫，我們一心一德，把中西各方眞實的醫藥衛生常識，介紹給水深火熱中的同胞，同時提供有心溝通中西學術的朋友，及賢明當局，作爲參攷的資料。

人民的健康關係國家的富强，所以强國必先强種。

醫藥衛生關係人民的健康，所以强種必先建醫。

醫藥衛生行政是建國的重要因素，所以建醫必先健全醫政。

中國貧弱到這步田地，固然有多方面的原因，但是人民體質普遍的孱弱多病，可說是貧弱的主要原因。甚至可以說，中國人民的體格一天不能强健，中華民國也一天不會富强起來。腐朽的木料是不能撐持大廈的。因此我們大聲疾呼：四億七千萬同胞，趕快攜起手來，提醒政府的警覺性，健全我們的醫藥衛生行政，建醫强種救國！

誰都知道中國有兩種不同的醫生，所謂中醫與西醫。他們各有各的衛生之道，各有各的治病方法。他們一直互相攻擊，互相對立，甚至互相仇視。在全中國的每一個角落裏，都佈滿了他們的戰氛，都可以嗅到火藥氣，都可以聽到互相詆毀的詞句。中西醫是戰士，老百姓是難民在槍林彈雨中。難民的情形，我們很熟悉，一個個都昏頭昏腦，胆戰心驚地好似站立在危崖萬仞的高山上，下面是萬丈深淵。中西醫交戰下的難民，平日不知究竟要怎樣衛生才合適，從中呢？還是從西？病時究竟要請那種醫生才相宜，中醫呢，還是西醫？甚至逼得他們平時不敢談衛生，病時不敢請醫。這並不是我危言聳聽，這是千眞萬確的民情，這是鐵一般的事實。

智識較低的國人是這般的苦悶，智識高的人也都徬徨不定。因爲耳聞目覩西醫不治之症被中醫治愈的，不知多少。而中醫不治之病被西醫治愈的也不算一回事。至于西醫一針打死人的消息，到處都可以聽到。而中醫一劑藥吃壞人的事情也不知多少。中醫和信仰中醫的人隨時隨地在公佈西醫的罪行，西醫和信仰西醫的人隨時隨地在宣傳中醫的劣蹟。他們簡直成了水火不相容之勢。試問在這水深火熱中的人們，誰不苦悶，誰不徬徨，誰不對管理醫政當局表示遺憾，有誰滿意中國的醫政？

我親耳聽見一個遍嘗中西醫藥而病勢垂危的人，在他臨死的一霎那間，痛罵管理醫藥衛生行政的當局。卻不知我們的衛生部長對現行的醫藥衛生制度，也並不見得滿意，也在徬徨苦悶之中，消滅中醫嗎？消滅不了。培植中醫嗎？又怕負起「開倒車」的罪名。心勞日絀，不知所措。內心的憤懣，也許比中西醫藥治得垂危的病人更深哩。

如果我們以「開車」做比喻，來評判中西醫藥學術。那麼，西洋醫藥學術好比一部金壁輝煌的車子，中國醫藥學術好比一部滿身塵土的車子。外表雖然相差得這樣懸殊，可是內裹的機件，都是不齊全的，都是開不到我們預期的目的地的。我們的看法是把這兩部車子的機件合攏起來，也許可以多開幾程路，最低限度也能開到距目的地更近一點。

所以，我們對于積數千年經驗，確有實效，而尚未全部爲現代科學家認識淸楚的中醫學術，主張努力的把它科學化起來。同時，對于經過千萬科學家，憑現有的科學器械及其法則，究研所得的西洋醫學，主張讓它透過民族的生活習俗和特性。照這樣的共同努力數十年，也許可能打破中醫的門戶，同時也撤除西醫的藩籬，而產生出一種新的醫藥衛生學術，供獻于世界學術之林。豈祇中華民族之幸而已！

我們絕不否認西洋醫學的價値。同時我們却不能不告訴高高在上的衛生當局，中醫能在今日的科學世界裏，依舊飛騰跳擲，而不爲科學洪流所衝刷而去，決不是偶然的事。不信你可以訪問一下輿情，古老的中醫治愈簇新的西醫所不治之病，是不是口碑載道？所以我們對於今時衛生當局的鄙棄中醫學術，非常的痛心。尤其對於衛生行政制度把中醫置于附庸之地，萬分的憤懣。

我們追求鄙視中醫心理的來源。國內粗曉科學的人，漠視中醫治療的實效，而對古代醫書用來設喩的若干詞句及其代名詞，大事挑剔謾罵。不知古代醫書所以如此設喩，如此借用了許多玄虛名詞者，皆因當時沒有科學，沒有理化，不得已而出于想像而已。更有一些頭腦不科學的科學家，因爲若干事實不是現有的器械及其法則所能解答，于是根本否認事實之眞確，而目爲玄談。不知現有的科學器械及其法則還未臻盡善盡美之境，還幼稚得可憐哩。不信你翻開外國新近的科學雜誌看一看，西洋科學界對于現有的器械及其法則是不是隨時還在求是求精中。國內科學家的頭腦這樣的不科學，叫我們怎樣不痛心？再說我們中國衛生行政制度，把中醫置于附庸之地，任其自生自滅。他們認爲有了西醫，中醫就可有可無了。豈知除了少數大都市裏有西醫外，廣大的農村裏惟中醫是賴。而且在擁有西醫的城市裏，大多數的病人還是倚靠中醫。並不是我們替中醫宣傳，事實上百分之八十以上的同胞是由中醫治療疾病的。中醫在中國的地位，極明顯的比西醫重要得多。而衛生當局這般的漠視中醫，這無異于對百分之八十以上的同胞的疾病健康不聞不問。試問如此的衛生行政，如此的衛生當局，叫我們怎樣不憤懣？我們少數人的力量有限，我們不能改變現有的制度。可是我們對于積五千年經驗而確有實效的醫學術，不忍坐視其淪亡。我們對于百分之八十以上的同胞的生命健康，不忍坐視其因一二官吏之編心而失所保障。我們尤其同情那些平時不知如何衛生，病時不知如何請醫的同胞，以及遭受中醫藥雜投而死不瞑目的同胞。因此我們下了決心，不惜財力和精力，創辦本刊。

我們決不談空泛的理論，不攻擊西醫，也不攻擊中醫。我們一心一德，把中西各方眞實的醫藥衛生常識介紹給水深火熱中的同胞。同時提供有心溝通中西學術的朋友，及賢明的當局，作爲參致的資料。最後以我們的赤忱，向四億五十萬同胞大聲疾呼，大家攜起手來，健全我們的醫藥衛生行政！健全醫政是建醫的先決條件，建醫是強種的先決條件，要強國必先強種。祝　諸位健康。

危乎哉今之中醫

陳立夫

危乎哉今之中醫！學術方面，諸凡生理解剖病理診斷藥理治療菌蟲免疫，西醫力求日新又新，自強不息，中醫滯於舊說，漠視科學而保守不前。服務方面，西醫日重預防，兼及公共衛生，中醫但重治療，限於個人服務。傳授方面，西醫黌舍林立，課程劃一，中醫班塾寥寥，簡陋分歧。藥物方面，西醫日有發明，中醫日有減損。危乎哉今之中醫！

究其危機之形成，實咎由自取。問世之醫，封守殘缺，祇圖一已之私，遑顧學術不前。走方之流，唯利是圖，識得藥性，便濫竽充數。醫術日趨低落，醫德喪失殆盡。高明之士，遯隱息蹤。機巧之徒，名醫自居。然而博雅有心之人，亦未嘗不卓立其間，乃有籌組全國中醫師公會聯合會之議。羅致全國菁英，衆志成城。新興術育眞才。折腐除蕪，自立自治。揚國粹之奧，建國防之基，杜國庫之漏巵，應社會之需要。護民健康，增民自信。洵自救救國之良圖也。然必賢者在位，能者在職，淺揭深厲，革舊命新，方克有成，不則益危矣。詩曰，周雖舊邦，其命維新。有斐君子，其善圖之。

籌備人以公會成立在即，索文於余，因爲言若此。

（編者附註）陳立夫先生爲黨國賢達中頭腦最清晰之一人，美國行銷最廣之某雜誌爲出專號，譽爲中國儒家思想之標準人物。先生提倡中醫藥最力，此文乃爲全國中醫師公會聯合會籌備時作。今聯合會成立已久，此文之價値絲毫不隨時間性以減損，故借重爲創刊號代論。有識之人，語重心長，我中醫界讀之，能無自惕？

從懷孕到生產前

雍熹

——爲自己，也爲未出世的小寶寶。

你應該注意些什麼呢？

懷孕的婦女，當醫生說：「恭喜你有喜了！」的時候，一種將要做媽媽了的喜悅就會充滿了整個的心情。同時，也立刻會想知道在生產以前的妊娠期中，自已應該注意些什麼事才對。眞的，爲了自已，也爲了未出世的小寶寶，一個將要做媽的人應該在起居飲食等等各方面注意些什麼才對呢？

本來，婦女懷孕可以認爲是一種自然生理現象，加以現在新法接生的進步，只要我們在妊娠期間在生活上有關各方面略加注意，就可以獲得很好的結果了。現在把產前妊娠期中主要值得注意的事提出來說一說：——

飲食

一般家庭中之婦女，在懷孕期中並不需要增加任何額外之食物，仍可依照自己之習慣而進食。食物的品質以簡單而富營養的最爲相宜，不易消化和刺激過重的食品則最好避免勿用。食品種類倒沒有什麼限制，蔬菜、肉類、鷄蛋，牛奶及水菓等均應包括。特殊情形如貧苦階級，平日食物中蛋白質、維他命等欠缺者，在妊娠期中應遵醫生的囑咐，進食蛋白質，維生素等含量較多的食品。此外，較平日需要量稍多的鈣質亦應有過的度攝取以供胎兒的需要，同時亦可使孕婦免除因鈣質缺少所引起的疾症，如牙齒的損壞及對骨骼的影響等。

睡眠

孕婦在妊娠期中，應有適當的休息。故每晚睡眠，至少不應少於八小時；並應切實注意臥室內空氣之流通。每日中餐能有半小時至一小時之午睡更爲相宜。

運動

對於家庭中輕便瑣事，仍可照常操作，但不可過於疲勞。每日能作戶外散步及適當之柔軟操極爲有益，但應避免任何劇烈運動及提攜重物，長途跋涉；在妊娠期中最後三個月中尤需特別注意。

服裝

孕婦之衣服宜輕鬆寬軟，只須足以保暖，切不可過於緊狹。在不是初次懷孕的婦女，也許要感覺腹部下垂而不舒適，則可以用適度之腹帶托護，但決不可太緊。

沐浴

每日可用溫水抹身，或則舉行溫水淋浴。最好用自來水，因爲自來水是經氯氣消過毒的。我國人行淋浴的習慣還不很普遍，不過婦女在妊娠期中行盆浴實在不很相宜的，尤其是在懷孕七個月以後，盆浴應該絕對避免，以免除各種傳染的危險。

便祕

我國人通常都不很注意有規則排洩大便的良好習慣，而婦女在妊娠期中更常常會發生便祕的現象，這對於母體的健康和胎兒的發育都要有不良的影響。所以，在妊娠期中應該多飲開水和多吃水菓，尤其是在每天早餐起床後多喝點開水，以保持大便的暢通。通常的各種瀉藥，無論是那一種，除非經醫生的指示，切不可自作聰明地服用，那是非常危險的事。

乳房

第一次做母親的人，常常會因爲嬰兒的吮吸而乳頭發生裂縫，非但疼痛難煞，而且有被汚物中細菌傳染以致潰爛的危險。所以，孕婦在懷孕期中的最後二月，應該當常以清水和肥皂洗滌乳頭，保持其清潔，並在乳頭上用橄欖油塗抹。偶或用酒精按擦乳頭，但不可多擦，因酒精易使皮膚粗硬，反易生裂縫。如果乳頭內陷則宜用指尖由乳突旁經四週將模，使其逐漸突出。

性交

在妊娠期中，尤其受孕後之最初三個月內，頻仍之性行爲爲引起流產之主要原因；而在最後二月中，尤其最後臨近分娩前之性行爲，常造成早產及各種傳染之危險。故在妊娠期中之最初三個月及最後兩個月中不應性交。而有流產或早產之經驗者，更應絕對禁止。

以上都是比較重要的方面，而且實行起來並不困難，只須平時稍加注意就行了。不過我們還想指出一點，就是產前檢查的重要。當醫生告訴你說：「恭喜你有喜了！」之後，就應該至少一個月去檢查一次；在最後兩個月，日子還要縮短，至少每兩星期去檢查一次。在妊娠期中若有頭昏、失眠、眼花、心悸、氣喘、嘔吐、流血、水腫等現象時，應該立刻到醫生處去診治；而在末期若有腹痛、腰酸、流水、出血等現象，均爲臨產之兆，必須即刻到醫院去才對。

消治龍

雍熹

現在，消治龍在一般人的觀念裏，似乎比以前的阿司匹靈，或奎甯丸更爲熟悉了。普通的家庭裏差不多都買的有，預備着隨時應用。而且是用得那樣廣泛，甚至於我們常可見到有些人傷風了也吃兩片消治龍，咳嗽了也吃兩片消治龍，頭痛發熱了也吃兩片消治龍。是不是對症，是不是有效呢？似乎沒有人高興去追究了；對於究竟是什麼病的診斷，自然更無興趣去理會。

消治龍的確是一種很好的藥，可是它決不是一種萬病皆靈的仙丹。那麼還是先知道一下它的性質，藥理和功效吧。

消治龍是磺胺類藥物之一種，這一類的藥都有一種共同的特性，就是能够和人體血液內某種酸類結合，而抑止侵入人體內各種細菌的生存。我們知道使我們身體組織發炎的原因是細菌侵入後的生長繁殖，分泌毒素，以致使局部的組織化膿壞死。如果我們能設法抑止細菌的生長，使它死亡消滅，那麼自然可以消炎却病了。消治龍是磺胺類藥物中屬於磺胺噻唑的一種，在人體內自然也具有這種功效。

不過，經過試驗的證明，各種不同的磺胺類藥物對各種病菌的效力不同；溶解度，停留在體內的久暫，排泄的快慢也不同；中毒可能性的大小也不同。

這是要特別指出的一點——磺胺類藥物是可以引起各種程度不等的中毒現象的。目前已發現的，比較輕的有惡心，嘔吐，紅眼，發熱，或是皮膚紅疹等，嚴重的可引起腎臟結石，貧血，肝炎等，如果有了白血球減少的現象則更是非常危險的事。

所以，當我們服用這一類藥的時候，一定要先驗明了致病的細菌是那一種，再決定採用磺胺類藥中最有效的那一種，並且要依照規定的辦法和劑量服食。因爲在治療期間，我們必須使血液裏藥的濃度保持一定；太少了無效，太多了又容易引起中毒現象，所以一定要每隔數小時服食一定量的藥，在服藥期中若果發覺頭眩，惡心，嘔吐或皮膚上發現紅疹等現象時，就應該立刻停止服用了。

就消治龍而言，最有效的是用於肺炎，腦膜炎，淋病，細菌性痢疾，和葡萄球菌及鏈狀桿菌所致的炎症，成人通常的劑量是開始第一次服兩克（2 gm.）即四片，以後每四小時不論晝夜服一克。最好能够同時服等量的小蘇打，使它經過腎臟和尿道時不易沉澱。並且，在服藥期間應該多飲開水。

另一種屬於磺胺吡嗪的，就是我們平常叫作「地亞淨」的也與消治龍有同樣效用，有時還見得毒性更小。但服用起來總應該同樣的小心才對。

所以，消治龍的確是一種好藥，它不知已經救活了多少生命。但它並不是萬靈丹；而且因爲它可以引起中毒現象，服用時必須特別注意，更不應該隨便亂吃。

哺兒問題

·漢魂·

前幾天，我到表哥家去，表哥的孩子已經六個月了，一直是那麼活潑可愛，常常把笑容掛在臉上，很難得會哭。即使是小肚皮餓了，也只是伊伊呀呀地吵，不肯輕易流眼淚。

下午了，表嫂喂稀飯給孩子吃，這孩子老把自己的嘴躲開送上來的小銅匙，小嘴唇閉得緊緊的不肯吃。可是肚子餓了又不能吵鬧。我奇怪他既然肚子餓了却又爲什麼不肯吃呢？表嫂說：「這麼一點大的小人就這麼壞，不肯吃粥，一定要吃牛奶。」

「那就給他吃牛奶好了。」

「全吃牛奶，幾次小便就完了；」表嫂說，「小孩不吃粥，怎麼能長肉生力氣呢？」

果眞是小孩非得要吃粥才能長肉生力氣嗎？這實在是民間一種不科學的育兒敎育所傳播的智識。雖然經過我一番解釋和比較，表嫂似乎仍舊在疑信參半中猶豫呢。

自然，哺育嬰兒最好的食物是母親自己的乳汁。可是如果因爲有什麼特殊原因而不能由母親親自哺育的話，牛奶實在是比較最理想的代用品了。在成人的食物中，牛奶除了不含纖質之外，對身體需要來說，是可以被認作「完全食物」的。在嬰兒，它也是最近於人乳的了。下面的表說明牛乳和人乳各種成分的含量比較：——

	牛乳	人乳
蛋白質	三·五〇%	一·二五%
乳糖	四·七五%	七·五〇%
脂肪	三·五〇%	三·五〇%

小兒吐瀉應該禁食

陳小引

在夏季的時候，小兒容易生胃腸病，而起嘔吐泄瀉，一般所謂胃腸病，是指急性胃腸炎而說的，胃腸炎又分做胃炎，腸炎，倘兩者都發炎，那就叫胃腸炎，倘使原發成續發於急性傳染病後而驟然發生的，稱爲急性，如來自其他疾病而緩慢發生的，稱爲慢性。

急性胃炎，原發症多因飲食不愼，暴飲暴食，腐敗食物，急性攝食，或未熟水果冰水等，續發者，隨傷寒丹毒等急性傳染病而發，但較之原發者爲少。

症狀方面：食慾缺乏，口渴，惡心，嘔吐，上腹部壓痛或壓重，舌有苔而口臭，小兒多發高熱，同時可致譫語。急性腸炎，亦如急性胃炎，原因至夥，尤以粘膜呈過敏性之乳兒最易犯。原發性者，有下四種，一食餌性，在急性胃炎中占多數，概由飲食不愼之結果；二感冒性，如受寒冷而來；三傳染性，多爲傳染病的伴隨症。

症狀方面：下腹部壓重，膨滿，疼痛，下痢，最初多係粥狀，繼呈水狀，次數一日二三次，或二三十次，尿少。

凡是患急性胃腸炎，當嘔吐下痢不止的時候，應該絕食八小時到二十四小時，因爲胃腸本身有了病，要使牠清淨，給牠一個不息的機會，使病勢好起來，但是有許多病孩的父母，恐怕孩子餓，總要問醫生會不會餓壞？要知道急性胃腸炎的治療，絕食是唯一的好療法，而且絕食時間，至多不過廿四小時，左右，絕對不會餓壞的。印度的甘地，以七十多歲的孱弱身體，常作絕食行動，有時絕食達三星期之久，尚且不會餓死，何況病孩絕食不過一天呢。當急性胃腸炎而致消化不良症和食餌性中毒症的時候，吃進去的食物，本來不能和平常一樣地消化，在胃腸裏，要發生有毒質，這有毒物質，刺激胃腸，就發生嘔吐泄瀉。所以倘使能夠絕食，那麼胃腸裏空虛，沒有這些有毒物質產生，吐瀉就能自然停止，而且胃腸得到休息，以後消化能力也恢復常態，吃進去的東西，能和平常一樣消化吸收，這樣病就自然地好了，所以絕食是利用人體自然的恢復力，以達到治病的目的的方法。普通人只知道藥物可以治病。却不知道絕食也能治病，而且比藥物更好呢。人體結構非常完密，本身就有抵抗疾病和治愈疾病的能力，嘔吐泄瀉，一方面是因了病的產物刺激，但其本身却有排除有害物的意義猶如咳嗽的排除異物和痰一樣，本身是驅除有害物，本身並不是病，所以嘔吐泄瀉本身不是病，是胃腸受了有害物的戕害而起的一種防衞自救的現象。如果胃腸內容物都排除，有毒物無從產生了，那種自衞自救的嘔吐泄瀉現象，也不會有了。讀者曉得的我們一有了胃腸病，或其他急性傳染病的時候，常會舌上佈滿了一層垢膩，普通稱爲舌苔，有了這舌苔，吃東西就無味，不貪吃了，這是什麼原故呢？因爲舌面上有着一顆一顆的小紅蓓蕾，這蓓蕾叫做味蕾，有着神經通於舌下，稱爲味覺神經，平常吃酸的甜的，都由味覺神經通知大腦，大腦說：這是酸的，這是甜的，如果味蕾上蒙佈着一層垢膩，那麼味覺神經便不能感知味道，在大腦方面的印象，只是內口有物，「木夫夫」而已，這也是身體的自衞自救表現。因爲胃腸有病，不能工作，勸你不必再加牠的負担，在有其他疾病時，正集中力量在應付敵人，也以免得分散力量，就現在作戰的總動員，一切的一切爲了一個目標，集中主力，以消滅對方主力，所以爲了對付外來敵人，就不顧一切的集中主力抵抗了。——身體內部自相殘殺的很少，只有癌腫是本身細胞生長而危害自身生命的。——所以舌上有苔，不想吃東西也是不必害怕的。鄙人雖做醫生開方子給人家吃，自家生了病却不高興吃藥，只是給他餓上一天，飲些開水，不但不化藥錢，反而省下一天酒飯錢，話得說回來，這也看什麼病的，假如需要吃藥，那還是省不掉的。

如此說來，有胃腸病絕食是再好也沒有的了，可是做父母的太溺愛子女，獨怕子女餓壞了，而且更怕小孩吵鬧，小孩有了病，身體不舒服，當然要煩鬧，大人們覺得非常討厭，就時時給他吃奶，或者其他食物，可是吃下去的東西，要變成有毒物質，刺激胃腸發生吐瀉，結果愈吐瀉愈吵鬧，愈吵鬧愈多吃東西，愈多吃愈吐瀉，這樣互相因果，病勢也愈加沉重，到後來結果送掉小性命的非常之多。誰無愛子之心？然而愛之必以其道，否則愛之適足以害之，延長了小兒病期，多化了辛苦血汗錢，結果弄個人財兩空，眞是値得注意而必須禁絕的事。我們臨診時，覺到有些婦女，對於育兒知識太缺乏了，小孩一哭，馬上把奶喂在小孩嘴裏，有些病孩的父母，雖然當時答應了絕食，可是回家之後，怕他哭吵，仍然禁不住，而疾病不愈或加重的。所以我很希望做父母的，忍耐吵哭一兩天，再把心腸放很些，不要見他哭得太可憐太苦惱，就用食物來安慰他啊！

咬老菜梗啃糖醋排骨

·綠波·

——你不是天天在想嗎，「吃什麼好呢？」，現在讓我們來介紹你兩種經濟而又能幫助健康的菜肴。

主婦們在每天晚上就得盤算：「明天買什麼菜呢？」的確，在這物價高昂的日子裏，「買什麼菜呢？」是個大難題。不但要顧到換換新鮮口味，別使丈夫皺眉頭：「又吃這撈什子東西」，也免得小寶寶鼓起了小嘴坐在餐桌上咕噥說「媽媽我不想吃飯。」同時還得要計算到經濟問題；總不能吃一餐飯就把丈夫一個月的薪金都報銷了呀。

而且，尤其是在這炎熱的夏天裏，這問題更多了一重困難。即使說預備今天多化一些錢買菜吧，還是同樣的問題：「買什麼好呢？」葷腥魚肉吧，如此的熱天裏實在會令人覺得太油膩了不大想吃。那麼怎麼辦呢？

現在，讓我們來介紹你兩種經濟而又清爽的菜肴吧；而且，它們還能够對你的健康有幫助。

第一樣，如果我說要你去買些老菜梗，你會以爲我在開玩笑嗎？可是一點也不！我所說的老菜梗自然不是指那些刀都切不動的菜幹菜梗，而是一般富翁公子小姐們所認爲不能吃，而我們這般不能擠身於「富」字之列的百姓們認爲還可以吃吃的那一類菜梗。菜的種類不是很不少嗎，老菜梗的價錢又是絕對很便宜的；買回來之後，再用你的聰明去變換烹飪的方法，那就可以一咬了。你會想說：「這些話我怕不知道，誰要你告訴呢！」不錯，我祇是提醒你：第一，這只要化很少的錢；第二，你可以常常用變換菜的種類及烹飪法來調劑口味；第三還是我要說的最主要一點，老菜梗能够增進你的健康！

雖然我們都知道老菜梗沒有豐富的營養價值，然而除了能供給我們丙種維生素之外，却還執行着另一項很重要的任務——因爲菜梗的纖維質非常豐富，而纖維質是並不能爲我們的腸胃所消化吸收的。因此，當它通過消化系統的過程中，由於胃腸壁的蠕動，它成爲一柄天然的掃帚，將胃腸壁上的廢物掃得乾淨，最後一同自大便排出體外。通常在我們的胃腸壁上有些什麼廢物呢？穀殼、糠皮、稗子、偶吞下的毛髮等等；而在每日大魚大肉，多吃了油膩的人，更蒙着一層油污，以致食慾減退。這也是爲什麼人們在酒醼葷腥之後和「素菜的一個原因。老菜梗的纖維質可以替我們把這許多廢物都清除出來，增進胃腸的工作效力，減少廢物存在的阻礙，促進食慾之正常；實在可以說是胃腸中的掃帚，對我們的健康是非常有益處的。

其次我想介紹你做酸排骨或者說糖醋排骨吃。

自然，你一定很熟悉糖醋排骨的做法是不是？簡單得很，把買回來的排骨切成塊，用醬油浸了，再糊上麵粉或者麵包屑，在油裏炸過，然後合糖醋烤煮而成。又爲什麼要提出它來介紹呢？相彷的理由：第一，排骨在肉價中比較便宜；第二，糖醋排骨的口味比較淸爽而不太膩，夏天吃也還相當適合；第三，這就是我要告訴你的，酸排骨對你身體有益！

排骨上的肉，主要由動物性蛋白質組成，具有很好的營養價值，自不待細說。可是，酸排骨對身體的益處却不僅在「肉」而在於它是「排骨」。我們從分析而知道骨骼的主要成分中含有很多的「磷酸鈣」。磷質對於神經和腦都有很大的益處，而身體內鈣質若不能平衡需要量時也會引起種種病態。所以磷質和鈣質的吸收是我們身體的一項重要工作。可是，如果我們把含有如此多量磷和鈣的骨類研成粉末或則用別的方法直接吞下肚去，有用沒有呢？沒有！直接吞嚥的結果，我們的身體一點也不能吸收，最後就只好被排洩出來了。這是很簡單，却也是自然界很神奇的道理，正如貧血病人缺少鐵質却不能吞食一些鐵屑下去補充一樣。我們必須使用另一種經過化學變化的方式產生的東西，才能叫原來不被吸收的可以吸收而爲身體所用。這就是今天爲什麼要向各位介紹酸排骨的原因了。因爲排骨加醋同煮之後，骨內的磷酸鈣就有大部分會溶解在醋中。這時，溶於醋酸中的磷酸鈣就能够很容易被我們的腸胃吸收而送到身體中需要的部分去應用了。

各位讀者，請不要因爲吃到老菜梗而皺眉，也不要因爲見到糖醋排骨而覺得這道菜太「俗」了。在這炎熱的夏天，它們都很淸爽適口；而且，最要緊的是，它們都能够有益你的身體，增進你的健康呢！

氧——生活的動力

淡泊

有人說「人是一部天然的機器」，從人的生理方面和機器的構造比較一下，確有不少類似之處。世界上有各式各樣的機器，也有膚色各異的人種。有設計不同用途不同的各種機器，也有不同性格從事於不同事業的人。這已使人與機器很相似了，然而最基本的相似點並不在此。我們知道人是一個動物，既是要動，就必須要有「動力」。只看大人要吃飯，小孩一墮地就要吃奶。這與其說是一種本能，毋甯說有這種需要。因爲食物是人的動力的泉源，只要你一刻在動，你便少不了要吃飯的。這和煤汽油電是機器動力的來源有甚麼不同呢？

可是人僅靠食物是不行的，我們還需要氧。一個人可以幾天不吃飯，但不可以片刻不呼吸僅僅從這一點就可以知道氧是如何重要了。

氧是自然界的一種原素，它的存在的範圍非常廣泛，除了一部分和其他原素化合而外，大部分和氮混合而成空氣，氧的體積便佔了五分之一。以整個大氣來衡量，便可見它存量的豐富，難怪它是取用不盡了！由於氧本身的重量，所以在大氣的底層——就是地球的表面，氧的密度比較大。反之，在高空則比較稀薄。所以當飛機升入數萬尺的高空時，駕駛員就必須戴上氧氣面罩來維持他的生命了。

人自墮地以後誰都會用肺呼吸的，可是氧是怎樣被帶進身體的呢？這就需要說明了。肺本身是一個富於收縮力的海綿狀組織，由無數小氣泡組成，然後以小大不同的支氣管和氣管連通着，而以喉頭爲它唯一的進出口。胸腔是一個封閉得十分完密的囊，當胸壁上的肌肉收縮使胸腔擴張時，肺氣泡也隨着擴張，由於肺氣泡內空氣稀薄壓力減低的原故，外界的空氣便被呼入肺內。當氧在肺氣泡內和微血管接觸的時候，氧便和血液中的鐵結合而成「氧化血色素」。這樣氧就隨着人身的交通網——血管被血運送到身體的各部，然後與從食物中吸收的營養料化合，便放出「能力」。同時生出二氧化碳，由血送回肺部，呼出體外。

氧是化學性能極活潑的一種氣體，說比喻的話，它是極易和異性結合的。銅鐵器曝露于空氣中，就會發生銅綠鐵銹。這是空氣中的氧，並不徵求我們同意，逕自和銅鐵們結合了，銅綠就是氧化銅，鐵銹就是氧化鐵。我們籠起煤爐來煮飯，點枝蠟燭取亮，那是我們指使氧和煤及蠟燭化合。自由的氧化往往於人有害，它會把我們的銅鐵器化壞。我們指使出的氧化就於人大大有益，這就是自然科學的偉大了。我們指使氧和煤炭化合，可以推動火車輪船。指使氧和汽油化合，可以推動汽車飛機。急劇的氧化會發光，緩和的氧化也會產生熱——溫度。光熱就是「能力」，能力推動各種機器，能力推動人及動物的生活，而能力的源泉是氧化。

中醫界的老先生們喜歡談「氣化」，但說來總覺玄虛。我想，若要把氣化說得具體，那莫如借重氧化了。氧是氣體，它與營養料化合而成爲生活的動力，這不是氣化麽？

人是一個有機體，而人身各部分也是許多有生命的組織。每一個細胞就是一個小生命，他們都要生活，他們也就需要動能。這個動能就是由上面所說用氧化的方法供給的，而這動能消耗的多寡，足以影響氧的需求量。所以在休息的時候，呼吸比較慢，次數也較少。可是在激烈運動的時候，呼吸便要增速，甚至要喘息了。

上面說過食物是人動力的泉源，可是單有養料，是無濟於事的。這正如煤的本身不會叫機器轉動一樣的道理。我們必須把煤點着了，燃燒了，機器才會轉動，燃燒就是氧化現象。

氧就是一個點火機，沒有它，人這部偉大的機器是不會「轉動」的。

南瓜葉能止血

光

我們大概都有過出血的經驗。如譬在日常生活中手指被刀剪割破。或是孩子在路上跌了一跤，撞了一下，擦破了皮膚，或是被針刺出了血。這些時候，非但當時要感覺疼痛和不便，如果沒有適當的處理，萬一細菌侵入，生膿潰爛起來，就更麻煩了。

出血時最適當的處理，自然是用藥品。普遍被應用的是塗一點紅藥水。但是在今天，藥價的昂貴已是盡人皆知的事實。現在我們特介紹你一種非常經濟的止血藥。

夏天裡，南瓜葉是很容易得到而被認爲卑賤不值一文的東西，可是它却正是我們所要介紹的止血良藥呢！先把摘來的南瓜葉用冷開水洗乾淨，然後曝晒在烈日下，等晒得乾脆之後，放在潔淨的器皿裡研成細末，就可收藏起來，以備應用了。用法也極簡單，只須把傷口用冷開水洗乾净後，把研好的粉末敷住傷口，血即可止，而且容易結痂。這個經濟的止血藥已經被試驗過很多次，證明它的有效了。

貧血

勁

國人一向非常講究所謂「血氣」「氣色」也者，以爲凡是「血氣」不良或「氣色」不佳者總屬毛病在血。或竟借用新名詞，乾脆稱之爲「貧血病」。於是五花八門的「補血劑」，「補血精」，「肝精」……之類的成藥便出現在市場上了。自認爲「貧血病」的病家也就樂得服用，滿以爲血有毛病，補補血總可把病治好。其實不然，盲目的亂投藥石，不單白費金錢，有時尙能就誤病體。本文擬略述「貧血病」之致病原因，病理情形，症候及其治療，俾讀者對貧血病有一較清晰之概念。

（一）致病原因。貧血病係指血液中之紅血球或血色素之量或質之不足。量的不足可因失血或體內紅血球破壞過速，如流血及瘧疾原虫之大量破壞血球。質的不足可因營養不量以致缺乏鐵質及丙種維他命；亦可因身體機能不足以致不能使體內產生「抗貧血素」；亦可因骨髓喪失製造紅血球的機能。凡此種種均能引起嚴重性不等之貧血病，其中以缺乏鐵質致病者爲最普通，以骨髓喪失製造紅血球之機能者爲最嚴重，至若因身體機能不足以致體內不能產生「抗貧血素」而起之「惡性貧血」在我國可謂絕少有之。

（二）病理情形。貧血因失血或體內血球破壞過速而引起者，除血量不正常外，無特別病理情形。若因缺乏鐵質而引起者，則往往紅血球變小，並且紅血球內血色素之含量極低，因製造足量之血色素固需足量之鐵質也。「惡性貧血」之病理情形頗爲特別，其紅血球特別巨大，而紅血球內又含有過量之血色素，故致病處不在缺乏血色素，而係因缺乏能使原始紅血球成熟之「抗貧血素」也。他如骨髓機能不足之貧血病，其病理情形多在骨髓中。

（三）症候。貧血病者之症候不盡相同，一般而言，病者有軟弱，易倦之感覺，稍爲勞動之後則發生呼吸困難及氣喘，有時亦感暈眩，心悸。病人面色往往蒼白，脈搏稍快，輕微發熱，心聲不正常等。唯決定性之診斷不能僅憑此症候之表現也。

（四）治療。亂投藥石之弊在本文開始即有述及。貧血病之治療，首在根除致病之原因，其次則在幫助身體有足够能力以新生紅血球及血色素，是故需在醫家指示之下，治療方能奏效。如因傷失血過多，除立即止血外，病人需休息於陽光充足空氣新鮮之室內，進以富有鐵質及丙種維他命之營養物。又如因營養不良，缺乏鐵質，或消化機能不良以致腸胃不能吸收鐵質而引起貧血者，則僅需服用鐵劑配以稀釋之塩酸即能奏效。一般人往往以爲肝精（Liverextract）乃唯一貧血聖藥，不惜巨金購買舶來品肝精服用，謂之補血。其實不然，蓋肝精內含「抗貧血素」，所能奏效者唯「惡性貧血」一病，除此之外，其對因食物缺乏鐵質而起之血色素質量上之不足之普通貧血病，實毫無益處。然據醫家之調査統計，國人之患「惡性貧血」者又屬絕少，前已述及，是故肝精之用於國人，無異乎一般富豪者之奢侈品而已。

關於貧血病其犖犖大者已如上述，他如慢性失血如胃潰瘍及鈎虫病；又如鉛中毒，砷中毒，梅毒及過量之愛克司光或鐳錠治療，均足引起嚴重之貧血病。婦女在月經時期或懷孕期間因失血或胎兒之需索鐵質，若無超過常量之鐵質，亦能患貧血病。嬰兒出生後三，四月內往往無缺乏鐵質之虞，蓋其在母體中時已從其母體吸收多量之鐵儲於其肝臟中，但若三，四月後嬰兒食物中不加以富鐵質之食物，則貧血病隨即可以謢生，蓋儲鐵已罄，此點尤應注意於人工牛乳哺乳之嬰兒，蓋牛奶雖富營養，然獨缺鐵質也。

編者按：莧菜，上海人稱爲「米莧」，現在正大量上市。有青紅二種，含鐵質及丙種維他命極多，紅莧菜尤佳。諺云，「藥補不如食補」，莧菜眞是食物中的補血上品。莧菜中又有大量的鈣——石灰質，爲出牙小孩及肺勞病人最好的菜蔬。近有人在電台廣播肺勞治療，禁食之物極多，莧菜金花菜皆在禁食之列。不知莧菜大有益於肺勞，金花菜（草頭）又含各種維他命極多，不過纖維亦多，使大便的量加多而已。此等廣播人太無常識，誤人不淺，讀者幸勿聽信。

發冷發熱的流行病──瘧疾

思明

夏天又到了，雖然免除了穿皮綿衣服的累贅，可是熱也並不好過呀。你看那麼多的人在陰涼的地方光着背脊，揮着扇子，好似受罪一樣；好容易等到太陽西下，晚風吹來的時候，可以舒服些了，但是那些專門在夜裏出來找食物的小虫子，又來麻煩你了，你會不知不覺的在你的腿上發痒了，背上也發痒了；手上也起了個小疱，脚上也起了個小疱，眞討厭哪，沒有一刻會使人安安靜靜的享受那淸涼的晚上。唉，這種煩擾還是小事呢！你却會不知不覺地從這種煩擾中，染上了瘧疾。

瘧疾是一種很普通的病，世界各國都有，特別在熱帶的地方更凶，也就是因爲熱帶地方蚊子更多的緣故。在我國各地方差不多也都有，不過各地方的名稱不一就是了；北方叫「脾寒」，南方叫「冷熱病」，內地叫「擺子」，西南邊境上的夷人叫「惱」，意思也是「寒熱」。所以從這裏我們可以看出他傳播之廣了。這種病在外國因爲公共衛生的發達已經不多見了，可是在我國仍然是到處流行着。並且各地不同的擺子，也彼此交換着在傳播。

瘧病的病原虫，寄生在人的紅血球裏，喫紅血球來維持他的生命。少數瘧原虫寄生在我們的血液裏時，是不會發生什麼病狀的，可是當它們繁殖到成千成萬的數目時，我們可就受不住了。一方面是因爲血球被破壞的太多，顯示貧血的現象；一方面因爲瘧原虫也產生一種毒素，侵害人的身體。所以在瘧疾流行的區域裏，常打擺子的人，用不着醫生，也可以一看就知道他是一個老打擺子的。

因爲瘧原虫的不同，通常瘧疾也可分爲三種：（一）間日瘧，（二）三日瘧，（三）惡性瘧。間日瘧隔一天（每四十八小時）發一次，三日瘧隔兩天（每七十二小時）發一次，惡性瘧則特別凶而且沒有一定時間。不過凡是瘧疾都有共同的症狀，如貧血，無力，疲倦，食慾不佳，頭痛，特別是脾臟腫漲更爲顯著。病發時病人起先覺着週身不舒適，接着便覺發冷，發抖，大約經過一小時，冷的時期才過去；轉入發熱期，病者臉上潮紅，劇烈頭痛，體溫可達到華氏一〇七度，皮膚乾燥，大約經過兩小時之後就出汗了。體溫也漸漸下降，甚至完全恢復正常。可是經過數次發作後，病人的身體就很弱了。

沒有發過瘧疾的，不曉得瘧疾病的痛苦。因爲雖然有特效藥可以治療，如奎甯，阿的平，及撲瘧母星等，但是要斷根總是很難的。多半的病人總是要發四五次才可能好，甚至於兩三年也不去根，偶然工作稍累，或淋雨，着涼就又復發了。

目前在我國治瘧疾，若用西藥，還是奎甯，或阿的平，最爲有效。此外「撲瘧母星」是用來撲殺惡性瘧原虫的，對於病狀並無用處。所以不能單獨拿來治療瘧疾，如與前兩種藥聯合服用，則可減少復發。但是切記撲瘧母星決不可與阿的平同時並用，因爲這兩種藥化合起來會造成很大的毒性，使人中毒。所以病人用阿的平治療後，至少七天以後才能服撲瘧母星。奎甯則無此種危險。

若用中藥，則，柴胡四錢，姜半夏太子參各三錢，黃芩當山草果各二錢，炙甘草一錢，生薑三錢，紅棗四枚。若病人榮養不良而虛弱者，可加生首烏五錢，太子參亦加至四或五錢。中藥一劑煎二次，須於瘧疾發冷前兩小時吃頭煎，發冷前半小時吃二煎。瘧較輕的當天就可以不發，較重的也減輕好多，下次瘧發前照樣再吃一劑，大概總不發了。瘧止後，原方去草果，加白朮茯苓各三錢，照原時刻再吃。下一次再去當山，仍照原時刻再吃一劑，大概可以不再發。惟須禁吃扁豆一年，就是扁豆棚下也不宜去。只有惡性瘧，中藥沒有辦法，必須砒劑。而且天然砒石用到甚近中毒量，依然無效，必須化學精製的砒劑。這就要撲瘧母星了。

因爲治療不易去根，所以最好還是預防，不使蚊子來叮；那樣你睡覺時就應當用帳子，晚上乘涼時也需要當心，不然你會打擺子的！

談談防疫針

婉

路邊上到處貼着「霍亂危險！」的大字標語，使人想起去年霍亂流行的可怕。因此我們常可以聽到有人在問：「今年霍亂會不會像去年一樣可怕地流行？」

其實，霍亂雖然可怕，只要預防得宜，就絕不能在人間猖獗。第一件從各人本身做起的預防法是：你注射了防疫針沒有？

也許你覺得打過防疫針之後的反應你不舒服；紅腫了一大塊，胳膊抬起來就疼痛，頭脹脹的，甚至於還發熱。可是忍受一下吧！你對於這點小

中国近现代中医药期刊续编·第三辑

痛苦的忍受就可以換來對傳染病菌的抵抗力。你知道這種抵抗力是如何造成的麼？

原來那注射到你皮下去的液體是人種含有一定量死菌體的生理鹽水。那些菌體自然是經過特殊方法培養出來的「純種」，我們把這些沒有了生命的死菌注入體內之後，爲了抵抗這種跑進我們體內的「類毒素」，我們的血液裡就會產生對這一種類毒素所特有的「抗體」，這抗體是同樣的效力去抵抗活病菌的，因此，我們注射防疫針之後，我們的抵抗力就大大地增加了。

舉例說，我們打霍亂防疫針就是把死的霍亂菌注入皮下進入血液，血液裡就會產生一種抵抗死霍亂的抗體。一旦若有活的霍亂菌侵入我們體內時，這種抗體也能同樣地予以抵抗，所以我們有了對霍亂的免疫力。

通常每一立方公分（c.c.）的疫苗內含有死霍亂菌體八億，免疫注射採取一次注射一立方公分的方法。或者分作兩次，第一次0.5c.c.，七天之後再注射1c.c.。這樣所產生的免疫力可以保持三月到六月之久。

不過事實上常常是好幾種傳染病在同一時期內流行，尤其是傷寒，副傷寒與霍亂。如果我們把每一種的疫苗都分別注射，豈不是要打太多的針了嗎？所以現在所用的方法是把幾種疫苗混合起來同時注射，所得的效果是與分別注射一樣的，最普通的一種混合苗叫做T，A，B，C，疫苗，就是傷寒，兩種副傷寒和霍亂的四種混合疫苗。每一立方公分疫苗中除含有霍亂死菌外，尚有一億傷寒死菌和五千萬副傷寒死菌體。注射通常分爲三次：第一次0.5c.c.，七天後1c.c.，再隔七天後再1c.c.。傷寒的免疫力可持續一年以上。

有時，偶然也會有因爲體質的特異而使所產生的免疫力不能完全，所以注射過防疫針之後，有時你有受傳染而得病的可能。但在這種情形時，症狀要輕得多，嚴重性也大爲減小了。

此外我們還應該注意一點，就是凡有心臟病、腎臟病、糖尿病、或進行性肺結核症的人，因爲他整個抵抗力的薄弱，雖然很輕微的反應，也怕引起不良後果，所以還是不打防疫針的好。不過，不打防疫針就應該在平日生活起居上更留心注意衞生才對；尤其是飲食方面，古語說：「病從口入」，我們如在飲食上注意，就可以免除很多疾病侵襲的危險了。

這是一個公共衞生的問題。爲自已，爲了大衆的健康，快去打防疫針吧！用我們大家的力量來遏阻疫癘的流行。

廠房的噴霧設備

生力

在如此炙熱的天氣裡，幾十人甚或幾百人擁集在一大間廠房裡爲生產事業作戰。在我們，即使想象一下，已經像是一幅可怕的圖畫了，一排排的機器，黑簇簇的人頭，轟隆隆的聲響，一陣陣的汗味。在棉，絲，毛，呢，絨一類的紡織工廠裡，更有無數無數的纖維質飄游在乾燥的空氣裡，危害工友們的健康。

實在，我們不能把這個問題看得太平淡了。事實上，工友們在那樣的空氣裡每天要工作八小時到十小時，甚或有更長時間的工作，這種汚濁的空氣與不潔淨的纖維質不斷地向呼吸道裡侵襲，將如何損及工友們的健康，實在是難於估計的。然而，我們發現仍舊有不少較小的工廠老闆們，好像還沒有顧及到這個問題，因爲他們忽略了在他們自已貴工廠的廠房裡裝置通風和噴霧設備。

如果廠房的房屋非常寬敞，設計建造的時候也已顧到了空氣流通的問題，那末通風設備的裝置還比較可以說不頂重要。可是，尤其是在各種纖維質物的紡織工廠裡，對於噴霧器的裝置却是必需的。

噴霧器是裝置在廠房內高處，臨空懸着的器械。裝置的個數可視廠房的大小和需要量而定；它的功用就在繼續不斷地將水份像細霧一般噴射到房內的空氣裡，使可以保持空氣的一定濕度；同時因爲水份的蒸發需要吸收一部份熱量，也就可以收到一些降低空氣溫度的效果；而最重要的一點還在於噴出來細霧般的水份可以阻止纖維質在空氣中的飄游，因而減少工友們呼吸道所受的刺激與侵害，不致使健康受太大的影響。

的確，這是一個實際的問題。空氣中的纖維質和塵埃隨着呼吸而進入我們身體時，鼻毛是第一道防線去阻止它們的前進，所以用嘴張開了來呼吸是很不好很不好的壞習慣，那無異是開了一個大門請它們長驅直入。可是假如飄游在空氣中的纖維質和塵埃太多時，鼻毛的能力不够把它們全部擋駕，就被它們闖入了喉頭和氣管，這時喉頭部和氣管內的上皮細胞受了外物的刺激，就會咳嗽起來，企圖使用壓力來趕出這些侵入的「壞東西」。可是我們知道咳嗽對於我們的肺的影響是很不利的，何況這些侵入的「壞東西」並不見得能够完全被趕出來，日積月累地，停留在我們氣管壁上和肺泡裡的「外物」越來越多，呼吸器管的工作就要大受妨礙，必然地就會損害到健康了。

所以，爲了免除這種飄游於乾燥空氣中的纖維質和塵埃對於生產戰士健康的損害，裝置噴霧設備在廠房的高度實在是非常重要而且急需的，我們希望還沒有裝置的工廠，尤其是用各種纖維爲原料的紡織工廠，都能在最近期內裝置起來！

體溫表

金眞

體溫表在今日，大約已是人人都知道它是怎樣一個東西和怎樣用法的了。正因爲它的普遍，我們想來說一說它。

體溫表是一種用水銀來測量的溫度計。它的主要部分是一根中空的長三棱形玻璃柱和一個圓柱形的裝水銀用的「頭」。玻璃柱的外面刻有度數，玻璃柱的中心是一條非常細的空槽與金屬的「頭」內的水銀受熱膨脹時，就可以跑進玻璃柱中心的空槽裏去。在小空槽的靠近「頭」的一端，有一特別之狹隘處，這功用是爲了使水銀受熱膨脹時可以衝過它而上昇，却不能在驟然受冷時縮回。因爲受冷收縮時最先就是水銀柱的這最狹隘部分中斷，因此已昇空槽內的水銀不能再通過此點而下降。

璃玻柱外的刻度，普通有兩種：攝氏表是百分度，以零度爲冰點，一百度爲沸點，在體溫表上從三十五度刻到四十二度，每一小格代表十分之一度。華氏表的冰點爲三十二度，沸點爲二百十二度，在體溫表上從九十五度刻到一百十度，每一小格代表五分之一度。我們人體的正常溫度，在休息的時候大約在攝氏三十七度或是華氏九十八度四。但通常在一日夜間體溫之昇降可相差攝氏半度或華氏一度，仍不認爲失常。

攝氏表的刻度與華氏表的刻度不過是兩種不同的計算溫度法。實際上所代表的熱度自然是相同的。攝氏和華氏的兩種溫度有一個簡便的換算法，只要代入下面的公式：

攝氏$\times\frac{9}{5}+32°$ F＝華氏。

（華氏$-32°$）$\times\frac{5}{9}$＝攝氏。

舉個例說，假說有個病人的體溫到了攝氏三十八度，折合華氏應爲：

$38°C\times\frac{9}{5}+32°F=68.4°F+32°F=100.4°F$

體溫表的用途，在用以測知體溫。這裏所指的體溫是自體內部的溫度而不是皮膚外面的溫度。因爲皮膚的溫度時受外界因素影響而改變，體內溫度則是保持一定的。測量的時候，通常我們總把體溫表的金屬「頭」放在舌下，所以通常放在舌下測量的體溫表我們就叫作「口表」；在特殊情形如小孩子，或是病人昏迷不醒，怕放在口裏有危險的時候，另有一種「肛表」可用。肛表的構造和原理也都和口表一樣，不過肛表的金屬頭比較短而粗大，以便插入肛門吧了。

還有一點我們應該知道，就是測量所得的結果，通常肛表所指示的常比口表測得的要高出大約攝氏半度(0.5°C)或華氏一度(1°F)左右。我們平常說體溫總以舌下測得的標準，所以若用肛表時，應該記得這點差別。

體溫表的應用，在診斷上眞是幫了大忙。最後我們把攝氏和華氏的換算表附下。供參攷：

°C	°F
35	95
36	96.8
37	98.6
38	100.4
39	102.2
40	104
41	105.8
42	107.6
35	95
35.5	96
36.1	97
36.6	78
37.2	99
37.7	100
38.3	101
38.8	102
39.4	103
40.0	104
40.5	105
41.1	106
41.6	107
42.2	108
42.6	109
43.3	110

礦物質	〇·七五%	〇·二〇%
水份	八七·五〇%	八七·五五%

從這張表我們可以知道嬰兒生長所需要的東西，尤其是蛋白質，在牛乳中都有了足够的含量。礦水化合物（糖分）的含量雖然較少，但在我們喂食的時候，通常總要加糖，這所加的糖就補足了這點欠缺。所以嬰兒若以適量的牛乳哺育，是足够供給生活的消耗與生長發育的需要了。反過來看稀飯呢，它是用米加水煮成的，米的主要成分就只是澱粉和極少量的植物性蛋白質和脂肪。可是我們知道人體組織的生長，主要是靠蛋白質的補充而不是礦水化合物。所以，在嬰兒哺育問題上，「要吃粥才長肉」這句話實在是沒有什麼根據的。對於較大的幼兒，我們可以用粥或其他糕餅一類的食物來輔佐人乳或牛乳在食量上的不足，但卻不辦怕不吃粥就不會長肉，而強迫孩子去吞嚥，此外，倒是應該常常給嬰孩吃一些新鮮的菜汁及菜湯等；在六個月以後，並且可以開始給孩子吃魚肝油了。

嬰兒漸漸生齒，這是表示可以漸漸吃些固體食物了。各種新鮮蔬菜，切得很細，最合式喂嬰兒。一來讓小孩的胃腸練習消化，二來，蔬菜中的纖維可以促進通便 而粥裏是沒有纖維的。

細菌常識

陸淵雷

前天買一隻沙利文的花旗麵包，切幾片烤做「土司」，與家人分吃。賸下小半隻，擱置一邊，忘記了。今天偶然看見，它已起了變化，身上斑斑點點，一塊綠，一塊黃，原來是發了黴。張媽一向愛惜物資，輕易不肯丟棄。她把四面發黴的一層用刀切去，滿想中心一塊不黴的仍好吃。可是湊上鼻子一聞，搖搖頭，「餿氣得很，吃不得了，」仍舊丟向垃圾桶裏。張媽畢竟是無知識的老媽子，如何比得上「我」的精明？要是我想吃這半塊賸餘麵包時，不管它黴到怎樣，把來切做小塊，煮沸了水，倒在沸水中一炆，加上些鹽，傾在碗裏，再加上些香油，包管味道挺鮮，聞不出什麼黴餿氣。

「黴是什麼？」「是細菌。」

「傳染病的病原不是細菌麼？」

「是細菌。」

「那末，你煮發黴的麵包吃，不是吃細菌麼？你是想害傳染病麼？虧你做了醫生，還說精明！」

「大多數傳染病的病原菌是一類，黴菌又是一類，此菌不是那菌，雖屬同宗，卻不是一家。況且經沸水煮過，黴菌也已死了，怕它怎的？」

有些細菌對於人類有害，這不須說得，病原細菌是人類的大敵。也有些細菌對於人類有益，大腸桿菌能分解榮養物，便容易吸收，又能防止病原菌的繁殖。中國人一向認蚘（俗作蛔）虫爲消化虫，以爲人腹中必須有蚘虫。其實，蚘虫是使人發病的一種寄生虫，健康人腹中是沒有的。大腸桿菌纔是消化菌而爲人腹中所少不了的東西。

黴菌或時對於人類有小害，例如攪壞我小半隻麵包，連張媽都不敢吃。或時對於人卻也有益，例如造醬造醬油，必須先請大批黴菌，把麵粉與豆的混合物，先發起黴來。黴得越是到家，做成的醬油味道越鮮。張媽丟掉的半隻麵包，也是黴過了的麵粉，所以煮出來味道可以挺鮮。

細菌是植物界中最下等的一類，是單細胞的寄生植物。生理學中「寄生」這名詞，是說自已不能獨立營生活，必須依賴其他的動植物以生活。獨立營生活的植物，必須有「葉綠素」。因爲植物的消化工作，必須有葉中的綠色方能完成。寄生植物如蘼菰香蕈木耳等，寄生在別的植物（宿主）身上，吃宿主消化好了的現成東西。至於細菌，寄生於植物動物甚至人類的身上，也吃宿主消化好的東西。它們皆懶惰得不肯，甚至不能自營消化，故蘼菰香蕈木耳細菌諸物雖屬植物，卻一點沒有葉綠色，這是寄生植物與普通植物的顯著不同處。黴的綠色，不是葉綠，乃是「芽胞」的顏色。芽胞，我們以後另外講。

人及動物所吃的，主要是「有機體」，是植物與其他動物身上的東西。植物所吃，主要是「無機體」，是礦物。換句話說，動物的吃是用有機體補充有機體，植物的吃乃是用無機體補充有機體。故植物的消化本領，比人及動物高明得多，它們能把無機物化成有機物。我們知道地球上任何物質皆由九十多種原質化合而成，但有機物的化合法比無機物複雜得多，故學習化學的次序，必須先學無機化學，然後進而學有機化學。化學家製造無機物很容易，製造有機物卻够麻煩，而且大部份有機物現在尚製造不起來，惟有仰仗植物的消化來製造。

有綠葉的植物能把無機物化成有機物，這是植物對於動物的莫大貢獻。沒有植物，動物即不能生活。細菌是無綠葉的寄生植物，不能把無機物化成有機物，卻能反過來，把化合式更複雜的有機物化成較簡單的有機物，更進一步，把有機物化成無機物。換句話說，細菌工作乃是綠葉植物工作的還原。諸位請想一想，假令地球上沒有細菌，而綠葉植物天天吃下無機物，生出有機物。這樣，地面上有機物一天天增多，無機物一天天減少。到末了，無機物所賸無幾，不够供給綠葉植物的吃。那時，綠葉植物也得學時髦，來一套「吃光運動」。當眞把無機體吃光了時，綠葉植物也滅了族，而人與動物也要因不能生活而跟着滅族了。幸虧細菌多謝細菌，把有機物還原成無機物。細菌解除了綠葉植物的飢餓恐慌，細菌維持了動植物的生存，它也就維持了這箇世界，它是多麼偉大？自從發現了病原細菌，經西醫們竭力宣傳，人們對於細菌是只有惡感，不會發生好感的。豈知我們生命所寄託，也正在若干細菌身上？

黴菌從麥豆等物分解出蛋白質，我們利用它們造醬油造乳腐，以及其他的鮮味物，因爲鮮味出於蛋白質也。釀母或芽生菌從糖類中分解出酒精，我們利用它們造酒。這都是把複雜有機物變成簡單有機物的例子。（未完待續）

※　※　※

論寒與熱

陸沈本琰

中醫講說病情與藥性，分作對立的寒與熱兩大類。專讀舊書的中醫，以及社會上多數人，更把寒與熱看作治病用藥最重要的問題。如果事實當眞這樣，做醫生就太容易了，只要把寒與熱弄清楚，更無餘事，而寒與熱是人人懂得，無庸專門學習的。可是事實並不這樣簡單。

寒與熱究竟重要不重要，暫時擱開不談，現在專談寒熱的定義，與社會上——也許是一部分中醫師，觀念上的錯誤。

寒與熱的科學名詞就是「溫度」，可以用溫度計（寒暑錶）測驗，而得到數目的指示。說「今天氣溫若干度」，使人有個準確的認識。說「今天熱」或「今天冷」，只是渾籠統的感覺。溫度的昇降，在溫度計上一度一度，一分分的指示出來。若問昇到若干度纔算熱，降到若干度就算冷，恐怕講究寒熱的中醫沒有一位能答覆。夏天的熱，冬天的寒，這是人們所一致承認，不成問題的了。還有介在冬夏之間的春秋二季，既不太寒，也不太熱，那怎麼說？中醫可能的答覆是「次一等的熱叫做溫，次一等的寒叫做涼，古書上明明說春氣溫而秋氣涼。」好！再要請問中醫的寒暑錶是否分做寒涼溫熱四度？涼與溫的分界，也就是寒與熱的分界，請問相當寒暑錶上幾度？若說「我們感覺涼就算涼，感覺溫就算溫，用不到像西醫那樣笨幹，」這話就太麻糊，麻糊得跳出了學術範圍了！感覺往往僅憑主觀，故從感覺生出的評價，往往各人不同而有爭論。處理這種爭論的最好方法，只有請出沒有主觀的公證人來評判。因爲人們對於輕重的感覺有爭論，故請出權衡天秤來做公證人。因爲人們對於長短多少的感覺有爭論，故請出丈尺斗斛來做公證人。這幾位公證人都是純客觀而完全沒有主觀的，因此纔有做公證人的資格，也因此只有它們纔配評價。寒暑錶是寒熱溫涼的公證人，只有寒暑錶可以評判寒熱溫涼。不幸，寒暑錶只刻了度數，它只能準確的評判溫度若干度，不能評判是寒涼抑是溫熱。說得深一點，因爲溫度是客觀的，寒熱溫涼則是由主觀的「好惡」所賦予的名詞。

再說，從感覺上評判寒熱溫涼，那就是用自己身體的溫度與病體或藥物的溫度相比較，以定寒熱溫涼。我們身體的溫度就叫「體溫」，一年到頭總是攝氏錶三十七度，等於華氏錶九十八度六分。如果把較高於體溫的溫度算溫，較低於體溫的溫度算涼，那麼，九十八度的天氣該算涼，不能算溫，尤其不能算熱，因爲已低於體溫故也。但是華氏九十八度的天氣，正是大伏天汗流浹背，大吃冰結漣西瓜的時候，絕對不是涼。可見從感覺上評判寒熱溫涼，無有是處。

實際上中醫所謂寒與熱，雖然不離溫度，却也並不專指溫度，寒熱所包含的意義不止一兩件事。人體各器官或臟器的機能亢盛爲熱，機能衰減爲寒。藥物能引起機能亢感者爲熱，能令機能衰滅者爲寒。同理，充血爲熱，貧血爲寒。精神興奮爲熱，疲弱爲寒。病變屬進行性的爲熱，屬退行性的爲寒。我們東方的古代民族，對於自然界的觀察不甚精細，又最喜比附於天地四時以說明一切現象，故把上述醫藥上種種相對現象概括的分爲寒熱二類，或更概括的分爲陰陽二類。現在醫藥隨自然科學而研究得更精細，我們爲診療上便利計，雖然不主張廢棄寒熱陰陽，但在研究上，須從自然科學分出種種子目，不可籠統的僅以寒熱溫涼爲滿足。

其次，藥物的功用也不專憑寒熱。我們知道附子干薑爲大熱藥，石膏大黃黃連黃芩爲大寒藥。而在古方，越婢加求附湯附子與石膏同用，瀉心湯干薑與芩連同用，大黃附子湯附子與大黃同用，如此者例不勝舉。假令藥效注重寒熱，寒熱又即是溫度，則上述諸古方寒熱藥並用，等於冷水與熱水對起來，變成一杯溫吞水，寒熱兩失其效，豈非滑稽？可知古方的寒熱藥並用，並不是用它們的寒熱性，而是用它們別一種特性。又，大寒大熱藥尚好並用，假令病情必有寒與熱，而熱病忌熱藥，寒病忌寒藥，則上述古方所治者將爲不寒不熱之溫吞病，豈非又是滑稽？故病情不一定呆分寒熱，用藥也不須斤斤計較寒熱。

又有極重要一層道理，人類是熱血動物，身體須有九十八度六分的高溫，纔够維持健康。九十八度六分的高溫很不易維持，平常的飲食，正要藉此生出熱度，叫做「卡雞哩」。其在病中，飲食減少而卡雞哩的消耗增多，故體溫尤易低落。我們給人類治病，不無須用幾味熱藥，以維持其體溫而維持其生命，這本是無可訾議的。無如劉河間朱丹溪以後，醫家務其把一切病情强說爲熱，務其專用寒涼藥。好像他們所醫治的不是人類，而是龜魚鼈等冷血動物。社會人士經這派清一色的醫家日久浸潤，居然也把自己一切病症認爲熱，而絕對歡迎寒涼藥，恐懼溫熱藥。這實在是與自己的生命關[illegible]拙！人們互相握手或互相靠近時，彼此總覺得熱烘烘地。必須熱烘烘，纔是健康的活人。如果摸上去澈骨清凉，像龜蛇魚鼈一樣，那一定是死屍，不是活人了。不信的話，請問殯儀館訪問服侍死屍的員工，便知分曉。

末了說明若干病症並不是熱而人們誤認爲熱，以結束本文。讀者請注意，這是生死關頭，不容麻糊過去：

脈搏跳得快不一定是熱。脈搏快，中醫稱爲「數（讀如索）脈」，而脈書總以爲數脈屬熱，這是致誤的根源。要知脈管的搏動，與心臟的張縮相應。心臟每張縮一次，擠出一定量之血液向大動脈進行，是爲血液循環於全身的原動力。中醫所說的「陽虛」與「亡陽」，而須用熱藥時，就是，西醫所說的「心臟衰弱」而須用强心劑之時。心臟衰弱而張縮的限度減小，則每次擠出的血液跟著減少，而循環也跟著發生障礙。循環障礙是可能危及生命的。於是人體起救濟代償，使心臟的張縮加速，以彌補其張縮限度減小的缺限。這情形，極像商店的薄利多賣。此時的脈搏就數而細，或數而弱。因爲心張縮加速，故脈數。因爲心張數的限度減小，故脈細弱。可知細弱的數脈是心臟衰弱，是陽虛或亡陽，是寒症，是需要熱藥强心的。時候。只有洪大的數脈纔是熱。若只見其數，不問洪大與細弱，一概作爲熱，就大錯特錯了。

舌色深紅而近於紫色者，不是熱，反是寒。中國人一向通行「五行」學說，紅是火的顏色，故屬熱，紫是紅之更進一步，故爲熱極。今知人身上普通皮膚的發紅是充血，是熱。至如口唇，口腔，舌頭等處，它的組織本帶紅色，不關充血。舌色深紅近紫，或因榮養不到而萎悴，或因靜脈鬱血。萎悴是一種機能衰減，是退行性病變。鬱血亦是心臟衰弱的一種結果。故舌色紅紫，不問其由於萎悴或由於鬱血，皆是寒不是熱。

口渴不一定是熱。口渴的原因不一，而胃病消化不良者，其口無有不渴。消化不良決非專用寒藥之症，其慢性者反必須熱藥，則此種口渴宜爲寒不爲熱矣。又平常心理皆認乾燥爲熱，口渴是口中乾燥，故武斷爲熱。然無病之人有於睡眠時張口呼吸者，因口液被蒸發故，醒來無不口渴，雖渴，我們決不能他是熱。小便不利之五苓散證，亦有口渴，而須用茅朮赤苓豬苓桂枝等溫燥藥，可知其渴亦不屬熱。

小便短赤，一般人總認爲熱，其實也不是熱。小便之目的，是排泄體內新陳代謝所產生之廢料，同時也排泄水，而且廢料須由水之溶解以助排泄。但人體的排泄水份不專恃小便，還有出汗一途。夏日汗多則小便少，冬日汗少則小便多，這是人人最易覺知的事實。因爲人體應排泄的水份有限量，故盈於此則朒於彼也。汗雖能代小便排泄水，却不能代小便排泄全部廢料。汗臭與尿臭之不同，可見兩方面所含溶解物的不同。汗多而小便少時，小便須以少量之水排泄多量之廢料，故廢料溶解不完全，使小便渾濁而色深，稍靜置則起沉澱。由此可知小便短赤由於小便中水份少，小便中水少大都由於汗多，上面說夏日汗多，似乎是由於熱，但須分別清楚：這是體外天氣的熱，體內仍是三十七度，與冬天一樣，並不曾熱啊。還有循環不利也可以使小便中水份少而致赤濁，這是心臟衰弱，反是寒症，何嘗是熱症呢？最可笑是若干醫書敍述寒症，一件件一樁樁說了不少，大多是心臟衰弱之症，但必加入一句「小便清長」。他既誤認小便清長是寒，以爲可與其他心臟衰弱之寒症同時俱見。却不道心臟衰弱之病人，小便極難清長也。

出血，尤其是鼻衄，大家認是熱，而且說出理由，是「熱盛逼血妄行」。我們知道最易出血，最易鼻衄的，是「血友病」Hämophilie，是一種遺傳性體質病。原因不清楚，大概是血液的凝固力不足。有此體質的人，不可以受外傷，不可以動手術，因爲皮破血出後可以血流不止而死也。但此種患者皆是男小孩，不侵犯女子與成年人。也許有人說「對了，男子屬陽，小孩是純陽之體，陽者熱也，出血的原因還不是熱嗎？」如果是熱，用寒藥該能治好，但任何寒藥治不好血友病。還有不幸，血友病的病人雖是男孩，其遺傳則由女子而不由男子。例如患過血友病的祖父父親，並不遺傳此病於其孫或子。而外祖父與母舅，往往遺傳血友病於其外孫或外甥。如果病因是熱，難道女子能帶此熱因而不自發病，但遺傳於其兒子麼？女子帶此熱因時，不會因熱成陽，女變爲男麼？可知這些舊觀念於事實上處處碰壁。又，普通所謂出血，似是指血液出離人體而言。醫學上所謂出血，乃指血液跑出血管而言，不必出離人體。例如體腔內以及各臟器之出血，謂之「內出血」。內科醫生所最常見而最操心的內出血，就是傷寒病的腸出血。腸將出血時，病症漸漸轉到陰證，而出血較多時，急劇的顯出「亡陽」一症。又，金匱治便血之黃土湯用熱藥附子。可見出血儘多寒證。

發熱是體溫昇高，這似乎是熱症無疑了。然所以須認清熱症寒症，因爲用藥有宜寒宜熱之不同也。普通外感性熱病之發熱，不宜過用寒藥，尤不宜貿然用退熱藥。因外感病之發熱，是體力抵抗外感病毒所發生的現象。好比槍炮聲與火藥氣，是抗戰所發生的現象。醫治時不對付病毒而但求退熱，若非使體力不抗病，那熱是退不了的。好比不對付敵寇而但求沒有鎗炮聲火藥氣，若非停止抗戰也辦不到的。停止抗戰則國亡，停止抗病則身死。爲欲國家不亡，只得耐受鎗炮聲火藥氣以抗戰。爲欲身體不死，只得耐受發熱以抗病。故外感病之發熱，不可貿然用退熱藥或寒藥。旣不宜寒藥退熱，則發熱在理論上也不可說爲熱症了。必至大熱煩渴脈洪大，術語所謂「陽明證」時，纔可以用寒藥。但寒藥的分劑，是減熱而不是退熱，減到身體耐受得了爲度，不求退盡，因爲不要停止抗病故也。

現在的風氣，畏熱喜凉，實在太無理由了。我上面的話，是針對這種風氣而發，所謂「有爲而言」，故不免有故甚其詞之處，這是要請讀者原諒的。果能脫除畏熱喜凉的錯誤心理，一定可以減少死亡率，一定可以增進民族健康。

傷寒質難

祝味菊答述　陳蘇生筆受

編者按：祝君味菊於二十餘年前，自四川來滬懸壺；多用溫藥，羗附麻桂，視爲家常便飯。東南諸省醫家習用甘涼，社會煽成風氣。病人就醫，有脉微舌淡，手足清冷，而猶自訴蘊熱在裏，欲得寒涼藥者。見祝君之方，輒相顧舌撟色變，不敢服用。然大病危症，傷寒末期，中西名醫認爲不可治者，祝君往往以大劑溫藥，刻期而愈。閱時稍久，名聲鵲起。陳君蘇生聞之，盡棄其學而學焉，質疑問難，遂成此編。中醫學說，南北古今，各自爲政，而皆言之成理；若欲整齊統一，難於登天。祝君論治，說「病」與「人」兩端著眼，與東垣之外感內傷，普通舊說之邪氣正氣，皆可一貫，於改進中醫學說上貢獻甚大。其解釋傷寒論六經意義，與鄙見頗不盡同；此則小節可以暫置；且六經之名，終須廢棄，吾人於此不必多費心力書成，祝陳二君囑爲校理，得先讀而善之，因請於二君，於本刊絡續發表。原書發問讚歎，頗多辭令，本刊爲省篇幅，稍稍刪節。其答論與事實，甯冗弗刪，懼失作者本意也。

今日批評中醫的人，大都以爲中醫學理基礎根本不健全，其理論疵謬百出，一盤散沙，毫無系統。因爲它本身的不科學，所以有人主張要廢除。但是中醫能夠醫好病，却是事實。而且有時竟能醫好科學新醫所未曾醫好的病，這竟是奇蹟了。事實既不容完全抹煞，同時又不甘承認奇蹟的造成是中醫學術。故他們判斷中醫愈病之理，一部份是病的自然全愈，而中醫掠爲功績；還有一部份是經驗的中藥無意中吻合科學的緣故。自然全愈的掠美當然不算；於是說，醫好病不是中醫學的功績，而是經驗藥物的功績。中醫的內容，理論是理論，事實是事實，如風馬牛不相及；所以又有廢醫留藥之說。味菊從事中醫垂四十年實驗，考察的結果，深知若干事實，粗看似乎並無原則原理，其實必有原則原理，可以尋出。中藥自有優長之處，這且不說，就說中醫的理論，亦復未可盡廢。固然，中醫的理論散漫紊亂，這是無可否認的。不過散漫紊亂之中，也自有其線索可尋。假使我們能把中醫的內容，好好地整理出一個比較合理的原則，根據這個原則、運用經驗藥物，來做實踐理論的工具。經過好多次的臨床複演，得到一個客觀的證據，證明上面所說「比較合理的原則」，儘可用以說明中醫能夠愈病的所以然。把這原則供獻給整個醫藥界，作爲初步研究中醫的踏脚石，或許因此而發現意外的收獲。這也是一個從事中醫者應該做的事呀。

我向來主張眞理只有一個，是非不能並存；醫而合符眞理，應無中西之分。中醫能夠醫好病是事實，事實裏面就有眞理。我們很應當用科學方法去發掘，說明這事實背後的眞理。世間沒有毫無理由可言的事實，沒有永遠不能解釋的奇蹟。事實而能加以分析，系統地說明其所以然，也就算具體的理論了。奇蹟而隨時複演，可以任意造成，也就不成其爲奇蹟了。藥物不過是醫生應用工具之一；應用藥物，仍需要一種理解。中醫愈病的所以然，於藥物本身而外，亦必有其足爲依據的理論。我們知道若用單味的藥物，治愈某一種病，雖可複演不爽，只好說「效在於藥」。今用種種不同的複方，配合種種不同的藥物，應用到各個不同的病人身上；在不同的方式下，得到相同的效果，這就是「效在於法」。一般人說中醫愈病純是藥效，這就等於說殺牛者是刀而不是屠大了。其實，中醫的理論不僅有藥，而且有法。誠然它的理論很晦澀；假使我們但依文字上的詞義去衡量它，當然是玄祕荒唐的。如果我們滌除成見，拿另一個角度去看它，却未嘗不可理解；這是我多年來的主張。

陳子蘇生穎悟好學，行醫已十餘年了，還是孜孜不倦的研求。曩歲執弟子禮，問道於余。質疑問難，頗能舉一反三；此編即師弟間日常質難所記錄。其內容雖限局於傷寒一病，然對整個中醫的見解，也已有部份的闡發。惟須鄭重聲明者，此編所舉之理論與系統，鄙人一家之言，非敢代表整個的中醫；祇可說是我私人追尋眞理的自我解說，亦未敢自信此種解說便是眞理。無疑地我的見解不免粗陋而多有謬誤，還需要不斷的修正。又料知此種理論，對舊醫尙未能消化，對新醫又不够嚼咀，眞是兩面不討好。尤其是批判時醫的地方，難克有開罪同道之嫌，這是我萬分抱歉的；但是我又不能作違心之論，祇能請他們多多原諒了。

自從有了西醫，就有了中西門戶之爭。他們對立已數十年，至今還是如劃鴻溝，互相攻訐。我覺得長此爭論下去，不會爭出什麽好的結果。我們不想空談中西醫的優劣，而想引起彼此間的認識或瞭解。爲了社會，爲了學術，我們總該想個辦法，使他們得到一個聯繫的橋樑。我希望這本通俗而不免於膚淺的小册子，能够引起中醫理向於科學的趨勢，能够引起西醫重行檢討中醫的興趣。更希望西醫參考此項理論，以硏究整個中醫中藥；希望中醫因此而感到自已的不足，而發生進取的慾望。將來若能泯除新舊成見，合中西爲一家，相信醫學必見一次長足的進步。三十六年六月，祝味菊序於海上儆霜軒。

× × ×

國藥性效

姜春華

人參

本經　主補五臟，安精神，定魂魄，止驚悸，除邪氣，明目，開心，益智。

按本經所說治療功效，乃一種强壯作用。

「補五臟」者，因古人將生理上重要作用屬於五臟，尤其神經方面爲最，如大腦之思考判斷諸中樞，古人分屬五臟，以思考屬肝，（肝者將軍之官，謀慮出焉。）判斷屬胆，（胆者中正之官，決斷出焉，）記憶屬心，（所以任物者謂之心，心有所憶謂之憶。）故補五臟之意義，即有益於體內重要臟器之謂。

「安精神定魂魄」者，亦係强壯神經作用之謂，古人謂：「肝藏魂，心藏神，脾藏意，肺藏魄，腎藏志」，古人意想人有魂魄，如喪魂失魄，其人不死亡亦失神智，今魂魄之有無，據科學解釋，完全否定，（尙待硏究）不過精神不安，神智不定，均屬神經方面，凡神經衰弱者，症見精神不安，惚惚恍恍，則安精神定魂魄，亦强壯神經之作用也。

「止驚悸、除邪氣」者，爲安定神經之謂，醫藥學二卷四號云：「人參之Aether可溶性物質，對於大腦有鎭靜催眠之作用，此謂止驚除邪，即屬鎭靜作用。」

「明目」使視力强，此或强壯視神經，或因整個的强壯，遂使耳目聰明。

「開心益智」，即使人聰敏之意，亦爲强壯神經之結果。

別錄　療腸胃中冷，心腹鼓痛，胸脅逆滿，霍亂吐逆，調中止渴，通血脈。

按別錄所載爲健胃作用。

「療腸胃中冷」，「冷」爲機能衰弱，腸胃中冷，即慢性消化不良，及泄瀉，又可能爲寒冷感，本品有溫暖作用。

「心腹鼓痛」「心」指胃部，即胃腸部脹痛。

「胸脅逆滿」，即胸脅之間氣逆而滿，多數爲胃病。

「霍亂吐逆」霍亂二字，爲急性吐瀉之症，本草中單用霍亂一名，即包含吐瀉轉筋等症，今有吐逆二字，仍爲嘔吐而泄利之意。考古書之霍亂，非今之亞洲性霍亂，乃急性胃腸炎之腹痛嘔吐泄瀉，又外台所載之霍亂，有一地方同時患者甚多，似有傳染意味者，亦非眞霍亂，乃一種細菌性食物中毒之病。

「調中」「中」屬中焦，古書謂中焦腐熟水穀，調中即調和中焦，使能腐熟水穀，即健胃是也。

「止消渴」「消渴」謂渴而欲多飲水，渴復不爲止，今人多釋爲糖尿病，但古人病名含混，凡渴而能飲，有糖尿病，尿崩症，及慢性胃腸病患者，本條之消渴，似屬慢性胃腸病之口渴，惟人參之治糖尿，已得日人證實，科學研究之國藥云：「其中 Saponin 成分，對於糖尿病人有制糖與補助消化增加食慾工作用，確已證實，則糖尿與胃病均適用也。

「通血脈」此爲想象說，無具體症狀可說。

甄權　主五勞七傷，虛損，痿弱，止嘔噦，補五臟六腑，保中守神，消胸中痰，治肺痿，及癇疾冷氣上逆，傷寒不下食，凡虛而多夢紛紜者加之。

「五勞七傷」中醫謂內傷之病，「五勞」指五藏之勞，（心勞，肺勞，腎勞，肝勞，脾勞，說具巢源。）「七傷」乃七情所傷，（巢源及後世諸家，對於五勞六極七傷頗有差異。）考勞傷之病，包含肺結核病，慢性胃腸病，腹內藏器慢性病，營養不良，神經衰弱血液病等，此主五勞七傷，非對病有絕對作用，乃因强壯之效果，而症狀良好也。

「虛損痿弱」「虛損」之病，亦屬勞傷範圍，凡大失血後，及各種貧血等。「痿弱」則爲慢性消削性疾患。

「止嘔噦」爲健胃。

「補五臟六腑」即對身體各機能有促進之益。

「保中守神」安精神之意。

「消胸中痰」古稱胸中痰，或胸上有痰，以及痰飲痰澼之等，均非肺中之痰，乃慢性胃病之胃中積瀦，有胃病人嘔出甚多黏液，輒云嘔黏痰，今云消胸中痰，亦是健胃。

「治肺痿」痿爲病之形容詞，古人見肺結核患者，意想其肺已萎，而肺病人毛悴色枯，肌肉消削，亦大有萎象，今中西醫對肺結核均無特效藥物，一般用强壯劑，此亦强壯作用也。「癇疾」古書稱顚癇，即今之顚癇，古書謂癇：有風熱，有驚邪，皆兼虛與痰。小兒有五癇，五臟各有畜所屬，心癇其聲如羊，肝癇其聲如犬，脾癇其聲如牛，肺癇其聲如雞，腎癇其聲如豬，發則卒然倒仆，口眼相引，手足搐搦，口吐涎沫，頃乃甦，皆顚癇症狀之敍述，五臟之畜，源出內經。如肝畜犬，如心畜羊，（五嘗止作馬）金匱眞言作羊，脾畜牛；一方面亦屬病狀之繪影繪聲，本品之用於此病，殆亦强壯之效。

「冷氣上逆」此屬自覺症狀，病人常有自覺腹內有冷氣上逆者。中華醫學雜誌十二卷二號云?人參素略具刺激交感神經之作用，故能感覺溫暖，病人服參後，感覺溫暖，職是之故，今治腹內冷氣，即其理也。「傷寒不下食」傷寒爲急性傳染病初期發熱之通稱，凡高熱影響於胃，輒不欲食，且有作嘔噦者，此處亦不過言其健胃。

「凡虛而多夢紛紜者加之」虛弱者常多夢迷離，不虛弱自無多夢。

李珣　止煩躁，變酸水。

「止煩躁」即安精神。

「變酸水」即治胃酸過多，乃健胃也。

大明　消食開胃，調中治氣，殺金石藥毒。

「消食開胃調中治氣」皆健胃作用。

「殺金石藥毒」古有服金石藥膏，魏晉時代習成風氣，本品恐未必能殺金石之毒。

張元素　治肺胃陽氣不足，肺氣虛足，短氣少氣，補中緩中，傷心肺脾胃中火邪，止渴生津液。

「肺胃陽氣不足……少氣」肺力虛弱則呼吸少氣；胃力虛弱則消化不良，舊稱肺胃陽氣，即指其「力」「用」而言。醫藥學二卷四號酒井氏云「有亢奮呼吸中樞之作用」，則元素之肺氣不足，可得而解矣。

「瀉心肺脾胃中火邪」語太抽象，無具體症狀可言。

「止痺生津液」此句言其有增加唾液分泌之功。

綱目　治男婦一切虛證，發熱自汗，眩暈頭痛，反胃吐食，痎瘧，滑瀉，久痢，小便頻數淋瀝，勞倦內傷，中風中暑，痿痺，吐血，嗽血，下血，血淋，血崩，自汗，盜汗，胎前產後諸病。

「男婦一切虛證」卽强壯。

「發熱自汗」指虛弱性。

「眩暈頭痛」腦貧血及神經衰弱者。

「反胃吐食」健胃。

「痰瘧滑瀉久痢小便頻數淋漓勞倦內傷」皆强壯作用。「痰瘧」或釋老瘧，乃久瘧也。「滑瀉」指不能自主之泄瀉，「久痢」指常久便黏膩膿血，此或屬原虫性痢，或直腸之病。「小便頻數淋漓」，殆屬衰弱性之尿意頻仍，或膀胱括約肌麻痺。

「中風中暑」，此「中風」非腦出血，此「中暑」亦非腦充血或令之日射病，據化學實驗新本草謂：「此爲宜於病衰而血壓沈降之時，其禁忌在血壓高，脈有力時。」凡腦充血出血，皆不宜也。然則時珍所謂治中風中暑何故？此乃中醫病名含混之故，古所謂中風，除腦出血充血外，亦可能包含急劇性貧血，而中暑，金元時代有動靜勞逸之分，所謂動而得之謂中熱，靜而得之謂中暑，而中暑之症，正不類今之中暑，乃一種疲乏狀態之病，本品用於此類中暑，亦頗適宜，時珍所指，殆即此類。

「痿痺」亦屬强壯作用。

「吐血嗽血下血淋血血崩」，此止血作用也。科學方面未有實證，惟中醫臨牀方面，用於大量出血之後，以挽危脫，此固有之事實，尚待科學之證明也。又中醫謂氣爲血之帥，固氣則血自止，中醫之氣，一部爲神經作用，人參舊說爲補氣藥，殆能使血管神經收來，而奏血之效歟？

綜括各家主治如下：

一强壯——神經及一切衰弱性病
二健胃——吐酸嘔逆
三制糖——消渴病
四止血——各種出血
五鎮靜——安精神

醫學小說

括痧

阿婉

我家從西城喬遷到北城，新的「街坊」們第一位使我發生好感的，乃是隔壁「三好婆」。她年齡並不十分高，手脚氣力還是那麼健。能下田「拔花萁」，而她一天所拔的花萁，比較壯年男女所拔的更多，這證明她的精力是何等强健。我們那邊的田畝，種稻也種棉花。稻成熟了用鐮刀割，稻根留在泥土中，自能腐爛而獲成天然肥料，給下一次種的東西施肥。棉花雖是草本，卻大有木本的風度；它的莖，根，皆挺硬堅實，性質與稻草大異，是爲花萁。花萁根不易腐爛，倘留存泥土中，必爲下一次種植之障礙。此花萁之所以不宜割而宜連根拔起也。我因爲好耍子，定要隨同三好婆去拔花萁。用盡吃奶力，只拔起一株，同時我的屁股卻幾乎種入泥土裏。原來用力過猛，花萁根忽然拔出時，身體失其平衡，跌了一交。三好婆笑唬唬地扶了我起來，「叫您不要來，又沒有糖吃」。看她一把三四株，很輕鬆的拔出，我從此佩服她的神力。三好婆還有第二箇使我發生好感的條件，乃是她的一張櫻口。口中一共有兩只牙齒，一只在右上顎，一只在左下顎。這還不奇，奇就奇在她吃飯的時候，一口嚼下去，面部變成那麼扁，櫻唇被迫突出一寸來高，看著不由得會笑出來。她這一張櫻口，非但吃飯時給我們表演，不吃飯時還說出許多柔和而滑稽的話，引得我們一群小孩包圍着她捨不得離開。

北門外的「麻老太」是三好婆的好友，隔不了三五天，必來拜會三好婆。我們經三好婆的介紹，也與她做了相識。她叫什麼名字，三好婆當時指示我們對她怎樣稱呼，現在已記不起來了。「麻老太」是三好婆在人背後稱謂她的名字，不久我們許多街坊提起她時，衆口一詞是麻老太。要不是這樣，我今天可能把她忘記干淨，寫這篇小說須給她杜撰一個名字了。麻老太的年齡比三好婆年青得多。但因她的大女兒已生了外孫，他的兒子也娶了媳婦，所以排入「太」字輩。她面上雖有幾點麻子，但不多，且不大，不留心也看不到。她有雪白而整齊的牙齒，鮮紅而小巧的嘴巴，漆黑而細長的頭髮，圓圓的臉兒，細細的身兒，一切比三好婆美麗。可是她臉上難得有笑容，我們搭訕著與她說話，她多份給你個不答，偶爾作答時，語調又急促而枯燥，我們聽著一點不感興趣。總之，她與三好婆是性情面貌絕對相反的兩位女人。我們都歡喜三好婆，却沒有一人歡喜麻老太。麻老太的小女兒有時也到三好婆家來，她叫「小阿姨」。她無形中維持了我們對麻老太的感情，使我們收起全部頑皮惡作劇的把戲，沒有對麻老太施展過一次。小阿姨比我們年長兩三歲，她遺傳了她母親的美麗，而不遺傳她的性情。我們好好尊她一聲小阿姨時，她一定報我們以微笑，有時也肯還叫你一聲，倘使她知道你名字的話。不是我誇口，我每次遇見她而叫她小阿姨時，一定敢回一聲「琬弟」，屢試不爽。我曾有一種幻想，小阿姨爲什麼不投生在我隔壁，而投生於北門外？倘使小阿姨的母親不是麻老太而是三好婆，那對於我們這一群，一定彌補了許多缺憾。三好婆與麻老太相會時的話題，無非彼此訴說自已媳婦的不好。三好婆因爲實在與媳婦同居不慣，所以甯可住到寡居的女兒家中，就是我隔壁這一家了。而麻老太呢，因爲出嫁了的大女兒也不甚歡迎她，只得仍與媳婦住在一處，她惟一的希望便是小阿姨一人了。這些話，我們旁聽者已聽得爛熟，而兩位太字輩乃百談不厭。尤其是麻老太，談到緊張之際，額上漲起青筋，把頭不住地搖着，讓耳朵上兩隻大耳環子交替打那麻臉，活像一柄博浪鼓。等到把媳婦們批評得足够了，接著又須來一套固定的工作，那便是兩人交互的括痧括痧是我鄉一種土法，用來治療「發痧」的。而這兩位太字輩，却是不發痧也要括。我曾私問小阿姨，她們都是精神抖擻的，何嘗發什麼痧，爲什麼儘要括痧？不怕痛麼？小阿姨說這叫太平痧，老年人括慣了，若好久不括，要渾身不舒服的。

你要問怎樣括痧麼？拿一枚老式銅硬幣孔方兒」，要大而厚的，蘸些水或油，在病人身上從頸根，兩肩，以至前胸，後背，兩臂等處，從上向下直線形的括，括成一條鮮紅色，然後換一條再括。括痧的手術，據說大有高下。手術高者，括不幾下便紅出來，紅條又長又細。三好婆常稱讚麻老太是括痧高手，麻老太也默認不甚謙辭。她用的括痧錢，不但大而且厚，邊口又因括久常括而發光；還有一種特別裝置，用銅絲縛上一段短短筆管，用作把柄，括起來格外省力而得勁。這特製的括痧器，麻老太視爲法寶，隨身攜帶，好似西醫師帶著聽診筒一樣。

不久，我的祖母也加入她們的集團，而成爲括痧同志。祖母是偶爾參加，不像她們的每遇必括。因此，麻老太有時也闖到我家來拜會我祖母。麻老太來，我並不歡迎。她若帶了小阿姨同來，我又極度歡迎了。一次她們母女來我家，最使我著眼的是小阿姨鼻樑上有一條五六分長的紅痧條，再看她的頸根，還有很多平行線式的更大更長的痧條。我問「小阿姨發過痧麼」？她笑著搖搖頭。我又問，「那末也括太平痧」？她仍是笑笑。我母親給我解釋，這不是因發痧而括，也不是太平痧，這叫「俏痧」，括了是增加美麗的。我想增加美麗要挨痛括痧，我可不幹，我甯可不要美麗。我還想有機會時勸勸小阿姨，你已够美麗了，何必挨著痛再求增加」。可是我雖不要美麗，而挨痛括痧畢竟逃不了。

我有兩天不大吃東西，也不曾頑皮得使祖母母親頭痛。糟糕！她們頭不疼了，硬要我疼起皮肉來。祖母說，「這兩天阿琬不對呀，須得括括痧。」小孩子需要括痧，這是做母親的責任。母親立刻找到一枚銅錢，祖母立刻給我解開衣服，我立刻表示反對，聲明我並不發痧，也不要美麗。她們强制執行，在我背上括將起來，我便哇啦哇啦哭喊。哭喊的結果，三好婆首先趕了過來。她見是括痧不是責打，立刻自告奮勇，從母親手裏接過銅錢去。我急喊「三好婆，我又不發痧，又不想括俏痧，三好婆勸勸我母親祖母呀！」三好婆一面摸我的頭，拿出手絹給我拭淚，一面向母親說，「怎麼用這個錢，又毛糙又薄，自然要痛。」又摸摸我背上括的地方，「你看還沒有括紅，先把枯皮括去了。」我聞知括去枯皮，格外有三喊得哭勁。好婆另找了一錢，一面又說我母親不該蘸水，該蘸油。母親趕忙取了油，三好婆繼續給我括，我繼續我的哭喊。剛括到第二條，巧極，麻老太也來了，後面還跟著小阿姨。三好婆忙說「好了好了，讓某好婆（麻老太的當面稱謂）給你括，包你又輕又快，一點不痛。」祖母母親一致附和著。我呢，因小阿姨似笑非笑地望著我，自覺不好意思老是哭喊。趁三好婆鬆手之際，捍忙將衣襟拉上，一把死命抓住不放。同時麻老太已掏出她的隨身法寶特製括痧器，母親趕忙許願，「你好好讓某好婆括了一身痧，你要看內都天會，今年一定給你去看。」我們祖母怎樣說，祖母也說一定讓我看。三好婆麻老太又給祖母母親做擔保，保證她們一定准我去看都天會。我那時忽然聰明起來，她們正對我有所要求，自動的許我交換條件，我若趁此時機另要求一個條件，不愁她們不允許。說時遲，那時快，我一轉頭向著麻老太，「要末，你讓小阿姨與我一同去看都天會。」麻老太果然許可。我又問小阿姨，你肯去看會麼？小阿姨望了麻老太一眼，便笑著點點頭，臉上卻泛起一陣紅暈。我那時不懂，看會有什麼難爲情？我一面得了與小阿姨同看都天會的要求，一面眼見這幾位括痧大王全體出動，料定這一頓括是逃不了的了。只得放開衣襟，埋頭向桌上一伏，讓麻老太施展高妙手法。三位太字輩同聲讚我「乖」，小阿姨也說了聲「琬弟眞豪爽」。我忽又想再提一箇條件，索性要求小阿姨給我括。可是幾次鼓足勇氣，話滾到嘴脣邊了，依舊吞下肚去，到底不敢要求出來。此時麻老太早已呼哩呼哩括起來了，手法雖然高妙，痛到底還是痛。我雖然不哭喊，扭著身子蠕强是免不了的。每一次强，必有轟然一陣哄勸。她們的哄勸往往使我强得格外加力，直待小阿姨跟著也開一句口，才肯安靜下來。二三分鐘之後，太字輩與母親對於我的扭强忽然一致守口如瓶，讓小阿姨一個人哄勸。小阿姨也不是每强必勸，强多强很了才勸一句半句，本來人聲鼎沸的室內忽然十分沈靜起來。少頃括畢背部頤鄰鄰，括到。兩臂我此時不須伏在桌上，頭頸也可活動而東張西望，不料吃我望出一套祕密來。望見三好婆鼓起一張癟嘴，朝一箇方向只管扮鬼臉，有時還揚臂做手勢。而小阿姨哄勸的聲音就跟着從這箇方向發出來。我恍然大悟，原來他人的靜默，小阿姨一人的哄勸，都是三好婆導演出來的。這就增加了我對於三好婆的好感，而立刻決定做導演的導演。我便故意裝得不耐痛，格外扭强。果然三好婆的鬼臉跟著扮得格外忙，而小阿姨的話也說得格外多了。這樣一面導演，一面讓麻老太括完痧，竟不曾顧慮到疼痛。

都天會是三年一次的迎神賽會，規模極大。除一切賽會儀仗應有盡有而加之以佛大外據說還有三百六十行的扮演，還有三隻大玻璃瓶最奇特，滿滿的裝着臭蟲白蚤與跳蚤。賽會地方離我家三十餘里。三年前我屢次忙着要看，沒有看成。今年又將賽會，我又向母親吵要求過幾次，直到今天括痧，纔切切實實地正式許可我。痧括完，我兩天來的病果然好了，依舊頑皮，雖然看都天會仍是不免現的支票。（本節完全篇未完）

本刊徵稿啟事

（一）文件最好用白話，淺而易解的文言也可以，總之讓大家看得懂，竭力避免學術語專門名詞。

（二）字數每篇最多不得超過三千字，千字以下的短文尤其歡迎。

（三）內容中國學說也好，西洋學說也好，祇要是實用的，大家日常生活必需知道的醫藥衛生常識，如果是融匯中西學說的，那更是十二萬分的歡迎。

（四）稿酬經刊載後稿費從優。

（五）來稿文字編者得加潤色，投稿人如不願潤色者，請於稿端聲明。

（六）來稿未登者，如須退還，請附已寫好退還的地址及收件人之信封，貼足郵票，當即儘速寄還。

（七）來稿請署眞實姓名詳細地址。

（八）稿件請直接寄送上海（5）哈爾濱路富春里四號，本報醫藥編譯委員會。

本刊定閱價目

月份	期數	定費	掛號	航平	航掛
三月	13	四萬五千元	一萬元	八千元	一萬七千元
半年	26	八萬元	二萬元	一萬五千元	三萬三千元
一年	52	十五萬元	四萬元	三萬元	六萬五千萬

附註——定戶請於到期前一期通知續訂本外埠定戶平寄免收郵費其他寄法郵資請照表匯寄

上海市名

科別	姓名	診所	電話
內外科	丁仲英	四馬路西中和里七號	九〇二九〇
內科	丁濟仁	牯嶺路一二〇弄四號	九六六六九
內科	丁濟萬	白克路珊家園間壁人和里三二號	九〇二九一
內科	王正公	西藏路育仁里二〇號	二一九八九
針科	方慎安	靜安寺路同福里八號	三三一七八
傷外科	石筱山 幼山	愛多亞路貝勒路口呂宋路五福里（新城隍廟對過）	八四一五九
瘰癧科	朱少雲	白克路三七六弄三號	三六二二一
內外科	朱治吉	虞洽卿路育仁里三號	九三四二五轉 無錫醫士
痧痘幼科	朱星江	寶建路辣斐德路口十六號	七五六八五
內幼科	朱叔屏	長沙路五七號分診所淡水路朱衣里口	九二〇一三
內科	朱鳳嘉	靜安寺路同福里五號	三一九〇二
內婦科	朱鶴皋 小南	愛文義路九六號	九三九三九
喉外科	呂萊賢	愛文義路派克路平和里五號	三〇二四五
腸胃科	宋大仁	靜安寺新美園三二號	三六四三五
痔漏科	林墨園	同孚路東首新大沽路永慶坊十八號	三五四七八
兒科	范再生	復興中路二〇二號	八五五〇四
幼科	徐小圃	慕爾鳴路二一七號	三三二三五
兒科	徐迪三	山西南路一八〇弄	九一八三八

醫一覽表

科別	姓名	診所	電話
痧痘兒科	徐麗洲	北京路泥城橋章延春藥號	九五二二六　四二一四六
兒科	徐耀章	七浦路三四二號	四一〇三三
女科	陳大年 盤根	巨籟達路亞爾培路西首六九一號	七七一三一
內科	陳國樹	愛文義路卡德路東五九七號	三二二二八
內科	陳樹脩	浙江北路一四六弄十七號	四一五六六
內科	陳鼎昌	虞洽卿路三四〇弄平樂里五號半	九一三〇〇
兒科	陳聘伊	白克路大道里四號	
痧痘兒科	姚雲江	白克路大通里一弄一家	三三九八八
外科	黃實忠	白克路三七六弄永年里五號	三一八四四
內科	張仲友	茄勒路辣斐德路七〇號大地春藥號隔壁	八三〇〇一轉
瘋科	張明柏	靜安寺路戈登路西首慶福里三弄十九號	六一一二六
骨癆科	陶慕章	南京路大慶里三四號	九二九六四（二〇五一七）
內婦幼科	陸淵雷	派克路牯嶺路人安里十一號	九三二八六
內科	陸清潔	跑馬廳汕頭路八二號	九一八一一
針科	陸瘦燕	愷自爾路一二二弄五號	八四四九〇
內科	夏仲芳	呂班路鴻安坊十一號	八二九二七
內科	盛新餘	新閘路四七八弄七號	三八九五八
內科	葉熙春	南京東路七九弄三七號	九三一一八

濟世日報

右任

醫藥衛生專刊

第一卷第二期

——本刊每逢星期一出版——
本報登記證內政部京警滬字第三八六號
發行人 卓勤　社長 卓紹鼎　總編輯 施今墨

本期目錄

中華民國三十六年八月十八日　濟世日報社發行　本期售價國幣四千元
社址上海[illegible]濟[illegible]路富春里四號　電話四五二七二

社論

爲民族健康計 中西醫宜和衷合作

中國文化，自古偏重道德倫理一切形而上之學。其利用自然科學之造作，則目爲「奇技淫巧」，受輿論之禁止。故公輸之飛鳶、墨翟之機械，諸葛之木牛流馬，皆不傳世。流風所被，使自然科學極不發達。近世與歐美交通，遂覺每事不如西人，非向西人「重新學習」不可。其實，日用生活所需要，無一事一物不關自然科學。中國人不能不生活，即未嘗不利用自然科學。惟舊道德崇儉約，戒奢侈，故其利用科學，亦僅取其足以維持生活而止，不求豪奢享受。既不求豪奢享受，則自然科學雖甚落後，固無礙於國人之生活。醫藥在中國，但用於消極的療治與衛生，即在歐美，亦不視醫藥爲一種豪奢享受。故中醫藥之表面理論雖若不合科學，至其實際功用，直到現在，仍不失其固有價值。

國人闇用自然科學，以維持生活，而不深究科學，事例極多，姑舉一二：

農業學　村農經驗相傳，知何時宜播種，何時須施肥，何種蔬穀宜何種肥料。如此僅恃經驗以耕種，苟無天災人禍，亦可飽食暖衣。至於改良種籽，增加收穫，防禦水旱蟲災，當然遠不如農業學者。然使得隙地數弓，隨手種植園蔬，播供庖廚，四時無闕，則恐農業學者反不如村農耳。

天文學　盲瞽以算命爲業者，告以誕生之舊歷年月，彼沉吟少頃，即知當時之月份大小，何日合朔，及節氣時刻。按合朔及陰曆月份之大小生於月之行度。節氣生於太陽之行度，亦即地球環繞太陽之行度。今之天算家算月之行度，共須算及七十多個條件或已知數。算太陽之行度，亦須算及三十多個已知數。此其計算極爲繁苦，若非職業天算家，實無此閒暇，無此心情，以從事推算也。而算命之盲瞽能於從容坐對之際，算出過去六七十年內任何時之日月行度，豈非奇績？果然，盲瞽算出者，或有數分鐘乃至一二小時之差誤。而天文推算若差至數秒鐘，已失價值，必須研究改正算法。此即不科學與科學之區別。然在算命應用上，數分鐘或一二小時之差誤，固絕對不生影響也。

氣象學　蘇浙諸省俗諺云：「鄉下人不識天，怎樣能種田？」耕作之際，老農辨色而起，昂首四望天空，即能預知本日之陰晴風雨，以定一日之工作計劃。不然，若多僱臨時農工而遇天雨，則受雇者仍取一日之工資而不能工作，僱主將受甚大損失也。航海帆船之老舵工，高坐舵樓，遠望天際。往往於晧日當空之時下令落篷靠港，全船莫敢違抗，狂風驟雨亦往往不旋踵而到達，巨浪掀天心膽爲悸。老舵工與老農固皆不知氣象學爲何物者。今之氣象台由氣象學專家主持，每日發出報告與天氣預測，猶不能必準。且其氣象預測全恃各地氣象台以電報電話報告風向雨勢氣旋種種，參合以預測當地之氣象，故戰時各地氣象台失却聯絡，氣象即無由報告。

彼村農盲瞽舵工皆不學習自然科學，而皆能闇用自然科學，以完成其職業。中醫不知科學，而能治愈疾病，事同一例。

今中國已有歐美學來之農業專家矣，未嘗主張廢除村農。已有氣象學航海學專家矣，未嘗主張廢絕帆船與舊舵工。事實上，苟無村農，農業專家即無從施展其學識。苟無舊舵工與帆船，則戰後機船噸位大減時，運輸將愈困難，而工商業將愈被窒息。故今日而言戰後建設，舊技術配合新科學，和衷共濟，猶虞不給。若其逞門戶之私，排異已爲快，欲以少數人建設廣大中國，欲以貧乏之中國追蹤富裕之歐美，則有淪胥及溺而已！國族既亡，少數留學博士豈能獨存？豈能獨榮？然而中西醫之敵對仇視，至今未能泯除，或且變本而加厲焉，則又何哉！

謂中醫不知細菌學疫學，妨礙防疫衛生行政乎？鄉村中醫絕對不知細菌學疫學者，不能贊助防疫衛生則有之。若云障礙，萬萬無此事實。自有防疫衛生以來，專家及西醫之責臨鄉村，從事防疫者，曷嘗遇中醫公然阻挽？曷嘗有中醫陰相掣肘？今果廢絕中醫，於防疫衞生又曷嘗有絲毫助力？徒使疾病無從求治，徒使疫勢益形猖獗，則極爲可能。故謂中醫妨礙衞生行政者，直是「莫須有」之罪證。

或又謂中醫之治效不出二類。病自然全愈，不關所用醫藥，而中醫掠爲自己功績，此一類也。愈病由於藥效，非關醫理，此又一類也。故中藥經再試驗再鑑別後可以引用，而中醫則絕對可以廢棄。此說創自某君，近日某一小組織鼓吹尤力，聞有實行廢醫留藥之計劃書。其實仍是客氣之言，並非篤論。何則？愈病雖由藥效，然藥病之相遇，將自然翕合，如磁石之引鐵乎？抑有人焉爲之視察決斷，選用某藥以治某病乎？由前之說，則病自能擇藥，當然無需乎醫，不特中醫可廢，即西醫亦何須獨存？由後之說，則選用此藥以愈此病者，乃中醫所視察決斷。使無中醫，則中藥何由顯其治效？使無中醫，則病人何從自知宜用何藥？若是而謂中醫可廢，誠令人索解不得。若謂中醫之醫理不科學，故不可不廢，此則討論失其主題，在邏輯上因明上皆犯絕大謬誤矣。蓋吾人討論之題目，主要者爲「當前之需要」。吾人雖雅願吸收科學，然在今日之國勢民情上，已屬次要問題。當前之需要，爲民族健康，爲一般疾病之治療。今日國內之西醫西藥既遠不足供給本國之需要，而中醫固能利用中藥以治愈疾病。則中醫正合當前所需要，豈有智計之士而廢棄其所需要者乎？若忽視當前之需要，而一切以科學爲尚，則當使村農輟耕枵腹，坐待農業專家之普及。當使帆船輟航停運，坐待機輪之足用。可廢棄者豈特中醫而已。

故爲民族健康計，爲當前需要計，西醫當降心以與中醫合作，不當逞客氣，以毀滅異己爲快。

雖然，中醫尤須虛懷降志，學習各種與醫學有關之自然科學，以淘洗不合理之舊說。或謂西醫是科學醫，中醫是哲學醫，故中醫無須自然科學。此實極錯誤之見解，而少數中醫仍有樂道以爲得計者，不可不略辨。按現代所謂哲學者，乃根據已知之事實，加以合理的推想，以解說「宇宙」與「人生」之一種學問也。世俗推命看相者自稱哲學，已非哲學本義。醫卜星相雖向來並稱，然中醫用草根樹皮之藥物，治皮肉臟器之疾苦，所用與所治皆形而下之物質，豈可與卜課星相空談吉凶者等視？又豈可不習自然科學以深究其理哉？藥品所用動植礦諸物，醫藥所治皮肉骨血諸組織諸細胞，皆屬自然科學之範圍。科學雖未能盡解生物界諸問題，然時時有新發現以解所未解。自然科學所決不能解者，厥爲「生命」，科學家稱爲「生命之謎」是也。然中醫固有「醫藥救病不救命」之俗諺，醫藥既非救命之術，則科學雖不能知命，而醫藥問題之應屬自然科學，自確然無可疑者。

中醫界相傳有神乎其神之技術，如切脈可以了知任何疾病，懸絲可以切脈，又如扁鵲飲「上池神水，洞見垣一方，」謂能隔牆見物，即能隔肚皮見臟腑，似較X光尤其明顯切實。此等皆非科學產物，或因此主張中醫無須科學。然試問今之中醫，僅恃切脈即能了知疾病者誰也？懸絲即可切脈者誰也？能洞垣一方，望而知病者又誰也？即退一步言，使斯世果有此種神醫，則其學習必受嚴格限制，非「有緣」者不許學，學亦不能成功。此稍有緣而學成矣，其行世又僅限於方便功德，不可作爲職業以取報酬。此稍有常識者所熟知也。今吾儕所討論者，爲普通醫學而非神醫，爲人人可學，人人可能者，爲可作職業，計次數以取診金者。普通醫學而非神醫，則與所謂哲學者無關，即不可藉口哲學而自外於科學也。

故爲醫學之本身計，爲中醫之前途計，中醫不可不虛懷降志以習科學，而西醫正可借爲他山之助。不宜以舊說爲已足，枵然自大而「毀所不知」也。

「與父言言慈，與子言言孝，」我對於中西醫雙方，皆有所蘄求，皆有所企望，而無一語稱揚一方抨責對方者，或因此不見悅於雙方。然我立言之意，乃欲求中西醫和衷合作。譬如調人說項，自不敢以快意之論挑動一方客氣，取決裂而敗和局。中西醫界不乏明智之士，必能深諒我心。

本刊定閱價目

月份	期數	定費	掛號	航平	航掛
三月	13	四萬五千元	一萬元	八千元	一萬七千元
半年	26	八萬元	二萬元	一萬五千元	三萬三千元
一年	52	十五萬元	四萬元	三萬元	六萬五千元

附註　定戶請於到期前一期通知續訂本外埠定戶平寄免收郵費其他寄法郵資請照表匯寄

怎樣求子

雍熹

——爲什麼有些人幾乎每年添一個孩子，有些人𨚫想望了幾十年仍舊是膝下猶虛呢？

昨天，張老太爺又娶第三位姨太太了，因爲他的大太太和二太太都沒有生下一兒半女。隔壁封先生夫婦倆結婚了已經十一年，第一年生過一個小寶寶之後，不幸出痧子夭折，雖然夫婦倆感情仍舊非常和好，可是他們的家庭裏不再有一個小寶寶，總覺得遺憾。

我們常常遇見好些家庭爲了沒有孩子而感到一種難以補救的缺陷。日夜地渴想着，可是太太的肚子總不肯凸出來。於是，多少的家庭糾紛引起了，尤其是在我國這個社會環境裏，一般人當孩子不肯降臨的時候，總認爲責任應該由女的担負，於是「討小」居然也可以成爲名正言順的理由。其實事實何嘗如此呢？不經過查驗而把這個責任完全推卸在太太身上，這是無知的表現。因爲生殖是兩性共同行爲的結果，並不是任何一方面可以單獨構成。所以不生育的原因是應該從男女雙方面去尋找的，找到了確切的原因，才能判明過失究竟屬於丈夫呢還是應該歸咎於太太。而且，除非是永久絕嗣的情況，有很多不生育的夫婦經過適當的醫療之後，是仍舊可以生孩子做爸爸媽媽的。

我們都知道孩子生命的造成，是男女性交時，男子射精後精液中的精虫與女子卵巢中製造出來的卵子結合，再漸漸發育而成。所以男女雙方性器官的健全，性機能的正常，以及精液精虫和卵子的沒有缺陷，實爲生育的必要條件。

事實上，有許多夫婦不能生育沒有孩子是應該由丈夫負責的。尤其是那些尋花問柳，染過惡疾的男子們，生殖器官受了病理的改變，使精虫的製造不健全或是太少，或者是不能暢通地輸送出來，因此每次性交都不能使子宮裏的卵子受精，自然不能希望有小生命出現了。

在正常健康的男子，每次射出精液的量總在二到四立方公分（2.4.c.c）之間，太多或太少都是不合正常生理的。射出體外的精液在通常室溫內，約經過半小時後即漸漸液化成稀薄之水。精液中的精虫是有一條長尾，會蠕動的單細胞，在每次射時出的精液裏所含精虫的總數約有八千萬到九千萬之譜。如果精虫的數目少到只有二千萬左右的時候，也就是病理的表現了。

在女的一方面呢，自然也同樣有很多可以造成不生育的原因。譬如說生殖器官有沒有什麼不正常的現象？子宮口有沒有發炎？陰道壁的分泌液是否酸性太强？輸卵管是否暢通？每月由卵巢排出的卵子是否健全？

比較常見的原因是生殖腺內分泌的失調，生殖器官發炎，或是輸卵管的阻塞。

在內分泌失調的情況下，常有月經不調的症狀存在，需要用內分泌製劑來醫療。中醫舊說的「補腎藥」，實際也就是具有催促內分泌的作用。假如是陰道炎，子宮頸炎，輸卵管炎，或是卵巢炎，那末對於本病的治療自然是最重要的步驟。這種炎症，常常與性病有關，而在目前的中國社會裏，妻子的性病差不多都是丈夫的過失所賜予的。所以在此種情形時，必需夫婦兩人同時醫治。如果遲延下去，使製造生殖細胞的卵巢和男子的睪丸損傷了之後，那就要永遠不再有生育希望了。

輸卵管阻塞，有時可以用物理方法如打氣或注入油類使它重新暢通。但如果是因爲發炎後結疤黏合而阻塞，則只有希望用手術來設法矯正它了。

總之，不生育這個問題是要由男女雙方負責的，因爲雙方都可以有不育的原因存在。最好的辦法還是去請專門醫生檢查一下雙方的性器官是否健全？查驗一下精液中是否有足够數目健康的精虫？驗一驗月經的過程是否正常？此外日常的衛生和保健，對於生殖的生理也很有關係的。如果男女任何一人有不育的原因，那末趕快治療，也還是有希望的。

水的清潔與飲水衛生

熙

水是自然界物質中最多的一種，也是一種最重要的物質。任何生物都不能沒有水而保持性命。最顯明的例子，像花草樹木，在乾旱的環境裏就要枯萎凋亡；人可以幾天不吃食物，只要飲水，就可以使「絕食」不危及生命。水對生命的重要性由此也可以想見了。

不過，水在自然界雖然很多，却常常是不十分乾淨，不能够直接供人飲用的。因爲水在自然界存在範圍之廣，接觸汚物的機會也就特別多；水的溫度改變比較少而且慢，相當適宜於黴生物的生長和繁殖；加以水的流動性，使一切含於水內的東西都會很快地隨着水流而傳播到各處去。

我們知道有很多傳染病的病菌都是生存在水裏，藉水的流動而傳播，來害人類的健康。像夏天和秋天最多見的傷寒，霍亂，痢疾等，都是由水傳染的疾病。所以，飲水衛生在公共衛生和預防醫學上是一個重大的問題。而在我國，除了幾處有自來水的大城市之外，這個問題也就更爲嚴重。我們常可見到一些勞力的同胞，在汗流浹背，口渴極了的時候，看見任何池塘，或者甚至於是小泥潭裏的水，就用一雙手去掬起來喝；這眞是非常危險的事。如若一旦因爲疲果過度，或暴熱暴冷，加以營養不良而抵抗力薄弱時，就難免要受到疾病的侵害了。正因爲我們不能一天沒有水，而不潔淨的水又是疾病的媒介。所以水在使用之先，尤其是飲用水應該用怎樣的方法去淸潔它呢？普通淸潔水的方法不外下面所說的幾種：——

一，明礬　這是一般家庭中常用的方法，放少許明礬在水缸內加以攪拌，明礬溶解於水之後產生一種類膠體的物質使水中雜質黏附在一起而下沉。這個方法的好處是方便，但是雖能使水中雜質沉澱，如果水中不幸有細菌存在的話，却不能够把菌類消滅。所以，用明礬淸潔後的水，雖已變渾濁爲淸澈，仍舊不可供飲用。

二，過濾　過濾也是一種除去水中渣滓汚物的方法。自來水廠中大半採用粗過濾法，使水源引進後濾過很多層大大小小的石子和砂。普通還有一種叫做砂濾缸的器具供家庭或團體用，如果使水再多濾過一層「活性碳」的話，還可以把水中的氣味也除去。不過這種過濾法也和用明礬一樣，不能把水中的細菌全部濾除。所以要供飲用的話，還是經過下面所說的方法之後爲最妥當。

三，煮沸　這是最普遍，同時也是最有效的方法。水煮到開了之後的熱度，所有存在於水中的細菌都已死了，所以，「水不開不飲」是避免以水爲媒介這一類傳染病的最好方法。自然我國所說的「開水」並不是嘲煮沸的燙水，在夏天不說，即使冬天，也要把嘴唇舌尖都燙傷了。我們指的是「煮沸過的水」，冷開水也一樣是消過毒的。

四，氯化　這是一種化學的水的淸潔法，就是用氯氣通入水內執行消毒的任務，使水中的細菌不能生存。自來水都要經過這一道消毒手續；在沒有自來水的地方，一般家庭裏也可以採用這個方法，那就是在水內放入一些漂白粉。漂白粉在藥房裏都能够買到的，溶解於水之後就能產生氯氣出來了。

五，蒸溜　蒸溜法是最理想的淸潔法，可以得到純粹的「水」。在蒸溜水內沒有任何菌體或任何其他雜質存在，所以在醫藥上應用時以蒸溜水爲最佳。不過用作普通飲水却並不適宜，因爲蒸溜水是純粹的水，原來所含少量的礦物質和鹽類也和其他渣滓菌體等一併被除去了，而這些許的礦質和鹽類却是我們身體所需要，對我們健康有益的呢！

從上面所說的幾種水的淸潔法我們可以知道，最好的辦法是將其中幾種合用。譬如用明礬或過濾，先把水中雜質除去後，再煮沸了，然後供飲用。像自來水，就是經過過濾，明礬和氯化等好幾番手續之後，才送出廠來給用戶使用的。

無論怎樣，我們總該記得，飲水衛生在公共衛生和個人健康方面都是很重要的。

D.D.T.的世界

雍熹

在天氣剛熱的時候，DDT的大廣告已經在各處路邊和藥房的櫥窗裏出現。現在夏日炎炎的季節，到處蚊蠅亂飛，小虫跳舞的時候，DDT更見得風頭十足，紅極一時了。且請看各家店號，公司，商行所出售的DDT該有多少種不同的牌子呀！廣告使得大家的眼睛都花了，到底那一種才真好呢？

可是我們也常常會聽得有人在咕嚷着埋怨說：「DDT不靈，一點效用也沒有。你看我剛打過DDT，蚊子還是照樣飛過來！」果然不錯，滿屋子裏都噴得迷迷茫茫的，蒼蠅，蚊子，和小虫卻還在悠然自得地飛翔。這是什麼原因呢？DDT真是不靈毫無用處嗎？

也許，的確是你所買的DDT不好，在這樣多的種類牌號中，難保沒有冒牌的劣貨混跡於市場。因爲通常液體的DDT標準是百分之五的DDT溶在百分之九十五煤油中出售應用的。DDT貴而煤油賤，誰能担保沒良心的奸商會不偷工減料甚或把純粹煤油當作DDT出賣呢？假使你買到了這一類貨色回來，自然是不會「靈」的了。

但是另外一個問題是：「你可知道DDT的性質，以及DDT應該怎樣用法呢？」因爲DDT的性質與從前所用來殺虫的「飛力脫」，「蠅殺倒」等完全不同，所以你如果使用得不得當，D就也應當負一部份不靈的責任的。

DDT是這次大戰中發明的殺虫新藥，它的全名應該是二氯二酚三氯化乙烷，西文名字是三個拼法很長的字，太嚕囌，因此採用了三個字的第一字母作爲它的簡稱。至於「國貨」中的名稱，更是琳瑯滿目，美不勝收了：滴滴涕，地敵天，敵敵虫，……大抵總是用讀音相似的字來翻譯。

DDT的製造，要經過相當複雜的程序，是用有機化學的綜合法製造的。它的藥力非常之強，所以平常使用的時候，只用百分之五的煤油溶劑或是百分之五的滑石粉混合劑。重要一點是DDT的殺虫能力在於它的「後效」，這意思就是說DDT並不能使虫類觸到後立刻就死，但它能使接觸到DDT氣味的虫類在數十分鐘至數小時內逐漸麻痺而死：而且使用合宜的話，這種效力可以延長至一個月到三個月之久。

那末，DDT應該怎樣用法呢？如果是粉劑，那麼就將它撒在需要撒的地方，像床上，棕墊上，桌椅縫裡，箱子衣服中等；如果是液劑就用一具噴霧器，噴射在需要噴的「面」上，如櫥壁，地板，天花板，櫃子，桌面上等。噴的時候，一定要整個面都噴到，噴濕之後等它自已乾。這樣，DDT的氣味就能保持在被噴過的面上，好像張了一個天羅地網，在這個網內的蚊，蠅，小虫，蟑螂，蛀虫等就都會逐漸麻痺脫力而死了。不過，問題是DDT可以使這些小虫死亡，卻並不能夠禁止這些小虫跑進這個「網」來。所以最好的方法還是裝起紗窗紗門來，那麼已經進「網」的逃不掉總會死去，外面的也不再進得來了。

當我們明白DDT這種特殊的性質和效用之後，就會瞭解DDT不能像飛力脫一般噴在空氣中而希望蚊蠅立刻跌下地來了。飛力脫的「靈」是立刻的，DDT卻在它的「後效」。

最後我們應該注意的是DDT的毒性。雖然它對於人類是否有害尚未能確切證明，但DDT對小貓小狗等小動物之可以害及生命是已有不少事實表現的了。所以，DDT雖然是我們用以消滅害虫，間接預防疾病的良好武器，但爲自身安全起見，用時必須小心，只可外用，切不可落入食物以致內服入肚，那就不免要有造成很大危險的可能了！

霍亂也可用西文的譯音叫虎列拉，這條虎在外國早已是絕跡的了，然而在中國，卻仍然可以隨時隨地看到它的猖獗，活躍。這是代表我們地大物博呢？還是象徵着處處落後呢？不用遠說，假如讀者不健忘的話，在去年的今日，上海不正是「虎」勢橫行人心惶恐的時候嗎？多少人的生命在它的魔爪下犧牲了，每日報紙刊著的標題是它，街頭巷尾的談論是它，衛生機關焦急注視的也是它，「虎」的恐怖，籠罩着一切。

霍亂是可怕的，然而假如我們明白病原，懂得預防，避免傳染，那就不致於鬧到恐怖的地步了！

霍亂！可

霍亂是由於霍亂菌——一種像蝌蚪樣有尾無腿的細菌——隨着不潔的食物或汚濁的飲水跑到胃裏，而在小腸裏發生的病理變化。霍亂病狀的第一個特徵是嘔吐，接着是不斷的腹瀉，腹瀉的初期，排出物中還有糞便的顆粒，幾次過後，排出物就變成一種類似淘米水樣的東西，有時可能摻雜着血液或膽汁，顏色變成紫色或綠色。

由於不斷上吐與下瀉的結果，造成胃內胃酸的減少與體內細胞水份以及血管內血漿逐漸的消耗，以至身體乾枯，皮膚縮皺，脈搏加速，呼吸變快，眼窩深陷，心跳衰微，體溫下降，終於昏厥而死亡。從細菌進入身體到病象的發現，前後可能有數小時到數日的間隔。從發病到死亡，也只是數小時到數日內的事，病勢重，來得快，這是霍亂的可怕處，也正是治療上的困難處。

如何區別瘧蚊

——爲什麽鄉下瘧疾比市裡多呢？鄉下有「擺子鬼」嗎？「擺子鬼」就是瘧蚊，它比普通的蚊子美麗得多呢！可是它是我們的大敵人！

思明

我現在仍記得淸淸楚楚，當我小的時候，在離我們的村子不遠的地方，田裏排着些甜瓜之類的東西，那時候我們有幾個玩皮的孩子常去偷來喫，後來大人知道了就要罵我們，說這些東西是給「擺子鬼」喫的。雖然到現在多年沒回家了，但我相信這種風俗在鄉間一定仍然存留着。我們的民衆教育知識眞是可憐哪！科學這麼發達的時代裏，竟然仍有人相信病是「鬼」在那裏作祟。

擺子就是瘧疾，是怎樣傳染的呢？這問題已經完全證明是由蚊子傳染的了。假若世界上沒有蚊子的話，一定也就沒有瘧疾病。那末爲什麼在城裡瘧疾病較少，而在鄉間多得可怕呢？可是在城裏也有蚊子來叮人的啊！傳染瘧疾的蚊子是很特別的。它和普通晚上來叮人的這種蚊子的樣子有點不同；形體比普通的蚊子美麗多了，翅膀上有黑白點的花，腿脚也較長，當着它停歇在牆壁上的時候，他的屁股高高翹起來，整個的身體和牆壁成一個四十五度角，有時甚至到九十度的角的樣子；比起別的蚊子來眞是雄壯多了。這些蚊子的出生地點也不是像普通的蚊子一樣在不流動的臭水裏；而是在流動的淸水裏生出來的，像稻田裏的水，山上流下來的溪水，或是灌田的溝水內，菱塘，荷花池等都是它的孳生地。這些水雖然並不一定是淸的，但是一定要不臭，並且水面上有點水草才行。你看他的出身是多麼高貴啊！可是他是人類的大敵人呢！它的幼虫（孑孓）也和普通蚊子幼蟲不大一樣，它們生活在水的表面上的水裏，身體和水表面平行；而其他蚊的幼虫則都是身體和水表面成一角度的；所以它們喫東西的方式也不同了，瘧蚊以水面上漂浮着的小生物及有機質爲食物，而普通的一般蚊子則以水底下的腐爛東西爲食物。

還有不同的地方是這些瘧蚊白天從不叮人，一定要到天黑了才出來吸人的血。它們白天裏居住的地方是在不大亮而且相當潮濕的處所；同時它們還很愛好牛身上的那股氣味，所以養牛的地方瘧蚊就特別多。以上這許多原因都可以說明爲什麼鄉間的瘧疾病要比城市裏多了。

瘧蚊飛行的能力也比較普通的蚊子大，平常它們到周圍一公里的面積內活動。所以城市中靠鄉下的地方，以及離稻田一公里半徑的地區，也還是屬於瘧疾危險地帶。因此當你在晚上看到牆壁上有翹屁股，長脚，嘴尖翅膀上花的瘧蚊時，一定要打死它。它是來給你種擺子病的！假如你願意的話，那麼把它叫做「擺子鬼」倒是名符其實哩！

怕的虎！水沫

那麼我們應該怎樣避免霍亂的襲擊呢？上面說過，霍亂是由於不潔的食物或汚濁的飲水中含有霍亂細菌而造成的，所以我們對於食物飲水應該特別留意。食物必須乾淨，飲水必須煮沸，水菓必須消毒去皮而後入口。記得在兩三年以前，重慶發現霍亂，警察老爺大動人馬，四處攔阻水菓販與茶販的進城，不知是那位又發明茄子不能吃，水菓能傳染，結果整担的茄子給推下陰溝，整船的水菓，在「命令」下，葬送到江裏。其實我們用不着這樣「因噎廢食」，誠然，茄子的皮上可能因爲不清潔水的澆洗，而有霍亂菌的存在，但經過煮熟之後，細菌旣死，傳染已不可能；相同的，即或是水菓皮上不乾淨，在消毒與去皮兩種手續下，危險也不會再光臨到你身上的。

當然，爲了保持食物的清潔，我們還要注意到蒼蠅，因爲蒼蠅是造成食物不潔的主要原因，消滅蒼蠅，也就是消滅霍亂的初步。

假如家中不幸有人得了類似霍亂上吐下瀉的病症，要立刻把病人送入醫院，不能猶豫。因爲爭取時間，也就是爭取生命的保障。病人的排出物要馬上灑上石灰，因爲這止是消滅霍亂菌大本營的最好機會，千萬人的生命，可能決定在這一舉手之勞間。

最後，爲了預防，每年必須注射防疫針，你想吧！爲了不願做霍亂的犧牲品，一兩針的痛苦，又算得甚麼？

冰能凍死病菌嗎

婉

一到夏天，就大街小巷上到處都開出了冷飲店來。在馬路上每走三五步路，就能碰見一個大「冰」字，在這麼炎熱的天氣裡，多麼引誘人哪！自然囉，如果你也不是個鈔票麥克麥克的人，你也會不敢跨進那綠悠悠的燈光裡舖着白桌布的「廣寒仙境」。但是，立刻會有另一個聲音在勾引你：——

「老牌棒冰——五百塊！」

不錯，五百元一支冰棒，在目前應該算是平民化的冷品了，不是一樣可以享受冰的滋味麼！

可是雖然在這個摩登時代，仍有不少同樣受着熱浪冲激的人對着這些惑人的「冰」搖頭，尤其是對於那些五百元一支的老牌棒冰敬而遠之。爲什麼呢？因爲他們認爲夏天吃冰會生病的。那末，這種想法倒底有沒有什麼根據？我們也的確見到過某些人在飲冰之後肚子瀉起來，甚或傷寒霍亂地大病一場，那末又是什麼原因呢？

在我國相傳的古書上也可以找到一些關於這問題的話，像「冰漿菜菓不益人，後到秋末成痢疾。」「夏月不問老劲，悉吃煖物，至秋節不患霍亂吐瀉。腹中常煖者，諸疾自然不生，血氣壯盛也。」等等，這些自然都是在古時未能以科學方法實驗證明以前，勸人如何注意夏令衛生保健的經驗談。我們不應抹殺這種經驗的累積，不過在理論上卻應該知道眞正事實的根據。並不是因爲冷飲使腹中冰凍了而致血氣衰弱，生起病來。

我們都知道傷寒，霍亂，痢疾等傳疾病，都是由於病菌侵入身體而起的，這些病的病菌都可以生存在水裡。如果用以製造冷飲的水不潔淨，含有這些病菌在內而未能完全消毒，那麼吃下肚之後不就將在身體內繁殖作祟了嗎？

也許有人會問：「水都結成冰了，難道還不把病菌凍死了嗎？」聰明的讀者，你剛好弄錯了這一點。有些細菌在冷到冰點時的確會死的，可是有很多種病菌卻凍不死的呢！

通常，一般可以使人類致病的病菌最適宜它們生長的溫度差不多總與人的體溫相仿，它們對於溫度的適應都有一個最高與最低的活動範圍，超出這個範圍時就比較不活動，或完全靜止，但是卻並沒有死。譬如說造成發炎的葡萄球菌，它在攝氏三十七度半時的溫度最爲活動，可是當它被冷到攝氏十度或熱至攝氏四十度時，仍舊可以活動不死。

一般說來，用熱來殺菌比用冷來消滅它的效力大得多。無論那種病菌，經過煮沸之後就都死了；可是在冰裡面卻有大部分凍不死，拿夏秋間最多的傷寒，霍亂，痢疾來說，這三種病菌在水裡，只要加熱到攝氏六十度煮十分鐘便都死亡了，然而在冰裡面都能各自保持它們的生命。尤其是傷寒桿菌，可以在冰裡面活三個月之久；痢疾桿菌耐寒力比較差，也能在冰中活一個月；只有霍亂弧菌最短，在冰中活到三四天就死了。可是我們現在所吃市上所賣的冷飲和冰，能有那樣會是製成後收藏三四天之後才出售的麼？那末我們被傳染霍亂的危險豈不是仍然存在嗎，更何況傷寒和痢疾！

不過，這也不是沒有辦法的。前面不是說過麼，把水加熱到攝氏六十度煮十分鐘就可以把三種病菌都殺死。如果我們所吃的冷飲品和冰都是用煮沸過的水來製造的，在製造的過程中又能非常小心不使有細菌摻入的可能；那末，這樣的冷飲品或冰棒，冰淇淋就都是很安全的食物，決不會因吃了它而致病的了。

正因爲這個原因，我們覺得夏日不潔冷飲食品取締的重要，也正是現在衛生當局所努力的，我們希望能够執行得更澈底些，對於檢驗工作卻不可馬虎放鬆。也希望冷飲品的製造商多爲廣大民衆的健康着想，一律用煮沸過的水作原料，並且注意製造過程中的清潔消毒問題。

假如『熱昏』了怎辦

漢魂

有時，我們聽見人們使用「熱昏」兩個字，作為一種譏諷或是不很善意的責罵。可是事實上在這樣又熱又悶的天氣中生活，除非是有錢的富貴階級們，坐汽車，開冷氣，吹電扇，還要吃冰淇淋喝汽水，可以不受熱的威脅。至於一般的人仍舊要在熱浪中奔波，為生活而辛苦工作，汗流浹背，的確會有「熱昏」的可能。尤其是工作於像鍋爐間那樣火氣強烈場所的工友，或是很多人集體工作於一大間換氣設備不完善因而悶熱得可怕的廠房內的工友們，被「熱」襲擊，因而熱昏過去的事，實是常有的呢！

事情的發生常常會像戲劇性一般地突然，而且可能立刻致死。有時，或許也感覺到頭痛，眩暈，倦怠，惡心，嘔吐，視覺錯亂等前驅症狀。繼而即突然失去意識，不省人事，昏迷不醒；此時顏面潮紅，皮膚乾燥灼熱，體溫昇高可達攝氏四十二度以上，起初脈搏飽滿而快速，呼吸深沉，瞳孔可能放大；繼而如果病狀轉危，則脈搏漸呈不規則，且更快而浮弱，呼吸亦變淺促；接着會發生囈語，痙攣等，數分鐘內可能死亡。

根據多數病理解剖結果的報告，我們知道因熱射病而死的人左心室部分的心肌多呈「出血」現象，這可能就是致死的原因。

可是，熱射病發生的原因究竟是什麼呢？我們應該怎樣防止它的發生？一旦「熱昏」過去時又應該如何處置呢？

造成熱射病的原因是天氣炎熱，而所在工作場所的氣溫更高，出汗過多，皮膚始終是濕濡濡的，衣服也濕了，尤其是當空氣中濕度也很大，因而非常悶熱的時候，體熱不斷上昇，不能完全發散掉，因此身體內調節體溫的機能受到障礙而失去了作用，病就隨着發生，因「熱」而「昏」倒了。

知道了致病的原因，就可以知道適當的預防。方法也很簡單，那就是時常揩拭身體，使皮膚不致終日潮濕，汗透了的衣服要快換；同時應該注意到工作場所的空氣和溫度的調節。如果一旦有人突然「熱昏」了，倒下去，切不可手足無措地慌張得毫無辦法。這是一件救急的工作，你不應該失去任何一刻時間，而要把握住每一分鐘。急救的方法大致如下：

一，立刻將病人搬移到陰涼而且空氣流暢的地方靜臥。

二，解除一切衣服的束縛使皮膚外露。最好同時用手扇或電扇使空氣流動，以促進水分之蒸發及體溫之散失。

三，用冷濕毛巾叩擦身體，尤其四肢，使皮膚血液暢流。

四，使用「亞摩尼亞」使病人吸入，或用冷水灌腸，以恢復其知覺。

五，如呼吸突然停止，應速施人工呼吸法，恢復其呼吸運動。

六，醒覺後令病人多飲清涼飲料，並保持安靜之休養。

「熱射病」是夏季特有的季候病了；同時另有一種「日射病」也在夏天發現，症狀和急救法也與「熱射病」相同，不過日射病是在烈日下工作出汗過多，體熱不散，溫度昇高所致。常常夏天會有人——尤其是長途跋涉的士兵，車夫，以及田間汗滴如雨的農民——在太陽下突然暈倒，大致就是日射病的襲擊。預防的方法也是一樣的，主要的是在烈日下去時要預備一頂通風而遮蔽太陽的帽子，當然最好還是能避免烈日的炙曬。

鳳仙花根治灰指甲

光

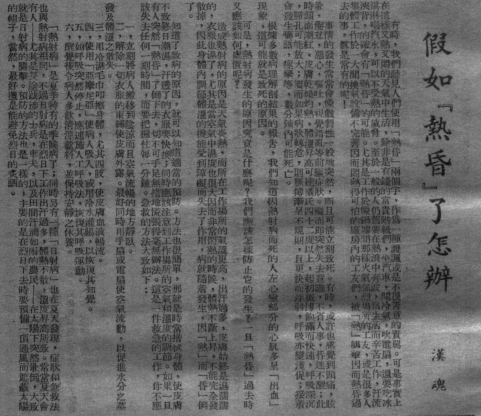

時常我們都可以遇見有些人的指甲變成了暗灰色的，又高又厚一大塊，尤其是腳趾甲的這種現象更為常見。非但有損美觀，而且的確會產生很多不方便。照說，這也是一種皮膚病，因為指甲和毛髮一樣是屬於皮膚的附生物。可是根據經驗知道，到目前為止，還沒有一種醫治這種油灰指甲的好方法。醫院裡的外科醫生或許會建議你把這些厚指甲拔去，可是結果再生長出來的時候，往往仍舊是那麼一片厚指甲，豈不是白費力氣，白受痛苦嗎？

在鄉間，有一種土方，據說是治這種油灰指甲非常靈驗。就是找一些白鳳仙花的老根來，放在臼中搗爛，然後連汁一同包敷在油灰指甲上，乾後再換，如此數回，油灰指甲即能自行脫落云。

這種土方雖然一時找不出科學根據的解釋，好在非常簡便。生油灰指甲的人而用別的方法醫治失敗了的，不妨試一試看。

編者附註：希望試用者無論靈與不靈，詳細報告本刊，如患者之性別，年齡，職業，以及所患是手是腳等等，皆請說明。

化異爲同的消化作用

淡泊

「生命」，到現在爲止始終是個謎，除了造物者，沒有人可以探得它的奧祕。科學界尤其是研究醫學的人，時時都在企圖解答這個難題，爲甚麼一個活人可以想，動，視，聽，而一個死人即使有一副好腦子、完整的四肢、好的眼睛和耳朶、就無濟於事呢？這說明生命的存在是整個的，不容分割的。但是要整個兒瞭解生命，絕非易事。所以科學家企圖從部分的探索以求得整個的瞭解，現在已從生理上尋到不少線索。

人體是一個整個的機構，它的各部分都是互相關聯的。爲學術上研究方便計，醫學上把人體分爲許多系統，如消化，呼吸，循環，排泄，神經，生殖等。各系統具有各自獨特的功用，各系統也具有各系統的奧妙，現在來談談消化罷。只要是食物，不論它是常吃的普通食品或是稀奇的山珍海味，不論它是甚麼樣的成分，你的腸胃總能對付得了，把它消化的。消化是一種化學的分解和理學的吸收作用，一種食品必須經過無數消化的步驟，才能被吸收成爲自身的一部分。人人知道吃了東西會漲出肉來。如果我們吃了青菜漲出青肉，吃了豆腐漲出白肉，那還像什麼樣子？無論吃何種東西都漲出與自己一樣的肉，這是奇蹟，而是消化的功效，這就叫「化異爲同」。你的腸胃居然能應付自如，以最高的效率在數小時之內，把一切食品化歸已有。當你想到一個龐大的化學實驗室，爲了分析某種東西的成分，動員了許多有經驗的學者，耗費無數的金錢和時間，甚至還得不到一點結果的時候，你能不驚佩你的消化系統是一個莫大的奇蹟嗎？

普通所謂消化系統，包括口腔、食道、胃、十二指腸，空腸、迴腸、盲腸（這在人類已經退化無消化上重要性）大腸、直腸、及肛門，他們分工合作以達成消化吸收的任務。

消化的對象是食物。食物的種類繁多，不但中外不同，就是南方人和北方人也有很多不同之處，茲不詳論。就食品所含成分而言，大抵可分蛋白質、脂肪、及炭水化合物三類、肉類多含蛋白質及脂肪、而瘦肉大部係蛋白質、肥肉大部爲脂肪，植物性食品多含碳水化合物。各種食品所含蛋白質、脂肪或炭水化合物之構造，均各各不同，譬如牛肉所含之蛋白質與羊肉所含之蛋白質，化學構造就各異。我們中國人是考究吃的，一桌酒席當常要用幾十種肉、魚、蝦、蟹各種菜蔬和作料。這些不同構造的食品，都要靠一個胃腸來消化，工作的艱巨繁雜可以概見了。

然而，我們的胃腸還是能勝任愉快，這就要歸功於消化系統各部門精密的分工合作的效能了。當食品進入口腔之後，牙齒便開始工作了，他擔任着咀嚼的任務，首先把大塊的硬的食品磨成碎軟的。同時口腔內的唾腺也放出大量的唾液，一面使嚼碎的食物融和，一面用「唾液媒」將碳水化合物分解成爲一種「複麥芽糖」。所以把麵飯放在口中久嚼以後，就會覺着一種甜味，這是消化碳水化合物的第一步。唾液對蛋白質和脂肪無絲毫消化作用。食物嚥下，經過食道，便到了胃臟。胃形似囊，上接食道，以賁門管制出端的開閉。下接十二指腸，以幽門管制下端的開閉。食物送到胃的入口處，賁門開啓，此時幽門緊閉，胃壁受食物刺激後，一面開始蠕動收縮，以胃粘膜的縐摺再做第二步磨碎工作，一面分泌胃液，其中含有「胃蛋白消化素」及鹽酸，可將蛋白質簡化。而鹽酸又有一種作用，當它與食物勻和以後，可以刺激幽門，於胃中消化作用完成後，使其開啓。食物此時已成爲糜狀物，但仍未完全消化。進入十二指腸後，與胰臟分泌物「胰蛋白消化素」，「脂肪媒」及膽汁混合，將部分消化之蛋白質變爲「鏤基酸」脂肪亦開始被膽汁化爲乳狀液，並經脂肪媒之作用，製成「脂肪酸」及甘油，至此消化作用始大致完成。被消化之食糜乃經腸之蠕動，送入迴腸。迴腸旨在吸收，爲了增加吸收的面積計，天然地在它粘膜的表面生了很多的腸絨毛」，腸絨毛中生有乳糜管，他們便把已消化的養分吸收，送入腸淋巴管和血液中，剩下的大部分便是渣滓了。大腸主要的任務，就是吸收渣滓中的水份，把渣滓變成乾的大便，留待排出體外。

以上所述只是消化中幾點最重要的步驟，至於其中很多詳細作用和原理，除一部分已經發現以外，一部分還是造物者的祕密呢。

小寶寶成了刺蝟啦！

綠波

——小寶寶長了滿身通紅的痱子，一碰就哭，哭得一粒粒痱子都像要豎起來了，簡直像隻刺蝟。

小寶寶原來長得又白又胖，一天到晚餓了就吃，吃了就睡，逗他，醒來他就咧開了小嘴笑，因此大家都喜歡抱他逗他，他的確是太可愛了。

可是　到這麼個熱天裏可就全變了，小寶寶的哭聲常常和樹梢上的「知了」叫比賽。而且一哭就老不停，兩只小手在身上亂抓！啊，原來小寶寶生了滿身的痱子。熱了它就癢得難熬，小寶寶又不會說話，就只好放聲大哭了。可是越哭越癢，怎麼辦呢，全身漲得紅紅的，一粒粒痱子都好像豎了起來的刺。不要怪小寶寶，大概我們人人都嘗過生痱子的滋味該多難受啊！

痱子究竟是什麼東西？是病嗎？有沒有方法可以防止或者治療呢？

是的，痱子是一種皮膚病。發生的原因是由於天氣熱，汗出得太多。除了天氣熱之外，自然還可以有其他的原因，譬如像衣服穿暖，或者是胖子等，也會使人出汗；總之，在熱的環境裡常常出很多的汗，就容易生痱子。

痱子最常生的地方，就是我們身體上被遮蓋的部份和摺褶的部分。舉例說，最常見生痱子的地方是胸前，頸部，兩臂和兩腿等；孩子的頭皮裡，因爲頭髮的掩蓋，也常常有痱子發生，當厲害的時候，也會不論那一處，全身皮膚上都生起來的。於是，皮膚上突然出現了很多紅疹般的細粒，此時皮膚有一種發炎的自然趨勢，有時也會有小膿胞發現，就是俗稱「灌漿痱子」的。痱子的存在，使生的人不時有針刺，炙熱，與發癢的感覺。小寶寶忍受不住這種難挨的刺癢，就只好放聲大哭了。

通常，痱子生了之後總要經過一兩個星期或是更多的日子後才會退消。但如果忽略了它不去好好護望的話，也可能引起更嚴重皮膚病的，所以小寶寶一旦生了痱子之後，就應該格外當心地去看護他。最要緊的是保持身體皮膚的清潔，常常洗澡，洗過後身上的水分要用柔軟的毛巾「揩」乾而不要揩拭，然後擦一些花露水之類的含有酒精的液體，（純酒精擦了太痛。）隨即撲上一層含有樟腦成分的爽身粉。這樣可以使小寶寶感覺舒適，同時也可以使痱子消退得快一點。

不過，假使能够不生豈不是更好嗎，那末有什麼方法可以預防沒有呢？其實，我們既然知道痱子是因爲出汗太多，皮膚潮濕受損來的，那末預防生痱子的方法也只要能防止太多的汗與保持皮膚的清潔乾燥就行了。這話說來容易，做起來卻似乎不一定有很大的效驗。但我們總可盡力而爲，總比全然聽其自然好得多。何況，多洗澡，用花露水和爽身粉以保持皮膚的清潔乾燥，也不是難事。如果小寶寶不生痱子，不像刺蝟般一碰就哭，仍舊是又白又胖，吃了睡，睡醒了就笑，該多麼逗人歡喜啊！

編者附註：痱子的原因，天熱汗多而皮膚污垽，這是不錯的。但有一個小小問題，請讀者們稍費一點心思，解答解答。最基層的勞工們（在這年頭兒，不便用最下級等名詞，故稱最基層）終日勞力，終日流汗，甚至終日在太陽底下工作。他們的熱並不比小寶寶低，他們的汗並不比小寶寶少，他們的洗澡並不比小寶寶忙，而花露水爽身粉一類東西更永不光降到他們身上，然而他們卻並不生一顆痱子，這是什麼道理？惟一可注意之點，是他們的皮膚晒成咖啡色，不像小寶寶那樣雪白粉嫩。事實上越是雪白粉嫩的皮膚越容易生痱子。奇了！原來痱子是一種「白嫩病」，這是什麼原故？

本刊徵稿啟事

（一）文件最好用白話，淺而易解的文言也可以，總之讓大家看得懂，竭力避免學術語專門名詞。

（二）字數得篇最多不得超過三千字，千字以下的短文尤其歡迎。

（三）內容中國學說也好，西洋學說也好，祇要是實用的，大家日常生活必需知道的醫藥衛生常識，如果是纖匯中西學說的，那更是十二萬分的歡迎。

（四）稿酬經刊裁後稿費從優。

（五）來稿文字編者得加潤色，投稿人如不願潤色者，請於稿端聲明。

（六）來稿未登者，如須退還，請附已寫好退還的地址及收件人之信封，貼足郵票，當卽儘速寄還。

（七）來稿請署眞實姓名詳細地址。

（八）稿件請直接寄逕上海（5）哈爾濱路寓春里四號，本報醫藥編譯委員會。

夏日之兒童衛生

凍結法幣

陸沈本琰

里衖小販，穿梭般來來去去，從早晨直到深夜，輪流不斷。棒冰五百元一枝；特製玻璃小器中的顏色水，一百元就好喝一器；水果則有楊梅，李子，香蕉，桃子，西瓜；點心則有倫敦糕，菉豆糕，芝麻糊，赤豆湯，冷拌麵；雜食則有五香豆，甘草末黃連頭，糖醋芥辣菜；肉類則有五香牛肉，鷄腿鴨腿，鷄肫肝鴨肫肝。叫喚連天，各有各的特殊腔調，而彼此把兒童看作他們的主顧。你若留心看那些圍着小販的兒童，可以發現他們之中至少有一半，小手掌底揑著一把一千元頭及五百元頭的法幣。他們可以任意挑選他們所歡喜的東西，自由自在地買來吃，沒有母親或保姆甚至老媽子一類的人監視管理他們。人們常喊中國不民主，欠自由；我想，這班小天使的買閒食吃，還不是十分自由，十分民主麼？

這裏忠告賢明的母親們，兒童吃閒食是不宜聽其自由的，尤其在夏天。兒科醫師可以告訴你，兒童的疾病，有百分之九十以上是吃壞所引起的胃腸病。夏天因爲外界的溫度高，人體需要的「熱量」因而減少。「熱量」是從食物產生的。要減少熱量，須得減少飲食。要減少飲食，須得減少胃腸之消化力，以抵抗口舌的饞感，成年人在夏天往往吃不下東西，便是消化力減少所致。但兒童們對食慾是惟一的嗜慾；他們沒有懂得戀愛，他們沒有學會叉麻將，他們不曾歡喜電影與跳舞；惟有嚼吃是他們的娛樂與消遣。夏天胃腸的減少消化力，卻抵當不住兒童的惟一娛樂，兒童們照舊多吃爛吃。用已經減少的胃腸消化力，已不容易對付並未減少的食量了；何況所吃的又是不衛生與難消化的東西。這是夏天兒童更易發生胃腸病的原因。

玻璃器裏的顏色水，是小販自己製造；他們只想賺一點法幣，對於兒童的肚子，根本不負什麼責任，棒冰，冰結漣等夏令冷飲物，從小販手中賣出的，據衛生當局說，化驗下來百分之八十以上不够水準；換句話說，就是十分之八是吃不得的。其他肉食湯糊類，不免蒼蠅的叮，碗匙的不清潔，這些都有連帶吃下「病菌」而發生疾病的可能，是爲不衛生。不熟的水果，過量的肉類，若干一定食物的同時吃或連吃，都有障礙消化的可能。合不衛生與難消化，這胃腸病發出來就够麻煩了。

法幣如果會說話，我想覓一張資格較老的，請牠報告出世以後的經歷，只怕你聽了要泛噁心吐出剛才吃下的飯。牠所睡過的床，有菜場上魚腥血臭的魚攤頭，有飯攤上蒼蠅圍繞的油烏盆，有拾荒的百寶囊，有乞丐的洋鐵罐。這種床上每睡一次，總給牠塗上一些色綵，沾上一些氣味。牠所經過的「手」尤其不可說，有剛拉過車的汗濕手，有剛抹過口水的勞工手，也有疥瘡手，楊梅瘡手，與抓過癩痢頭爛腿而帶有瘡疱膿血的手，每一種手總給牠添上一些質料。牠若擠在大隊同伴中間，人們還得把牠們點數。點數的指頭上往往臨時蘸有口水。這各種口水中，天呀！有肺炎球菌，有白喉菌，也有最普通而最可怕的結核菌，聽憑人們抹在牠身上，無法拒絕。而牠的身體從來不曾洗過一次澡。若要說到骯髒，法幣是天字第一號了。

兒童們拿到法幣，不一定馬上買東西吃，多數是先拿著玩，而放在嘴裏咬嚼是常常有的事。這就有絕大危險，可以傳染到致命的疾病。

做母親的倘能不給兒童法幣，實行「凍結法幣」，那末，旣免從法幣身上直接傳染到疾病，又免兒童多吃不衛生難消化的閒食。這對於兒童的夏令衛生盡了母親的責任了。

麻疹忌口的利弊

陳小引

我們中國人，凡是生了病都講究忌口。當醫生開好了方子，病人或病人的家屬，總得問：「先生這毛病能吃什麼？還有些什麼不能吃？」於是醫生倘然有介事的說出某些可吃，某些不可吃來。病家聽了，總是奉命唯謹的依話而行。也有許多老資格的病家，那是不須請問醫生，他們自有古老相傳的話，看得好似聖經一般。即使醫生肯多說話，另外囑咐幾句，病家不但不信，反而疑心這醫生連這些也不大曉得！

忌口本來是件好事。因為有病時候，生理機能異常，胃腸自不能依常工作。而且有某些疾病，某些食物對牠有益，某些食物對牠有害，如其吃了有益的食物，那麼對於疾病就有好影響。吃了有害的食物，對於疾病也就有不好的影響。普通忌口，大致可以分為兩種：一種是部份的，一種是全體的。部份忌口，大概是忌葷腥油膩。幼兒在哺乳的時候，一般由他的母親代替實行，——一般幼兒不吃藥，也由母親代吃，那就有問題了。——那不過乳母的乳汁薄些，沒有多大關係。倘使在斷乳以後的小兒，那就大不相同了。因為常忌油葷，營養不良，身體孱弱，還是小事。倘使因此吃不到溶解於油類的維他命甲與丁，問題就大了。尤其維他命甲的缺乏，就會發生角膜軟化病，——白翳——這病可以使眼睛變瞎。還有夜盲，——即到夜不看見，遇弱光視力頓衰之故，——以及視力衰弱，都因營養不良而來。我們中國人老規矩，凡是痲疹的小兒，都忌葷腥油膩，少的忌兩三星期，多的忌一百天或百天以外。抗戰時期，善良的人們，因了物價高昂，只好飯蔬食，渴飲水，談不到魚肉葷腥。所以一般人生了病不容易好，小兒們多數患夜盲症，和視力衰弱的病。抗戰勝利了，我們也曾替那些因營養不良而死去和殘廢的人可惜和懊喪，為什麼不等到勝利來到而死亡和殘廢，如果能夠捱到，豈不是不會……了嗎？可是，勝利以後人民生活更苦了。我們這個國家，正好像一個病人，外感傷寒剛好，滿以為能起床工作了，卻不想內傷虛損之病又起，這個病體能否支持？到幾時才能脫離床褥呢？閒話少說，再談正經：如今百物騰貴，豆油一斤賣到八九千元，一般人家營養，本來不大豐富，維他命甲本來缺少，再加忌口，就很容易造成缺乏狀態，而引起角膜軟化。有些小兒痲疹後成了角膜軟化，家長還當他眼睛另外生了毛病，給他點眼藥，或是請眼科先生瞧。碰着不知就裏的眼科，反而勸他們禁忌葷腥油膩。本來平日已經缺少，待到病了更少，因了少而引出毛病，再加一個禁，豈不是使病勢更厲害嗎？我在臨診的時候，遇到這樣情形的毛病，看他吃不起美貨多種維他命丸，勸他們買些豬肝牛肝，鰻魚，雞卵，番茄等小菜吃，凡是能夠聽信的，結果總很良好。

全體忌口是只吃粥湯藕粉，其他東西一概不吃。這種忌口，若是嚴格執行，那做父母的名為愛之，實足以害之。這時非但維他命缺乏，連其他營養份都告不足，身體自然一天一天瘦下去，抵抗力也迅速減退。如在痲疹，就會合併肺炎，種下結核，因而喪失生命的不在少數。——一般人所說的痧癆，就是痲疹時期種下的肺結核。——也有成腸結核的——臨診方面常見到的骨瘦如柴，日晡發熱，欬嗽，待到腹大指腫，那就小命歸天。做父母的不怪自己做了劊子手，反而還要咒他一聲討債鬼。我還記得有一個攤麵攤姓徐的小兒，也是出痧子，落屑以後，小孩的胃口很好，很要吃。可是小兒的母親持忌口戒是很道地的，這樣不許吃，那樣不許吃，我勸她不可忌的太很，恐怕要成別的病，可是她不相信。那知不多時，小兒逐漸瘦弱了，欬嗽發熱了。於是請中醫瞧，瞧不好。再請西醫瞧，照X光，第一位醫生說：「照病情看，沒有辦法了。」她於是再另換醫生。換了五六個大醫生，化掉不少血汗錢，結果在痧癆的名稱上斷送了小兒一命。

我們要曉得，人體在生活的時候，都營新陳代謝，每天吃進東西，經過消化吸收，輸送到各部份，把別的東西變成了身體上的東西。我們的一舉一動，啼笑言語，或用腦筋，思想記憶，或是維持體溫，都靠食物所發生的勢力來應付。換句話說，就是我們吃進去的是食物，而發出來的就是勢力；再用譬喻說，人體好比鍋爐，食物好比白煤，勢力好比汽力。沒有煤斤，機器也不能發動。又可以把人體比做商店，每天把貨物賣出，存底不足便要添批進來。如果只有賣出而不買進，結果店內存貨出清，關門大吉。全體忌口，好比只有賣出而不添進的商店，如何可以支持呢？

別樣疾病，全體忌口日子短少，弊害不大見。唯有痲疹一忌就是百日，其弊害就嚴重了。然而一般人，也可說自古以來，樂於長期忌口而不知其害，這是什麼緣故呢？因為明顯易見的害處，人容易覺悟，不顯明而不易見的害處，人也就不容易明白，假使一天的全體絕食，能突變而死，人們就容易看出來，現在是經過很長的時間，而又看不出餓病，再則咳嗽發熱消瘦，在一般人看來，又與忌口有什麼直接關係呢？因此，忌口的迷信就很難打破了。

避免病因百病不生

陸淵雷

對已經生成功的疾病，想法子使它恢復健康，這就叫醫治。醫治完全是醫生的責任。對可能發生的疾病，想法子預防，使那些疾病生不成功，這就叫衛生。衛生雖然也是醫生的責任，但同時須得民衆的合作。現在通行的防疫針，可以預防霍亂，預防傷寒，預防若干種臨時發生的傳染病。打防疫針是醫生或看護小姐們的責任，可是至少限度，要得多數民衆肯伸出臂膊給你扎上一針。假使民衆大家遮起臂膊不肯給扎，這防疫針就打不成，而預防的衛生目的不得達。

現在衛生工作，全歸西醫偏勞，中醫只管醫治已經生成功的疾病，這是中醫自已放棄責任了。中醫古書上說，『上工治未病。』又說，『若病已成而後治之，譬猶渴而掘井，鬥而鑄兵，不已晚乎？』把來翻成白話，就是『最高明的醫生能預防疾病的發生。』『倘使疾病生成功了方始醫治，這好比嘴吧覺着渴感方始掏井，已經宣戰開始打仗了方始製造軍火，豈不太遲了麽？』治未病的纔算上工，可見古代中醫對於預防疾病的衛生工作是何等重視？所以說現代中醫不管衛生工作是自已放棄責任。

打防疫針是一般中醫所幹不了的，西醫也似乎把打針視爲一種專利，不肯讓中醫幫忙。但防疫針不過是許多衛生工作的一種，以外，預防疾病的方法多着呢，只要民衆自已肯注意，肯合作。

無論爲醫治爲預防，總得先研究一個問題，『是什麽東西使我們害病』？這個問題的答案雖相當繁複，然可以概括的叫作『病因』。因便是原因，因子，因素，因緣的因。這篇文字，想把病因擇要的說明，讀者們平時若能避免這些『因』，就可以無形中預防疾病的發生。倘使您認爲這不過是老生常談，不肯注意；或者自恃體健身强，不須注意；那是您恐怕我們做醫生的生意太清淡，預備照顧我們了！醫生雖說操的是仁術，對於生意上門，總是歡迎不迭，決不致於拒絕的。

這裡想說的病因分爲三類，是空氣，飲食物，與生活環境。

許多中醫的口頭禪，是『人在氣交之中』，想因此聳動視聽，說出一套『氣化』的大道理來。這裡雖然不談氣化，可是人的一生，始終浸在空氣裡，正像魚始終浸在水裡一樣。空氣對於人的關係太大了，我們爲預防與醫治，不得不研究空氣。空氣的成分，是氧（養氣），氮（淡氣）與若干種稀有氣體的混合物，其比例大致是固定不變的。人從出胎以後，一直到壽終正寢，一刻不停的營呼吸，呼吸則空氣一刻不停的出入於人體。人體從吸入的空氣中攝取氧，與體內來自他途的碳相化合，成爲二氧化碳，乃呼出體外。當其化合時，發出『熱量』與精力來。二氧化碳對於人體是有毒物，所以須立刻呼出。一方面，有綠葉的植物卻正需要這些二氧化碳，它們吸入之後，攝取碳質而呼出氧，還供人們吸入。這是植物與人類——不，是一切溫血動物的合作生活。明白了這一點，那末，都市的空氣爲什麽不如鄉村好？都市爲什麽需要公園？公園的設備爲什麽不重假山池水亭榭樓閣而必須多種青綠樹與花草？這種種連帶的不說而自明了。

自殺方法的一種是跳水，這不是水把他浸死，而是這人的口鼻浸在水中，不能吸入空氣而死，死得相當的快。抗戰時期，倭寇與漢奸朋比作惡，把我大中華人活埋是常有的事，這與跳水之死是同一理由，不過掩他口鼻的不是水而是泥土罷了。蘇常一帶俗語，死的別名叫斷氣。跳水活埋眞是死於斷氣，是人造的斷氣。斷氣在醫學上也有一個名詞，便是窒息。跳水活埋的斷氣或窒息，雖然死得很快，卻說不上什麽疾病。然而空氣致病的事實正不一而足。

最容易想到的是空氣中的汚穢成分。汚穢並沒有一成不變的意義。例如宴會席上任何一道嘉餚，吃到肚裡是挺潔淨絕不汚穢，而塗到衣服上就變成汚穢了。這因爲嘉餚對於肚子是有利無害，對於衣服與皮膚卻有害無利之故。依此類推，我們就把空氣中有害呼吸的成份稱爲汚穢了。這有兩類東西，一類是固體物，一類是氣體物。固體物如塵沙，灰煙，細菌等，都可能引發疾病。氣體的毒質大柢因化學工業而產生。這兩類的空氣汚穢，越是人煙稠密的都市，越來得濃厚，尤其在工廠林立的工業區。科學越進步，其分門也越多；現在有一門『實業衛生學』，專門研究化學工業所產生的毒氣，用怎樣省錢省事的方法去消滅它。工廠裡的煙囪造得那麼高，並不是以壯觀瞻，也不是加旺火力，其實是工廠對附近居民一種道德上的義務，使二氧化碳與灰煙在一切屋頂以上跑遠，不致鑽入人們鼻孔也。

連帶容易想到的當然是香與臭了。我們要明白香不一定於人有益，臭不一定於人有害。花香及各種香水，多聞了容易引起鼻粘膜發炎，塞鼻孔淌鼻涕。最近報載一家工業原料商，給一個小孩打開了一箱製紙煙用的「香精」，香味溢出，有多人中毒暈倒而抬入醫院，而那個闖禍精的小孩竟送了命。臭的代表物應推舉糞便了，人人『掩鼻而過之』。如果它們的原料是洋葱大蒜，尤其要叫人把宿飯都嘔出來。可是專管撤退糞便的糞夫，上海人等稱為『倒老爺』，他們每清早吆吆喝喝，與糞便結不解緣，卻一個個身強力壯，並不會臭出病來。不過，這是說明糞臭無毒，並不是說糞便無毒。糞便中往往含有許多病原細菌，傳佈出去，使人們害霍亂傷寒赤痢等可怕的病。但這些菌的傳佈不由空氣，而這裡說的是空氣，所以說『空氣裡的糞臭無毒』，此等處無論作者讀者都得辨明，不可囫圇吞棗。

其次要說的是空氣的溫度，便是通常所謂冷熱了。勝利後幾月，報紙上登載氣象台的天氣預測，『西伯利亞的反氣旋』來了一個又來一個，冷得我們索索抖。既而來的是一個又一個的『熱帶氣旋』了，就弄出轟雷閃電陣雨，而漸漸熱得煩悶。這都是空氣溫度給我們的影響。人體的通常溫度是攝氏三十七度，小小的變動還不要緊，變動到一度上下就攔入疾病的範圍了。人體需要保持三十七度的常溫，而外界空氣的溫度常常變動，這使人體感到麻煩，而要一種對付的能力。所幸人體的對付力還相當強，通常的氣溫變化，總可以對付得了，不致生病。倘在蒙古的瀚海與非洲的撒哈拉等沙漠地帶，氣溫變化甚劇，午後熱如盛夏，夜半後冷如嚴冬，那麼我們溫帶人民的體力就要受不住，不能夠對付了。在一般地方，空氣的通常溫度，總是比體溫低（體溫攝氏三十七度等於華氏九十八度六分），故體熱經常地向空氣中放散。這種放散去的體熱，即由氧化作用來補充。同時，人工的設施，如衣服房屋火爐暖氣等，皆為防止體熱放散過多而設。假使氣溫高過體溫，那麼非但體熱不得向外放散，還得倒過來耐受氣熱的灼爍，這是人體所不習慣的一種環境，為一般體力所對付不了。而風扇冷氣等防熱設備，似比防冷設備更勞費而不能普遍。故人體對付熱比對付冷更難。外界氣溫比體溫低五十度（攝氏負十三度或零下十三度，即華氏八度六分）時，人們尚能耐受。若氣溫比體溫高二度或三度時，就渾身不舒服。這說明了夏天為什麼是疾病最多的季節，及熱帶為什麼比寒帶難以居住。

完全因氣溫所致的疾病，西文稱Thermic Diseses，譯為『氣溫病』。氣溫病無論因於過冷過熱，皆有全身病與局部病兩種。（待續）

聽診器

方玉

身上穿着白大衣，口袋裡放着聽診器，或是耳朵上掛着聽診器，人家一望而知，就曉得她（他）是位醫師。聽診器，不但是醫師們所有的特徵，而且是醫師們臨床診斷上不可缺少的工具。

雖然聽診器的字源（Stethoscope）是指胸部的檢查，其實它幫忙觀察的範圍相當地廣。醫師常常用它來聽：

一、心臟—跳動的韻律，快慢，強弱，以及有沒有「雜音」存在，假如有，那雜音是屬於那一種「音節」？那一種性質？

二、肺和肋膜—呼吸的聲音是不是正常，有否「囉音」，有沒有肋膜間摩擦的聲音？

三、大小腸—腸蠕動時發出的聲音，由於聲音的增減，可以知道腸的通道，有無阻礙？

四、血管—通常量人體血壓的時候，是少不掉聽診器的。當有動脈瘤或血瘤的時候，也可以診察出來。

五、孕婦—子宮血管冲血的聲音已經聽到的話，說她懷孕，大致可以不錯了。要是聽到了小寶貝心跳的聲音，就十分確定了。

聽診器的構造並不複雜，一端是兩根曲曲的金屬管可以掛在醫師們的耳邊，中間是輸送音的橡皮管，另一端是接觸病人身體的「頭」。由於「頭」的不同，聽診器大概可以分為兩種：一種是鈴狀式，一種是隔膜式，其中加一片很薄的膜，幫助音波的傳達。不過，對於初學者，聽起來還是鈴式比較來得清晰而容易。

醫師們聽診也可以不用聽診器的，只將一隻耳朵緊貼病人的胸或腹壁就會聽得到。這是從前聽診器未發明前所用的老法子，現在仍舊有些地方的醫師喜歡這樣，但是普通一般醫師並不用這樣做了，因為既不衛生，又不準確，一方面也太不雅觀了。

從理論診斷上來講，四種方法：看診，觸診，敲診及聽診各有其重要性，缺一不可，尤以後者之可靠性較大。而且在我國一般小城市及窮鄉僻壞之中，缺乏現代化幫助診斷之設備如X光和化驗室等，聽診益增重要。那麼請諸位千萬不要再輕視或忽略掉這小小的聽診器吧！

黃耆性效

姜春華

本經 主癰疽，久敗瘡排膿止痛，大風，癩疾，五痔鼠瘻，補虛，小兒百病。

「癰疽久敗瘡排膿止痛」此言癰疽久敗，乃指衰弱性化膿症而言，以其能促進炎性滲出物之排除新肉芽之生長，故奏排膿生肌之效。

「大風癩疾」大痲風，古稱大風亦稱癩，癘，本品恐非能根治痲風，以上下文主瘡瘻觀之，則本品可能係用於痲風之潰瘍也。

「五痔」即痔瘡，古書言痔病有五：「若肛邊生如鼠乳出孔外，時時膿血出者，名牡痔，若肛邊腫痛生瘡者，名酒痔，若肛邊有核痛，及害熱者，名腸痔，若大便輒清血出者，名血痔，若大便難，肛良久肯入者，名氣痔」。此殆包含因痔靜脈鬱血而成之痔瘡，及結核性痔漏。

「鼠瘻」即今之頸腺結核，殆亦指潰爛化膿而言。

「補虛」虛即虛弱，是言其有强壯作用。

「小兒百病」言能用於多種小兒病。

別錄 女人子臟冷，逐五臟間惡血，補丈夫虛損，五勞羸瘦，止渴，腹痛，洩痢，利陰氣。

「女人子臟冷」婦人不孕，古人以爲是子藏（相當子宮）冷。（或稱陰寒）

「逐五臟間惡血」此想象說。

「補丈夫虛損五勞羸瘦」此言有强壯作用。

「止渴」或謂係治糖尿病之消渴。

「腹痛洩痢」洩痢因腸蠕動而影響腹壁，故發疼痛。古方於赤痢中用之，虛弱性泄瀉亦用之。

「利陰氣」？

甄權 主虛喘腎衰耳聾療寒熱治發背內補

「虛喘腎衰耳聾」，虛喘乃指衰弱性的喘息，異乎肺炎的胸高息賁。腎衰耳聾，指神經衰弱之耳聾。

「療寒熱」此種寒熱，殆屬虛衰性，如結核熱是。

「治發背」亦是癰疽膿瘍類。

「內補」殆內托之意。

日華 助氣壯筋骨，長肉，補血，破癥癖，瘰癧，癭贅，腸風，血崩，帶下，赤白痢，產前後一切病，月候不匀，痰嗽，頭風，熱毒，赤目。

「助氣壯筋骨長肉補血」。皆强壯作用。

「破癥癖」癥癖係慢性內臟癌腫等病。

「瘰癧」係頸腺結核。

「癭贅」指甲狀腺腫等病。

「腸風」指內痔脫肛等。

「血崩」指女人下部大出血。多數屬於惡性子宮癌腫。

「帶下」帶下之義原指婦人下部病。狹義的指白帶，帶病係一症狀，爲流出於外陰部之女子生殖分泌物，爲生殖器疾病之一分徵，然亦有來於生殖器外之原因者，依分泌物產生之所在，有子體血帶，後庭白帶，頸管白帶，陰道白帶等類，大抵多爲炎症之結果。

「赤白痢」即今赤痢。

「產前後一切病」即作爲婦人病要藥。

「月候不匀」即經期不準。

「痰嗽」咳嗽而有痰。

「頭風」指神經衰弱所發之頭痛眩暈。

「熱毒」暴發赤腫。

「赤目」指結膜炎。

元素 治虛勞自汗，補肺氣，瀉肺火心火，實皮毛，益胃氣，去肌熱，及諸經之痛。

「虛勞自汗」用於結核性盜汗，虛弱者自汗，爲止汗藥。

「補肺氣」即意味着於肺有益。

「瀉肺火心火」爲抽象語。

「實皮毛」充實意，即止汗作用。古人以爲皮毛鬆則自汗，堅則汗不出也。

「益胃氣去肌熱」非言其能促進消化，乃以其去肌熱也。

本品主要作用爲强壯藥，其主治如下：

1 排膿生肌
2 赤痢久泄
3 喘咳虛熱
4 止血調經
5 癥癖帶下
6 頭風耳聾

消化器病

葉橘泉

胃的構造

飲食物消化的器官，名曰消化器，即始自口腔，終於肛門，此中所經過者總名消化器系統，即口腔，咽頭，食道，胃，十二指腸，小腸，大腸，直腸，及附屬器之唾液腺，肝臟，膵臟，腸腺等，此等消化腺皆於消化管內，分泌特殊之分泌液，以營消化作用。

胃形如囊，居於橫膈膜之下，略偏於左，自左側向右橫臥，故俗稱胃囊，胃之上口，即食道之末端，名爲賁門，胃之下口，在右端，稱幽門，連通十二指腸及小腸，幽門圍有括約筋司開閤，閉閤時則輪狀肌肉向內面隆起，稱爲幽門瓣，胃之左方膨大部爲胃底，胃自左向右，弓狀彎曲而仰臥，其上緣凹處名胃大灣。

胃之組織，自平滑筋組成，計分三層，外層名漿液膜，中層爲筋纖膜，內層爲粘膜。

胃具有胃液腺幽門腺，胃液腺分泌消化上最必要之胃液，存在於胃底粘膜內，幽門腺形似葡萄狀，存在於幽門部之粘膜內，其分泌液爲使胃之內面有濕潤作用。

胃之功能

胃內容空虛時，內面常呈蒼白色，食入則胃粘膜受刺激而胃壁毛細血管擴張，呈充血狀，赤色，胃液之分泌於是開始，食物入胃，與胃液混合，胃囊漸次擴張，其繼續嚥下之食物，爲先入者所包含，因胃壁起伸縮運動，食物順次廻轉，平均混和，均得接觸胃壁，直接受胃液之消化作用。

食物先經口腔咀嚼，由唾液充分混和，同時食物中澱粉，受唾液之消化而起化學的糖化作用，其糖化作用依食物之種類，於一小時乃至一小時半之間，其澱粉約十分之八九已經糖化。繼由胃營消化，胃液之主成分爲百布聖及鹽酸，其消化作用主爲溶解蛋白質，使成爲百布頓，胃液由胃底之胃液腺分泌而來，爲無色透明之酸性液體，鹽酸或稱胃酸，不但幫助消化，並有撲滅食物中某種細菌之功能，故一旦胃有障礙而至胃酸缺之時，則細菌得以繁殖，於夏季傳染病流行時，切宜保養胃腸健全者，即基因於此種理由也。

胃之功能，不但溶解食物中之蛋白質變爲百布頓，並不絕的運動使食物軟化，成爲粘稠而强酸性之糜粥狀物，其一部分由胃之微絲血管所吸收，迨胃消化作用完畢，其閉鎖之幽門，即起蠕動而開放，糜粥由此漸向十二指腸進行，當食物入胃時，幽門筋收縮，胃之運動旺盛，食物進入小腸時，則幽門及十二指腸等運動旺盛，胃之運動漸歸靜止，又胃內容物經幽門部而入小腸時，則幽門即起閉鎖，由腸液及膵液消化其中之脂肪，消化終了時，送入大腸。

腸之構造

腸連於胃之下部，爲屈曲之長管，占腹腔之大部份，其長約身長之四倍，成人約達七米突（二丈三尺餘）有小腸與大腸之別，小腸在上部，細而長，約占全腸五分之四，大腸在下方，粗大而短。

小腸又分十二指腸，空腸，廻腸三部，十二腸指爲小腸之起端接於胃之下口，形似馬蹄鐵，肝臟之輸膽管及膵臟之膵液輸出管，皆開口於此，空腸爲小腸之中部，此處空虛無物，故名空腸，廻腸在小腸之下方，迂廻屈曲，盤居腹之中央，故名廻腸，又名曲腸，其末端在右腹部，連接大腸之起端，此處有一廻盲瓣，可防止大腸中之殘渣逆流，小腸內之粘膜甚多皺襞之表面，更有天鵝絨樣之細絲，名曰絨毛，皺襞可以增加腸內之面積，有無數之腸腺開口其間，而分泌腸液。

大腸連接於小腸之下口，其末端通至肛門，爲大管狀，長約全腸五分之一，亦分三部，爲盲腸，結腸，直腸。盲腸爲大腸之起始部，即接連小腸之處，恰似囊狀，其部之下端，有長約二十生的米突之蚓狀突起物，名虫樣突起，亦稱虫樣垂，結腸由大腸之大部份而成，亦分三部，自盲腸上方沿右側腹部上行，達肝臟之下部，名上行結腸，由此左折，至左上腹部，名橫行結腸，更由此曲折沿左側腹壁下行，名下行結腸，下行結腸之下部，有S字形彎曲之一部，名S狀腸，又名乙狀腸，下爲直腸，通骨盤內之後壁，直下至消化器系之末端「肛門」而開口於體外。

腸之功能

食物經胃液之消化而稍成液狀之食糜，（又名糜粥）由幽門括約肌之開放而送入小腸首端之十二指腸，此處由膵液之作用，將其未全變化之殘餘澱粉成爲砂糖，蛋白質成爲百布頓，且乳化其非唾液胃液所能變化之脂肪，俾其吸收容易，膽汁能助脂肪之乳化，且有防止食物腐敗之作用，小腸內面，均有腸液之分泌，以助消化，且腸壁頻起蠕動，混和消化液與食物，而成白色乳汁狀物質，謂之乳糜，於腸內挨次進行中，被消化之食物，漸由腸內絨毛吸入其營養分，即百布頓，砂糖，脂肪小球及水分等，輸送於全身，其不消化及不全消化之物，由腸壁之蠕動，次第下行，通過全部小腸，移行至大腸，大腸亦略具消化之功能，惟腸液及醱酵素極少，不若小腸旺盛，然其吸收機能頗盛，故自小腸移來之內容物，所有的殘餘營養分與水分，能由其吸收殆盡，然後將糞塊送入直腸，向肛門排泄。

胃腸病之原因

胃腸病之原因爲何？若對胃腸之構造，及其功用已熟知，當不難知之，胃腸病之原因種類繁多，不遑枚舉，然最多者與飲食物有關係，飲食雖爲我人生活上唯一之營養物，然亦爲致胃腸病之最大原因，食物恰如藥物，可參照後章胃腸病之衞生所說，注意飲食之攝生，胃腸病之預防等，唾液之消化澱粉質，胃液之消化蛋白質，腸液之消化脂肪質等，各自有其消化之作用，已如前述，但攝取過量時，則消化液不克勝其負擔，遂致惹起消化不良，胃病最重要之原因，是食物之不適當，因飽食而來胃病，爲通常之現象，若平時少食已慣，偶遇宴會，忘其節制，暴飲暴食，致胃液之量不足以消化此多量之食物，於此遂致引起胃病，或攝取不適當之食物，以及業務過忙之人，飲食過速，咀嚼不細，與過冷過熱，或脂肪過多之食物，常發生胃病，或嚥入果物之皮壳及尖銳之物於胃中，傷及胃粘膜而起，或因酸類，阿爾加里，吐酒石等腐蝕藥，而生中毒性之胃病，他如因受寒而起，又或因神經之作用而發胃病者，如憤怒，驚怖，悲哀等精神感動，致胃液分泌障礙，或變其性狀，妨害消化而來食物之腐敗，又不良之齒牙，不能細碎食物而入胃中，亦爲本病之素因。

腸病之原因，仍與胃病同屬食物之不適當或過多，致腸管之分泌不正規，妨害消化而來，如前所述，食物至腸內分解，刺激腸粘膜，故腸內易患細菌性疾患，蓋胃液屬酸性，有撲滅細菌作用，腸液則屬鹼性，對於細菌無撲滅之能力，因此細菌至腸內爲極易繁殖之處，例如急性傳染病赤痢，霍亂，腸窒扶斯等，專侵腸部者，即此故也。又多繼胃病而發者，因胃機能障礙，胃之消化不良，不消化之食物，逕入腸中，腸管不勝負擔，食物於胃腸內，異常發酵及腐敗分解而起，若腐敗分解之有害物質，爲腸吸收，則發中毒症狀，其他如腹部之衝突，打擊，以及腸內之結石，寄生蟲，或由肛門竄入之異物，如內外之損傷而起，其他由於血行障礙，全身病及腸部鄰接臟器疾病之波及等而發者亦有之。（未完）

傷寒質難

此篇有著作權　禁止轉載翻印

祝味菊答述　陳蘇生筆受

蘇生問於夫子曰，小子弱冠習醫，內難本草，傷寒金匱，皆涉獵之矣，說者曰，熟讀金元四家之書，可以治雜病，闡明葉吳陸戴之說，則外感無餘蘊矣，蘇生淬勵十年，以求適用於世，及乎臨診，惘然若失，四家之說，初未能盡治雜病，溫熱之論，亦未能盡如人意，傳習套方，可以應世求食，未足以起疾病而救夭札，乃退而勤求古訓，以尋眞理之所在，則又衆訟紛紜，莫知所適，願夫子有以祛其蔽焉。

師曰，善哉問乎，世皆囿於小得而沾沾自足，其能發奮以求眞知者，有幾人哉，孔子稱吾道一以貫之，醫何獨不然，蘇生曰，願聞一貫之道，師曰，一貫之道者，執要御繁，明乎此，則舉一反三，可以啓無窮之思，學說之成立，言之鑿鑿，往往昨是而今非，所以然者，小智小得，不足以全其大也，唯是眞理，無中外古今，闢萬古而不易者也，余雲岫曰，「醫之眞理，本乎解剖，微乎實驗，範圍乎自然科學之律令，審愼乎客觀唯物之現象，鉤隱燭幽，批郤導窾，各國學者所公認」，斯言近之矣，學術之能垂久遠而不可磨滅者，雖星歷卜祝之爲玄也，蓋必有其眞焉，吾國醫學傳世四千餘年，博大深邃，莫可紀極，雖著書立說者瑕瑜並見，其處方施治，往往立竿見影，則其蘊有眞理，斷然可知，所謂眞理者，即吾儒之所謂道也，顧醫家各道其道，以爲道在是矣，將令天下後世宗此道以長相守矣，昧者從之，賢者疑之，後人試之而不應，必有從而斥之者矣，是以有東垣之補陽，乃有丹溪之滋陰，有河間之清宣，乃有子和之攻泄，仲景傷寒，歷代所宗，雖有識者，未敢僭越，至吳又可而其說大變，有清葉天士倡溫熱之解，傷寒捐棄，時方風行，而卒有陸（九芝）戴（北山）之流闢之，然亦未能自外於溫熱，千古滔滔，立說者雖各道其道，出主入奴，皆非吾所謂道也，何以故，一家一派之私說，其不能以眞理印證之者，雖懸諸國門，終不見賞於世界醫林耳，吾先祖世代業醫，髫齡已耳熟醫藥名詞，及冠從姑丈嚴公雁峯於成都，襄理賬務，暇始學醫，善疑好問，事無鉅細，必研求其所以然，丈爲延宿儒劉雨笙先生授讀醫經，不匝月而辭去，丈曰，孺子不可教乎，曰，非也，彼有所問，皆吾所不能解者，師而不能開其蒙，又何以師爲，於是又聘名師，乃極負時譽之某太史也，逾月又辭去，丈曰，孺子無禮乎，曰，否，其發問也峻，無以圓其說也，三易師而終未能祛其所疑，丈慨然曰，是須吾親教之矣，於是盡出所藏醫書，分類而列於案，呼味菊曰，來前，中國醫籍，泰半在茲矣，今人所不能解，古人容有已言之者，盍自求之，於是盡取所懷疑點，標出以質證於古人之著錄，甲註之不解，求諸乙，乙不足，又求諸丙，溽暑衣褥盡濕，勿覺也，入夜披閱達旦，勿倦也，三月而其書窮，其疑終不釋，丈曰，盡之矣，吾無能爲力矣，會省垣招考軍醫生，丈促吾報名，曰，向之不足，其自索之於舶上歟，攻讀三年，見聞一新，融會中西，自求曲解，向所懷疑者，十釋其三，會政變，醫校改組，乃隨教師石田氏東渡扶桑，參觀彼邦各種醫藥施設，憬然於目，默存於心，次年返蜀，主政於官醫院，專心藥治，屏絕世事，爰得實行我辛苦僅得之理想，叛古逆今，勿顧也，因取舊學之不合眞理者廢之，有藥效而其說不可取者正之，在政七年，向所懷疑，十去其六七矣，夫眞理唯一，初無國族之異也，吾所謂道者，其說可以質諸世界學者，非斤斤於門戶之爭也，雖然，吾行年六十有四矣，知也無涯，向之所以爲新者，今皆陳跡矣，余雖崇尚眞理，餘疑猶未盡掃，醫門之障多矣，吾子將何問。

蘇生曰，吾人生理狀態，縱極神奧，要不外陰陽體用而已，欲求其詳，西說盡之矣，至於病理，不外違反生理自然而已　病之種類，簡言之，外感與雜病耳，言外感，傷寒溫熱書，執外感之綱要矣，知其然，不知其所以然，願先聞傷寒之說。

師曰，內經曰，人之傷於寒也，則爲病熱，今夫熱病者，皆傷寒之類也，是以廣義之傷寒，包括一切熱性傳染病而言，溫病亦熱性病耳，以其抗邪情形略異，故治法處方亦略異，故傷寒可以包括溫病，溫病不得包括傷寒，所以然者，它義之廣狹有殊也，

蘇生曰寒溫分立，爲中醫兩大法門，洵如師言，則傷寒溫病，可以一而二，二而一耶。

師曰然，中醫所定病名，見仁見智，無有定則，或從病因，（中暑中食傷燥傷濕）或從證候，（哮喘滯下積聚癥瘕）或從證狀（驚風潮熱癲顯厥逆）或以感覺爲名，（痠痺痛癢）或以體氣爲名（氣虛血虧肝旺痺濕）古人不事解剖，莫從知其病灶之所在，隨意定名，亦無可奈何耳，當今科學昌明，猶欲抱殘守闕，不肯與世俱進，吾眞不知其何心矣，寒溫之辯，聚訟數百年，其主要之區別，在證候不在原因，然論者必曰，其因有別，其治固殊，至於發言盈庭，莫衷一是，今

有臥病者，甲醫曰，傷寒也，乙醫曰，濕病也，丙醫曰，時在春末，春溫也，丁醫曰，溫中夾濕，濕溫也，相持不決，主人視其所立之案則皆引經據典言之成理也，視其所處之方，則溫涼寒熱，各有所主也，眞理唯一，而施用若是其紛然，將何以取信於病人，（時人之言曰，中醫之治蹟，確有事實，可以徵信，然吾苟病而且篤，必捨中醫，而從西醫，何以故，吾雖死於病，猶知病之所在，而不然，至死而不知病之所由作也，噫，可慨也夫。）

蘇生曰，向者國醫館以國醫病名，不合科學，有統一之建議，論者譁然，夫言傷寒者，起病之源也，言溫病者，向熱之漸也，言春溫者，以時令為病，言濕溫者，以兼邪為名，言雖不同，各明一義，意者中醫不妨一病而多名，不須為之統一歟。

師曰，子言似矣，猶未盡也，中醫之治療本乎對症發藥，明乎邪正消長之理，則治法迎刃而解，既得治法，則病名本非所重，雖然，越人之瘄，吳人曰痧，燕趙曰痲，巴蜀曰瘮，醫咸謂邪在於肺，皆知以宣透為治，則痧也，痲也，瘄與瘮也，一病而四名可也，若夫傷寒之源，非盡傷寒也，化熱之症，非盡溫病也，以季節名病，初無關於宏旨，以兼邪名病，又執其一而遺其一，此等病名益多，則治絲而益棼之耳，彼西醫定名，實質病則從解剖學，視病灶之部位性質而立名，傳染病，則從細菌學，視其病原而立石，官能病，則從生理學，視其官能所屬之器官而立名，又新發現之病，未能確知為何種病類者，即以發明人之名為病名，故其定名之法，較中醫優良多矣，雖然，中醫亦有其優良之處，不在病名而在治法，綜合歸納，中醫之長也，匯百川而納諸海，執一貫之旨，以御繁複之機，知其要者，一言而終，彼實質諸病，不外形體之變化，官能諸病，不外作用之失調，傳染諸病一言以蔽之，客邪之外侵也，實質官能病，中醫謂之內傷，謂之雜病，傳染諸病，中醫謂之外感，其間容有不盡符合之處，大體固如是耳。（本節完。全文未完）

醫事小說

括痧（二）

阿琬

長江輪船的房艙，照例是每間房容納兩位旅客。我這一次單身從上海往漢口，因為我不是什麼大人先生富商老板，沒有人給我來餞行話別那一套，吃罷晚飯，很早只十點鐘就上船了。房艙內坐着一人，我以為是同艙的旅客了。豈知不是，他是給那旅客看守行李的，要等候那位旅客上了船，他的責任纔終了。他說那旅客是「四川有錢的小老板，初次出門。到上海來，處處見得洋裏洋腔，一點不懂出門經絡。這種人乘長江輪，準會遇到騙子吃大虧。」我疑心他的話，是警告「我」仔細著受騙呢？還是防備我要騙那小老板？我對這兩項都不够資格，覺得是話不投機。就不願多談，管自展開被窩睡覺，讓他一個人坐著等。

睡夢之中忽被一陣嘈雜聲浪吵醒。睜眼一看，房中擠了六七人，先前那位看守行李者卻不在其內。六七人中，有「啥子腔」的四川人，也有「阿拉腔」的甯波化上海人。香煙，水果，點心，啤酒，塞滿一艙，吃得一榻糊塗。我想老是躺着不理會人家，終究太嫌傲慢。於是擦一擦眼，一翻身坐了起來。笑瞇著眼隨意向人點頭。即有一人遞過一枝香煙來，「儕家貴姓」？其餘諸人跟着把水果點心向我舖位上亂送。我同他們接談之下，辨清楚首先送我香煙的就是四川小老板，我的同艙旅客。其餘諸位皆是送行者。我觀察這位同艙客頗清秀而熱誠，沒有傖俗氣與銅臭氣，也不見怎樣洋裏洋腔，不知那守行李人怎的說上那一套話。

一刻兒船上搖鈴送客，小老板把那批送行者還送出甲板。回來略問生平之後，夜實在太深了各自睡覺。早晨醒來，這小老板竟交上我這萍水相逢的朋友了。香煙，茶葉，一切日用品，不許我破費分毫，由他一人包辦。早餐是麵包，白塔油，西點，餅干，他帶得有的是，用不到吃船上的粥。兩餐飯前，他總先在房中喝酒。我不會喝酒，菜是會吃的，不容我不吃。上飯廳吃飯，也七瓶八罐帶上許多自備的菜。挑肥壯大嚼，儘朝我飯碗上佈，無非是雞鴨魚肉，他說「儕家不吃就不够朋友」。我吃肉的胃口本來很細，今番眞是活受罪，吃得我脹得要命，辣得要命。這樣吃到明天下午，不想辦法可不成了。

第二天傍晚，小老板照例在房中排出食罐，開出酒瓶，預備喝酒。照例招呼我吃菜。我早已睡在舖位上「省言語，減動作」了好一會了。因他招呼吃菜，告訴他「我今天下午很不舒服，晚飯是決定不能吃了。」小老板放下酒瓶，給我切一下脈，看一下舌苔，「喔，哼家這是發痧了，非糾痧不可。洋船上又沒得啥子醫生藥品，病重了怎麼辦？非糾痧不可。」

小老板酒也不喝了，茶房招呼吃飯，飯也不吃了。急忙取出他自己的洗臉盆，吩咐茶房立刻取來一盆冷水。不由分說，拉住我的臂膀，把我袖管捲得高高的。用手掌抄起冷水，潑在我臂灣上。潑了幾回，他用兩個指頭並起來伸得畢直，使勁向我臂灣上打。這時的我，久已不是三好婆括痧時代的我了。這時我有了「自尊」心，不適用哭喊的傘手戲，而羨慕關雲長括骨療毒的風度，伸開臂膀，聽憑打擊，如不覺知。小老板打了再潑水，潑了再打。潑打多番之後，又屈着兩指做成鉗子，鉗起我臂灣上的皮肉，很命拉。拉到鉗子與臂灣的距離很遠，皮肉的伸展力不够時，札的一聲，皮肉脫離鉗子而縮回本位。鉗之再三，仍舊插入潑水與打擊。我的臂灣給他擺佈得由桃花紅轉成玫瑰紫，鉗過處更顯出一條紫黑色，比較當年小阿姨鼻樑上的那一條，來得更長更粗而色彩更濃厚。小老板把我一隻臂膀擺佈完了，拉起另一隻如法泡製。讀者諸君當然比我更明白，糾痧也就是括痧。雖然有用器與徒手，大半身與局部之不同，其所以使皮肉上泛出紅紫色則一也。

江城斗大，沒有德法英美鍍金回來的兒科博士，更沒有兒科醫院。而對於下一代健康的關心，江城人比較通都大邑的人毫無遜色。疾病流行時，小孩子總是享有治療上的優先權。於是「童貞姑娘」就應運而兼理兒科醫業。童貞姑娘就是耶穌舊教——天主教中的女修道士。大都市教堂裏的童貞姑娘，穿着寬袍大袖的黑衣服，戴著大如桌面的白帽子，頭上掛了十字架，手上捏著念佛珠——不，是念聖母的珠。江城的童貞姑娘，這些特別標幟是一概用不到，衣裝行動與普通婦女一般無二。所不同者，她們沒有「黑絲綳搭」，也不參加戀愛。雖然年齡已够太字輩，還保全著那張處女膜，完整無破損。此其所以爲童貞也歟？

小毛頭有些發熱。發熱還不打緊，外加哭的時候不大見眼淚鼻涕。這可把小毛的爹急死了。大清早打開天主堂，邀請那位老姑娘出診。可是左等不來，右等不到。而小毛頭連吃奶都不像平時那樣嘴饞了。這使小毛的爹媽各捏着一把汁，飯都沒有心情吃。好容易等到下午吃點心時候，老童貞姑娘來了。小毛爹捍忙抹凳子，沏釅茶。老童貞一概不理，只一摸小毛的手，便嘆著「蔥薑呢」？鄰家跑來趕熱鬧的蹺脚老桂，在這周遭十多家人家中是一部百科全書，他什麼都比旁人知道得多。他告訴小毛爹，老童貞醫小孩是用到生薑與生蔥頭的。小毛爹與幾位街坊分頭取到蔥頭生薑。蹺脚老桂一把接過，洗淨搗爛了遞給童貞。童貞伸手抓了些蔥薑末，先在小毛頭的手腕邊抹了一陣，繼在肚腹上很很揉了一回。最後擦到頭部。眉心，額角，兩太陽，人中上，一一擦到。擦的手法越來越快，抓的蔥薑也越來越多，連皮帶汁，弄了小毛頭一頭一臉，滿屋子聞到辣臭味。嘿！老童貞果然醫道高明，手到病除，你看小毛頭眼淚鼻涕都有了。蔥薑擦過，童貞掏出括痧錢，還須括一身痧。大概老童貞的括痧手法不輸於當年的麻老太，而小毛頭的哭喊也比我不推扳。一陣亂括與亂哭交織之下，逬出了一身大汗，老童貞的手術纔算告一段落。老童貞從衣襟邊一掏兩掏，掏出一個小小布包。打開布包，內容是若干更小的紙包。老童貞抄出三五種藥末，併起來有一茶匙模樣，討張紙包了，遞給小毛娘，吩咐在飯鍋上加水蒸了，濾給小毛吃。然後端着茶杯，喝了一口，與周圍趕熱鬧的街坊寒暄幾句，揣起藥包，檢起桌上紅紙包的診金，捏了一下（那時通行硬幣。雖有鈔票，尚未發明法幣），拔步走了。

不料括痧土法，竟蒙女修道士採用爲兒科手術。大概這位老童貞，修的道雖是嶄新的西洋來路貨，而賣的醫仍是古老中華的國粹。

編者附註：社會上對於小兒病，特別注意涕淚，實在可說是一種迷信。老童貞利用此種心理，用蔥薑汁藏入眼睛鼻管，探取涕淚，以自神其技。阿琬先生於字裏行間將此祕密暗暗曝露，讀者幸勿埋沒作者一番苦心。（本節完全篇未完）

上海市名

科別	姓名	診所	電話
內外科	丁仲英	四馬路西中和里七號	九〇二九〇
內科	丁濟仁	牯嶺路一二〇弄四號	九六六六九
內科	丁濟萬	白克路珊家園間壁人和里三二號	九〇二九一
內科	王正公	西藏路育仁里二〇號	二一九八九
針科	方慎盦	靜安寺路同福里八號	三三一七八
傷外科	石筱幼山	愛多亞路貝勒路口呂宋路五福里（新城隍廟對過）	八四一五九
瘰癧科	朱少雲	白克路三七六弄三號	三六二二一
內外科	朱治吉	虞洽卿路育仁里三號 無錫醫士	九三四二五轉
疹痘幼科	朱星江	寶建路辣斐德路口十六號	七五六八五
內幼科	朱叔屏	長沙路五七號分診所淡水路朱衣里口	九二〇一三
內科	朱鳳嘉	靜安寺路同福里五號	三一九〇二
內婦科	朱鶴皐小南	愛文義路九六號	九三九三九
喉外科	呂萊賢	愛文義路派克路平和里五號	三〇二四五
胃腸科	宋大仁	靜安寺新華園三三號	三六四三五
痔漏科	林墨園	同孚路東首新大沽路永慶坊十八號	三五四七八
兒科	范再生	復興中路二〇二號	八五五〇四
幼科	徐小圃	慕爾鳴路二一七號	三三二三五
兒科	徐迪三	山西南路一八〇弄	九一八三八

醫一覽表

科別	姓名	診所	電話
疹痘兒科	徐麗洲	北京路泥城橋童延春藥號	九五二二六　四二一四六
兒科	徐耀章	七浦路三四二號	四一〇三三
女科	陳大年　陳盤根	巨籟達路亞爾培路西首六九一號	七七一三一
內科	陳樹脩	浙江北路一四六弄十七號	四一五六六
內科	陳鼎昌	虞洽卿路三四〇弄平樂里五號半	九一三〇〇
兒科	陳聘伊	白克路大道里四號	
疹痘兒科	姚雲江	白克路大通里一弄一家	三三九八八
外科	黃寶忠	白克路三七六弄永年里五號	三一八四四
內科	張仲友	茄勒路辣斐德路七〇號大地春藥號隔壁	八三〇〇一轉
瘋科	張明柏	靜安寺路戈登路西首慶藴里三弄十九號	六一一二六
骨瘍科	陶慕章	南京路大慶里三四號	九二九六四（二〇五一七）
內婦幼科	陸淵雷	派克路牯嶺路人安里十一號	九三二八六
內科	陸清潔	跑馬廳汕頭路八二號	九一八一一
針科	陸瘦燕	愷自爾路一一二弄五號	八四四九〇
內科	夏仲芳	呂班路鴻安坊十一號	八二九二七
內科	程國樹	愛文義路卡德路東五九七號	三二二二八
內科	盛新餘	新閘路四七八弄七號	三八九五八
內科	葉熙春	南京東路七九弄三七號	九三一一八

濟世日報 右任

醫藥衛生專刊

第一卷第三期

——本刊每逢星期一出版——

本報登記證內政部京警滬字第三八六號

發行人 卓勤　社長 卓紹鼎　總編輯 施今墨

本期目錄

中華民國三十六年八月廿五日　濟世日報社發行　本期售價國幣四千元

社址上海哈爾濱路富春里四號　電話四五二七二

社論

中醫爲什麼要爭管理權

現在的衛生部，與以前隸屬於內政部的衛生署，皆是管理醫藥的最高機關，中西醫皆歸管理。今西醫沒有什麼話，只有中醫不安本份要求自行管理。在不知內情的看來，不免古怪。其實，並不是中醫想過「做官癮」，至少有兩點事實，非自行管理不可：

第一點是衛生官吏與中醫的隔閡。衛生部的官吏，主要的當然是衛生行政的專門人才。衛生行政與西醫藥，皆是歐美出產品，而中醫的應用方法（理論證驗除外）則爲完全國貨。故管理醫藥的衛生官吏，對西醫西藥，認識很清楚，措施也很適當；對中醫卻隔閡得很。傅斯年說「宋子文讀的是英文，不認識中國，所以幹中國的行政院幹不好。」假使這話是事實，那麼，衛生官吏管不好中醫，正像宋子文幹不好行政院一樣。不過管理中醫藥是衛生部一部份的職務，其主要的衛生行政，與他一部份管理西醫藥，他們是幹得了的。所以我們只要求把他們隔閡而管不了的中醫藥，交給我們自己管。

以前衛生署的幹部官員也是衛生行政專家，他們對於中醫應興應革的種種，常擱置不推動。有第三者問他們不推動的原因，他們很坦白的說，「我們對中醫太生疏了，閉門造車，多份不能出而合轍。用我們的見解推動出去，倘或於中醫不便利，甚至有所妨礙，倒要受責怪。」這是說因爲生疏，只好不管。生疏就是隔閡，與其因隔閡而索性不管，何如交給中醫自己管呢？

對中醫的隔閡，不但衛生部，還有教育部。因爲一切教育法規，也與衛生行政一樣，從歐美搬來，若非直鈔直譯，至少也是脫胎。這一套法規施行到中醫教育，就覺察出鞋子不對脚寸了。廿八年公佈的中醫專科學校規程草案，那是教育專家比照歐美醫科學校的規程而擬下的。單說課目中的「藥理學」一門，已叫我們中醫無所措手足了。我們承認中醫須科學化，而且也主張須科學化。中醫向來用以說明藥理的五色五味，以及輕宜重鎭，升降滑澀這一套，我們知道是不科學。如果要教藥理學，要教得科學化，必須直鈔或脫胎西醫的藥理學，從化學構造的分類上，說明其藥理作用。但是中藥則百分之八十以上沒有經過化學分析，百分之九十以上的化學構造沒有弄清楚。因之，要教中藥的藥理，竟是眼前不可能的事。我們訪問了幾位科學的藥理學家，要求給中醫編一部藥理學書，或就通行的西醫藥理學書，每一類舉一二味中藥作例；可是所得的答覆惟有搖頭。中醫界也自有多研究藥物的人，但只能改五行玄說爲比較切實合理之說，當然也不能說中藥的化學藥理。諸位請想，「中醫師」的定義，該是「能用中藥以治病的醫師」。假使中醫師必須從「專科學校」出身，而專科學校必須教藥理學，則這班新學成的醫師，將不能使用中藥以治病，也就不成爲中醫師了。故這種中醫教育法規，從善意的角度看，是教育家對於中醫的隔閡。從惡意的角度看，竟是消滅中醫的一種策略。無論從那一角度說，中醫藥必須自己有制定教育法規之權，雖然教育行政仍可歸諸教育部。

管理中醫藥的機關，不但要負管理的責任，還要負規劃中醫藥教育方針的責任，所以我們主張不宜隸屬於衛生部。

第二點事實是，中醫到了今天，必須苦幹實幹了。我們對中醫的前途，雖然仍寄予樂觀；可是也十分明白中醫的現實是太危險了。我們要把中醫從極危險的環境中挽救過來，對於時間，人力，物力，絲毫不能再有浪費。「推」「拖」腐化的官僚作風，我們不敢領教。掛虛衛不做實事的世故作風，我們也不敢領教。我們要把下一代的中醫切切實實提高程度，切切實實科學化起來。我們知道中醫問題畢竟是學術技術問題，既不是作官的終南捷徑，也不宜太把營利看作第一目的。中醫今日的危險，是我們以前的種種失著，種種倒行逆施，種種私而忘公，利而忘義，所自己造成。「自有病自得知」，今後的挽救，也須我們自己悔悟，自己打一個一百八十度的轉角，自己苦幹實幹，纔行。而這種苦幹實幹的精神，我們不能，也不敢期望於衛生部官員，這是中醫必須自立的第二點理由。

衛生部不是已聘請了許多中醫做委員與顧問麼？這還不够自主，那要怎樣纔算自主呢？這或許又是衛生官吏對中醫的一種隔閡了。衛生部所聘請的，大多是營業興盛，有名聲有勢力的中醫師；這是中醫界的領袖階層，是「坐而論道」的人物，我們能請他們放棄了診務，天天到衛生部去苦幹實幹麼？還有一二位是熱心於「顯親揚名」，擅長活動的人物，若望這幾位苦幹實幹以挽救中醫，眞無異於緣木求魚了。所以，這許多委員與顧問，仍是以前掛虛衛不做實事的典範，與我們所爭的中醫自主，是不相干的兩件事情。

經期中爲什麼不能吃生冷

雍熹

紅潮汛期中，爲什麼常會有人因爲吃了冰就突然停止了？或是會感到小腹部脹痛？或者變得滴滴嗒嗒地老不乾淨呢？果眞是因爲吃了冰嗎？

當女孩兒家到了靑春期，普通我們中國人到了十三四歲的時候，就開始每個月有一次月經來了。（關於月經的生理和病態當在以後另文與讀者討論。）自然，在第一次發見殷紅的血時，孩子會驚慌地告訴媽媽。於是媽媽會把一些經期中該怎樣怎樣的事教給她的女兒。假如是在夏天呢，剛好碰上這個時候，孩子熱得滿身是汗，正想吃這麼兩客冰淇淋或是一大杯刨冰，媽媽却不答應地說：「你現在不能吃。」可是爲什麼現在不能吃呢？孩子不明白，只好鼓起了嘴心裡怪不高興的。媽媽呢？媽媽也不知道究竟爲了什麼現在不能吃，媽媽也是媽媽的媽媽從小告訴她的：在月經來的時候不能吃生冷東西。

這幾乎已經成了一條普遍的信條：在經期中不可以吃生冷！這句話由古老的時候傳下來，外祖母告訴母親，母親告訴女兒，女兒又告訴孫女兒，……，於是就這麼奉行着。也許有一次有一個人——或者是母親，也或者是女兒，再或者……不論是誰吧，她發問了：「經期中爲什麼不能吃生冷呢？」——於是她會聽到許多事實的故事，這些故事據說都是眞實的經驗；譬如說什麼人月經剛來，因爲熬不住熱和渴，喝了冷茶，第二天就突然停了；又是什麼人在經期中吃了些西瓜，香瓜等生菓，小腹都就脹痛得難過了好幾天；又是什麼人本來一向很準確，月經來起來總是四天就完了，有一回因爲吃了生冷就變得不爽快起來拖了一個多星期。

這些故事我們假設都是眞的，雖然沒有人調查證實過，可是誰能保險不生任何小病呢？但是我們要追究的問題是：經期中爲什麼不能吃生冷呢？換句話說是：究竟生冷對於月經有什麼影響？

有一天，小妹妹正爲了這麼熱天氣不能吃冰淇淋而懊惱，因爲她學校裡的外國同學小瑪莉正邀她出去買冰牛奶吃呢。於是，小妹妹好奇地問小瑪莉，她的媽媽是不是也不許她在這個時間吃冰，可是小瑪莉却把眼睛睜得大大地說她不知道這回事，她媽媽也沒有告訴過她，她自已也從不會感覺過有什麼需要不吃。因此，小妹妹偷偷地跟小瑪莉一同去吃了冰牛奶，可是一點什麼變化也沒有，所以小妹妹以後就不再遵守這信條了。

那末究竟是怎麼一回事呢？我們問過很多外國人，她們都完全不知道這回事，更沒有這種經驗。我們中國人也並不每一個女子在經期中吃了生冷都會有特異的變化。從學理上說呢，我們也至今沒有能够找到什麼經期中不能吃生冷的根據。

不過，有些人在經期中吃了生冷冰凍之後，月經突然停止等等變態的發生也的確是存在的事實，那麼這又怎樣解釋呢？比較可能的解釋是體質的差異與習慣的影響。

女子當月經期中的時候，由於生理機能的變化，無論在精神方面和體力方面都略略要受到一些影響，所以女子在經期中的時候，是應該被認作暫時的「生理病人」的。事實上女子在經期中，身體的抵抗力的確要比平時爲低。那末，在這個時期中自然是比較容易受外來因素的影響而感覺身體上發生病痛的。

加以我們中國人的以往習慣，即使是大熱天，也始終要把吃冷當作有害身體的事，飲冰不過是近年城市裡的摩登玩意。既然在平時也把吃冷食作爲有害健康的事，使身體對於冷食沒有適應的習慣；那末當女子在經期中，身體抵抗力的確較低的期間吃生冷，自然使抵抗力更受影響，就容易感到病痛了。

那末爲什麼表現於月經的停止或其他不正常現象呢？關於這一點我們要明白的是女子的月經很容易受身體健康的影響，當身體健康不正常的時候，月經的不正常現象是極易發生的事。所以，我們的解釋是經期中受冰凍生冷直接影響的是身體的抵抗力而不是月經本身。

當然，這也還不過是一個比較最可能的解釋，因爲到目前爲止，我們還不能從生理上或是病理上在生冷食品與月經之間找到科學的連繫與滿意的解答，這些還都有待於科學家與醫學家們繼續的努力。所以，對於這些確也會有的現象之存在，我們只能作以上體質差異與習慣影響的解釋。因此，我們覺得如果有了健康的身體，又沒有不吃冷食的習慣，那麼經期中不吃生冷似乎也就不必成爲一定要遵守的信條了。

細菌常識（二）（續創刊號）

陸淵雷

一位小少爺把家中一株素心臘梅樹愛得要命。他知道臘梅宜用豬腸做肥料，就買了好多鮮豬腸，挖開臘梅根，一一用豬腸蟠繞起來，再把泥土壅好。豈知臘梅樹從此不開花，不放青，竟是死了。少爺呀，你不知道植物專吃無機物，硬叫它吃豬腸有機物，把泥土無機物隔絕了，它那得不死？鄉村裡農人比少爺精明多了，他們用人畜的糞便做肥料，糞便是有機物，農人不用新鮮糞施肥，先放在糞窖裏給細菌發過酵，變成無機物，然後下在田裏。農人本不懂得什麼有機無機，經驗告訴他們須這樣做，做來竟很合理。這是細菌化有機物爲無機物的例子。

綠葉植物化無機爲有機，若干細菌化有機爲無機，它們完成了世界上一種最重要的循環。

這冊刊物，是醫藥衛生專刊，講細菌也得專挑關係醫藥衛生的講。前面講了些黴菌發酵菌等，雖然也屬於細菌學，畢竟不是醫藥衛生中的細菌（病原細菌）。不過病原細菌在一般人的觀念中比較生疏，不如從人們較熟悉的黴與發酵等說起，來得親切有味。故上面的一大段是引言或開場白，下面將專說病原細菌正文了。

細菌是植物，而且是最下等的植物。人是萬物之靈，靈得一切都有很好的辦法。可是細菌使人們害病，病的若干種又兇得叫人非死不可。這樣，細菌做人類的仇敵已經幾千萬年，人爲什麼還不把它們一舉消滅淨盡，爭取一個永久安全呢？「萬物之靈」遇到細菌，爲什麼不大靈驗了呢？這問題的答案，只是一個「細」字。它們細得叫你看不見，人要對付它們時反嫌自己太大，大得有些蠢笨了。關雲長舞動他那柄大關刀，殺幾條河北壯漢顏良文醜等，倒是毫不費力。倘請他用這大關刀殺一隻跳蚤，就怕關老爺要搖頭。並不是他老人家一時的不靈不勇，不過是關刀過大，跳蚤過小，反而殺它不到。人雖靈，可對付不了看不見的東西。許多人怕鬼，拆穿了，鬼有什麼可怕？不過怕它們的「看不見」而已！其實，細菌的看不見與鬼一樣，而它們的惡作劇，比較鬼更可怕萬倍。人們卻不怕細菌單怕鬼，掉一句文，這是「忽所當怕而怕所不當怕」了。

細菌既細得看不見，我們爲什麼能見黴？黴是無量數黴菌的集團，若是一兩枚或千枚萬枚黴菌的集團，還是看不見。那麼，無量數的病原菌集團，我們也可看見麼？在餿氣的若干菜餚及湯汁中，或可看見。不過病原菌集團常作淡灰白色，不像黴菌集團作黃色綠色，故不甚惹目。也有作滴水狀而透明的，那即使看見，也不知它是病菌集團了。

這樣渺小的細菌，而細菌學家把它們看得清清楚楚，「毫無遁形」。並不是細菌學家的目力特別佳，乃是得力於顯微鏡之助。這是自然科學互相利用的一個例子，顯微鏡乃是物理學中「光學」的產物。只這一點，就見得中醫科學化是何等需要？中醫若能早一點利用科學，到現在決不致仍舊

十滴水

雍熹

一到夏天秋天這個熱的季候裏，我們就可以注意到一種用小玻璃瓶裝的深褐色藥水到處活躍。藥房的櫥窗佈置着大廣告，街頭的電桿上貼着小紙條：「敬送痧藥水」，報紙上刊載着某某藥房的十滴水治上吐下瀉時疫各症，定價多少錢一打。而一般人家都備着這種家用良藥，以備不時之需。

車夫阿二在路上幾乎暈了過去，於是有人給他吃了一瓶十滴水，終於漸漸清醒了。樓下的小弟弟忽然肚子痛得在床上哭着打滾，他媽媽逼他吃了一瓶十滴水才漸漸安靜了。後房的娘姨又腹瀉起來，一天瀉了五六次全是水，趕緊向主人要了一瓶十滴水來吃也止了瀉。……

十滴水就果眞這樣靈驗如神嗎？它的名目種類可眞不少：十滴水，痧藥水，功德水，時疫水……，每一種名字又可以加上不同的商標名號分出更多的種類來。不過，儘管名目繁多，「水」的性質和作用是相同的，因爲它們所含的主要成份都是一種興奮中樞神經，尤其是呼吸中樞的藥劑。

通常一般出售的十滴水中所含的主要成份不外是嗎啡，或是鴉片，或是樟精腦。所以我們討論一下這些藥的性質和作用，就可以知道十滴水的通性了。

嗎啡給人的第一個印象是毒。不錯，它的確是毒性不小的藥，而且可以成癮。但在使用得宜的時候，却是一種非常好的藥品。當少量使用的時候，它可以止痛，可以使人入睡而得到休息；可以使不隨意肌（如心肺胃腸等肌肉）鬆弛而減除氣喘急等症象，減少腸蠕動和肛門括約肌的刺激而造成便秘現象以治療瀉痢。這些都是嗎啡的藥理作用，因此我們知道十滴水中含有嗎啡，

搬弄「五行氣化」那一套古人的理想了。

顯微鏡的放大倍數從數十倍以至一千多倍不等。通常用來看病原菌的顯微鏡，大概是五百多倍至八百倍。近來報紙上有一個報道，說現在的顯微鏡已經進步到可以放大一萬多倍，如果此話當眞，許多尙未找到病原的傳染病，不難全部找到了。

顯微鏡與普通放大鏡不同，它的光線是透過所看的物體而到達人目，故不能看較厚不透光之物。例如整隻的跳蚤，只好放在放大鏡下看，不能裝在五六百倍的顯微鏡下看。一則跳蚤雖小，已不能透光。二則蚤體從最高部到最低部已有相當距離，顯微鏡對光時，對準了高部不能同時看低部，對準了低部也不能同時看高部了。只有微細得像細菌一類的東西，纔可以整個的放在顯微鏡下看。動物的皮肉，植物的枝葉，倘要用顯微鏡看，須先用「切片機」切成極薄之片纔行。總之，顯微鏡是只能看「微」的東西，而看不見稍厚稍大的東西，眞所謂「明足以察秋毫之末，而不見輿薪」了。

顯「微」不顯大的關係，又發生了一種困難。有些細菌果然很微很薄，透明無障了。反因太微薄之故，顯微鏡中望去好像望着輕紗薄霧，依然看不分明。這又要利用他種科學來解除這個困難了，利用化學的藥品，先給細菌化裝起來，把它全身各部染成各種不同的顏色，或把一羣不同類的細菌每類染成一種顏色。因爲各種菌或一種菌體的各部，對於染色藥品的化合性不同，故能顯出不同顏色，給細菌學者看一個淸楚。在細菌學中就叫「染色法」。

用了顯微鏡，還得染色，看細菌竟這樣費事，原因是細菌身體的太微細。那麼，細菌究竟微細到怎樣？好，我們談一談這箇問題。普通用來量長短大小的「單位」是尺，尺之下有寸與分，其上有丈。我們量衣服，身體，房屋，街道等，都用這箇單位。量鐵路公路的遠近，尺與丈的單位嫌太小了，我們用「里」。天文學上用來量日月及十大行星大小的單位，是地球的直徑，約等於二萬三千華里。量日月與各行星間距離的單位，是地球距太陽的平均距離，約等於二十六億華里。量各恆星距離的單位叫「光年」，是光線速度需要跑一年的路程，若用里來計算，數目大得嚇人。這就是所謂「天文數字」。現在要量細菌，須倒過一箇方向，向小的一方面找單位用。

普通「米突」尺上刻的最小單位是「粍」，只有半顆芝麻那麼大。把粍平分作一千份，每一份叫一箇「密克隆」，這是專用以量細菌的特殊單位，細菌書上用一箇希臘字母以作代表，這字母的讀音是MEW。在這篇文字裡，爲避免排字工友手續的麻煩，姑且用「密」來代表「密克隆」。

細菌中最大者，其長有二十五至三十「密」，最小者僅〇·三「密」。普通的細菌，約在五至〇·五「密」之間。肺癆病的結核菌，大者長三·五「密」，闊〇·五「密」；小者長一·五「密」，闊〇、三「密」。若把大的結核菌接排到一英寸長，則直排須七千一百四十二隻，橫排須五萬隻；而一平方英寸中可排列三千七百七十一萬隻。若把小的結核菌接排到一英寸，則直排須一萬六千六百六十六隻，橫排須七萬一千一百一十一隻；一平方英寸中可排列十一億八千四百六十萬九千二百六十隻。您把這些數目字想一想，對於細菌的大小可以有個概念了。（未完待續）

就可以對肚子痛，腹瀉等等症狀效驗如神了。

鴉片的作用，大致與嗎啡相似。不過它在身體內被吸收得較慢，毒性也較嗎啡略低；對於不隨意肌的鬆弛作用極大，所以用來治療腹瀉更爲見效。同時它對中樞神經也有奮興作用，不過和嗎啡一樣，過後會跟着產生一陣壓抑作用，就是興奮後轉爲疲勞或麻痺，尤其是在劑量過大時，這一點不能不預先知道。

樟腦精則完全是一種興奮中樞神經，尤其是延腦部分中樞神經的藥物，可使呼吸加速，血壓增高，所以可以用於脫力暈倒或心臟衰弱而突然神志昏迷的病人，使其恢復淸醒。此外，樟腦並可解除病人腸胃不消化時之氣脹；對於初期之傷風感冒以及其他咽喉道傳染病也可獲致相當好的益處。

由於嗎啡、鴉片、樟腦本身的藥理作用，在使用適當的時候，都是很有效的良藥。不過我們不要忘了它們都是有毒的。中毒後都會昏迷不醒，中嗎啡或鴉片毒的初期，更有嘔吐惡心等現象；中了樟腦的毒則會發生囈語、痙攣的症狀，並且都是很危險的事。雖然在十滴水中含量很輕，但總要小心不可多服，超過了倣單上所告訴的份量，就可以有發生危險的可能了。而且也不要把十滴水痧藥水一類藥當作家常便飯一般常常吃，因爲很可能造成嗜好，上了癮可就更麻煩了。

還有一點我們應該明白，這種藥都只是救急的藥品，我們不能希望它成爲「萬病一服靈」來根治熱天的一切病痛。尤其是像腹痛一類的病，服了十滴水雖可能很快就不再覺得痛了，然而病也許仍在進行，等到藥性一過，立刻又會發作起來。那時再請醫生看，說不定時間上已經就擱太久了。所以，把十滴水之類當作救急藥則可以，但是飲服之後，仍舊是趁早請醫生診斷一下，作根本的醫治爲宜。

唏哩嘩啦肚子又瀉了

婉

病人常常問起說：「今年霍亂雖沒有，可是爲什麼肚子痛腹瀉的多得很哪？」其實，這個問題實在是太難回答了。可以造成腹瀉的原因很多很多，而差不多所有腹瀉的病人都會感覺到程度不同的肚子痛。尤其是在夏秋之交的時節，由於氣候和飲食等關係，腹瀉的病人更比其他時節要多。

造成腹瀉的原因實在太多了，主要的一些常見的理由可以分爲下面這許多：——

一、痢疾——細菌性痢疾或原虫性痢疾。

二、急性傳染病——霍亂、傷寒、副傷寒等。

三、食物中毒——通常爲葡萄球菌侵入腸內所引起。

四、過敏性——因特異體質對某些食物如雞蛋、楊梅、海鮮等產生過敏性反應所致。

五、砒、汞、或銀擄之中毒亦可引起腹瀉症象。

六、維生素B缺乏症。

七、神經性腹瀉——無確原切因，起因於情緒之擾亂如恐懼、猜忌等。

八、腸道局部阻塞。

九、局限性腸炎或慢性大腸炎。

十、胃、胰、或腸內生癌。

以上都是比較常見的原因，所以在診斷腹瀉病例的時候，辨別出正確的原因來是很重要的。

腹瀉的症狀有時可隨其致病原因而有不同，不過像噁心或嘔吐、腹痛、便急、以及大便次數頻數等象，則爲一切腹瀉之普遍症狀。

在夏天和秋天，除卻上面所說各種原因可以造成腹瀉現象以外，還有一種我們稱作「夏日腹瀉」的病症，它的眞正致病原因目前尚未能完全確定。此種腹瀉常常突然發生，延續一天至三天之久，大便頻率視病之輕重不同，每日自三四次至二三十次之多，排出之糞便通常爲水狀，略作淡褐色或呈灰色，便中夾有黏液可以發現，奇臭，但極難得有血跡發現。此種腹痛便急之嚴重現象以第一日爲最烈，但不嘔吐。體溫多數無甚變化，偶然亦可稍見昇高約華氏一或二度。此時如計算血液中白血球數則仍正常或稍許增加。但因大便頻數與失水過多，故病人似甚乏力而呈急性病狀。

此種夏日腹瀉之診斷較難確定。主要區別之點在於它病時之短暫，通常三四日即愈。當急性腹瀉病人經各種診斷後均不能發現其確切之致病原因時，大致即屬此類。但事前各種方式之診斷極爲重要，因其症象及因失水過多引起之現象，甚易與霍亂相混淆，並且發生的季節也和霍亂相似的。

至於治療方面，與其他一切腹瀉之病例相彷，休息極爲重要。在初起之二十四小時內不給病人吃任何食物。如果已呈失水症象則應該立刻給予含有百分之五葡萄糖溶液的生理食鹽水。二十四小時後如果病人確有食慾，則可進食少許牛乳、烤麵包、半熟之煮雞蛋等。藥物方面，應給予病人以足量之阿託品注射，使腸肌之痙攣鬆弛，腸蠕動減少，因而解除腹痛，減少大便頻率；同時可使胃腸消化液的分泌作用受到壓抑，減少腸壁所受刺激。如果腹痛得很厲害，阿託品不能制止的話，那就只有使用「可亭」或是嗎啡了。

稍後，也可以給病人吃一點緩瀉劑如蓖麻子油以清除腸中剩餘的渣滓。此種清除作用常可將小腸及大腸中打掃乾淨，因此可以跟着有一兩天完全沒有大便。遇到這種情形，絕不用灌腸或再給任何瀉劑，終可聽其自然，一兩天後就好了。不過最好要勸病人繼續休息，並且繼續吃容易消化的食物，一直等到恢復了原有的大便習慣幾天之後爲止。

爲了防止其他病菌乘機在此時侵入腸內作怪起見，同時給病人內服磺胺類藥物是一個可取的步驟。

總之，肚痛腹瀉在夏天和秋天確實要比其他季節中多見，引起肚痛腹瀉的原因又非常之多。但在夏秋間所見的腹瀉除了有特殊病因發現的情形以外，不外乎因爲飲食不小心吃壞了，或是冷暖未注意受涼了，再不，就是屬於夏日腹瀉這一類。所以說到預防，最要緊還是小心飲食，同時不要貪涼以致腹部受凍。而平日的一切衛生與健康的注意，使身體强壯，抵抗力大，也是防禦疾病的最可靠方法。

酒的利弊

正角

喝酒幾乎成了我們人類的普遍嗜好。我們遠祖在沒有任何文化之前，他們就嗜嗜着酒，並且在樹洞裡或山穴內釀着美味的果酒。後來從食糧與果樹的種植進化為農業，又把米釀製成酒。一直到現在，酒這個東西，差不多十個人中就有八九個人都喜歡時常嚐一嚐它，更有着不少人嗜酒如命，一刻兒都不肯離着它。但酒對於我們人類究竟有着好什麼處和害處呢？

歷來對於酒，有兩派極端相反的主張。一派認為酒是百藥之長，是解愁消憂的妙品；一派則取仇視的態度，以為是有百害無一利。但一般人大體上都相信酒在保健上祇有害而無益，然在營養上，生理上和心理上看來，不能說沒有相當的價值和效果。酒在營養上是相當有價值的，如果喝得少一點的話，在胃中被吸收了，若再喝得多一點，在十二指腸時也被吸收了，所以酒的消化是不必煩勞小腸大腸的。酒進入體內隨即氧化燃燒成為能力；所發生的能量雖比脂肪要少，但比較澱粉却高得多。且進入體內的酒，有百分之九十可供利用。像這樣，酒成為我們極高比率的能底給源；又和澱粉一樣在營養上有着充分的效力。

至於酒在生理上的效果，酒如果適量飲用，可以促進消化液的分泌，使食慾旺盛，且能在身體內發出很大的熱量。所以在進食以前，或在疲勞的時候，或在身體覺得寒冷的時候，喝一杯酒是很相宜的。又酒在心理上也有很大的效果，如果在憂鬱的時候，小酌一會，胸襟便驟然暢快起來。尤其是對於工作上，人事上不絕操心，心境不暢快的人們，酒可以說是一種需要品。

但在酒的害處一方面講來，如果飲用酒精成分很高的酒，能損害消化器，泌尿器等。胃黏膜的原形質，受了酒精的作用，有發生凝固而細胞破壞的危險。又舌的味覺，也變為遲鈍，消化液的分泌，陷於過剩，此外還侵犯肝臟的機能，使胆汁的分泌減退，腎臟也會萎縮，而使作用變為不良。

像燒酒，威士忌一類的烈性酒，如空腹的時候喝下去，胃壁細胞立即就受到損害；然啤酒在同樣情形的時候，喝個暢快，也不致會損害胃壁。又含酒精百分之十二的好紹酒，如和菜餚一同緩緩吃下去，對於胃壁的損害，是決不會發生的。

其次，酒精如飲用過度，注意力便變為缺乏，且一般腦神經的活動也變為遲鈍，使腦力和工作能率等降低。

總之，酒究竟對我們是有害的還是利的，是不能一言而斷定的，主要的還必須看它的分量和用法來判斷。

編者按：我猜正角先生於工作煩忙之後，一定喜歡喝上三杯，以解除疲勞。瞧這篇文字，對於酒不無好感。不錯，酒的好處是所產的熱量高，又不費消化力。而它的壞處能損害消化器泌尿器及神經系。我們選擇飲食物，營養價高，容易消化，而無他種損害的很多，何必取有害的酒！把酒作藥品用，與嗎啡雅片砒石等等視，那是任何人不容反對的。若把酒當作日常飲料，那只好算是一種奢侈品。我們遇到資本官僚，暴發園戶，一定慫慂他們把威士忌白蘭地香賓等每天多喝幾瓶 。一則他們財力無窮，決不嫌昂貴；二則他們已盡了對自已對家庭的義務了，至於社會國家，他們決不肯拔一毛以利，我們不希望他們再做什麼工作；那麼，即使轟飲爛醉以至騎箕升天，我們只預備開個會歡送他們。所以要叫他們多喝酒，讓他們喝酒成仙，快樂無窮。至於一般靠工作來維持衣食住的人，還是勸他們不喝酒為是。正角先生以為如何？

口渴的生理

明保

一個健康的人經遠行或辛苦工作後，常常要飲多量的水；一個患高熱的病人經劇烈的發汗後，對飲水也作極度的需求。實在說來，口渴是人人都有的經歷，但口渴的生理便不是人人所了解的學識了。

在近日生理研究上，對口渴的解釋，有兩種學說：

第一種學說，簡單地以爲口渴是因爲咽喉乾燥的緣故。唾液腺是分泌唾液的關紐，有調節身體內水份的功能；當體內水份降低至一定限度時，唾液的分泌便受到抑制而減少，結果便使咽喉黏膜乾燥而產生口渴的感覺。康農（Cannon）是這學說的支持者；他長時間不喝水，把自已做實驗，發現自已體內唾液分泌受到抑制，同時就有口渴的感覺。我們又知道唾液腺的機能是受神經管制的，交感神經使它分泌濃稠的黏液，副交感神經使它分泌含有鹽類和水份的稀液。阿託品是副交感神經解藥，能解除副交感神經的控制，所以阿託品的注射入體內能減弱唾腺分泌的機能，因而也產生口渴的感覺，「毛果芸香鹼」是擬副交感神經藥之一，注射後唾腺增加分泌稀液的作用，因此抑能解除口渴。

第二種學說、則以爲口渴因細胞缺水而起。人體組織的最小單位是細胞，細胞之外是細胞間隙，「體液」運行其間，施行調節細胞內水份多寡的功能。當血液的滲透壓增加，細胞內水份向血液移轉，細胞便呈缺水現象。當血液的滲透壓減少時，水份的移動便呈相反的方向。假如以高濃度的氯化鈉溶液（濃鹽湯）向狗作靜脈注射，狗的飲水量便大大增加，這自然是因血內滲透壓增加，細胞內水份減少的緣故。吉爾曼（Gilman）的實驗也可以爲這學說的論證。他從血液裡抽出大量的鹽類（如氯化鈉），但卻不抽出水份，這時候血的滲透壓減少，細胞呈多水現象，即使動物的口腔或咽喉黏膜很乾燥，也沒有口渴的感覺。從這些實驗，我們得到「細胞缺水是口渴的主要因素」的證據。

從上面的敍述，我們可以知道這兩個學說有主要不同的地方：就是第一學說用局部的反應（即咽喉黏膜乾燥）來解釋口渴的生理，第二學說則以爲口渴的感覺是全身體細胞缺水的反應。在日常的生活經歷裡，我們常見黃包車夫憩息下來便拚命飲水，運動員經過流汗的比賽後也飲水若狂，這自然是口渴的緣故，因爲體內大量的水份從汗裡，從急速的呼吸裡被排泄了。出汗是全體性的，汗內的水份是由血流輸送至汗腺而排泄的，血的水份又從何而來呢？我的答覆是當劇烈出汗而沒有水份由消化道補充時，細胞內的水份便該最先被徵發了。

說到這裡，希望讀者不要以爲劇烈流汗後，多量的喝水可以補償體內的損失，這是不盡然的。在流汗中，體內同時還損失多量的鹽類如氯化鈉。流汗過多的工人，常常有肌肉抽搐的痛苦，這大概是體內氯化鈉損失太多的原故。所以流汗之後，應喝食鹽水以補充生理上的缺乏。

× × ×

陸淵雷啓事

鄙人一向主張中醫科學化，著述言動、不離此旨。然此種主張，爲同道中一二有力先進所不喜，鄙人又不善交際結託，遂令愛護中醫之熱忱，轉而成爲中醫之罪人，思之眞堪自笑。故十餘年來，閑門學佛，偶作義務演講，鼓吹道德宗敎，此外不參加中醫任何公事。今承施今墨老師之命，助編本刊，對於中醫之前途，仍未敢有何奢望。十年來四方神交友好，馳書下問，往往懶不裁答，特籍本刊告罪，用代書郵。

又，拙著傷寒金匱兩今釋，售完已久，待再印。陸氏論醫集稍有存書，八萬元。中醫新生命昔出至三十一期，存者不全，每期六千元。函授講義出至三十三期，戰後未能續出，每期三萬元。以上售價隨時調整。地址仍在上海（九）牯嶺路人安里十一號。

本刊徵稿啟事

（一）文件最好用白話，淺而易解的文言也可以，總之讓大家看得懂，竭力避免學術語專門名詞。

（二）字數每篇最多不得超過三千字，千字以下的短文尤其歡迎。

（三）內容中國學說也好，西洋學說也好，祇要是實用的，大家日常生活必需知道的醫藥衛生常識，如果是融匯中西學說的，那更是十二萬分的歡迎。

（四）稿酬經刊載後稿費從優。

（五）來稿文字編者得加潤色，投稿人如不願潤色者，請於稿端聲明。

（六）來稿未登者，如須退還，請附已寫好退還的地址及收件人之信封，貼足郵票，當即儘速寄還。

（七）來稿請署眞實姓名詳細地址。

（八）稿件請直接寄送上海（5）哈爾濱路富春里四號，本報醫藥編譯委員會。

證候和疾病

實秋

第一　體温異常

在動物界當中，有冷血動物和溫血動物兩類。像青蛙魚蛇，牠們身體都是冷的，血也是冷的，人們稱爲冷血動物。這些動物，雖然因了周圍的溫暖，也可以有相當溫暖，可是到了冷天，因爲自己的體溫低得可以，便格外冰冷了。像猫犬鷄鴨，牠們都有較高的體溫，在盛夏隆冬溫度都沒有變化，人們稱之爲溫血動物。這些動物，到了冬天，周圍溫度降低的時候，體內的溫熱由身體表面喪失得多，因此體內就產生溫熱以補充被外氣所奪取的溫度，使得體溫不致低落。人們也是溫血動物，而調節體溫更爲敏捷。例如在隆冬的時候，把衣服脫了，赤裸裸的立在屋外，那身體就要格格地抖起來，牙齒也凍得合不攏，這就是因爲身上的溫熱給外界的冷空氣所奪，身體的調節機能趕緊把皮膚血管收縮起來，以防溫暖的血液和外氣接觸而多所喪失。一方面加緊製造溫熱，所以身體全部的肌肉，又都起了震顫運動來加速體溫的產生，以維持身體需要的適量溫暖。

凡是健康的溫血動物，不因外界的寒暖而動搖其體溫，這是因爲有自然調節機能，常能保持一定的原故。倘使一旦調節失常，那麼體溫就要起變化而成爲病象了。如果體溫昇騰，成爲發熱，那生理現象就要起變化。反之，體溫下降，那生理現象也要起變化的。這些變化，一般稱之爲病。但因使牠發生調節失常的，必有原因，所以就把那使牠變化的稱之爲病，原因了失常而發生的現象，稱之爲證。

發熱常爲多數疾病必發的證候。所以臨證診斷上的注意，自古已然了。惟古時多以手按，不足以比較其高低。近世體溫表發明，對於檢溫能確定指出，對於診斷的幫助可說是很大了。

人類的平常溫度到底該是多少呢？這是因年齡時間動靜而稍有不同的。大抵兒童老人高些，成人低些，而各個人之間又略有不同的。成人的常溫，大約在攝氏寒暑表三十六度五分到八分之間，相當於華氏寒暑表九十八度幾分。在一日之間，早晨和傍晚的體溫，相差至多不過五分。這晚間的體溫稍高，因爲自早到晚，有飲食，有勞動，體內產溫較多的緣故。早晨較低的原故，因爲靜靜地睡了一夜，各部都休息着，所以溫熱的產生比較地少。但是體溫即使仍在三十七度以下，而早晚相差有攝氏表的八分或一度左右，那便不能認爲是常態，而該注意的了。

體溫有時降到卅六度以下的也有。例如冬天雪地行軍，忽然睡倒的時候，體溫竟有時降到卅五度，或者更低些。此外體內生了癌腫，到末期時候，體溫也是要低降的。通常體溫如果異常低降，那末體內的生理現象也要減弱，而新陳代謝作用也就隨着減少，因此熱的發生越少，體溫也就越低，終至生理現象完全停止，而生命也終結了。

人體的平常溫度和空氣的溫度比較起來，空氣總是低些。人們的體溫，常由身體表面被周圍空氣奪去，並且呼吸的時候常吸入冷空氣，呼出暖氣，所以體內的溫熱是常向周圍空氣中放散的。中國醫學上說：「肺主皮毛」，不但說到皮膚呼吸作用，連帶也說到「散溫作用」。夏天的犬，因爲皮膚散熱的不便，垂下舌頭直喘，也是幫着疏散體溫的作用。

體內生理現象始終運行不息，心臟不斷地跳，呼吸也不停頓，消化器也連續的活動，再加以肉體的運動，這些動作結果都成了溫熱。體內的產熱量和周圍的散熱量若是程度相當，那就是平溫。若是外界氣溫轉冷，體內的溫熱由體表和呼氣而放散於空氣之中，那末體溫就不免低降，於是體內就增加產溫以維平衡。若是體內溫熱突然被周圍空氣奪去很多，那體內因要維持平溫，就得迅速產熱，因迅速產生之故，就發生惡寒戰慄現象。同時皮膚起粟粒像雞皮，而且呈蒼白的顏色，這就是皮膚血管也忽然收縮起來，以免體溫爲外界寒冷所奪而成的緊束現象。

若是因了某種原因而致體內產熱過多，身體就將剩餘的溫熱迅速向周圍放散，以防體溫蓄積增高。所以在用力工作或作其他運動的時候，體內產熱過多，這時皮膚表面血管全都擴張起來，而使溫熱迅速向周圍放散，皮膚便轉成紅色，又因皮膚表面放散水蒸氣還是不够，所以汗腺也就格外興奮起來，流出很多的汗，來幫助散熱。

溫血動物常使體溫維持平衡，這種作用是由腦內溫熱中樞所主宰的。當溫熱中樞呈常態時，能保持平溫。若是患了傳染病，那溫熱中樞受了病菌毒素或毒素產物的作用而發生變態，那末體溫就由平溫而轉爲發熱了。

在中國醫學上，很少說到體溫產生的。中醫學上的衛氣也有人因爲古書說牠「溫分肉」而解釋做體溫的，總嫌牽強。至於病的發熱，那就歸之於六氣了。古書裏說：「熱病者皆傷寒之類也」，因了感冒寒凉而發熱不是沒有的，然而一切的熱病並不僅僅的感寒，還有眞正的病原啊。

小孩頭上生了角

楊漢魂

小孩子的時候，對於特別逞強的小伴侶，我們常用一句似乎譏諷的話說：「難道你頭上生角的呀？」事實上自然沒有一個人的頭上就像梅花鹿或是小白羊一般長出角來。可是你瞧呀，一到熱天，小寶寶的頭上臉上就這邊一個紅腫的塊，那裡一個黃軟的膿疱，長得滿頭滿腦的疙瘩，一個剛好，旁邊又出一個新的，簡直就像生了一頭的角。對於這些「熱癤頭」，有什麼辦法可以叫它好？有什麼辦法可以叫它不再生呢？

那末究竟「熱癤頭」是什麼東西？

其實「熱癤頭」不是皮膚上好好地自已生出來的病。在我們的皮膚外面，尤其是有毛髮的部分差不多始終有細菌附着的。如果遇到什麼機會，譬如說皮膚被搔破了，或是擦傷了，或是劃破刺破了，附着在表面的細菌就會乘機潛入眞皮層，在毛髮根部尤其是油指腺附近，繁殖作祟起來，造成了局部的發炎狀態。在熱天，因爲痱子的奇癢難過，不免要用手去搔，一旦搔破，細菌就立刻潛入，因此在熱天就格外常見，於是就有了熱癤頭這個名稱。

熱天所以特別多的原因，除了痱子之外，自然還有其他的因素。譬如說熱天出汗多，容易齷齪積垢，氣溫和濕度更適於細菌的繁殖，不常洗而洗時又洗得不乾淨等等都很重要。也因此我們常見生熱癤頭的大半總是小孩子，常常在陽光下晒或住在很熱的房屋裡，頭上尤其是頭髮間老是汗出得濕濕的。不過我們也不要以爲成年人就不會生，同時也別看作熱癤頭只生在頭上，其實是身體各部都可能有同樣的瘡癤生出來的。不過小孩子的頭上和臉上是最常見的罷了。

通常，致病的微生物是一種叫做葡萄球菌的細菌，當它在我們的眞皮膚內作祟的時候，就呈局部發炎的症狀——紅腫，壓痛，局部微熱，最後終至化膿而破。不過所幸這局部發炎的地方，會被身體自然的組織造出一層「膜」來把它包圍起來，不使它擴大。因此，如果小寶寶生了熱癤頭，不論他自己或是別人，都千萬不要去擠它。擠是最不好，最危險的一件事，因爲你如果把外面那層包圍它的膜擠破了，那就會更蔓延得大的。

如果這些瘡癤生在鼻子的周圍或是上嘴唇上，那就比較更嚴重一點，因爲這些地方的靜脈管是直接與腦膜上的靜脈竇相通的，假使細菌竟衝出了這層包膜而由靜脈管潛入了靜脈竇去，就可以變成很危險的病症了。

至於已生之後的治療方法，最重要的第一點還是「不要擠！」，然後熱敷促使那些紅腫的硬塊「成熟」化膿，化膿後最好讓它自己穿破，再常用過錳酸鉀溶液洗滌。洗清後可擦抹百分之五的磺胺類藥膏如消治龍油膏或新亞綠藥膏，或者用氧化鋅藥膏亦可。然後保持淸潔勿使污物侵入，但切不要用橡膠布，因爲附近的皮膚都已很脆弱，使用膠布很容易又引起新的瘡癤發生。

此外，同時按照規定，口服磺胺類藥片，對於熱癤頭的痊愈也有幫助。而無論在紅腫硬塊時間，或是已經成熟穿破以後，都切記不可用碘酒塗敷。

預防再生的方法實在也很簡單，最主要的一點就是要時時保持淸潔，同時不要讓膿水或是結了的痂皮屑再沾留在好的皮膚上，因爲那些東西裡面都是細菌呢！

本刊定閱價目

月份	期數	定費	掛號	航平	航掛
三月	13	四萬五千元	一萬元	八千元	一萬七千元
半年	26	八萬元	二萬元	一萬五千元	三萬三千元
一年	52	十五萬元	四萬元	三萬元	六萬五千元

附註：定戶請於到期前一期通知續訂本外埠定戶平寄免收郵費其他寄法郵資請照表匯寄

中国近现代中医药期刊续编·第三辑

補血劑

樊天徒

補血劑之定義

凡能作用於血液，造血臟器及造血機構。而使血球新生不替。血液成分正常之方劑。名曰補血劑。換言之。補血劑者。乃應用於貧血而改善其量與質之方劑也。

補血劑之作用

補血劑之作用有二。一爲刺激造血臟器。俾赤血色素之新生亢進。如砒劑是也，一爲補充赤血球與血色素之原料如鐵劑是也。介乎二者之間者。則有肝臟製劑。此西醫所習用者也。至於中醫所習用者。則爲黃耆當歸地黃枸杞龍眼肉桑椹丹參黨參驢皮膠之類。究竟孰能刺激新生。孰能補充資料。殊難鑿說。但配合得宜。實能奏補血之效。此有事實可證也。

中醫補血劑中，雖不用砒劑。但鐵劑則採用已久 。如萎黃病之方劑中用鍼砂皁礬是也。

補血劑之指證

補血劑既專爲貧血設。則貧血之原因及症象。不得不詳爲敍述。

（甲）原因

（1）急性貧血

一，大失血（例如外傷出血胃腸出血婦人子宮出血等）

二，劇烈之吐瀉。（例如霍亂等）

按急性貧血。初不過爲量的減少。繼則來質的異常。因驟然失血多量之後。其血液之總量。自必減於平常。是謂量的貧血。但體工有救濟作用。組織液流入血管中以補充之。則血量可漸漸復常。惟赤血球數。總嫌較少。血液稀薄而成水血症。是謂質的貧血。

（2）慢性貧血

一，多續發於傳染病之經過中。由於病菌毒素及骨髓所致。如傷寒及敗血病多見之。及梅毒結核瘧疾等。均能續發萎黃病及惡性貧血。

二，凡慢性病經過日久。惹起全身營養障礙者。類能續發貧血。此殆由於造血機能受影響而陷於病態也。

三，寄生虫病。類能續發貧血。尤以十二指腸虫病爲著。

（乙）症狀　下所敍述。爲貧血之症候。亦即補血劑之指證也。

（1）脈搏　於驟然大量出血之俄頃間。多見芤脈弱脈小脈。在高度貧血而補償作用無能爲力時。則脈搏極其動搖。慢性貧血則多見細數細澀諸脈。

（2）色澤　皮膚蒼白。有時見黃色。有時現淡黃綠色（萎黃病多見此。）口唇口腔粘膜眼瞼結合膜等處。慘淡不華。舌質淡紅。此乃赤血球數及血色素量減少之象。

（3）心音　心基底部尤以肺動脈瓣及心尖部。每有貧血性雜音。

（4）體溫　急性貧血之患者。體溫每現暫時性之不足。慢性貧血之患者。則多數於日晡時見輕微之潮熱。但其指尖恆較常人爲涼。

（5）體力　肢軟無力。甚至行步維艱。內經所謂「手得血而能握。足得血而能步。」即此理也。

（6）呼吸　頻數而有雜音。殆由於養氣缺乏之故。

（7）神經　或精神倦怠。容易入睡。或晚間虛煩不得眠。不耐思考。記憶力減退。甚則因腦貧血而卒倒失神。輕則頭痛眩暈。眼花耳鳴。

（8）血管　惡性貧血之患者。血管每起變化。有出血現象。滲透性異常。每見輕度之水腫。尤以脚踝部爲顯著。

（9）胃腸　續發性慢性貧血。多見胃口不佳。消化不良。大便則祕結者居多。是由於蠕動減少之故。但極度貧血者。則每見泄瀉。

（10）月經　婦女患貧血時。月經多少受影響。輕症則月經愆期不調。重症多見月經閉止。

補血劑應用之藥物

當歸　爲中醫所習用之主要補血藥。能促進血液之變化。使血液之流行暢利。血球之代謝增進。並能誘起卵巢充血。故有去瘀通經補血止痛諸功效。適用於貧血，月經不調，痛經，月經困難等症。大抵用以補血，恆與黃芪黨參熟地龍眼肉等配合。用以活血鎭痛，恆與芎藭芍藥甘草等藥配合。用以化瘀通經，則恆與丹參丹皮雞血藤等藥配合。習慣上補血用當歸身。活血通經用全當歸或歸尾。用量每次錢半至四錢。爲流膏或入煎劑用之。

地黃　本品爲滋養性强壯藥。鮮地黃乾地黃除滋養血液外。有清血解熱作用。適用於血虛發熱，口渴舌紅，津枯液少以及各種熱性失血症。熟地黃則補血之功效甚著。並有鎭靜作用。爲貧血而易起虛性興奮者之要藥。用量每次三錢至一兩。熟地稍嫌滋膩。凡消化不良以及便溏胸滿苔膩者。不甚相宜。必欲用之。宜配陳皮砂仁之屬。

龍眼肉　爲滋養性强壯藥。能增進血液之熱量與酵素作用。適用於神經衰弱，貧血心悸諸症。每服用三錢至一兩。

驢皮膠　爲滋養性止血補血藥。能促進血液之凝固力。爲諸失血之要藥。而陰虛血少，肺結核乾咳，以及起虛性興奮之症。用之可奏滋陰補血兼鎭靜之效。用量每服三錢。日二三服。

甘枸杞　爲滋養性强壯藥。有補血補精之功效。適用於貧血神經衰弱症。並有明目之功。能治夜盲弱視。用量每服三五錢。

何首烏　本品含有「克利璵芳酸」。有緩下作用。含有糖素。能促進血液中之酵素作用。適用於貧血便祕症。補血宜製用。通便宜生用。每服用量三五錢。

桑椹　本品亦爲滋養性强壯藥。久服有補血生髮潤腸通便之效。每服用三五錢。

雞血藤　爲强壯性補血活血通經藥。適用於貧血肢體麻痺疼痛等症。每服三五錢。

黃芪　能興奮心力。增加血壓。並能促進血液之流行。與當歸同用。則補血之功益著。尤適用於腦貧血及大失血後之血壓低降，氣虛汗出，心弱脈微之症。用量五錢至一二兩。

黨參　爲滋補强壯藥。能促進白血球之工作。與血液之養化。與當歸同用可奏補血之功。每服用量三錢至五錢。

鍼砂　本品爲鐵劑。有補血作用。對於貧血萎黃病十二指腸虫病有卓效。每次三五分。火煅醋淬。研細爲丸劑用之。

綠礬　又名皁礬。即硫酸鐵也。能助長血球之繁殖。爲補血藥。適用於貧血萎黃病十二指腸虫病等。多配合於丸劑中用之。其每服量不得過一分。且必須煅透用之。若煅不透或生用。用量至三五分時。即有催吐作用。且能誘起胃腸炎。

大棗　能增加血液之養化。含有多種無機鹽。爲滋養性强壯藥。於補血劑中可用爲輔佐藥。

中醫雖有如許補血藥。但採用最廣者。爲當歸熟地龍眼肉三味而已。至於黃芪黨參則取其補氣。以爲血由氣化也。其實參芪確能增進造血機能。其功用略近於砒劑。爲補血劑中之要藥。而氣化二字。轉嫌費解矣。丹參首烏枸杞桑椹阿膠雞血藤諸藥。補血之力甚偉。而處方者每忽而置之。川芎白芍祇能調節血行。並無補力。局方四物湯。固不失爲良好之補血劑。但補血劑中不必一定非用芎芍不可。吾見同道所疏補血方。歸地之後。必配以芎芍。恐爲未達一閒。故特揭明之。鍼砂皁礬補血之效極可靠。而中醫習慣上。只限用於萎黃病及十二指腸虫病者。殆嫌其性非純良。若煅製不得法。服後易起嘔吐。故不若用歸地等爲穩妥矣。中醫雖不用砒劑以補血。但有時知用硫黃以治萎黃病及十二指腸虫病。此與 Scholz 及 Strnbung 二氏所主張相合。

補血劑之組織與運用

西藥補血劑。有刺激新生與補充資料之分別。中藥於此。雖不能强爲判別。但憑寒熱陰陽而選擇用之。亦自各有攸宜。蓋貧血而見脈數身熱舌紅少苔所謂陰虛有火之象者。宜清涼性補血藥。如阿膠生地丹參桑椹。配以白芍麥冬石斛地骨皮之類。甚者配以人乳白蜜。貧血而見形寒脈弱舌淡便溏。所謂脾胃虛寒之象者。宜興奮性補血藥。如黃芪當歸黨參熟地枸杞雞血藤。配以川芎白朮生薑大棗之類。甚者配以乾薑桂附。又熟地當歸龍眼肉雖屬溼性。而陰虛者不忌。惟消化不良者。稍嫌滋膩。宜配以健胃藥用之。

大失血或暴吐下後之急性貧血。若見心臟衰弱。血壓低降。如脈微肢涼症者。宜於補血劑中參强心復脈之品。如六味回陽飲八味大建中湯之配以參附是也。若心臟不甚衰弱。而見陰虛煩熱脈虛而大者。宜拔萃五味黃芪散或東垣麥門冬飲子之類。慢性貧血而見虛寒症象者。宜當歸補血湯，歸脾湯，十全大補湯，歸芪建中湯，東垣聖愈湯，景岳五福飲之類。見虛熱症象者。宜復脈湯，元戎地黃散，千金翼治亡血脫血方之類。惡性貧血萎黃病及寄生虫性貧血。宜棗子綠礬丸正傳褪金丸，本事紫金丹，和漢三粉散，脾勞丸之類。有異嗜症者。宜合回春四寶丹用之。如有瘀凝症者。宜參考改血變質劑如大黃䗪虫丸之類。始可收全功。

急驚風

陳小引

在一個半夜裏，喊叫的聲音，把我驚醒了。原來是鄰近張家有急病，請我出診。做了這行職業，顧不得天冷，只好從熱被窩裏爬起來。走出了門，寒氣滿天，朔風刮面，是急病不可做慢郎中，趕走幾步便到了病家的樓上。一進房門，可使我一奇，只見滿地碎碗碎盆碎酒鐘，我估計着，雖不滿百，却也有幾十，今夜他們準是夫妻相打，摔碎了這許多傢伙。一邊狐疑，一邊再抬高一看，黑壓壓的站滿了男男女女老老少少。張老板忙搶上前招呼，眼睛哭得紅紅的，抽噎着說：「我的孩子驚過去了，您看砸了這麼多的碗，還沒有醒過來！」亭子間嫂嫂也說：「連我家的碗也給他們砸光了。」我這才明白，原來並沒有打架，而是要孩子醒來的方法。

驚厥我們普通叫做驚風。驚風有慢驚風和急驚風之分，談到牠的原因，實在很多，有時連醫生也不容易斷定，不過最多的是原因於發熱太高。有許多病家，不但不肯使他受寒，相反地獨怕凍壞了小寶貝，必定是厚其衣而重其絮。一面身內發高熱，一面重重的包裹得不走氣，身上的熱無有出處，鬱積在體內，就要發生驚厥了。這樣的驚厥，是病家自已造成功的，醫治的方法，竟也無需吃藥，只要把被頭揭開，衣服放鬆，讓熱氣發散，體溫下降，那驚厥就可以停止。除了發熱而起的驚厥以外，像腦膜炎，蛔虫等等，都可以發生的，那需要好好的請醫生診治了。

當驚厥的時候，用不着大聲呼叫。倘使他小

人家當眞要去的時候，你喊破了喉嚨也叫不回來。我有時看到人家驚氣的時候，家屬向着他大喊大叫，及至叫不應，兩脚一伸的去了，便嚎淘大哭起來，我着覺得悽慘而滑稽。小孩子驚厥是病的症狀，只有醫藥可以醫好，（也不一定好）叫喊絕對醫不好的，砸碗有什麼用？幸而病家不是開碗店，如果是開碗店，豈不要把貨色砸光了，第二天開不成嗎？還有些人家，看見小孩驚厥了，連忙掐人中，掐脚跟，要想使他從疼痛中轉回來。有些等到驚厥好了以後，人中脚跟却潰爛起來，纏綿不愈。我們要曉得驚厥不是病而是症，病好了症也除了。不從根本上治病，却從枝葉上治症，有什麼用呢？

驚厥醒後，小孩子往往睡眠了。可是無知的父母，怕他的小寶貝睡走了，總是再忙着把他叫醒，這實在不合理之至了。因爲驚厥時，小孩非常疲乏，停止以後，要好好的睡一下，養息養息，精神才可恢復。如今顚倒把他叫醒，不讓他睡，正如日間做了一天沉重工作的人，到晚已將睡眠的時候，無故把他叫起來，那有不恨之理？可憐小孩有口不會說，想來小心坎兒上也充滿着憤恨吧？然則小孩驚厥醒後，應該怎麼樣呢？不用回答，是給他安靜地睡。只要一個人在旁照顧，

其餘的人都不必隨侍在側？白天陽光太强，須把窗帘拉上，遮絕陽光，夜裏燈光太亮？也要遮起。房內禁止閒人坐談，使得靜寂無聲爲妙。因爲驚厥雖然停止，但是小孩的神經依然在興奮狀態之中，如有音響和强烈光線的刺戟，可能再起驚厥的。

我們在替小孩看病的時候，病家多要緊的問：「會不會起驚？」而有些江湖郎中？總不待詢問就蹙着眉說「恐怕要起驚呢。」工架道地的，把小孩的左手虎口看看，右手虎口看看，再指着對病家說：「您看風氣命三關，表示病的輕重，如今青紫顏色，直透命關，毛病可不輕啊！哪！再看山根青暗，眞要當心，眞要當心啊！」如此這般的表演一套，把病家嚇得時時警惕着，莫不要起驚了？說起小兒科的診斷老法，三歲以內看食指三關。這個方法，大概在宋朝以後才興起的。第一節是風關，次節是氣關，第三節是命關。風關病輕，氣關病重，命關就危了。顏色方面，說紫是熱，紅是寒，青是驚，白是疳，黃是脾病，黑主危惡，男孩看左，女孩看右。這些玩意兒，除了五色與五行配合外，可說不出什麼意義來。淸朝有位陳修園先生，很爲推崇這個方法，說是「直同影響。」恐怕也是影響之談吧？

國藥性效

姜春華

白术

本經 主風寒濕痺，死肌痙疸，止汗除熱，消食。

「風寒濕痺」風寒濕痺之症爲關節疼痛，似今之關節炎（僂麻質斯）古稱風寒濕三氣合而爲痺。

「死肌」指局部肌肉痲痺而萎縮。肌僂痲質斯者，亦稱肌肉風痺，與關節風痺同一原因，大率爲感冒所誘起。有急慢二型，其症狀爲肌肉腫痛，始肥大而終萎縮。

「痙」「疸」本爲中醫之二病名，此處若二字相連，即不可解。千金翼作「痓疸」，孫星衍校本經作「痓疸」，一字之差，別無善本可校。依句例言，以「痓疸」爲是，外科用爲託瘍瘡藥，則亦可爲「痓疸」作一旁證也。

「止汗除熱」言其有解熱止汗作用，但後世少有用爲解熱藥者。

「消食」即促進消化。本品據化學實驗，謂其作用在腸胃內，除激刺腸胃之分泌增加，蠕動迅速外，其餘別無作用，故本品確有「消食」作用。

別錄 大風在身面，風眩頭痛，眼淚出。消痰水，逐皮間水，結腫，除心下急滿，霍亂吐下不止，利腰臍間血，益津液暖胃消穀嗜食。

「大風在身面」難確指何病。

「風眩頭痛」頭痛之原因甚多。此處上句既言大風在身面，而本經又治風寒或濕痺，則頗似風濕性頭痛。因爲寒冷潮濕，引起頭部的神經痛，或肌肉痛，乃頭肯外部之疼痛，其痛或似刺痛，或是鈍痛，時愈時發，故稱風眩或頭風，普通稱習慣性頭痛。

「眼淚出」若連上二句同看，可能是一個感受風寒而同時的症狀。若普通的見風淚下，則屬砂眼爲多。

「消痰水」想象說。

「逐皮間風水結腫」風水是病名。皮間是說水所在，結腫是說腫脹狀態，逐是言其能驅逐，此言其能治浮腫。按浮腫是一症狀。凡過量之滲出液，浸潤潴溜於組織或體腔內者曰水腫，皮膚之水腫曰浮腫。就水腫之原因而分，則有鬱血性水腫，與液質性水腫，神經性水腫，傳染性中毒性水腫，腎性水腫，及稀血性水腫等，本品之用於何種性質之水腫，尙難確定。但本品據科學實驗，謂「入血中能令血液之循環加速，血壓加大，腎臟之血管亦同時膨漲，而增加利尿機能，則本品之治腫乃因其利尿而減少皮下潴水也。

「除心下急滿」心下乃胃之部位，有急滿感可能是一種胃症狀。

「霍亂吐下不止」此與上句皆健胃作用。

「利腰臍間血」想象說。

「益津液」津液爲中醫學上一專名詞。凡唾液，小便，大便外之黏液，以及一切潤濕現象，皆屬津液。此處不知所指。

「暖胃消穀嗜食」言其健胃。

甄權 治心腹脹滿，腹中冷痛，胃虛下利，多年氣痢，除寒熱，止嘔逆。

甄權所述，除寒熱外，皆胃腸病症。

大明 反胃，利小便，主五癆七傷，補腰膝，長肌肉，治冷氣，痃癖氣塊，婦人冷癥瘕。

「反胃」指嘔吐，乃用其健胃。

「利小便」說見前。

「主五癆七傷……長肌肉」言有强壯作用。

「冷氣痃癖氣塊」按之巢氏病原之症狀，皆慢性胃腸病也。

「婦人冷癥瘕」言婦人腹內腫瘤，殆亦强壯作用。

本品之主要作用概括如下：

1 關節炎肌肉風痺風濕性頭痛

2 健胃止瀉，除嘔

3 利尿退腫

4 强壯

5 除熱止汗

傷寒質難

（三）

祝味菊答述 陳蘇生筆受

傷寒之邪區分有機無機篇第二

外感由客邪之外侵，傷寒論爲治客邪之專書，謂之邪者，爲其能傷正也，邪有無機有機之別，無機之邪，六淫之偏勝也，風寒暑濕燥火，與乎疫癘屍腐不正之氣，凡不適於人，而有利於有機邪之蕃殖者，皆是也，有機之邪者，一切細菌原虫，有定形，具生機，可以檢驗而取證於人者，皆是也，六淫外感，着人即病，感邪之後，邪量但有消滅，不復加增，此無機之邪，無蕃殖之機者也，有機之邪，具有活力，而能蕃殖，非惟蕃殖，且能泌毒，以害宿主之康健，此有機邪，自有其生存蕃殖之機者也，傷寒之成，有形之有機邪爲主因，無形之無機邪爲誘因，彼二邪者，狼狽爲奸，每伺人於察不焉。

蘇生曰，中醫論外感，言六氣而不及細菌，所以然者，六氣失調，細菌所由繁生也，夫塵穢蘊濕，乃生鼠婦，濁水成潭，乃生孑孓，穀陳而生蛀，糞腐而生蛆，敗屋之陰，朽木生菌，原隰之野，腐草爲螢，推此而言，六氣爲細菌之母，不已信乎，致病之主因在六氣，師今反之，是何故歟，嘗見某雜誌載，英醫兩千餘人，組織健康同盟於倫敦，從事推翻細菌爲一切病源之說，堅稱細菌至疾病較遲時始附帶發生，則細菌爲疾病主因之說，雖在西人，猶多不信，師何信之深也。

師曰，科學之成立，必有實據，非空言所得置爭，菌之孳生，初非由於六氣，子謂細菌之胚生繫基於六淫，亦有實據乎。

蘇生曰，執六氣以御細菌，中醫之所以執簡御繁也，夫東風鼓盪，稼穡生焉，北地冰寒，雪蛆生焉，溽暑熏蒸，痧疫大作，長夏霉濕，霍亂流行，喉病見於燥令，喘症發於暴寒，病之來也，莫不相應於六氣之轉變，假令病由菌發，則菌之生於六氣，已不煩言而可知，故菌之存在，莫非六氣所煦濡，秋蟬不知有冬，夏虫不知有冰，物性就暖者不適於寒也，臟腑伏毒望春而發，肌膚濕疹入秋自收，病菌之作有其時也，六氣之影響，人物攸同，必有六氣而後有細菌，中醫言六氣，指病之起點與來源也，西醫言細菌，指病之既成與現狀也，故細菌之於六氣，猶卒伍之於將帥，西人有奮身吞食病菌，以示菌非病源者，其人不死，或竟不病，夫菌既不必致病，即病不必爲菌之所發，若是而謂六氣爲病原，不亦可乎。

師喟然而嘆曰，不求實際，濫翻舊說，中醫之所以不進步也，夫所謂六氣者，六種不同之氣候也，地面燥濕異性，寒暑異時，故六氣非各地俱有也，吾國處溫帶之中，北承寒流，南接熱帶，東臨大海，西仰高原，四方氣候之不同，豈風寒暑濕燥火六氣所能包括者哉，彼極北之地，雨雪霏霏，結冰百尺，有寒無暑，西原沙漠，晝暑夜冬，流沙千里，有燥無濕，嶺南多瘴，炎暑蒸逼，海濱低下，濕熱相襲，一國之中，六氣之偏勝如此，而況天下之大乎，病之作也，發於閩粵者，不旋踵而傳之燕幷，傷寒痧疹，瘧痢霍亂，縱橫南北，其病型同也，其病原一也，初不以其地六氣之不同而異其證，病因六氣所作乎，菌因六氣所生乎。

細菌棲息於世，適者生存，必有其生存之條件，氣候之不調，於人爲不利，於菌則或利或不利，何以故，菌性有喜燥而惡濕者，亦有喜濕惡燥者，有喜溫者，有喜涼者，亦有喜通氣不喜通氣者，是以菌性與氣候相得，則其蕃殖之機自然旺盛，菌之產生自有其母體，氣候之適於菌性者，足以助長其滋蔓而已，非氣候竟能生之也，譬如魚水相得，魚之生機固暢適，然產魚者魚之卵，非水也，生物生自生物，有親而後有子，是以六氣之說可廢，然而存之者，以氣候與人物固有密切之關係耳，六氣有常有變，常者養人而不爲人害，其變而使人受病者，即所謂六淫，淫者邪也，害於正也，六淫害正，言氣候之不適於人，人之所惡，而菌之所喜也，故六淫可以培養細菌，細菌得六淫之助，可以猖獗而爲患，如此言六氣，未嘗不當，若謂細菌生於六氣，則毫釐之差，千里之謬矣，故曰，傷寒之病，有形

之邪爲主因，無形之邪爲誘因，

蘇生曰，有機之邪爲病之主因，敬聞命矣，然無形六氣獨不能致病耶，夫人之傷於寒也則爲病熱，傷於風也則爲噓嗽，中暑則卒倒，中濕則濡泄，豈皆無因哉。

師曰，無形之邪，感而即病者，非六氣之致病，實由體工之失於調節耳，今有三人焉，櫛風沐雨，衝寒冒暑，所處之環境等也，而病否各不等，其獨病者蓋必有召邪之道矣，人身對於氣候之變更，原有調節之機能，自冬徂夏，逆寒迎暑，人體爲適應環境，或開放毛竅以泄汗，或收縮肌膚以留溫，所以保持其平溫也，若其調節機能有所障礙，則遇六氣緩和之變，亦有致病者矣，是以六淫爲感冒之誘因，而誘因之得以成立，調節機能未能應變之咎也，（夫六氣不居，變動無常，細菌飛揚，遍乎太空，人日與病原爲緣而不病者，以有調節作用，使邪無可乘之機也，）

蘇生曰，無形之邪，爲疾病之誘因，亦聞命矣，經云，邪之所湊，皆其氣之虛，眞氣內守，雖有大風苛毒，勿能害之，所謂大風苛毒，不僅爲氣候之變化也，風字從虫，苛爲細草，蓋包括一切原虫細菌而言之矣，西人亦有三因鼎立之說，一爲細菌之潛入，二爲氣候之不適於人而適於細菌之發育，三爲人體抵抗力薄弱不能抵禦病菌，今得師說，其理愈明，病原既明，願進而教之以傷寒之病理。

師曰，仲景之所謂傷寒，指廣義之外感，外感因氣候失常，體工失調而病，不必有細菌也，若夫狹義之傷寒，則頌所謂三因鼎立者是矣。（本篇完全文未完）

×　×　×

廁所的清潔問題

熙

據說，抗戰中在重慶時，有一個時期蔣主席兼任了中央大學校長。有一次蔣校長到沙坪壩學校去了，學校各處自然都儘可能地整理過一番；然而蔣校長却偏偏跑到廁所去視察了一番。結果如何我們不大清楚，但是這件事至少可以促使大家注意到，在一個像學校般的團體生活環境中，廁所的清潔問題實在也是一件很重要的大事。

像上海這樣比較近代化的大城市裡，如果在建築校舍的時候就注意到了廁所問題的重要，那末就很容易築起一個衛生設備齊全的廁所來。可是我們知道，事實上在上海完全爲教育而辦學，正正式式建築校舍的學校、能有幾所？即使有比較像學校樣的房舍的時候，能够肯化錢在廁所問題上的，又能有幾所？在許多情形中，常常是頂下一幢弄堂房子就辦起學校來的，門口的陰溝洞就是小便池，更那裡還談得上廁所的清潔問題呢？於是不但臭氣薰蒸，路人掩鼻，先生却在小屋子裡對着生活在惡臭空氣的孩子們講新生活運動，講新鮮空氣可以使身體健康，講各種衛生之道；而且也成了蚊蠅和各種小虫叢生與聚集的市場。試問這豈不是爲忽略了廁所問題引起的嚴重後果麼？

再看看一些小城市或則鄉鎮上的學校呢，廁所大半都是有的，因爲那些學校比不得上海般「營業」第一，既開學校，廁所不能沒有；而且所費不多。但是因爲沒有自來水，沒有衛生器料設備，因此簡陋得甚至於只是一個糞坑；如果再加以缺少良好管理的話，那末也或許有比沒有更壞了，因爲這樣的廁所事實上成了蚊蠅蛆虫和細菌的大本營了。

我們知道很多的傳染病是由蚊蠅等小虫爲媒介而以病人排泄物中存在着的病菌所傳染的，所以在預防疾病方面說，對於排泄物的處理是很重要的一項工作。換句話說，這也就是廁所問題之所以重要，因爲它小則關係到學校環境的衛生和學生的健康，大則影響到整個的公共衛生問題。

不過，話也得說回來。從另一方面說，我們也可以看到在有些學校裡的廁所，在修築的時候是相當經過一番計劃和工程的，一切設備都顯見得很完備。然而由於大家的不予以隨時注意保持清潔，結果仍然是弄得臭氣撲鼻，污穢不堪。這樣說來豈不是雖然有了良好設備的廁所也還是徒然麼？這却不然，我們以爲還是欠缺公衆的愛護與負責的管理所致。補救的辦法是廁所的清潔應該有專人經常負責，如果水管便桶等有損壞或是阻塞的時候，必須立刻修理。這是學校事務方面的事。同時，更重要的一點是使所有使用的人都有愛惜公物，共同維護清潔的心理。因爲這些事也都是互爲因果的：大家愛惜，負清潔責任的人就容易管理；管理得很乾淨。大家就越加注意了。反過來說，越是髒就大家越隨便糟塌，最後就不可收拾了。

此外，學校的廁所還有一個特點，必須顧及到，就是在建造廁所的時候應該顧及到「量」的足够與否。因爲學校生活是規律性的，一切活動都有一定的時間；而且我們更鼓闘學生們每天在一定的時間大便一次，如果沒有足够的廁所（尤其是早晨）供他們使用，那末在學生們一定要感到時間上的非常不方便，也就不能够希望他們養成每天定時大便一次的好習慣了。

我們知道有許多情形是受了事實環境的限制，但是我們希望能把學校裡廁所的清潔問題提出來，使大家注意到它的重要性，不要忽略了當作不值得去想到的小枝節。

避免病因　百病不生（二）

陸淵雷

全身受高熱熏灼，能引起充血與赤血球的破壞。倘在大熱天做很費力的工作，例如士兵穿了全副服裝，揹了全副武裝，在烈日中趕路，那一定有多數人『中暑』，甚至半路裏倒下來。這皆是因於高熱的全身病。若強烈之太陽光熱直接照晒頭部，以至暈倒，則爲『日射病』。此外身體局部由高熱所致之病就是灼傷了。依其輕重，有四種病狀。一是皮膚充血（發紅），二是起水皰（泡），三是壞死（腐爛），四是燒焦。

我們醫生統計大熱天所治的病，中暑雖有而不多，日射病與灼傷竟很少很少，而最多的反是『受涼』，所謂『六月裏傷風』。這情形一點也不奇怪。因爲熱是很難受的環境，惟其怕熱，所以貪涼。這幾天晚上，除非下著雨或警察要驅逐，馬路旁露天睡覺的人多得數不淸。稍微有自尊心的人，雖睡在屋子裏，也把窗戶開得畢直，甚至開了電扇吹著睡。這是六月傷風之最普通原因。人體突然受寒，尤其大熱流汗之際突然受寒，是受涼最易的機會。受了涼，可能引起的病眞太多了。頭痛，鼻塞，普通欬嗽，肺炎（發高熱，欬且喘），拉肚子，骨節酸痛，以至痛風等，多由受涼引起。有許多病自已也說不出是怎樣得病的，要是得病前若干天內有過受涼的事實，多數病人自然認爲受涼便是原因。中醫往昔說『六氣』爲病因，而受涼佔了六氣之二，即風與寒。西洋以前也差不多。三五十年細菌學驟然發達而大出風頭之時，曾有一個短短時期，把受涼完全驅逐出病因圈子以外。現在回過頭來，又承認它雖然不是惟一的病因（原因），它卻是最有力的一個助因。人們鼻腔口腔中往往找得著白喉桿菌肺炎球菌等可怕的『原因』，它們正等待受涼等助因的機會，以發揮它們的毒力而使人發病哩。

比受涼程度更高，便是受冰雪等寒凍了。局部的寒凍病變，實際上與灼傷差不多。最初是近皮膚的血管收縮，而見貧血。繼續著是血管放大而充血。寒凍較嚴重時也起皰，而引起肌膚的壞死。從充血以至壞死，便是我們常見的輕重不同的凍瘡。手脚耳鼻距離心臟最遠，血流的壓力最低，又常常露出在外，故最易被寒凍而成凍瘡。至於全身性的寒凍，輕者僵硬乏力而難以活動，重則血液凝結而一命嗚呼。

空氣變化對於人體的重要僅次於溫度的就是濕度，是空氣裏含有水分的多少。人體實際上是常常出汗的，無分冬夏，也無分晝夜。平均一晝夜所出的汗有兩磅之多，等於兩瓶普通的汽水。諸位也許要奇怪爲什麼身上不覺流汗，甚至不覺潮濕呢？這因爲汗一出來就飛散到空氣裏去了。汗或一切水分飛散到空氣裏，就是物理名詞所說『蒸發』。一件東西濕了要它乾，就是要它蒸發。蒸發是需要『熱』，也就是消耗『熱』的，故洗了衣服便向太陽光下晒，或在火旁烘。衣服之濕受了太陽或火的熱而蒸發了，同時熱也因蒸發衣服之濕而消耗了。人身上汗水蒸發所消耗的熱就是自己的體溫，故出汗（包括蒸發）是調節體溫使之平衡的一種重要方法。不過空氣是總歸含有水分的，倘使水分太多，『濕度很高』，那麼汗水的蒸發就要被擋駕，而人體感到不舒服了。故濕熱天氣比乾燥之熱更難受。一個月前江南一帶屬黃黴季節，雨量又多，正是濕度很高之時。那時我們就覺得悶氣非常，胸背似乎常常潮濕。這是由於汗水不得蒸發，而汗水不得蒸發又由於空氣的濕度太高所致。反過來，空氣太燥也叫人不樂意。例如西北諸地或高山上，呼吸著燥空氣，把呼吸器（鼻腔喉頭氣管與肺）的粘膜，蒸發得乾燥，必需分泌過量的粘液去滋潤它們。而粘液分泌出來，很快的又給蒸發了。說句老式的中醫名詞，就叫『大傷津液』。結果使呼吸器容易生成許多傳染病。

空氣的流動就是風，風也能助成蒸發。理髮師把男女顧客的雲鬢洗得稀潮了，總是用電風筒吹乾。我們散步於空曠地方，微風吹來，覺得非常舒服。這是風給我們把汗水蒸發了的結果。但須注意我們所歡迎的是微風，是一大團空氣柔和地流動。倘使是大風，或小孔中鑽來的尖風像錐子，窗隙中所來的扇風像刀子，那就不會使您舒服，您得注意避開它們。

還有若干物理的物質（現象）也從氣界傳來，而關係健康很深，這裏舉出光線，顏色，聲音為例。我們知道倘使沒有太陽光，一切動物植物都不能生存。柔和的光明，鮮妍的顏色，給您精神上一種快感，間接也加您身體上一點健康。黑暗與灰色總與倒楣痛苦聯結在一起。紅色光線帶來溫熱，而淡青光線帶來清涼，故普通的螢光燈宜夏不宜冬。音樂是人工把聲音辦到最美善的成績，但也要問聽的人有沒有閒暇與心情。中國人對於散放大聲音，似乎享有極度的自由，絕不犯法，也不算不道德。都市居屋，前鄰後舍息息相關，而開放收音機的人，不問是他人的工作時間與睡眠時間，儘可以旋得很響亮。家有喪事，請道士做功德，大鑼大鼓整夜的不斷，尤其理直氣壯，不受鄰居干涉。筆者所住的街子裏，有一位看街人的乾兒子，把總街攔出三分之一，開設點心酒菜店。他的交易在夜裏，裝了一架收音機，加上擴音器，取熱惱。越是夜闌人靜，那架收音機越是聲震全街，叫您清醒白醒地睡不著，自然會感覺肚子餓而照顧他買賣了。直要一點鐘以後，京滬一切電台停止廣佈，才算安靜。

以上所說是空氣影響一般人的病因。還有影響少數特殊人的病因，可以略說。最要緊的是氣壓，就是空氣輕重的變動。我們知道越近地面空氣越是濃厚而重，越高空氣越稀薄而輕。但在同一地方，氣壓也有甚大的變動，而與溫度有聯帶關係。在這種氣壓變動的限度內，人及動物皆有充分對付的能力，不致因此引起疾病。惟有過限度的壓力變化，或變化得太快，那是很危險的。例如上極高的高山，或坐飛機昇入高空（如戰時飛機飛於高射炮射程之上或地面視力以外），則氣壓很快的低降。潛水夫深入水底工作，氣壓很快加高。其突然由水氣壓又很快減低。這都能生病，我們就稱為登山病潛水夫病。此外，西醫所用以診療的愛克斯光與鐳錠，它們的光被照得多了皆令人受傷，所以使用這些光線時醫生自己都穿了特製的保護衣服。

人類因為用皮膚，耳，目，鼻孔及全部呼吸器官，與空氣接觸，也就與混和在空氣中的其他物質接觸，可能引起多種疾病，這在上一篇中已說明了。現在要說明的是，我們還有一套消化器官，也是闖禍精，招惹好多疾病上身，甚至送掉性命。

嬰兒才生下來，什麼都不能，什麼都不懂。可是有任何東西碰到它面頰上時，它會把小腦袋旋過來，張開小嘴找那碰它的東西，它是想吃奶嘴！吃，真是「不學而能」的一種本領。吃不到時，第一步反應便是餓，餓的感覺多麼難受？吃到美味，便覺得滿足，覺得愉快。在滿足與愉快的時候，一切都容易商量，於是請客議會成為一種運動工具。趙匡胤做了皇帝，怕一班帶兵的功臣倚仗昔日「脚碰脚」的關係，或許要造反奪還皇帝位子，他就大請功臣，諷諭他們解除兵柄，「杯酒釋兵權」，趙家天下原來從「吃」上保住的。中國要民主行憲了，人民中的優秀份子競選國民大會代表，競選方法各有巧妙不同，而請幾回客總是少不了的，國大代表雖是投票「選」出，也可說是請客「吃」出。吃之為用大矣哉！請客的人，有道是「將酒勸人無惡意」，可是並不擔保「無惡果」。那些賓客被請了一餐豐盛筵席之後，回家鬧肚子是常有的事。這便是「好意」釀成的惡果，便是飲食物招惹疾病。古語道得好，「病從口入。」

菜餚，粥飯，醬油酸醋胡椒，白搨油番茄沙司，無論那一種飲食物沾染到身上，總得急急抹去，因為「髒得很」。可是把這些東西儘量裝進自已的消化管，就一點不嫌鄙「髒」了。這不能不算是心理上起了變態。是誰把他的心理變過來的呢？那就是美味的感覺，也就是你的舌頭，加上一箇鼻頭。

千萬年前我們的老祖宗，在自然界裏每天找尋飲食物，不懂得耕種畜牧，這就是歷史家所說的「漁獵時代」，或者說得更漂亮點，是「石器時代」。那時沒有什麼科學知識以分別有毒無毒，或有沒有「營養價」。抓到任何動植物，大概也像猴猻貓狗一樣，先用鼻子聞，沒有什麼難受的氣息時，便塞進嘴裏嚼，舌頭舐一下，倘也沒有什麼難受的味道時，就不客氣，向肚子裏嚥下去了。那時，鼻子與舌頭擔任鑑別飲食物的職務。尤其是舌頭，做了消化管的防守者——司閽人。一切飲食物倘不得鼻舌兩司閽的許可，休想闖進消化管。飢餓能使兩司閽放寬鑑別的尺度，推扳一點的飲食物也放進去了。飽能使兩司閽加嚴門禁，嗅到嘗到的都覺不快意，一概攩駕，「不要吃」。而鼻子認為氣息好，舌頭認為味道好的東西，正是此人此時的體質內所需要的東西。故在古時天然的環境下，簡單的社會裏，鼻舌鑑別食物，儘可以勝任愉快。

適在科學出世之前，人力早已戰勝天然了。春秋時大名鼎鼎的齊桓公，是一位花花公子，吃喝嫖耍，樣樣精工。他卻有一件自治能力，過了夜半，便什麼東西都不吃，他自以爲是一種衛生之道。不錯，富貴階層只有吃壞，不會餓壞，能自已節制飲食，多少是接近衛生的。不過，還要怪齊桓公的福份太優厚了，他的廚子，是千古第一流烹飪大家「易牙」。易牙認爲桓公的夜半不食，畢竟是自己的烹調手段不高所致。果眞把菜弄得美味可口時，主人家一定饞涎直掛，什麼時候都要吃。他就竭盡心力，做成兩盆精美食物，在夜半後哄著齊桓公吃。他說「這是天下最好吃的東西，必須在下半夜吃，方得眞味，就嚐到一丁顯兒也好。要是放棄不吃，未免辜負這一生了。」桓公果眞嚐了一丁顯兒。纔放下匙子時，他的舌頭卻又攔著他非吃第二匙不可。這樣，一匙匙吃下去，直把兩盆東西全裝進消化管爲止。易牙從旁暗笑，而桓公也從此撤銷了夜半不食的限制。

諸位，上帝給我們每人一箇鼻子一條舌頭，本可以防止吃傷病的，可是禁不住廚子大司務的誘惑。這眞像鑽營的壞蛋，要謁見達官貴人，先送司閽一份很厚的門包賄賂，司閽就會向主人把壞蛋說成好蛋，把不需要說成需要，而壞蛋從此鑽進權貴之門了。許多奢侈飲食物，香料，味精，在醉心物質的人以爲是科學賜予人類的享受，是科學提高了生活水準。可是從疾病原因這箇角度看，這些都是誘惑鼻舌的賄賂，都是招惹吃壞（傷食——胃炎腸炎）的禍水。老子書上說，「五色使人目盲，五聲使人耳聾，五味使人口爽，」這中間確有至理，並不是那老頭兒的消極，怪僻，玄虛。新式書報上常常讀到「促進食慾」，鄙人對於這四箇字的聯綴，一向沒有好感，無論念到嘴裏聽到耳裏，總像是同我的感官鬧彆扭，而事實上食慾愈促進，胃腸病也同時愈多。

另外一批奢侈飲食品，酒類，烟類，茶，咖啡，那不是促進食慾，而是用爲刺激興奮的。世界上各民族都曾發明過一兩樣特有的奢侈品，可見刺激與興奮乃是人類根性所需要的。我們大中華國，除自已發明酒與茶而外，承蒙大英帝國的垂青通商，給我們輸入許多雅片，又蒙大日本帝國的提攜親善，給我們運來好多嗎啡白麵。經清朝民國兩代三令五申地禁止，至今還未能根絕。可是這些毒品的興奮力眞偉大。朋友，你抽過雅片麼？當你工作得十分疲困，而又不容睡眠休息，必須繼續工作時；或者有什麼失意不快的事情，使你心情苦悶，無一而可時；假使有雅片在榻的話，你躺下去燒這麼一口，把它嚦嚦嚦一氣抽完，喝下一口茶，再轉過身來直一直腰，點上一枝紙烟。嘿！包管要不了一分半分鐘，你就會覺得渾身舒服，精神抖擻起來，先前的疲困或煩悶，嚇得逃向爪哇國裏。要不是這麼靈驗，上癮的人何至於這麼多？

烟酒一類東西，雖能刺激興奮，畢竟是有毒的物質，驟然間多攝取了，或是常期攝取了，皆能中毒。我在十五六歲時，有年長的同學教給我抽紙烟。我吸了一口口吐出，實行新小說上烟圈緩緩昇空的景像。他說「你這是噴烟，不是抽烟，抽烟須嘶的一聲，把一口烟全吸入肺裏去，然後緩緩呼出。」我照他所指示的抽一下，差一點不曾送命。馬上覺得天旋地轉，全身無力，眼前漆黑。幹緊挨著牆壁坐下，半晌張不得眼，開不得口。這簡直是急性尼哥丁中毒。不過，人體的天然機構對於生命是非常之盡忠的。遇到這種有毒物，它自然產生一種「自衛」的力量，或用化學方法中和它們，變有毒爲無毒，或把它們儘速排出體外，或逐漸的對於某種毒質發生耐受的可能。雅片抽慣了時，不抽就極度不舒適，抽了也沒有先前學抽時那種快感，一般稱爲「上癮」了。其實，雅片癮並不是什麼別的，就是身體對於雅片毒的耐受力或自衛力。諸位讀近時各種刊物，不是常見「平衡」這箇名詞麼？經濟學，生產與消費須平衡；國庫，收入與支出須平衡；小販挑一副擔子，也須兩肩平衡。平衡了就太平穩當，不平衡時就毛病百出。癮君子的「癮發」，也不過因爲身體內的耐受自衛力發作了，而雅片毒尙未與它平衡所致。故有癮之人不抽或遲抽了雅片時，便會癮發。戒雅片也別無謬巧，不過把所抽的雅片逐漸減少，使耐受自衛力逐漸退化，退化完了時便是癮淨。懂得這一點道理，儘可以登報宣傳，做一位「戒煙專家」的大醫師了。

人體的耐受自衛力，對於某數種毒質是無法抵抗的。即在可以抵抗的毒質，分量太多，或長時期受毒，仍要發生危險，以至送命。故烟酒刺激諸品，總以不享用它們爲妙。

（未完待續）

醫事小說

括痧（三）

阿琓

我也算是一位醫家了。可惜只是中醫，不是西醫。當時只許稱「醫士」，不許稱「醫師」。我忿不過士字頭銜不及師字威閥，我注意醫師的能耐究竟比醫士高多少？第一件，醫師會用套管針，動不動在病人身上扎上一針，替代吃藥。這比之醫士煎成大碗黑苦水，强著病人喝，自然簡便多了。不過套管針中的藥液，還要從外洋買來，臨扎時裝入。不久醫師更有最新發明，眞是「羊毛出在羊身上」，原來病人身上的血液，可以替代一切藥液，醫療百病。大概從病人的臂靜脈中抽取血液，隨即扎入肌肉較厚之處，而屁股是醫師們最賞用的部位，不錯，那地方是最富肉感的。

當時社會上信中醫而不大信西醫。他們不嫌「士」的低微，不羡「師」的高貴。有病，總是先找中醫。第一位不靈，換第二位，仍是中醫，這樣可以換盡近地一切有名的中醫。直待愈換愈糟，瞧著病人實在不像了，纔找一位博士西醫師，「死馬當活馬醫」。在這種情形下，縱使西醫師是活神仙，當然也挽救不來，不能一顯身手。醫師們常因此大發牢騷，一發把一般「舊醫」恨得牙痒痒地。可是「一報還一報」，近日的情形剛好倒了個頭。陰陽五行，氣化哲學，這一套，對於受過新教育的人是不合口味了。打針吃西藥，比較吃中醫的煎藥，便利得多。內地專打嗎啡針替代抽雅片的傢伙，不但能肌肉注射，也能靜脈注射，他們的技術簡直比護士熟練。鄉民有病，常常找這班傢伙打一針。這班傢伙也因此備了若干種常習針劑，居然有「地及他利司」，有「卡而西歐婦」，有「維他命B」，有「葡萄糖」，藥囊中不僅是一種嗎啡了。嗎啡纔造就醫師資格，眞是意外的收獲。好得中國民衆最和氣不過，只要打了針，就算醫了病。打的什麼針，是否對病，都是無所謂的。內地本是中醫世界，自從這班打針傢伙登場之後，內地中醫也感到打擊了。

都市中，知識階級相信西醫是科學產物，有財階級又歡喜醫院設備的金光耀眼，護士小姐的年輕貌美，一律死心塌地的委任西醫。直要挨到西醫自動告退，說「這病不用再醫了」，纔找一位中醫了世事。即以區區而論，最近也時常踏進頭等新醫醫院，都是主任醫師特許召中醫診治而召我的。就中有腸出血昏糊不醒的傷寒，有愈醫皮色愈白的白血病，有慢性結核性的腦膜炎，有併發濕性腦膜炎的肺結核。（肺結核也有睡在家裡的第三期病人）此中偶有一二例徼倖挽救過來的，這裡不想自我宣傳，不去說它。單說一例結核性腦膜炎，我去看時，已入彌留狀態了。家屬告我，昨夜主任醫師的最後治療，乃是臂上抽血扎入臀部，說「除此無他法可用」。病人的父親是一位大學教授，我辭謝「病已不治，不必再治」時，他抑制了悲哀，絮絮問我結核性腦膜炎的病理，我擇要說明了。他又問

「抽臂上的血注入臀部是什麼道理？」

「這是西法治療，你何不問那位注射的西醫師，倒問我中醫呢？」

「那位醫師是奧國人，言語很隔閡。他們醫師與醫師間嘰嘰咕咕地商量是常有，可是不願意向病人家族說一說病理醫理。我知道你先生的西醫學也很高明，只得請教你了。」

「這因爲他不知道你是大學教授，以爲你也是普通中國人，一肚子的風寒氣，暑濕氣，風生木，木尅土等觀念，談不上病理醫理，故不與你談了。現在你既問道於盲，只得把我臆摸所得的知識略告一二。近世發現的細菌學找出了傳染病的眞病源，伴著細菌學而產生的是免疫學。各種防疫注射便是免疫學的實地應用。種牛痘法雖產生於免疫學之前，其原理亦暗合於免疫學，還是貴教授所知道的，人或動物感染到細菌或其毒素，無論由於自然感染或由於人爲注入，其血液中隨即產生免疫力。免疫學家以合理的思想，假定此等血液中有『凝集素』，『解菌素』，『沈降素』，『抗毒素』等物質存在，總名『抗體』。又從實驗證明抗體之存在於血液，與赤白血球血小板等固體無關，而在液體之血清中。故已成功之免疫治療劑皆爲血清，如白喉血清，破傷風血清是也。又知細菌體之主要物質及其毒素，以及血清中之抗體，在化學上屬蛋白素類。人害病時，血液中的「血清蛋白素」會著明的減少。而抽取本身血液注入肌肉，能使「血清蛋白素」增多，因而想像以爲能間接增加抗體，故此法會廣用於許多傳染病。我的鄙見，認爲此法就是中國的括痧。」

「喔！早知這樣，悔不曾於初起病時多括幾遍痧，也許小孩可以不死，錢也不致花得這末多。如今眞是人財兩空。原來括痧有這樣大道理。」大學教授聽得出神，有點書腐氣發作了。

「也不能這樣說。像令郎的病，在舊式中醫該稱爲慢驚風。無論怎樣賞用括痧的人，對慢驚風也不會主張括痧。」我索性同他深談中西醫學與民間療法了。

「那末你怎樣說注射自身血就是中國的括痧呢？」

「注射自身血不過是血液取出血管，放入肌肉。括痧括出的紅紫條紋，病理學上叫做「皮下溢血」，也是血液出離血管，而留在肌肉或皮下組織裡。兩法的機轉既同，其效果當然不異。假令注射自身血液能增加抗體，那末括痧也能增加抗體。增加抗體是化學的效果，而括痧更有一種物理的效果，爲注射自身血液所無，就是大半身受到壓重的摩擦，可以加速靜脈血與淋巴的還流。人身新陳代謝，不斷產生二氧化碳及許多有機酸類。這些皆是廢料，若屯積於肌肉間，不能排除，使人痠痛不舒服。括痧催促靜脈血與淋巴還流，即是加快排除廢料，故能治老年人的痠痛。但這種物理效果，不括痧而用按摩更好，免得表皮被括生疼。我認爲若欲得上述化學的效果，宜用自身血液注射。若欲得上述物理的效果，宜用按摩。二法比較括痧皆避免了疼痛。若欲同時得兼兩種效果，不妨用括痧。」

「妙極了妙極了！」教授鼓掌搶着讚譽我。

「我所讀過的中醫，從沒有這樣透闢的議論，西醫又是『千喚不一回』，眞叫人氣悶。今遇到你先生，眞是相見恨晚。」

「你且慢謬讚，請待我畢其詞。注射自身血液究竟能否增加抗體，還是一個問題。近時西醫認爲無甚效果，已拋棄不大使用了，但民間的括痧一般還是認爲有效。括痧所以治「發痧」，發痧雖是世俗名稱，包含多種病而沒有嚴確的定義，但也有個界限，並不統指許多傳染病。西醫若能研究「發痧」而知是何等病症，則注射自身血液之法，或能證明有條件的有效，而再被賞用。況且……………」

「嘔！你來看呀嘔嘿嘿嘿…………」陪伴病人的母親從病房內發出哀聲，大學教授三脚兩步返身入內。做中醫的不大歡喜觀察病人咽氣，更不歡喜聽送終的哀聲，我也不別而行了。

門診來了一位女病客，不太摩登。伸手給我切脈，却一聲不響。我問她是怎麼樣的病，她答覆我兩個字，「發消」。讀痧爲消，是浦東鄉下人的特徵。浦東是最時行括痧的，這位病客却來看先生，她的痧決非一括所能滿意，我不便給她括。只得再問：「你覺得有那幾種不舒服？」

「我發消呀。」她微微瞪了我一眼，我懂得她心上還有兩句話沒說出，「連發消都不識，還好做醫生？」

「不，你得告訴我頭眩不頭眩，泛噁不泛噁以及何處痠，何處痛，種種病狀詳細告知我。」我很老實的關照她。

「這些，脈象上都可以診得出。脈上診出的比我自己說的還準，你診脈好了。」

我知道又是我自已弄糟了。發痧是大衆週知的病，做了醫生不該追問發痧的症狀。中醫從王叔和以來，一千六百多年老早做出牌子，切脈可以知病，脈理深的還能懸絲診脈。如今手碰手的脈診得親切，怎可以再問？可是發痧所包括實在太多了！從春夏之間直到深秋，一切消化不良泛泛噁心的病，頭眩眼的病，手脚酸輭的病，嘔吐拉肚子的病，浦東人皆稱爲發痧。甚至亞細亞霍亂的水份消失，皮肉麬癟，爲癟螺痧，脚脛攣急爲弔脚痧，血液濃厚而手脚發麻爲麻痧。這些，三個指頭如何摸得出？我陪著十分小心，非常懇切地曉喻她，引她說明病狀。她勉強說了一點，總不肯細說。結果，在懷疑不信的狀態下拿了藥方去了，永遠不再來。

第二次診到的發痧是男性商人，他說了「噁心」兩字，不說了。我見他舌色是胃炎一類的病，於是把胃炎最習見的症候說出二三件，問他對不對？他見我猜的對，認爲脈理高明，索性一本直賬告訴我一切，不用我過細切脈了。

第三次診到一位鮮衣耀眼，鑽戒金鋼的少婦，我從她粗而毛糙的手指上，料定她是無知識的暴發戶。她也是發痧，也要考試我的脈理。我想對這種人說醫學上的眞話，那是自找麻煩了！眉頭一皺，計上心來。我把臉色一正，鄭而重之的說，「發痧有七十二種，我皆研究過來。其中只二十七種是從脈象上分辨，九種從舌苔上分辨，其餘三十六種是脈舌上瞧不出的。用錯了藥，却非同小可。」她立刻乖乖的把病狀說得詳細，連最近兩次月潮的多少與顏色都自動說出了。

『道無術而不行』。我這次用了術，倒不是想多撈她幾文，說不上缺德。可是「行道的術」呀！多少罪惡由汝而起，多少黑幕由汝張開。

發痧，括痧，以及對付發痧病人之困難，一概很忠實地寫完。回想自已初嘗括痧滋味，忽已四十餘年。三好婆麻老太當然墓木已拱。小阿姨，我斷定她還健在，而榮任爲孩子們的祖母了。我們總角之交，倘能遲暮相逢，希望仍舊「小阿姨」「琬弟」叫得親熱。還有四川小老闆，料想益發富裕了。我願意再叨擾你一次辣菜。（完）

上海市名

科別	姓名	診所	電話
內外科	丁仲英	四馬路西中和里七號	九〇二九〇
內科	丁濟仁	牯嶺路一二〇弄四號	九六六六九
內科	丁濟萬	白克路珊家園間壁人和里三二號	九〇二九一
內科	王正公	西藏路育仁里二〇號	二一九八九
針科	方慎盦	靜安寺路同福里八號	三三一七八
傷外科	石筱山 幼山	愛多亞路貝勒路口呂宋路五福里（新城隍廟對過）	八四一五九
瘰癧科	朱少雲	白克路三七六弄三號	三六二二一
內外科	朱治吉	虞洽卿路育仁里三號	九三四二五轉無錫醫士
痧痘幼科	朱星江	寶建路辣斐德路口十六號	七五六八五
內幼科	朱叔屏	長沙路五七號分診所淡水路朱衣里口	九二〇一三
內科	朱鳳嘉	靜安寺路同福里五號	三一九〇二
內婦科	朱小南 鶴皋	愛文義路九六號	九三九三九
喉外科	呂萊賢	愛文義路派克路平和里五號	三〇二四五
胃腸科	宋大仁	靜安寺新華園三三號	三六四三五
痔漏科	林墨園	同孚路東首新大沽路永慶坊十八號	三五四七八
兒科	范再生	復興中路二〇二號	八五五〇四
幼科	徐小圃	慕爾鳴路二一七號	三三二三五
兒科	徐迪三	山西南路一八〇弄	九一八三八

醫一覽表

科別	姓名	診所	電話
疹痘兒科	徐麗洲	北京路泥城橋童延春藥號	九五二二六　四二一四六
兒科	徐耀章	七浦路三四二號	四一〇三三
女科	陳大年　陳盤根	巨籟達路亞爾培路西首六九一號	七七一三一
內科	陳樹脩	浙江北路一四六弄十七號	四一五六六
內科	陳鼎昌	廣治卿路三四〇弄平樂里五號半	九一三〇〇
兒科	陳聘伊	白克路大道里四號	
疹痘兒科	姚雲江	白克路大通里一弄一家	三三九八八
外科	黃寶忠	白克路三七六弄永年里五號	三一八四四
內科	張仲友	茄勒路辣斐德路七〇號大地春藥號隔壁	八三〇〇一轉
瘋科	張明柏	靜安寺路戈登路西首慶福里三弄十九號	六一一二六
骨瘍科	陶慕章	南京路大慶里三四號	九二九六四（二〇五一七）
內婦幼科	陸淵雷	派克路牯嶺路人安里十一號	九三二八六
內科	陸清潔	跑馬聽汕頭路八二號	九一八一一
針科	陸瘦燕	愷自爾路一一二弄五號	八四四九〇
內科	夏仲芳	呂班路鴻安坊十一號	八二九二七
內科	程國樹	愛文義路卡德路東五九七號	三二二二八
內科	盛新餘	新閘路四七八弄七號	三八九五八
內科	葉熙春	南京東路七九弄三七號	九三一一八

濟世日報　右任

醫藥衛生專刊

第一卷　第四期

——本刊每逢星期一出版——

本報登記證內政部京警滬字第三八六號

發行人　卓勤　　社長　卓紹鼎　　總編輯　施今墨

本期目錄

中華民國三十六年九月一日　濟世日報社發行　本期售價國幣四千元

社址上海哈爾濱路富春里四號　電話四五二七二

社論

中醫是不是民衆所需要

普通瞧到或聽到「中醫」兩個字，往往下意識地聯想到「這是不大漂亮的一種職業」；「中醫學」也給看作不大漂亮的一種學術技術，或竟看作不是學術，而是一種不可告人的江湖術。這個，眞可以掉兩句文，『非一朝一夕之故也，其所由來者漸矣！』

二三十年來，中醫每受到一種刺激，總是呼號掙扎一陣子。等到刺激終止，呼號掙扎也跟着復員得很快；而中醫還是那麼樣的中醫，無論內容，外表，一切的一切，都與未受刺激，未呼號，未掙扎以前一樣；倒是產生了許多偉人，例如什麼「主席」，「主任」，「委員」，「理事」，「祕書」等名目既多，人數也着實不少，在中醫同道隊裏，是儘够誇耀的了。

中醫的刺激，眞像中國國難的雛形。中國每經一次國難，必定有一套開會打電報遊街罷課等等的愛國運動；等到國難案子妥協下來，愛國也就自然不時行了；而中國的政治，經濟，一切的一切也依然如故；只有幾位愛國時勢英雄成了名，日曆上多了一天國恥紀念日。還有政府不大袒護中醫，正像國聯不大袒護中國一樣。中醫畢竟是中國的特產，中醫的受打擊，與中國的被侵略，太相像了。

國難愈來愈嚴重，最後，糜爛了大半個中國，挨受了八年的苦痛；敵寇自已失策，偷襲起珍珠港來，引起太平洋戰爭，中國總算乘機得到了勝利。可是中醫呢，連這曇花一現的勝利都沒有，只有一天天沒落，一天天被人瞧不起而受天然淘汰。到了今天，成爲不漂亮的職業，不漂亮的學術技術。

道理非常明白，用不到諸葛亮劉伯溫，人人可以見到：要救中國，不是愛國運動所能濟事；因爲這是表面的，一時性的，或者竟是有內幕被利用的。必須做到國內眞正統一，政治淸明而自由，經濟自給而平等；然後造出幾百條兵艦，幾千架飛機，幾萬座坦克大炮輕重機關槍，備而不用，用以自衛而不是打人；那時包管國難一蹶得不知去向。要救中醫，不是呼號掙扎所能濟事，因爲這是一時性的，是頭痛救頭的。必須做到學說統一而合理，診斷詳明而準確，治療簡便而有效。那時包管安如泰山，固如磐石，再沒有什麼刺激了。

這其間有一點最根本最主要的理由：中醫能不能存在，關鍵在於民衆是不是需要；中醫發達到如何程度，也看民衆需要到如何程度而定。中醫一向受到刺激，若不是怨西醫的存心毀滅，便是怪政府的無意保護，卻不曾想到自已是否爲民衆所需要。如果我們不能給民衆治好病，只趁民衆害病求治之時撈到它幾個錢，那就不是民衆所需要的，而成了民衆的蠹蟲。這樣，即使西醫給我們好意宣傳，政府給我們加意保護，也無濟於事。反過來，如果我們的治病成績，勝過西醫，或至少不比西醫差，而費用比西醫低廉，那末我們是適合民衆所需要；即使西醫要毀滅我們，政府也不肯保護我們，但民衆不肯放棄我們，我們仍有堅固的立腳點。

淪陷期中米煤短闕，倭奴又運來無數的軍人家屬與官僚財閥家屬，都搜括本地，配給上等白米晶黑煤球；那時本國民衆反而斷絕配給；但米與煤球終竟沒有斷檔，不過質劣價昂而已。這因爲米煤是民衆所最需要的東西，故越被搜括，越可以用劣貨賣高價。勝利後政府管制外匯，訂定官價，禁止私人買賣；但管制越嚴，黑市價越漲，結果使官價一次二次地還就黑市價，說穿了好比捕快還就賊骨頭。這也因外匯美鈔是工商業所最需要的東西，故越管制越挺秀。中醫倘能做到像米煤美鈔黃金一樣被人需要，受人歡迎，那末其發達盛況一定也與近年的黑市物價一般飛躍。單是怨西醫，怪政府，有什麼用？

中醫怎樣做纔能像米煤外匯一般需要？這倒一言難盡，我們預備緩一天再談。但有提綱挈領的一點，今天可以先說：要我們自己努力，努力於「道」，不是努力於「術」，因爲我們的術已够飽和了，只有道——學問技藝卻還不够水準。要自求多福，自力更生；不要責望他人，仰仗他人。中醫不是新文化家，對孔子當沒有什麼惡感；這裏引幾句孔子的格言，暫以結束本文。

『君子求諸已，小人求諸人。』

『君子喩於義，小人喩於利。』

『不患人之不已知，患不知人也。』

『人而無恒，不可以作巫醫。』（註）

「恒」字與通常所謂「恒心」的意義頗有不同。孟說「苟無恒心，放辟邪侈無不爲，」那末，孔孟所謂恒心，乃是有操守，不肯不擇手段的意思。孔子這兩句話，乃是說「沒有操守的人，不配做醫生。」

第一次月經來的時候

雍熹

男女小孩子，在幼年未到青春期以前，在生理上是沒有多少大分別的。然而一到青春期之後，生理方面的發育就顯著表現出很大的不同來了。女孩子的發育，一般說來都比男孩子爲早。不過如以年齡來計算，也多少受到地理、氣候和人種上各種因素的影響。在我國，女孩子的青春期平均開始於十三歲到十四歲左右。最最顯著的一點表徵就是月經的開始。

本來，孩子們是渾渾沌沌，不懂得有這麼一回事的。在我國，對孩子們施行性教育的更是少得數不出幾個家庭來。因此，當女孩子第一次月經來的時候，突然發現自己身體的下部有鮮紅的血出來，一定會非常驚慌和駭怕。這種時候，母親的幫助和指導是非常重要的。如果你的女兒驚怕地告訴你這件事，你應該好好地解釋給她聽，使她知道這是一種正常的生理現象，不用怕，也不用慌；但同時你也應該指導她在經期中由於生理上的局部變態，應該注意些什麼事和應該怎樣做才對。

據動物學的研究，月經並不是所有各種動物都具有的生理現象，而只有雌性的猿類和人類中女性才會有月經。在人類，月經的開始時期也有很大的差別，通常總在十一歲到十八歲之間。我國地處溫帶，一般女孩子月經開始的年齡平均在十三歲和十四歲。假如太早，那末可能不是月經，應該請醫生診斷一下；太遲呢？如果月經始終不來，也是不正常的現象，必須及早找出原因來趕緊治療。

有一個有趣的現象可以提起，就是初生的女嬰，有時也偶然會有月經樣的血液流出，但不久就立刻停止不會再有，一直到青春期發育後才重新出現。這種現象是因爲嬰兒體內受到了母體分泌的女性內分泌素刺激所造成，不用驚慌，自然會好的。因爲我們知道性器官的發育受內分泌素的節制，月經自然不會例外。

當月經開始之後，隨着身體方面也就會有很多不同的變異逐漸發生。主要的可以分爲下列幾方面來說：——

一、整個體態之發育

月經開始之後，女子身長及體重之生長幾乎立刻停止，而胸部及臀部之闊徑則逐漸增加。此點影響婦女之身體形態關係甚大，因爲身長之發育停止，故一般說來，月經開始年齡越早之人，多半均較短矮寬胖；反之，婦女體態高大的，一般說來，月經的開始年齡都比較遲。

二、生殖器官之發育

生殖系統之各器官，自月經開始以後，亦即迅速生長以臻成熟境地。主要可見者爲陰阜與陰唇之增大與增厚，子宮體之急速生長，輸卵管內皮細胞之生成纖毛狀；同時，陰道分泌液之酸性更強。

嬰兒初生時，子宮體尚未發育，其大小僅及子宮頸之半，及月經開始時已與子宮頸同樣大小，至成年時則反大於子宮頸約一倍了。至於輸卵管內表細胞之所以成爲纖毛狀並作纖毛運動，是爲了使成熟卵子送到子宮內去的原因。

三、第二性徵之發展

凡因性別的不同，而身體各部所產生的不同生理組織和現象稱爲第二性徵；換句話說也就是表現性別的附有特點。在女子，這些稱爲第二性徵的特點也在月經開始以後才逐漸表現出來，使一個女子在各方面都有別於男子。最主要的幾點有乳部之發育而逐漸隆起，腋毛之生長，以及肩部、臀部、小腹部等處因脂肪組織之增多而更呈曲線等。

這些發育上的生理變化，都是在月經開始以後很快就會發現的事。做母親的最好能够一件件先告訴第一次在自已身上發現有月經的女兒，免除她以後因爲不懂而發生接一連二的驚恐心理。

同時，母親應該給她女兒的指導是如何處理。事實上，正和分娩一樣，在經期中的女子，可以被認爲是一個生理病人。因爲在這時期內，她們常會感到反胃惡心、隱隱腹痛、煩躁不安和輕度之頭眩或頭痛等病狀；而且很容易感覺疲倦。因此，當女孩子第一次月經來的時候，母親該應告訴她這些可能的症狀，使她不致於以爲病了，甚或偷偷地亂投藥石，反貽禍根。並且要告誡她在經期內要多休息，不要過分勞動；還要特別注意清潔，因爲這個時候的陰道和子宮是很容易受傳染的。所以用以承接血液的棉花紗布，必須消毒的脫脂棉花和藥紗布。現在有許多人用市售的草紙，上面還有很多泥灰汚塵，實在是很不合衛生而且相當危險的辦法。如果用水，也一定要用煮沸過的水，或是置有少許過錳酸鉀的稀溶液，切不可用生水。

正常的情形，經期大約四五天就完了。四五天之後，一切又和平時一樣，要再過二十四到三十天之後才再來。每天出血的總量約爲五十西西左右。

總之，記着：當女孩子第一次月經來的時候，切不用驚慌駭怕，這是一種生理現象。至於會有如何後果以及應該如何處理，就應該是母親的責任去告訴她的女兒了。

預防孩子蛀牙

綠波

我們常常可以聽到有人嘆息現在的人牙齒不如古時的人了，年紀青青的就老會牙痛，蛀牙；還沒有上年紀，牙齒就已經落得差不多了，甚至於滿口假牙了。有時候，我們偶然然會聽到一些似是而非的話說：——

「你們講究衛生，一天要刷幾次牙，牙齒却偏不好呀！古時那聽得說有誰用牙刷，偏偏活到七八十歲了還是一口好牙齒呢！」

那末，究竟是刷牙把牙齒刷壞了嗎？還有些人說小弟弟小妹妹們所以常常會一嘴蛀牙齒是因爲吃糖吃得太多了的緣故；果眞糖能使牙齒蝕壞嗎？又是什麽道理呢？

總之，現在一般人常患牙病是事實；尤其是在兒童時代就弄得滿口的齲蛀，奠下了牙病的基礎。所以我們要講到預防蛀牙和牙齒的健康衛生，還應該要從兒童時就注意起，才能收到好的效果。

根據牙齒的構造、工作、和它的位置，我們可以知道牙體最容易被齲蝕的地方有三個部分：——

一、齒冠部——也就是牙齒的咬合面。在切齒或犬齒是牙齒質部的邊緣，在磨齒就是略呈臼形的質面。這一部分是琺瑯釉質，但是它的構造常是凹凸不平，且有細溝存在表面的，所以食物細屑等等最容易停留下來。

二、鄰接面——即齒縫側面，爲齒與齒之間的罅隙，是一個空虛的地帶，像肉類纖維以及殘餘食片等物，很容易嵌塞在這種地方。

以上兩個地方當食物停留下來，這些食物的碎屑渣滓食糜等就會在停積的地方發酵，成爲細菌活動的場所，因而使牙齒齲蝕，成爲蛀牙，逐漸剝落了。

三、齒頸部——這是牙齒與牙齦相接合的部分，因爲它接合處的界限，自然成了一條凹下的溝，所以常有唾液中的細微物質，沈澱附着，刷牙時，如果掃除不清，日積月累地下來成爲齒頸部一層黃白色的污垢，天然變爲一個藏留細菌的所在。

從這三處最常發生蛀牙的部分看，可以知道蛀牙的原因，多由細菌侵蝕所致。平常我們聽到說什麽風火虫牙等等，其實牙痛除了完全神經性的疼痛之外，總不外蛀牙或是齒齦發炎等幾種原因。蛀牙固然是由於細菌齲蛀所致，齒齦發炎也仍舊是細菌作祟。所以平時注意口腔衛生，使細菌沒有活動的機會是防止牙病的重要方法。

細菌侵蛀牙齒的機會，最常見的可以有下列這幾種：——

一、停積在牙面各處的食物殘屑，渣滓污穢未能刷淸，以致細菌滋生，發酵而使牙齒齲蝕。

二、嗜食過硬之食物，如啃肉骨、嚼硬豆等，咀嚼用力過甚，牙質易生損耗及破裂，甚或竟而剝落牙磁，致爲細菌所乘。我們還見到有些人喜歡用牙齒來做一些切斷硬物，或者婦女用牙齒拔針一類的事，是最最不好的壞習慣。

三、食物冷熱過度，突然間使牙質生急劇的脹縮，也很容易使牙磁破裂，因而被細菌侵入。

四、使用牙籤的習慣，尤其是使用金屬牙籤，牙頸部與齒縫間常受挑剔碰磨，致使牙齒鬆動，牙磁受損，而成細菌隱藏之處。所以牙籤最好不用，尤其兒童，更不要教他們學會使用牙籤的習慣。

五、牙刷的毛太硬，或是所用牙膏牙粉質粒粗劣，日夕擦刷，損及牙面釉質，以致脫灰剝落。

六、貪圖江湖術士之廉價，以劣質藥水洗牙，傷害牙面磁質。

這些都是比較常見的原因。至於有些人好作裝飾，無緣無故地在好牙齒上鑲嵌金牙以爲美觀，因而損傷牙齒則實在不智到了極點。尤其現在，想必不會再有人如此做，更不會有如此父母這樣去「愛」他們的兒女了。

蛀牙不但要使人常常感受牙痛的災難，而且將來使食物時發生困難，影響消化和吸收；並且，牙齒不健全，局部的細菌作祟常可引起身體其他部分的病變，常見的如中耳炎、鼻炎、扁桃腺炎，甚至於腎臟炎等，那就更爲麻煩了。所以如果發現孩子們牙已蛀壞，就要趕快請牙醫醫補；如果還沒有蛀，就要教導孩子們養成注意口腔衛生的好習慣，預防蛀牙。預防的方法，可以分做下面較爲重要的幾點：——

一、每天必定刷牙，至少早晚各一次。最好於每次食後都刷牙漱口，保持齒牙潔淨。

二、牙刷的毛不可太硬，牙膏牙粉不可用劣質粗粒的。牙刷用過後要使它乾燥，最好在陽光中晒乾，因陽光可以殺菌消毒，而潮濕則易使細菌滋長。

三、每年至少請牙醫檢查口腔一次，遇有缺損即應醫補。

四、勿食太硬、太冷、太熱太酸之物。不要用牙齒作咀嚼食物以外的工作。

五、不要用牙籤。已有這習慣的最好戒除，否則亦宜用木質而有彈性的，切勿用金屬牙籤。

六、糖質最易發酵及使細菌滋長，食後宜即嗽口，且不要吃得太多。

我們中國，一向被人譏為「東亞病夫」。這次抗戰總算勝利了，一躍而為世界四強之一；可是曾幾何時，我們的強國地位又到那裏去了？可見得事實上我們的國家仍舊沒有強，仍舊是個弱大民族。

本來，國家的強盛也不是隨隨便便可以得來的。「強國必先強種，強種必先強身」這句話正是警惕我們的好格言。

從個人日常衛生做起！

·光·

「強國必先強種，強種必先強身。

為達到強身，強種，強國的目標，

請大家先從個人日常衛生做起！」

可是，怎樣才能強身呢？打補針，吃維他命丸可以使身體強壯嗎？不！這是最愚蠢也是最難有效的方法。強身強種的途徑，還是應該從公共衛生，預防醫學，和個人衛生方面去尋才對。根據統計數字的結果，我們可以知道在各方面的努力可減少死亡率的百分比如下：—

公共衛生　四六・六%

預防醫學　三六・六%

個人衛生　三五・〇%

治療醫學　二五・〇%

由此可見「預防重於治療」的千眞萬確。同時也可以知道只有注意公共衛生和個人衛生，才是強身強國強種的唯一途徑。可是，在我國目前的情況下，千瘡百孔，那一樣事都急需要做，因而那一樣都沒有能做得好的今日，公共衛生要想達到滿意的境地，實在還遠得很。那末，為了自已和民族健康起見，我們只有儘可能先從個人衛生做起了。

可是，在個人衛生方面，我們應該注意些什麼事呢？為了適合我國的實際情況，我想一般外國教科書上的條文是不能完全符合的。我們以為在目前環境中我們可能做到而且應該做到的有下面這些原則，現在試分條列舉出來，供大家參考：—

個人衛生之習慣

一、生活起居，一切都要有規律。

二、無論坐立，始終保持身體姿勢之正直。

三、不吸烟、不酗酒、不賭博、不嫖妓。

四、生活環境不求奢華，但必須保持整潔。

五、遇有病痛，應即就醫，切忌自作聰明，亂投藥石；或輕信廣告，誤用成藥。

皮膚衛生

一、洗滌必用自備盆巾。

二、夏日每天沐浴，冬日至少每週一次。

三、勿用鹼性過強之劣質肥皂。

四、勿將皮膚上毛髮剃光。

五、勿使皮膚在烈日下曝晒過久。

四肢衛生

一、手要常洗，尤其進食之前，必定洗手。

二、指甲要常修剪，切勿過長；不可有咬指甲的壞習慣。

三、每天洗脚一次，洗脚後脚趾間要拭乾。

頭髮衛生

一、每天要梳理，勿使蓬亂污穢。

二、每週洗髮一次，勿使頭垢積留。

三、常常修剪，最長勿過一月。

眼的衛生

一、拭眼必用自備之毛巾或手帕。

二、眼癢或有外物入眼時，切勿以手揉眼。

三、閱讀時光線宜充足，並自左側射來，與書本距離勿太近；勿睡臥時閱書。

四、不用時最好閉目或視遠處。

耳鼻口腔之衛生

一、切勿將耳道內小毛剪除。勿掏挖耳道。

二、勿因戲弄，將外物置入耳內。

三、平時閉口，必以鼻呼吸。

四、噴嚏時和咳嗽時必用手帕蒙口鼻。

五、每日晨晚至少刷牙各一次。

六、不要用牙籤，勿用牙咬拔硬物。

七、耳、鼻、或口腔有膿發現時立即訪醫生診治。

飲食問題

一、食物首求營養，次及美味。

二、食物要細嚼，勿太快。

三、進食時勿看書報，飯前飯後應有休息。

四、每日至少飲開水四大杯。

排洩與呼吸

一、每天早晨大便一次。

二、戶外運動每天至少兩小時，可幫助排洩。

三、出汗後宜多喝水，以利小便。

四、每天清晨行深呼吸，作柔軟操。

五、蚊帳不可太緊密，門窗宜常開。

衣服與睡眠

一、衣着應儘可能選取溫、暖、輕、軟者，不可太大或太小。

二、冬日至少每週換衣一次，夏日每天換。

三、衣飾鞋襪，應儘可能顧及色澤與氣候之關係。

四、濕衣不可穿，應立即換去。

五、睡眠每天平均足八小時；用腦力者應略增睡眠時間。

六、老年人睡眠時間較少，但應多平臥，減少心臟工作。

七、臥床應力求平軟舒適，不可太熱。

精神衛生與安全避險

一、避免生氣或鬱悶，常有充足飽滿之神態。

二、應有正當娛樂。

三、行路靠邊，慎防車輛。

四、小心火燭。

生理變化與個人保健

一、月經｜約自十三歲時開始，每四週一次。屆時略感疲乏，全身不適，體溫略高，易怒。經期中應注意清潔，避免運動，略服緩瀉劑以保持大便通暢，有充分睡眠。

二、遺精｜約自十五歲青春期後，正常約每月一次。過多時｜因蛋白質及燐之損失，而體力減退，神經系統不正常。應就醫並力戒惡習。

這些都是比較重要而又普通的個人衛生原則，雖像是老生常談，人人說得出，可是卻不見得人人都照做了。強國必先強種，強種必先強身，為了個人和民族的健康，請大家先從個人日常衛生做起吧！

學校裡怎樣防治砂眼

孝婉

砂眼在中國，的確是一種太普遍了的病症。我曾經聽見過一位某某學校的校醫說：「中國人差不多人人都有砂眼。」這句話雖然不免是言之過甚，但砂眼在中國之普遍卻是不成問題的事實。而且一般人竟也會因爲它的普遍，不到病症嚴重以至於失明的程度時，就不去注意它，更談不到去醫治它了。

但是，砂眼是一種傳染性的病症，除我國以外，原來也還在蘇聯，波蘭，波斯，匈牙利，埃及以及日本等地很普遍地流行。現在其他各國因爲防治得好，都已經逐漸減少甚至沒有了；只有在我國仍舊是一個大問題。每年因爲砂眼而至瞎眼失明的人，雖然沒有確實統計，爲數一定不在少的。所以，如果我們仍是不注意去防治它，那末已經患了砂眼症的人就會越變越重；目前幸而未患的人，也有很多的機會被傳染到。這樣下去，豈不是很嚴重的事麼？尤其是一般學校兒童，原來他們和她們都有很好的小眼睛，可是砂眼這病症，在團體群居的生活中更容易傳染，常常到後來，學校兒童都先先後後的染上了砂眼，這問題不是更不可以忽視了嗎？

砂眼的病原經過很長時期的研究，還是不能完全確切地指定。目前的結果，大家都同意是由一種「濾過性病毒」傳染所致。受染後最初的症狀是結合膜的充血發紅，幾乎和普通的結合膜炎不易分別。但有時這種充血現象也很輕微到極易忽略的程度。但這種砂眼的病變，通常總只見於上眼瞼的結合膜上，而極少極少見於下眼瞼。除充血現象外，有時亦可略現粗糙，或微度水腫，並稍有多淚之感覺。這是砂眼的第一時期，因爲沒有什麼症狀，很容易被忽略過去。

不久，砂眼轉入第二期，上眼瞼結合膜上出現了大小不一，形狀不同的小顆粒，呈暗黃色，排列極不規則；同時眼球結合膜上之微細血管向眼角膜上部邊緣伸延。最後，經過數年甚至十數年之久，顆粒軟化，使整個眼瞼增厚，並且開始結疤，於是進入第三時期。經過數月或數年之時間後，眼瞼及眼球上部之結合膜完全成了「疤」的結縮組織，就表示自然的全癒。但是這種全癒是很可怕的，因爲可以產生下面幾種結果：——

一、眼瞼內翻，睫毛因之倒生，刺激眼球。

二、眼瞼完全爲結縮組織佔據，變厚而且下垂，不能睜大。

三、眼瞼內分泌油質之腺體和淚腺均被破壞，眼睛因之乾燥。這些情形都很容易引起眼睛受細菌傳染，因而失明的。

砂眼的傳染，要靠直接或間接的接觸。所以手指，毛巾，手帕等爲最主要的媒介物。在學校裏，兒童們在游戲時，最容易忽略手的衛生，因之成了一件傳染砂眼的主要工具。而住宿在學校的學生，又常有互相借用盥洗毛巾，面盆等習慣，也使砂眼病增加了傳染的機會。所以，在學校兒童方面對砂眼的預防來說，教師們應該隨時把關於砂眼的常識灌輸給學生們；同時要學生們時時注意手的清潔，要沒有用手揉眼的壞習慣，要常在自己的衣袋內備好乾淨的手帕。同時要注意寄宿在學校的學生，告誡他們一定要用自己的毛巾和面盆，不要互相借用。更要使學生們遵守一個信條：——不論到什麼地方去，都不要用公共的毛巾。當然，這一點也需要學生家長們的協助。

預防自然是勝於治療的好方法，不過對於已經患了砂眼的兒童，我們應該替他們治療得愈早愈好。學校裏應該每學期開學時請醫生來替學生們作一次檢查，有砂眼的立刻就開始治療。記得戰前在南京的學校，學生的健康是由市政府衛生局的健康委員會主管的，每星期都巡迴到各學校替有病的學童診治，替患砂眼的兒童治砂眼，可惜還不能做得完全普遍。不過這種方式是對的，政府的衛生機關應該注意到這種工作。目前政府衛生機關既未注意及此，好些學校收了學生的醫藥費又只買了兩瓶碘酒紅藥水，實在是很不應該的事。

關於治療，現在最有效，也是最常用的方法仍是用硫酸銅或石炭酸，不過兩種藥用時都有點痛，而且對於角膜會有傷害，塗藥時不可碰及角膜，所以治療最好要由醫生或有經驗的護士去做。

砂眼是可以醫治的病，它的難處是需要相當長的時間才能完全痊癒。通常如用硫酸銅治療，需時兩年；用石炭酸治療則也要三個月之久。不過，在學兒童一直在學校裏上課生活，至少總有一學期不會離開，那麼從時間上來說，也是治療砂眼的極好機會。而且，這也是很重要的一件健康和公共衛生，預防醫學的工作呢。爲了下一代國民的眼睛，我們也希望大家能注意到學校兒童砂眼的防治問題！

盤尼西林

雍熹

目今，在醫院裏常用，在藥房裏當奇貨，在一般人視作神藥的時髦藥品中，除了像消治龍、地亞淨那些磺胺類藥物之外，就要算得這「盤尼西林」了。

盤尼西林的確是在今日醫藥界偉大的貢獻。和磺胺類藥物一樣，由於它的發現和應用，正不知道已經救活了多少生命，減少了多少人的病痛。直到現在爲止，我們的科學還沒有進步到發明一種萬病皆靈的神藥，所以盤尼西林也絕不例外，不過它並不如有些人想像的那樣，當醫生診斷後決定了必要的治療方法時，向醫生問：「醫生，我這病，不能用盤尼西林治嗎？」盤尼西林的應用的確相當廣，但它和任何其他藥一樣，在用得不對症的時候，除了浪費之外，是不會有其他意義的。

實質上，盤尼西林是由一種屬於絲狀菌類的青黴素菌提煉製成的「抗生素」，有抑止微生物生長的功能。它的治療效用就在這一點抗生作用，使侵入人體內的病菌不能生長，所以在很多方面，盤尼西林都與磺胺類藥物很相似，而對於發炎的病症，這兩種藥有相同的功效。可是盤尼西林對於磺胺類藥物能够治愈的菌痢、軟性下疳、鼠疫等却毫無效驗；反之盤尼西林能治的白喉、梅毒等病，如用磺胺類藥物則又不能有效了。

通常，除非是必須要用盤尼西林的一些病症之外，我們總在下列的情形時才用它；——

一、病人對磺胺類藥物具過敏性。

二、病人有腎臟病。

三、病人有膿胸、腦膜炎、或心臟內膜炎等合併症發生。

盤尼西林不能口服，因爲口服後其藥性將被胃液之鹽酸所破壞而失效。所以使用時必須用它的化合物——一種盤尼西林與鈉的化合鹽溶液，作肌肉或靜脉注射。皮下注射雖亦可以，但非常之疼痛，故多不用。

作盤尼西林治療的時候，一定要保持體液中盤尼西林的濃度，才能有效。但是盤尼西林注入體內以後，兩三小時之後就有很多被排出了體外。所以爲了要保持體內盤尼西林的一定量，必須每三小時注射一次。

劑量的大小，隨疾病的輕重而決定。在普通輕重的病症，每天注射十萬到十五萬單位也就够了；較輕的每天的注射只要五萬到十萬單位。大約現在的見解是，寧可少許過量一點，不要不足。因爲盤尼西林過量中毒的現象，到現在也還不會有過呢。

在腦膜炎病例中，磺胺類藥物有時能引起不良的反應，所以應用盤尼西林直接注入脊髓，使藥液能直達腦膜中的蜘蛛網膜下空間，常常可以見到意外的效果。對膿胸病人，也應該同樣將盤尼西林溶入生理食鹽水而注入胸膛中的助膜層，才可以使病症好得更快。

盤尼西林對淋病之治療有極大之功效。有時一次注射三十萬單位即可以完全治愈。據實驗統計，通常在注射十萬單位後，即可有百分之九十五病例被治愈。

盤尼西林每三小時注射一次，不但病人感受痛苦，也實在是麻煩事。所以又有一種溶於油質的盤尼西林，但是可以延長停留在體內的時間至十二小時之久，所以就可以每隔六至十二小時注射一次；但用量必須二三倍於通常所用的盤尼西林鈉鹽。此外更有一種可以口服的盤尼西林，大約說來也是溶於油質或臘質中。口服的效果很不確實，因此劑量要更大，約需三倍至五倍於注射用的量，換句話說是每天至少要三十萬到四十五萬單位，而且只能應用於輕症才可見效。

醫學趣話

「敲診」的淵源

明保譯

請你向盛了一半的酒甕敲幾下看，你將會發現甕的下半部發出堅實的聲音，甕的上半部却另是一種較清脆的共鳴。

在十八世紀中葉時，「安伯拉格」的父親是一個經營酒肆的商人，他常常用這方法去測量酒甕內酒量的多少，安伯拉格對於這種現象也就司空見慣，沒有留意。但是後來他成了醫生，却把這現象應用到醫學上，成爲診斷時的一種技術了。

原因是有一天，安伯拉格的一位病人無可挽救地死了。經過屍體的病理解剖，他發見死人的胸腔內充滿了像水一般的液體。因此他非常懊惱地責怪自已爲什麼不能够在作屍體剖驗以前，或是在病人未死以前診斷出來？突然，他想起了父親敲酒甕的方法。他假設人體的胸腔有如酒甕，用手指敲擊，也可以因液體的有無而發出不同的聲響。經過了一個很長時間的實驗和經驗的累積，終於他在西歷一七六一年出版了「敲診」的書，這一本書闡述敲在診斷上的價值和應用。

現在，當你向醫生問病時，醫生必定要做一番用指尖在你胸前，背後，或腹部輕輕敲擊的手續。這種診斷的手續和方式，便是淵源於上面的這樣一個故事。

—選譯自 Coronet 四六年三月號—

致病的微生物有多少種？

余却病

在很古的時候，人類的智慧不能够去解釋自然界的一切現象，於是把人力所不能爲的一切事物，都歸之於「神」或「鬼」。所以在那個時候，神和鬼都是一種超人類力量底想像物。後來，漸漸地人類的智慧日積月累地增加起來，於是企圖着用自己的聰明去解釋各種自然現象；然而這些解釋也多半是空洞玄虛的假設，常可與實際相去很遠；最後，憑着時間換來的經驗和辛勞得來的知識，人類終於逐漸地發現了事實的真像，發掘了埋藏着的祕密，探得了自然界的真理。

就說人和疾病的鬥爭史，也一樣是經過這樣一段過程的，最初以爲是天神所降的刑罰，或是鬼怪的作弄，於是用求神捉鬼的方法來治病。後來，又有一些「聰明人」想出了各種致病的原因，像中國古代的五行相尅之說，希臘的人由四種元素組成，不平衡即病之說等都是。再後來，漸漸地人類在各地從偶然中發現各種治病的方法和藥物。及至解剖學的發展，揭露了人體構造的祕密。各種微生物的發現，更解決了許多疾病原因的大問題。於是，醫學就又得到了新的事實根據，而進步得更快了。

可是，如果我們說微生物可以致病，或是疾病由微生物所致，這樣的話就未免大有語病。因爲微生物這個稱呼太籠統，它包括一切由眼所不能見的微細生物，但是它們不一定都能使人生病；反過來說，也有許多病症不是由微生物寄生所致，可能是我們生理機能發生障礙，或是理學及化學上的損傷，或是精神的刺激所引起的。不過，在人類疾病中，也的確是有很大部分，都是由於微生物侵入體內作祟所致。

那末，能够使人致病的「微生物」究竟有多少種呢？

現在，讓我們先來確定一個範圍。我們所要說的微生物，是指肉眼所不能見的那許多。所以，像蛔蟲那樣的「大」生物是不在我們今天要討論的範圍以內的。

大概說來，可以使人致病的微生物有細菌，立克氏體，單細胞病原虫，和過濾性病毒等幾大類，現在分別來說一說它們。

細菌

每一個細菌都是一個簡單的細胞。它們個別有單獨生活的能力和生殖的能力。生殖的方法是無性的，不外乎直接的分裂或是生出芽胞來繁殖以增加數量。它們存在於水中時，除了作不規則的「布朗氏運動」外，沒有其他的行動。

細菌這名字，仍是一個總稱，依它們的形狀又可以再分爲好幾種：

球菌——每一菌體，都是一個圓形的細胞。許多球菌在一起時，又常是一定數目的排列。可致病的球菌常見的有肺炎球菌，腦膜炎球菌，淋菌，葡萄球菌，鏈球菌等。

桿菌——桿菌爲長形的細菌，很多病菌都是桿形。常見的有大腸桿菌，傷寒桿菌，痢疾桿菌，鼠疫桿菌等。

弧菌——形狀介於球菌和桿菌之間的一種細菌，像球菌拖上一條彎曲的尾巴，恰如標點符號中的撇點（分號）。霍亂弧菌就是這一類的代表。

螺旋菌——菌體似螺旋形成渦卷，如造成回歸熱及梅毒之細菌體是。

絲狀菌——這是一種植物性的菌體，把它歸入細菌一類很有點勉強，但還是一種「菌」。很多皮膚病都是由它造成的。

總之，細菌也有很多種形態，它們的特性也因而各異。各種不同的細菌侵入人體後，又造成各種不同的病。目前，對付各種發炎的細菌最好的武器要算磺胺類藥物和青徵菌素（即配尼西林）了。

立克氏體（Richettsia）

立克氏體爲一種類似細菌的微生物，多半寄生於節足昆虫體內，而人類成爲它們寄主之一。由立克氏體所致的疾病有斑疹傷寒，美國洛磯山熱，日本肝熱病等。傳染時多半由白蝨，跳蚤，扁蝨等爲媒介。到目前爲止，我們還沒有對付立克氏體的特效藥物或方法，所以診治這一類病時，完全不過是對各種症狀給藥，解除病人一些苦痛，以待疾病自愈罷了。

單細胞病原蟲

這是動物中最低等的一種。每一個原虫由一個細胞組成，較細菌略大，具有活動能力。從它們的形狀和運動，又可以分爲四種：

假足原虫——以造成原虫性痢疾的阿米巴原虫爲代表，其運動方式由細胞內原生質之流動而形成假足以行動。在環境不適宜的時候，可以變成胞子。

鞭毛原虫——以非洲睡眠病之病原虫爲例，虫體細長，尾部拖一鞭毛以運動，頭部有一假目，常寄生於血液中。

胞子原虫——如瘧疾病原虫是，生殖方法有兩性生殖及無性生殖兩種，其形態亦隨各時期而改變。

纖毛原虫——細胞較大，體外全部被以纖毛，故能在水中藉纖毛之運動而活動自如。通常寄生於腸內，造成各種痢疾之症狀。

治療單細胞病原虫的方法，要看寄生所在的不同而異，也要視各種原虫的不同而異。多數總要用重金屬的藥物。但是胞子原虫中的瘧疾病原虫現在已經有奎寧，阿的平，和樸瘧母星等特效藥可用了。

濾過性病毒（Virus）

這是致病微生物中，目前已曉得的最小的一種了。到現在，我們仍沒有能够見到它的廬山眞面目，比細菌更小，可以透過濾器。可是由它造成的病卻並不少，如狂犬病，砂眼，唇角水泡，感冒，小兒痳疹等都是。這種微生物只能够在活體內才能保持生命，人工培養至今還沒有能成功。

明白各種病的病原後，就可以對症治療了。不過對這各種致病微生物的應付，有些雖已都有特效藥或方法，也還有許多至今不能令人滿意。而且用藥又是一件需要愼重的事。所以對於疾病我們最好還是儘可能預防，不使這些致病的微生物侵入體內；至於已經被侵入而有疾病發生的，就只有請教醫生了。

中国近现代中医药期刊续编·第三辑

談瘧疾（有編者附註）

陸寶森

瘧疾舊名有風、寒、三日、隔日、瘧母等的分別；西說則稱「麻拉里亞」，分惡性、良性；俗名又有「冷熱病」、「發瘧子」、「寶柴病」、「打擺子」等名詞。名稱雖多，也總不外乎依照中西醫學學說，症狀，或是各地的方言來定名。這種病，在夏秋期間，流行得很普遍。因爲瘧疾病是由蚊虫的媒介而傳染的。所以鄉間較城市爲多見。以前有人患着寒熱往來的病症，除了一部分人採用針灸，草藥或單方等來醫治外，甚至有很多人會懷疑是鬼怪的作祟，因此求神驅鬼，燒符化錄，忙得不亦樂乎，結果仍得不出個道理來。這種笑話到目前科學昌明的時代，鄉村小城間，仍舊到處可見呢！我親眼看見一個患瘧疾的病人，坐了黃包車到處兜圈子，據說這樣鬼就不能附身了，更有人會化費很多錢請教一班無知無識的術士巫婆來「捉鬼」。這種種笑話，完全是缺乏醫藥常識的關係，由此也可見，我國人民對於醫藥衛生的智識是如何可憐，與如何需要有人去灌輸了。

所以，我們最緊要的是要明瞭瘧疾究竟是怎樣的病？從最古醫籍內經中可以找出一段記錄說：「瘧之始發也，先起於毫毛伸欠，乃作寒慄鼓頷，腰脊俱痛，寒去則內外皆熱，頭痛欲破，渴欲冷飲。」可說完全符合瘧疾的症狀。現在我們更知道得詳細了，經顯微鏡的幫助已經研究得的結果，知道有一種瘧疾病原虫，繁殖在蚊體腸壁間，當蚊吮吸人血時，瘧疾原虫就隨了蚊虫的唾液侵入人體血液，寄生於赤血球中，造成了瘧疾病。因此先怕寒發顫，後來發熱出汗，終則熱退身涼，依次循環，就是瘧疾原虫在血液中循環生殖的結果。

依照上面所說，我們可以知道瘧疾的診斷可由疾病的症狀和血液中瘧疾原虫的顯微鏡下檢驗來決定。但不論如何，總要以治愈爲目的。治療的方法，在於診斷後的對症發藥。國藥以柴胡，黃芩，檳榔，常山，草果，烏梅，知母，川朴，半夏，雄黃等配合應用，截瘧解熱，均有卓效。西藥當推奎寧爲治瘧特效藥品；但是奎寧的副作用在用量過多後可引起耳鳴，惡心等不快現象，故應遵醫生的囑咐服藥。孕婦則不可服奎寧，因奎寧有使子宮肌收縮造成早產的危險，此時可改用阿的平，與奎寧有同樣治瘧的功效，却無此種副作用。不過阿的平服後皮膚呈黃色，有點難看，然與身體無碍，不幾天就會褪的。但阿的平若服用過量之後，可以發生中毒現象，所以一定要小心從事，不可胡亂多吃。

總之，我們既已完全明瞭瘧疾病的乍寒乍熱是由於病原虫在血液內行裂體生殖所致，國藥之以截瘧解熱爲治法，西藥之以撲滅瘧虫爲目的，實在是殊途同歸，功效則一，及早治療就會好的。假如我們一旦生了病有些像瘧疾的話，最好立刻請醫師治療，切不可以民間單方及廣告藥品亂投試服；更不可迷信鬼怪，求教巫婆術士，因而貽誤生命。

（編者附註）瘧疾的病原體，在人體內營分裂生殖，而寄生於赤血球中。在人體外又營兩性生殖。其生殖方法，本身形態，宿主，傳染媒介等，在一切傳染病中，眞是知道得最詳細最明確的一種。而撲滅黑蚊，清除積水以間接撲滅黑蚊的幼蟲孑孓，皆能使瘧疾顯著的減少。所以，那種胞子蟲爲瘧疾病原，黑蚊爲傳染媒介，皆是無可疑議的事實；現在倘仍說瘧是鬼作祟，眞太沒有常識了。鄙人是承認世間有鬼的，而且承認有鬼作祟的病，但不認瘧是鬼病。如果瘧是鬼病，那末這箇鬼每一次扣準了時間來同你搗蛋，它自己也够麻煩呀！

中藥柴胡常山之等，西藥奎寧阿的平之等，皆只治瘧疾的「症狀」，解除或減輕病人的痛苦；並不能殺滅瘧原蟲，但瘧疾也會全愈。這因爲病人痛苦既經解除，體力不須分出一部份去對付痛苦，即以全力產生「抗體」；瘧原蟲就被病人自己的抗體所撲滅。中西醫在五十年前大家不知道什麼「病原體」，可是大家都有治愈傳染病的事實，我以爲多份由於這箇理由。

鄙人於三十年前，患過一次很厲害的瘧疾，最初是三天一次，後來又加入一天較輕的，於是每三天內有兩天躺在床上，一天雖可起動，也覺得渾身無力了。那時我自己不曾留學醫，西藥的奎寧我也吃，吃了也靈，可是過後病要再發，再發時再吃便不靈了。那時撲瘧母星尚未出世，阿的平不知已有否，我是不曾吃。請中醫，他也用柴胡，但只用七分重，而且是鼈血炒的，血重而柴胡輕，實際不過三四分，當然不靈。用柴胡至少須三錢，才有效，多可以到七八錢，鄙人負責聲明，絕對不發生任何副作用；因爲現在多數中醫怕柴胡，不敢用，所以附帶說一說。我在瘧疾中試用過的內服外用諸藥，多得記不清；大概初用皆有效，再發時再用即無效。故那一次的病，從立秋前後直到明年清明節前後，才漸漸減輕而自愈。我現在認爲也是「抗體」產生得充份後全愈的。

最値得注意的是有兩次不用藥而瘧疾不發：鄙人那時很歡喜下圍棋，雖然棋技很低；那天有人與我下棋，一局方完，才想起發瘧疾的時間已過，奇怪今天爲什麼不發，可是那天竟不發了，這是一次。還有一次是來了一位闊別已久的好朋友，陪他談心，忘記了時刻，那天瘧疾也竟不發。過後我特地請人來下棋，特地請人來談心，希望止住瘧疾，但也像用藥一樣，只靈一次，第二次都不靈了。

我認爲這是「心力」作用，在佛學上是了不爲奇的普通常識。我這裏不說「心理」而說「心力」因爲心理學家把心理牽涉到物質上去，而佛學却須把外境種種事物打掃干淨，方可顯出「眞心」；這分明與心理學不同，故用「心力」二字以自分別。我們一切心境，都從外境，事物輾轉牽引而起，佛學稱爲「緣慮心」，「生滅心」，皆是幻心而非眞心。若能不被外境牽引，方見眞心。眞心的力量偉大得不可思議，原子能不足以彷彿其萬一，這本是很不容易學到的境界。我當然至今不曾顯出眞心；但當我那年下圍棋與朋友談心時，我的心與瘧疾的確絕了緣，絲毫不曾想到；因爲心的絕緣，瘧疾竟不發。第二次再下棋再談心，那是有意的，不像第一次的無意。有意的便是虛僞，無意纔是眞誠；普通人不是常說「誠則靈」麼？眞誠了，自然靈。這靈是我們自己的心力上發出，不是上帝所支配，也沒有鬼神在擺佈。這靈發展到充份時就成佛，故每人甚至每一動物皆可成佛。佛學的大概如上述，我認爲是最不迷信最民主的宗教。心力的偉大，證明佛家「萬法唯心」是一點不錯的。現在青年們崇拜馬克思，把「唯物史觀」「唯物辯證法」看作天經地義，這眞是盲從，眞是迷信。我們因研究醫學而研究物質科學，但至少須認識自己有一箇支配一切的「心力」，倘還沒有發展出來。

兩種不同的痢疾

金永熙

夏天已經過去了，雖然天氣還是這麼熱，但季節上確已到了秋天。夏天和秋天都是很容易流行疾病的季節。除了霍亂、傷寒、瘧疾、腹瀉等之外，痢疾也是常見的病。

可是，生起痢疾來似乎也有很多不同的變化。有的一天大便數十次之多，有的只有幾次；有的肚子痛得很，有的不痛；有的要發熱，有的體溫正常；有的大便是水瀉，有的有黏液，更有些帶血。那末，除了是病本身的輕重之外，還有其他什麼不同嗎？

平常，患痢疾病也很容易與夏日腹瀉相混淆，因爲有些痢疾的症狀和普通單純的腹瀉也很相似。關於夏日腹瀉，我們在上一期中約略說過了一些。現在預備單就痢疾這一方面來說一說。

痢疾可以分爲兩種，一種是細菌性痢疾，另一種是原虫性痢疾。這兩個不同的名字就是由它們不同的致病微生物而來的，所以我們一看名字，就可以知道它們的病原不同。細菌性痢疾是因爲痢疾病菌侵入腸內而起。這一類病菌多半存在於水裏和病人的糞便中，因此通常總由不潔淨的水或是蒼蠅爲媒介而傳染。原虫性痢疾則叫做阿米巴痢疾，因爲病原的微生物是一種單細胞的變形原虫，外國名字的音就叫「阿米巴」，它可以在人體內好些部分寄生作祟，因而引起很多種不同的病變。當它寄生在腸內時，就造成原虫性痢疾了。這種阿米巴原虫除了在很適宜的環境中時是很艱生存的，所以病人的糞便中雖也有阿米巴原虫在內，排出體外不久也就會死了或是變成爲圓圓的一個胞子。胞子是一個有「殼」而不活動的虫體，當它在環境適宜的時候，就又能够再變爲活動的原虫。原虫性痢疾的傳染就是靠這種胞子的傳播，而胞子也存在水中和病人的排洩物中，因此原虫性痢疾和細菌性痢疾一樣，是由不潔的水或是蒼蠅的媒介而傳染的。

兩種痢疾的潛伏期長短不同。細菌性痢疾在受染之後最快的只不過三四小時就立刻有症狀發現，最遲也不過三天。可是原虫性痢菌的潛伏期却非常之長久，通常總在三個星期到三個月之久。

在症狀方面，它們也有很顯然的分別。一般說來，細菌性痢疾總是急性的，同時會有相當高的熱度和細菌製造出來毒素的中毒症象。大便次數頻數，可以多到毎天數十次，伴以劇烈之腹痛和便急感覺；但大便排出之量極少，甚至於完全沒有糞便而只是鼻涕般的黏液和赤紅的鮮血。因爲這種痢疾是細菌在大腸腸壁造成普遍的發炎和腸內組織的壞死，因此有這些分泌物和血出來，毎次腹痛和便急也不是眞有糞便需要排出，而是由於黏液和血液刺激肛門括約肌所致。

在病一開始的時候，體溫可以昇到極高，也有時先發覺一陣寒噤。體溫昇高後常作間歇性昇降，以後逐漸低落。此外也會有頭痛、惡心、嘔吐、疲乏等症狀，這些則都是由於細菌所製造出來的毒素被送到血液中去所致。

腹痛在開始的時候不過是一種不舒適的感覺，逐漸厲害起來以致於不可忍耐的程度。食物或氣體等任何物質刺激腸壁發炎部分時，腹痛就更爲加重，所以吃東西之後也容易加劇腹痛的症象。

排出糞便最初爲半流體，漸變爲水，而最後即成黏液與血液之混合物。在細菌性痢疾病的過程中，要注意勿使病人因失水過多而脫力，尤其小兒，要特別補充水分。

可是原虫性痢疾的症狀就不同了，潛伏期極長前面已說過，而且大多是慢性，很少急性的。腹痛極輕微，有時不過是略感腹部不舒適，不發熱，也很少有便急現象。大便次數則視病的程度而定，大約毎天數次到十數次。排出糞便之量較多，有奇特之臭味，其硬度和形狀有點像調味用的蝦子醬爲其特點之一。原虫性痢疾還有一個特點是往往會發生便秘與腹瀉相間存在的症象。病人仍可工作，照常行動不致臥倒，但極易感覺疲乏，食慾不振，體重減輕，並常有貧血現象。

至於診斷，除了症狀上的不同應該注意到之外，有時遇到急性的原虫性痢疾，也可能與細菌性痢疾很相似。這種時候，我們就需要借重各種化驗方法和直腸鏡的病性檢查了。

在化驗方面，大便自然是最重要的一種。大致細菌性痢疾的大便在開始時是含有少量糞便的水液，不久就變成黏液和血的混合物，略呈灰紅色，顯微鏡下檢視可見甚多之膿細胞及白血球、紅血球等。作細菌培養則可得到致病之病菌。血液方面無甚大變化。

但在原虫性痢疾時，糞便之特性已如前述，紅血球雖亦存在，但不若細菌痢之散開而結成小球。最重要的還在於阿米巴原形虫的發現，才能完全確切證實。

說到直腸鏡檢查，則是把一個特製附有燈光金屬管由肛門插入以觀察腸壁不同的病理變化來區別。不過這種手續使病人受很不小的苦痛，不到必要時是省去不做的好。

兩種痢疾除了病原、症狀、和診斷上的不同之外，在治療上用藥也各異。細菌性痢疾可用磺胺類藥物如消治龍、地亞淨治療很有效；原虫性痢疾則要用衣米丁或藥特靈等藥物，有時甚至需要打針；不過治療一定先要有確切的診斷，所以用藥還是先請教醫生較爲妥當。尤其是治痢疾的藥多半是有毒性，可發生中毒現象的。

細菌性痢疾常見於二歲以前的小兒和二十至三十歲間之成人。成人身體好的，有時亦可見到十幾天後自然痊癒的例子，但我們不能如此希望，總以及早醫治爲宜。原虫性痢疾則多數見於成人，更要早日醫治斷根，不可因爲它症狀不嚴重而忽略，因爲阿米巴原虫可以侵入身體其他部分引起更嚴重甚至危及生命的病症的。

注射器

金真

也許，注射器這個名稱會有點叫人覺得怪生拗的。可是，如果告訴你說注射器就是醫生替人打針時所用那副叫作「針」的玩意，那末該不會有人再不熟悉它了。

注射器被有些人所怕，在疫厲流行的季節中為了想避免白衣的防疫工作者在自已皮膚上「刺」一下，而千方百計地去索取一張防疫注射證；另一方面，注射器也被有些人所喜歡，任何一點小毛病，去見醫生的時候，就盼望打一針好得快點；甚至於好好的健康身體，也要天天受一次椎刺打補針。

不過，無論如何，注射器對於醫生是一件非常重要的治療器械；不單治療，常常在診斷上也需要使用它的。雖然，它只是那末簡單的一件東西。

一副完整的注射器包括有兩項重要部分：「針頭」和「針筒」。由於使用目的與方式的不同，針頭和針筒也就有各種不同的大小。

針頭是一根細長中空的金屬管子，一端磨尖而具鋒刃，用以穿刺皮膚或肌肉，另一端有一個與針筒相接的「套子」，這是針頭上最大最重的部分。針的粗細隨使用目的而異，通常靜脈注射用的最粗，皮下注射用的最細；同時，在需要將藥液很快注入體內的時候，使用的針頭也就比較粗些，反之則用較細的針頭。針頭的粗細，平常在「套子」部分刻有一個數字的號碼來表示。

因為針頭是極細的金屬管子，所以一旦阻塞之後就很麻煩了。為了防止阻塞不通起見，在不用的時候，我們總用一根細銅絲插入管內，在用的時候，再抽出它，然後消毒使用。

針頭的好壞有幾點條件：第一要堅韌不易折斷，因為注射時如果針頭折斷是很危險的事。第二要針尖鋒利，不易用鈍。再就是要不會生銹，自然還也要使用者保存得好才行。

針筒是玻璃質的一套唧筒，用以盛置要注射的藥液。普通所用的針筒容積有一西西，二西西，五西西，十西西，二十西西，和三十西西等數種。大概皮下注射是用一或二西西的針筒，而二十，三十或五十西西的大針筒則多半為靜脈注射時用。

針筒的好壞，在於玻璃質料的高低，耐熱的程度，以及製造之精細與否，玻管與唧心是否光滑而又密合不漏等。此外，尤其是容量小的針筒，管面上的刻度是否準確也是很重要的。

除了這些普通的注射器之外，當病人需要大量藥液，譬如像注射生理食鹽水或是輸血的時候，我們就用一只有容積刻度的大玻瓶加以特殊的裝置，用一根橡皮筒和針頭相連接，倒懸在較高的地方，來代替針筒。

不過，無論是使用那一種注射器作靜脈注射，肌肉注射，或是皮下注射，完全滿意的消毒是最重要的一件事。除了技術之外，不完備的消毒手續常是不愉快後果的主要原因。

顯微鏡

金真

照實際說來，醫學界確實是到了李文霍克氏（Leeuwenhoek）發明了顯微鏡才進入了新的境界。因為原來對於病因的解說，免不了在假想和猜測中找尋；可是等到顯微鏡發明以後，人類終於發現了另一個肉眼不能見的世界，發現了細菌，發現了許多疾病的物質和生物的原因，因而對疾病有了新的認識。現在，細菌學已經成了獨立的一門豐富的學問，這又何嘗不是靠顯微鏡的力量呢？

簡單的說，顯微鏡是一具光學的儀器。我們可以靠了它而把原來肉眼不見的東西，放大到可以看得見的範圍。那末，這究竟是怎樣一件奇妙的儀器呢？其實說來很簡單，主要的不過是兩片凹凸度不相同的玻璃鏡片加以適度的配合罷了。這兩片鏡片就是顯微鏡上的接目鏡和接物鏡，其餘的裝置，都是為了使結果更圓滿而添加的設備。

總之，一架顯微鏡的幾個主要部分是：——

接目鏡—在顯微鏡的最高處，觀察者的眼睛就從這一片鏡片中望下去。它裝插在一個圓筒上端而與鏡架相連接。

接物鏡—在圓筒下端的鏡片，而恰當於鏡台之上。當被觀察物置於鏡台面時，接物鏡即臨其上。在一架顯微鏡上通常有三個接物鏡，可以旋轉應用。一個是低倍放大，一個是高倍放大，另一個是油鏡；油鏡的放大率比高倍鏡更高。

調節螺旋—是裝置在圓筒旁鏡架上的螺旋設備，用以調節接物鏡與目的物間的距離，求得一個最清晰的影像。

鏡台—位置在顯微鏡中部的一塊平板，中央有一圓孔，使台下集中的光線可以通過目的物而由鏡內望見。台面上又有彈簧夾，用以固定目的物。

反射鏡—在鏡台下面的一面圓鏡，用來集中光線，反射到鏡台上圓洞中，使光線充足。

虹彩圈—鏡台與反射鏡之間的設備，可隨意使光圈放大或縮小，以調節所需的光量。

鏡架—一個金屬的支柱，使上面這些部分都能固定。

此外還有一些旋轉的螺絲，釘等，都是為各部分活動而設的，更是較次要的附件了。而且，各廠出品，在形式上也各有不同的。

平常顯微鏡的好壞，決定在鏡片，因為必需在光學上很準確。可惜我國到目前仍不能自行製造，不得不仰仗舶來品。

顯微鏡在醫學上實在是太重要了，尤其是診斷方面，檢驗細菌寄生虫要用到它；檢驗大小便和血液也要用到它；做各種病理切片的研究去診斷複雜的病變更非用到它不可。所以，顯微鏡在醫學界的確是一名大功臣，也是幫助人類解除病痛的一員大將呢！

細菌常識（三）

陸淵雷

傳染病的病原，不單是「細菌」，還有「原蟲」。細菌是單細胞的植物，原蟲是單細胞的動物，亦名「原生動物」。通常所稱「病原細菌學」即包括病原蟲在內；但在論理上不大合宜，故有名為「病原微生物學」者，微生物可以包括動植二界故也。原蟲大者，要算非洲「睡眠病」的「鑽體」了，長十六至一百三十「密」，橫徑也有一、五「密」。原蟲的平均大小要比細菌大，然亦有小至顯微鏡都看不出者。最有趣者是螺旋體，梅毒螺旋體極細而長，它的螺旋圈圈通常八圈到十四圈，多者竟到廿六圈。

細菌原蟲的分類，生物學家至今沒有攪妥帖。小得只能用顯微鏡看的東西，要看清楚它體格構造的特徵，用作分類標準，當然是叫人頭痛的事情。現在我們索性不談分類，讓那些專家們攪清楚了再說。只就它們形體外狀的不同，略為解說一番通行的名目。

細菌中作球狀者，即名球菌，其大小從〇、三「密」到三、〇「密」。說到這裏，有一事必須附帶說明：細菌的生殖，當然與高等的「顯花植物」不同，它們不能開花結子，而是營「分裂生殖」的。它們把自己的身體一分為二，二分為四，這樣永遠是加倍復加倍的分裂下去。球菌分裂後各箇獨立者，名單球菌。分裂後兩兩相連為一組，不易分開，如摩登男女之挽臂躑躅於馬路者，名雙球菌；老年人最易送命的肺炎，中醫舊名「風溫」，小兒科又叫「肺風痰喘」，即是一種雙球菌作怪。分裂後數箇或數十箇相連，如犯人身上鏈條狀者，名鏈球菌。化膿菌多屬球菌，有鏈球菌也有葡萄球菌。葡萄球菌者，數箇或數十箇成一集團，排列無定形，如架上之葡萄是也。又有四箇平列，略成田字形者，名四聯球菌；八箇排成立體，如兩組四聯球菌疊起者，名八聯球菌。

細菌之長徑較大於橫徑者名桿菌。說得更通俗一點，桿菌就是作長條形或卵圓形的細菌。又從兩徑比例的不同，分為長桿菌短桿菌二種。長桿菌如破傷風菌，（小兒臍風撮口，婦人產後痙厥，其實都是破傷風，）長約二至四「密」，闊約〇、三至〇、五「密」，長徑約為橫徑之七至八倍。短桿菌如赤痢菌，長約一至二、五「密」，闊約〇、六至一、〇「密」，長徑約為橫徑之二倍至二倍半。桿菌之兩端多鈍圓，故短桿菌常作卵圓形；亦有扁平如刀截者，此則惟長桿菌有之。

又有長而蟠曲者，形如「拔栓器」（開洋瓶軟木塞之螺絲柄），名螺旋菌。其短者只彎如弓形，名弧形菌。弧形菌若有兩箇連接而彎曲方向相反時，則成S字形，霍亂菌就屬於這一種。

以上細菌之分類，實際上也麻糊得很，並無天然嚴格的界線。例如肺炎菌，通常皆認為屬雙球菌類，而也有細菌書把它歸入短桿菌類的。這還不算詫異，回歸熱與梅毒的病原，皆是「螺旋體」，通常皆認為是原蟲，而也有細菌書把它們歸入螺旋菌類的。如此看來，細菌學中不但球菌與桿菌的界線有問題，連那細菌與原蟲的界線也有問題。換句話說，便是細菌學家連植物與動物都分不清楚，似乎比較我們國粹中的「不辨菽（豆）麥」更加笑話了。總而言之，皆因它們的太渺小，看不清楚所致，倒不是細菌學家的低能。

現在要談到細菌的分佈狀況了。說來真怕人，凡是人迹所到的地方，就有細菌。人越多細菌也越多。你倘想找一箇沒有細菌的地方居住，想保險不生病；那對不起，我們這地球上委實沒有這種地方。細菌的生存，有四箇條件；一是水份充足，二是養料豐裕，三是溫度適宜，四是沒有毒害細菌的毒質。細菌自已本是有毒物，但他種毒質也可以毒死細菌，這真合上了一句古老話「以毒攻毒」了。例如現在大名鼎鼎的「盤尼西林」，便是一種青黴菌所產生，而能毒死許多病原細菌。

地面上沒有上述四條件的地方，例如沒有第一條件而極乾燥無水，沒有第三條件而熱至攝氏七十度或華氏一百五十八度以上（下文有說明）時，人也不能生活。故人迹所到，細菌也到。

空氣中沒有養料，本是細菌不能生存的地方。可是近地面的空氣，夾雜有大量的灰塵，而灰塵上往往駐着病原細菌。尤其都市中車輪奔馳，灰塵飛佈，空氣中的細菌格外多。括風時菌也多，雨後則被沖洗得灰塵少，因而細菌也少了。有「米盃爾」氏者，調查各地方每一立方公尺空氣中所含細菌數如下：

高山上	一、〇
海洋面上	〇、六
船中	六、〇
柏林城內	五八、〇
巴黎城內	三六〇〇、〇
醫院病房	七九〇〇、〇

可見人迹罕到的海洋面上細菌最少，醫院病房中的空氣裏細菌最多。推想起來，劇場會場咖啡館跳舞廳工廠學校等多人麕集之地，空氣中細菌的多也可想而知。工人學生不能不進工廠學校，這是無可如何。劇場咖啡館跳舞場等處，不去也不妨事，何必花錢花工夫去享受細菌？（未完）

開學期間

與學校當局談幾個衛生問題

·光·

眼看着夏天已經過去，雖然「秋老虎」還是聲勢洶洶，但是這種「虎」威終究也不會有多長的了。這個時候，正是各學校開學的時候。我們願意趁這個學期開始的機會，與各學校當局談幾個有關於學生們衛生和健康的問題。

空氣

人需要空氣，就好比魚必須生活在水裡一樣。污濁的死水裡不容易把魚養活，不清潔的空氣也同樣要影響人的健康。所以，在我們生活的環境裡，一定要有足够的「生存空間」。把頭蒙在被窩裡，或是許多人關在一間不開門窗的小屋子裡，就會覺得透不轉氣的悶來，就可以證明這一點新鮮空氣的重要了。可是，事實不容諱言，現在有很多學校，尤其在上海，有些人根本把辦學校看作做生意的，不去說它，由於房屋的困難與收費的關係，學生是多多益善；結果是小小一間屋子裡擠上了四五十人，甚至於七八十人；而教室又都是弄堂房子改用的傑作，沒有足够的窗。所以當一節課上過後，幾乎可以聞到那陣微熱味。這將如何影響孩子們的健康，是可以想像的。所以，我們要籲請各學校的主管當局，注意你們教室的「空間」是否足够維持學生們的健康？至少，應該要多開一些窗。

光線

一個讀書的場所，光線必須充足自然是毫無疑問的事。因爲每天看書、寫字、做功課的地方，如果光線不好，長年累月之後，必定會壞了眼睛。可是，又正和空氣一樣，很多學校都受着房屋與人數的限制而沒有顧及光線。這樣的結果，難道要造就一批近視眼學生出來嗎？爲孩子們的眼睛想一想吧！要使教室裡有足够的光線，要使光線從我們的左邊斜射進來。如果實在沒有方法可以改進自然光線，不得已也就只好裝燈，那末最好裝日光燈，因爲日光燈的光線較亮，也較勻和些。

運動

現在倒底不是從前，要求「十年窗下」造就「白面書生」的時代了。我們的教育，不應該用孩子們的健康去換取智識，而要將智識灌輸到健康的身體裡去。所以，在注意孩子們的學業和品行之外，同時應該鍛鍊他們的體格，換句話說，就是要訓練他們做適當的運動。問題是亭子間作教室，晒台當操場的學校中，叫學生們到那去運動？這是很嚴重的問題，不能不請各學校當局予以密切注意。我們建議，至少可以聯合附近幾個學校，共同租或買一方土地，輪流着時間供各校學生活動使用，這樣似乎還不失爲一個辦法，也許還可以收到增進學校與學校間，以及不同學校同學間感情的效果。同時，有了正當運動，也可以減少小孩子們互相打鬥的糾紛。

功課

雖然，大家都標榜着德、智、體、羣四育並重啦，智仁勇訓練啦。但是實際上，現在的一般人看學校好壞，似乎僅只取決於功課好不好。於是學校當局爲博取好名譽，也就只有不顧一切地用功課來壓緊自已的學生。在這樣的政策下，學生們的課業也許好了點，可是德呢？體呢？羣呢？把孩子們弄得一個個像抱了書不敢動的可憐蟲，天眞活潑的童心變得抑鬱了，又何嘗不影響到健康呢？所以，我們奉勸各學校當局，固然應該爲學生的成績着想，但也絕不要用太多的功課去損傷小心靈。

飲水

水和空氣或食物一樣，人不能不喝水而生存。我們身體組織的成份，有百分之七十以上是水分。在一切活動中隨時消耗着水，以及出汗，小便等也都要減少身體內的水量；因此，水的補充是必須的。學校中那樣多人在工作，在活動；因此，飲水的供應也値得好好注意。飲水的供應，應該有量的限制，而最要緊的一點是必須要煮沸過的開水。同時要叫學生們都用自己的茶杯喝水。在水壼邊放上幾只茶杯大家用是最不好的辦法。

醫藥

目前一般學校，能够聘請校醫的實在少得難找；然而，學生們偶然的病痛卻是可能的。在這種時候，學校裡如果沒有校醫替學生看，也應該要趁早予以適當的處理。較嚴重的要立刻通知學生家長領到醫院去診治；不很要緊的則給予適當的「常用藥」後再休息。所謂「常用藥」，也就是碘酒、紅汞水、酒精、過錳酸鉀液、幾種普通的油膏如硼酸膏、鋅養膏、硫黃膏、魚石脂膏等；內服藥如阿司匹靈、全寧、十滴水、八卦丹等。此外，還應該備一支體溫表，一副洗滌創口的器具，和足够的紗布繃棉等。而在沒有校醫的情況下，先生們的醫藥衛生常識是很重要的。

體罰

這是早經政府明令嚴止的一種「教育」方法。本來，以力服人也不是一個好的教育法。常常，教師的濫施體罰使學生受到很大肉體的痛苦，但結果除了加得更多師生間的隔膜與不正常的「恨」之外，就毫無成就，這又何必呢？更有些教師們喜歡在不守規則的學生頭上捶擊，這更可能使腦神經受傷，是非常不應當的事。

上面這幾點，我們以爲是值得提出來，與各學校當局商討的。還有關於廁所的清潔，關係衛生健康也很大，已經在本刊討論過了，請各位再翻一遍。除此之外，還有就是粉筆灰的問題。粉筆灰滿室飛揚，危害我們的呼吸器官。如果教室狹小，教師和前排的學生更是首當其衝。關於這一點，我們建議揩黑板一定要用濕抹布。普通一般用乾的粉刷，只有幫助粉筆灰的飛揚，實在是極不聰明的辦法，這正和用鷄毛帚打灰一樣的不合衛生。

避免病因·百病不生

陸淵雷

奢侈品刺激物是本來不宜吃的。還有應當吃的東西吃多了也不好。上面說過「吃傷」，這還是眼前易見的事實。現在（們對於營養學有了一點知識，知道蛋白脂肪澱粉，若干種維他命，以及若干礦物質是應當吃的好東西。於是雞蛋牛乳魚肝油，以及維他命針劑丸劑，無限制的亂吃亂用。豈知體內雖然不可缺少維他命，但其需要量甚小，倘能於菜餚中雜用新鮮蔬菜，已可吃到所需要的維他命。體內維他命過剩時，非但無用，身體還得分出一部份精力，急把它排泄掉。而維他命B一次攝取到五百格蘭姆以上時，就要中毒致命，無藥可救。沒有中毒危險的營養料，體內有多餘時，通當混在血液中。血液容納不下時，貯藏在肝臟裡。肝臟也容納不下時，便漲出許多脂肪（肥肉），來使身體發胖，體重大增。大胖了，走了幾步路，便喘得上氣不接下氣。這因為身體愈龐大，血液循環愈費力，心臟不勝負擔所致；也可說是一種「心臟性喘息」。除此之外，還得時時預防「中風」，時時有生命的危險。人們恭維胖子，說是「發福」。我想這種福還是少發為好，不信，請你找一位胖子問聲，他包管是十二分羨慕瘦人的。發胖的原因雖多，而吃得太好太多是最大原因。

還有一箇值得提出的問題，吃肉好還是吃蔬菜好？上面說過，維他命是由蔬菜給我們，不是肉類給我們的。富貴人非肉類不吃，因之缺少了維他命，天天請醫師打針。花錢，果然不在乎，但針頭戳進自己肌肉裡，總是不大適意的事情吧！貧苦村農天天咬菜根，卻一樣生活下去，而永遠不須打維他命針。吃肉還引起若干種病，肥胖病及相因而來的中風，上面說過了。痛風（僂麻質斯）也大半由吃肉造成，外國人多吃肉，他們的痛風成為家常便飯，不像中國這樣少。有人說，「為補充體內的動物脂肪與動物蛋白質，我們必須並吃肉，不能單吃菜。」這是似是而非的說法。人的消化力對於若干有機體是能改造成自己的組織的，他能化植物脂肪為動物脂肪，能化植物蛋白為動物蛋白。要是不然，人們勢須完全吃肉，吃植物該完全無用了，為什麼許多蔬食主義者，如印度的甘地，英國的蕭伯納等，很老了儘管活下去，而且很康強呢？再說，人也是一種動物，動物中有專吃肉的貓狗虎豹之類，也有專吃植物的牛羊鹿象之類。為適合吃肉吃草的不同需要，它們的消化器官也很有不同的地方，最顯著的是牙齒了。貓狗的牙齒尖銳而稀疏，因為肉類強韌，吃肉需要扯的，叫做扯牙。牛羊的牙齒有兩種，一種扁平，一種凹凸不平，而皆緊緊排列，因為吃草需要切斷與磨碎，叫做切牙磨牙。我們人的牙齒與牛羊極相似，與貓狗大不同，可知人原是草食動物，應該吃素。我們只為滿足口舌的美味感、硬要吃肉，甚至多吃肉少吃菜。這是強迫我們的消化器做那「不是本等」的工作，當然極不衛生，要妨礙健康的。鄙人是佛教徒，因學佛而常年吃素，已十五年了。佛教承認有輪迴因果，而稱人與動物為「有情」，稱植物礦物為「無情」，有情者，有苦樂喜怒之情感之物也。我們為滿足口腹的喜樂，要吃肉殺了其他有情來吃，使被殺的有情極苦大怒。這在無窮的未來世中，倘使自己輪迴為小動物，被殺的有情輪迴為大動物，而彼此相遇時，一定要受報復的果報，倒過來，他殺我而吃我，吃半斤，還八兩，絲毫沒有還價。又，佛法主慈悲，殺生物來吃，是何等殘忍不慈悲的事！這是佛教吃素的理由。現在許多學科學的人，因為太不明瞭佛教的內容，一說到佛教，便下意識地挖苦譏諷一障，適似乎不是科學學者的態度了。科學雖然不曾證明有佛，有輪迴因果鬼神等等。但是科學也不曾證明沒有佛，沒有輪迴因果呀！佛教的內容，的確是極完密，極澈底，不過佛經太不容易讀，讀了二兩頁往往不耐煩起來，這是科學學者不瞭解佛教的惟一原因。現在介紹兩部薄薄的書，一部是「一個科學者研究佛經的報告」，尤智表著，售價一千元〇一部是「佛法省要」，王小徐著，售價二千元。王書較深，尤書較淺顯，而皆能引起科學者信仰佛法。兩書皆上海（九）茂名北路一百十一號大法輪書局出版；在上海，河南路商務書館及南京西路一五六一號學林書店皆有寄售。

以上所說，皆是太多吃與不該吃而吃，所引起的毛病。反過來，又有太少吃與該吃而吃不到的病，那就是營養不良與饑荒。這一種病，中國，尤其在今日，實在太嚴重了。不單就這一種病說，中國已很夠稱「病夫」國了。不過這種病是由不能吃而不是不肯吃。是經濟政治問題，不是醫藥衛生問題。這裡只好不談，惟有寄予一聲同情的長嘆！

只要鈔票有辦法，食物的選擇總可以要怎樣便怎樣。惟有飲料，鈔票的能力要大大減色。因為飲料的一般原料是水，而水的種類在某一地方，往往是鈔票所買不到的。在上海，自來水倒是價廉物美，若要礦泉，憑你鈔票再多也買不到。倭寇投降前一兩年內，竭力驅迫上海人鑿井。上海鑿井真太容易了，掘不到三四尺，就水源涌溢。不過鑿出的井十有九臭，吃不得用不得。除少數大都市以外，就沒有自來水。沿江沿河用江河水。山多水少之地，偶有一二處有山泉可供數人數家之用，通常就全靠井。陝西甘肅一帶土厚水深，井裡打水用的繩子，數丈以至十數丈長是了不為奇的。

無論江河水山泉水井水，總接觸過地面與淺表的地層。淺表地層是藏垢納污之處。義塚裡淺葬着的死屍，地面上的死貓死狗，還有我們活人的排泄物都在淺表地層，也都可以混入水裡，我們每人一年間的排泄物，大糞有九十二市斤，小便有八百市斤，再加上洗濯過的污水，廚房裡餐桌上的棄物，這分量大得驚人，而都可能混入水裡。水是標準的流動物，把這些汚穢以及病原細菌流播給每一個飲用它的人。若干流行病，尤其是傷寒，赤痢，霍亂等，水是傳播的主要原因；歐美國家注意水源的清潔與飲水的消毒，這些病差不多已經絕跡。中國則情形不同，一二資本官僚的公館裡，洗脚水都蒸溜過，絕對用不到我們關心；惟有大多數民衆，還是飲用隨地的天然水源，好得鄉村裡柴草還不怎樣貴，把水煮沸了喝，怕燙時不妨放冷，那就不怕那些病菌的作怪了。

民間醫藥（消化器病）

葉橋泉

加答兒性口內炎

原因　本症多由口內之刺戟而起，如冷熱過度之食物，齲齒，銳利之牙齒，烟酒類，辛香物等爲主要原因，或藥物之中毒，如鉛劑，水銀劑，鉛及燐之中毒，其他因各種染病，如窒扶斯，痲疹，猩紅熱，痘瘡，肺癆，黴毒等而發，又哺乳兒食後因失於清潔口腔，致由牛乳之分解而起本症，在小兒齒牙發生期，亦常有發生本症者。

症狀　口內粘膜發赤腫脹，灼熱，疼痛，分泌物增多，流涎，口中放惡臭，味覺異常，任何食物每覺苦味及腐敗味，食慾減退，故在乳兒患者，往往嫌惡母乳而致逐漸衰弱，甚或發熱而發痙攣者。

治療法　清潔口腔，除其原因爲第一要義，即齲齒則拔除之，烟酒香辛物等，則戒除，因藥物中毒，則中止服用，患傳染病者，須頻次含漱，注意口腔之清潔，若急性症，可含冰塊，食物宜擇柔軟而無刺激性者，下列民間療法可選用。

馬蹄決明子四錢煎濃湯去渣，加入蜂蜜一匙，過濾，再澄清，取淨液一杯，作含漱劑。

右約爲一日量，或再多作，多漱，漱時可略加溫。

嬰兒或小兒不能含漱者，用絨布或精製棉，卷於箸頭，蘸下列洗滌劑，拭洗口腔，並用清水拭淨，後以下列塗布劑，塗布於口腔內。

黃柏一錢甘草一錢開水兩杯泡浸去渣濾淨。

右爲口內洗滌料

硼砂　五．○

冰片　○．一

蜂蜜　一○．○

右藥充分研和作塗布劑

傳染病急性熱病患者，以下列處方頻頻含漱甚效。

珠兒參一錢開水三○○西西泡浸

右爲含漱料，並可代飲料。

潰瘍性口內炎

原因　凡育兒院，囚獄，兵營等衆人聚居之處，及空氣不良之陋室等，常易流行，尤其是體質不良之小兒，易患本病，或因水銀中毒而發。

症狀　齒齦呈壞疽及顯著之口臭，此爲病之主徵，即口內赤腫，疼痛，牙齦腫起，呈污穢灰白色，易出血，後乃陷於褐色之壞疽，或生潰瘍性疼痛，流涎而發惡臭。

治療　治其原因爲主要，頰部如有潰瘍，須防其與齒齦癒着，臥時宜向健側，其次注意充分之營養，並用下列之含漱劑及塗布劑。

川柏三錢薄荷一錢水三○○西西作泡浸劑，去渣濾清。

右爲含漱劑，食後用，一日數回。

或用決明子亦可。口中惡臭時，可用前述之處方「川柏薄荷」。或用下列之含漱劑。

金銀花二錢生甘草一錢開水三○○西西作泡浸劑。

右爲含漱料。

因水銀中毒而發者，用下方。

生甘草三錢薄荷二錢開水二○○西西。

右爲含漱料。

又嬰兒及小兒不能含漱者，依前記方法遍拭口內，或塗布下方。

青黛三分冰片半分硼砂三分蜂蜜三錢。

右研極細充分混和，爲口內塗布劑。

阿布他性口內炎

原因　此病發於幼兒，尤其於乳齒發生期最多，貧血及腺病質之小兒，易患本病，他如口內之炎症刺激而起。婦人月經時，產褥時，授乳時等亦易發生。

症狀　舌尖，舌緣，或舌下面及口唇與齒齦之間，起帽針大或豌豆大或小點狀之白而帶黃色之圓形斑，此爲本病之特徵，其斑點周圍繞以赤暈，稍微隆起，不易剝離，本病大抵於一週至三週間痊癒，無危險，惟營養不良之嬰兒，有因疼痛而不能哺乳，致漸次衰弱者。

治療　先除其原因，局部療法用前記之決明子含漱劑及塗布劑，幼兒用前記之口內黃柏甘草水洗拭法，水硼劑之塗布，又下列塗布劑亦可參用。

青黛　四．○

冰片　○．二

蜂蜜　二○．○

充分研和。

右爲口內塗布劑。

寄生性口內炎（鵝口瘡）

原因　由存在於空氣中之黴菌，侵入口腔中繁殖而起，本病在生後第二乃至第八週之嬰兒易發，又哺乳後口中不加清拭，致口中不清潔者，亦易罹患，尤其於用牛乳營養之虛弱小兒，更易患之。在成人健康者甚少患之。惟因糖尿病，窒扶斯，肺癆，產褥熱等熱病經久而衰弱者，亦每兼發本症。

症狀　舌緣，口蓋及頰部之粘膜，生青白色薄點狀沉着物，經日則次第增殖而厚，成大斑狀，由口腔蔓延至咽頭，成人則唾液分泌增加，口內有灼熱疼痛感，或發胃痛及下痢。嬰兒則哺乳之際，往往因疼痛棄乳而哭泣，口角流涎，並發頑固之下痢，本病若處置得當，一二週間可全治，若遷延不治，常有發生危險之合併症，切勿輕視，並須加以充分之看護爲要。

治療　本病以預防爲最要，凡重症病人，須注意口腔之清潔，嬰兒哺乳後，須用消毒棉花蘸清水拭洗，使口內保持清潔，牛乳哺乳器須用鹽水洗滌，次以清水洗滌清潔，本病之治療法，成人用下列之含漱劑，嬰兒則以下列之洗滌劑拭淨後，並用後開塗布劑塗布。

硼砂五．○　水二○○．○

右藥每二小時含漱一次

重曹六．○　水二○○．○

右藥爲口內洗滌劑

硼砂　三．○

冰片　○．一

蜂蜜（或甘油）一○．○

右爲塗布用。

或用上列青黛冰片塗布劑亦佳。

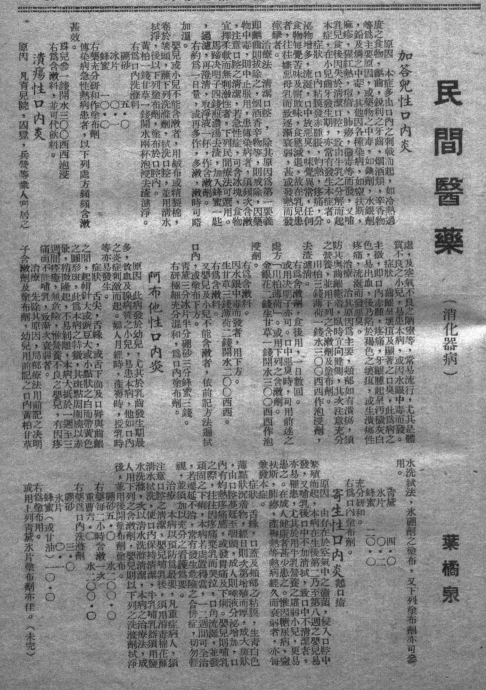

（未完）

從飲冰說到科學化問題

陸沈本琰

中國人一向把「好古」看做一種美德，古人說的話，總是百分之百的可信；聖人與賢人都出生在古代，而時代越古，聖賢的淫度也隨之越高。「素問靈樞」，中醫尊爲醫經，好比耶穌教的聖經。我們若用文學眼光看素問靈樞，那是一望可知，是秦漢間的文字。可是它依託了黃帝岐伯，人們也信爲黃帝岐伯的書了。黃帝岐伯在秦漢之前二千六百多年，從現在說，比秦漢「古」了一倍多，這就造成了素問靈樞的「聖」，不愧稱爲醫經了。醫經是這樣，其他一切，在守舊者的心目中也是這樣。物質科學是西洋近時的產物，近時則決定不是聖賢，西洋又是古聖賢所斥爲「戎狄」的；於是守舊的中國人非但不懂科學，而且瞧不上科學，拒絕科學。這種情形，據老年人說，在清朝末年是非常顯著，近時則好得多了。我們呢，知道這是不對的，我們主張中醫必須科學化。

民國以來，政治上經過了革命，文化上經過了白話文新文化等等的運動；而守舊的老頑固，也絡續地老死，活着的眞寥如晨星了。於是一般青年的觀念，比較四十年前眞箇打了一百八十度的大轉身，方向相反；必須西洋來的，或是西洋有的，纔算對，纔算好；必須科學所證明的，科學所有的，纔肯承認有；同時，凡是中國的皆是不對，皆是迷信，至少也是可疑。「月亮外國的好」，就是這種觀念所產生的格言。我們雖然够不上老頑固，也够不上這樣的最前線；我們主張中醫科學化，却不主張盲從化。『對了，你是主張中庸之道的。』一位朋友微笑地這樣說。這朋友挺喜歡讀新文藝作品，而「中庸之道」，「衞道」，「國粹」等名詞，在新文藝家的詞典裏，都是一種幽默，用來挖苦那些不曾與他們同化底中國人的。

我倒也不是盲目的中庸之道，還不够資格領受這箇考語。我說上面一段話，乃是讀了本刊的兩篇文字，有感而說的：一篇是本刊第二期裡婉小姐——我不知這位作者是不是女性，因爲署名是富有女性色彩的，故冒昧稱爲小姐，——的「冰能凍死病菌嗎？」另一篇是第三期雍熹先生的「經期中爲什麼不能吃生冷？」下面把我讀後的感想說出，便知用不着「中庸之道」的幽默。不過這裡先要向兩位作者聲明，我並不是駁那篇大作；我知道那兩篇大作中所說的，皆是科學所證明而確然無疑的事實。我的感想，雖與那些事實有關聯，却沒有什麼衝突；要不然，怎樣又說科學化呢？或者，我的感想在兩位作者下筆時也許已經自行想到，不過兩位作者是針對國內一般社會而言，怕社會仍有好古信古的習慣與迷信，故想到而不給說出，也未可知。

婉小姐「冰能凍死細菌嗎」一篇，大致是說「冰不能凍死細菌。倘使做冰的水未經消毒，有夾帶細菌的可能；那末，這種冰吃不得。倘使做冰的水已經消毒，這冰就不妨一吃。冰的本身是無害於人的。」

我讀後的感想，先要問下面幾點：

（一），一切病的原因，是否皆屬細菌？

（二），冷是否在細菌之外也有致病的可能？如其可能，則吃冰，尤其在身體正感大熱的時候吞吃很冷的冰，是否可以致病？

（三），吃冰除一過性的涼爽外，是否有別的益處？如其沒有，則從衞生上講，冰是否值得吃？

（四），科學果然未能證明冰對於人體有害。但我們是否可以因此斷定冰對於人體無害？我們應否等待科學證明了「無」害然後說「無」害？

（五），上海所謂機器冰，我們知道是用消毒過的水製造，可以相信沒有細菌的了。但這塊冰從廠房到吃客的嘴吧，中間所接觸的，有卡車，有鐵鉗繩索，有勞工的肉手，有鮮冰的鋸子，有刨冰的刨子；這些，是否也一律消過毒？如其不曾，那冰製造時雖然無菌，到嘴時是否仍是「在山泉水」，仍然無菌？

上面幾箇問題，不必研究科學的學者，只須普通常識，皆能作準確的答覆。經過這樣一問答一考慮之後，我想婉小姐也要感覺「冰還是不吃爲妙」了，除非她對於冰有特別嗜好。

中國人向來不吃冰。西洋人不知什麼時候起始，把冰作為日常食品；西餐的末了，無論冬夏，總有一杯冰結淋。我想這種吃法，一定是從嗜好習慣上傳下，決不是科學產物。為什麼呢？科學告訴我們，人的內臟如胃，需要華氏表百度左右的高溫；現在把三十幾度低溫的水吞入胃裡，是否適合生理需要？科學又告訴我們，食物是熱的容易消化，冷的難消化，而胃在消化時因粘膜充血而熱度較平時更高；現在趁着胃在消化的時候吞下冰冷東西，不但使胃溫度的調節機能難於應付，又把易消化的胃內容物變成難消化，這是否適合衛生？所以，吃冰，尤其餐後吃冰，根本是反科學不衛生的事情，根本是西洋人的壞習慣。

中國人要學西洋的物質科學，但何必連他們的壞習慣都一箍腦兒模仿起來？上海人吃冰，還不是從西餐的冰結淋傳染開來的！

雍熹先生那篇大作，比婉小姐那篇稍有不同。他說「科學學理上至今找不到月經期中不可吃生冷的根據，」但他也同時承認吃了生冷真有「月經終止」或腹痛等等事實。他在合理而可能的條件下，給這些事實下了箇假定的解釋，是「冰凍生冷直接影響身體的抵抗力，却不是月經的本身。」

這箇假定的解釋，對於我上面五問題中第二問題，是一個很好的答案。而我的第四問題也加重了雍熹先生解釋的可能性。

物質科學是可信的，是可以覆按而一律沒有參錯的。但是應用到人身上，或者生物界裡，就不免有些參錯起來。同一時期感染同一細菌而發的病，不但輕重不同，而且轉歸有死亡有全愈。純粹細菌的培養，不但可以變化菌體的外形，甚至可以變化它們的毒性。這些，都是科學醫學家所熟悉的事實。既有這些參錯，那末，「小妹妹」與外國同學「小瑪琍」於月經期中吃冰牛奶而無事，與有些人吃了生冷而中止或腹痛，正不妨皆是事實。

只有同一工廠所製造出同一牌子的東西，例如汽車吧，那麼，從引擎汽缸以至輪胎螺絲釘各種零件，可以不論那一乘車都是一式一樣，絲毫無異；因為這是純物質的東西，故物質科學可以駕御得這樣躊躇滿志。至於人，同一胞胎的攣生兒弟或姊妹，竟有大大不同的面貌與性情；科學既不能保險生育，也不能保險節育，更無論生男生女及所生子女的面貌性情了；因為人體除物質以外還有一箇「生命」，生命是物質科學家所至今——或竟永遠不能解釋的一種東西，科學家稱為「生命之謎」。物質科學對於人類既這樣的低能，故雖是主張中醫科學化的我們，也承認中國與印度的若干非科學學說，其價值竟遠在物質科學之上。因為同時有這種承認，所以我們不能盲目地無選擇地科學化，更不能「月亮外國好」化。

我是平時吃生冷稍多就要不舒服，何況是冰？何況在月經期？所以我不主張吃冰，不主張解放月經期中的生冷禁。而且，外國的月亮雖然不比中國的好，外國人的體質真比中國人好得多，她們（他們）的粗壯而強健沒有中國人的文弱樣子。那麼，「小妹妹」也許不能一切仿照「瑪琍」行事吧？

我以為我這種主張並不會反科學。

本刊徵稿啟事

（一）文件最好用白話，淺而易解的文言也可以，總之讓大家看得懂，竭力避免學術語專門名詞。

（二）字數每篇最多不得超過三千字，千字以下的短文尤其歡迎。

（三）內容中國學說也好，西洋學說也好，祇要是實用的，大家日常生活必需知道的醫藥衛生常識，如果是融匯中西學說的，那更是十二萬分的歡迎。

（四）稿酬經刊載後稿費從優。

（五）來稿文字編者得加潤色，投稿人如不願潤色者，請於稿端聲明。

（六）來稿未登者，如須退還，請附已寫好退還的地址及收件人之信封，貼足郵票，當即儘速寄還。

（七）來稿請署眞實姓名詳細地址。

（八）稿件請直接寄送上海（5）哈爾濱路富春里四號，本報醫藥編譯委員會。

本刊定閱價目

月份	期數	定費	掛號	航平	航掛
三月	13	四萬五千元	一萬元	八千元	一萬七千元
半年	26	八萬元	二萬元	一萬五千元	三萬三千元
一年	52	十五萬元	四萬元	三萬元	六萬五千元

附註：定戶請於到期前一期通知續訂本外埠定戶平寄免收郵費其他寄法郵資請照表匯寄

疾病和症候(二)

體温異常(續前)

實秋

體溫超過平溫，就是發熱。發熱有突然的和徐徐發熱的不同。平常沒有疾病的人，突然發生頭痛或寒戰，接着就發熱。這樣突然而來的熱，大都是高的，高熱發生最速的時候，就有惡寒戰慄的情形。這時病人混身震顫，牙齒相鬥，皮起粟粒，感覺奇冷非凡，但過不多時就大熱起來。像這樣發熱的形式，大多見於急性肺炎和瘧疾病者。當迅速發熱的時候，那溫熱向周圍放散的程度也就增加，所以病人感覺得冷。因了冷的感覺，所以皮膚血管收縮起來，身體表面現出鷄皮而蒼白。同時的震顫，也是因為體溫被周圍所奪，身體各部肌肉，就由反射作用而起一種特別震顫，以增加體溫補充放散。這樣熱的發生和放散到了平衡狀態時，那惡寒戰慄就見消減而病者也就感覺熱燥了。中醫學上的冬溫，相當於急性肺炎。所以有許多醫案上記載着惡寒戰慄高熱欬痰的症狀。

另一種緩緩的發熱，在開始時候不大覺得的。每天增加少許，一天一天的增加上去，到約近一星期的時候，熱度竟達四十度上下。病人起初祇感覺到身不舒服，手心裡有些異樣感覺，既沒有惡寒也沒有戰慄。像這樣的發熱，在腸熱病常見到的。腸熱病且又譯腸傷寒或傷寒，也有稱之為腸窒扶斯的。因為這種病原為 Typhus 桿菌，初期在血液裡，後來集於小腸淋巴腺叢，腸部發炎所以稱為腸熱，也稱腸傷寒。傷寒這個名稱本來是中醫古代的一個病名，說是傷於寒而發熱。後來日本人把西方傳過去的腸熱病譯做傷寒，我們中國人在東洋學醫的回來，就跟着把中國的傷寒名詞用在腸熱病上。可是中醫學原有的傷寒，其病情和腸熱迴不相同，而中醫學上的濕溫的症狀却和腸熱病相近。

除掉急性和慢性發熱的兩種以外，還有次急性發熱。這種發熱，病者只感到怕冷，沒有惡寒戰慄的症狀。

在初期發熱時候的症候，在診斷上有很大的意義。病家應該把每天的熱度、記載下來，留給醫生做參考。有許多無知的人，一見發熱，連忙買阿司匹靈吃，不知亂服解熱藥紊亂了熱型，增加了診斷上的困難。

體溫升騰之後，必有全身病感，體力弛緩，腦部機能障害脉搏和呼吸數次增加，因此身體裡炭酸排泄增多，食慾缺乏，煩渴，引飲，消化不良，便祕或泄瀉等症，病者尿量也見減少，尿素尿酸反見增多，尿中鹽化物排洩最少、或全缺。上面所說的症候，他一部份雖然是因了體溫升騰而來，可是不能一概而論，如脉搏增加和腦症狀同消化障礙，不能常同體溫升騰，為比例，那是根[illegible]他發熱的原因和疾病的種類而不同。凡因熱而起的症狀，叫做熱的附隨隨狀。

當急性傳染病的時候，病原菌侵入體裡面，血液中現種種變化。隨件現發熱，但這種反應發現的熱，不僅僅是有病原菌侵入時為然，如因異性蛋白質的注射和體內蛋白質的異常經路，有分解的時候，也同樣發現。此外熱於體溫調節機能變調的時候，也發現。就是腦底的熱中樞和與這有關的神經障礙，所以發熱並一定全是傳染病。

發熱的程度高低，不如熱型在診斷上的重要。

臨床上的經驗，中國人民體格不及西洋人强壯，平常溫度，大率在36.7°——37.1°之間。和下面一張表所說的，約差十分之三度，其餘沒有多大差異。

熱別	最低(晨)	最高(晚)
平常	37.0°	37.4°
中等	37.5°	38.0°
熱性	38.0°	40.5°
甲輕熱	38.0°	38.4°
乙中熱	38.5°	39.5°
丙重熱	39.5°	40.5°
丁高熱	39.5° 以上	40.5° 以上
過熱	41.0°	42.0° 以上

生理上對於溫熱刺激，僅能在一定限度內容忍，就是在這個限度以下的，沒有生命危險，過了這個就危險了。如稽留於腦為的是熱度，不能超過攝氏四十一度。然而也有不盡如此的，如腸熱病人就是很著明的例子。據希氏(Chiaree)經驗，有一脊髓創傷的病人，體溫高度升騰到五十度，取過熱度經過，但結果良好，僅經過中神經循環系統，早呈重篤的微候。據我們經驗，熱度高而為時不久的，轉歸總是佳良。反之高熱機續很久，那就危險得很了。不但高熱如此，就是輕熱持久，也足以影響生命，肺結核的消耗熱，就是一個顯明的例子。一般人談到微熱，就即刻想到肺結核。此種思想在具有普通醫藥常識的人，影象尤深。不過微熱的疾病也很多，並不一定有微熱即是結核。

國藥性效

姜春華

巴戟天

本經　主大風邪氣，陰痿不起，强筋骨，安五臟補中，增智，益氣。

按本經所述，除「主大風邪氣」一項外，皆屬强壯作用。

別錄　療頭面遊風，小腹及陰中相引痛，補五勞，益精，利男子。

「頭面遊風」後世指頭髮際及面部之疹塊，巢氏病源有頭面風候，爲感冒症狀。後世遊風有不固着之義。冬日嚴寒，在外行走，爲風所吹，有頭面部起疙瘩者，入室經若干時之溫暖，即自行消散，非蜂窩織炎或所謂頭面丹毒也。

「小腹及陰中相引痛」指腸脫出症。（腸赫尼亞）小腹痛而連及陰部，共爲脫腸無疑。間有於房勞之後，感覺小腹痛，自以爲房事受寒者，然事實上並未受寒。其所以致痛者，乃因性交時之劇烈動作，使腸部受震而脫出。（影響於輸精管者亦有之）故性交後之腹痛，多數不與風寒事。

「補五勞益精利男子」皆强壯作用。尤着重於性的方面。

甄權　男子夜夢鬼交洩精，强陰，下氣，治風癩。

「男子……强陰」指强壯性神經。

「下氣」不悉所指。

「治風癩」指風疾，但不專指大痲風。

日華　治一切風療水腫。

「治一切風」按中醫之風病，包含本極廣泛。此處之一切風，乃包括如本經別錄諸家之風而言，此諸風範圍較窄，如遊風風癩風毒（脚氣）是也。

「療水腫」可能是脚氣腫脹。綱目亦有治脚氣之說。

綱目　治脚疾，去風病，補血海。

「治脚氣」按脚氣，古書亦稱脚弱，孫思邈說：「考諸經方有脚弱之論，而古人少有此疾，自永嘉南度，衣纓士人多有遭者」。又說：「此病自聖唐開闢，六合無外，南極之地，襟帶是重，爪牙之寄，作鎮於彼，不襲水土，往者皆遭；近來中國士大夫，雖不涉江表，亦有居然而患之者；良由今代天下風氣混同，物類等齊所致耳。」按孫氏奇怪此病古人少有，至唐乃盛，原因流遷易患，纔而土著皆然，無以釋之，乃曰「風氣混同物類等齊」。今據科學實驗：知爲缺少維他B。醫治方法，即以多量維他命B補給之。然此亦有一問題，如有百人，同時同地同食相同之食物，而九十九人不病，獨一人病，則可見此一人對於接受或需要維他命B上必有問題？又此人既病，經補充若干維他命後，其病即愈。夫所補者，僅短短時日，區區數量，何以愈而不發？若謂其接受與需要之機能因是調整，則病因不在維他命B之缺少，而在本身之機能？若謂係補充之效，何以愈後不再補充而不發？

「去風疾」釋見前。

「補血海」血海之義，古人以女子血爲主，要凡月經之出血，生產之出血，皆以爲出於血海。而女子之生殖，又視血之情形爲準。如月經不調，子宮冷感，生殖機能感退，皆屬血海空虛。故古人之血海，相當於子宮生理病理的出血，及生殖機能的盛衰。

云：「靈樞經海論云：「人有髓海，有血海，有氣海，有水穀之海」。又「血海有餘，則常想其身大，怫然不知其所病；血海不足，亦常有想身小狹，然不知其病」。按此說與後世血海之義不同，後人謂衝脉起於氣街，亦稱血海。引靈樞說：「衝脉血盛則滲灌皮膚，生毫毛，女子數脫血，不榮其口脣，故髭鬚不生；宦者去其宗筋，傷其衝任，故鬚亦不生」。由此觀之，則血海之用，相當於衝脉之用，相當於男女之性腺也。

總括諸家本品之作用如下：

1 風疾（？）遊風癩疾風痺。
2 强壯神經（尤其性神經）增强生殖力。
3 脚氣風毒水腫。
4 小腹引陰痛。

傷寒質難

此書有著作權
不許轉載翻印

（四）

祝味菊答述　陳蘇生筆受

傷寒潛伏期篇第三（附邪正不兩立說）

夫細菌遍佈大地，瀰漫遐邇，有始以來，生生不絕，菌性不同，各就其所適而自存，人之遇菌也，寒燠暴變，體工不及調節，則菌毒有可乘之機，飢飽無常，中土失其運化，則胃腸有受病之隙，邪行如水，惟虛者受之，微邪初入，匿跡於腠理分肉之間，胃腸屈曲之處，不消化之殘食，未排泄之痰濁，凡我身之廢料，皆成細菌之資糧，斯時雖邪已入體，而蕃殖未夥，毒勢未張，其人小有不適，而病狀未著，西醫所謂潛伏期也。

蘇生曰，潛伏期者，殆即伏邪之異名乎，經曰，冬傷於寒，春必病溫，有伏寒可知亦有伏暑，從而推之，六氣皆能潛伏，故曰，春傷於風，夏生飧泄，夏傷於暑，秋爲痎瘧，秋傷於濕，冬爲咳嗽，蓋伏氣之說。由來舊矣，而近賢多非議之，以爲寒暑之邪，中人即病，奚能久伏，言不師古，殆不可信歟。師曰，伏氣之說，中醫之障也，不可以附會潛伏期，夫邪正不兩立，豈有容邪許久而不病者乎。

蘇生曰，病有潛伏之期，則知邪有蟄藏之所，師言邪正不兩立，則細菌亦邪也，菌邪纏着，亦必即病，奈何又有潛伏。

師曰，此有形之邪所以異於無形之邪也，細菌有形之邪，其沾染而中人也，數尚不多，毒尚不厚，數不多毒不厚則病狀不顯著，然體內固已有邪，故曰潛伏，潛伏謂病狀之未顯，非謂病原之蟄藏也，及其繁殖而數多，分泌而毒厚，然後始乃發病，六淫之邪不能繁殖，中人輕則不病，不病則亦無由知其嘗中輕邪，縱使綿歷歲時，苟不別中重邪，亦終不病耳，其中邪重而病者，中則即病，曾不旋踵，故細菌有潛伏之期，六淫無伏藏之理，不得以彼例此。

蘇生曰，敢問白濁經年，淋菌稽留，梅毒潛伏，終身不解，肺之結核，腸之縧蛔，瘧之久發，痢之不休，皆細菌原蟲及寄生生物之爲患也，潛伏之期，何其久乎。

師曰，子所舉諸病，皆病狀已顯，已過潛伏期而入於前驅進行諸期者，其病程較長，非潛伏期之久也，又潛伏期爲病原微生物學之名詞，縧蟲雖可謂之病原，而非微生物，故縧蛔諸病縱令病狀未顯，亦無所謂潛伏期，子既誤病程爲潛伏期，又誤寄生蟲與細菌等視，乃有此疑，且子向所問，吾今所論者，皆傷寒耳，淋濁梅毒非傷寒之類也。

蘇生曰，然則傷寒潛伏期之處治奈何。

師曰，潛伏之時，病證未著，無有治法，中醫就其感覺不適之處，從而調之，或汗或吐下，去其病菌之所憑藉，縱使首懸未誅，而莠民既戢，邪勢孤矣，中醫初期療法，往往消患於無形，所謂上工治未病也。

蘇生曰，信如師言，邪之着人，既有短期之潛伏，其病程長者，又可以歷久不愈且不死，則正邪固可兩立矣。

師曰，窘乎哉問也，夫正邪不並立，中醫相傳之舊說也，古人不知細菌，本指六氣無機之邪，雖然，其義猶可通於細菌有機之邪，何則，謂之邪者，爲其害正也，苟不害正，雖細菌亦不名爲邪，夫細菌潛入，其能危害宿主康健者，爲病原菌，乃所謂邪也，苟非病原菌，或病而不足爲患，則又何嫌之有，故酵母，細菌也，而可以助消化，趾疥，原虫也，而可以拔濕濁，菌不我害，反爲我用，是爲非邪，非邪之與正，何嫌乎並立，即在病原細菌，當其乍入人體，量小力微，未能害正，即未可名邪，正亦未起抵抗，若是者似正邪同時並立矣，然一旦毒力足以發病，正即奮起抵抗，邪正之勢，終不兩立也。

蘇生曰，西人有所謂傷寒卡麗亞者，譯稱傷寒帶菌者，歷史上著名之傷寒病媒也。終其身散播傳染，遂爲法律所幽禁，如是病媒，世所常見，是則正邪固可兩立，人體固能容邪矣。

師曰，不然，細菌寄生於人體而不危害其宿主者，不名爲邪，前已言之，此等細菌，與正氣無敵對之行爲，固無害其兩立也，譬如外籍僑民，馴良守法者，雖非我族類，政府未嘗歧視之也，苟其屆跡逞凶，陰謀作亂，則國法具在，不可優容矣，夫傷寒所以能自愈者，以體內產生傷寒抗體也，有傷寒抗體即有傷寒免疫之力，有傷寒免疫之力，則雖有傷寒菌，不足以肆其危害，亦如守法僑民之寄居國內而已，彼傷寒卡麗亞之能長期帶菌，亦不過一種變相寄生耳，其寄生之所，意必限局於一隅，決不至流走五藏，滲透組織，而無所反應也。

蘇生曰，帶菌者所帶之菌，於其本人竟無害乎。

師曰，帶菌者帶害菌而無害者，恃其已有抗體也。抗體消失，其爲害亦如常人，抑不但抗體而已，體內諸菌，又有利於此，而害於彼者，譬如大腸細菌，棲居大腸，專事腐化，如蚓在土，功能疏導，而常人皆有，不爲患而反爲利，然使出離大腸，而竄入腹腔，立即引起炎症，昔爲無毒之菌，今爲有害之邪，當其有害，正必抗之，腹膜炎諸病症，類皆正氣抗邪之所致也，故邪正決不兩立。

蘇生曰，然則肺留結核，足生壞疽，存邪之久，遠及數年，病深所經，莫非正邪兩立之時，何云不兩立也。

師曰，人體組織血液，不能必其無細菌之存在，當病原菌游離而未成集落，必遭體工之殲滅，及其據有病灶，雖一時不克剿絕，而所以防禦抵抗之者，固未稍懈也，譬如四境之內，萑苻蜂起，動員徵發，從事誅討，經年累月，勝負未分，敵之所據，雖僭立僞朝，而慶弔不相及，道路不相通，壁壘相持，雖一時休戰，而戒備未弛，如結核之被封鎖，壞疽之有分界，待機以動，敵愾同仇，正邪相持而未決，初非相安而無事，不得謂之並立也。

傷寒前驅期篇第四

（附體溫之生理及發熱之病理）

蘇生曰，邪之有害於人者，與正氣勢不兩立，謹聞命矣，願聞邪入之門戶，經云，虛邪之中人也，始於皮膚，皮膚緩則腠理開，腠理開則邪從毛髮入，入則抵深，留而不去，傳舍於絡，在絡不去，傳舍於伏衝之脈，留而不去，傳舍於腸胃，留而不去，傳舍於腸胃之外，膜原之間，留着於脈，息而成積，邪氣淫佚，不可勝論，又云，風寒客於人，使人毫毛畢直，皮膚閉而爲熱，此中醫之舊說也，西醫不言六氣，謂細菌侵入之門戶，因表皮創傷而侵入者，謂之創傷傳染，由黏膜之濾胞進入者，謂之濾胞性傳染，病從口入者，謂之飲食傳染，病從鼻孔侵入者，謂之吸入傳染，因交接而侵入泌尿生殖器者，謂之交接傳染，其不能證明侵入之門戶而發病者，謂之潛匿性傳染，西醫之說如是，信如所言，則狹義傷寒病灶在腸，邪從口入，而中醫謂冬傷於寒，春乃病溫，明言邪始於表，若謂表不受邪，未免粃慊聖言，且因寒而致病者，固事實所常見，請問邪所由入，由皮毛乎，由飲食乎。

師曰，中醫論傷寒，始於在表，謂其有傷於寒，即傷於六氣之一，亦即傷於不正之氣候也，六淫來襲，因體工不及調節而爲病，在體曰表，所謂衛外之陽不固也，六淫僅爲刺激之因素，既病則六淫不復存在，非如細菌原蟲，可以潛伏於人身也，譬猶熱香，比及香聞，所熱者固已燼矣，夫所謂六氣者，不外氣候之變化而已，風之刺激皮膚，寒之收縮毛腠，暑之蒸發汗腺，濕之障礙放濕，雖足以誘起疾病，初非疾病之本身，故六淫之助成疾病，有如媒妁之助成婚姻，及其既婚，媒即無用，內經所論邪氣由表而入，僅爲感冒之誘因，不足爲傷寒之病原也，矧傷寒非止一種，正傷寒之外，副傷寒ABCD四型，皆以細菌之化學的反應不同，而異其名，將來或有EF型傷寒繼續發見，亦未可知，總之，不外有機之邪而已，有機之體，若非表皮創傷，不得從表入，子言表不受邪者是也，有機之邪，充斥寰宇，飛揚太空，或混雜於食物，或黏附於器皿，吾人之口腔鼻孔，皮膚指爪，亦往往有細菌寄跡，然而不至於病者，以吾人有保護機能故也，夫異物入喉，激而爲嗽，濁氣刺鼻，鬱而爲嚏，胃有所惡，逆而爲吐，腸有所積，迫而爲泄，皆保護機能也，表之蒙皮，藏之被膜，所以捍邪也，胃中有酸，腸中有酵，眼瞼之淚，陰道之液，皆能殺菌，肝狀細胞，可以禦邪，血中白球，力能噬菌，淋巴有腺，密如堡壘，吸留異物，不令入營，凡此種種，亦皆保護機能也，強之凌弱，如水就下，邪性不所，每侮其所不勝，是以細菌蕃殖，各擇其性之所宜以棲息焉，有特異之菌性，乃有特發之證狀，或限制於局部，或蔓延於週身，傷寒菌之喜集於腸，亦擇其性之所嗜耳，傷寒之菌，大都由飲食經口入胃，胃不能消滅之，則侵入腸膜，復由淋巴入血循環，以周遊全身，決非由表入裡者，當其感染之初，容或有感冒爲之誘因，既病之後，則非感冒矣，前驅期菌勢既張，病症乃著，菌之所至，毒亦隨之，當斯時也，正氣奮起抵抗，體溫高增，寒戰凜冽，正邪分爭之狀成立，所謂前驅期是也。

蘇生曰，急性傳染病大都以寒熱頭痛骨楚爲前驅伴發之證狀，胡爲而然邪。

師曰，傳染病不必皆有前驅期也，前驅期證亦以菌性不同，而各異其狀，大抵寒熱爲體溫之反常，痠疼爲體溫反常之後果，體溫反常，則有激而使之然者，子亦知體溫之生理乎。

蘇生曰，人爲熱血動物，所以異於蛇魚蛙黽者，以其有較高之體溫也，人之體溫，常在攝氏表卅七度間，以其適合於吾人之生理也，是以盛夏隆冬，不以季節而有增減，北極南洋，不隨地勢而有昇降，所以能適應環境而保持此常溫者，以有調節機能故也，當夫朔風怒號，足以吹散大量體溫，體工則收縮血管，以關閉其放散之門，戰慄蹲伏，以增加其內生之溫，盛夏溽暑，煩熱如焚，體工則喘息流汗，以撤在表之溫，脈解筋弛，以減內生之熱，此皆生理上之調節機能，所以維持其平溫也，體工何故必欲維持平溫，無非適合於生存條件而已，體溫因六淫侵襲而致障礙其調節機能，則表氣不利而見表病，今傳染病不從表受，而見寒熱骨楚之表證，則又何也。

師曰，六淫外襲，先及於表，表雖病而六氣未嘗潛入，是以感而即病，無所謂潛伏前驅期也。

中醫所謂表裏，皆想象之詞，嘉言老人曰，人身一個殼子，包藏臟腑在內，從殼子上論，即血脈肌肉筋骨亦表也，從近殼子處而論，即膀胱尾閭之間，亦出表之路也，人但知皮毛爲表，實則皮毛爲表中之表，即大小孔，雖在內，亦爲裏中之表，惟五臟之間，精神魂魄意志之所居，乃眞謂之裏，不可令外邪深入耳，是知寒熱骨楚，以證象在表，而名爲表病，亦想象之詞耳，夫外感六淫，以表邪而起表病，傷寒菌毒，以刺激而起表病，感冒誘發菌毒，即表邪引動伏氣。

蘇生曰，師謂伏氣乃中醫之魔障，今又自言伏氣，何也。

師曰，前闢伏氣，謂六氣不能內伏，今說伏氣，謂細菌可以潛藏，名雖同也，義則異矣。（未完）

上海市名

內外科	丁仲英	診所：四馬路西中和里七號	電話：九〇二九〇
內科	丁濟仁	診所：牯嶺路一二〇弄四號	電話：九六六六九
內科	丁濟萬	診所：白克路珊家園間壁人和里三二號	電話：九〇二九一
內科	王正公	診所：西藏路育仁里二〇號	電話：二一九八九
針科	方慎盦	診所：靜安寺路同福里八號	電話：三三一七八
傷外科	石筱山 石幼山	診所：愛多亞路貝勒路口呂宋路五福里（新城隍廟對過）	電話：八四一五九
瘰癧科	朱少雲	診所：白克路三七六弄三號	電話：三六二二一
內外科	朱治吉	診所：虞洽卿路育仁里三號 無錫醫士	電話：九三四二五轉
痧痘幼科	朱星江	診所：寶建路辣斐德路口十六號	電話：七五六八五
內幼科	朱叔屏	診所：長沙路五七號分診所淡水路朱衣里口	電話：九二〇一三
內科	朱鳳嘉	診所：靜安寺路同福里五號	電話：三一九〇二
內婦科	朱小南 朱鶴皋	診所：愛文義路九六號	電話：九三九三九
喉外科	呂萊賢	診所：愛文義路派克路平和里五號	電話：三〇二四五
胃腸科	宋大仁	診所：靜安寺新華園三三號	電話：三六四三五
痔漏科	林墨園	診所：同孚路東首新大沽路永慶坊十八號	電話：三五四七八
兒科	范再生	診所：復興中路二〇二號	電話：八五五〇四
幼科	徐小圃	診所：慕爾鳴路二一七號	電話：三三二三五
兒科	徐迪三	診所：山西南路一八〇弄	電話：九一八三八

醫一覽表

科別	姓名	診所	電話
疹痘兒科	徐麗洲	北京路泥城橋童延春藥號	九五二二六　四二一四六
兒科	徐耀章	七浦路三四二號	四一〇三三
女科	陳大年　陳盤根	巨籟達路亞爾培路西首六九一號	七七一三一
內科	陳樹脩	浙江北路一四六弄十七號	四一五六六
內科	陳鼎昌	廣洽卿路三四〇弄平樂里五號半	九一三〇〇
兒科	陳聘伊	白克路大道里四號	
疹痘兒科	姚雲江	白克路大通里一弄一家	三三九八八
外科	黃寶忠	白克路三七六弄永年里五號	三一八四四
內科	張仲友	茄勒路辣斐德路七〇號大地春藥號隔壁	八三〇〇一轉
瘋科	張明柏	靜安寺路戈登路西首慶福里三弄十九號	六一一二六
骨痨科	陶慕章	南京路大慶里三四號	九二九六四（二〇五二七）
內婦幼科	陸淵雷	派克路牯嶺路人安里十一號	九三二八六
內科	陸清潔	跑馬聽油頭路八二號	九一八一一
針科	陸瘦燕	愷自爾路一一二弄五號	八四四九〇
內科	夏仲芳	呂班路鴻安坊十一號	八二九二七
內科	程國樹	愛文義路卡德路東五九七號	三二二二八
內科	盛新餘	新閘路四七八弄七號	三八九五八
內科	葉熙春	南京東路七九弄三七號	九三一一八

濟世日報 右任

醫藥衛生 專刊

第一卷 第五期

—本刊每逢星期一出版—

本報登記證內政部京警滬字第三八六號

發行人 章勤　社長 章紹鼎　總編輯 施今墨

本期目錄

中華民國三十六年九月八日　濟世日報社發行　本期售價國幣四千元

社址上海哈爾濱路富春里四號　電話四五二七二

社論

復興中醫的意義

何謂復興？爲何復興？如何復興？

何謂復興？

「復」有「再來」「還原」等意義，這是大家所知道的；但又有一種特殊意義，便是「招魂」。禮記檀弓篇上有一句：「復，盡愛之道也。」下有注解：「復，謂招魂，庶幾其精氣之反。」就是說對失去了靈魂的人，招回他失去了的魂魄，使其精氣回來，叫做「復」。古時的孝子但願父母長生不死。當父母臨終斷氣，孝子計窮力竭，無可挽救的時候，從沒辦法中想出一箇無聊的辦法，招魂。叫一箇人爬到屋頂上，高聲大叫「某人復」，某人便是將死之人的名字。這就是現在民間的叫魂。但最初是由於孝子不忍他的父母死亡而想出的新法，所以是「盡愛之道」。後來漸漸成爲送終的一種禮節，這與叫魂的意義就大大不同了。叫魂至少有百分之若干可以不死的，「復」卻是非死不可、因爲實際上死了之後才招魂呀！我們今天說復興中醫，並不是模仿招魂，乃是眞要中醫還魂，這是必須聲明的。

「興」是興盛的意思，「興」的反面是「衰」，「衰」到極點，就要「廢」了。

「復興」的意思，是招回已經失去了的靈魂，集其精氣，不讓它衰，更不讓它廢，要讓它興盛起來。

× × × × ×

爲何復興？

古時我國的醫生，能一方面儘力闡揚自己的長處，同時又儘量吸收別人的長處，如對陰陽家的玄談，儒釋道的哲理，都采作說理釋義的工具，又如對苜蓿，底野迦，安息香，東洋參，西洋參等外國藥物的收入中醫藥典，這些例子都足以證明古醫治學的精神，是打破國界，毫無半點門戶之見的。祇要是合用的，正確的，外來的學說和藥物、經過一番研究試用後，便入於中醫典籍了。今時我國的醫師和古醫相比，則大不同了。他們或則排斥異己，泥古不化；或則依人學語，毀己從人；中西分疆，各立門戶，造成一國之中兩稱醫學對立的局面、簡直滑天下之大稽。這是因爲現時中國業醫的人，改變了古醫的治學精神，失去了古醫的靈魂，因之中醫學術日見其不合時潮，中醫師地位日趨低落，終至受制於西醫，呈現出一付衰老的面貌。我們一方面耽心中醫學術的衰老垂廢，一方面覺得西洋醫學離盡善盡美之境尚遠，而西醫不治之病，經中醫治愈的，眞不知多少，尤其是廣大的農村，唯中醫是賴，這是鐵一般的事實。我們爲了宏揚國粹，鞏固國防，憤文物被毀之日甚，念國庫漏巵之日增，痛斷臂殘骸之盈野，悲貧病夭死之衆多，所以要復興中醫，替今時的醫師們招魂。

× × × × ×

如何復興？

每逢談到中醫學術，總使我們聯想起深邃美盛的大海，洋洋的大海，是萬千水流合成的。大海對於一切水流，大的，小的，清的，濁的，天上降下的，地面流來的，祇要是生物養命之源，概不拒絕。積五千年經驗的中醫學術，有從中外各地收集來的千千萬萬種實驗有效的藥物，有坐臥運氣保養心身的益壽術，有「氣」「血」「營」「衛」「藏」「府」「經」「絡」等的生理學，有「符咒」「推拿」「鍼灸」「湯液」「和」「取」「從」「折」「屬」等的治療術，有「君」「臣」「佐」「使」「七方」「十劑」「丸」「散」「膏」「丹」「十八反」「十九畏」等的方劑學，有「望」「聞」「問」「切」「陰」「陽」「表」「裡」「寒」「熱」「虛」「實」以及識辨「形」「勢」「標」「本」等的診斷學，有「三因」「五勞」「六淫」「七情」「盈」「虛」「通」「塞」「運氣常變」等的病理學……洋洋灑灑，也和海一般的體大源長。如果再虛心地接受了科學新知的巨流，必然能够和海一樣地產生出一切水流所不能產生的名貴產物，希世之珍。

結論，我們復興中醫的主張是：「不毀己，不輕人，把新知注入舊學，使之起化合作用，建立一個如海一般深邃美盛的新中華醫學體系，貢獻於世界醫林，爲全人類謀康樂幸福。」非此不足以言保存文物，非此不足以言復興中醫，這是我們所提倡復興中醫的意義。

中国近现代中医药期刊续编·第三辑

為什麼月經不來？

雍熹

女孩子到了一定年齡之後，就會每隔四個星期有一次月經，這是大家都已知道的事實。可是，有時也會有偶然的例外。譬如說前幾天醫院來了一位十四歲的小姑娘，訴說肚子痛；經過了病情的詢問和詳細的檢查，我們替她做了一點小手續，以後她就好了起來月經每個月都很正常地來臨。另一位孫太太，今年剛三十歲，一向也沒有什麼病痛，可是從去年起忽然常常發現小便帶血；就從那個時候開始，月經也有一年多沒來了，這又是為什麼呢？按期有月經來臨既然是正常的生理現象，那麼在應有月經的年齡中月經不來，不就表示不正常的病態了麼！

的確，在女子的一生中，月經大致從十三四歲時開始，到四十五歲前後停止。在這數十年時間中，如果根本沒有月經發現固然是完全的病態表現；假使原來很正常，從某一時期起突然不能每月來臨而停止了，也是病理的現象，就應該加以注意，請教醫生診治了。

說到月經不來或月經的停止的原因，實在是非常之多。女子懷孕的時期，月經停止是自然的現象，只要是診斷正確，就不必驚怕担憂。但是除了這個原因之外的任何情況下，如果月經不來，那就不應該加以忽視了。

大致，我們可以把月經不來的情形分為兩大類。一類是從青春發動期起，就一次月經也沒有發現過；另一類是原來很正常，以後却突然停止了。

關於第一類的情形，最重要的原因可以有下面幾種：——

一、陰道內之特異——處女膜緊覆陰道，毫無漏隙，使陰道內腔與外界完全隔絕；因此，即使月經來臨亦無法流出。在「經期」中雖亦有頭眩，疲乏等現象發生，但血液均淤積於陰道內，如此越積越多，不消數月之後，即可使陰道內，子宮內和輸卵管內均有積血存在，因此就感覺肚子脹痛。此時處女膜向外凸出，呈青紫色；沿子宮及輸卵管作肛門檢查，（醫生伸手指入病人肛門內，從隔層摸子宮輸卵管。）並可摸到有血塊存在之感覺。這種病例，只要能夠確切診斷之後，治療倒是不難的，只須用手術將處女膜刺穿，使積血流出，並且以後月經時的血液也有了交通的門戶，不致再淤積起來，就可以一切正常了。

二、先天性生殖器官發育不良——所有各部分生殖器官如卵巢，子宮，輸卵管；以及腦垂腺前葉或甲狀腺等的不健全發育，都可以阻礙月經的發生。因為生殖器官的成熟工作，才能製造出成熟的卵子，產生月經現象；腦垂腺前葉和甲狀腺又都有關於生殖生理的控制。如果沒有月經是由於這一類先天性發育不良的原因，在治療上就比較難有把握了。新近的方法是注射「腦垂體前葉內分泌素」，「甲狀腺內分泌素」，或是「兩種生殖腺內分泌素」，去促進生殖器官的發育。

三、後天性全身發育不健全——通常最重要的原因莫若體弱多病和營養不良，使身體的發育生長遲滯不前，因此生殖器官也不能健全成熟，營正常的生理作用，月經也就無從產生了。醫治之法，自然不能從局部着手，而要謀整個身體之健全發育。有病的速將病治好，同時要注意到營養的重要。

四、生殖器官之病變——子宮或卵巢如有任何病症，不予治愈則亦可使月經無由產生。如子宮或卵巢結核等。如果把原來的病醫好，自然月經方面的病也就可以希望它消失了。

至於第二類的情形，原來按期有正常的月經來臨，後來突然沒有了，則不外乎下面這些原因：——

一、因病症而已將卵巢及子宮用手術割去。

二、雙側卵巢瘤或水胞。

三、過度之X光線或鐳錠照射。

四、子宮或卵巢或小腹腔內器官突患重大病症如結核症。

五、大病後身體虛衰，極不健康或極度貧血時。

六、授乳期過長，使子宮收縮過度。

如果月經不來是由於這些原因的，那末治療的原因自然要隨原因而不同了。有些原因是無法矯正的，那也只好由它去，只要不影響整個身體的健康就是。能予矯正的病因則設法去除病因，也就能使月經回復正常，按期有紅潮來臨了。

睡眠的生理

養精蓄銳，恢復勞𤺋，

金永熙

任何有生命的動物，總依着自然律的規則而生息，人也不能例外。古人有「日出而作，日入而息」的生活規律，在白天工作、吃飯、排泄，作一切活動；到夜間就帶了一天的疲勞上床，到睡鄉裡去休息，第二天淸早醒來時，就又神淸氣爽，混身是力氣了。現在都市裡一般花天酒地的人，被各色的燈光攪亂了日夜的區別；常常是通宵狂歡，而第二天非但日高三丈不起床，簡直把黃昏當作淸晨。如此顚倒的生活，對健康的戕害，不言可喩，也可說是錯用了科學的力量所致。不過有一點事實我們可以見到，就是不論怎樣的生活，人總不能不睡覺。人在疲累之後如果少睡覺，就會感到通體無力，睡眠㠯的電報——呵欠也會接二連三地來催駕了。

大概，我們大家也都有過這種經驗，當我們感覺疲倦，需要睡覺的時候，唯一可以滿足我們的事，在天地間只有讓我們安靜地睡一覺了。山珍海味引不起食慾來；風景名勝也提不起遊興。本來人的精力也是有限的，在一天勞頓的支出之後，自然需要補充和休息了。所以，睡眠實在是一種養精蓄銳，恢復疲勞的作用。

那末，睡眠究竟是怎樣一種生理的變化呢？這一點在生理學和醫學界是硏究了很久，同時也爭論了很久的題目。直到今天也還是只有許多可能的學說，而不能得到一個共同的結論。我們現在先把這些理論來分別說一說：

第一種假定是由於腦神經細胞的觸角收縮，以致各神經細胞間的連絡中斷，因此暫時失去了作用而引起睡眠。

第二種學說以爲睡眠是因爲控制血管脹縮的神經中樞疲勞後，引起邊緣微細血管脹大充血，以致大腦中呈貧血現象，因而造成睡眠。

第三種理論以爲睡眠是一種化學作用造成的。這一派學者又可分爲兩個集團。一部分人認爲操作運動疲勞後，體內產生的乳酸對大腦有壓抑作用，引起睡眠；另一部分人以派隆（Pieron）爲領導，則相信睡眠由腦中所產生之一種「催眠素」（Hypnotoxiu）所造成，他們並且認爲把睡狗之脊髓液抽出注入醒的狗脊髓腔內，也可使這隻狗入眠。

另外更有一些學者則相信在大腦中有一部分專司睡眠的「睡眠中樞」。

俄國的巴夫洛夫（Pavlov）却又堅持睡眠實在與一般的內在抑制作用完全是相同的性質，而且在生理的步驟上也沒有兩樣。

克西脫曼（Kleitman）氏則相信產生睡眠之原因，在於自邊緣神經傳入腦中樞的刺激減少，因此腦中樞神經比較不活動所致。

保存食物中

維他命眞是種奇怪的小東西，即看不見，又嗅不到。需要的量雖然是那麼微少，沒有它却又不能維持健康。於是維他命成了補品，供在藥房的櫥窗裏，擺在家庭的桌案上，藏在人們的衣袋中。那一粒粒的丸藥，眞好像有許多人的「命」是靠「他」在「維」持着的一般。但如果仔細想想呢，也着實可笑得很。維持健康所需要的維他命，在平常各種食物中都有了。那些買得起美國製維他命丸的先生、太太、少爺、小姐們還怕天天吃的牛奶、鷄蛋、佳餚、鮮菓中沒有維他命嗎？天天飯也吃不飽的窮小子們，自然也不用想依靠美國製的維他命丸來維他「命」了。

的確，只要把食物處理得宜，不使原有的維他命被破壞或是逃跑，那麼每天從食物中得到的維他命也足够了。

維他命的種類有很多種，維持健康所最必要的，就是甲、乙、丙、丁四種。其中甲和丁是溶解在油裏的；乙和丙是水溶性的。所以，如果一個人老是不吃油，就會缺乏甲種和丁種維他命。不過人類的皮膚，在太陽光照射的時候，可以自己製丁種維他命，只要多晒晒太陽就行了；甲種維他命却非吃油不可。平常人家，即使天天吃素，然總要用油炒菜，總不至於不用一點油，那自然也不會完全沒有得到甲種維他命的機會了。且甲種和丁種維他命的耐熱程度也較高，比較不容易被破壞。有機會多吃的時候，也能在身體內儲存起來，等需要時再用。

可是水溶性的乙種和丙種維他命却不耐了。乙種維他命多半存在在果說了這麼許多的理論，其實仍舊不能確定那一種是完全正確的。不過我們可以相信，睡眠是動物——以及人所必有的生理作用。如果沒有睡眠，體力和精神不斷地消耗下去，就會不支而死的。人類在連續多少天不睡覺之後會死尚不知道，但在狗的試驗，如果連續十四天不讓牠入睡的話，這只狗就要要求永遠的「睡眠」了。

現在我們再談談入睡以後的生理作用。有一點事實大約是我們很容易看出來的，就是在睡着的時候，一切身體上的生理作用，都會減低到最低的限度。顯而易見的是血壓的降低，脈搏也會比醒時慢一二十跳（每分鐘），從肛門測量體溫要比醒時低華氏一度左右，新陳代謝作用的速度也要比醒時慢百分之十至十五左右；只有汗腺的分泌要比醒時還更多。消化作用則與醒時相彷；至於小便，睡着以後的排洩量雖然減少，但是實際上所排出的磷酸尿素却比醒時反多，所以睡後醒來第一次的小便，顏色比較深，比重也比較高。

究竟我們在睡着以後，什麼時候睡得最「熟」呢？也許有人以爲人在入睡以後一直到醒的幾個鐘點之內是睡得同樣熟的，不過這種假定實在是錯了。平均說起來，成年人在入眠一小時以後睡得最熟，小孩子則在每一次睡眠中有兩次睡得最沉的高峯：第一次在入睡後第二小時，第二次在入睡後第八到第九小時。在睡得最熟的時候是不會做夢的，所以夢總在將要醒的時候才做。

還有人覺得睡的時間要有一定。本來，一定的時間睡眠，一定的時間起床是一種應該養成的好習慣。不過我們究竟需要每天睡眠多少時間也隨年齡而不同，不够固然不好，太多也不適宜。下面這個表是一般認爲最適宜的睡眠時間：——

年齡	睡眠時數	年齡	睡眠時數
嬰兒	十八——二十小時	十七——廿一歲	八——九小時
四——七歲	十六——十二小時	廿一歲以上	八小時
七——九歲	十一小時	老年人	五——七小時
九——十七歲	九——十小時		

當然，誰也不能睡得那樣準確，剛好幾小時醒來，所以這裡所謂幾小時，也不過是大約數字，不必一次非睡那麼久不可。很多人有睡午覺的習慣是很好的。

最後，我們要說一點關於睡眠的新衛生常識。第一件是不要在你的臥室內陳設花草。很多人以爲花草植物的光合作用，可以吸收空氣中的炭酸氣而放出氧來；不過光合作用一定要在白天才有，其他的時間，尤其是夜裡，植物也和動物一樣無休止地在行呼吸作用，所以也要吸收氧而放出炭酸氣的。如果你夜間在臥室內放上幾盆花草，豈不是幫助你消耗空氣中的氧氣嗎？

還有就是在睡眠之前不宜過飽或則飢餓；如果感覺到痛苦和煩惱的時候，也不適宜立即去睡覺；在入睡之前舉行一次溫水浴，則對於安眠頗有功效。

總之，睡眠的作用，完全是一種生理的需要，它有養精蓄銳的作用，幫助我們恢復疲勞，重新有力量担負明天更重大的任務。我們正不該輕視了睡眠，甚至剝奪了睡眠的時間，以爲是一種時間的浪費，那就大錯而特錯了。

的維他命

孝婉

皮、慷胚一種芽中，很容易被水溶去而損失了。而且一般「攷究」的人吃的食物差不多都把外層的「寶貝」去除，譬如上白米，就輾得雪白，乙種維他命一點也不剩了。其實糙米和黑麵包才是乙種維他命的寶庫呢！

丙種維他命也是水溶性的，存在於新鮮的蔬菜和水菓中。可是它太嬌弱了，一不小心就會被損害。然而，乙種和丙種維他命在身體內都是不能儲存的，有了過剩，就要被排洩出來，所以天天要補充才好。本來糙米中有乙種維他命，蔬菜中有丙種維他命，補充可以毫無問題；但是吃的如果是上白米，蔬菜的烹調處置又不得法，結果這兩種維他命都沒有了，補充的問題，就成爲必需。

如何烹調呢！要記好，蔬菜要越新鮮越好，要不放在太陽裏去晒；洗得雖要儘量乾淨，但不可太長久，也不要放鹼，最好吃炒菜因爲炒菜加熱的時間短；飯要吃煮飯，不要吃濾掉米湯的蒸飯。……這些都是保存米麵和蔬菜中乙種和丙種維他命的必要方法。

把現成有的維他命輕易丟棄損失掉，再去花冤枉錢買維他命藥吃，該是多愚蠢不智之舉呀！有些人吃維他命藥還怕不够，還要去買些乙種維他命，丙種維他命的針劑來當補藥注射，花錢受痛，更是冤枉透了。要知道那種針劑是乙種或丙種維他命缺乏致病時作治療才用的，平常人注射了太多時身體不需要，就陸續排洩掉了，那末花了錢，受了痛的結果有什麼代價呢？

三種治瘧藥

——奎寧。阿的平。和撲瘧母星。

雍熹

現在，大概誰都聽說過奎甯，阿的平，和撲瘧母星這三個名字；同時也都知道它們是用來治療瘧疾的特效藥了。可是，關於它們的性質和究竟要怎樣用法，也許大家並不知道得很清楚。如果自作聰明地亂吃一陣，瘧疾也許是治好了，却出了別的意外，豈不更是寃枉得很嗎！

那末，就讓我們來談談這三種治瘧藥吧。

奎甯　先說奎甯，因爲它比另兩種發現得都早，用得也最普遍，知道的人也最多。

奎甯是一種熱帶植物的樹皮中提煉出來的自然藥物。味極苦，普通市上所出售的是包有糖衣的藥丸。奎甯對於普通瘧疾之治療有特效，中毒性也很小，所以直到現在，仍不失爲最好的一種治瘧藥。不過它不能够阻止惡性瘧疾的傳播，因爲奎甯對於血液中瘧原虫的「有性時期」幼虫是不能殺死的。

但是，奎甯也有幾種缺點，除了它不能殺死有性時期的瘧原虫之外，對於瘧疾的復發，它也不能作有效的防止。依統計看，用奎甯治療的瘧疾病人，幾乎有百分之五十以上都會復發，這就需要再用別的藥來幫忙了。而且，奎甯可以引起好幾種副作用：

一，對於感覺神經的作用——可引起耳鳴，眼花等現象，但幸而都是暫時的。

二，對於消化器官的刺激——可引起惡心，嘔吐，腹絞痛，甚或至於腹瀉等現象。

三，對於子宮之藥理——可使子宮肌收縮而引起姙娠後期之流產或早產。

四，對於血球之影響——在特異感應之病人，奎甯可引起赤血球之溶解，因而可能造成黑水病之發生。

不過，這些作用在我們使用得適當的時候，也可想法避免。給予奎甯之方法，仍以口服爲最妥當。如果第一次服下後引起嘔吐則當立即再服，劑量大小，可視病人之體格而定。強壯的人，每天的總量可服兩克（2 gm），疲弱或年老的人每天共服一克或一，二克（1—1.2gm），分爲四次或五次用開水送服。

肌肉注射在病人不斷嘔吐或病狀較急時使用。不過能避免時還是避免的好，因爲注射奎甯，常可引起局部肌肉壞死，有時甚至可發生痙攣。注射量每次〇·二CC，可連續注射一二次。

阿的平　阿的平是一種以化學方法人工製造出來可染色的藥物，它的發明就是應戰時奎甯缺乏之需要而來，其功效與奎甯極爲相似。它的優點是：

一，比較起來沒有什麼不愉快的副作用。也不會引起早產或赤血球溶解。

二，一般說來，功效甚爲顯著。連服五至七日後可使瘧疾完全平息。不過對於復發也不能防止。

三，作預防用時，每天服一片（0.1 gm），每兩星期中連服五天，可以安全無礙。

但是阿的平也有它的缺點。譬如說，因爲阿的平是染色劑，所以服阿的平之後皮膚和小便都呈黃色，要很久才完全褪盡。阿的平的毒性也較奎甯稍大，多服過量之後可以引起一種類似瘋狂般的神經失常現象。

阿的平的治療劑量是每天〇·一克，連服五天到七天停止。

撲瘧母星　撲瘧母星也是一種人工化學製造的治瘧藥，它的毒性極大，即使在治療劑量以內，在服用時也要隨時注意結果。撲瘧母星的作用僅只在於殺死有性時期的瘧原虫，對於無性時期的幼虫是無效的。所以它只是被用作斷根預防復發的藥，而不能單獨用來醫治瘧疾。

撲瘧母星的劑量是每日一粒（0.001 gm即千分之一克），連服三日。因爲它的毒性太大，所以即使在這治療劑量內，有時也會發生胃痛，嘔吐，嘴唇及指甲青紫等中毒現象。這種現象一旦發生，就必須立刻停服。

還有一點極重要的事，撲瘧母星絕對不能與阿的平同時服用，因爲它們合在一起可以產生非常危險的中毒現象，危及生命。所以撲瘧母星至少要在阿的平停服一星期以後才能服用。但是撲瘧母星與奎甯則沒有這種現象，即使同時服也不要緊。

除了所說的這三種治瘧特效藥之外，還有許多其他的藥物。中醫方面所用的常山也很有效，經過我國中央衛生實驗院藥學專家張昌紹先生多年的研究，也經可以將常山中治瘧的有效成份提煉出來成爲一種結晶品，證明對瘧疾有治療效驗；不過它的毒性要比奎甯大得多。此外在國外藥學界的新發明，也還有好幾種，都各有優劣，因爲使用尚未普遍，我們也就暫時不說它們了。

飲食

朱仲揚

凡是一個健康的活人，都離不了飲食。食物是日常不可缺少的東西，榮養身體各部，發生體溫，造成體力，補充消耗的成分，人沒有它就不能活。可是食物還有好壞，一般人以食物的好吃不好吃來判斷它的好壞；其實應該從榮養價值來判斷。貧苦的人，吃的粗糲東西，當然榮養不足。可是富有之家，因了只圖口味，食物配合不當，攝取沒有定則，對於身體，也不能有適當的榮養。甚而至於以榮養身體的東西，變成有害的東西。它配合的規則，攝取的定量，就從事中等勞動的人一日之間食料而論，大概要像下表所列：

乾固蛋白質	百十八克蘭姆（公分）
脂肪	五十六克蘭姆
碳水化物（含水炭素）	五百克蘭姆
無機鹽類	十五克蘭姆
水	二千五百克蘭姆

在坐業和身體比較安靜的生活，還可以減少些。在苦力劇烈勞動的人，則須增加。但蛋白質，脂肪，碳水化物三種，是維持生活的主要成份，就是增加減少也要適合規則，不可任意。因爲任意增減，難免輕重的弊病。輕重適當，對於身體的補充也就適當。要曉得人們身體的組成，在化學上分爲十六種元素，循新陳代謝的法則，以爲消耗。有消耗就須要補充，假使補充不足，那麼時間一久，身體就要出毛病了。比如鐵份的補充不足就成爲慢性貧血和全身榮養障礙；石灰鹽的補充不足，就成爲佝僂病，和軟骨病；蛋白質的補充不足，榮養份的消化吸收作用就消失，胆汁的分泌減少，糞便呈灰白之色；至於食鹽的補充不足，它的關係更大，若完全停止供給，純粹淡食，那麼這人必然一天天衰弱，飲食不進，結果陷於死亡。

食鹽的效能很大，一則可以促進胃液的分泌，二則可以催促體液的更新，三則可以亢進細胞的新陳代謝，四則可以維持血液滲透的權衡，這四種作用，有一種停滯，就大有問題。假使這四種作用同時俱因缺乏鹽的供給而停止，那嚴重自不必說了。據動物實驗，斷絕鹽類的飼養，則該動物就因鹽類不足的原故而死亡。而且死亡的期日，比較餓死的動物尤爲短促。至於致死的原因很爲複雜；有的以爲動物體內的蛋白質當它酸化的時候，其中含有的硫黃就變爲硫酸，該硫酸常和食物中的鹽基相化合爲鹽以排泄。假使食物當中有機酸鹵鹽缺乏，那硫酸必定奪取組織細胞中含有的鹽基，組織細胞中突然消失了這重要物質，就不能不陷於危境了。所以我們人類決不可一日不攝取食鹽。每日攝取量，大約十克蘭姆乃至十五克蘭姆，至少也要五克蘭姆，才能給供應調暢。但服用過量，則能刺戟咽頭食管，使人乾渴，只想喝水；刺戟胃壁，引起疼痛嘔吐，而發生胃炎。如高量至二百五十克蘭姆以上就要引起鹽中毒而喪命。

據近來科學的研究，曉得人體除了需要上面所說的食物之外，還需要各種維他命。（也稱維生素）如果缺少了維他命，那生活還是問題。近來維生素的研究，正是日新月異的進步，已知的有甲乙丙丁戊已庚辛等多種。而已又分六種丁又分四種。起初國人譯維他命用甲乙丙丁，但現在種數太多，已非此數所能代。改用英文字母了。在性質上說，維生素的功用與蛋白質，炭水化合物，脂肪及無機鹽等是不同的。它並不能直接供給我們身體的勢力，或補足已消耗的物質，而是只以調整生理機能爲主。可是假使一旦缺乏這種維生素，那就使身體生理失去正常狀態，而生疾病了。

維他命含存於食物當中，普通飲食，本可供給。倘使有他種關係，食物中所含有的維他命量雖然仍舊正常，可是也要發生維他命缺乏症的。（1）胃腸有障礙，不能充分吸收維他命時。（2）發育旺盛期，姙娠，高熱疾患，排柴獨氏病等時，維他命的需要異常亢進，而由食物所供給的普通量，不能滿足其需要。（3）由食品的種類或季節的關係，使維他命的消費量驟然增加，如乙種維他命，在攝取多量之糖類時，或酷暑期中，所需要的數量，較平日特別的多。

維他命雖然對於身體很重要，一般人以爲大補品，乘美貨傾銷之際，於是落得便宜，大吃而特吃，其實這也要不得的。因了維他命的多用，已有不好的結果發生，最近醫界已有好幾起因維他命多用中毒而死的報告。（本篇未完）

如何防止飯菜餿壞？

綠波

每到天氣熱的季節裡，主婦們最感頭痛的一個問題，就是飯菜食物的餿壞。實在也的確麻煩，你說是預備得少一點吧，有時又常會不夠吃，誰餓肚子好呢？預備得多些吧，吃不完，到了明天就變了味，不得不把這些金錢換來的東西扔掉，豈不可惜！有時儉省的主婦們不捨得丟棄，勉強吞嚥下去，不幸引起各種不健康的病症，那不就更是貪小失大，得不償失嗎！

那末究竟要如何才能防止飯菜餿壞呢？要解決這個問題，一定要先明白飯菜食物在熱天為什麼會餿壞。我國古時有句俗語說：「物必先腐，而後虫生之。」如果這句話中所說的「虫」只指肉眼看得見的蛆而言，那末還可以說說。假使我們把造成「腐」的黴生物也包括在「虫」的意義裡，這句話就不免有商量的餘地了。因為食物的餿壞，是發黴的初步，完全是一件叫做酵母菌的黴生物是以食物為它的活動場所，起發酵作用所致。那末，我們把酵母菌也歸入「虫」內的話，這句話不是應該倒轉來變成：「物必先有虫，而後腐壞之」了嗎？因為，無論從理論或是實際上說，任何飯菜食品中，如果不被酵母菌混入營發酵作用的話，是絕對不會餿壞的。

我們知道即使在空氣中，也有不少細細菌存在；酵母菌也是其中之一，以「胞子」的方式飄游在空氣中。所以，當飯菜等食物放在碗裡不用蓋子，而露於空氣中時，自然不免有各種細菌和酵母菌落進食物面上的機會。如果我們再用筷子攪拌一陣，就恰好把它們和食物攪勻，加以熱天的溫度高，食物中又總有水份，濕度也夠，成了細菌和酵母菌繁殖的好環境。這種繁殖作用和發酵作用，使食物分解變了質，因此發生了一股餿味，使原來好好的食物變得不能吃了。

總之，食物本身是絕對不會無緣無故腐壞起來的。「生物自然發生」這種謬說，雖然不多年前我國還有一位實貝「科學家」在廣州表演，在重慶展覽過他的實驗照片，可是經過多少年來世界各國專家們的研究實驗，早已證明其不可置信了。那末，我們既然知道食物的餿腐必須是微生物的作祟，如果我們能夠不使這些微生物混入飯菜或其他食物；或是想法子使它們即使混進了食物中，也不能活動，不能繁殖，不能起分解食物的發酵作用，不就可以避免食物的餿壞了嗎。

不錯，我們只要做到這一點，就可以保全我們的食物，免除這個麻煩的難題了。

第一種方法是冷藏；換句話說，就是把食物放在冰箱裡。冰箱裡的溫度很低，不適宜於細菌微生物的活動，因此食物在冰箱裡就不會餿壞，正好像在冬天。我們很難得聽到主婦們說飯菜餿壞了的理由一樣。不過，這種方法也只限於大城市中和有錢的人才能使用，因為在我國還沒有能在各地普遍製造冰，而電氣冰箱的價值，更不是一般人所能痴心妄想的了。

第二種方法，也就是最經濟實用的方法，家家戶戶都可以照做的。也許你已經如此做過多年了，不過你沒有懂得為什麼吧了。這方法就是把食物加熱煮沸，然後隨便放在什麼地方，都不要掀開蓋子。如此一直到明天吃的時候，就決不會有餿味或腐壞了。這理由和罐頭食物一樣。當你加熱的時候，溫度到了沸點，就把已經混入食物內的細菌微生物都殺死了，以後不再掀開蓋子，就不再有新的細菌微生物侵入，食物本身，自然可以不致餿壞了。至於煮沸以後是否仍要先使它冷卻，或是放在通風陰涼之處，那些都沒有什麼關係；因為根本已無活的菌類存在，即使溫度高，也不會起發酵作用的。

此外，像有些罐頭食物中是加放一些防腐劑的，不過這種方法實在不值得做效，而且有許多種防腐劑都帶有毒性，各國衛生當局也都規定有取締的辦法。平日家中的飯菜食物中，自然更不應該放置這一類藥品。

怎樣測量

走進醫院的病房裏，就可以在病床的鐵架上見到一塊劃着格子，有着紅藍色點線的紙牌。護士小姐按着一定的時間來做着各種記號。這些記號就表示着這張床上那位病人的病情，因為這些紅藍顏色的點線，就代表各時間體溫，脈搏，和呼吸情況的變化。所以，我們通常所指的病情測量，也就是這塊紙牌上按時記載的三樣，體溫高低，脈搏速率，和呼吸次數。

體溫的測量，要借助體溫計，插在肛門內或是含在口內舌下來測量。（請參閱本刊第一期金眞先生作體溫計）一般的體溫計，大約要在舌下含放兩分鐘，然後取出來看中間的水銀柱昇到了幾度。在使用體溫計，測量體溫的時候，要注意兩件事：第一，先看看水銀柱是否不會昇上？如果已經昇上了的話，就應該在使用之前先把它「甩」下去。第二，一定要用酒精棉球揩拭消毒。如果是肛表，則必須在體溫計的銅頭上抹一層滑潤劑（如凡士林等油類）再插入。

健康人的體溫約在攝氏三十七度左右。不過一個人每天二十四小時內的體溫並不是不變的，通常在清晨最低，約為三十六度六七，黃昏時較高，可超出攝氏三十七度少許。在運動操勞，或是吃東西之後，也會有暫時性的昇高。這些都是正常的現象，不必驚慌；但也不能不知道。好比說替病人測量體溫，就不應該在他剛吃過東西或剛喝過水之後，那就不準確了。

體溫太低或過高，都是病的表示。

如果拿溫度來分，可成如下幾等：—

攝氏三十六、五度以下	虛脫
三十六、五—三十七度	常溫
三十七度—三十八度	微熱
三十八度—三十八、四度	輕熱
三十八、五—三十九、四度	中熱
三十九、五—四十度	高熱
四十度—四十二度	最高熱
四十二度以上	死熱

血球計

淡泊

不管是誰。如果不幸生了病住到醫院裡去，醫生在問完病情，檢查了一遍身體之後，就會取出一根針來，在病人的耳朵上或是手指上觸一下，擠出一滴血來，吸進兩根特別的玻璃管裡去。他為什麼要這樣做呢？原來還是去數數紅血球和白血球的。

大家都知道，紅血球和白血球都是小得非用顯微鏡看不見的，那末醫生拿了那麼一點點血去，卻又怎樣能夠數得清呢？自然，醫生也不是神仙，別人肉眼看不見，數不清的東西，醫生如果不靠特殊器械幫忙，也是一樣看不見，數不清的。這個用來數血球的器械就叫做「血球計」(Hemocytometer)

血球計裝在一只盒子裡，一共包括兩根不同的吸管，一塊劃有極精細格子的玻板，和一塊極薄的蓋玻璃。

兩根玻璃管都套接着一條橡皮管，用來含在嘴裡吸。在靠近橡皮管的一頭，都有一個膨大的球形部分。可是兩根吸管的粗細和玻璃球的大小都不相同，管面上刻的字也不同。玻球部較大，上面刻着一〇一的是數紅血球用的，較小而刻着一一的數白血球用的。

當耳朵邊緣或指尖用針刺破，擠出血滴後，醫生就用吸管的一邊尖端碰着血滴，把橡皮管含在嘴裡吮吸，等到紅色液吸到管上第一條記號時就停止，再吸進特備的稀溶液去溶解紅血球吸管中的白血球，和白血球血管中的紅血球。吸好之後再震盪搖勻，然後擠出一滴來放在刻有格子的玻板上，用蓋玻璃壓上。

厚玻板的中央，有一塊小得只有一平方厘米見方的地方，刻劃着細勻的格子，把這一平方厘米見方的地位分成二十五個小方格，每一個小方格又再分為十六個小方格。這樣都有了一定的範圍和大小，當血球停留在這些格子中間時，在顯微鏡下察看，就可以依照一定的方法，數出幾個小方格裡的血球數目來，再依一定的公式計算出每一立方厘米（即十分之一C•C•）血液中有多少紅血球和多少白血球了。

數血球的多少是一種技術，學過後練習幾次就可以會了。應該知道的是為什麼要數血球？知道了之後有什麼用處？有什麼意義？為什麼在醫院裡醫生一定要替病人數？而且常常都要數？

說起來大家都知道，血是生命所不可少的要素。血少了就是貧血。而普通所謂貧血，並不是說血的量少了，而是血球少了。血液中血球的比例數字都有一定，太少了是病，太多了也不好。平常健康的人，紅血球的數目在男子是每一立方厘米血液中有四百五十萬左右，（4500000/mm3），女子稍少，約在四百萬之譜。如果太少就表示貧血。白血球的數目則男女一樣，每一立方厘米約為八千（8000/mm），幼童較多，可以有九千到一萬，嬰兒甚至可以超出一萬。不過成年人的白血球數目如果超出八千很多時，就表示身體內至少有一部分有發炎的症狀。

在病理方面，紅血球過多症，吐瀉大失水份後，肺氣腫，纖維性肺結核，以及急性中毒後，紅血球的比例數目均見增加。大量出血，溶血性中毒，製血機關（如骨髓）有病，或是體內缺少鐵質等都可使紅血球減少。不過，也有些情形是生理現象，不可以當作病的，譬如說營養特別好的人，或是飢餓時，或是懷孕期中，或是運動之後，或是剛到一地水土不服時，紅血球都略見增加。

在診斷上，白血球的數目比紅血球的數目有用得多。普通一般細菌傳染以致發炎後，都能使白血球增多。急性傳染病如肺炎，猩紅熱、丹毒、腦膜炎等病，白血球數目都增加到非常之高。不過，當病勢非常嚴重，病人抵抗力非常衰弱的時候，白血球數目會隨體溫一同急速降低，這時就很危險了。

可是，人在病時，白血球并不全都增加，好像傷寒症就有白血球減少的特徵。一般過濾性病毒的病症像腦炎，感冒等，常顯示白血球減少之症象。至於初生嬰兒，孕婦及產婦之白血球增加，則是生理的現象了。

所以不要小看了那麼一滴血，靠了血球計的幫助，可以給醫生在診斷上不少幫助呢！

病情？

·俞·

體溫的變化，比一次的測量有意義得多，所以最好是隔一定的時間測量一次，記錄下來，供醫生參考。

脈搏跳動次數，與心臟的搏動相同。所以測知脈搏之次數，強弱，及勻整與否，也可間接知悉心臟的情況。並且，由脈搏跳動的特性，常常可以幫助診斷。

測量脈搏時，以手指輕按病人腕部內側之靠拇指一邊，計算每分鐘跳動的次數。普通成人脈搏的速率，在每分鐘七十二次左右。體溫昇高時則脈搏亦增速，故若每分鐘跳動超過九十次至一百十次即為發熱徵象；如超過一百十至一百五十次時，即為病勢兇險之兆。不過在傷寒症時情形略有不同，體溫雖然昇高，脈搏卻反比較地慢，這也可算是傷寒的一個特點。

脈搏次數如果每分鐘慢到六十次以下，也是不良的現象。一般說來，兒童，少年，以及運動之後的脈搏，都要比較快速。

健康人的脈搏，有中等彈力度，可明顯感觸到。病人的脈搏則可有硬軟，遲速，大小等異常。脈搏之性質測量，較次數測量複雜，須長久訓練和學習，並多積經驗之後才行。所以平常醫院中，護士小姐只管次數測量，而把性質測量留給醫生自已去作。

呼吸的次數，成年人大約每分鐘十五至二十次；平均為每分鐘十八次，與脈搏成一與四之比。兒童較快。運動後，高熱時，或患呼吸道疾病時，也都會加快。

測量呼吸次數的方法，在有經驗的護士小姐只須「看」就行了。沒有經驗的人，可以用一只手輕貼心胸依其起伏記數。但是一次所得常不準確，最好分兩三次測計，而取其平均數。

至於其他方面的病情，如舌苔，膚色，大小便等等的測看，就都不是簡單的事，需要專門學習和經驗，所以都只好留待醫生去擔任這些工作了。

注意孩子的大便

——不論有病無病，做母親的應該注意小孩每次的大便，它可以告訴你一些小孩的健康情形。

楊漢魂

造成疾病的原因，最普通的總不外寒暖失調，飲食失度，或是病菌傳染所引起。尤其是小孩子，消化器官的疾病佔了大多數。換句話說就是小兒所患的，常常是腸胃裏的疾病。可是我們又不能直接觀察腸胃的內裏，即使用X光線來檢查，也不是一件很容易的事，尤其在小兒，更是增加不少麻煩。因此，一種間接推知小兒腸胃內大概情形的方法，就是很必要的了。那末，任何一位做母親的人，為什麼可以輕易忽略了小孩每次的大便，不親自看看過呢？尤其是當患病的時候，更應當把大便留下來，等醫生來看，幫助診斷。

對於小兒的大便，至少我們應該注意的有四點——次數、形狀、顏色、和氣味。

次數　小兒每日大便的次數，視出生後時日之久暫而不同。初生的嬰兒，每日即使是七八次大便，也不能算太多而視作病態。可是到一個月以後，就會漸漸減少；到六個月左右時的候，每天就只有二三次，一歲左右時就每天一次或兩次了。如果一直像這樣，就是正常。太多或太少都是病的表現；譬如說隔兩三天才大便一次就不可以了。

形狀　小兒大便的形狀，正常時乳兒排出平勻像漿糊狀半固體的糞便；較大的孩子則排出的糞便也較為乾硬。如果稀薄如水，或者像蛋花湯，或者乾硬得像一根根香蕉，甚至於一粒粒如栗子；這些太硬或太稀的糞便，都是腸胃消化不正常的表示。如果大便中有泡沫，或是混雜着有很多未經消化的食物渣，也都是不正常的；一旦發現如此情形，就應該特別注意飲食了。

顏色　嬰兒大便應該是橙黃色，因為他們是以乳汁為唯一食糧的，以後則依食物的不同而略有色澤上的改變。假使發現小孩的大便成了綠色、青色、褐色、紅色、黑色、白色、灰色等特殊顏色的時候，就證明孩子病了。譬如說紅色的大便是痢疾或肛門破裂出血；白色的大便是阻塞性黃疸病的症象；黑色的大便是胃腸內出過血的可能；灰色的大便是宿便或腸胃內有腐化的表示。所以，單從大便色澤上看，也可以對醫生的診斷疾病有不少的幫助。即使孩子的母親自己不懂得怎樣去分辨，把生了病的孩子的大便留下來給醫生看看是很要緊的一件事呢！

氣味　誰都知道大便臭，嫌惡大便污穢。不過我們要知道，大便的臭味也有一定的限度。而且，如果我們平日稍加留意的話，也會分辨得出大便，那種臭味的特徵。如果發覺有特殊不同或過難聞的臭氣，就要想到它的不正常，或甚至於是病的表現了。

所以，母親對於小兒大便的注意，從大便的次數、形狀、顏色和氣味這幾方面，就可以知道不少小兒健康與不健康的情形。此外，小兒腸內是否有寄生虫存在，以致面黃肌瘦，吃了不長肉，這也只有檢驗大便最為可靠。

這裏我們說一說大多數人都不十分注意的通病——便秘。一般人總以為便秘無關緊要，兩三天不大便也不當作一件事。實則便秘有礙身體健康，影響不小；久之並將引起頭痛、口臭、腹脹、食慾不振等等自身中毒現象。所以，一旦發現有一二天沒有大便的時候，就要趕緊注意想法了。通便的方法，宜先從飲食着手，尤其要多飲開水，多吃菜蔬和水果；此外比平日多吃些油類，蜂蜜等物，也可以收到潤腸通便的功效。除非這些從飲食上着手的方法失敗之後，才去請醫生處方服瀉藥，或是行一次灌腸的手術。不過，為了日後永久的健康，人人都應該養成每天在一定時間大便一次的好習慣。每天做做戶外運動，也可以幫助大便的暢通。

所以，從健康上說，我們應該隨時注意那臭而污穢的大便；尤其是做母親的人，更應該要注意小孩子每一次的大便才對。

談飲茶

陳小引

客人來，倒一杯茶，這是老規矩。現在有些人家學洋派，客人來，倒白開水一杯。從前官場訪謁，假使主人要客人走路，便端起茶碗，說聲請用茶，便該是客人告辭了。如果客人要走，便自動將茶端起來喝上一口放下，主人就知道你要走了，立起來便送客。這些玩意兒，現在除了內地大鄉紳家，可說已經沒有了。

我們中國人習慣飲茶，上海的茶樓，座上客是常滿的。其餘大城大鎮，都有很多茶館，而許多茶客，我看他們可也太閒了，一坐就是半天。鎮揚人有句話說：「上半天皮包水，下半天水包皮。」就是上半天坐茶館灌茶，下半天浸在浴堂裏。我以為如此生活，太耗費時間。不過飲茶總是比較雅淡的消遣，間或與二三知已，茶樓上談談天。這是忙裏抽閒的娛樂，談不上雅人深織。

實在說，飲茶是很有益的，古時有人稱贊茶的好處，也有人說茶的壞處，陳藏器說：「茶苦寒，久食令人瘦，去人脂，使人不睡，飲之宜熱，聚冷則痰。」李廷飛說：「大渴及酒後飲茶，水入腎，令人腰脚膀胱冷痛，兼患水腫攣痺諸疾，大抵飲茶宜熱，宜少，不飲尤佳，空腹最忌之。」這都是極端說有損無益。但也有說它能治病的，神農食經說：「瘻瘡，利小便，去痰熱，止渴，令人少睡，有力，悅志」，蘇恭說：「下氣消食。」陳藏器說：「破熱氣，除瘴氣，利大小腸。」王好古說：「淸頭目，治中風昏憒，多睡不醒。」陳承說：「治傷暑，合醋治泄痢甚效。」吳瑞也說：「治熱毒赤白痢。」古人對於茶的認識，不過如此。若依現代的考察，茶的功用大的多了。

（一）治勞倦　這就是古人說的令人有力，當我們疲勞的時候，飲些濃茶，就覺得精神振作。在旅行戰鬥時，時常嚼咽，都可使精神爽快。

（二）能防止體內蛋白質的消耗。據 Layman 氏等行動物研究，分甲乙兩群，給牠們同等食物，而一方面更給牠咖啡或茶，那牠從尿糞排洩氮素化合物的量，顯然很有差別。假使不給牠食物，而僅僅給牠茶吃，牠的氮素排泄量也比較少。從這裏可以知道，茶能够減少蛋白質的消耗。就是蛋白質停止供給的時候，身體組織的消耗，也比較輕微，古人說它消食，其實它可以療飢呢。

（三）醒神止睡　博物志說：「飲眞茶令人少睡眠。」據說唐開元中，靈岩寺僧坐禪，禁食不眠達五十多天，不過飲茶維持體力。

（四）茶有消毒作用，可防傳染病。據學者研究，綠茶殺菌力最强，紅茶次之，對於葡萄狀球菌，在十四小時內撲滅掉，對於傷寒赤痢菌，則在八到十一時間內就可撲滅，至於霍亂菌則二小時內就完全殺滅。所以常飲濃綠茶的人，不大生急性傳染病。

還有附帶飲水的作用，因為白開水淡而無味，引不起喝水的興趣。假使好綠茶泡在清潔的玻璃杯裏，眼看着葉片的舒展，水中綠色漸漸加深，看了很是愉快。如果有香味撲鼻，那就更引起飲茶的興趣了。因為色香味三種的集合，使我們高興多喝上幾杯。多喝了水，對於身體很是有益的。因為水有洗條作用，很可能的把血中病毒洗去，假使有熱，也可以兼帶退熱。一般發熱，醫生都囑多飲開水。其實病人因了發熱，已是無味，白開水更感覺水腥氣，如果要病人喝，還得加些好茶葉。

（五）茶含多量維他命　據Minya氏研究，猿的壞血病，給牠綠茶吃，就容易恢復，於是證明綠茶含有維他命丙很多。而且茶葉因為乾燥了，含有量比較安定。（紅茶沒有）凡是柑橘一類所含量，都沒有它多。用它來治壞血病，腸炎，赤痢，既可以補給水份，又可以消毒殺菌，而且茶更含有維他命甲之前階物，及維他命乙2，所以也可以治肺病，胃腸病，糖尿病，而對於造血作用也有很大的益處。

（六）治瘧，古書裏說的瘴氣，就是瘧疾，（句惡性瘧）當瘧疾發作的時候，維他命丙的消耗很大，病的輕重和維他命丙的缺少成正比列，所以有時用治瘧特效藥而不效，就是這個原故。如果發瘧，要給他多飲綠茶，對於瘧疾的治療是很有幫助的。

（七）治療創傷，鄉下人遇着碰傷出血，抓把茶葉嚼爛敷在創口，能够使得創傷治愈，實在也是因為維他命丙的原故。據最近研究，凡維他命丙缺乏的創口，不容易愈合。假使在手術前，內服或注射維他命丙，則經過極好。

（八）治欬嗽，古人用作喘急欬嗽煎點藥，也是因牠富有維他命的原故。

（九）治痢，古人用它和生姜治赤痢，這除了維他命的說法外，還因為含有單寧酸，有收斂制瀉作用。

避免病因百病不生（四）

陸淵雷

現在要說生活環境所造成的病因了，這一類病因，最難避免，有時竟不可能避免。現役軍人常因受傷而成重病，以至於殘廢或死亡。受傷的病因是打仗；若要避免，除非不打仗，或者退役，這是現役軍人所辦不到的事。我們當醫生的有了一點細菌知識，對於傳染病不免談虎色變。可是最猛烈的傳染病往往流行於貧苦階層；住的地方，不是草棚，就是擱樓；滿地痰唾，踹着了只覺得脚下滑膩膩，蒼蠅也跟您非常親熱，向你臉上亂吻。在我們看來，這些也都可能是傳染的路子；但是若要避免，除非不給貧苦人治病，或竟不做醫生；這在道德上事實上許可不許可？

說到這裏，引發了我的迂腐觀念。照佛學說，「一切有情（能感覺苦與樂的動物）皆因其過去所造的業，投生到各種不同的世界裏。造了善業，投生來享一點樂。造了惡業，投生來吃一點苦。過去所造的業多得數不清，故一生的苦樂清算不了，還得再投生再清算；而當享樂受苦之時，又造下新的善惡諸業。因此輪廻生死沒有了期，一點不能自主。照儒家說，生命不算最貴重的東西，孔子說「志士仁人無求生以害仁，有殺身以成仁；」孟子也說「所欲有甚於生者，所惡有甚於死者。」現在的普通知識，也承認「人們對於社會該服務，該工作，而不該專向社會榨取利益，要求享受。」這三種說法，雖然程度的淺深距離極遠，卻一致承認「人類不是爲生活而生活」。現在我們講衛生，講避免病因，以至於做醫生怕醫治傳染病，就有點兒「爲生活而生活」了。

衛生家以及體育家宣傳衛生與體育的重要，提出極動聽的理由：「强國必先强種，强種必先强身，」「健全之精神，寓於健全之身體。」於是他們爲了强身，爲了使身體健全；吃的是牛肉鷄蛋，喝的是牛乳豆漿，穿的是輭和適體的衣服，住的是光明通氣的屋子；早起第一件要公是拉屎，屎拉得不暢快或拉不出時馬上找醫生；拉了屎，接着是早操與深呼吸；吃一餐東西，要足足費兩小時來細嚼緩嚥，一日三餐，就整整費去六小時；吃飽了又得散步助消化；散過步，午睡一小時，休養精神；晚上鼻息如雷的酣眠，又至少須八小時以上，此外還有每天兩小時的「正當娛樂」。衛生與體育實行到這樣道地，他們的身果然强了，不過，因爲全國四萬五千萬同胞不能悉數請這些衛生家做爸爸，所以，抱歉得很，種是至今沒有强，國也至今徒掛「四强」的虛名，而實際强不起來。衛生體育家的身體果然健全了，精神大概也健全的了；可惜，他們的健全精神，還原地用在他們自己的衛生與體育上，別的沒有什麼表現；那麼，這種身體與精神，乃是「爲健全而健全」，這與「爲生活而生活」還不是一樣無聊？

人世間無論什麼事，總是蘊藏着若干矛盾，有一利同時必有一弊；正像牛頓力學的第三定律一樣，「若有一定量之力向某一方向行進，同時必有等量之力向相反的方向。」還好，世事究與力學定律略有不同。利與弊或不同時俱見，人們即當用其利時，避其弊時；或這一時利多弊少，則用之；彼一時利少弊多，則棄之。利弊的有無多少，與其取捨，就需要絕大的眼光察看，絕大的魄力推行。有這眼光魄力的人物，便是一時代的領袖。可是無論如何，總不能絕對有利無弊，故世界總不能眞正太平，人們總不能拔除一切苦惱。若要眞正太平，絕對無苦，惟一的辦法，只有脫離這箇惡濁世界，到別一箇「淨土」去居住，這就是「出世法」。但你要出世時，新文化家馬上加你一箇罪狀，叫「不敢正視現實」，或「逃避現實」。一方面旣對現實不滿，一方面又只許正視不許逃避，這是自己在走盤谿谷，螞蟻旋磨子，一輩子沒有出路。這何異拋住了錨行船？新文化的荒謬矛盾大柢如此。

我們雖然勸人避免病因，可是遇到生活環境的病因，眞正無法可避免，也只好麻麻糊糊不避了。不過這種難以避免的病因，說還得要說。

彈棉花的工人，因爲呼吸的空氣裡永遠飛揚着棉花纖維，結果，喉音也嘶啞了，容易發生呼吸器病咳嗽。製衣服的裁縫，因爲天天枯坐着彎着背工作，極容易發生肺癆；而他們的手指因日常與縫針針窩相摩擦，也生了老繭。這都還是舊式的「職業」病。現在大都市裏，白天也在電燈下工作的會計員，終年吃粉筆灰擠在屋小人多地方的學校教師，埋頭寫稿賣文爲活的文藝家，拉直了喉嚨高喊不停的越劇藝員，這些職業都給從業員造就肺癆。現在的工業，叫勞工們與力大而無情的機器，有毒而不認人的藥品，配合在一起工作，發生許多物理的化學的損傷。警察與強盜互相射擊，以及偶然發生的憲警衝突，都可能有流彈照顧到身上來。如虎口的馬路，汽車也沒有一箇月不碾死幾箇人；如果汽車主人是敵僞時期的「皇軍」，或勝利時期的盟軍，給碾死了怕一口薄皮棺木都撈不回來。這些病因，大都是不易避免，惟望讀者各自儘可能避免罷了。

另外一種生活環境病，生於慾望與不知足，這本是可以避免，而人們總不肯避免。抗戰八年後獲得慘勝，加以劫收大員的貪汚，行政官吏的無能，國共相戰的無法停止，造成了空前的貧乏與失業。大多數善良民衆，因飢餓與憂憤的交織，成爲種種病狀，這我們只有同情，可惜愛莫能助。獨有那些已發國難財，已做勝利大員的人物，還是奪利爭名，夜以繼日的忙箇不了。偶然碰到什麼拂逆，往往十天半箇月吃不下飯，睡不著覺。打牌本是消遣娛樂，可是一副勒子給人家擱和了去，也會嘓嘟著嘴氣上兩三天。娶年輕漂亮的姨太太，那是眞箇銷魂，該樂不可支了。可是姨太太與糟慷之妻，或此姨與彼姨之間，常常會有吵嘴打架，這多妻之夫奔走調和，眞也鬧得頭疼。投機市場上做了多頭，忽然市價狂瀉，當場急得嘔血。競選失敗，肝氣發作，躺在牀上動彈不得。這些，如果肯退一步想，知足一點，把慾望看淡一點，這副「悠閒自在」的心情，也許比「所求順遂」更其快樂。無如人們總是那麼執著，「誰人肯向死前休？」眞是一句斷定。這許多病，西醫就叫神經衰弱，沒有多大辦法的。中醫則舊名肝氣，比較有辦法一點；可是不能避免病因，則原因不除，其病終不得全愈。

病因除空氣，飲食物，生活環境三端以外，重要的就算細菌了。本刊已有好幾位作者竭力喚起讀者對於細菌的注意，鄙人也牛吃蟹，另有一篇細菌常識，尙未寫完，這裏所以不談了。本文就此結束。（完）

民間醫藥（消化器疾）

葉橘泉

續第四期

說明　馬蹄決明子，爲豆科決明屬，一作望江南屬之種子，中國藥店有售，古來專用於眼科。本品在日本民間廣被應用於胃腸病，有不可思議之療效。本品含有蘿蔔黃素，名「卡洛丁」，即維他命甲之前身，此外尙有未明之成分。據作者之經驗，知其對於粘膜之炎症，有非常卓著之功效，用於口腔諸炎症，不但效果卓越，且藥性和平，可以充量內服，絕無流弊。本品對於慢性胃腸病，如消化不良，慢性便祕，胃酸過多，胃及十二指腸潰瘍，胃加答兒，充血性炎症等，均有著效。本品略具輕瀉作用，兼具利尿之功，雖非直接之消化藥，因其能調整胃腸，而增進食慾，促進排泄機能以增加營養，改良血液循環，故對於因消化吸收過剩而濕盛痰多之人，如舌苔厚膩，小便濃渾，血壓過高等，常服本品，非常有益，誠値得提創之一種民間藥也，至價値低廉，隨處可得等條件尤其餘事也。

黃柏　爲芸香料植物之樹皮，不僅含有苦味素「祕魯倍林」（Berberin），尙富含單甯樹脂等具有强力之收斂消炎作用。本品內服，於固有之健胃整腸作用外，尙有異常顯著的對于胃腸粘膜消炎收斂之功，賞用於胃腸急性炎症，尤其是腸管之急性充血性炎症，如傷寒赤痢等。日本有一種新藥名「わかま」者專治急性傳染性腸炎，即本品所製成。據作者之經驗，以本品之浸出液，洗滌急性充血性眼結膜炎，及口腔，效果殊確實。惟作含漱料，其苦味稍有令人討厭耳。無已，姑伍以蜂蜜，然欲求預期的效果，以不雜蜂蜜爲更佳。

金銀花　爲忍冬科蔓生植物之花瓣，本品雖未經藥化學家發見其有效之成分，但應用於局部潰瘍化膿性疾患，具有不可磨滅的價値。對於皮膚之膿瘡，以本品作局部之洗滌，效果頗顯著，而大腸之潰瘍性炎症，赤白痢疾等，內服每可奏卓效，其殆有防腐或制細菌之繁殖等作用歟。

青黛　即靛花，係採取藍菜之葉，醱酵而得上面輕鬆之浮游物。此物自古用爲口腔咽喉諸炎腫之外用吹藥，有卓着之效果。其作用原理雖未明，但老於此道者，類能知之。此殆於粘膜諸炎症有特殊之作用耳。加入氷片（即龍腦）不僅取其清涼佳快之香氣，蓋亦有特種之消炎作用也。

國藥性效

姜春華

百合

本經　邪氣腹脹心痛，利大小便，補中益氣。

「邪氣腹脹心痛」，古書之「邪氣」，最使人頭痛，其含義不可捉摸。如突然而病，可稱邪氣，如急病譫語，又可稱邪氣，嘔吐腹痛，亦稱邪氣，故邪氣二字，若欲下一比較可以確定的定義，則凡急性而症狀嚴重之疾病，即是邪氣。此處之心腹脹痛，可能是胃腸炎。

「利大小便」，通大便，且能利小便，本品富含澱粉質，及少許之纖維質，故能通便。惟利小便之作用，無能爲之說明，後世亦鮮用作利小便藥。

「補中益氣」，强壯作用。

別錄　除浮腫臚脹，痞滿，寒熱，通身疼痛，及乳癰喉痺，止涕淚。

「除浮腫臚脹」言其能除腫脹。臚即膚字。

「痞滿」胃症狀，本品有清涼消炎之效。

「寒熱通身疼痛」急性熱病之初期症候。

「乳癰」乳腺化膿之症。此殆用於初起腫脹之時，利用其清涼消炎作用。

「喉痺」據一般著述，即今之白喉。（間有急性喉頭炎等）作用同前。凡此均宜用生鮮者。

「止涕淚」涕爲鼻涕，淚爲眼淚，有感冒者涕淚交流，痲疹亦如此，此殆用於一般性，作消炎用。

甄權　百邪鬼魅，涕泣不止，除心下急滿痛，脚氣，熱欬。

「百邪鬼魅」？

「涕泣不止」見前。

「除心下急滿痛」見前。

「脚氣」前條之腫脹，可能亦是脚氣，因本品亦富有維他命B也。

「熱欬」乾性欬嗽，古稱熱欬，言本品有緩和欬嗽之功。

大明　安心定胆，益志，養五臟，治癲邪狂叫驚悸，產後血狂暈，殺蠱毒氣，脅癰乳癰，發背，諸瘡腫。

「安心定胆」爲鎭靜。

「益志」補腦。

「養五臟」强壯。

「癲邪狂叫驚悸」似癲狂病。用作鎭靜。

「產後血狂暈」外台文仲云：血暈多屬虛熱，或出血多而暴虛，言皆精確。生產因出血過多，致成急性腦貧血。

「殺蠱毒氣」蠱之爲病，曾收集甚多記載，然竟不能確斷爲何病。

「脅癰乳癰……瘡腫」清涼消炎。

宗奭　治百合病。

「治百合病」原見於金匱要略。其症狀爲：意欲食，復不能食，常默然欲臥，不能臥，欲行不能行，飲食或有美時，或有不用聞食臭時，如寒無寒，如熱無熱，口苦小便赤，如有神靈者，身形如和，其脈微數，每溺時頭痛者六十日愈，若不痛四十日愈。此病至今尚未確定，有疑爲神經衰弱者，有疑爲痲痺狂樣症狀者，（葉橘泉）有疑爲昏睡腦炎者。（陳方之）

本品主要作用如下

1 消痞脹止腹痛——消炎鎭痛
2 利大小便——通便
3 脚氣腫滿——補充維他命B
4 癰腫喉痺——清涼消炎
5 止欬——緩和鎭靜
6 止涕淚——消炎
7 安心定神止驚癲——鎭靜
8 血暈——强壯
9 百合病——特治
10 益知補中——强壯補腦

細菌常識（四）

陸淵雷

普通所謂淸水看了似乎很淸，你道它沒有細菌麼？倘用七八百倍的顯微鏡査看一下，裏面的細菌可多哩！因此，我們的飲水必須經過「滅菌」的手續，而煮沸爲最可靠而沒有流弊的方法；這在本刋裏，已有幾篇文字不約而同的說過了。中國人向來飲沸水不飲冷水，這本是良好習慣，値得保存，値得提倡。如果要喝冷水，煮沸後放冷了，甚至放入氷箱氷到很冷後喝，都可以。但曝露於空氣中的時間不可太久，因爲水中本沒有細菌，細菌都從空氣中跑入；曝露太久了，原有的菌雖已煮死，又有新跑入的菌生存也。新式的機器鑿井，從地層深處取得泉水，本是沒有細菌的，可是抽出經久了時，細菌也從塵土等物一齊夾雜進去，與普通水一樣了。廚房中流出陰溝的水，其夾雜物的最多，細菌也跟着比其他的水中更多。有箇外國人破工夫檢査巴黎的陰溝水，於春夏秋冬四季中，每一公升水裏的細菌，如下表的千數（表中單位爲千）：

春	一六七六
夏	九八六八
秋	七四七五
冬	一四七八

日常飲用的水，雖大都市中的自來水也不能絕對沒有細菌。一般衛生學家把日用水分作好壞五等，每等每公升中之細菌數如下：

一等	純良水	〇至五十
二等	良水	五十至五百
三等	常水	五百至三千
四等	不良水	三千至一萬
五等	穢水	一萬至十萬

可見飲水不可不煮沸，因爲水中幾乎必有菌也。倘或旅行於荒野，尤其有多數人旅行如行軍時，飲隨地取得的天然水既不放心，煮沸也不易辦到；那麼，應携帶若干「次氯酸鈣」，即一種漂白粉，投少許於水中，每三四萬份水只投一份次氯酸鈣，攪勻，經數十分鐘，已够殺菌。多投了無用，反於人體有害。

土壤，普通所謂泥土，要算最是藏垢納汚的東西了。古書有句成語，「萬物生於土而復歸於土」，眞對。就說我們人吧，至少要吃米飯或麵包，而米與麵都是土壤裏種出來的，這是人的生於土。我們活着時，每天排泄的汗液大小便，到末了總是混合到土壤裏去；死了呢，桐棺三寸，挖箇泥潭一埋完結，腐爛之後，還不是變爲泥土？這是人的歸於土。推而至於一切固體液體有生無生諸物，末了那一樣不是復歸於土？土既爲萬物所歸，那麼，跟着萬物而歸於土的細菌，當然比空氣與水裏更多了。西人「富而私」氏調査各種土壤，一公升中活的細菌千數如下表（表中單位爲千）：

樹林地表面	六〇〇
其一公尺深層	一二八
葡萄地表面	一〇五〇
其一公尺深層	四六
牧草地表面	一四〇〇
其一公尺深層	一三四
農圃地表面	一五〇〇
其一公尺深層	三三〇

從上表看來，不論那一種土壤都有細菌，表面又比深層爲多；除樹林土外，每公升中的細菌沒有少於一百萬的。而耕種的土壤中，又較不耕種的爲多。又，事實上，用有機肥料（如糞便）的土壤中所有細菌，也比用無機肥料（如肥田粉）的土壤爲多。中國的土壤，差不多全是用有機肥料的耕種地，細菌之多，不須說得。而醫方中有用泥土攪水澄淸，把來治暑天中惡諸病的；如其不經煎煮那實在太危險，用不得。未完

症候和疾病（三）

實秋

微熱大多固然起因於結核性疾病，但除掉結核以外，也有發生慢性微熱的疾病。如內科小兒科，耳鼻咽喉科，婦人科，泌尿器科方面種種疾病。

還有一種神經熱，也是常見的事。前面說過，我們的體溫，由於腦裏的體溫中樞的調節，如果有神經熱的人，他的中樞機能比較普通人過敏，其結果足以發生微熱。在這個以外，還有月經前的微熱，姙娠時候的體溫上升，也是神經熱的一類，代表這神經熱的，還有所謂高體溫症。高體溫症，以微熱爲主症，雖詳細探求他微熱的原因，却探究不着，就是說在身體的任何部份，不能發現病的變化，雖然有發熱而身體仍舊健康，並沒有異常的地方。這是因爲病的根源，和所謂體溫中樞的一種神經症，很有關係。所以本症患者，大都有種種神經症狀，例如手足冷感，面紅耳赤，容易出汗，動輒心悸，常發下痢；此外還有頭痛、胃痛、肩痛、胸痛、腰痛、不眠、四肢痛、疲勞感等。本症的熱型，午後上升到卅七度三四分，就是早晨溫度也比較的高，大約近於卅七度，比較我們健康者的體溫，朝晨卅六度前後，午後卅六度三四分的，他的體溫曲線，實在已升到一度，所以有高體溫症這個名稱。這種體溫並非病的微熱，我們一一檢查他體溫記錄表，就看出是很規則的。就是每日最高最低的度數，幾乎都有一定。這種微熱，可以繼續到一年半載。在此期間病者大多爲微熱而擔憂，其實並非病象。試令病人安靜，熱亦不能下降。使他勞動，熱也不致升高。這就是本病的特徵。除此以外，還有雙目突出巴氏病，也發生微熱，腳氣病也往往伴有微熱，這都和結核沒有關係的。耳鼻咽喉科方面在扁桃腺，鼻腔有不注意的慢性變化的時候，也有微熱的；此外慢性腎臟炎，膀胱炎等，也可以發生微熱；婦人科方面，如果有子宮附屬器炎：例如喇叭管炎卵巢炎等，也常有微熱。總之引起微熱的疾病很多，這需要同時注意其他的症狀，檢查身體各部份；絕不可一有微熱，便以爲肺結核，而作無謂的休養和治療。

月經前的微熱

婦人的生活狀態，往往多少被周期的變化所支配。所謂周期的變化，就是月經和月經間的一個週期。最容易證明的，就是月經前的感情極爲高漲，容易動怒，並且容易流淚。倘使這個周期變化更顯著的時候，還有其他證狀發生！如經前喘息，偏頭痛，憂鬱症，臟躁症，蕁麻疹，微熱等等。這經前微熱，常在月經開始前十天或二週間開始，等到月經來臨的時候，其微熱同時降低。這種經前微熱雖然是體質關係，但也很有可能因無熱性潛在結核和慢性婦人科疾病而發生者，所以對於這種微熱，却不可大意，須要專科診斷一下。

還有一種體質性微熱，就是姙娠時候的微熱，當女子姙娠的時候，常常發生頑固的微熱。據某醫師檢查二千二百餘名的姙婦，測量午前體溫，其結果有微熱的很多，所以微熱的發生不定是結核病的訊號，多數可能是體質性無害的熱。

熱型

體溫變化的狀態，稱爲熱型。

相當的高熱，日差不過一度，而連續若干日子的，稱爲稽留熱。這種熱型，常見於傷寒，眞性肺炎，間有見於斑疹傷寒，丹毒，急性粟粒結核者，所以遇到重症熱性疾病，而診斷不明時，如幾天之間早稽留熱，就可察知大概是這類疾病。

傷寒發熱，大抵漸次上升，它的熱是曲線呈階梯狀，是爲初期。這樣繼續上升四五日或六七日之後，就達到極度，稽留不退，經過一二週，謂之極期。然後漸漸弛張，依次下降，謂之解散期，輕症病人正常經過者，統計日數，不過三週，然而臨症經見的，大抵四週爲多。但傷寒更有取異常經過的，末期遷延不退，往往繼續到數週之久，特稱爲持久性傷寒。又傷寒除以上所說的普通熱型之外，還有所謂破格熱型，原因不一，大抵因爲外界影響，以致熱型變動而來，或因初病的時候，用解熱劑，以致熱型不整，診斷困難。其他眞性肺炎發熱的時候，常有惡寒戰慄，然後體溫升騰，就達到極度，所以它初期不過幾個鐘點。體溫既然達到極度，稽留不退，而呈稽留熱型。中醫書上的太陽病，相當於這種熱型。

弛張熱

熱度高下不一，日差在一度乃至一度半之間。甚至夜間四十度早晨只有三十八度左右，相差近二度的。這種熱稱爲弛張熱。如傷寒症的第三期，敗血症和膿毒症及結核症，都有弛張熱。結核症如有高度發熱，則最初必有惡寒，其後更有盜汗。弛張熱的日差，在三四度以上者，特稱爲消耗熱，或早晨平溫，夜升到三十九度或四十度的弛張熱，也稱消耗熱。這都見於重症肺癆病人。又經久的化膿症（如慢性關節炎，寒性膿瘍）所發的熱，叫做化膿熱。這種熱型，在中醫書裏相當於陽明熱，也稱潮熱和日晡熱。潮熱是說它早晚升漲如潮水然。日晡指近晚時間，近晚時間熱度上升，豈非也是弛張熱嗎？

間歇熱

熱發作不過幾小時，體溫雖達最高度，常有間歇的時間，在間歇時間中，病者體溫正常，全身爽快，和健康的身體，沒有兩樣，這是它的特徵。當熱發作時，大抵先有惡寒戰慄，體溫驟然上升，即達最高度，退熱的時候，也迅速消解，常有發汗，其後就進入間歇期。間歇期，長短不一，因病原而不同。這類熱型。常見於瘧疾，普通稱之爲間歇熱。它寒熱發作常有一定時期，就中每二十四小時發作的，稱做每日熱；每四十八小時即隔日發作一次的稱做間日熱（三日熱）；每第三日發作一次的，稱做三日熱；（四日熱）又有一日中發作二次的，稱做復發性間歇熱。其他也有熱發作漸退後，每日熱漸轉爲隔日熱；發作漸次移前，則隔日熱變爲每日熱。

其他間歇性熱型，有見於膿毒症的、但它向

發作，不如瘧疾的整然不亂，即在間歇期中，也有微熱，在二十四時間中，有反復發作數次者。先有惡寒，然後體溫升騰，暫時繼續上升之後，即見發汗退熱。發汗的時候，疲勞的很，每呈虛脫狀態。又這類間歇熱，往往和弛張熱交互而來。間歇熱相當於中醫書上少陽症，而瘧疾的間歇描寫與今殊無二致。

以上所述的三種熱型之外，更有一種回歸熱，常見於回歸熱病人。患這種病的，常惡寒戰慄，體溫驟達高度，然後稽留不退，繼續數日之久，最後發汗退熱，體溫降到平溫以下，這樣幾天無熱，更見發作如前次。第二次發作，高熱稽留日數比較少，而間歇日數亦較少，如此再三反復，病症逐漸輕退，經過三四次或四五次之後，即見全愈。這類熱型，在中醫書裏相當於厥陰熱。所謂發熱數日，厥亦數日，正是回歸現象。然古書缺少明確的記載，到清朝蔣寶素著問齋醫案，才有很詳明的記載。

以上所記的，都是代表的熱型。其實看病的情形如何，此外還有種種複雜的熱型。有些發熱時間極短，還不到一天。有些連續發熱到一年以上，像慢性肺結核就是如此。

解熱

熱性病的經過，可別爲數期：初病時熱度漸次增高，稱爲增進期或初期，體溫升騰，達到極度，暫時之間，稽留不退，稱爲極期或熾盛期；最後來體溫弛張，有顯著的日差，稱爲不明期；最後體溫退降，就稱爲解熱期，即治愈期，或死亡期。凡此四期傷寒所見最著。

熱度消退的狀態稱爲解熱。高熱分利的時候，病人常有多量的發汗，有時竟可濕透重衣，這是因爲身體裏面的許多熱一時要散掉，所以出很大的汗。凡發熱急劇的，退熱也快，大抵一日之中即見解散，稱爲分利。（也稱驟退）還有假性分利，高熱一時消退，和分利相似，病人也覺爽快，可是不久這低溫又升爲高熱的狀態。急性肺炎，有時見到這種狀態。高熱也有在幾天或十幾天逐漸減低的，這稱爲熱的渙散，又叫漸退，如傷寒病就是這樣。此外還有分利和渙散互相轉移的中間型，所以解熱的狀況看疾病的性質而有種種不同。這種中間型，也稱爲延長性驟退。

像上面所說的：驟退性體溫下降，常見發汗淋漓，病者因此熱睡，精神爽快，脈搏强實減數，其時排洩尿中，有多量尿酸鹽類沉着。熱性病中，如傷寒恢復期，體溫已退到平溫或以下，但病者稍有精神感動，或飲食不適，或起牀過早，體溫易見升騰。這樣的熱，大抵迅降退，繼續不過一兩日之久。如繼續二日以上，必置疑於再燃。

高熱常久繼續然後減退時的體溫，普通比健康者還要低些，降到卅六度左右的居多。這是因爲患病既久，身體疲勞，以前因發熱而增進的體內新陳代謝作用，到了這時，反而低降的原故。

中国近现代中医药期刊续编·第三辑

補血劑（續第三期）

樊天徒

（六）古今著名之補血劑

（一）當歸補血湯（寶鑑）

（方藥）黃芪 當歸

（適應證）凡貧血，無論爲急性抑爲慢性。見面色蒼白不華。肢體軟弱乏力。舌質淡紅，脈象軟小者。本方主之。

又氣血虧損，肌熱口乾，自汗出，脈大而虛，面色脣指現貧血象者。亦宜本方。

（二）四物湯（局方）

（方藥）當歸 地黃 川芎 白芍藥

（適應證）凡貧血而血行不調，見頭痛腹痛，月經不調，月經困難症者，均可予本方。

（三）歸脾湯（濟生）

（方藥）人參 黃芪 當歸 白朮 炙甘草 茯神 遠志 酸棗仁 龍眼肉 木香

（適應證）氣血虧損。神經衰弱。怔忡健忘。驚悸盜汗。痛而不寐。倦怠嗜臥。胃呆食少，腹痛，大便乾濇不調，舌淡苔薄，脈象軟小，或見虛數。婦女月經不調。或見崩漏，男子或見便血夢遺者，本方主之。

按本方除補血健胃整腸外，並能强壯神經。爲中醫補養方劑中最著名者，用之得當。能收意外之效。著者嘗用以治神經衰弱及婦人歇私的利症。均著奇效。

又本方加熟地名黑歸脾湯。前賢頗有議其非者。但據著者之經驗。凡貧血甚而兼見虛性興奮症候者。加熟地則功用更著。

（四）十全大補湯（局方）

（方藥）人參 白朮 茯苓 甘草 當歸 熟地 白芍 川芎 黃芪 桂心

（適應證）本方原治久病虛損，飲食少進。面色萎黃。脚膝無力。以及嘯熱盜汗，遺精白濁等症。但用治急慢性貧血。肢冷短氣，頭暈體憊。汗出脈弱面色皖白之症。尤爲適合。

（五）大建中湯（千金）

（方藥）當歸 黃芪 人參 桂心 芍藥 炙甘草 半夏 炮附子 生薑 大棗

（適應證）凡心陽不足。氣血兩虧。手足厥冷。小腹攣急冷痛。或陰縮精出。或自汗形寒。四肢酸痛。面色皖白舌萎質淡。脈象沉微遲濇。或大而不任按者。本方主之。

大失血暴吐下以及大出膿之後。亡血脫液。血壓低降。心弱脈微者。可予本方。

（六）歸芪建中湯（皇漢醫學）

（方藥）黃芪 當歸 桂枝 白芍 炙甘草 生薑 紅棗 飴糖

（適應證）虛勞貧血。心中悸。腹中痛。四肢酸痛。手足煩熱，咽乾口燥。虛煩短氣。面色不華。脈遲而軟。男子夢失精。女子月經不調。或產後失血過多。虛羸發熱。自汗出者。本方主之。

按本方乃小建中湯合當歸補血湯也。千金有黃芪建中湯及當歸內補建中湯。日人湯本氏皇漢醫學中載有此方。組織旣佳。功效更宏。故選於此。

（七）聖愈湯（東垣）

（方藥）人參 黃芪 生熟地黃 當歸 川芎

（適應證）血虛心煩睡臥不甯。五心煩熱。肢體痺痛。舌質淡白。脈象軟小或虛數者。可與本方

（八）五福飲（景岳）

（方藥）人參　熟地　當歸　白朮　炙甘草

（適應證）凡久病體弱。胃腸機能減退。營養不良。而現貧血症象者。可予本方。

（九）五味黃芪散（拔萃）

（方藥）人參　麥冬　五味子　黃芪　熟地　芍藥　甘草　桔梗

（適應證）本方原治欬嗽咯血成勞。眼睛疼痛。肢軟無力。但著者認爲本方除鎮欬平喘之外。兼能補血滋陰。用治結核久病。陰虛貧血。煩熱急迫之症。良效。

（十）麥門冬飲子（東垣）

（方藥）麥冬　人參　五味子　黃芪　歸身　生地

（適應證）治吐血不愈。陰虛血少。煩熱自汗。短氣若喘。脈虛數或見結代者。

按本方與五味黃芪散相較。藥味僅有一二味之出入。但本方補血滋陰之力。實較前方爲勝。

（十一）炙甘草湯（又名復脈湯）（仲景）

（方藥）炙甘草　人參　生地黃　麥冬　阿膠　麻仁　桂枝　大棗　生薑

（適應證）凡血液不足。營養不良。嗽咳痰唾不爽。間有血痰。自汗盜汗。時有蒸熱。虛里築築然動悸。多夢不寐。咽乾便難。脈細數或有歇止者。本方主之。

（附論）汗吐下之後。大失血之後。以及虛勞肺痿（即肺結核）等症。多有宜用本方者。其應用均以虛里動悸脈有歇止陰虧血少爲主要症候。惟失血而血壓未低降。脈見滑大者。宜倍阿膠而去桂。因桂枝能亢進血壓故也。吐血者宜去生薑。因生薑富有刺激性。能增進胃蠕動。吐血多屬胃潰瘍。蠕動增劇。則出血愈多也。若失血後脈軟而小。血壓低降者。則桂枝不必去。若失血來源不在胃。舌上有粘苔。不見多酸症者。則生薑亦不必去。若汗吐下之後。脈見結代者。則桂枝生薑非但不必去。且不可或缺矣。蓋虛里築動而脈見結代。實爲陰液耗損。血漿不足。心房起代償性興奮。大起大落。以維持血壓之表現。桂枝生薑能興奮神經。亢進血行。殊爲對症要藥。斷無使其投閒置散之理。況大隊陰柔之品。若不少參陽藥以運之。則難盡其用矣。近人知用本方以滋陰復脈者。向不乏其人。惟用本方時。無不去其薑桂。殆爲未達一間也。用特揭明之。

（十二）地黃散（元戎）

（方藥）生地　熟地　地骨皮　枸杞（原爲散劑但改作煎劑更效）

（適應證）本方原治衄血往來久不愈。實具有滋陰養血除煩解熱之功。用治陰虛血少煩熱之症。頗有功效。

（十三）治亡血脫血方（千金翼）

（方藥）生地黃汁微火煎減半納白蜜棗膏爲丸或據千金加阿膠甘草作煎劑亦佳。

（適應證）治亡血脫血。脣面色白。脈象細數者。

（十四）當歸生薑羊肉湯（仲景）

（方藥）當歸　羊肉　生薑

（適應證）凡營養不良。貧血羸瘦。腸胃虛寒。腹中㽲痛。痛及脇下。面色皖白。手足微涼。脈象細軟而遲者。可予本方。

（十五）人參當歸散（局方）

（方藥）人參　當歸　地黃　芍藥　桂枝　麥冬　粳米　竹葉

（適應證）本方主治產後失血過多。血虛內熱。心煩短氣。頭疼體痛。殆亦補血養陰除煩解熱劑也。與東垣麥門冬飲元戎地黃散。可斟酌病情而選宜用之。

（十六）棗子綠礬丸（回春）

（方藥）鍼砂　綠礬　蒼朮　厚樸　陳皮　甘草　神麯

（適應證）本方爲補血健胃劑。治貧血萎黃。胸腹脹滿。食思不振之症。

（十七）褪金丸（正傳）

（方藥）鍼砂　香附　蒼白朮　陳皮　厚樸　神麯　麥芽　甘草

（適應證）與棗子綠礬丸略同。

（十八）紫金丹（本事）

（方藥）膽礬　（宜用綠礬代）　黃臘　大棗

（適應證）治黃腫欲變爲水者。

（十九）三粉散（和漢）

（方藥）小麥粉　葛粉　鐵粉　硫黃

（適應證）治萎黃病氣上衝胸。心悸短氣。便通不暢者。

（二十）脾勞丸（和漢）

（方藥）鐵粉　乾漆　香附　蒼朮　厚樸　陳皮　甘草

（適應證）治貧血萎黃以及十二指腸蟲病。面色黯黃。胸腹脹滿。肝脾腫大。有痞凝現象者。

（完）

傷寒質難（五）

祝味菊答述 陳蘇生筆受

蘇生曰，願聞傷寒表病之理。

師曰，體溫之失常，有所激而使之然也，子知激之之義乎。

蘇生曰，竊嘗思之，感冒之發熱，六淫激之於外也，傷寒之發熱，菌毒激之於內也，感冒之發熱出於自動，傷寒之發熱出於被動，有激則有抗，其勢然也，夫體溫爲欲適應外界氣候之變化，而起調節作用，亦即所謂自然療能也，感冒而有自然療能，則雖有病象，而正氣則未病也，傷寒細菌侵蝕腸壁，分泌毒素，激起體溫之反常，則邪正俱病矣，夫人身平溫雖因人而稍有出入，（幼年較成人爲高）因時而略有增減，（朝低夕高）然大致不出半度，是以超越平溫以上，即是病態，名曰發熱，一切急性傳染病，除眞性霍亂外，無有不發熱者，願聞發熱之理〇編者附註：霍亂雖口腔內無熱，用肛門錶，仍可測見腸中發熱，此云霍亂不發熱，據體表而言耳。

師曰，發熱者，體溫上昇之謂也，明乎體溫之生理，則發熱之病理思過半矣，西說曰，吾人因筋肉及諸腺等酸化燃燒化學分解作用，而產生體溫，由於皮膚及肺臟之放散，使造溫與放溫平均，以維持其平溫，主宰此調節作用者，爲中樞神經。

蘇生曰，此西說也，請以中說釋之。

師曰，肺之吸氧，胃之納食，酸化之大源也，氧氣之助燃燒，人所熟知矣，吾人寒而思衣，飢而思食，所以保持其平溫也，飲食入胃，有如鍋爐之進木炭汽油，所以資燃燒也，是以飢寒之人，飽則生煖，加餐所以充酸化之燃料，即所以生溫也。

蘇生曰，重裘被體，亦能生溫乎。

師曰，寒涼外侵，奪人表溫，加衣禦寒，所以防制體溫之散越，綈袍非能自生溫也。

蘇生曰，吾嘗於清晨散步公園，每見技擊者少長咸集，或倘形意，氣凝神斂，或從矯捷，踴躍奔騰，春寒料峭，砭人肌骨，而習拳者無不汗出如瀋，則運動亦足以生溫矣。

師曰，摩掌則手熱，行步則足溫，運動生熱，屬於機械性，譬如汽車，發動馬達，則汽缸生溫，木炭汽油爲生熱之資源，運動旋舞爲生熱之機轉，是故操劍練拳，形態之靜躁不同，而全體之運動以生溫則一也。

蘇生曰，人苟不動不食，則資源絕，機轉息，其體溫宜銳落矣，但未必然者，其故何耶。

師曰，腹有餘糧，不食何害，體陰未竭，有恃何恐，甘地絕食，未嘗斃命，達摩面壁，未嘗體冰，蟲之蟄土，蛇之冬眠，而生機不滅者，有蓄故也，是以吾人不食，僅中斷其外來之資源而已，體內之儲蓄未匱也，苟能安靜少動，節省消費，猶可苟延月餘，然人爲生物，形體雖可靜止，而心之搏動，肺之呼吸，血液循環，淋巴還流，晝夜無片刻止息，夫有所動必有所耗，無糧之師，其能久乎，飲食爲體溫之資源，不食而體溫暫不減者，藉平日所蓄積爲之榰柱也，及乎所蓄既罄，雖形體不動，亦將飢疲而體冷矣，是以辟穀之士，其心初不歆羨餔啜，然其體爲維持所需要之體溫，不得不先行消耗其皮下脂肪，次及筋肉，終及臟腑，迨至燈盡油竭，生命之火亦隨之而滅矣。

蘇生曰，飽能生煖，動則生陽，知古語之不我欺矣，敢問神經爲體溫調節之主宰，何以明之。

師曰，人體一切機能，皆主宰於神經，故精神有所感觸，往往影響其體溫，遵生箋曰，人心思水則體寒，思火則體熱，懼則肉顫，愧則面赤，恐怖則戰慄自失，忿怒則氣盛煩熱，丈夫暴驚，怵惕汗出，小兒暴驚，瘈瘲發熱，是知七情之刺激，已足引起體溫之紊亂，足證神經主宰體溫調節之非誣，不必目覩機械試驗，而後置信也，夫發熱者，體溫上升之謂也，吾人生理上，生溫不足，則必進相當之飲食以補之，不然則提供其所蓄以充之，生溫過多，必有相當之放溫以節之，此平人也，至於病理上之發熱，錯綜極矣，一言以蔽之曰，有所激而使之然也。

蘇生曰，然，邪毒激於司溫中樞，則反射而爲熱，不激則不熱，是故外感六淫同也，而有發熱不發熱之異者，放溫之障礙情形不同，反射之程度有微有甚也，細菌潛入，分泌毒素，多致發熱，亦有不發熱者，以司溫中樞有受激不受激之異也，此皆司溫神經因直接（有形之邪刺激生溫）間接（無形之邪障礙放溫）受激而發熱也，至於神經本身之興奮，七情偏勝之感觸，因而發熱者，激不在表，又不在裏，其由神經體用之失調歟。

師曰，子已了然於激之之義矣，夫邪干熱發

，非六淫侵於表，即菌毒激於內，六氣激於表，故病在放溫，菌毒激於內，故病在生溫。

蘇生曰，急性傳染病，無不發熱，以菌毒激其司溫神經故也，獨霍亂不發熱，將菌毒異耶，抑所激者不同耶。

師曰，霍亂之作，菌集於腸，暴注下迫，傾腸洞瀉，體工努力收集全身水分，欲以冲刷腸道而袪邪，血液中水分被奪，循環障礙，肌表溫度因此低落，是以治霍亂者，用鹽水補充水分，强心振奮循環，急則治標也。

蘇生曰，病原體非至得所，不能爲病，是故白喉肺痨傷寒淋濁諸菌，皆須得其棲息之窟宅，然後成病，意者霍亂之窟宅在腸，菌與毒不能經由血液以刺激生溫中樞，故不發熱耶，嘗聞種植霍亂菌於表皮及肺臟者，菌竟死滅，不見病狀，此可見不得窟宅，不能爲病矣。

師曰，細菌侵入人體，其徑路不盡同，霍亂菌之傳染，隨飲食物從口腔入，不由接觸傳染，亦不由呼吸傳染，故種植霍亂菌於表皮肺臟而不見病狀，非其傳染之徑路故也，又，霍亂菌畏酸性，喜鹼性，當其由口入而至於胃，常爲胃液之强酸性所殺滅，必須逃過胃液，入於鹼性之腸液中，然後乃能肆其毒害，抑豈但霍亂而已，凡病菌侵入組織，則白血球有捕食細菌之特性，淋巴腺有截留異物之官能，細菌不先戰勝組織之抗力，則無從蔓延，邪毒侵入血份，乃能反抗食菌作用時，血液即產生一種特異物質以中和之，所謂特異物質者，防禦素之衰削毒力，調理素之協助噬菌等是也，雖然，困獸猶鬥，邪毒爲生存而戰，亦必產生抗體以相搏，此種抗體，即所謂細菌之襲擊素也，邪正相搏，中樞受激，寒戰發熱，於以激生抗毒體，一切急性傳染病皆然，霍亂當不能獨異，彼注射霍亂預防疫苗者，亦往往見發熱，則霍亂毒固能使人發熱矣。

蘇生曰，至哉言乎，今乃知霍亂非絕不發熱矣，敢問傳染病之前驅發熱，將爲益於人耶，抑爲利於病耶，人體之抗病，是否需要發熱，發熱是否足以療疾，何者爲必要之發熱，何者爲不必要之發熱，熱型既不相同，熱退之情形又甚懸絕，其故安在，願悉敎之。

師曰，人之有腦神經，如國之有首府樞密，政令之所由出也，五院六部，各有所司，發熱者，司溫中樞受激而然也，譬如寇警聞於朝，國家即下動員令也，發熱之有益與否，應視其動機而定，亦如國之政令有當有不當耳，夫外感風寒，障礙放溫，體工爲排除此項障礙而起反射發熱，此如流寇作亂，邊關傳警，命師靖邊，以固吾圉，固不可以已也，菌毒發難，震驚中樞，邪勢蔓延，反射發熱，此如敵寇內犯，禍亂已深，號召勤王，戮力平亂，亦將相之應有事也，動機有當，則發熱爲於人有益。

蘇生曰，寒鬱腠理，發熱以汗之，機出於自動，自然療能也，傷寒毒素侵入血份，刺激中樞而發熱，屬於被動，益于何有。

師曰，傷寒發熱，是動員血液以抗病也，夫頑邪入血，非白血球所能取勝時，則產一種特異物質以中和之，然此種特異物質，非咄嗟間所克大量產生，譬如倉猝應戰，軍火工業未能立時增加也，發熱者，敦促此種特異物質之加緊生產也，短兵相接，虛實漸明，體工因菌性之不同，從而產生不同之抗體，所謂溶菌素也，卵胞溶解素也，凝集素也，沉降素也，抗毒素也，皆是，而總稱抗體，抗體在一定時間不即消逝，所以防禦再來之邪也，有一種抗原，即有一種抗體，曾受不同之菌毒，即存不同之抗體，是以染病一次，即得免疫之保障，必待其抗體消失，然後有再染之虞，吾人因抗病而需要發熱，亦生理自然也。

蘇生曰，發熱爲體溫之反常，此乃違反自然，古謂熱病無不傷陰，謂營養物質之消耗過甚也，又云熱甚生風，謂其易於引起神經證狀也，譫妄痙攣是已，西醫亦謂傳染病死者之心肝腎溷濁腫脹脂變，赤血球及血色素減少，皆發熱所致，則又何取乎此反常之熱。

師曰，子所言者，高熱經久之患也，過度之高熱，蛋白質爲之消耗，抗毒素爲之消失，神經爲之不安，痛苦爲之增加，是熱也，非惟無益，而又害之，人身因受激而發熱，欲以振奮細胞，滑利血行，所以促進抗體之產生，而制病菌之毒害也，體工因抗邪而發熱，同時必增加放溫以調節之，然後其熱不爲人體害，夫神經因邪激而發熱，視其邪性之各別，毒素之不同，而各異其熱型，其消散之情形不一者，亦以邪類懸絕，因之體工抗邪情形有所不同也。

蘇生曰，有毒纖神經而不熱，有如梅毒者，亦有注射無毒淨水反起壯熱者，則又何耶。

師曰，毒侵神經而不及司溫部分，則不致發熱，神經如首府，五院六部，各有所事，立法行政不相犯，敎育軍事不相問，所司各殊也，夫大腦爲思想之源，小腦乃均衡所寄，延髓有生命中樞，脊髓亦反射中站，此腦髓之用也，肺之呼吸，心之運血，肝之泌膽，腎之釀溺，四者無稍休息，此交感神經之用也，所謂司溫中樞者，僅佔中樞神經之一部而已，激在何部，何部爲病，梅毒入腦而不發熱，不犯司溫中樞故也，至於淸水，未必無害，注入人體而激發高熱者，冷暖異性，稀濃異質，向素未習，激而爲熱也，况間或有「熱生素」在其中乎，惟小攙即止，則不久而熱自平耳。（本篇完全書未完）

本刊徵稿啟事

（一）文件最好用白話，淺而易解的文言也可以，總之讓大家看得懂，竭力避免學術語專門名詞。

（二）字數每篇最多不得超過三千字，千字以下的短文尤其歡迎。

（三）內容中國學說也好，西洋學說也好，祇要是實用的，人家日常生活必需知道的醫藥衛生常識，如果是融匯中西學說的，那更是十二萬分的歡迎。

（四）稿酬經刊載後稿費從優。

（五）來稿文字編者得加潤色，投稿人如不願潤色者，請於稿端聲明。

（六）來稿未登者，如須退還，請附已寫好退還的地址及收件人之信封，貼足郵票，當即儘速寄還。

（七）來稿請署眞實姓名詳細地址。

（八）稿件請直接寄遞上海（5）哈爾濱路富春里四號，本報醫藥編譯委員會。

本刊定閱價目

月份	期數	定費	掛號	航平	航掛
三月	13	四萬五千元	一萬元	八千元	一萬七千元
半年	26	八萬元	二萬元	一萬五千元	三萬三千元
一年	52	十五萬元	四萬元	三萬元	六萬五千元

附註：定戶請於到期前一期通知續訂本外埠定戶平寄免收郵費其他寄法郵資請照表匯寄

濟世日報

右任

醫藥衛生專刊

第一卷 第六期

——本刊每逢星期一出版——

本報登記證內政部京警滬字第三八六號

發行人 卓勤　社長 卓紹鼎　總編輯 施今墨

本期目錄

中華民國三十六年九月十五日　濟世日報社發行　本期售價國幣四千元

社址上海（5）哈爾濱路富春里四號　電話四五二七二

社論

農業國所能養活的醫師

我們當然希望進步，當然希望迎頭趕上；不妨趕到一九四八年份，趕進二十一世紀。但不能忘却自已到現在還是一箇農業國，工商業微弱得說不上；所以，工商國所能擔負的，我們現在還擔負不了；工商國所能養活的，我們現在還養活不了。

清末民初以來，政事軍事上絡續效法歐美；最初是開辦學校，繼之是新設警察，是司法獨立，是編練新軍購買槍砲子彈，諸位請粗枝大葉地想想，上述的種種，每一種添設下來該多少經常費？這些費用是不是須由民衆擔負？而民衆的生產與收入，較之清末民初以前，是不是有所增加？生產收入並沒增加，反因不斷的內戰與天災而有所折扣，而强迫着擔負六倍以上的開支；請問民衆經濟那得不崩潰？國家財政那得不走入絕路？民衆能支持到三四十年，方纔顯出枯竭現象，要算是非常强韌的了。

中國向來以儉約爲美德，這是農業國應有的風俗。可是機關，官吏，以及表面上的粉飾，到了民主時代，因爲當局者什九是美國留學生，一切模仿美國而加之以「好勝」心理，可謂極揮霍之能事了。在歐美的中國使節，交際場中向來是出名窮酸的，現在則一躍成爲頭等豪奢了。機關房屋，向來是風簷短柱，白紙糊窗的，現在則鋼骨水泥，輝煌燦爛，像西洋王宮了。中國街道，向來是狹窄崎嶇的，現在則首都與少數大都市，强迫拆除了民房，築起畢直的馬路來，闊大平坦，不讓於紐約舊金山了。至於若干首腦官吏的起居豪奢，服用侈汰，就使口袋裡金元最多的美國人看了，也覺得太那箇，與中國的民衆距離太遠。

他老人家看得清楚，這樣豪奢揮霍的官吏，是農業國所養活不了的，於是他老人家提倡節約；對得很，建設生產的費用雖不可小器，起居服用的消耗怎能一味揮霍呢？

生產的費用雖然不可太節約，也要估計一下出產品的銷路。如果出產品可以銷到歐美去，而外滙沒有損蝕時，那自然宜乎不惜工本，精益求精，以爭取市場。倘使出產品只銷於本國的話，那只能儘量減輕成本，使售價低廉；因爲現在中國民衆的購買力低到極點了，若成本高而售價昂，這種貨物只好終年放在廚窗裡做樣子，包管只有人看沒有人買；賣不出是工商業的根本致命傷。

醫師是自由職業，恃診金收入爲酬勞；其實，這中間的原理也與工商業一般無二。

讓我們估計一下「醫師」（西醫）的成本：高中畢業出身，考入醫科大學，足足要念六年的書；書念完了，還得有兩年以上的醫院實習；這一筆持久的費用，已非中產之家所能負擔了；如果再到外國去鍍一回金，在這外滙高昂的年頭兒，若非資本官僚，屯積豪商，在英美銀行裡存有大量英鎊美元就休想染指！這樣學成的一位醫師，開業時還得花金條頂屋子，裝修粉飾，廣告宣傳，請客捧場；再有一套醫療器械萬萬少不了，再簡單些也要花上上億的法幣。這樣一位醫師，好果然是好，可是成本大得驚人，必然的，售價自不能低廉。診金，檢驗費，藥劑，總結起來，一病醫好，這筆醫藥費足够農業民衆一家數年的吃用。農業民衆對這種醫師縱然如飢如渴地歡迎，無奈沒有這箇購買力，只能看看，不能買。於是必然的，醫師只好擠在大都市裡開業，仍然從資本官僚屯積豪商中間找主顧。

現在許多前進的先生和女士們，正在竭力設法，使上述的醫師可以快速生產，增加出品；這原是無可非議的。不過，先生女士們，最好請您們先把農業民衆提高轉變爲工商業民衆，先提高了他們的購買力，然後那些新出品的醫師方有銷路，方爲一般民衆所養得活。要不然，醫師們只好仍然向大都市裡擠，越擠越緊密，可能窒息而萎縮的。

我們並不是妄自菲薄，不想享受高貴的醫療與衛生。我們正想提高醫生的素質，但同時也想到必須民衆所能養活，所以售價不宜太高，成本不宜過重。因之，我們主張提高中醫的教育，使他們學一點解剖學生理學病理學的知識，這還花不了多大費用，成本不致太重。再使他們學一點細菌與消毒防疫的知識，讓他們也能幫同擔負防疫，至少不致自己做傳染媒介；這也花不了多少，不致加重成本。而對於一般的醫療與衛生，却已裨益很大了！這是我們對於民族健康與民族經濟雙方兼顧到的辦法，所以我們主張中醫科學化，既不是唱高調，也不是苟且偷安怕更張。

請母親們自己哺乳

雍熹

——除非你有嚴重的疾病，最好自己哺乳；無論爲自身的利益，或是爲孩子着想，都應該這樣做。

本來，做母親的人哺育自己的孩子，是義不容辭的當然責任。可是目前，在小城市和鄉村裡還好，母親們都仍舊担負着這項偉大的使命；大城市大都會裡的許多摩登少奶奶們，却多半把這個任務，用金錢爲代價，移交給了乳媪；上海人稱爲奶嬸嬸。在這種以金錢來買賣一切物質享受的社會裡，這種把自己的兒女交給奶嬸嬸哺育一類事情，當然不足爲怪。我們且研究一下，摩登少奶奶們，爲什麼不願意自己給自己的孩子哺乳呢？

也許覺得自己喂奶太麻煩，是不是呢？每隔幾小時又要吃奶了，自己的身體被孩子牽着不能跑開，到處帶了出去更不可能，也不能在外面隨時隨地，裸露了上衣喂奶呀！的確，哺育嬰兒不是一件馬馬虎虎的工作。可是別忘了你已做了母親，哺育你的孩子是你的責任。初生嬰兒每天哺乳的次數較多是必需的事實，但在產後的最初一兩個月，你不也正需要休息與調養嗎？正可以少出去應酬，又何必要走遠呢？等孩子稍大，每次哺乳相隔的時期也漸漸變長，有必要的時候，只要孩子有人照管一下，你又何嘗不能出外？

也或許，另一個原因會被認爲是更重要的理由，使摩登的母親們「忍痛」將哺育孩子的責任交給奶嬸嬸或是奶粉瓶；就是怕自己哺乳會損壞胸部的曲線，使乳房下墜；甚至有人相信哺育小孩易使女人早老。現在的都市生活中，有什麼能比美更重要呢？有什麼能比青春更重要呢？於是，莫怪年青的母親們要放棄天賦的責任了。可是，請各位母親們先仔細想一想，你有沒有先探問明白了這些說法是不是有根據？是不是事實？可惜你竟因了茫然的盲從，就剝奪了你的孩子應享受的權利；不但如此，你更害了你自己。

實際上，授乳時由於嬰兒吮吸的刺激，和內分泌素的影響，可以促進鬆大着的子宮肌加速收縮，使腹內器官回復正常位置，對於產婦的健康和美觀極有幫助。至於怕哺乳後乳房會下墜和容易老，更是杞人之憂，並非事實。

再一個可能是第一次做母親的人，乳頭陷癟，嬰兒無法吮吸，或是因爲乳頭太嫩，被吮吸後疼痛難熬，甚至破裂，於是這位小母親不敢再繼續自己喂奶，或是丈夫太體貼，不忍見妻子受痛苦，就把這工作委託給奶嬸嬸或是奶粉瓶。但是要知道，這些困難是可以預先避免的（請參閱本刊第一期「從懷孕到生產前」），只要事前留心一點就能解決了這個問題，你爲什麼不那樣做呢？

總之，假如你生了孩子，除非你有嚴重的疾病，身體過分孱弱，醫生囑咐你不能自己哺乳，那末，你最好不要放棄這一項偉大的工作。如果你爲了職業的關係，在時間分配上實在沒有好方法，那似乎是比較可原諒的一點不得已苦衷；不過你最好也要衡量一下得失。決不可以爲了怕麻煩，貪舒服，甚或至於爲了表示闊綽，顯露身份而忘記了自己哺乳的利益，即使爲了孩子的幸福着想，也應該自己哺乳。自己哺乳的好處，除了前面所說可以促進子宮肌收縮，增進母體的健康與美麗外，還有許多利益。簡單說，至少可以舉出下列幾點來：——

一，母乳的成分，隨着孩子的年齡逐漸改變，因此母乳對嬰兒的生長和發育之需要，最爲適合。僱用乳媪則雖則同爲人乳，時間上必有先後，奶的成分自亦有差異。若用奶粉等代乳品，自然更不及母乳爲佳，而且調製時費時麻煩，弄得不好還會妨礙消化；而且現在的奶粉價格昂貴，就以經濟上打算，也是大不合算的。

二、嬰兒在胎內時，一切由母親保護，血液循環亦與母親相通。出世後即不能再從母血中得抵抗各種疾病的免疫抗體和維生素等營養料。但在母乳中仍含有適當量之免疫抗體，維生素，和鈣，鐵等微量礦物質，嬰孩得後，可以增強對疾病的抵抗力，減少患病的可能性，因此也減低死亡率。

三，自己哺乳，則爲了孩子的幸福着想，假使有不良嗜好的，不得不戒除。並且因此注意日常生活的規律與調養，生活亦因此革新。

四，如果僱用奶嬸嬸，不但經濟負担太重，而且現在用人不容易，僱到後又難免要討閒氣。奶嬸嬸對孩子的一切照管，又決不能像自己一樣關心，更談不到精神上的薰陶。加以一般出來做奶嬸嬸的，多半貧苦階級，無智無識，在哺育教養上難免做出不合理的事來；也許體格不健全，甚或帶有傳染性疾病，更有使孩子受害的危險。這些事只要自己哺乳，就都不會發生了。

五，自己哺乳，可以發揚母性的愛。有人說可以在婦女的面容上看到母愛的光采，雖似誇張之辭，但我們的確可以想像到母親們保着自己的孩子時流露的那一副慈祥，和靄，驕傲，光榮，瀰漫，美麗的神色。

母親們，再說一遍，除非你有嚴重的疾病，最好自己哺乳；無論爲自身的利益，或是爲孩子着想、都應該這樣做。

秋老虎肆虐，驕陽灼人。我們不是有錢有閒階級，整天在高溫度低氣壓中工作，實在疲乏得很。晚飯之後，端幾張小椅，在不容旋馬的天井裏圍坐下撩天，偶然晚風吹來，便覺得如飲醍醐。就在這樣撩天的當兒，外子淵雷先生卻撩出一個刁鑽古怪的問題來。

一個有趣味的問題

陸沈本琰

原因是我有一篇「論寒與熱」的文字，載在本刊第一期中；中間說，「許多爭論，須請公證人評判；權衡天秤是輕重的公證人，丈尺是長短的公證人，斗斛是多少的公證人。」而文中主要的一點是「寒暑錶為寒熱溫涼的公證人。」『你說的那幾位公證人是否一般地始終公平？』外子開始提出他的古怪問題；『尤其一位主要的寒暑錶，是否與權衡丈尺斗斛一樣公平？』

『你是說現在醫生多用中國自製的體溫計，怕靠不住麼？』我很聰敏地猜測著說；『寒暑錶，尤其體溫計，是比較精細而難製造，不像權衡天秤丈尺……』

『不是的不是的，』外子不等我說完，急忙雙手亂搖，止住我的話頭。這是他在思想較深邃時最易流露的一種特性，我從課堂上受課起，直到現在，領教得多了。他接着說，『我說的公平不公平，與製造的精不精毫不相干。』

『那麼，怎見得寒暑錶會不公平？倒要請教。它又不會貪污，又不賣情面。』我故意激他一下，好叫他說得格外精綵。

他先不作聲，找一枝紙煙點上火，抽了幾口，閉上眼睛，說『就拿權衡做比譬。』再抽煙，好像在賣關子，我只索靜靜地等着聽。『一架磅秤上有一袋米，磅秤指示出剛巧一百斤。我們從中取出一碗米，磅秤減成九十九斤，我們知道取出的是一斤。倘使把取出的米放在別一架小磅秤上稱，一定也稱得恰恰一斤。反過來，倘使我們另外稱取一斤的米，加在磅秤上一百斤的那袋中，那磅秤也一定加為一百零一斤，不多不少。』

『這是當然的，也值得大驚小怪？』我故意嗤之以鼻。

『這是說明從一百斤上增減的一斤，與零斤上增加的一斤，常常相等，磅秤是始終公平的；』他管自說他自己的話。

『這尤其平淡不足道，你今天大概閒散得無聊了，這晚晌想造言生事；』我故意同他抬槓。

『這個平淡手續施用到寒暑錶上，你就平淡不起來了。今天我家室內寒暑錶到九十三度。請你從九十三度的氣溫中取出一度，使錶降到九十二度；再把取出的一度氣溫，放在另一個零度的寒暑錶上量一量，看它是不是剛好上升一度。這是平淡不足道的，請你做一下。』他口氣越來越急，聲浪越來越高，臨了，把那段紙煙抽得火光燭面，把煙尾使勁向地下一扔，這是他對於我幾次反激的報復；而他的古怪思想就在這報[illegible]了出來。

至此，我已約略猜到他思想的核心了。但仍支吾作答，『這也難不倒我，因為氣溫不能任意分割。你那種想法，你自己也做不到呀！』我故意說得似是而非，目的是激他把理由自己說出。我有這經驗，一種思想或理由，若由他的口中說出，或筆下寫出，就顯得格外深刻而明白。一篇很平淡的文字，經他小小的修改，也會變得頭頭是道，大堪一讀。因他有這種特長，所以我猜到而不說，激他自己說。

『氣溫不可分割是事實。寒暑錶也許躲在這個事實後面，偷偷地不公平起來。我疑心百度時的一度升降，與零度時的一度升降，其增減的熱量是否相等，雖然錶面上的刻度很平勻。因為不能像權衡一般，一斤一斤分開來稱。』

『這話有意思了，』一味反激也太單調，我換了鼓勵的口氣；『請你索性說個明白。你可要喝盃茶？再抽一枝煙？』於是十四歲的大女孩搶着倒來兩盃茶，十歲的男孩子拿來了紙煙洋火，我親自給他點上。他抽了兩口煙喝了一口茶，話匣子就一直開到底。

『我不知道測量溫度是否完全仰仗最會漲縮的水銀與火酒？如果是的，這兩種東西的漲縮率，是否始終亭勻而沒有限度？我們常用橡皮圈圈結紮法幣，橡皮圈縮到原來大小就不再縮，拉到若干大之後再拉也不再張大只會拉斷，這是橡皮圈張縮的限度；當它張縮到兩限度的中間時，假設地說，加減一格蘭姆的拉力，可使張縮一生的直徑；可是拉到將近最大限度時，加一格拉力只能開張半生的直徑；而縮到將近最小限度時，加一格拉力卻能開張二生的直徑；這是說明橡皮圈的張縮不是始終亭勻。水銀火酒對於熱與冷的漲縮，是否也像橡皮圈有限度而不能始終亭勻？假使是的，又假使寒暑錶必需水銀或火酒，而量溫度又必需寒暑錶；那末，我曾看見化學工業所用電爐，可以熱至二千度或四千度，而爐上附有寒暑錶；相差四千度的水銀柱漲縮，是否仍每度相等？我因此疑心寒暑錶的公平不甚可靠。可惜我太不懂物理學，不能解答這個疑問。』

說到這裏，那搶拿紙煙洋火的孩子已伏在椅上打鼾呼，倒茶的大女孩也呵欠頻頻，聽得不耐煩。我打發他們睡了，記下這篇文字，請教於物理學家，請解答這個疑問。——

細菌常識（五）

陸淵雷

飲食物不能與空氣隔離，又常要與水與土壤發生關係，於是空氣中水中土壤中的細菌，都可以跑到飲食物裏去。稍微懂得一點營養學的人，知道牛乳與肉類皆是「熱量」（卡羅里）很高的東西，認道喝牛乳喫肉總是有益衛生。哼！說給您聽時，叫您嚇一跳，請您聽著：

曾經外國人試驗過，纔從牛身上擠出的牛乳，每公升中有活的細菌一八七〇〇〇箇，這已經比末等「惡」水（見本刊第五期）中的細菌更多了。倘在空氣中放著，空氣中新加入的細菌與原有細菌一同繁殖起來，經十二小時，多至四三二〇〇〇箇；再經廿四小時，眞怕人，多至六三三五〇〇〇〇〇箇，比較最骯髒的巴黎夏天的陰溝水（見本刊第五期），再要骯髒六十多倍。無論何人決不肯喝陰溝水，而很摩登的人物却放心托膽地喝鮮牛乳，這眞是上海人說的「天曉得」。況且牛乳中正有人類的大敵結核菌，叫人害肺癆病。因此之故，牛乳必須經過「消毒」，方許出售。但消毒方法不甚考究時，可能破壞大部份維他命，使牛乳失其營養價值；消毒而又不損壞維他命，就是所謂A字牛乳了。

肉類也是細菌的良好殖民地，其中往往有病原菌生存著。據「傅司透」氏的考查，帶有結核菌傷寒菌豚疫菌的牛肉豬肉，醃於鹽滷中經過幾箇星期，這些細菌仍舊活着。又據「沛得利」氏之試驗，死於丹毒病之豬，其肉醃於鹽滷中近一箇月，原來活着的丹毒菌仍舊活着；倘把這種肉熏燎，製成香腸香肚，則丹毒菌雖被熏死，而肉中存留的菌「毒」，仍能使吃肉的人發生病狀。

牛乳够不够A字標準？肉類有沒有病原菌？這在喝牛乳吃肉的人是沒有法子鑑別的，責任就在地方上衛生官吏的施行檢查。在上海，菜場上賣的肉，有腰圓形紫色圖章的是頭等肉，有長方形藍色圖章的是二等肉；沒有圖章的肉就是不够水準，查著了要受罰。這是租界時期遺傳下的舊習慣，而現在仍舊照行的；出售的A字B字牛乳，情形也同肉上的圖章一樣；大概是歸衛生局的某一部門負責檢查的。現在政治不上軌道，官吏如果不貪污而專靠薪給，就不够一箇小家庭的澆裹；貪污既成爲家常便飯，民衆對於官吏就要不信任；我並不說衛生局檢查牛乳及肉類的官吏有什麼貪污的事實或傳聞；不過，倘使政治上軌道，貪污也逐漸稀少而成爲偶一見之，那麼，民衆喝一樒牛乳吃一臠肉，也可以放心大膽了。

此外，凡是富有水份的食物，而曝露於空氣中售賣的，多不免附有細菌。例如魚蝦蔬菜水果等，如果小心檢查一下，總是帶有細菌。在平時也許沒有病原菌在內，若在傳染病流行之時，（例如現在江北流行霍亂，而上海的豬鷄鴨等多數從江北運來。）這些曝露而濕潤的食物，往往成爲傳染的媒介，極爲可怕；故非經煮熟或消毒，不可亂吃。只有五穀雜糧，在出售時是已經乾燥的東西，細菌躲上去不易生存，而且是不能生吃的，所以沒有危險性。

衣服與器具，人不能吃，細菌也不能吃，因之不想躲上去，所以新的衣服器具，大概是沒有病菌的。倘是舊的，就不大可靠，尤其是傳染病病人所穿過的衣服，所用過的器具，所讀過的書報。例如患天花痲疹的小孩子，病新愈後起床玩耍；他們玩過的玩具，經過一兩箇月，別的健康小孩拿來玩時，還能傳染而發病。因爲這箇緣故，傳染病病人衣物的「消毒」，是很重要的事情。我們將在本篇下文特別貢獻一些簡便而有效的消毒方法。

平常穿過的衣服，沾有汗漬油污，這又是細菌所歡喜做巢窟的地方了。但洗過之後，也就不成問題。皮棉衣服，往往是不洗的；但習慣上必須放在直接的太陽光中晒了幾天，然後收藏起來；到夏季時再晒幾天。要晒的理由，一般只知道是防黴；其實，太陽光既殺黴菌，同時也殺病原菌；所以中國的皮棉衣服不洗也不妨事。惟有估衣舖（衣莊提莊）裏出售的「原當」與舊衣，皆是穿過的衣服，皆不洗又不晒；而穿過的人又不知是有病無病？是活人是死屍？所以，買來的現成舊衣，必須消毒，至少須洗過，然後可以自已穿著。

最可怕的，我想莫過於「公用的手巾」了。茶樓、浴堂、理髮室、旅館、劇場、以至火車等，嘉賓蒞止，僕歐門馬上送來一塊熱毛巾，表示侍應週到。這種毛巾，既爲千百人公用，油膩灰汗，甚至發出使人噁心的氣味；而洗的人既不知道細菌傳染的危險，又貪圖省力，往往不洗乾淨；反洒上一點花露水，以掩過其原有的惡臭。在疫癘流行之時，公用手巾眞是最可怕的傳染媒介。在平時，對於眼睛也最危險，傳染砂眼與淋菌性角膜結膜炎，後一種可能於極短時期內把眼睛瞎掉。現在火車上的毛巾已廢除了，在大都市，茶樓已漸淘汰，酒館也多改良用消毒過的乾手巾，惟有浴室最無法改良。至於內地，仍與四五十年前差不多，他們還不知道公用手巾的危險。（未完）

小寶寶要斷奶了

綠波

——究竟小寶寶應該在多大時才不給他吃媽媽的奶？斷奶的時候又該注意些什麼？

好像，就沒有人願意去注意一下，究竟小寶寶應該在什麼時候斷奶。可不是麼？有些媽媽因爲寶貝自己的孩子，甚至於一歲多了還在吃奶；有些媽媽發覺自己身上已經又「有喜」了，於是趕緊給孩子斷奶，有些媽媽根本就沒有讓孩子吃過自己的奶，自然更不想到什麼時候給孩子斷奶的問題了。

可是，應該在什麼時候給小寶寶斷奶這個問題的存在是無需分辯的。不過，這個答案却並不是一個肯定不變的數字。大致說來，至少最初五六個月，是必需要讓小寶寶吃自已媽媽的奶的。因爲這個時期內小寶寶的消化，生長等等，都只有媽媽的乳汁最爲適合。過了這個半年，那就隨時可以作斷奶的準備了。

斷奶的時間，最好不要選擇在夏季裏。因爲夏季天氣炎熱，小孩容易哭鬧，而且夏天也比較更容易因爲飲食失調而引起胃腸病。同時，斷奶的步驟，也最好採取逐漸進行的辦法，不要猝然改變食物。突然地使小寶寶的糧食從母乳改變爲其他食物，使寶寶的消化器管不能迅速適應，也很容易引起不愉快後果的。

不過，假使必須要在熱天斷奶，而且逐漸進行的辦法不可能的時候，那末還是甯可就在熱天斷，甯可猝然斷的。無論如何，這總比不必要的延長爲好。

母乳的成分，到後來是有一定的了，可是孩子却正在生長，一天天長大，單靠母乳也就會一天天不够需要；而母體則仍要每天製造乳汁，這不是於母親和孩子都沒有好處？假如發現小寶寶的體重有幾個星期沒有增加或者甚至於減輕了的時候，醫生又說他沒有生病，那末就應該想到是斷奶的時候了。

要避免逐漸斷奶時的困難，有一個方法就是先養成孩子每天用奶瓶吃一次奶的習慣。這樣，當開始斷奶，每天增加用奶瓶喂食牛乳或其他流體食物的時候，小寶寶就不至於完全拒絕了。否則，必然會除了媽媽的奶之外，什麼也不肯吃的。不肯吃怎麼辦呢？只有餓肚子了，餓了自然就哭，於是媽媽聽了不忍心，怕小寶寶餓壞了，仍舊把衣襟解開。於是，一切努力又復歸於失敗。

在有許多的情形中，突然的斷奶也還是必需的，尤其是在媽媽患了嚴重的急性病症時，像傷寒、肺炎等；或者是媽媽有了嚴重的慢性病症像肺結核、腎臟炎等，都可以影響到母親的健康，影響到母乳的分泌，甚至於經乳汁而傳染。所以，同時爲了母親和孩子起見，都應該毫無猶豫地立刻斷奶。不過，要注意的是這般猝然的斷奶，如果用牛奶來繼續喂小寶寶，那末最初幾天必定要把牛奶冲淡一些。如此幾天之後，等孩子的胃腸適應了牛乳的性質，然後再逐漸增加牛奶的濃度。

如果小寶寶已經八九個月了才斷奶，而在這八九個月中間，除了母乳之外又不曾吃過別的食物，那末斷起奶來的困難就更多了。這時最好不必再去敎他用奶瓶吃，而直接用一只小湯匙來喂食還比較方便些。起初，寶寶一定拒絕這樣的吃法和這樣的食物，如果僵持着強迫他去吃是愚笨的。最好的辦法是當他不肯吃的時候就立刻取開了讓他去餓，一直到下一次應吃的時間才來喂他。餓可說是最有效的辦法了。同時，對於食物的種類最好也常常改換——牛乳、粉湯、肉汁、軟麵包、粥、……常常改換口味，也可以使孩子迅速忘記對母乳的想望。

總之，爲了母親和孩子的健康，都應該在適當的時期給小寶寶斷奶。不斷奶的期間，自然更應該格外注意一點小寶寶的消化器官對新食物的適應與否。

麻醉劑的故事

雍熹

醫學的目的，就在解除疾病給人類的痛苦。可是在外科的病症方面，常常有需要動手術割治的。什麼刀呀，剪呀的一些傢具在活生生的人體上開割，該是多麼令人驚心動魄的一件事呵！尤其是在麻醉劑沒有被發現使用的時代，更是不可想像。病人看見醫生把自己的肉體割開，一種心裡的恐懼和肉體的痛楚是難以形容的，那末他一定會拼命嚷叫掙扎。在這種處境中，外科醫生要想小心從事的施行手術，簡直是不可能的事。即使勉強為之，也眞是萬分困難的。

可是在各種麻醉劑相繼發明以後，情形就大大地改觀了。外科手術可以在病人失去知覺時，或則雖有知覺而毫無痛苦的情形下施行。這不是一個大大的奇蹟麼？由這一點也可以知道，麻醉劑對於醫學的進步，尤其是外科醫學的進步，是怎樣一位有力的大功臣了。

在古代的時候，據說也有人知道用幾種特殊的藥劑，可以減除自己痛苦的感覺。這些藥劑大約就是屬於麻醉劑一類的東西，可是實際上都沒有流傳到後世來，也不知道怎樣會失傳的。一直到了十九世紀初年，有一位名叫德斐的化學家，相信可以用一種氣體來治癒病人的疾病。於是他用各種不同的氣體在病人身上做試驗。結果他發現了病人在吸入一氧化二氮氣體之後，先會發笑，繼而產生一種特殊的迷醉效果，以致於失去知覺。於是他把這種氣體稱為「笑氣」，並且想到利用笑氣來幫助施行外科手續。最初，他用自己做試驗，吸入了笑氣使自己迷醉，然後叫別人拔掉他的一枚牙齒，結果竟非常滿意，因為他一點也不覺痛楚。經過幾次公開的試驗之後，笑氣就被很多牙醫師使用了。使用笑氣非常安全，不過麻醉程度較淺。

就在笑氣發明不久之後，就有一位英國的教授發現了「醇精」（Ether）和笑氣一樣具有令人迷醉失去知覺的效用。醇精是一種揮發性極大的液體，使用起來方便得多，用過後醒來，也很少有什麼不好的惡劣的後果，而且用於全身麻醉的效果也很確實；就不過病人在吸入的時候，氣味有點難過罷了。醇精於是就被大多數的外科醫生所贊許，廣泛地被使用了。一直到今日，在需要全身麻醉的時候，大半的醫院都仍舊是用醇精的，因為它具有安全，麻醉時間長久，效果確實和容易使用等優點；一個最大的短處是每次需要的用量相當大。

之後不久，「哥羅芳」又被另一位英國醫生所發現了。「哥羅芳」是一種比重較大的液體。不像醇精那樣容易揮發和着火，它的氣體有一種芬芳的甜香；可是它的麻醉效用卻比醇精強得多，只要用醇精的三分之一量就可以產生與醇精相同的麻醉效果。這樣說來，「哥羅芳」豈不是最令人滿意的麻醉劑了嗎？不！雖然它不像醇精般難聞，用量小，不易着火；但是「哥羅芳」是對人有害的毒物。它不但可以為害心臟，並且能使肝臟或腎臟受到極嚴重的損害。為了這個原因，所以「哥羅芳」通常只有在特殊的情形時才使用作為麻醉劑，這些特殊情形是什麼呢？一句話說就是醇精不便使用的時候，好像：

一，肺有嚴重病症的病人，醇精不能用。

二，嗜酒的病人，常常對於醇精有很大的忍受性，影響麻醉的效果。

三，軍隊中醇精用量太大，輸運不便。

此外，現在又陸續發明了很多種全身麻醉用的新藥，或者求其見效快，或者想法減少不愉快的副作用，或者要使它用法簡便，都各有長處。不過到目前為止，用得最普遍的，仍舊是醇精。

除了全身麻醉，現在有很多的外科手續都是用局部麻醉，或是脊椎麻醉法的。最常用的一種藥就是「古卡因」，是從一種植物的葉中提煉而得的藥物，用人工的方法雖也能製造，但是手續繁雜，費用很大，反不合算。它的作用在使周圍神經暫時「停工」，因此大腦得不到情報，就不知道那一部分實在存在的痛楚了。將「古卡因」注射到脊髓裡去，就可以使注射部以下的神經都陷於麻木狀態，而病人卻仍不失知覺。在下半身的手術，如果並不需要太長久的時間就能完成的——像割除盲腸的闌尾——，大半都用這種麻醉法。

與「古卡因」有相同功效的一種人工製成品叫做「努佛卡因」，性質和使用法和「古卡因」完全一樣，卻還有一點止血的作用，所以現在醫院中所用的，大半都是「努佛卡因」了。

不久以前，又有一種「潑爾卡因」發明，但是毒性非常之大，很少使用。數年前，重慶中央醫院鬧了一件人命案子，打很久官司，就是因為劑室裡誤將「潑爾卡因」代替了「努佛卡因」所闖的大禍。

爲什麼會

發炎的定義

一般說起來，生活在這個世界裡的人，不論男女老幼，都曾有過身體上局部發炎的經驗；因此也都能大略明瞭發炎是怎麼一件事。事實上，要用文字給「發炎」下一個定義是相當不容易的，過去不知已有多少學者試過了這個工作，但都不十分令人滿意。大致說來，發炎眞是身體上某一部份的組織在遭受到侵害損傷之後所引起的一連串反應與變化。

發炎的原因

凡一切可以刺激或損害身體組織的事物，都可以成爲發炎的原因。所以，如果要一一列舉的話，簡直要製一張包括一切已知刺激因素的大表。不過在醫學上，尤其在外科醫藥上說，則造成發炎的原因，大約可以分爲下列幾類：

甲、機械性損傷——抓、扯、刮、撞等等力量，使局部組織受損害，尤其是破裂後，即能引起發炎。

乙、化學性損傷——因化學物質與組織之作用而引起對組織的損害。例如化學藥物中毒（局部的），蛇咬、寄生在體內的細菌所產生之毒素作用等等。

丙、物理性損傷——如過冷過熱、電傷、X射綫或鐳錠放射綫之過量照射，或外物體之侵入等等。

丁、菌虫性損傷——因致病性之微生物侵入作祟而引起的發炎現象。尤其是各種病菌之侵入，更爲嚴重要原因。

促使發炎的條件

我們常可發現這樣的例子：假使很多人同時受到完全相同種類，相同程度的損傷時，仍然會有些人要發炎，有些人不發炎。這又是什麼道理呢？唯一的解釋是身體抵抗力的不同。所以，身體不健康，是促使發炎的一個先決條件。

發炎的原理

身體組織的發炎，其目的實在是想對已經加於身體上局部組織的刺激原因加以中和或是根本去除。在人類和其他高等動物，這種工作就與血管的變化有關連，因此呈現出局部的熱、紅、腫、痛等現象。但是，發炎原理最要緊的一點是身體內一種「游移細胞」反抗傷害身體組織的刺激物。高等動物的游移細胞，以血液中的白血球爲主，而白血球平時是在血管中的，因此事情很明顯，白血球必須跑出血管來才能展開戰鬥；同時，大部分的體液也來自血管，担任中和細菌毒素的責任。由於局部血行的加速和白血球以及體液的滲出血管外，於是造成了發炎時熱、紅、腫、痛等病象。這時，血管有兩項變化：一、局部血液之供應大量增加；二、血管壁之可滲透性顯著增加。

發炎的症狀

蛔蟲的生活史

思　明

做母親的人，常常奇怪自已的小孩爲什麼胃那樣好，吃起來很吃得下，却老是面黃肌瘦，皮包骨頭不長肉；而且還常常要吵肚子餓呢？也許有人會半開玩笑似的說：「吃下去的東西都給肚裡的虫吃光了。」眞的，請醫生驗大便，看孩子的肚裡有蛔虫寄生沒有。

蛔虫爲害雖然不很十分明顯，可是在我國實在太普遍了。驗了大便假使有，最好趕快吃藥把它們趕出腸外。可是你可知道蛔虫是怎樣跑進你的小腸去的嗎？蛔虫的生活史到是挺有趣的呢，你知道了之後，也許還可以幫助你知道怎樣去預防，不叫它再把你的肚腸當寓所。

蛔虫本身是圓條形像蚯蚓似的寄生虫，兩端都是尖錐狀，全身有四條長的條紋，顏色略帶粉紅或黃色，雄的約有六——十英寸長，雌的有八——十六英寸長。

寄生在人類小腸中的蛔虫，就以腸中的營養料作它的食物，並且在腸內生殖，生下許多卵來。但是這些卵不能就變爲虫，一定隨糞便排出體外。如果作爲肥料澆在農作物上，我們吃時又沒有洗淨煮透，虫卵就又被吃進體內。等它到了小腸中，又久就被孵化成幼虫了。然而這個幼虫還要旅行一番呢！它先穿過腸壁，進入血液而跑到肝臟，幾天之後，又經過肝靜脈而到心臟，到肺，又從肺跑到氣管，再向上；你想，向上到那裡

發炎的

楊漢魂

身體上任何部分，任何程度的發炎，都一定會呈顯四項必有的症狀：局部的隆腫，發紅、疼痛、以及較鄰接部溫度爲高。這些症象、通常都由該局部的機能變異來表示。最初是局部的敏感，易受壓痛，繼則易受激動，局部或其鄰部肌肉緊張，最後則該部分特具之功能完全喪失。而在較劇的急性發炎時，更可發生兩點主要的全身症狀：體溫升高和白血球大量增多。假如發炎的病情已非常劇烈而且是急性，卻絲毫沒有體溫升高與白血球增多的症象，就表示身體抵抗力實在太低太低，可能成爲不可救藥的危險病例了。

發炎的可能結果

一旦身體組織開始發炎後，可能產生的結果有三種：——

一、中途停止發炎，突然轉好。

二、依正常程序，逐漸發展，再逐漸恢復正常。

三、局部組織死亡，化膿、壞疽……需要外科治療，否則影響整個身體健康。

發炎與化膿的關係

任何原因所造成之發炎現象，必然被細菌在發炎剛開始時即侵入。而造成發炎之原因，並不僅僅影響血管，白血球及體液，事實上亦同時影響附近部分之組織。如果促使發炎的因素力量薄弱，則反使附近組織受刺激而發生增生現象，但是這種現象並不復元。但前面已說過，細菌之侵入，必與發炎幾乎同時存在；如果細菌又多又毒，則附近組織很快死亡腐壞；如果細菌較小，毒性較小，則先使附近組織退化，然後仍舊要成壞死狀態。已壞死的組織附近如果沒有足够的白血球，那末就將被淋巴液中的纖維素所凝固；如果恰有足够多的白血球在，那末它們所產生的蛋白質分解素可使壞死的組織液化，成爲「膿」。這個過程也就稱爲化膿。

化膿的症狀

一、一切發炎之症狀在程度上均見加深——更紅、更腫、更熱，更燙。但均爲局部的。

二、發炎部的表皮層與皮下組織相貼緊。

三、局部壓痛之感覺加深。

四、化膿部以手指輕按有波動感覺。

發炎的治療和預防

醫治發炎的三項主要的原則是：——

一、診斷並去除造成發炎的確實原因。

二、全身與局部的完全休息。

三、發炎部軀體的地位，應高於身體其他各部分。

除此之外的各種方法，則是附屬的，或是對症狀臨時改變的。譬如用熱敷冷罨，利小便以加排泄毒素的機會……等等。同時，要時時保持發炎部的清潔。

如用藥物治療，則在驗明細菌種類後，選擇最適宜的一種磺胺類藥（消炎片）內服，不過服法和劑量一定要依照醫生的吩咐。

大家知道一句話：預防勝於治療。怎樣預防發炎呢？一句話——避免造成發炎的原因，不使身體組織損傷。至於應該如何避免法，那就請大家自已想一想了，因爲這些已經不是醫藥衛生，而是普通常識呢！

了呢？到咽喉了，於是咽喉作癢，咳嗽起來，這個時候如果把痰吐出，這幼虫也可能被吐出；但如果嚥了下去呢？自然正是它所希望的了，因爲這一嚥就又使它回到了胃，回到了小腸。這一次旅行，一共大約需要一個月的時間，這是幼虫也就正式成虫了，它就安居下來生活，排卵。

是不是有點奇怪？簡直像是神話一樣，可是請你相信，這是千眞萬確的事實呢！所以，我們也可以知道，預防蛔虫的侵入我們的身體，

第一要把吃的水和疏菜都用各種方法清潔過再煮沸過，尤其是一些生吃的菓菜，更要非常仔細地洗淨。有些人吃生的葱末或蒜頭，除非經過很可靠的方法洗過就很不好。有人說外國人常吃生菜菓，可以保存維他命；可是外國人的菜菓是用肥田粉而不是大糞呀！

假使一旦已經吃了卵下去呢！誰也沒有絕對的把握。這就是所以要養成一個「不把痰嚥下肚」去的好習慣之重要了。不但蛔蟲，肺結核的病人如果老把痰嚥下肚子，是很容易成爲喉頭結核或腸結核的。

驗大便的結果如果已有蛔蟲在腸內，那就要趕快吃藥。最常用的是「山道甯」，不過這種藥是一種毒藥，能够殺蟲，也能害人，所以一定要依照醫生規定的份量和服法去吃，切不可自作聰明，在藥房買點回來隨便吃吃看的。普通寶塔糖內，也有「山道甯」，不過含量很少，所以只有小孩吃了有效。中藥的使君子也可驅蛔蟲，但過量時也會中毒。

孩子出水痘

孝婉

隔壁阿玲是小明的好朋友，他們兩人都只有六歲，在學校裏坐在一張課桌上，放了學也常在一起遊戲。可是這幾天小明很不高興，因爲他一個人悶在家裏好幾天了，媽媽說阿玲在出水痘，不許小明到隔壁去和阿玲玩。

小明不懂得什麼叫出水痘，但是他想水痘眞是大壞傢伙。阿玲生了這種病非但她自己不能出來玩，連小明自己都不能來陪陪阿玲，看望看望她。不過小明總還是想不明白，阿玲爲什麼會出水痘？出水痘變成什麼樣子？要出多久才能起來玩？爲什麼媽媽不許小明到隔壁去呢？媽媽說：「小明你不要到阿玲家去，去了你也要出水痘的。」那末，難道阿玲一個人被關在一間房裏嗎？不然阿玲的爸爸、媽媽、哥哥不是都要出水痘了嗎？

小明眞是想得不錯，水痘是非常非常容易傳染的一種病。沒有出過水痘的人如果和正在出水痘的病人在一起，那末不論是大人或者小孩，都可能從直接接觸，或是間接地從第三個人或病人用過的物件而傳染；甚至於即使不在一起，假使附近有出水痘的病人，都可能從空氣中傳染。如果碰了病人身上小水泡中的液體，那更是必被傳染無疑了。不過有一個例外，就是凡以前生過水痘的人，一般說來在這一生中就有了免疫力，不會再被傳染了。所以阿玲的爸爸、媽媽、和哥哥都不怕再出水痘。

水痘是怎樣才生的呢？原來它也是過濾性病毒所造成的病，和天花、痲疹（俗稱痧子）、砂眼等的原微生物屬於同一類，常常成地方性的流行，和天氣季候沒有什麼關係，男女性別也沒有什麼差別；只有從年齡上看，可以知道在十歲以下的小孩最容易得這種病。成年人如果在兒童中沒有出過水痘的，也非常容易被傳染，而且出起水痘來病狀常常比孩童更厲害。初生幾個月的幼孩，倒反比較少見出水痘的，這個原因是由於幼兒的血液內含有從母體得來的免疫血清關係。

孩子在受傳染之後，通常要經過十四天到十六天左右的潛伏期才發出來。如果和病人接觸後過了二十四天還沒有病象發現，那末大約不至於新發的了。然而最短的潛伏期也要十一天，從來沒有在和病人接觸以後的十一天以內就發現任何出水痘的症狀的。

在病症最初開始的時候，小孩常常感覺煩躁不安，食慾呆滯；如果是成人，則可能有點發冷的感覺，體溫上升，嘔吐，背痛等病狀。皮膚上的紅疹可能在第一天或第二天就出現了，最先見於胸背部，然後逐漸見於四肢和口腔內；手掌和脚底則通常總沒有這種皮疹，即使有，也是很少幾粒。這種皮疹最初是玫紅色的小點，在數小時之內就會變成像火柴頭般大小的小水疱，內含血清液，可以用指甲擠破。這種小水疱和天花的小水疱很有點相像，但比較在表面而且堅實。水疱四周的皮膚則完全正常，或是略帶紅暈。四十八小時之後，這些小水疱就變成了小膿疱，之後就皺癟而結痂。

這種皮疹並不出一次就停止，而在幾天內一批批地出現，總數可出到數千粒之多。到擠後的小膿疱如果不破而自行結痂脫落，則不留瘢痕；如果抓破而潰爛，則最後不免有個小疤留在皮膚上了。

除了這被認爲特徵的皮疹之外，全身的症狀並不嚴重，體溫略見升高至華氏九十九度到一〇一度左右，差不多總在每一批皮疹出現時略見上升而不久就見下降，連續三四天就退了。可是全身的皮疹所引起癢的感覺常很厲害，甚至到不能入眠的程度。

如此的病狀，從最初開始到皮膚上完全脫痂痊癒，總共大約要經過一個月的時間，其中最初的一星期到十二天最嚴重，也最容易傳染給別人。

這診斷方面，最要注意的是如何與天花分別。我們可以用來區別的幾種是：皮疹出現的次序，分布，連續性，紅疹、水疱、膿疱各不同時期皮疹之同時存在，以及全身症狀之輕微，熱度之不隨皮疹出現而低落等，都是水痘的特徵。

那末，假使孩子被傳染了而出起水痘來該怎樣辦呢？如果經醫生診斷確定了是水痘而不是天花時，問題就簡單得多了。事實上水痘這病症並不需要什麼特殊的藥物治療，尤其是在病情不十分嚴重時，只需要多注意護理和衛生就行了。皮膚癢可以用溫熱的硼酸水以棉花球輕輕揩擦，小心不使孩子用指甲去抓；如果已經抓破潰瘍發炎了的話，就做做熱敷，促使它痊癒和脫痂。此外，依照醫生的指示服些磺胺類藥物以防止細菌侵入發炎，則也是很實在的。至於忌嘴之類的事都可不必，要知道這個時候最怕病人抵抗力太弱；如果忌了嘴，病人不能從食物中得到適當的營養維持體力，豈不更使病人受苦，不易痊癒復元麼？

所以，如果孩子出水痘了，媽媽切勿驚慌，只要小心護理就沒有危險。阿玲在不久之後就能再和小明一起讀書遊戲的。

眼睛的新保健法

石古盛譯

健全的眼睛由愉快的思想造成；很少有人知道各種不愉快的情緒會使眼睛感到損害。因爲眼睛是敏銳的器官，和腦及神經系統有密切關係；所以很容易受悲哀，恐懼，忿怒等情緒的傷害。常感憂慮的人們，他們的眼睛遲早要遭遇危險的。

——作　者——

在讀正文之先，請你先試驗一下：取下你的眼鏡（假如你有），坐下來對着有數字的日曆或圖畫看；過一會兒，緩緩地閉上雙眼，再輕輕地用手掌蓋在眼上，心想着鬆弛這件事，並且稍許搖擺你的頭部。過後張開眼睛霎兩下，呵，你再看那日曆或圖畫，或是任何東西，都會覺得亮和清楚了。

這就因爲鬆弛能使眼睛恢復正常，而結果又幫助視力的健全。

常常有很多人，整天地全身都在緊張中。這種極端的神經過敏，使眼睛的肌肉也緊張了，這是非常有害的。鬆弛眼肌最好的方法，就是經常的霎眼——眼睛作適度而平靜的開閉、不知不覺的，很快的；但絕不是故意的，勉强行之的。孩子們經常在快速地霎眼，他們的眼睛明亮、濕潤、健全；反之老年人和那些整天緊張的人，他們的眼睛幾乎不常霎動，老是那麽呆板、緊張、不自然地凝視。這種凝視易使眼球變爲乾燥不適糢糊不清。要知道霎眼是幫助眼濕潤和滑的必要動作。

在使用眼睛的時候，要練習常常霎眼。當你讀書時，應當學習霎眼；讀完一行，或是翻過一頁，或是看到好句子的時候，都要霎動你的眼睛。這種鬆弛眼睛的方法，可以使你立刻消失了那些不舒適的凝視感覺。

此外，去看活動電影也是鬆弛你眼睛的好方法。凝視固然會使眼睛緊張糢糊，但是你如對那些劇中人隨時霎眼，而且那張電影片的輕鬆故事使你全身肌肉都不感到一點緊張地坐在那裡，你就能鬆弛你的眼睛了。假如你反覺糢糊起來，那就請閉上一會，眼力也能很快地恢復了。

不論在你每天走路時，讀書時，遠眺時，……常常霎動你的眼睛，也就是常常使你的眼睛鬆弛是有益的。適度的霎眼是決不會傷害眼睛的。

使精神獲得休息的任何事，都於眼睛有益。差不多人人都能知道，讀一本有趣的書時，眼睛幾乎不大感覺疲勞；可是在細讀一本枯燥無味而不易了解的書時，卻很容易疲倦。所以年青學生會通宵不睡看一冊小說，而在研究功課時，眼睛很快會因疲倦而閉合。

在有陽光的日子中，視力要比陰雨天好得多。這原因並不全由於光亮的強弱和清新的空氣；卻有一部份原因在於陽光使我們在精神上感受輕鬆的影響，鬆弛了我們的心情，也趕走了消沉的意氣。

在所有眼疾中，陽光可算是一種寶貴的藥品。我們都應該每天給眼睛五分鐘的「日光浴」。近視，發炎或是由光的壓力引起的眼病，更特別需要日光浴。首先，閉着眼睛，讓陽光照射在眼瞼上。然後緩緩轉動頸部，使光線透入眼睛各部。陽光和緩氣給眼球的四周帶來了血液和體液，增進循環，因此也治愈了眼疾。

這樣每天閉着眼作五分鐘的眼部日光浴，一星期之後，就能對着太陽霎眼了。看着太陽迅速而適度的開閉眼睛，對於鬆弛緊張的眼肌肉，有極大的幫助。

當然，這些話要被舊法的學者反對，因爲剛好相反，舊法叫我們決不要張目對着日光看，因爲這會使人的眼睛變盲。但是今日新的眼科教育，已經證明了太陽光對於感光器官的眼睛，有特別大的益處，那些出外就戴黑眼鏡的人們，得不到陽光的好處，卻只有使他們的眼睛一天天步入衰弱之路呢！

（譯自環球文摘一卷七期）

藥特靈

雍熹

一提起「拜耳」藥廠的出品，大概大家都知道一種被認爲治痢疾特效的靈藥——「藥特靈」（Yatren）。的確，用藥特靈治療原蟲性腸痢是有相當特效的。

爲什麽要說是「原蟲性腸痢」呢？因爲痢疾有兩種（請參閱本刋第四期」兩種不同的痢疾」，）它們的致病原因不同，症狀也有差異，所以治療時的用藥和方法也完全不一樣。藥特靈就是治原蟲性痢疾有效，治細菌性痢疾無功的藥。可是讀者要問：「既是痢疾，自然是腸裡有了病，爲什麽要說明是腸痢呢？」一點也不錯，不論是細菌或原蟲，總是腸裡有了病變才發生痢疾的各種症狀。不過要知道，阿米巴變形原蟲却不單是能够寄生在腸壁引起痢疾，它們還可以跑到肝臟，跑進肺，跑進脊髓或腦，甚或至於就在人的皮膚上，它們也能寄生作怪。不過，寄生在腸壁成痢疾的是最常見的一種罷了。藥特靈呢，只能够殺死寄生在腸內和腸壁上的阿米巴變形原蟲；對於寄生在身體其他各部的原蟲，藥特靈就會無能爲力而不靈了。

藥特靈是「拜耳」藥廠給這種藥的商標名稱，在藥學上它的名字叫作 Chiniofon，是一種奎甯類衍化物與碘和鈉的化合物。原來是略呈黃色的藥末，稍許有點苦而帶甜的味道。讀者們會不會叫起來說：「不，不，不，我們看見的藥特靈不是粉末，而是黑色的藥丸，舌尖嚐了也沒有苦味。」對呀，我們平日所看見的是糖衣包好的丸，每一粒藥丸的劑量是〇、二五克（0.25gm）。被診斷了確實是患原蟲性腸痢的病人，服藥特靈治療是極有效，同是也是極安全的。藥特靈沒有什麽使人中毒的危險，每天的治療劑量，在普通成年人可以每次服一克（即四粒藥丸），每天服三次，如此連服八天到十天。雖然在時間上看，對於急性原蟲性腸痢症狀之減除不如「衣米丁」（Emetin）之迅速，但它的功效是很確實的，用藥特靈治療而使原蟲性腸痢完全痊癒的百分率在百分之九十以上。

如果症狀較重的時候，爲了使藥特靈有更多對腸壁的直接殺蟲作用起見，可以同時除了服食藥丸外，再作藥特靈藥液的灌腸治療。方法是將四克或五克的藥特靈粉末溶解在二百西西的溫水裡（水溫不可超過攝氏四十四度，）灌腸，再用一點雅片酊使藥液停留在腸內不致立即排出，如此連續一星期到十天。不過，在施行灌腸治療的時候，口服的劑量就應該減少，每天三次的總量不可超過一，五克，換句話說就是每次的量不可超過〇，五克（即兩粒藥丸）。至於小孩子，則自然應該按照年齡及體重，比例地減少用藥量。

藥特靈作注射法使用雖亦可以，但很少有人用；而且，假如在阿米巴變形原蟲侵入肝臟成爲肝膿瘍症時，藥特靈的注射非但無效，有時且有發生危險可能。所以，一旦醫生認爲已患原蟲性肝膿瘍症時，最好還是用「衣米丁」去治療來得確實有效。

實際上，藥特靈幾乎可以被認爲是一種無毒藥，服用後也不會造成什麽嚴重的副作用，只不過腹瀉到是服用藥特靈之後常有的現象，但是這沒有什麽壞處，甚或至於有某些醫師或藥學家認爲這點輕度的瀉，無甯說是一種利益，因爲它幫助病人把腸內出清了一下，而且，這種瀉在幾天之內也就自然會停止的。假使瀉得兇，而且老不停止，或則是使用了微量的雅片酊後仍不能止住的話，那就應該將藥特靈的服用量減少些了。

此外一點，我們也不能不提起注意的是藥特靈的成份內含有百分之二十七·七的碘，所以，如果病人有甲狀腺病的時候，最好避免用藥特靈或是和它同類的藥來治蟲痢，而改用其他藥物如「衣米丁」或砷的製劑。因爲甲狀腺的生理作用，與碘的新陳代謝有很大關連。用了含碘極多的藥特靈之後，突然在身體內加了不少碘質，就會影響健康的。

患原蟲性痢疾而服藥特靈之後，症狀可能很快消除，不過要證明是否已經完全痊癒，則仍應該從化驗大便着手，要等到大便中不再有原蟲發現，才能算是斷根。

（編者按）原蟲性痢，中藥以苦參子爲特效藥，病輕者川楝子亦效，綏日當另文說之。

× × ×

血色素計

金真

說到血色素計，普通一般人就不像對於體溫表，顯微鏡，聽診筒那樣熟悉了。普通都只知道驗血，可是驗血是個總名稱，包括很多不同種類、不同目的的驗血方法。以前說過的血球計檢驗紅血球和白血球的多少，也是驗血的一種。現在我們要談的血色素計，也就是一種用來檢定血液中——確實一點應該說紅血球中血色素含量多寡的特殊器具。

什麼叫做血色素呢？我們看見別人臉色淡白，連嘴唇都是白滲滲的，就會說他「血色不好，」尤其是當病人在受傷或婦人生產大出血之後，這種現象尤其顯著。那末，從這些現象，以及血色素的名稱，就可以想到它是使血液或者說是使紅血球呈紅色的一種物質。從科學上研究所得的結果知道，血色素是紅血球中一種蛋白質，含有相當量的鐵質，構成紅血球成分的百分之三十五（依重量計）。它的主要作用是能與氧結合成爲氧化血色素，把人生必需的氧從肺部運送到身體各部分，同時又從身體各部的組織間將成爲廢料的二氧化碳氣帶到肺部呼出體外；並且，它還有一種平衡血液酸性的作用。

自血色素的生理作用看，就可以知道它對生命的重要。假如沒有血色素，生命就將因身體各部組織得不到氧氣，窒息而死。煤氣（一氧化碳氣）中毒就是煤氣與血色素化合成爲碳化血色素，失去了原來的功用，因而死亡。假使血液中血色素含量太少，那末這運送的責任沒有足够的血色素來担負，身體組織間一直呈缺氧狀態，自然也就影響健康了。

因爲血色素是構成紅血球的成分，所以血液中紅血球數量不足的貧血病人，血色素一定也少；但是如在大出血之後，製造血球的機關——骨髓——可以很快地製造血球來補充，而失去的血中有大量的鐵質却一時無法取得，血色素沒有鐵是不行的，因此紅血球雖然大量生產，血色素仍不足，成爲低血色素性的貧血病。所以這種時候的治療，就應該服鐵劑的補血藥了。

那麼，怎樣知道血色素够不够呢？這就要用到血色計了。檢驗血色素量的方法有不少種，但是仍舊沒有一種是可以完全滿意的。有的大不準確，只是一種大約的估計；有的太麻煩，檢驗起來很費手續。不過，現在所最通用的一種血色素計是沙里——海力格氏設計的器械和方法，比較相當準確，也不太麻煩。

沙里——海力格氏血色素計是一支吸管，一支小玻璃管，一支小璃玻棒，和一支標準的顏色玻璃柱。用的時候，就像驗血球一樣，先在指尖或耳邊刺一下使它出血，然後在吸管內先吸入N/10的稀鹽酸到「10」的標記處，再吸入刺出的血到吸管中「20」的標記處；吸好後將吸管中的血液和稀鹽酸吹入小玻管，然後一方面一滴一滴地加N/10稀鹽酸到玻管中去，一方面與標準的顏色玻璃柱相比較，一直到小玻管中的液體與玻璃柱的顏色相同時爲止。在一滴滴加稀鹽酸的時候，可以用小玻棒拌攪使勻。最後，看液面加到了小玻管上刻度的數目，依一張特製的表換算出每一百C•C•血液中所含的血色素量來。

依照這種方法得到的結果，健康的人血液中，每一百C•C•的血，應該含有十四•五克（14.5 gm/100C.C.）的血色素。一般說起來，如果每一百C•C•血液中的血色素含量有十三•五—十七•五克都是正常的。女子則平均都比較低。血色素含量太低的時候，就要及早請醫生處方吃鐵質的補血藥，供給骨髓在製造血球的時候，有足够的材料同時製造足够的血色素。通常，如果每一百C•C•血液中的血色素，到了十克以下，就相當嚴重了。

傷寒質難（六）

祝味菊答述　陳蘇生筆受

傷寒進行期篇第五

蘇生喜曰，聆師教言，如潛伏期所論伏氣與感冒，誘因與主因，前驅期所論體溫之生理，發熱之病理，皆精且詳矣，雖然，病之進行與極期，以及病之退行與豫後，愚昧猶未盡曉，願畢聞焉。

師曰，前驅期者，病毒乍成，激起正氣之抵抗，而症狀始顯也，進行期者，正邪分爭之時期也，傷寒一週，邪毒日有增加，體溫列級上昇，頭痛納呆，口燥便閉，溺赤舌膩，脉不甚數，此進行期也，此時苟治療得法，則邪勢之渙散，固不必閱極期而後退行，吾人觀察邪行之趨勢，以施早期療法，此醫家之所有事也。

蘇生曰，經云，在經之邪，可汗而已，邪已入腑，可下而已，夫外感無形之邪，障礙放溫機能，在表之氣不和，故可汗而已，內蘊濕濁，培養有機之邪，滯鬱於裏，故可下而已，邪附於所滯，所滯得下則邪亦去，此理之所宜爾也，然六淫之邪，亦有發汗而不解，細菌之毒，亦有攻下而不愈者，是何故歟。

師曰，寒束肌腠，可汗而解也，然風之刺激，濕之濡潤，苟令大汗淋漓，邪反不解，何則，汗之不得其道也，邪附於所滯，可下而愈也，然邪既入於組織，下之，滯雖去而邪不與俱，雖下不愈，何則，下之不適其時也，傷寒之邪，纏於腸壁，組織擁腫特甚，醫苟傾腸洞瀉，徒傷其正，不僅刺激病灶已也，夫下劑收效於胃腸、滓穢外洩故也，邪着未固，或以下劑刺激而引起充血，意外收噬菌愈病之效，及乎邪毒蔓延，不復局居腸管，非一下可愈矣。

蘇生曰，傷寒初期可下，邪附於所滯也，及其腸有腫瘍，則下之不解，或反引致危險，是何故歟，請詳示其理。

師曰，傷寒腸壁發炎，侵蝕組織，因剝落而致潰瘍，其劇者馴至出血，馴至洞穿，是皆腸之實質損傷使然，腸既炎腫損傷，下劑復加速其蠕動，則促其出血穿孔而已，何能祛邪愈病。

蘇生曰，西醫常稱炎症，病名之以炎爲目者，不可勝數，肺有肺炎，胃有胃炎，在肋有肋膜炎，在腹有腹膜炎，皆以病灶實質變化而命名，習解剖者，固已見而知之矣，吾中醫耳其名，未詳其理，請以中說闡明之。

師曰，所謂炎症者，人體組織對於有害物質所起之反應也，其病變雖多限於一部，而機轉則甚爲複雜，往往波及全身，其初則局部充血而疼痛，其極或至於化膿壞死，通常以紅腫熱痛爲四大主徵，四徵皆足以障礙官能而爲病，此炎症之大略也。

蘇生曰，組織何緣而發炎。

師曰，炎症原因，無非受外物之刺激而已。刀劍創傷，傾跌摩擦，器械之刺激也，砒硫硝酸，代謝產物，化學之刺激也，火炎所燙，沸水所潑，溫熱之刺激也，細菌原蟲，吸收分泌，毒素之刺激也，若是者，皆足爲炎症之原因。

蘇生曰，傷寒細菌侵蝕腸壁而發炎，在病理爲有益否。

師曰，傷寒病人之腸，因受激而招致大量血液，貫注於受病組織之週圍，白血球出離血管而集聚於邪所存在之處，以盡其噬菌之天職，以從事於殺菌，其動機固欲療救於病也。

蘇生曰，傷寒病灶在腸，毒發在營，刺激中樞而發熱，中醫舊說，謂之伏溫由裏出表，所謂伏溫，實即發熱性之病菌潛伏於裡耳，古人亦知伏溫異於外感，立黃芩湯以清泄內熱，亦即清腸消炎之意，昔人雖未道出所以，其治法固不誤歟。

師曰，傷寒之腸炎，抗病自然之趨勢，而疾病獲愈之樞機也，發炎而病灶局限，不至蔓延，是善意之發炎也，今以苦寒折之，適所以阻抗病之力，而蘇邪毒之困，安得不誤。

蘇生曰，伏溫暴發，灼爍內燔，苦以堅腸，寒以清熱，偏師逆襲，折其銳氣，並世中醫，心同此理，而師斥之，以爲誤治，願聞其詳。

師曰，傷寒病灶充血，體溫高昇，人體自己進行其療病作用也，寒折太過，充血者轉成鬱血，（血得溫則滑利，得涼則濡緩，遇寒則凝泣而爲栓塞，栓塞者，凝瘀成塊，足以堵塞經絡），充血發炎，雖未必竟能愈病，究含若干之療病意義，苟令鬱血凝瘀，則療病機能消失，反予細菌以繁殖機會，所貴乎醫者爲其能扶正以祛邪也，今反抑正縱邪，不如不服藥，猶可得中醫耳。

（未完）

陽和湯治療陰疽神驗記

陳伯濤

灼熱腫脹疼痛曰炎症，炎症之劇者曰癰，其綏而痺頑不仁者曰疽。癰屬陽，疽屬陰，陽謂病情亢奮，陰謂病情凝滯也。陽和湯治陰疽，解陰凝有神效。異乎近代消炎殺菌劑，而似能中和體內之毒素，斯可異也。方如下：

熟地一兩　肉桂一錢去皮研粉　麻黃五分蜜炙　鹿角膠三錢陳酒燉冲　白芥子二錢　炮姜炭五分　生甘草一錢　煎服

熟地，肉桂，鹿角膠，炮姜炭，溫運血脈，調暢循環，使陰邪得以軟化。麻黃開腠理，芥子逐凝聚，甘草生用，解毒和中。合而治之，於以通徹表裏，潛移默化，則陰凝者消，而疽不足爲患矣，此兵家剿撫兼施之劑也。或加土貝母五錢，以治淋巴痰核之屬陰性者，尤易奏功，土貝母，固解凝化痰藥也。方創自林屋山人王洪緒氏，今人多不敢用，故枉死者多。曩以此方治愈貼骨陰疽，久爲市醫驚奇，茲復得驗案二則：

1、周左　始由牙疼，忽然欻腫成疽，陽和湯主之，應效則佳。即用原方加土貝母五錢，二劑獲愈。

2、裘男　玉枕疽，來勢兇險，勉以陽和湯救之。

原方三服霍然。二案均照方直書，以藥病相當，獲效皆極速。外塗蟾酥酒，以助消毒，初無深義。時賢劉師仲邁嘗詔之曰：「中國醫藥之眞髓全在藥隨病轉，方以證成。醫藥脫節，效將安現？執方求病，害莫大焉。」孟河馬培之先生謂：「此方治陰症，無出其右，用之得當，應手而愈。惟乳癌萬不可用，陰虛有熱，及破潰日久者，不可沾唇。」二公之言，可謂深切著明者矣。既辨癰疽，當審方治，投劑無誤，效如桴鼓；有非今世依克度，安福消炎退腫膏，所能望其項背。更非粗工洶洶，相對斯須，便處湯藥者，所可倖中貪功。然則余之用此方而屢起大症，豈徒然哉！

方今中西文化交流，而醫學猶多隔閡。業中醫者既未能識西醫之全體。業西醫者復不知中醫之眞諦。知己而不知彼，崇尙科學，以爲進化者，宜多揚西抑中之論。而保守舊有文明，欲以發皇古義者，復不悉新學爲何物。執氷炭以相融，宜是非之莫辨，眞理不明，溝通安在？掛一漏萬，在所難免。原夫癰腫大毒，名藥配尼西靈有卓效，磺醯胺製劑亦足奏功。惟陰疽，則似非陽和湯莫屬。勢稍綏者，不妨以陽和丸代之。平脈辨證，見病知源，相體製方，活法一貫。試徵以現代科學所演進，尙未有以易其特效也。拙見如斯，實驗無訛，有當與否，明眼人必能知之，固無庸喋喋已。附陽和丸方：治一切陰疽初起，如紅癰腫痛者忌服。

肉桂一錢　麻黃五分　姜炭五分

各研細末，黃米飯搗爛爲丸。

古方與新藥　肺癰治驗記

橘泉

（患者）錢老太太，六十三歲，住蘇州天賜莊石匠弄十二號。

（既往）體格中等，素來健康。

（主訴）於卅五年古曆五月初八日，寒戰發熱，汗出而退。間二日再發如前狀。患者初以爲瘧疾，詎於翌日又發高熱而咳嗽，脇肋痛，不能臥。即就近至博習醫院就診。該院醫師給與內服藥及外敷劑，繼續診治三日，熱稍退，咳與痛仍不減。復請某醫學博士診治，據述每日注射地亞淨五西西，亦連治三日，因不見效，改以配尼西林注射，每三小時輸入二——三萬單位。特派護士常駐病家，日夜不輟，又連續五日。計用去一百十萬牛津單位，熱雖退而咳與痛依然。

（現症）七月廿五日（古六月廿一日）初診，體溫三十七度八，咳嗽氣逆，咯痰不鬆，先出稀薄白色痰沫，咳劇則咯出黃濃痰，有時帶血，氣味臭穢。左脇肋掣痛，右側臥而不能轉側，左臥則咳嗽氣逆更劇。脉細滑數，舌苔正常，食慾全無，口渴，大便不暢。聽診上右背第九十肋間有顯著摩擦音，該部打診呈濁音。

（診斷）右肺下叮肺膿瘍，呈慢性衰弱症狀。

（處方）以千金葦莖湯，合聖濟四順湯加減。

（一）桔梗三錢　空沙參三錢　魚腥草四錢　杏仁三錢　瓜蔞仁三錢　生甘草一錢　生米仁四錢　貝母四錢　黃芩錢半　炙麻黃根四錢　活蘆根四兩

服藥二劑後咯痰較鬆，氣逆稍平，大便較暢。

（二）桃仁四錢　魚腥草四錢　空沙參三錢　生甘草一錢　活蘆根四兩　歸身三錢　瓜蔞仁三錢　杏仁三錢　冬瓜子三錢　北沙參三錢　潞黨參三錢　貝母三錢　米仁四錢

服三劑後，痰之臭氣較減，痰中不見有血。而脉搏不整，心臟衰弱。

（三）北沙參三錢　粉沙參三錢　炙甘草一錢　潞黨參三錢　歸身二錢　貝母二錢　杏仁三錢　米仁四錢　敗醬草三錢　麥門冬三錢　炙桂尖一錢　淡附片八分

三劑後，咳嗽及濃痰與臭氣均大減，食慾略振。惟動輒氣逆，睡中盜汗淋漓，精神疲乏。此際頗疑併發肺結核，即取其痰以顯微鏡檢查結核桿菌，結果祇現連鎖狀及葡萄狀球菌，而無結核桿菌。處方如下。

（四）炙綿耆二錢　淮山藥三錢　潞黨參三錢　左牡蠣五錢　浮小麥三錢　生米仁四錢　炙桂支一錢　大白芍錢半　大生地三錢　杏蔞仁合三錢　貝母三錢　炙甘草一錢

四劑後，汗斂，精神較振，睡眠左右均適，右背肋之痛已不自覺。但試令深吸息及用力嗆咳，則尚覺隱隱痛。咯痰已無臭味，但每日尚約有一時之劇咳，此際咯痰較多，均薄白，末了略帶濃痰，尚有臭味。處方如下。

（五）潞黨參三錢　淮山藥三錢　北沙參三錢　歸身三錢　杏仁三錢　貝母三錢　生甘草一錢　桔梗二錢　茯苓三錢　白朮三錢　陳皮錢半　生米仁四錢

此方服六劑告痊。

（按）肺膿瘍之病，原是化膿球菌侵入肺臟而起。其開始數度之寒戰發熱，汗出而解，宛似瘧狀者，實非瘧疾，而是化膿性發熱。西醫初步之療法以化學劑磺胺噻啶（地阿淨）及抗生體青黴素（配尼西林）對付病原體之處置，自是一定之療法，固無可非議。吾人應知病原細菌往往有抗化學劑之產生。因此最近一般學者之報告，細菌性疾患用化學劑而無效者，改用抗生體配尼西林則能奏功。本例之既經科學學理的正當治療，而不能竟其全功，居然爲似乎不合科學的樹皮，草根的中藥方劑所治癒者，其中有一絕大關鍵，可得而言之。蓋本例致病之原，既屬球菌，原因治療自應對付其菌。但菌雖被制，而膿瘍之不癒合者，由於患者生理上自然機能之不伸展，即所謂抗病力衰賴故也。要知疾病之成因，其條件有三，（1）病原體之存在。（2）病人生理自然之違常。（3）環境不適於生理而適於病原體之生活。三者缺一不可也。所以吾人講求最完備之治療，須符合上述三條件。西藥特效劑謂之原因療法，係除去第一項。中藥體質療法，治其第二項及第三項，故二者均不能負其完全之使命，蓋各有其適應之時期也。平心論之，本例之治癒機轉，若無西藥治於前，則中藥恐不能竟其功。設無中藥爲作生理的治療，則西藥決不能勝其任，勢必遷延經久，劃至並發結核而後已。因其病初起，來勢甚暴，既呈寒戰發熱之化膿熱，復現高熱脇痛劇咳之急性肺膿瘍重症。且患著年事已高，病延日久，心臟衰弱，體力不支。不但肺膿瘍空洞部之再生機能不起，且其殘遺之病毒，亦無力抵抗。故臭穢膿痰及脇痛側臥等，經月餘而仍未瘥耳。

桔梗主在排膿痰，佐沙參貝母祛痰鎮咳，杏蔞鎮咳潤腸，麻黃以平喘，黃芩清肺，魚腥草，生米仁用以排膿毒，蘆根即葦莖，千金葦莖湯用治肺癰之主藥。二診加桃仁歸身爲活血去瘀生新劑，改良其血行循環，以促起再生機能。潞黨參，有營養強心兼祛痰鎮咳作用。三診時肺膿瘍局部症狀雖見好轉，而心臟衰弱症象愈形露骨，故逕取炙甘草湯合薏苡附子敗醬散加減，補血強心與祛痰鎮咳，製爲複方。四診時全身衰弱之症狀悉露，其唯一之關鍵，全在食慾略振。此時有一絕大出入處，如果外界結核桿菌乘機侵襲，則豫後勢將不良，故痰之鏡檢爲必要之鑑別。幸無結核桿菌之發現，故繼續以黃芪建中湯固表斂汗等處方，得以順利治癒也。誠然，中藥方劑之治療雖非特效，實生理學的治療與體質的療法也。東邦學者盛讚漢方醫學，於臨床醫學上尊之謂最前進的生物學的醫學者，良有以也。

譯著

談談「防腐聖劑」消炎片

軒轅火棗

近世西洋醫藥學術，已入化學治療時代，換言之，即利用「化學物質」治療疾病也。所謂「化學物質」者，非天然之物也，既非植物，亦非動物，又非礦物，乃科學家以化學方法製成之藥物也。趨新之流對於化學藥物，莫不譽為近五十年之科學傑作。

查化學治療學之淵源，遠於西曆一八九一年之前，若干學者經過四十五年不斷之研究，迄至一九三六年「防腐聖劑消炎片」之效用初步確定後，斯學始肇開端，奠定其礎。查息炎片之主要成分為磺醯胺基（$So_2 NH_2$）及胺基（NH_2），故其學名謂為「磺醯胺類藥」西名 Sulfonamides，考其療效，確能對某數種細菌性炎症發生效驗，但並非對所有一切炎症，皆可治癒。更有進者，根據藥師臨床經驗之證明，此藥有時對於世人盛傳可克服之病症，亦多有不發生效驗之事實存在，舉例以明之，科學醫盛稱此藥能癒肺炎，但肺炎病用此藥後，仍不免於死亡者，正不知凡幾，此不可不知也。

查是項藥物之衍化物，目前已達五千種之多，我國市上常用者，亦有五種以上。雖然同屬磺醯胺類之衍化物，但由於化合上之差異，各具特性，各有長短，西名亦各別，國人混而統之稱為消炎片，實有未合，應即更正。目前各種磺醯胺類藥，有如洪水猛獸，橫行中國，中西醫師成藥用之。日漸深入農村，雖窮鄉僻壤，村婦鄉愚，亦漸有能道「消炎片」者矣，但世人祇知其利多，不明其弊，甚有就其名稱，悟得其用，自信確當，服用後，蒙受毒害，至死不明者。而國內之西藥推銷員，多遵守隱惡揚善之古訓，鋪張其利，隱瞞其害，以利推銷。吾人曾以鄉愚之穿着，操鄉愚之口吻，戲詢一不相識之西藥推銷員謂：「消炎片亦有毒害否？」彼以極度傲慢之態度，信口而答「消炎片，是消炎的囉，有啥子毒。（意即無毒）」設若吾人身着「洋盤」服飾，操「洋盤」之口吻，彼或許以其習用之術語答我：「唔，唔！稍稍有點副作用」或是「略微有點反應」。但世界藥學權威赫橋博士（Robet A FartcherPlior M Sc D.M.D.）於其名著Useful Drugs中大聲疾呼：「醫師使用磺醯胺類藥，必須天天留心其毒害（Toxicity）呀！」彼謂磺醯胺類藥之毒害甚大且甚普遍，彼於介紹氨苯磺醯胺之一節中謂「許多病人服用此藥後，呈現中樞神經受妨礙之徵候，或發生嚴重的精神病」，彼復謂「此藥可使病人普遍呈現蒼白病，或萎黃病」「此藥可使病人發生酸毒症，（舜按：由於人體有機酸異常發生，及不完全排泄所致）」，有時偶或併發胆血病肝臟炎」，「服用此藥可能發生急性紅血球分解之貧血病，且可於服藥時期隨時發生嚴重的白血球病」「腎臟機能低能的人，服用此藥易於將毒素堆積于血液及組織之中，形成險徵。」彼復於介紹磺醯胺噻唑之一節中，提出磺醯胺類藥可能引起血尿症及腎臟結石的徵候。彼於介紹磺醯胺啶啞（即大健鳳）一節中，亦提及可能引起人體內之有機酸異常發生，及不完全排泄之自體中毒症，與氨苯磺醯所有之一切毒性反應，尤其特別提出「服用此藥，小孩比成人更易引起白血球病症（Leukopenia）亦可能因此藥本身之乙醯基（CH3CO）沉澱於腎臟，而發生濃毒血尿症。彼於介紹磺醯胺嘧啶一節中開首便說「此藥於習用之磺醯胺類藥中毒性最小，後段接着說「設使發生毒性反應，應立即停止服用是項藥物，儘速强進流體及灌腸劑，速使此項藥物自人體內排出，愈快愈好」。原文語氣，有如救火拯溺，然則此藥毒性之烈不言可喻，磺醯胺類之毒性最小者，毒害如是，其餘可想而知矣。茲將此類藥物可能引起之毒性反應，收羅臚列於後，以補充藥商仿單上之不足。

惡心，嘔吐，耳鳴，重聽，泄瀉，敗胃，尿閉，尿血，腸胃出血，頭痛，精神病，（舜按：是項精神病，腦中無器質之變化。與腦中有氣質變化之神經病外形頗相似）白血球減少，顆粒性白血球缺乏，血小板減少，血色素變性，急性紅血球分解之貧血病。

四肢麻木，酸毒病（舜按：由於體內有機酸異常發生及不完全排泄所致。）茲將上列之精神病，急性紅血球分解貧血病及酸毒病三者之症狀，略述於下，以供參考焉。

精神病　精神錯亂，煩擾叫囂，如同瘋狂之人。

急性紅血球分解之貧血病　初覺四肢知覺異常或疼病，或覺衰弱易倦，動輒呼吸困難，心悸亢進，痞悶，噯氣胃敗，滯下，惡油，視覺發現空中黑星，頭痛眩暈，耳鳴重聽，知覺動運障礙，或嗜眠，或不眠，憂鬱煩躁，甚或譫語，皮色蒼白微黃，間或膚現紅色疹粒，繼則嘔吐四肢厥冷，脈細而數，呼吸微弱，體溫下降，終則出冷汗，意識喪失，痙攣而死。

酸毒病　惡心嘔吐，速發强度之心臟衰弱，知覺異常，牙關緊閉，痙攣虛脫，尿中含多量蛋白質，紅血素，蓓酸等。

磺醯胺類藥之毒性，亦可引起下列之炎症，此尤不可不知也。神經炎，皮膚炎，結膜炎，關節炎，胆血病，肝臟炎，等等。

服用磺醯胺類藥，亦可引起發熱，多見於連續服用第二週，此又不可不知。吾人走筆至此，不禁聯想起東方古哲之名言，「聖人不死，大禍不止」，同時對於譽此藥爲「聖劑」而務爲「揚善」者，爲之不寒而慄。

前文言其毒害，下文論其利益。吾人於論其利益之前，首言其癒病之理，查此藥並不能直接殺死菌體細胞，祗可妨礙病菌之生存與繁殖而已，故不得謂爲殺菌劑（Bacterixcides），祗可稱爲靜菌劑（Bacteriestatics），亦可稱爲防腐劑（Butiseptics）。此藥本身並非天 生成之植物，亦非動物礦物，亦非菌素，乃科學家採集數種原素，利用化學方法配製而成之化學物質也。復次，磺醯胺類藥係「化學物質」。赫橋博士謂「是項化學物質，憑實驗之證明，得可能妨礙病菌之生存與繁殖」，歸納是項化學物質可能妨礙之病菌種類甚多，據稱效用最著者係淋球菌，花柳性淋巴肉芽腫，濾過性菌毒，腦膜炎球菌，溶血鏈球菌，肺炎菌，等等。但事實上對于上列之菌性疾病，並非絕對有把握，舉例言之，同一因腦膜炎球菌而成之病症，此癒彼死之事實，即數見不鮮也。

（編者按）：請參閱本刊首期雍熹先生之消治龍一文。

肺癆病中西雜談

錢公佛

肺癆病叫得時髦一點的話就是肺結核，所謂「結核」，不妨照字面來解釋，就是結了果子核一般的核的意思。這種結核病雖則以生在肺裡的為最多，可是並不一定生在肺裡，例如我們常能看到的瘰子頸，也是結核病的一種，地位雖不同，病原菌是一種的。所以瘰子頸同肺癆病往往有連帶關係，有時候是肺癆的先兆，有時候與肺癆內外呼應着。

結核病在疾病史裡可稱是老前輩了，不論中國外國，凡是我們人類有了文化的時候，它也已開始向我們人類進襲；不唯對於人類，就是牛類，鳥類以及許多冷血動物也都被作為侵害的目標，但鳥和冷血動物的結核病是不會傳染給人的，祇有牛的結核病却也是人類的大害，它往往會從牛奶裡侵入人體，所以喝牛奶的兒童們如果喝的牛奶沒有好好消毒過，就有生結核病的危險。

那末這結核病為什麼會傳來傳去的呢？這就得說到它的病源了。結核病是由一種結核菌在作祟而生成的，傳到了結核菌就有生結核病的可能，但是也不過「可能」而已，沒有結合菌固然不能生結核病；有了結核菌却又不一定生結核病，所以結核菌似乎不是生結核病的唯一原因，這理由且讓我慢慢道來。

原來結核菌這個東西是非常有能耐的，不論在冷的熱的，乾的濕的東西裡面，都能生存相當長久的時期，不但生存，而且還要子子孫孫繁殖起來，因此它就作了我們人類的勁敵。現在科學發達了，一個原子彈可以殺死不知多多少少的人，可是對於結核菌簡直拿它沒有辦法，至今還沒有一個完善一點的防止它生存繁殖的好方法。尤其我們中國人，隨地吐痰原是泱泱大國的「國粹」，肺癆病人的一口痰不知要含多多少少的結核菌，乾燥之後，就好像灰塵一般地飄散在空氣中，所以在這大都市的空氣中簡直含有不知多少的結核菌，所以我們隨時有吸到結核的機會。再或者我們像沙丁魚般擠在電車裡，或者在空氣混濁的戲院裡，肺癆病的人呼出來的和咳出來的我們就會不知不覺地把它吸進去，這裡面也有許許多多的結核菌，所以我們與結核菌接觸的機會實在太多了。如果說有了結核菌就生結核病的話，那末我們老早都該是癆病鬼了。可是事實上並不如此簡單，單是結核菌，不能決定生結核病，必須再加入其他的因素進去，這就得說到我們中醫所說的原因了。

中醫對於肺癆病，古書上有「肺萎」，「骨蒸」，「傳屍」等名目；後世混稱虛癆，所謂「虛」，就是因為五臟六腑受了損害，譬如酒傷肺，色傷腎，思慮傷心，勞倦傷脾，忿怒傷肝，這裡的所謂心肝脾肺腎都是一種機能系統的代名詞，例如心代表大腦皮質，肝代表神經系統尤其是自律神經系統，脾代表消化系統，肺代表呼吸系統，腎代表內分泌。至於如何傷法呢？這說來相當繁複，不能在這裡詳細解釋了。而且酒不一定傷肺，也可能傷脾，思慮不一定傷心，也可能傷肝。總說一句話，這許多原因都可能造成局部的或全身的，器質上的或機能上的損壞。再說得明白一點，就是會影響人身的健康。這許多原因能促使身體不健康，而不健康就能縱容結核菌發為結核病。一個健康的身體有富強的抵抗力，雖然吸入了結核菌也不致發病的。所以結核菌的能夠發為結核病必須再以不健康的身體為素因，而不健康的身體就是那些酒呀，色呀，思慮呀，勞倦呀，忿怒呀等等所造成。因此我們再簡捷的下一結論，就是這些酒，色，思慮，忿怒，勞倦都足為造成肺癆的助因。

中醫說病源不說細菌而說外感六淫（六氣），內傷七情，也就是這個道理。中醫防病不防細菌而防七情六淫，這眞是一種預防醫學，身體不為七情六淫所傷，也就不能為細菌所傷。所以有斥中醫的七情六淫為荒謬，並說中醫沒有預防醫學，實在他自已沒有深思過一番。再舉個例來說，霍亂病是由霍亂菌所造成的，可是霍亂菌必須通過人的酸性的胃液到鹼性的腸液裡剛才能夠發病。如果我們胃腸健全的話，那胃酸和腸上皮都有極大的殺菌力和抵抗力，所以即使吞下了霍亂菌也不致於生霍亂病。因此中醫就以促使胃腸不健全的原因為霍亂病的原因，例如暴飲暴食，或者飲用生冷的飲料，吃食不消化的食品，以及其他能沖淡胃酸促使胃腸不健全的種種原因，這許多原因都是造成霍亂病的原因，其重要性不下於細菌。那末防避這許多原因豈不能與防避細菌一樣地可稱為「預防醫學」嗎？

如此說來，我們放棄了西醫的細菌預防法專來用七情六淫的預防好嗎？這倒又不成，因為結核病畢竟是結核菌作怪，沒有這種菌就決不患這種病。可是若摒棄了中醫的法則而專用西醫的也決不是好辦法，我們要鍊成一個完善的健康人，外不侵於六淫，內不傷於七情固然不是容易的事，可是若要使細菌一個都不侵入人體，或者用人工免疫法使細菌雖然侵入人體而仍不致發病，這還至少在現在還不是全部可能的事。所以我們要兩者兼取，一面極力防避種種促使身體不健康的原因，一面就得服膺西醫的細菌預防法了。（未完）

國藥性效

姜春華

大黃

本經　主下瘀血，血閉，寒熱，破癥瘕積聚，留飲，宿食，蕩滌腸胃，推陳致新，通利水穀，調中化食，安和五臟。

「下瘀血血閉」瀉下藥除亢進腸之蠕動外，兼能引起近旁臟器之充血。凡月經停閉，古人謂之血閉，或有因子宮出血，停滯成塊而下者，或不成塊而其色紫黑者，古人統稱瘀血。（今人亦有釋瘀血爲血栓者，終覺牽强。）大黃能引起下部充血，故可作通經藥用，而治血閉。又因下部充血之後，對於下部臟器血液循環，可能予以良好影響，而奏去瘀之功。

「寒熱」若連上文看，則治因「瘀血」而同現之症，若另看，則本品亦有解熱之功。徵之古人經驗，二者均有效用。

「破癥瘕積聚」按癥瘕爲一症狀之名，舊說以推之能動與否而分癥瘕。病源云：「癥者由寒溫失節，致腑藏之氣虛弱，而食不消，聚結在內，漸染生長塊段，盤牢不移者，是癥也。」又云：「若病雖有結瘕，而可推移者，多爲癥瘕。瘕者，假也，謂虛假可動也。」古書尚有種種癥瘕之說，原因複雜，症狀紊亂，欲一一確定其病，因症狀之不詳，頗爲困難。要之，大致可推者，以腹內癌腫爲多。所謂積聚者，病源云：「積者陰氣，五臟所生，始發不離其部，故上下有所窮已；聚者陽氣，六腑所成，故無根本，上下無所留止，其痛無有常處。諸臟受邪，初未能爲積聚，留滯不去，乃成積聚。」按積聚之病，考諸其他條文，頗類慢性胃腸患疾。本品之用於上述各病，殆皆因誘起腹內臟器充血，而改變血行之故歟？

「留飲宿食，蕩滌腸胃，推陳致新，通利水穀，調中化食。」以上所述，即健胃通便二作用。據科學實驗，本品在胃中能助胃液之不足，以促進其消化作用；至腸能刺激腸之蠕動，使積糞瀉下，除有起下利之有效成分外，又含有苦味質，及鞣酸，故用其少量即○、○五乃至○、二五許，則呈後者作用，不但不起下利，反有止瀉健胃之效，至一、○乃至二、○，始現下利作用，服後八時間乃至十時間見效，別無副作用，排泄粥狀糞便，故不適宜於習慣性便祕。多量大黃及峻下劑同用，能起劇烈之下利。又本品爲收斂輕補藥，令腸內顯其逐下糞質之力，所瀉之糞略稠，已瀉後，則有收斂性，故此藥治泄瀉最佳，因其先放出腸內之質，後有補性也。

「安和五臟」指上述結果而言。

別錄　平胃下氣，除痰食，腸間結熱，心腹脹滿，女子寒血閉脹，小腹痛，諸老血留結。

「平胃下氣，除痰食，腸間結熱，心腹脹滿」。上述亦即健胃瀉下作用。「平胃下氣」，有止嘔（胃氣衝逆）除脹之功，（類急性胃炎）「除痰食」食指宿食，即不消化物，「痰」者非指肺中之痰，乃指因瀉下時同時俱下之腸內黏性分泌物，因狀如痰，故古人誤認爲痰，「腸間結熱」，指便祕而言。

「女子寒血閉脹，小腹痛，諸老血留結」。說同「瘀血血閉」。

甄權　通女子經候，利水腫，利大小便，貼熱腫毒，小兒寒熱，時疾煩熱，蝕膿。

「通女子經候」說見前。

「利水腫」凡組織體腔內水分蓄積時，服瀉下劑以阻腸之吸收，於是一方由皮膚肺腎有水分之排泄，一方由血液濃厚滲透作用增加，所蓄積之水分逐漸可吸收於血內，而奏退腫之效。

「利大小便」通大便之說，已見前。利尿之說，科學未有證實。

「貼熱毒腫」本品有消炎之效。

「小兒寒熱時疾煩熱」時疾即流行熱病，本品有清熱之效。

「蝕膿」未有證實。

元素　通實熱不通，除下焦實熱，消宿食，瀉心下痞滿。

按上所述，僅一瀉下作用而已。所謂實熱不通者，乃指或種熱病，大便久不行，以致腹拒按而脹。又因糞中毒素由血液吸收，循環於大腦，以致神昏嚴妄。又有齒乾，舌焦，口臭諸症，凡此中醫皆謂實熱之證，用瀉下之劑，一瀉而宿垢盡去，諸症同時俱減，古人以爲實熱瀉出之功也。心下痞滿，係胃症狀。

時珍　下痢赤白，裏急腹痛，小便淋瀝，實熱燥結，潮熱譫語，黃疸，大火瘡。

中国近现代中医药期刊续编·第三辑

「下痢赤白裏急腹痛」，此是赤痢症狀。本品初有瀉下之力，纔有收斂之功，且能消炎，故賞用於赤痢。

「小便淋瀝」淋瀝之症，似屬淋病。民間有將軍蛋方，其方以大黃末納蛋中蒸食；又有用猪脊髓切碎，和生大黃爲凡，亦治淋濁。

「實熱燥結潮熱譫語」，潮熱，即弛張熱，中醫亦稱陽明熱，說理見前。

「黃疸」爲一症狀名稱，此每因胆色素之被吸收於血液或組織中而起。其輕重各有不同，輕度者，僅於柔軟皮膚及缺乏色素部位略顯黃色，高度者，全身皮膚均呈黃色或橙黃色，大抵被覆之體部較外露之體部爲顯著。重症黃疸，皮膚每顯綠色或帶黃黑。患黃疸者，內臟各器官亦同時變色，所產生分泌物質亦皆染黃，如尿汁及痰等，常含胆色素。黃疸發生之原因，如由胆汁不能流入於十二指腸內，胆管中胆汁鬱積而滲出於血管或淋巴管中，被吸收於組織內而起，黏膜及皮膚乃顯黃色者，曰肝發性黃疸，或器械的黃疸，或鬱積性黃疸。黃疸發生機轉，雖如上述，然其起因如十二指腸先有加答兒症狀之黏膜腫脹，交通受阻，不易流出，或全行鬱滯，遂起病變者，則曰加答兒性黃疸，恆見於胆汁減少或缺乏之際，排泄之糞便，呈灰白色或黏土色。又胆管內發生胆石，或有寄生蟲存留，或被鄰近臟器所生之腫瘤壓迫，而管口閉塞時，亦發黃疸。肝內有多發性小胆石，或肝靜脉鬱血，肝內多數小胆管同時被壓迫時，亦能發生黃疸。亦有肝臟雖有病變，而無黃疸者，此因胆汁產生不多，胆管內無鬱血機轉之故。其他門靜脉系統血壓較胆管內胆汁壓力減少時，胆汁亦能滲出，吸於組織之中，而成黃疸。除上述外，更有其他病變，全身血液中赤血球分解，其遊離色素化爲胆色素而起黃疸症者，謂之血發性黃疸，或化學的黃疸。常見於藥物中毒及重症傳染病，如膿毒，黃熱，傷寒，肺炎，猩紅熱，瘧疾等，上述黃疸，往者以爲血液中血色素轉化爲胆色素而起化學的黃疸，近代學者研究，知單純之血發黃疸，實屬少見。蓋動物及人體中胆色素均產生於肝臟，凡遇中毒而起赤血球潰壞之際，肝臟中剩有多量之濃原胆汁，往往因胆管鬱滯，管腔閉不通，故有血發性黃疸者，同時亦有併有肝發性黃疸，若是宜稱爲血肝兩發性黃疸。

本品用於因急性傳染病而致之血發性黃疸，當有功效。因多數古方用於天行熱病之黃疸故也。又如十二指腸炎，亦當有效，因其有消炎之用，且以瀉下之故，腸蠕動增速，可能促使胆汁之排泄疏暢也。

「大火瘡」消炎。

本草從新 用以蕩滌腸胃，下燥結而除瘀熱，治傷寒時疾發熱，譫語，溫熱，瘴瘧，下痢赤白，腹痛裏急，黃胆水腫，癥瘕積聚，留飲宿食，心腹痞滿，二便不通，吐血衄血血閉，損傷積血，一切實熱，血中伏火，行水除痰，蝕膿消腫，能推陳致新。

按上所述，乃綜集歷代本草而來。除吐血衄血之作用外，餘均釋於上。

止吐衄之故，乃因瀉下劑有誘導作用，凡吐衄者，因大黃之亢進腸蠕動，使腹腔內充血，因此可以減少身體上部之血量，而奏止血之效。又中醫用於牙齦腫痛，目赤，亦係同樣之理由。

本品之作用概括如下

1 健胃——消食治痞
2 瀉下收斂——熱積腹滿赤痢
3 因瀉下而奏誘導——吐衄目赤齦腫
4 利小便退腫——利水腫利小便
5 調整血行——癥瘕積聚血閉停經
6 退熱——時行熱疾瘧疾
7 消炎——熱瘡腫痛

萬國藥房

總店福州路三三〇號電話九八一二五
支店中正北一路七號電話六〇〇七二
·製造廠鳳陽路六十弄十六號·

批發門市　售價準確　各貨齊備　服務週到

美國原料精製成分準確　功效特强保證施用滿意

人造自來血

補藥　補針　補片

本品風行已四十餘年，為最合生理作用之全能大補劑，功能生新血，長精力，開胃口，增營養，激發活力，改善體質，補益腦神經。調節內分泌，是以一經服用，即能轉弱為强，步履輕鬆百病消散。

◉五洲藥廠出品

◉五洲藥房發行

本刊徵稿啟事

（一）文件最好用白話，淺而易解的文言也可以，總之讓大家看得懂，竭力避免學術語專門名詞。

（二）字數每篇最多不得超過三千字，千字以下的短文尤其歡迎。

（三）內容中國學說也好，西洋學說也好，祇要是實用的，大家日常生活必需知道的醫藥衛生常識，如果是融匯中西學說的，那更是十二萬分的歡迎。

（四）稿酬經刊載後稿費從優。

（五）來稿文字編者得加潤色，投稿人如不願潤色者，請於稿端聲明。

（六）來稿未登者，如須退還，請附已寫好退還的地址及收件人之信封，貼足郵票，當卽儘速寄還。

（七）來稿請署眞實姓名詳細地址。

（八）稿件請直接寄送上海（5）哈爾濱路富春里四號，本報醫藥編譯委員會。

本刊定閱價目

月份	三月	半年	一年
期數	13	26	52
定費	四萬五千元	八萬元	十五萬元
掛號	一萬元	二萬元	四萬元
航平	八千元	一萬五千元	三萬元
航掛	一萬七千元	三萬三千元	六萬五千元

附註 定戶請於到期前一期通知續訂本外埠定戶平寄免收郵費其他寄法郵資請照表匯寄

濟世日報

右任

醫藥衛生

專刊

第一卷 第七期

——本刊每逢星期一出版——

本報登記證內政部京警滬字第三八六號

本報經中華郵政登記認爲第一類新聞紙 上海郵政管理局執照第二七〇七號

發行人 章勤 社長 章紹鼎 總編輯 施今墨

本期目錄

中華民國三十六年九月廿二日 濟世日報社發行 本期售價國幣四千元

社址上海（5）哈爾濱路富春里四號 電話四五二七二

社論

科學化了仍是中醫否

請問「何謂中國人？」答案可有兩部份：一是法律的，「取得中華民國國籍之人爲中國人。」一是事實的，「說中國言語，寫中國文字，穿中國衣服，用匕箸以吃中國之大小米飯麵粉之人，爲中國人。」

若問「何謂中醫師？」答案同樣可有兩部份：一是法律的，「經考試院之中醫師考覈及格，向衛生部（署）作中醫師登記，加入某一地方之中醫師公會者，爲中醫師。」一是事實的，「用針灸方法，或用各種本草所載之中國藥物治病者，爲中醫師。」這冊專刊不談法律，我們就從事實上談談。

中國人不妨也穿穿西裝，也用刀叉吃吃西餐，而主要總是吃中國的飯與菜。中醫師也不妨偶爾用用西藥，當然，須詳知它的用法與用量，但主要是用的中國方法與中國藥物。

『吃』是動物界與生俱來的一種動作，不須教學。不過，在動物則吃了便罷，並不想研究「何故要吃」及「吃了有何作用」的問題；在人，因同時有箇知識慾，就把這些問題研究很久了。這一類的（形而下的）知識慾，中國人比較淡漠，而西洋人則趣味格外濃厚；故中國人的解釋飲食，不免仍是浮空掠影之談；西洋人不惜工夫實用，種種試驗，種種探索，定要弄箇明白。現在的營養學及生理學中的消化部份，雖然不能說已經澈底，大致已把飲食問題說明了；這就是一種科學，一種物質科學。科學雖由西洋人發明，而是「推而放諸四海而準」的東西；所以它的應用，不只限於西洋人自己，當它應用到中國人身上自然也一樣準確；反之，倘中國人不肯聽信營養學生理學，雖然天天在飲食，對於飲食的道理只好一知半解，或竟知解得錯誤而夠不上一與半的分數；若要改良飲食，尤其說不上了。所以，營養學說明西洋多數人吃的麵包與意大利人吃的「通心粉」是澱粉質；應用到中國來，中國人吃的大小米麵粉也是澱粉質。營養學說明西洋人吃的牛排香肚是脂肪與蛋白質；應用到中國來，中國人吃的蹄膀臘肉也是脂肪與蛋白質。麵包通心粉吃到西洋人肚子裏，發揮澱粉質的功用；吃到中國人肚子裏一樣的發揮澱粉質功用。蹄膀臘肉吃在中國人肚子裏，發揮脂肪蛋白質的作用；吃進西洋人肚子時一樣也發揮脂肪蛋白質的作用。因爲這箇道理，我們一方面儘管用匕箸吃大小米蹄膀臘肉做中國人，一方面必須引用營養學生理學，以研究飲食的道理，以改良飲食。這可以叫作中國飲食科學化。

依照同樣的道理，我們主張中醫必須科學化。中醫用針灸及草根樹皮治好病，是事實，這好比一向用大小米蹄膀臘肉吃飽肚子。但是病有病理，藥有藥理；病理藥理又須根據化學物理數學等基本科學來研究，方能「近」得實際。古中醫書雖有類似病理藥理的理論，但多數太理想化了，太主觀化了，人們稱爲「玄談」；當然，玄談不能解決形而下的肉體病與草根樹皮之藥。我們一方面儘管用中醫的方法治病，一方面必須引用科學的病理藥理等等，以研究其真正所以然，以改良醫藥而求進步。我們於治病時答覆病家的詢問，常常用科學名詞科學理論；有些人聽了會詫異，「先生是中醫是西醫？」我們發表論醫文字，也用科學的名詞與理論，有些保守派的同道也批評我們「不中不西，非驢非馬。」其實，他們不免被見聞習慣所局限，遇到改變與進步就駭怪；他們的思想倘能開通一點，就不致於古怪了。

有人許這樣想：「科學化了不是變成西醫麼？我們是不是仍算中醫呢？」這不須顧慮，我們理論雖改，治療仍用草根樹皮的中藥爲主，爲什麼不算中醫呢？而且這種顧慮，顯得「心量」太狹窄了！太執著「我相」了！做醫師，只要治病效驗準確，什麼方法都得用，何況理論？我們爲什麼定要做中醫不甘做西醫呢？依照「文化交流，學術大同」的原則，（我們的道德倫理形而上學，應竭力推行到西洋去，決不可妄自菲薄，像新文化家那樣盲目的破壞自己，盲目的服從西洋。以不在本文範圍，暫置不論。）中醫漸漸用科學的理論，西醫聽了也懂；中藥漸漸經化驗而提出或製造其有效成份，西醫也瞭解而能應用；當然中醫也漸漸通曉西醫西藥；那時便是醫藥大同的時候，那時一定只有醫師，「醫師」之上決不再戴上「中」呀「西」呀「新」呀「舊」呀的帽子，這些帽子原是過渡時期的怪現象，決不會永久存在的。世界大勢既然這樣，假使我們中醫再不肯及時科學化，那末，因為中醫藥為科學家所不能瞭解，醫藥大同之時，中醫中藥就有完全被屏棄被淘汰的可能。

思想與情感，現在中等知識的人大家知道出於腦子，或知道得更進一步，是出於大腦皮質。奇怪得很，在往昔，無論中國人西洋人，都以為思想情感是出於「心」的。英語中的「愛人」或「戀人」是Sweet-heart，直譯之就是「甜心」；而西洋傳來表示戀愛的圖案，直到現在也用所謂雞心形，不作大腦形；英文循環器之心也用Heart字，與甜心雞心之心無異。在中國的口語，什麼「煞費苦心」，「一番心血」等等，也至今仍把心作為思想器官。不過在西洋醫學，老早承認心是循環器，而思想情感出於大腦皮質了；保守派的中醫，則至今把神昏譫語認為「熱入心包」不知是大腦皮質受病毒刺激或高熱熏灼所致。我們要科學化，第一步須明白古中醫書之所謂心與心胞，論其官能（作用），實是大腦皮質之官能；因之，古中醫書所說清心安神諸藥，其實乃是鎮靜大腦之藥。科學化之後，我們向來說心與心胞的，當然該說大腦；向來說清心安神的，當然該說鎮靜大腦了。這是舉一箇例說明中醫科學化的初步工作。科學化的呼聲已有二十多年了，到今天纔做這最起馬不足道的初步工作，這中間的細微曲折，滯而不進的原因，說來只有一把辛酸淚，爽性不去說它為妙。

化驗中藥，提出有效成份，因而明瞭這品藥的藥理作用；在用量上，也可確定其有效的最低量，與不致中毒的最高量；再進而大量提鍊，或人工製造，或製為注射劑。這，科學化的最重要必需的工作，也是最難最費事的工作；往往須三數位化學專家之心力，經年累月，而不能完成某一品藥的工作，甚至茫無頭緒。這不是二三私人所能辦得了的事，必須政府撥付足够的經費，纔可開始工作。我們預備向政府要求這筆經費。中醫師納了所得稅，中藥商納了營業稅所得稅利得稅，盡了義務該享權利，這一點中醫藥科學化的必要經費，政府沒有理由不給我們。

這樣一步步科學化起來，照現在一般建設的情形看，誰也不敢希望太快。在科學化尚未完全成功的過渡時期中，我們儘够做一兩輩子「中醫師」；距離醫藥大同而取銷「中」字帽子的時期尚遠。不過，倘使仍像過去二十多年一樣，只說不做，或竟出奇制勝的反對做，那末，對不起，中醫受天然淘汰的日子却很快，我們這一輩，老實已是「末代」中醫了。

今後的本刊，預備多做一點科學化的初步工作。

如何避孕？

雍熹

人類的智慧雖然高，可是直到今日，在許多事實方面，終究還是拗不過自然的力量。所以，雖然我們都已知道了性行為的最後結果，是另外一個新的個體的產生；可是，這種結果也還是不能够任人隨心所欲地取捨。因此，雖然有許多人是渴望着生育，却始終眼巴巴地得不到一個孩子；有些人被生活逼得自己都整年整月在貧苦中掙扎，料不到孩子一個個地出世。這些是多麼令人懊惱的事啊！

關於求子的問題，我們略略談過了一些，現在，就再讓我們轉過方向來看看恰巧相反的避孕問題吧。

照理論說，我們都知道生物的兩重任務：求自身生命的生存和求種族生命的繁衍。而且，種族也比個體重要得多；因此，為了整個人類社會的繁衍，凡是正當健康，本質優良的男女，是不是該想到避孕的問題，而要用正當的，愉快的方式去傳延種族的生命，不考慮自身任何的痛苦與犧牲。可是，事實上，處在像目前這種困苦的生活環境裏，却不得不令人想到避孕與節制生育上去。本來，我國的嬰兒死亡率之高已是聞名遐邇的事，做父母的自己的生活都還難有保障，接二連三地生出孩子來，又怎能希望個個都生長教養得很好呢？如果生而不能養，不能教的話，不是夭折，就是病夫，還似乎與繁衍種族的意旨也不相合的。那末，避孕的問題就成為值得考慮與選擇的了。

一般說起來，偶然的有孕，夫婦們是不該逃避的。因為，當妻子有孕在身的時候，可以成為抑制熱烈性慾的一種力量。但是，如果在身體不好的婦女，譬如說有心臟病，腎臟病，肺結核，精神病等嚴重的病症時，如果恰巧竟有了身孕，那末對於她的快樂與健康，都是一個很嚴重的問題。再不然，一對貧窮的夫婦，已經有了四五個孩子，偏偏不爭氣妻子的肚子又大起來了，對於這個「家」，對於夫婦倆人肩上的重量，自然也是一個很嚴重的問題。

當一個女子覺得生育是一種可怕的威脅而起了畏懼心理時，就可能有兩種結果。第一種是怕受孕，因此竭力避免與丈夫發生性行為，甚至於對丈夫表露出一種冷淡態度來。這樣，不免要損傷夫婦間的感情，使丈夫感到失望與不滿足，弄得不好，就祇有另求所歡，尋花問柳去了；在妻子方面，因為對於天賦性能與慾望的強制壓抑，也會影響生理與心理的健康。如此下去，必然至於危及婚姻的穩定性與長久性，破壞家庭的歡樂與和睦。另一種可能的結果是女子在一日發覺自已懷了孕時，囑着家人去想各種方法實行打胎。可是墮胎不但是法律所禁止的違法行為，而且會使生殖器官受傷，造成各種病痛，甚至危及生命，又是多麼不妥當的辦法啊！

可是，有什麼方法可以挽救這種危險的結局呢？這就是避孕問題所以值得討論的原因。可惜的是，避孕正和求孕一樣，直到現在為止，科學還沒有能够告訴我們一種能使雙方都合乎衛生，並且對於「性」沒有危害的方法。目前所知，比較最可靠的方法，就是用手術，把女子的輸卵管紮起來。這種手術，可以使雖在壯年時期中的女子消失生育的能力，而並不損傷到身體上的健康。可是，做過這種手術之後，以後如果再想生育，却沒有辦法了。所以普通醫院裏輕易不肯替人作輸卵管結紮術的手術，除非是這位太太在健康上有着絕不能再生育的原因，或是實在生育得已經太多了。——一般醫院裏，大抵規定生了七胎之後才肯動手術紮輸卵管。而且，這個手術也得花錢呀，貧窮的夫婦為了生活困難才不想生育，又叫他們那有這筆閒錢來住醫院呢？

除了結紮輸卵管之外，凡是能使精蟲與卵子不能結合的方法，都可以合於避孕的原理。所以，最普通的方法，是在性交時男子用一只橡皮製的陰莖套（俗稱如意袋或保險套），或是女子用一只子宮帽，使精液不與女生殖器接觸，自然不會受孕了。不過陰莖套與子宮帽的質料都要好，要絕不漏氣，否則仍然無用，徒然減少男女雙方的快感吧了。

此外，我們都知道月經和排卵有關，而受孕是必須要有成熟的卵才行的。在每一個月經週期中，只有五六天「排卵期」中發生性行為，是容易受孕的，這五六天以外的日子，被稱為安全期，安全期中就很少受孕的可能。排卵期如何計算呢？假使留心一下月經的週期，是不難算出的。舉例來說，假如月經週期是二十八天，從月經開始的第一天算起，第十二至第十六天就是排卵期。再假使月經週期是二十四天，那末第九到第十四天是排卵期了。根據這，如果在每次排卵期中都避免性行為，那就很少有受孕的機會。這實在是比較理想而且不損及性健康的避孕法。不過，月經有時也可能超前或延後，就要影響到排卵期的日子；所以，要想完全「保險」是不敢一定的。

最後，我們想提一提奎甯。很多人以為奎甯可以墮胎，其實它主要在治瘧疾，作退熱鎮痛之用。中等量時可刺激子宮，分娩期子宮較敏感，故可用作催生劑。其實它只能增加子宮的節律性收縮，妊娠後期時中毒量可致流產，並使胎兒中毒。大約作墮胎藥的誤解就是如此而來，這是應該明白的一點。

疥瘡

金永熙

國人有種很難解的觀念，把某些病歸入「不名譽」的一類。譬如疥瘡吧，如果誰生了的話，他總會說是「濕氣」，而不肯承認是疥瘡。其實並不是病者自己不懂，有時醫生告訴了他說「這是疥瘡」，病人自己仍會咕噥着說他起的時候的確是「濕氣」。

「濕氣」又是什麼呢？如果眞是因為潮濕不潔而引起的皮膚病，那可與疥瘡不一樣。現在且逐項略談疥瘡的病原，病狀，治療，和預防等等。

病原和傳染

疥瘡，是一種動物性寄生蟲寄生於皮層內所造成的皮膚傳染病。它的活動，沒有季節性的限制，無論春、夏、秋、冬、都能在人體的皮膚面亂鑽，使人混身發癢，甚至體無完膚。不過在熱天，疥蟲的活動力。更大，　更癢得厲害吧了。

疥蟲是一種小得肉眼不大容易看見的黃白色小蟲，但是在顯微鏡下却非常容易找到它的原形，有點像蜘蛛的形狀。寄生在人體時，它們就在皮層打起隧道來作為「房屋」。雌蟲就始終住在小隧道裡面生活和產卵，雄蟲則常到處活動，交尾後就死去。卵要經過六天之後，才孵出幼蟲，再過兩星期才變為成蟲。所以，疥瘡從受染到全身發生疥瘡的症狀，大概也需要兩星期到兩個月之久。

傳染的方式，大都由於直接接觸。如與疥瘡病人握手、性交、同眠等，都是好機會。其次則是與病人用過的被褥、衣服等接觸而傳染，也是常有的事。至於由動物作媒介，由體蝨來傳染，則是很少的了。

疥瘡的特有症像

傳染了疥瘡以後，會有些什麼症像呢？或則換句話說，我們怎樣去診斷它究竟是不是疥瘡呢？

如果一個人的手指間，或是外陰部有了極癢的紅疹粒，就應該想到疥瘡的可能。疥瘡常發生的部位，大都在人體的陰面濕潤部；常見的地方是指間、手指側面、手掌、手腕關節、肘關節前腋窩皺襞、腋下、腰部、下腹部、陰莖、陰囊、足內側等處。奇怪的是絕少有疥瘡生到頸部以上去的。

生了疥瘡，皮膚有劇烈的搔癢，尤其是在晚上睡在被裡溫暖了的時候，因為這時疥蟲就出隧道來活動了。如果仔細察看，並可發現在皮膚上有極細彎曲成8形略微隆起來的線狀盲管，這就是疥蟲所築的隧道。皮膚白因搔癢難煞以至抓破，弄了污物進去，就會造成續發性的各種皮膚病，如膿疱瘡等的了。有時膿疱瘡或濕疹厲害，甚至反把疥瘡的症狀遮沒了。

假使發現了這些特殊的症狀，如果再找到了皮膚上的「隧道」和隧道裏的疥蟲，則診斷更是毫無疑問的了。

如何治療？

疥瘡是很容易醫好的皮膚病，硫黃軟膏就是特效藥。有些人說硫黃膏沒有效驗，是因為不知道如何用法。現在介紹你使用硫黃膏的祕訣：——

一、擦藥之前，應先洗淨皮面一切污垢。原來的衣服，全部脫除，洗了之後還要用開水煮過或是蒸氣蒸過才能再穿。全身皮膚則用溫水和肥皂洗刷。所有小水疱，小膿疱都要刷破後洗乾淨。

二、洗完後，全身擦以百分之十至百分之十五的硫黃膏。擦了之後，要用力摩擦，然後再滿身遍塗一層藥膏，上床休息。

三、如此擦硫黃膏每日早晚各一次，連續三天之後，再洗澡並將衣服及床上被褥全部換過，就可以好了。

除此之外，還應該注意兩點：——

一、一切衣服、床單、被褥、枕套、襪子等與病人接觸過的東西，都要用沸水煮過，使疥蟲死滅，否則又會復發。

二、擦藥時，除了頸部以上之外，要全身各處都擦到，不可因偷懶稍留空隙，以致治療不能徹底。

個人和團體如何預防？

個人的預防　常常洗澡，保持身體清潔，衣服襪子等要常換洗。不睡別人的床鋪被褥，不穿疥瘡病人的衣服，不與疥瘡病人握手或作其他接觸。

團體的預防　學校、軍隊、工廠等人多的地方，疥瘡最易蔓延。這就需要大家注意衛生，共同維護公衆健康。如果發現了有疥瘡患者，應該立刻使所有患者同住一屋，與未被傳染的人隔離，並且立刻施以治療。同時應該教導學生、兵士、工人知道如何防止蔓延。

在民衆方面，政府衛生機關，應在各處設立滅蝨滅疥站。不過這又是一個行政上的問題，我們只在此提這個建議，有待衛生當局去辦理。

偷針眼

孝婉

有人在眼瞼邊緣上生了一粒紅腫的小顆，揍了發燙，碰了有點痛，過了三四日之後，也許自行消散了，也或許越腫越大，化起膿來。於是別人就會去告訴他說：「呀，你長了個偷針顆！」

爲什麼叫做「偷針顆」呢？這是一個俗名；它的來源，可能是因爲這種眼瞼的硬腫塊，土法常用針刺破後即能痊愈而得到這樣的名稱。除了偷針顆之外，也有叫做眼丹，偷針痣，包珍珠等等的。現在科學上名稱叫作「麥粒腫」（Hordeolum）。

那末，麥粒腫是什麼呢？原來在我們的眼瞼邊緣，靠近睫毛的地方，有許多和其他部分皮下組織中相像的油脂腺和汗腺，不過在眼瞼邊緣部的比較起來要大得多，所以眼瞼邊緣部的油脂腺就有了一個特殊的名字叫做「蔡氏腺」。它們分泌的脂肪質自開口於眼瞼邊緣睫毛根處的小孔通出，假使有什麼細菌隨着細微的汚物竄進了蔡氏腺之一，引起了發炎和化膿的現象，就造成俗稱爲偷針眼的麥粒腫了。

初起的時候，發炎的蔡氏腺逐漸腫起來，紅紅地一個小硬塊，或是整個眼睛都腫了，覺得非常之痛；後來化膿，膿疱通常總在睫毛根附近。這是因爲蔡氏腺就在睫毛根部周圍的緣故。由於這一點，所以當膿疱「成熟」時，將那根住於膿疱中的睫毛拔除，使膿流出，也是一種治療麥粒腫的方法。我國古醫書中說治療「偷針」的方法有「拔去睫毛即自消」（見寶鑑）這麼一句，正是這個道理。

假使生了麥粒腫，難道一定要把那睫毛拔除嗎？這倒不一定，拔除睫毛不過是治療方法之一罷了。假使眼睛上發現了這種又紅，又腫，又痛的小偷針顆，第一件應該做的事就是「熱敷」。什麼叫做熱敷？熱敷就是用一塊小毛巾，用熱水打濕了，敷在患處，等冷了之後，再重新用熱水浸熱再敷，非常簡單。有時，這樣做了幾次熱敷，紅腫的小粒也會自然消失了。萬一不消呢？那末熱敷也能促使早日化膿「成熟」。一旦成熟，再把膿取出就可以好了。取膿的方法，剛才所說拔除睫毛是一種，或者照老法用一枚針把它刺破；但是這兩個方法都不是頂好，因爲穿的孔太小，疱內的膿不能完全流出，仍舊有一小部分餘留在裡面，則不容易痊癒。所以，最好還是直截了當地用極細的刀尖將膿疱劃破，將膿完全擠出洗淨，然後再做熱敷，就可以很快好了。

不過，雖然這是極小的小手續，在用刀劃破時候却是非常痛得厲害的，所以，局部麻醉是不可省去的手續，不然病人會痛得受不了。還有醫生應該注意所劃的裂口應該在膿疱的底部，成一橫線，而不可劃一垂直線。劃在底部是爲了便於膿水流出，不致積留。劃橫線而不劃直線是因爲避免結疤時改變眼臉形態，有損美容。這雖似乎是小事，却也應該小心留意，因爲「顏面攸關」呢。

手術之後，可用生理鹽水或硼酸水洗淨，再塗敷昇汞膏或白降汞膏，或是利凡奴爾軟膏等；自然最好繼續作熱敷，可以促進局部的血液循環，使傷口早些好。

偷針顆有什麼方法可以預防可以叫它不生麼？對呀！與其等生了之後再醫，不如預防使它不生更好。我們既知道它的病因是化膿菌隨汚物自睫毛根侵入眼睛的脂腺內所引起，那末，防止細菌的侵入不就可以防止麥粒腫的形成了嗎！這本來不與「偷針」有關係的。所以，第一應該養成時時保持眼睛清潔的好習慣，絕對不要用手指去揉眼睛！

然而，有些人可能很注意眼睛的清潔，却仍是不斷地一顆顆「偷針顆」生出來，這種現象時就應該注意病人的一般健康狀態，而不單是眼的病症了。因爲有些人不健康時，特別對化膿的葡萄球菌和鏈球菌抵抗力弱。那末，無論在預防或治療上說，有時需要注射抗化膿球菌的血清，或是磺胺類藥物，或是盤尼西林，那就要待醫生來決定了。

此外，另一種叫做霰粒腫，俗名眼胞痰核的眼瞼病，與麥粒腫很有些相似，但却實在不同，我們以後再討論吧！

灌腸器

雍熹

在醫院裡，有時常會發生一種糾紛，就是護士小姐依照醫生的吩咐來替病人灌腸，可是病人却不願意。

爲什麼要不願意呢？也許就因爲灌腸的時侯，肛門處有點不舒服。本來是麼，硬把一根像自來水龍頭樣的膠木管插進肛門，該多不好受哪！而且，把藥水灌入腸道之後，立刻就有一種像要大便不能自主流出來的感覺，也是不很舒服的。可是，護士小姐爲了遵守醫生的吩咐，醫生爲了治療上的必需，却非得要替病人灌腸不可。

灌腸器，實在是件極簡單的東西。它不過是一只盛器，琺瑯的或是玻璃的，或是其他質物的；一根橡皮管，和一個插頭的組合而已。用的時候，把藥液傾入盛器，放在高處，然後在插頭上塗一點滑潤劑如凡士林等，插入病人的肛門內，插好以後，再旋開插頭後端的開關，藥液就藉着重力，由皮管經過插頭流入腸中去了。

那末，爲什麼要灌腸呢？大概，我們可以分做兩種原因。第一種是解除症狀的。譬如病人有好幾天沒有大便了，而便祕的原因並不是沒有糞，而是糞太乾太硬，不易排出；或是肛門括約肌緊張（如手術後等）使大便積留。那末我們知道便祕後糞留在腸內，也會引起種種不舒服的自動中毒現象，而且漲得難受。可是瀉藥對於病人常常是很不相宜的。因此，灌腸就成了最合適的方法來解除便祕症象了。這種時候，並不需要用什麼特殊的藥液來灌腸，只要用普通的溫開水，或是溫熱的食鹽水，再或是稀薄的肥皂水都行。其目的不過是軟化和稀釋腸中的糞便，同時因液體的注入，使腸壁增加蠕動而將糞便與液體同時排泄出來吧了。

第二種爲作治療用的。有許多腸子裡的病，尤其是大腸壁的病，吃藥或打針治療，還沒有用灌腸法直接使藥液與病處接觸的效驗好，所以就採用灌腸法治療。舉例說，像阿米巴原蟲性痢疾，藥特靈雖是很有效的藥，但是在病勢嚴重的時候，還是嫌它作用不够快，就要借助於灌腸法來同時治療，把藥特靈溶解在水裡，灌進腸內。不過這種灌腸，與前面所說的一種略有不同。第一，因爲這種灌腸的目的，需要病處與藥液接觸，所以在將藥液灌入之前，必須先把腸內清除一下。換句話說，先要做一次前面所說的普通灌腸。第二，藥液灌入後，要希望它停留的時間長，不可立刻排出，所以要設法解除肛門墜重便急的感覺。有時，就不能不借重於注射嗎啡了。

灌腸本是很簡單的事情，不過也要注意幾點小事：

一、灌進腸內去的水或藥液，不可過冷或過熱，應該與體溫相彷彿。否則灌入腸內，使腸壁受很大刺激，反易引起不好的結果。

二、灌腸時，插頭上切不要忘記塗一層滑潤劑，這樣可以減少施術者的麻煩，也可以減少病人不少的痛苦。

三、有些病人忍受不住，在藥液灌完，插頭拔出後，立刻就排泄了出來。這種情形應該預先想到，以免弄得滿床一塌糊塗。

什麼叫做急驚風

魯素

有一句大家都說得來的俗語，叫做：「急驚風碰着慢郎中」，請問這個急驚風究竟是什麼東西呀！你如果不懂的話，去問問經驗富足的老太太們，他們看得多聽得多啦！準會高高興興地告訴你，急驚風是一種什麼什麼樣的病。可是你如果順便問她一聲流行性腦脊髓膜炎是什麼東西呀！那她就很難懂得了，或許就搖幌着頭腦，拒絕回答你這個她從來沒有聽到過的怪名字。

實際上，眞是阿彌陀佛，流行性腦脊髓膜炎就是急驚風呀！你或許也曾在報紙上看到流行性腦脊髓膜炎這個名字，可是你是否知道那大名鼎鼎的急驚風原來也就是它？

急驚風這個病在我國很古時已經存在的了，但在唐朝以前稱爲痙病，因爲痙攣是這病的主要證狀。這病的死亡率很高，大概要在二個中死一個，尤其是乳兒更危險，十個中差不多要死九個，所以這病是相當可怖的。

很有許多人因爲病名中有個驚字而認爲這病是受了驚嚇的關係，這實在是錯誤的。中醫把它的病原歸之於風，這根據「風以動之」一句古書，因爲腦脊髓膜炎「痙攣發作」時，病孩的手脚常要亂動的。現在這個「風邪」，也就是它的眞正病原已經在科學的光輝之下毫無隱避地顯露出來了，是一種不能運動的，時常兩顆並在一起的球形細菌，它的名字就叫做「流行性腦脊髓膜炎球菌」。但這菌的傳染力是不很大的，因爲它對於乾燥、陽光、溫度、化學藥品的抵抗力是很弱的，在外界是很容易死掉。所以它的傳染路線必須是直接的。由病人的或保菌者的口鼻分泌物，因爲咳嗽噴嚏等而使它附在液體的點滴上，傳到另一人的口鼻中去。至於什麼叫做保菌者呢？保菌者大都是病人的同居者如父母等，他們雖然傳到病菌，但因爲大人抵抗力大，所以不會發病，可是他們却成爲病菌傳染的「郵差」了，而且在流行時保菌者的人數往往十倍至二十倍於病人，這是多末地可怕呀！

病菌達到了口鼻中，就從鼻咽道的粘膜而侵入血行道，由血行道再進入腦膜，因爲這菌和腦膜有特別親和力，所以發病以腦膜爲主。病菌侵入人體之後，先潛伏二三日，接着是頭痛，疲倦等前驅證來了。可是也有許多前驅證也沒有的，一開始就是劇烈的頭痛，熱度也高增了，身體怕冷得厲害，甚至發抖。不久發生嘔吐了，項部也有點强直不靈活了，再進一步，軀幹向後反挺，身體向上彎作像弓的一般，這就叫做角弓反張。以後，五花八門的局部和全身的證狀都來啦！眼神經、嗅神經，顏面神經都發生了障礙，皮膚肌肉的知覺神經却非常的過敏，輕輕的按一下就呼疼痛，運動神經的過敏使四肢肌肉收縮而引起痙攣。又如果用爪搔一下皮膚的話，馬上在皮膚的表面上現出一條紅線來，這是因爲血管運動神經障礙的緣故。在各關節上腫脹而疼痛，嘴唇及顏面上有時還生着水疱疹。

這樣地如果是輕證，在一星期後就會痊癒了，如果重證的話，就須得經過二三星期，在這二三星期內或者漸趨於衰弱而死亡，或漸漸地諸證緩和而歸於治愈。

突然地發生了這病之後，應該作何種措施呢？唯一利人利己的辦法是快點送進醫院裡去，現今科學的進步已產生了很好的治療這病的新藥和方法，所以儘不必再有什麼疑慮躊躇的心理，以免貽誤病機。

請記着吧！家喻戶曉的急驚風就是你時常能在報上看到的流行性腦脊髓膜炎，是一種急性傳染病，時常在冬季及春季流行着，當它在流行着的時候，請你多多注意着你的孩子們，如果他們因了傷風而塞着鼻孔或拖着鼻涕的話，應該趕快設法治好他，因爲這是最容易被腦膜炎菌得到一個侵入的機會的。

談談防腐聖劑消炎片

軒轅火棗 （續第六期）

吾人曾填得一詞頌揚其療效也，謹錄於後：

磺醯胺類藥（調寄醉花陰）

靈靈不不靈靈不，不不靈靈不，不不不靈靈，靈不靈靈，靈不靈靈不。

若謂「科學即眞理」，眞理必具準確性，然則如此最新之科學藥物，距離「眞理」之起碼條件尚遠，論其景界，一若「雞聲茅店月」，尙早！尙早！

關於輸血

宏年

輸血在近代外科醫學方面，無疑的已佔了很重要的地位。失血過多的受傷者或貧血者，經過完善的輸血後，就有顯著的效果。戰時前方的傷兵，和平時大手術後的病人，輸血將是促使他們痊癒的恩物。

輸血的應用到現在，大約可分為三期：

一、十七世紀時，以他種動物的血輸入於人體——異種輸血法——此法非但不能得良好的效果，反而有劇烈反應的現象，所以巴黎的法院曾明令禁止過。

二、十九世紀初，以人的動脈血注於人的靜脈內——同種輸血法——此法雖然減少了不少危險，但仍舊有劇烈反應的症象發生。

三、二十世紀初年，發現了血液中有血球凝集素，更因此而發現了四種不同的血型。同型輸血後所得的效果，竟是驚人的良好，於是輸血法遂廣泛地應用於醫學界了。

由輸血的進展史看來，我們對於血液的性質，便不得不先做一個詳細的研究，然後才能實施輸血。

首先，我們要明瞭血球的凝集現象（血球互相吸合而集成一團）的因素：血清中的「凝集素」和赤血球中的「凝集素原」。由於這二種因素的存在與否，我們就可以把血液分為四個主型和幾個副型，但實地應用上，四個主型已是足够的了。

設凝集素有a與b兩種，和他相當的凝集素原是A與B。凝集素a，能够凝集含有凝集素原A的血球；凝集素b，能够凝集含有凝集素原B的血球。所以健康人的血液中，A與A和B與B是不會同時存在的。

其次是血液的分類：

一、O型血——含凝集素a與b而不含凝集素原，

二、A型血——含凝集素b及凝集素原A，

三、B型血——含凝集素a及凝集素原B，

四、AB型血——不含凝集素而含凝素原A與B。

既然不同血型間有血球凝集的現象，而此現象就是使受血者發生劇烈反應的原因。所以在輸血之前，就應設法檢查給受二者的血型。檢查血型的最簡單而常用的，是用標準血清決定血型的方法。標準血清祇需A與B兩種，市上可以購得，A型血清藏於血色玻璃管，B型血清藏於褐色玻璃管，以免混淆。六個月內的可供使用，如果過於陳舊，則反應薄弱，不能明確顯現其凝集現象，故以不用為宜。

檢查血型時，以標準血清少許，分別滴在一玻璃片上，再取被檢查者的血液，其量約為血清量的十分之一，各自混和在二種血清中攪拌。就標準血清對血球的凝集反應，可以決定被檢者為何種血型：

一、在A型B型血清內均不發生凝集反應者——O型。

二、在A型血清內不生凝集反應而在B型血清內發生者——A型。

三、在A型血清內發生凝集反應而在B型血清內不發生者——B型。

四、在A型B型血清內均生凝集反應者——AB型。

血型決定後，給血者之選擇，也可隨之而決定。

如今以O型血輸入A型或B型或AB型的人體內時，O型中的血球，決不受他型血清的影響而凝集，不過在理論上，O型血清雖能凝集他型的血球，但實際上，O型血液輸入於人體時，即為受血者的血液所稀釋，因而不能充分發揮凝集作用的力量，即使有部分的現象發生，但被破壞者為受血者自已的血球，自已血球的破壞，是生理上常有的現象，所以受血者並不因此而生劇烈的反應。因為這樣，O型血就有「一般給血者」的尊稱。

又如以O型或A型或B型血輸入於AB型的人體內時，雖受血者之血球，均能為其（他型）血清所凝集，然依上述理由，可知受血者不致發生明顯的反應。同時輸入血之血球，也不會因受血者的血清而凝集。所以AB型的血，也就有「一般受血者」的雅號。

由以上看來，不同血型之血，也可以在相當條件下而適合，然實際上仍以求同一型者最宜。

給血者的血型與受血者相同後，進一步當檢查其身體是否健康，凡患急性病及傳染病者，均不合給血之資格。

最後就是輸血的藥品器械材料的準備和消毒的施行。消毒後的器械，有用於採血者，也有用於輸血者，都應該分別安放在一處，以免紊亂。如此則可放心大胆地實施輸血的步驟了。

細菌常識（六）

陸淵雷

現在要說細菌的生活狀態了。這樣小得看不見的東西，要研究它們的生活狀態，自然是一樁很費力的事。可是細菌學家大費工夫把它研究得很清楚。這並不完全出於學問上的興趣——知識慾，乃是一種熱心，爲要解除人畜的痛苦，要保全人畜的生命與健康，與病原細菌爭箇你死我活；所以不憚勞苦研究出來。人類與病原菌類互爭生存，也與人間的戰爭差不多。兵家有兩句顚撲不破的老生常談，「知彼知己，百戰百勝。」研究細菌的生活狀態，就是做的「知彼」工作，也是消滅細菌的預備工夫。不過，做這種研究工夫，與開業醫師有大不相同的一點，他不能弄噱頭自我宣傳，他不能說眞方賣假藥，他不能從病原菌身上收入法幣養得自己肥胖胖地。但他不能不吃飯穿衣，他不能不養家活口；此外，還需要許多設備，及研究時種種耗費，往往不是私人財力所能擔負。惟一的辦法，只有政府，或社會來維持他這筆費用了。而我們大中華的政府呢，法幣成本高昂，印刷機也來不及趕印；軍政諸費預算中的「赤字」無法彌補，不是「急要」的費用一概暫不支給；學術研究的費用，當然是不急要，老是歸入「暫不支給」一類中。至於社會，誰弄到法幣誰就抖，可以在極短時期內抖成大人先生；發財與抖成大人先生是社會人物的一致目的。幫助一位學術研究者，是耗財，不是發財方法，也不是抖成大人先生的方法，當然沒有人做這件傻事。也許更進一步，放幾枝冷箭，造些謠言中傷你，誣蔑你，把你踩入泥塗裏；因爲你研究成了學術，相形之下，他要顯得「不學無術」，這是有損大人先生尊嚴的，或是妨礙大人先生成就的；至少，我們中醫界裏有這種情形。唉！不談了。一件件新發明，一次次大進步，都得由歐美人做出來，吃了敗仗而向我們投降的日本人到也有份；而我中國，只有等候人家發明進步之後直鈔與學學嘴的份兒，自己的發明雖非絕對沒有，只是少得說不上。這並不是中國人的聰明不及外國人，實在這種風俗與環境不許你做成一件半件正當事情；惟一的出路，只有同流合污，投機取巧撈一票，加點兒吹與拍，你也不難成功一位大人先生；於是「厚黑學」成爲最現實最需要的一套知識。據我看，新文化與新政治陶冶成這種大國民，倒並不會學英美的資本主義政治自由，也不是學蘇聯的共產主義經濟平等，倒是學了猶太人的箇人主義，發財自由；只要自己發財，一切都可以犧牲；國家滅亡不與我相干；道德廉恥本是多餘，管他媽的！猶太人亡國數千年，分別歸化了現代國家，入了現代國家的國籍，倒可以安心研究學術，有極大的成就（愛因斯坦是猶太人，此外很多）。只怕中國人也須做到今日猶太人的地位，纔可能研究學術，有所發明。唉！不談了不談了。下面說的細菌生活狀態，都是外國人研究所得，而中國人，連我在內，只能直鈔。現在擇要鈔一點出來：

細菌是最下等的單細胞植物。凡是細胞，由「原形質」（亦稱原漿），「細胞核」（或單稱核），及「被膜」三部所成。原形質是各種半液體的蛋白質與鹽類的溶液，佔細胞體之最大部份。核，本是一切細胞的主要部份，通常爲圓形或卵圓形之體，居於原形質的近中心處；細胞分裂生殖時，核在原形質內先分裂爲二，其時一細胞中宛然有兩核，然後原形質跟着分裂，各包含一箇核，始分成兩箇細胞；這是就較高等的動植物細胞而言。細菌有沒有核，還是一箇問題。但施行「染色法」後，細菌的原形質總是染成青色，而中間有染成赤色的東西，分明與原形質有區別，稱爲「核染質」，一般認爲就是細菌的細胞核。不過這種核染質不像高等細胞的一胞一核居於中央，一箇細菌中往往有大小不等的許多核染質，無一定處所，而與原形質互相混合。假使這些眞是細胞核，那是細菌所以位居生物界最下等的原故了。被膜在高等動植物細胞中，本不常有。它是原形質外面的一層很非薄的皮，許多細胞鄰接時，被膜就是每箇細胞的分界。在沒有被膜的細胞，只靠原形質表面的「張力」來維持細胞的形狀。細菌的外膜，極薄透明而不帶什麼色彩，與原形質極難區別。必須用特殊的染色法，纔能看到。但在培養陳久之細菌，因營養不良而細菌內容溶解消失，則裝在玻片上製成標本用顯微鏡可以看見不受染色之菌影，即被膜也。

細菌體中還有各種小顆粒極多，或發光輝，或染出特殊顏色，其排列或有規則，而多數無規則。在顯微鏡下看看倒很好玩，這裏只有白紙黑字，多說了倒教讀者頭疼，只得不說了。

諸位如要得一箇明明白白的細胞概念，那很容易。一隻蛋，就是最大的一箇動物細胞。蛋黃是核，蛋白是原形質，蛋煑熟了輕輕敲開，在蛋殼內蛋白外可以找到一張薄膜，這是被膜；只多了一箇石灰質的殼，是普通細胞所沒有的。

被膜包了原形質，中間有疏疏落落的核染體，這些算是細菌的軀幹。

要我他們的器官，那少得很，只有鞭毛與包囊兩件，而且不是每種細菌都有。包囊乃是臨時裝添，包在菌體外面的膜。它與被膜不同的地方：（一）被膜非薄而色淡，不易見，包囊很厚而返光力很强，容易看。（二）被膜一般認爲原形質的變態，包囊則成於膠質或黏液質。（三）被膜一菌一套，包囊則一包中往往不止一菌。若一包不止一菌，其菌數必爲偶數。因爲是臨時裝添，所以包囊細菌也並不一定裝有包囊。裝添上去是一種防護裝置，好比戰士臨時穀上鋼盔穿上鋼絲馬甲。故在人工培養中的細菌不大會有包囊，而寄生在動物組織中的細菌則包囊甚著明；這因動物能產生「抗體」以毒害細菌，而人工培養中的細菌，舒服得「莫予毒也」之故。「多難興邦」，竟可適用到細菌身上。

細菌有呆木不動者，亦有活潑能運動者。取能運動之細菌，加入肉汁或「百布頓」水中，將此水，滴一滴於「凹窩栽玻璃」之凹部，用「罩玻璃」一蓋之，周圍塗凡士林封口。如此配成之玻片，名「懸滴標本」。裝上顯微鏡，可以看細菌之運動。其運動有遲鈍如分子運動者，有捻轉而前進者，也有直駛而前快如激箭者。不動之細菌在懸滴標本液體中，亦有一種運動，但非移動，而於一處向上下左右振動，此名「孛朗」氏分子運動。

細菌以鞭毛爲運動器官，是纖細的長絲，從細菌之外膜伸出，非染色不易見。由於鞭毛之有無多少，及其發生部位，可分細菌爲五類；

一、菌體周圍生許多鞭毛，狀如水母，傷寒桿菌是其例。

二、菌體之一端有一簇鞭毛，狀如道士手中的拂塵，大螺旋菌是其例。

三、菌體兩端各有一條鞭毛，水中之Vibrio菌是其例。

四、菌體之一端僅有一條鞭毛，狀如蝌蚪之尾，霍亂菌是其例。

五、完全沒有鞭毛，即是不動性細菌。

細菌的形態，前面已說過了。（本刊第四期）而在發育異常時，或營養與環境不良時，可能變成異樣或種種不整之形態，終至死滅。亦有菌性特別頑强者，於瀕死滅時生出一種「耐久體」，以希望保其生命，此耐久體名爲「芽胞」。芽胞既爲細菌遇營養不良，環境不適生存而生出，則不能生出芽胞之細菌，其時即趨死滅，不言可知。病原菌中生芽胞者極少，不過脾脫疽菌惡性水腫菌鳴疽菌破傷風菌等數種而已。芽胞爲圓形或橢圓形之物，無色而有光輝，也有帶淡綠色淡紅色的。生於菌體之內，由兩層被膜所成，皆堅强而難染色。藏於膜內的原形質，含水份甚少，故能耐熱及乾燥，而爲細菌逃避死亡的一種臨時變形。芽胞生成時，或生於菌體的中央，或生於其一端，名「居中芽胞」或「極端芽胞」。居中芽胞小於菌形者，菌之形態不變，如脾脫疽菌是；若大於菌體，則菌中央膨大爲紡椎形，如鳴疽菌是。極端芽胞之大者，使菌體成帽針（或釘書之銅釘）狀，如破傷風菌是。普通細菌在六十度之氣濕中經三十分鐘而死；芽胞雖在百度之蒸熱（有水蒸汽之濕熱，更易殺菌。）中，可經數分鐘乃至五六小時始死。芽胞若耐過危險環境，則遇適當的營養與溫度時，即發芽而甦生。先失其光輝，胞體稍稍伸長，乃鑽破胞膜而發芽。胞膜之破裂，有在芽胞之一端者，也有從中央破裂者。（未完）

肺癆病中西雜談（續第六期）

錢公佛

肺癆病在西醫裡面也沒有像預防傷寒霍亂一般的疫苗預防法，有之也不過是一種叫「BCG」的免疫法，但它的性能還未確定，而且曾經發生反而招致肺癆病的危險，所以大多還連試驗都不敢試驗，至於其他的方法就是極力防止結核菌的散佈，肺癆病人切不可隨地吐痰，不論咳嗽噴嚏或者接近人家談話都得用手帕掩起來。這在肺癆病人固然應當如此做，不是肺癆病人最好也如此做，因爲一則初期的肺癆病人都很難覺察出自已已患了肺癆的，二則這也是一個很好的禮貌呀！這裡附帶貢獻一個小方法，你如果要終止一個正要打出來的噴嚏，可以用手指揿住人中，那末這個噴嚏就會留住不打了。

既然生了肺癆病，就得極力防避自已的肺癆菌再出去害別人，這實在是功德無量的事，菩薩或者上帝準會保祐你早早的恢復健康。所以關於病人的食用器具必須澈底消過了毒才可給人家用，不妨把它們沸煮五分鐘，被褥等物可時常放在强烈的日光下曝晒。痰盂在傾入陰溝前一小時加入鹽酸和石炭酸來消毒，或者吐痰在紙片裡隨後把紙片焚燒掉。不許接吻，也不許結婚，一則保養一點精力，二則免得把肺癆病傳染給愛人妻子兒女等。可是也有一等愚昧的人偏要在癆病重到二三期的時候還要討個老婆，說是「冲喜」，誰知道不到一二個月就名登鬼錄，這是再作孽也沒有的了，平白地造成一個小寡婦。

肺癆病在初期的時候往往覺察不出來，也有不咳嗽不發熱的，或者即使有點欬嗽咯痰，胸口有點疼痛，也只當是感冒傷風，不放在心上。也有不欬嗽不胸痛而只漸漸地瘦弱下去，胃口不好，面色難看，往往以爲自已身體衰弱一些而已，也不會疑心到自已已得了肺癆病，如果不請醫生檢察一下，等到自已覺察時病已經進入相當不輕的階段了。也有一開頭就見到了痰中帶血的，就立刻自已警醒，這倒是最幸運的了，以後再小心防護處處留意，要治好它是不十分難的事。至於熱度，在肺癆裡也是一種主要證狀，很少是毫無熱度的。但在初起時也相當輕微，大多數在每天上午熱度正常，在下午略高攝氏半度或一度，但是一則上下午相差很少，二則日子久了病人成了習慣，所以一時也難於分辨出有熱無熱來，但到病勢已進了一步的時候，上下午熱度漸漸地差得多了，上午熱度總是很低，下午就會升高一度二度，甚至三度四度。等到上下午熱度已有三四度·相差的時候，肺裡面或許已有了空洞，發熱時還怕冷，皮膚冷冰冰的，骨節裡却是熱騰騰的，額面是非常的蒼白。到熱度退的時候，就出一身汗，這汗大多出在早晨三四點鐘的時候，病人自已往往不知道，直待醒來時，剛才覺得出了汗，所以這汗就叫作盜汗。

肺癆的治療越早越好，所以自已有了肺癆病的嫌疑應該早點告訴醫生，讓他仔仔細細的診查一下，肺癆病決不是一個絕望的病症，也不是什麼有失體面的病症，所以即使有了肺癆病也不要自瞞瞞人，或者對肺癆病具有過份恐懼的心理，這對於病體是非常有害的。至於究竟如何樣子是有肺病的嫌疑呢？且先來自已問一問看：身體瘦嗎？體重減輕了嗎？面色難看了嗎？容易疲倦嗎？容易發怒嗎？容易心跳嗎？咳嗽嗎？痰中有血嗎？下午及傍晚時熱度高嗎？胸背覺得疼痛嗎？肩胛覺得緊張嗎？夜間有盜汗嗎？消化減退了嗎？脈息跳得快而細小嗎？你的答覆如果是是是，是得越多嫌疑越大，應該馬上請醫生診察。照X光呀，驗痰呀，做皮膚反應呀，結核素試驗呀，須要的話都可以來一套，因爲單用一種或許是不十分準確的。

如果檢出來確是肺癆，那怎麼辦呢？第一還是請你不要驚慌，更不要太憂慮，驚慌憂慮於事無濟，反足促進你的病勢。肺癆病雖則還沒有特效藥，可是一種病的治癒決不是專靠特效藥的。如果發現得早，保養得好，準可以還你健康的身體，即使一時治不好，也不致立即發生死亡的危險。

至於現在比較通行一點的療法，如果只有左側或右側的肺有結核性空洞的話，可以用「人工氣胸術」。這是用空氣或者養氣打進胸腔裡去壓迫患病的肺，使它縮小，休息上一個時期，而把呼吸的工作任務完全交托給另一個側的肺。這樣子那肺比較容易補滿它的空洞，而使病勢輕鬆下來。除此以外，最重要的還是留心飲食起居。飲食方面不外乎要振奮食慾，調護起居，增加營養。中醫以脾胃爲後天之根本，所以在肺癆病的治療中極力保養脾胃，如果脾胃一敗，就減少了營養的給源，這最容易加重病機的。所以一方面用塡精益髓的厚味，什麼鳳頭白鴨，烏骨白雞，猪脊髓，鯉魚膠等，一方面用清淡芳香的如白花百合湯，薏仁湯，芡實粥，扁豆棗子湯，桂圓肉湯，麥冬湯等時常換換口味。至於平時經常的補品，那末用牛乳雞蛋之類，魚肝油也可以吃，但以不倒胃口爲準則，不慣吃的，不歡喜吃的，還是不吃爲妙。其他如燒酒薑椒芥蒜以及生冷滑腸堅硬不消化的東西當然不能夠吃的了。有的人說大蒜頭可以防肺癆，可是未病時防病或許稍有功效，已病後則就有害無益的了。

至於起居方面，以安靜爲原則，中醫有四個條件，遠房帷，戒惱怒，釋憂思，免勞碌，這種話肺病患者應該牢記在心，最好寫了貼在牆頭上，時常警醒一下。至於居室的光線充足，空氣流通，既清潔又舒暢，這當然是不必說的了。又要少會客少談話，避免無謂的運動，尤其避免種種刺激呼吸器官的動作。如果是不十分衰弱的話，還可以轉地療養，林泉高山，海岸島嶼，祗要氣候溫和，空氣清潔無塵而乾燥，都是好地方。

除了飲食起居作如此的調養之外，還有藥物療法，西醫療法僅不過對證用藥而已，須要退熱時用些退熱藥，須要鎭靜時用些鎭靜劑，其他如盜汗咳嗽咯血胸痛呼吸困難食慾不振等，都可以斟酌情形而個別地用藥，暫時減輕一下各別的病勢。可是這都必須請教醫生，細心謹愼從事，切不可隨便濫用。至於中醫藥法却不是這末地簡單，着眼於全身證狀，以全部病勢作爲用藥標準，但也脫不了滋養的一道，雖則沒有絕對治癒的把握，可是增加自身的天然抵抗力，得益很多，所以中醫的這種調理療法是向來博很多人的信任讚美的。可是也有許多「科學迷」以爲中醫這種法則未經科學證實，不合科學化；可是眞有實在成績擺在眼前時，怎樣還說這種法則「不合科學」？乃是現在的科學還未達到能夠解釋這種法則的地步，那末我們難道放棄了這種有實效的法則而等到千百年後科學發達到能夠解釋它的時候再用嗎？

至於其他的「肺癆特效藥」至今還未發明，台灣曾經發明過一種名叫「使他肺安定」的「特效藥」，可是它的功效祗能發生在小動物身上，對人的肺癆却沒有使他安定的效驗，所以與這個「肺癆病特效藥」的榮銜還差得遠呢。又有如去年報紙上刋登的一個中藥方，說是肺癆特效方，曾經哄動一時，各藥店裡生意大好，這又未免太抬舉我們中醫藥了，中醫的藥療法則雖好，究竟還沒有達到用一個方子統治任何肺癆病的地步。再又如在馬路上可以看到賣肺形草的地攤，也說是肺癆特效藥，這簡直在胡纏了，他有特效藥爲什麼不去領「諾貝爾」獎金而在馬路上設地攤？

除了藥療法以外，還有X光療法，可是這療法不一定於任何肺癆病都有益，也有無益而有害的。

至於日光浴也得謹愼一點，初期病人常因日光浴而發熱的，最好臨時請醫生指示一下。深呼吸在未病前固可以健肺，可是在已病後於病有害，所以不可以再行深呼吸了。

最後再扼要一點地說幾句話，沒有肺癆病的人應該隨時保持身體的健康，酒色可以傷身，過度的思慮勞倦可以傷身，惱怒可以傷身，飲食起居不節可以傷身。一方面多多注意清潔衛生，極力去除隨地吐痰等惡習，那末不唯可以防肺癆病，也可避免一點其他疾病，既得病之後就得覓求合理的療法，切不可拘定中西之見，中西醫各有長處，應該採用他們的長處，更不必誤信科學不科學的空論，空論是無切於實際。一方面生活力求淡泊寡慾，安靜地保養上一個時期，那末健康是離得不十分遠的。

藥物發凡

江蘇東臺繆銘澤俊德遺著

第一章 導言

吾國言藥之書，昉自神農本草經，然漢書藝文志，不列其目。陶宏景疑爲仲景元化所記，非是。周禮，鄭康成疾醫注，云，五藥，草木蟲石穀也，其治合之劑，則存乎神農子儀之術。以爲子儀始定本草。據章太炎大師之考證，本草不始自子儀。（見章氏猝病新論，說苑，子儀爲扁鵲弟子，）神農無文字，其始作本草者，當在商周閒，代有增益，至漢遂以所出郡縣附之耳，鄭叔問云，班固敍言黃帝內外經，本草石之寒溫，原疾病之淺深，今所傳有黃帝內經，乃原疾病之書，則本草其外經歟。淮南子云，神農嘗百草，蓋金石木果，燦然各別，惟草爲難識，炎黃之傳，惟別草而已，後遂本之以分百品，故曰本草。其言郡縣，皆合漢名，而以吳郡作大吳。其藥有禹餘糧，王不留行，徐長卿，石下長卿，亦非周秦之文。其言鉛錫，正合書禮，而與魏晉後反異。然則，其書出於張機（仲景）華佗（元化）同時無疑也。（上見醫故）太炎大師謂神農本草，舊以上中下三品分卷，其序錄多雜神仙之言，是固漢人所增也，然三品分卷，不以類列，是其眞本。陶隱居（宏景）乃區玉石草木蟲獸菜果穀等，各爲一部，取易檢耳。按說文，藥，治病草也，命曰本草，自宜以草居首，今隱居先玉石部，草部次之，蓋由魏晉以下，五石盛行，以爲長生卻病之寶，遂引以居前，與本草名實相違。鄭君疾醫注，五藥，草木蟲石穀也，蓋其舊次如此。又曰，漢書游俠傳，言，樓護誦醫經本草方術數十萬言，此成帝時（公元前三二年——八年間）已有本草也。急就章，灸刺和藥逐去邪以下，雜列藥物三十五種，而見於神農者三十一，然則元帝時（公元前四十八年——三三年間）已有神農本經也。藝文志不出者，或與湯液經法，合爲一書耶。按漢志，湯液經法三十二卷，不言誰作，要西京已有此書，晉皇甫謐見之，或其中有伊尹事，故謂伊尹始作湯液，或非誣也。帝王世紀，黃帝使岐伯嘗味本草，定本草經，造醫方，以療衆疾。甲乙經序，伊尹撰神農本草一書。雖異言殊，要其考證確實，信非易事。

神農本草經，至後漢已增至三百六十五種，後人依之增益，著述成書者，及今不下數十種。如寇宗奭之本草衍義，張石頑之本經逢源，徐靈胎之神農本草經百種錄，近人王一仁之本草經新註，皆可一讀。宋元祐年間（公元一〇九二年前後）唐愼微著經史證類備急本草，（採入商務書館出版之四部叢刊內）即今所傳最古最完善之書也，可資考校，而明古訓。明宏治十八年，（公元一五〇五年）劉文泰進本草品彙精要，（商務印書館出版）搜羅宏富，去取謹嚴，精審之處，超過綱目，可供參考。近頃世界各國盡譯本草綱目，以探發中藥之祕藏，而綱目乃爲世所重，幾人手一本矣。綱目刊於明萬曆八年，（公元一五七八年）李時珍著，邏輯歷代本草，加以己見，乃成藥物之名著，附方萬餘，效驗殊多。同治十年，（公元一八九一年）趙恕軒著本草綱目拾遺，藥目將近增至三千種，實際醫家應用之藥，僅有四分之一，徒見炫博矜奇，遂使天地竊其生，萬物枉其用，病愈多而道愈晦，藥愈繁而效愈微，古今異名，眞僞雜廁，欲求和合之宜，豈易得耶。明天啓中，（公元一六二四）家希雍之本草經疏，特著藥性之功能，並舉其弊，歷三十年之久然後成書，爲藥僅四百九十種，子曰，以約失之者鮮矣，而西昌喻氏（嘉言）非之。新安汪昂著本草備要，卷帙不繁，採輯甚廣，而吳儀洛以爲雜採諸說，無所折衷，增減者半，署曰從新，近今頗盛行於海內，實便利於初學。顧本草一書，前賢近哲，討論攻究，不啻至再至三矣，故藥物書籍，亦日新月異。況今受科學之薰陶，採用化學諸說，而著述成書者，如黃勞逸之新中藥，丁福保之中藥淺說，而日爲之一變，使盡信新說則舊日之微言奧旨，轉失疏遠，而讀古籍，捍格不入，湯液之學，於此益荒。須知化學分析是一事，固有藥性理論是一事，二者可以互發，而不可左右袒也。要以新說詳舊說，益見古人冥心獨到之處。若以今日化學分析片面之知識。而欲推翻中說，勢有不能，即科學之士，亦未嘗以現代科學，能洩盡天地之祕。理化學極高深處，即近於哲學之玄談，此固博學之通論也。亦近代學術界之卓見也。

學者須知，病有宜補以瀉之者，有宜瀉以補之者。有宜寒劑而先以熱劑導之者，有宜熱劑而先以寒劑從之者。有病在上而治下，有病在下而治上。病同而藥異，病異而藥同。其義至微，其意至廣，非深明藥性者，焉能療疾。觀彼西醫，即有特效藥，時或技窮，此當注意者一。西洋醫學，發明新藥，類多以動物為試驗，然實驗結果，禽畜與人，仍有不同。例如木鱉子，犬得之即死，人服之並不死也。我國醫學，有甚悠久之歷史，凡古人所記，皆從人體試驗，或觀察物類自然抗病能力之經驗而來，極可寶貴。古人所記，自是實錄，然往往苦於界說不明，不離於某病之用某藥，雖在於某病至某候，宜用某約，某病兼某症時不宜用某藥，是則病理方面，與藥理方面，不容不澈底研究者，此當注意者二。吾人是醫生，須留意藥物之採取泡製，勿專任於藥店之夥友。並宜從速試植。凡業中醫者，皆當研究植物學，生藥學，化學，以圖精進，此當注意者三。近日好奇炫異者流，往往喜用僻藥，（常用之藥物，效用如何，利害如何，較為洞澈中邊，不常用之藥，小有疑義，而妄用之，不無流弊，或櫻奇禍，）且以重量相矜詡，（藥用大量，不是中毒，便是尅傷身體，）逞一己之私見，固難洞澈中邊，在已固然未達不嘗，在人亦當在不欲勿施之列，此當注意者四。（以上四端，係採自惲師鐵樵之說，而參以已見者。）研究中醫者，貴自奮勉，極深研幾，勿倚賴西人化驗之報告，即為滿意，試問能自探幽闡祕，比之仰人鼻息者者，孰得孰失。

或謂中醫論藥理，多側重於「性」之一方面，故談本草者，在明瞭其藥性而已，藥性云者，即每個藥物所具之特性，與某臟器機能，發生憂力，而有撥亂反正之功，使人體氣血調整，得致中和之義云爾。凡天地生人，得性之全。其他一切生物，得性之偏。古聖人知其理，利用其特有之偏性，而來補救人類病痛之缺陷，其祕奥有如此者。故論藥之性，有陰陽氣味，五行生克，升降浮沉諸說，惜其言晦，其旨奥，實非玄談可比，而亦不出乎理化之外。新學之士，嗤為不足道者，何其見之淺哉。又曰，西醫藥理，則側重於「質」之一方面，故每一藥物，無不知其化學成分，以某種成分，能與某臟器組織，發生變化，或予以刺戟而興奮，或抑制而鎮靜，或填補其不足，或增生其抗體，使人體機構，保持平衡。而與中醫致中和之道，初無二致，可謂殊途同歸。愚見，中醫談藥性者，苦於抽象之名詞，難得理解，若能吸收新說，發皇古義，固一快事。然中國哲學家，謂性無生滅，西洋科學家，謂物質不滅，乃知性質云者，二而一也。分之，則見中西理論，各執一是。合之，則見古今學說，仍歸一體。泯是非人我之見，而醫學乃見大通。在科學未能完全解釋之前，舊說尚有研討之價值也，夫復何疑。（未完）

悼繆俊德先生

故友繆君俊德，於中西醫學造詣均深；平日著作，譽滿醫林。且其惟日不足之孜孜為學精神，尤足使人感奮。不幸積勞病發，自行調治遠十餘年之久。嗣感於醫界對聚縮療法之宣傳，乃來滬住院治療。不一月，病加甚，急遄歸，抵家即逝。余與君為文字交，相互默許。偶檢舊讀，得君遺著，展卷欷歔。君於病重之際，亦不休息；竭力寫作，此文即其扶病寫作之一。若不為之公於世，未免辜負君之勞苦，爰亟交付手民。又本文雖未經繆君遺屬許可，但為醫術計，想其遺屬不致反對。且著作權仍歸繆氏，他日出單行，亦無礙也。

卅六年八月廿三日姜春華

民間醫藥

葉橘泉編譯

食道狹窄

原因：由於飲用腐蝕性藥物，或因頸頭動脈瘤，及淋巴腺腫，甲狀腺肥大等壓迫食道而起。又梅毒或結核之潰瘍，瘢痕癒着時，亦爲食道狹窄之原因。然最多者爲食道之癌腫。

症狀：主徵爲嚥下困難。初期於嚥下之際，有食物壅滯之感，嚥食苦悶。次起之症候爲食物吐出。若狹窄部在食道之上部，則食後立時吐出。狹窄在深部時，則食後數小時方吐出。吐出之食物，略膨脹而柔軟，與胃中所吐出之物不同。呈中性反應，往往放腐敗樣臭氣。

本病增劇時，食道閉塞，或致流動食亦不堪嚥下。既飢且渴，苦悶悲慘。形瘦骨立，腹部陷沒，漸致衰脫而死。

治療法：分原因療法及局部療法。食道閉塞者，以外科手術及人工營養法等處置，此等須請醫師施術。家庭調護，首宜注意食物，如固形食物，不能嚥下時，須隨病人之嗜好，選擇滋養豐富之流動性食物，如肉汁，牛乳，生鷄卵，葡萄酒等。注意營養，爲唯一適宜之處置。

民間療法：一、濱蒿苣爲胃癌及食道癌之妙藥。古來相傳，此藥服用後，全癒者已有不少。朝鮮人常食此物，患食道及胃癌者頗少云。即用本品打汁，加醬油少許，飲服。但本品含有何等成分，今尚不明。此草葉莖不易乾燥，普通植物如斯性狀者甚少。須切片晒乾，每日三錢。與我國野生之望江南種子四錢，及白花牻牛兒苗五錢，用水四合，煎至三合半，每二時間服一次。無論何處之癌症，均有著明之效果。望江南種子成分中有「阿母甯」之消毒作用，對於癌症有妨礙其進行之功效，且能使大便通快。

實驗：日本岡山縣服部滕藏氏，患胃癌，岡大醫大宣告不治，並謂性命不過四十天之維持，乃服用本方之藥草，一月後可乘汽車，三四個月後精神非常健旺，漸次治癒。

又最近日本佐賀縣凡患胃癌與食道癌之病人對前記之藥草驚爲有奇蹟的良效云。

又菱肉，古來相傳爲胃癌之良藥。菱爲池沼自生水草之果實，對於胃癌，子宮癌，及其他之癌症均有相當之效果，合前記之望江南種子五錢，白花牻牛兒苗五錢，濱蒿苣三錢，（菱肉大者五個小者十個）用水四合煎至三合，一日分服。但望江南子須用我國產者，牻牛兒須用白花者爲良。

編者附註：濱蒿苣不知是否中國蘇滬一帶春夏間作菜蔬之萵苣？牻牛兒苗有別名否？中國產生否？其形態若何？希望橘泉先生就所知見告。

食道癌

原因：癌之原因尚未明瞭，有謂與遺傳有關係。或煙酒之濫用亦爲其誘因。本病多發於四十歲至六十歲之老年。食道癌，大概爲原發性，由咽頭癌蔓延而來者亦有之。

症狀：本病之症狀，發現極爲緩慢，故早期診斷甚困難。及至嚥下之際，食物停滯於一定之部位，而成噎食感時，始喚起患者之注意。然其時病已深重，患者多衰弱，而呈惡液質。病症漸次增進而來嚥下困難，食入反出。又往往發生疼痛。其吐出物呈鹼性而發腐敗臭，有時則混有癌之組織片。繼起症狀爲聲音障礙，起初爲不充分之聲音，隨病勢之進行，從而嘶嗄，以後乃變成完全無聲。

本病亦與食道狹窄有同等悲慘之命運，大抵快則半年，遲則二年而歸死亡。

治療法：除施以食道狹窄項所述之滋養療法外，亦無其他醫治辦法。外科之處置，不過除去一時之痛苦，而苟延短促的生命而已。關於鐳錠之治療，還未能認有十分滿意之效果。

國藥臆談

樊天徒

附子 烏頭附

中醫所用之强心藥，以附子最爲得力，用之得當，確有奇效。玆就著者究研之心得，臨床之經驗，作一詳細之敍述。

「附子爲毛莨科植物烏頭根旁之附生球根，其主要成分爲「阿科匿汀」。據西說「阿科匿汀」對於心臟之自動中樞，有刺激作用。初期能使心臟興奮，跳動加速；但興奮之後，便逐漸陷於麻痺狀態，甚者能使心動停止，虚脫而死。又謂「阿科匿汀」對於知覺運動分泌神經之末稍，亦是初緩興奮而後麻痺。又謂附子能刺激心臟，增加血液之循環，大量則興奮過度，反致麻痺。考仲景方之用附子，不外强心與鎮痛而已。强心是興奮事也，鎮痛是麻痺事也。此與西說頗合。但强心與麻痺兩種作用，實居相反地位。凡有麻痺作用之藥物，類能損害心力。將謂附子之作用確是先興奮而後麻痺歟？則爲謀得暫時之興奮，而招致可能死亡之麻痺，豈是用藥者之本意？將謂附子用小劑量則顯興奮作用，大劑量則顯麻痺作用歟？然則，量之大小，將如何規定？且爲達到鎮痛之目的，必用至足以麻痺之劑量，果然目的達而疼痛除矣。但痛已而招致心臟麻痺可能虚脫以死之危險，將何取乎已痛？更就吾人之經驗言之，附子確有强心除痛之功；心臟衰弱者往往得附子而恢復，並無陷於麻痺之事實。疼痛者往往得附子而痛除，亦未有陷於死亡之轉歸。事實具在，將何以爲解？是當於仲景書中求之矣。查仲景用治急性心臟衰弱之方劑，如四逆湯，乾薑附子湯，白通湯，通脈四逆湯等，均用生附子。其量不過一枚。內中惟乾薑附子湯爲頓服，餘則均爲分溫再服。以今之大附子乾者重七八錢衡之，則每服最多不過七八錢，普通則爲三四錢而已。用治急性病心臟弱而未至嚴重階段，與夫慢性病而見心機能障礙之方劑，如桂枝加附子湯，桂枝去芍加附子湯，麻黃附子甘草湯，麻黃附子細辛湯，眞武湯等，則均用炮附子，用量不過一枚，均分三服，衡以今稱，每服不過二錢許。用治疼痛之方劑，如桂枝附子湯，白朮附子湯，甘草附子湯，大黃附子湯等，均用炮附子三枚，分三服，每服一枚，約得七八錢。於此可知急性心臟衰弱，勢態嚴重者，須用生附子，大量每服可用至七八錢，普通用三四錢。若心機能微有障礙，情勢尚不甚嚴重者，則用製附子，每服可用二三錢。慢性心臟衰弱症亦然。如此劑量，祇見興奮作用，而不致有麻痺現象。若治疼痛則用炮附子，其量須稍重，强人每服可用七八錢，弱者減之。服後雖略有麻痺現象，（白朮附子湯服法中，敍明「一服覺身痺，半日許再服，三服都盡，其人如冒狀勿怪，即是朮附並走皮中，逐水氣未得除故耳。」）但適足以除痛而已，不至於麻痺過甚也。若沉寒痼冷，疼痛甚劇者，仲景乃不用附子而用烏頭，如烏頭桂枝湯，烏頭煎，均用五枚熬，分五服，或三四服不等。以今之乾川烏衡之，每枚不過二三錢，每服約三四錢。觀仲景於烏頭桂枝湯用法中諄諄告誡曰：「初服二合，不知即服三合，又不知，復加至五合，其知者如醉狀，得吐者爲中病」。於烏頭煎用法中則曰强人服七合，弱人服五合，不差明日更服，不可一日再服。」可見烏頭麻痺作用甚强，過劑確有危險。又仲景法，用烏頭，無論入煎劑抑爲丸劑，必用蜜。用蜜之意不可知，或取其可以減少烏頭之副作用而協奏鎮痛之功歟？復次，細查仲景强心方中，絕無用烏頭者，而用烏頭之方劑，大率爲沉寒痼冷之疼痛症設。意者麻醉作用，是烏頭之所長，而强心非其任歟？强心作用，是附子之所長，而大量炮附則兼鎮痛之功歟？二藥同本而異體，則其功效不同，亦意中事也。倘二藥同用，則强心鎮痛之功並著。觀於烏頭赤石脂丸方，理或然歟？（時賢潘君北辰曾謂烏頭赤石脂丸方中之烏頭，乃烏梅之誤。其說甚辨，可謂卓見。著者所言，乃就要略原書立論也。）

據著者之經驗，認爲附子强心之功效，遠在西藥洋地黃樟腦之上。因樟腦不過興奮一時而已，效力容易消失。倘連續用之，則興奮之後，每易招致疲憊。洋地黃有蓄積作用，不宜長期服用。至於附子，則興奮之力極可靠，且效力持久，久服亦不易見蓄積中毒。除興奮心力外，並能鼓舞全身細胞之生活力，較諸作用僅限於局部之西藥强心劑，實遠爲優越。又西藥如「伊可賴」之類，强心作用極猛。抵宜於急性的官能的障礙。若用於慢性的實質的障礙，便有使心動猝然停止之危險。但製附子則無此鹵莽滅裂之流弊。故慢性心機能障礙，縱使爲實質的，亦無所顧忌。惟實質的障礙，附子殊不中病，不及人參麥冬黃芪當歸茯苓遠志等藥配合之方劑之較爲有效耳。

日人東洞善用仲景方，頗著奇蹟。其用藥祇認其主治若何，於藥性之溫涼寒熱，絕不注意此。與西醫用藥之情形相若，不得不謂爲卓見。但著者意見，微有不同。所謂寒熱溫涼云者，乃從服藥後症情之演變上推得者也。假使藥後見機能亢進之象，乃謂其藥性屬溫屬熱。假使藥後見機能衰減之象，乃謂其藥性爲寒爲涼。假使陽症而投以溫熱，或陰症而投以寒涼，縱使其主治功能與某種症狀相合，但於全體之一般症候，不免有如水益深如火益熱之結果，斯不得不謂爲不良之反應矣。此種反應，雖於整個治療上未必即有重大之影響，究不如功效顯著而全無反應者之爲愈也。故辨別溫涼寒熱而選用所宜，以杜絕不良之反應，此爲中醫用藥之優點，未可認爲迂闊而厚非之。惟於必要時，藥性之寒熱，亦不必拘執，果能配合得宜，則副作用亦僅。若因噎廢食，貽誤病機，亦非通權達變之舉也。故著者用藥，既與世俗之拘於寒熱藥性者有間，復不敢苟同於東洞之漫無顧忌。即以附子論之，附子能興奮心力，亢進血行，增高體溫，其性之偏於溫熱可知也。但若配以苦寒甘寒之品，則可應用於熱病之高熱期。例如肺炎痲疹，病毒重，熱度高，而使心力見一時性不足之時，儘可於升痲石膏湯痲杏石甘湯中加附子用之。胃腸發炎，炎勢鴟張而心力忽見不足之時，儘可於三黃之中協以附子，如附子瀉心湯者用之，均可奏強心之效，而不致助長病毒，增高體溫。倘忽略其全身症候，而專治其心弱，專任附子，而不協以石膏芩連，則成功不足，爲禍有餘矣。倘專治其熱，專消其炎，而忽略其心臟之弱點，於大隊寒涼之中，不協以強心之品，胥能免內陷傳陰之變乎。著者自治醫以來，用附子以挽救幾多慢性陰寒重症，無論矣。即急性熱病，如傷寒，痲疹，肺炎，回歸熱，惡性瘧等之經過中，亦常用之，類能轉逆爲順，縮短經過，其中，因病毒過重心臟痲痺不復，未能獲效者，固所難免，但因服附子而症勢惡化者，回憶生平，實未一遇，此堪舉以奉告諸同道者也。

又少陰病有見口乾舌燥症者，往往因服附子而津生舌潤，此即古人所謂「陰生於陽」之義。證諸西說，謂「阿科匿汀」能興奮分泌神經之末梢，亦合。但此種口乾舌燥，必與心臟衰弱症同時並見，審其果爲細胞生活力減退，分泌失職所致，用附方爲合拍。若因高熱消灼之所致，則附子不中與矣。

凡心臟衰弱，細胞生活力減退之症，用附子回陽強心，確具不可思議之功效。但此時病人若已津亡液脫，細胞之原漿已告不足，則一味附子，亦不足恃。必伍以人參西洋參地黃等補陰之品，庶乃有濟。譬如燈油垂盡，火焰必黯。今不益其油，徒撥其焰，焰雖轉明，而油乃益竭，適足以促其早滅耳。故用四逆湯脈不絕者，必加人參也。又急性熱病之經過中，果見心臟衰弱症，則附子甯可早用，却不可過劑。一見心力稍振，便當減量，或暫爲停用。若恣用過劑，則亢陽轉足傷陰矣。慢性病之經過中，果見心臟衰弱之虛寒症狀，附子儘可連續服用，雖稍稍過劑，亦無妨礙。若膽識不足，獲效便停，往往藥力不及彀，轉瞬之間，心陽又見衰沉，而前功盡棄矣。此因急性熱病，類有菌毒從中爲虐。是時體工未瘳，機能亢進者居多，故每件有高熱煩擾不安之抵抗現象。此時縱使心力有所不逮，亦不過一時性的官能障礙而已，一經附子興奮，便可增進抗力。若恣用過量，將使興奮之至，熱勢更轉鴟張。發熱雖爲抗力之表現，而高熱稽留，亦足以消鑠陰液也，「亢則害，承迺制」治病不過補偏救敝而已，又何取乎矯枉過正，至於焦頭爛額哉。故熱病之經過中，祇可暫用，不可過劑。至於慢性病，除結核病以外，大率爲機能衰減，與急性病之多數呈機能亢進者不同。且經過日久，體氣自虛。此時倘見心機能障礙症，可以推知其官能障礙之外，或不免有實質的障礙，原其衰弱之來也以漸，其恢復也亦較難。故慢性病之用附子，固不必用大量，須連續用之，始收全功。

附子雖無甚蓄積作用，但服用稍久，絲毫無效者，便當捨此而選用他種強心劑，因附子果對症，其效甚速，少則一二劑，多則不過三五劑，未有不見多少功效者。如完全無效，便可知其不對證，或尙有他種原因存焉。據著者經驗，心機能衰弱，有因於惡性貧血，以及冠狀動脈之血行障礙心肌本身營養不良者。是時專任附子，殊不可恃。因附子祇有興奮之力，而無營養之功也。是當重用補血劑，如參耆歸地肉桂遠志之屬，反比較易於獲效也。

附子與痲黃同用，爲強心發汗劑，適用於心臟衰弱，蒸發障礙症。又若協以杏仁，則爲強心定喘劑，適用於左心室衰弱，肺循環鬱血症。附子與桂枝同用，爲強心解肌劑，適用於心臟衰弱，肌表不和症。若重用桂枝相協，或逕與肉桂歸芎同用，則能疏通下靜脈鬱血，而平衝逆，適用於右心室衰弱，體循環鬱血症。與苓朮同用，爲強心鎮痛利尿劑，適用於心臟性水腫，及關節僂痲質斯等症。與乾薑同用，爲強心整腸劑，適用於上吐下瀉之心臟衰弱症。與黃芪萸肉同用，有強心止汗作用，能治心腦貧血汗出不止之虛脫症。配合適宜，功效愈著，神而明之，是在學者。

熱病經過中，如用附子，於煎成後，宜候其稍涼服之，不可趁熱服，熱服則易引起煩躁嘔吐。夫藥果中病，則此暫時之嘔吐煩躁，亦不過一時之反應而已，瞑眩而已，於病症之治愈，固無甚妨礙也。書曰：「若藥不瞑眩，厥疾弗瘳，」是固然矣。但著者以爲瞑眩雖不爲害，但病者遇此，有不驚惶疑懼者乎？吾所以主張俟藥湯稍涼而後服者，欲使病愈於不覺瞑眩之中，終賢於瞑眩而後疾瘳也。

（完）

正告病家和醫師

許光岐初稿

第一編　總論

第一章　科學和醫學

常很不幸的遇着些幼稚得可憐的一羣，沒把問題弄清楚，便冒失而盲目地下了武斷：「中醫太不科學。」然而，你問他什麼叫「科學？」便瞠目無所以對。

科學並不是支配着一切而包羅萬象；也不是萬能；更不是抽象的東西。它不過是宇宙間事物演變的因果律之記錄。是根據着體驗過的現象，精確地推論和歸納出系統的記錄。然而，宇宙間的秘密，能給我們發覺而體驗到的，眞是渺小得可憐！但是已經發現而系統地精確的記錄了的事實，却不能否認，這便是我們所以要信仰科學的理由。

科學是動的，不是呆板而靜止的。還是不斷地演進。舊的記錄裡可以找出新的學理而發現新的事實，於是這新的事實便成了新的記錄。舊記錄和新事實是相互因果着在演進。無論是過去，現在，和將來，都在這樣窮盡的演進。終有一天會更接近了宇宙間蘊蓄着的眞理。

醫學是自然科學裡的一環，是研究治療人類的病變以減少病者的痛苦和延長壽命的科學。是日常的應用科學。不特理論與實踐並重；而且，實踐上的治療經驗，有時反比理論更重要。日本湯本求眞氏說：「至於醫學，則爲對於靈妙不可思議之人類而設；非單純之理論所得而解決之。故不得不俟於經驗的知識。且理論不基於人體的事實，直可謂之非眞正之理論。故當以人體經驗的事實爲先，而理論爲後矣……以爲但憑科學之力，無論何種問題均可解決。遂至將試驗管與人體，同視；以動物試驗爲一定之律。以此所得之結果，直試諸至神妙之人體。故研究室內之理論，似極精密，而行之臨床往往不能相應。……」（周子敍譯皇漢醫學）當然，我們不是說治醫學者，可以拋棄理論；而是不能偏於理論。不是反對研究試驗的結論；而是不要迷信這結論。我們要很客觀的平心靜氣地根據經驗的事實來糾正，證實，和創造理論。也所以產生了新的科學。這是我們研究科學的精神。

提起了科學精神，得針對時弊說幾句；爲了中國科學的前途，也不得不說幾句。當然，眞正下着刻實功夫在研究和實踐着科學精神的同志們，無疑是例外，我得這樣申明。

說來很痛心，尤其是我們中國人。嘴上儘管很時髦的喊着科學，實不知科學是個什麼。更說不上有研究科學的精神。都以爲寫着阿刺伯字的1 2 3才是科學；中國區寫着的一二三便不是科學。總以爲外國進口的東西才是科學；而中國便根本沒有科學。具着這種認識錯誤的心理病者，幾乎連生養他的父母也恨起爲什麼不長上高鼻子，而感到不科學的遺憾！

科學是國際性而沒有界限的。祇有個共同的目標：便是「探求宇宙間的眞理。」祇要是合乎此的精確記錄，不問在世界上是誰先發現，這都是科學的根據而可以用來做研究工作的出發點的。也唯有這樣，才能使科學發展到現在昌明的階段。當然，我們不能說任何記載都具有合乎科學條件的精確性；但可以說在這些汗牛充棟的記錄裡，至少有一部份是具有它存在的科學價值的。這要研究科學的人去實錢，整理，和發揚。外國如此，中國也不能例外。我們看罷！爲什麼中國的醫學和藥物會流傳日本和歐美去？這便是外國人研究的眞精神！他們可以在中國古老的文獻裡找出些新的科學的根據。難道他們爲了閑着沒事做在「開倒車」？在我們中國呢？眞慚愧得遮臉，見不得人！一般自命爲宗於科學也者，不過是外國貨的推銷員！連外國人告訴了的科學記錄還沒聽清楚；便搬出來冒充着最新式的科學家！那裡談得上再把它來研究和實錢？充其量也不過是靠「買辦」式的「洋販子而已！所以眞正的科學，到了中國也會很不幸地變了質！把新的「盤尼西林」做例罷。「盤尼西林愈病之原理，非直接殺菌，亦非排菌。質言之抗菌作用而已。……而對某數種致人於病之細菌之害甚大……故世之科學家喩爲防腐聖劑。國人隨聲附和，尊之曰「神藥」……」（王舜畊氏「神藥盤尼西林」，文載醫藥導報二期）這在外國的科學家，不過是「喩爲防腐聖劑」，而且是「限於對某種數類細菌」有作用的。然而，到了中國可不然，問題沒弄清楚，便尊之爲「神藥」。沒把病原菌檢定，便先賜以「神藥」一針。難怪科學會變質而出現了「盤尼西林殺人」案的糾紛。陳果夫先生說的該不假罷？他會在三個不同的地方照過「X光」而結果的報告並不一樣，然而X光鏡同是外國進口而製造是合於科學準標才出廠的。

古中醫書之術語

此篇有著作權不許翻印轉載

（一）

陸淵雷

導論

古中醫書說各臟器之功用，及病原病理諸端，多與現在通行之科學不相合符。舉例言之：古醫書謂肝臟主驚駭惱怒，今人猶稱容易動怒爲肝火旺，稱惱怒所成之病症爲肝氣。然科學的生理學，證明肝之功用，一爲分泌膽汁，供消化肪脂之用；二爲人體消毒器，倘飲食物中有毒質而其量不多或其性不烈時，則經小腸吸收，由「門脈管」而導入肝臟，肝臟起化學作用，化有毒爲無毒；其他功用尚未明瞭。科學對肝臟之功用雖未澈底明瞭，然肝臟與驚駭惱怒之不相干，已可斷言，而古醫書之謬誤亦已無法掩飾。又如猝然倒地，口眼喎邪，半身不遂之「腦出血」病，古醫書謂之「中風」，以爲「忽然被賊風所中傷」也。然病發之時，其人多居室內無風之處，或竟在夜半睡眠之中，並無賊風相害；而死後解剖，可以顯然見其大腦中之血管破裂，血液流入腦之白質中，甚至血與腦白質一齊流出，於顱骨內成爲「腦漿迸裂」之狀。然則此病實係腦出血（科學所謂出血，指血液流出血管，不須流出體外。）古醫書以爲中風者，亦是無法辯護之謬誤矣。如此類例，不勝枚舉。

古醫書之術語與科學不符合處，一方面因爲科學顯然不誤，而古醫書顯然謬誤，故科學家認爲中醫不合科學，應當淘汰廢棄；一方面因爲中醫遵守此種古書以治病，確能有效，倘不用古書而採取生理病理等科學說，反令於用藥時手足無措，於是對科學亦抱一種懷疑。在此情形之下，中醫自中醫，科學自科學，雙方格格然不能合流；而少數昧於大勢者，或以爲中醫與科學不妨各行其是，並行而不悖，甚至謂科學必有一日自覺謬誤而降附於中醫之「哲學」，則驕妄甚矣。

鄙人此篇之作，所以解除古醫書與科學之隔閡，亦可說爲中醫西醫間之翻譯。經此翻譯而心知其意，則中醫讀科學書可以直接應用，西醫讀古中醫書亦可明瞭其眞際。是爲中醫科學化之最初第一步。鄙人希望中醫界同人經此第一步科學化之後，口中所說，筆下所寫，能運用科學的名詞術語，不再用古醫書術語；希望此種科學化成爲中醫劃時代之進步。中醫界同人倘不反對，鄙人主張凡是科學化之中醫書，逕稱「中醫書」，而未經科學化之中醫書，無論今人著作，古人著作，一概稱爲「古中醫書」，或簡單稱爲「古醫書」「古書」，總之冠一「古」字，表示科學化之劃時代。西醫往往稱我中醫爲「舊醫」，稱中醫書爲「舊醫書」；國人方喜新厭舊，冠以舊字，下意識中似有汙辱之意。今我自用古字以爲區別，則毫無汙辱意味，例如「古道熱腸」，「古色古香」，「古先聖哲」許多古字，竟令人發生好感。鄙人此篇之題目爲「古中醫書之術語」，蓋率先實行此種主張也。

篇中所翻譯之意義，一部份前人已經說破，然大部份係鄙人自己之創獲，並不剿襲他人。此種翻譯，須於古書於科學兩方皆有眞切之認識，而加以少許慧心。一經說破，似乎平淡無奇；然未說破時，古醫書與科學何致格不相入，如上文所言？可知說破爲不甚容易之事。鄙人於民國十六七年起，注意此種翻譯，隨時悟得，隨時發表。但發表之後，往往並無一人讚許，表示同意，反之，往往有人駁難謾罵，而經過數月或一年後，謾罵我者自已發表其心得，又正與我往日被駁難之著作一般無二。當時鄙人深恨此種人之投機取巧，掩人之長，掠人之美。因之，不肯再在各種雜誌上發表文字。抗戰前曾辦遙從部，函授醫學，即將此種翻譯補全，作爲遙從講義之一種；並向學員聲明，講義並不公開發售，亦不向外發表。現在中醫之危機愈迫，關鍵仍在學術之不科學，則科學化尤爲當務之急。而施今墨老師與覃勤先生等乃促鄙人再爲中醫努力一番，乃將遙從講義稍稍改削，在本刊發表。我希望投機取巧之士已能改變作風；即使不改變，仍舊先謾罵後鈔襲，則鈔襲後，實際上亦是宣傳科學化，亦是有益於整個中醫界，我亦甘心自己受一番謾罵，我亦願意讓人享一番名聲矣。

第一要說明者，**古醫書言內臟，部位形態則是，其功用多非是**。何以知之？古人亦有解剖屍體之事，故能知內臟之部位形態。至於內臟之功用，決非粗淺觀察所能瞭解；古人從主觀的猜想以言其功用，乃多不合。何以知古人亦曾解剖屍體？

靈樞，經水篇云，『八尺之士，皮肉在此，外可度量循切而得之，其死可**解剖**而視之。其藏（臟）之堅脆（脆），府（腑）之大小，穀之多少，脈之長短，血之清濁，氣之多少，皆有大數。』

可見古人曾解剖死體而觀其內臟。「解剖」之名詞，亦從靈樞始有。現在科學中之Anatomie，譯爲「解剖學」，亦是日本人借用靈樞中之名詞翻譯後，中國人轉鈔日譯而來。但讀者須心知，現在的解剖學，是指「研究生物（動植物）體構造的學科」，雖然研究時往往須用刀開割，而解剖學之定義並不指開割，此與靈樞原文意義不同之處。眞正用刀開割，如常見常聞之割痔瘡割盲腸等，科學上乃名爲「外科手術」。

古人旣亦從事於解剖，而知內臟之部位形態，故古醫書說內臟之廣狹長短，大致不誤，惟稍嫌粗略耳。例如

靈樞腸胃篇云，「咽門重十兩，廣一寸半，至胃長一尺六寸（此指食管）。胃紆曲屈，伸之長二尺六寸，大一尺五寸，徑五寸，大容三斗五升。小腸後附脊，左環，迴周疊積；其注于迴腸者，外附于臍，上迴，運環十六曲，大二寸半，徑八分，分之少半；長三丈二尺。迴腸當臍，左環，迴周葉積而下，迴運環反十六曲；大四寸，徑一寸，寸之少半；長二丈一尺。廣腸傳（附）脊，以受迴腸左環葉積；上下辟；大八寸；徑二寸，寸之大半；長二尺八寸。腸胃所入至所出，長六丈四寸四分；迴曲環反三十二曲也。」

又平人絕穀篇云，「胃大一尺五寸，徑五寸，長二尺六寸；橫屈，受水穀三斗五升；其中之穀常留二斗，水一斗五升，而滿。小腸大二寸半，徑八分分之少半，長三丈二尺；受穀二斗四升，水六升三合合之大半。迴腸大四寸，徑一寸寸之少半，長二丈一尺；受穀一斗，水七升半。廣腸大八寸，徑二寸寸之大半，長二尺八寸；受穀九升三合八分合之一。腸胃之長凡五丈八尺四寸，受水穀九斗二升一合合之大半；此腸胃所受水穀之數也。」

「難經四十二難」所言略同；又有五臟六腑各重若干斤兩之語，文字太繁，不再引入。按：迴腸即大腸，亦名結腸；廣腸即直腸。凡云「少半」者，三分之一也；云「大半」者，三分之二也。其云「大若干尺寸」者，指其周圍。圓周對於直徑之比例，名圓周率，係畸零不盡之數，數學上所謂「無理數」也。設直徑爲一，則圓周爲三•一四一五九二六五三五八……，通常用三•一四一六以計算。古人較粗略，以徑一周三計算，故胃直徑五寸者，其周圍一尺五寸矣。古之度量，皆比今時短小；人之軀幹，自頂至踵，約爲古之一丈，故稱男子曰丈夫。以此計之，古一尺約當英尺半尺。依靈樞所言，合小腸迴腸廣腸，共長古尺五丈八尺；今之解剖學謂小腸二十英尺，大腸連直腸五英尺，共二十五英尺；與靈樞之尺寸不遠。可知古人於內臟，確曾解剖而度量之，故得知其大概。惟小腸大腸之長，爲四與一之比；而靈樞言小腸三丈二尺，迴腸廣腸共二丈三尺八寸，則約爲三與二之比。此或因小腸大腸本自相連，古人誤以小腸之下部歸入迴腸乎？

計算圓筒形容積之法，取圓筒之半徑自乘，又以圓周率及圓筒之高（即長）連乘之，即得。又，古量以一百六十二立方古寸爲一斗。據靈樞；胃之直徑五寸，則半徑二寸五分，自乘之，得六•二五平方寸。又以圓周率三乘之，得一八•七五平方寸。又以胃長二尺六寸乘之，得四八七•五立方寸。以斗率一六二除之，得三斗零一合弱。靈樞言胃受水穀三斗五升而滿，亦相去不遠。又以此法計算小腸迴腸廣腸之容積，小腸當容四斗一升一合五勺，迴腸當容六斗八升八合弱，廣腸當容三斗六升八合三勺。而靈樞謂小腸受穀二斗四升，水六升三合合之大半，併之則爲三斗零三合七勺弱，比全容積約減四分之一；迴腸共受水穀一斗七升半，廣腸受穀九升三合餘，皆比全容積減四分之三。揣測古人之意，蓋謂水穀入小腸後，營養份被吸收，故所存之量遞減；且廣腸但云受穀，不云受水，則因「腸內容物」至廣腸時，水份已吸收殆盡，僅留固體之糞便故也。於此可見古人於解剖上確曾用心推究，但爲時代物力所限，其所得不能如今日之細密耳。

惟古醫書中若干處，是道家隱語，不可據以說內臟之部位形態。例如素問刺禁論云，「肝生於左，肺藏於右；心部於表，腎治於裏；鬲肓之上，中有父母；七節之傍，中有小心；從之有福，逆之有咎。」後世中醫遂有「左肝右肺」之傳說，大招西醫攻擊。蓋肝在上腹部之右側而延及中央，不在左側；肺在胸部，左右皆有半隻，不但右側也。乃崇拜內經之忠實信徒，相與遁辭鑿說以辯護，紛紜反復而未有已。不知古中醫書多出自道家，道家宗黃帝老子，故內經託於黃帝，而本草經亦多有「久服輕身不老」之語。素問此一節，正是道家修鍊內丹之隱語謎語；爲便於鍊丹者記誦，故通體四字句而叶韻，右裏市母咎五字，古音皆在「之咍」韻中也。其眞意，非道中人不知；後世中醫刻舟而求，與上文所引靈樞解剖諸文作一般看法，斯不善讀書之過，自招外人攻擊而已。（未完）

葉橘泉醫師啟事

鄙人為流傳醫學文獻起見，特重印日本古康平傷寒論。已先發售預約，承各方讀者紛紛預訂。仍為審慎計，特送請考據家余雲岫范行準先生審鑑定，因略延時日。復以種種關係，被印局耽誤。刻已由上海天潼路合作印局承印，正在校印中，不久當可出版。預約尚有餘額，仍照舊先收四千元，將來出版，照定價七折優待。不足之數，通知再補。前預約諸君，請勿焦急催詢，恕不暇個別奉覆。物價波動太巨，出版之艱困，讀者定能鑒原也。

江蘇蘇州西美巷八號存濟醫廬啓

本刊徵稿啟事

（一）文件最好用白話，淺而易解的文言也可以，總之讓大家看得懂，竭力避免學術語專門名詞。

（二）字數每篇最多不得超過三千字，千字以下的短文尤其歡迎。

（三）內容中國學說也好，西洋學說也好，祇要是實用的，大家日常生活必需知道的醫藥衛生常識，如果是融匯中西學說的，那更是十二萬分的歡迎。

（四）稿酬經刊載後稿費從優。

（五）來稿文字編者得加潤色，投稿人如不願潤色者，請於稿端聲明。

（六）來稿未登者，如須退還，請附已寫好退還的地址及收件人之信封，貼足郵票，當即儘速寄還。

（七）來稿請署真實姓名詳細地址。

（八）稿件請直接寄送上海（5）哈爾濱路富春里四號，本報醫藥編譯委員會。

本刊定閱價目

月份	期數	定費	掛號	航平	航掛
三月	13	四萬五千元	一萬元	八千元	一萬七千元
半年	26	八萬元	二萬元	一萬五千元	三萬三千元
一年	52	十五萬元	四萬元	三萬元	六萬五千元

附註：定戶請於到期前一期通知續訂本外埠定戶平寄免收郵費其他寄法郵費請照表匯寄

濟世日報 右任

醫藥衛生 專刊

第一卷第八期

——本刊每逢星期一出版——

本報登記證內政部京警滬字第三八六號

本報經中華郵政登記認為第一類新聞紙 上海郵政管理局執照第二七〇七號

發行人 卓勤 社長 卓紹鼎 總編輯 施今墨

本期目錄

中華民國三十六年九月廿九日 濟世日報社發行 本期售價國幣四千元

社址上海(5)哈爾濱路富春里四號 電話四五二七一

社論

如何整理國醫學術

國醫學術是積古的經驗，其博大精深，歷史悠久，盡人皆知，不須贅言。惟其博大精深，歷史悠久，自必難免理路分歧，珠礫混雜，此也盡人皆知者。刪玄存真，樹立系統，實當前之急務，不容忽視。惟能刪玄存真，樹立系統，方足以適存於世，進而言發表。然對此光明燦爛既數千載之醫術，應如何刪玄存真，樹立系統？今時國人之意見頗不一致焉。泥古不化者，戀古盛跡，勤求古訓，咸主中醫學術唯復古方能復興。意謂一國之學術有一國學術之特質，西洋醫學不必中國化，與中國醫學不煩西洋化一也，否則中醫之神妙不可思議處失矣。此種主張，最足表現其見聞。雖然同是發揚國醫之議，但以其祇知抱殘守缺，故步自封，昧於世界學術之時潮，不知宇宙進化之法則，殊不足取也。

溯自歐洲文藝復興之後，各部門之科學先後發明。迨至理化之學大昌，科學家識得宇宙萬物，一切有生命無生命之物質，皆不出九十六種元素之外。於是醫界革新之士應運而生，遂改弦更張，以新興之科學，為辨偽求精之根據，悉心攻研，卒將一向認為神秘不可思議之經驗醫術，投入科學之懷抱，乃有今日之成就。嚴格言之，歐西之醫學進入科學時期，為時不過數十年耳。

我國理化之學不昌，解剖之術失傳，遂使五千年之經驗醫術，迄今有退無進，阻滯難前。際茲科學之世，正可利用歐西新興之科學方法，去腐增新，整理系統。果能好自為之，當不難獲得點鐵成金之果。此吾人十數年來倡導科學整理國醫學術之一貫主張也。深望我醫界同仁本知之為知之不知為不知之態度，以敏而好學不恥下問之精神，盡吸西學之長。使我積古經驗之術，變質神用，宏揚於世，以償古賢濟世之願，庶乎近矣。子夏曰，博學而篤志，切問而近思，仁在其中矣，其是之謂歟。

奇事記

鄭曼青

月前一夕曼青與內子於外舅丁先生慕韓處，坐晤敝親某之夫人，伉儷皆任某醫院醫師，告內子以近事，曰：「前者予接一嬰兒已死，為施手術得甦，產婦感之，越數月，抱兒視予曰，此子更生，出自君手，自來無恙，殊可喜，惟稍瘦耳，予詢以飲水否，曰未也，曰須飲以水，曰，如何飲之？曰，以玻璃管滴水入口，每次十餘滴，日二三度可已，婦乞示滴法，曰，悉憑吸呼，呼時一滴，吸一停，請取管試而數之，予取管以溫開水予以三滴，則兒呼吸驟停而死，未之嗆咳也，注射強心針，終無效，婦慟哭，怨予殺之，因解之曰，予有過失，顧以三子命償爾子，語畢，呼三兒共罄瓶水，皆無恙，院醫僉謂宜解剖究其病源，婦不忍，事乃寢，恩怨雖非由心出，然其理殊難明，至今仍日夜猶作無名之懊喪。」曼青與內子聞之，百思不得解，又越月，於午後訪林君業農，返寓，秋陽甚烈，內子取冷水一杯與飲，飲將盡，與二姊及內子坐談，有頃，於無意中，復舉杯欲盡飲杯中水，水約三十滴許，杯深不過三寸，於欲語未語之際，了不介意，傾杯水滑入喉，氣驟閉，頭昏神亂，肺脹欲裂，姊與內子睹吾面且赤而復紫，大驚起，摩腕撫背，各逾五六十下，無效，謂唇如墨矣，此時余閉閱，氣脹欲飽，乃大作惡，拂袖急起，跳踹再四，始稍稍闊，喉間有撕紙聲出，肺痛加劇，俄而喘咳大作，得吐，氣乃快，則生死之途判矣；然頭昏脹，項強，右肺尖左乳下大痛，聲嗄，均半日不滅，次晨頭大痛，左乳下痛稍減，信宿後，頭及乳下痛減，右肺尖痛，五日未少減，余因是而知涓滴之水果可以殺人。奇哉，以其塞乎氣管噎氣致死，噎則氣閉不出，故無聲，若嗆咳則無事矣，嗆咳雖致血出，亦不過喉間稍破而已，然此事如斯，知未有所見所聞也，故特詳其始末，欲有戒於方來，特舉數點於次：——

一、飲冷茶冷開水，不可不戒慎，切勿以其冷而率爾引飲，水熱易使人有戒心，不致誤事也。

二、水多或不過嗆咳傷肺，水少則恰可塞乎氣管，不能上下，以致噎死。

三、灌小兒以藥，未見有噎死者，而滴水竟至噎死，何也？此即有戒心與無戒心之別，藥苦、沾唇便知，不致滑入氣管、余尤以為灌藥滴水，必須着唇沾舌，順口角而下，方不致入氣管。

四、如小兒或大人既被水所噎，必搖動其肢體，或使其站立，牽其兩手而抖之，可以救急，大人如臥病或乏力不能跳躍者，亦以治小兒之法治之。

五、因思古人食不語，實有至理，要知食時而語，則氣管開張，萬一食物之些微流汁滑入，能發咳嗆，使氣逆出，尚可無事，若逆而不出，則必發生如上述之氣閉，而成噎死，故食不語，確與衛生原則相合。

生後六個月內

小孩必須種痘！

孝婉

天氣逐漸轉涼，夏天已經過去，然而，隨着秋高氣爽而來的，將是寒冷的冬天。跟着天氣和季節的轉換，各種流行的傳染病也會改變。在熱天，我們時時刻刻擔心着霍亂，痢疾，腹瀉等夏季和秋季最流行的傳染病；可是當天氣轉冷之後，漸漸地，在街道牆壁上，就會發現：「快種牛痘！」的標語代替了以前「霍亂危險，快打防疫針！」的標語。原來，天花的流行和傳染，雖然一年四季都可能有，不過事實的統計告訴我們，最流行，出天花的人數最多的季節是在冬天；尤其是在溫帶地方，這種情形，更爲顯著。

說起天花，又是一種令人可怕的急性傳染病。幸而好的是天花這種病也像霍亂，傷寒等等傳染病一樣，是可以設法預防的，不過方法不同。霍亂傷寒的預防接種是注射，而天花的預防是用牛痘苗漿接種在輕輕劃破的表皮上。不過，它們的原理是相同的。

正好像有許多人不肯注射防疫針一樣，也有許多人反對種牛痘。可是我要請這些反對的人仔細一想：究竟是兩三粒膿疱可怕呢，還是全身生滿了幾粒膿疱，滿頭滿臉都有的可怕？也許有人會說：「我不種牛痘，也並不是一定會生天花的呀！」這種好像很對。可是你若種過牛痘，身體有了免疫力，却可以一定不被傳染天花哪！否則身體裡沒有對天花的免疫力，雖不是一定會生天花，却是有可能被傳染的，而且這種可能很不小，因爲天花的傳染極爲猛烈。人與病人之間能直接傳染，從空氣，飛虫（如蠅），塵土等爲媒介，也能把天花病毒傳染給健康的人。如果等到天花發生了之後，我們現在還沒有什麼可以使它好得快些的好方法。所以，對於天花來說，更要牢記着「預防勝於治療」這句話。因爲重複地種牛痘幾乎可以一定防止天花被傳染的危險。所以，不論是爲了個人或是社會的利益，大人小孩都應該種牛痘。小孩在生後六個月以內，就應該替他種第一次痘了。

在美國，法律規定所有初生小孩，除非有醫生證明是因爲健康上關係暫時不適宜種痘，則在六個月內必須行第一次痘苗接種。而且，這張醫生的證明書只有兩個月的有效期。其實，如果做父母的因爲怕牛痘對於自己的孩子有危險，那實在是多餘的。請問爲什麼不想一想天花的危險更大得多呢？

也許，有些人反對小孩種痘是怕從牛痘苗的接種使小孩傳染到梅毒，破傷風，或是結核菌。這種顧慮的動機是無可非議的。因爲在牛痘史上也確曾發生過如此的事實；因爲從前有一個時期中，痘苗不從牛體製取而從人體得來。可是我們知道，現在種牛痘所用的苗漿都是從牛體得來的了，牛是不會生梅毒的。（動物中只有人和猿類可生梅毒。）而且經過精細的科學消毒製造，苗漿中不含一絲血液和雜物，那純粹的苗漿是不會有細菌存在而傳染疾病的。至於有些父母怕牛痘種後手臂潰爛起來，甚至生病起來，因此不敢種，這種心理也是不必要的。只要在種之前先把種處的皮膚洗乾淨，再用酒精棉花消毒；用的器械也一定要煑沸消毒過，痘苗要在用時才把玻管折斷；種了之後用鋼絲罩蓋起來，不使衣服和它摩擦，也不使污物侵入，那末就能絕對不會有潰爛的事發生了。

牛痘應當種在左手的上臂。有些人喜歡種在腿上，這是很不好的。在無知的小孩，腿上比臂上更容易染着引起潰爛的污物；在已能行走的小孩則要想在種痘後的一星期後保持兩腿的安靜，也很困難。

牛痘種後，大約第三天就見到種處有小水疱發生，小水疱漸漸長大；到第六天水疱長大了很多，四週也紅腫了；第八天水疱漲滿，微現黃色；第十天時變成膿疱，附近皮膚高腫發痛；第十二天時膿疱穿破或消失，紅腫也退去，留下棕黑色痂，約在第三星期末，痂落痊癒，留下大小不定的疤痕。

在牛痘「發」的期間，小孩可能有點發熱，食慾減退，乏力，不甯等現象。不過這些都沒有什麼關係，隨着結痂痊癒就會消失。在這時期內，小心照護，多給他飲水好了。

牛痘種後的第三星期末，免疫力即已完全具備。這種免疫力可能保持十年之久。不過在最後幾年免疫力自然逐漸減低，所以在種痘六七年之後，應該爲孩子作第二次的接種，以後每隔六七年種一次。換句話說，小孩生後六個月內要種第一次牛痘，以後在六七歲時再種一次，到十三四歲時又種一次，依次類推，一直到成年以後，仍要重複種痘。

種痘後雖然有點不快，可是與天花比較呢，每隔六七年有這樣幾粒膿疱在臂上就不算一回事了。

胎兒的成長

雍熹

——十月懷胎，一個新生命要在娘胎裏經過二百八十天的發育，才能呱呱墜地。這二百八十天中，胎兒是如何成長的呢？

王太太有喜了，她只覺得自己的腹部一天天地逐漸膨大起來。可是她不知道肚子裏的小寶寶現在究竟長成了什麼樣子了，也不明白那個未出世的孩子是如何在生長。是最初的時候就是一個極小極小的「人」嗎？還是一個小肉塊？那末又怎樣會變成人的呢？什麼時候才變成人形的呢？這許多問題，王太太始終想不出解答來。也難怪，平常有誰能够憑空想像得出，在這短短二百八十天中，要從一個受了精的卵細胞發育成爲萬物之靈的人，會要經過多少複雜的變化呢！

當卵細胞受精之後，就被移植在子宮壁上，開始以極快的速度分裂，於是細胞在數量上增加，成爲極不易分清其組織的一團「肉塊」。此時只能稱爲「胚」，而不能稱爲「胎兒」。要到第四星期以後，才略現雛形，平均約有四毫米長了，但是臍帶還沒有完全長成；那個被稱爲頭部的地方，也分不出眼和鼻子來，雖然嘴和沒有外耳的耳朵已經存在。上肢只不過是兩粒肉芽，心臟也不過是較粗大能收縮的一段血管。所以這時還完全不像人形。

第二個月底的時候，胎兒已有三厘米長，大致已經具備了人的形狀。耳、鼻、眼都已具備，「尾巴」也消失了。雖然生殖器官此時也在形成，但還不可能去分辨胎兒的性別。胎盤也在此時完全長成。

到第三個月底的時候，胎兒已長得比鵝蛋還要稍許大點；約有九厘米長，而重量亦由第三月初時的五克增加到第三月底的二十克。在十一星期時，性別也已可以決定了。此時整個身體已完全是一個人，不過頭部仍舊太大，與身體的比例很不稱。

等到第四個月後，胎兒已有十八厘米長，一百二十克重。胎兒的肌肉已經能够活動，所以當時母親已可偶然感覺到胎兒的運動。胎心的跳動也已轉強而可以用聽診器在孕婦的腹部聽得到。這時候胎兒的皮膚是紅得發亮而且透明，因此皮下的血管都能看見、皮膚上的胎毛也出現了。

第五個月時，胎兒的長度增加到了二十五厘米，重量也增加到了二百五十至二百八十克左右。頭部與身體的比例仍嫌太大，約有鷄蛋般大小。胎毛遍身，頭皮上則有生頭髮之迹象。手足上指甲及趾甲已可看出。此時如果流產，胎兒常可活四五分鐘之久。

及至第六個月底，長度已長到二十八至三十四厘米，重量則約爲六百四十克左右（約等於一又四分之一磅）。身體各部的比例也比較相稱了，但仍纖得很瘦，皮膚有皺紋。眉毛及睫毛在此時長出。胎兒如在此時早產而出，可活數小時。但是如要用人工撫養長大却很困難，因爲他的呼吸，消化等器官都還沒有發育完全。

七個月的胎兒，長度大約三十五到三十八厘米，重量在一千到一千二百克之間。看起來像一位乾癟的老人；不過皮膚的皺紋已因皮下脂肪的存在而稍突出。如果是男孩子，睪丸也在這第七個月內降下到陰囊內。

第八個月的胎兒，差不多已完全長成。頭骨仍舊是軟的。此時生出的嬰孩，如果保養得好，常常是可以活的。

到了第九個月，胎兒的重量已有五磅左右，身長也超過了四十厘米。胎毛逐漸自面部和腹部消失，皮膚也不再那麼紅了，皺紋也變光滑了。呼吸、消化、循環等諸器官也都已發育完全，只待出世到世界上來。

上面所說的，就是胎兒在母體中發育的大概情形。不過，一定要有人會問：「十月懷胎要十個月才出世，爲什麼只說了九個月呢？」要請你注意，十月懷胎的十月是陰曆，所以二百八十天有十個月的數目；而我們所說的是陽曆，因此只有九個月就要分娩了。

那末，你要問怎樣曉得是二百八十天，或是怎樣算出那一天是二百八十天的最後一日吧？不錯，產科醫生的記錄中有一項「預產期」。預產期的日子，就是推算出來，預料在這一天分娩的日子。這日子，就從最後一次月經開始那天算起的第二百八十天（等於四十個星期，或是陰曆十個月，或是陽曆九個月。

舉個例：假如王太太在懷孕前最後一次月經是一月十日來的，那麼產期便是十月七日。換句話說王太太應該在十月七日前後分娩，也就是王太太肚裏的小寶寶在十月七日前後，就發育完全，要呱呱墜地了。

維他命ABCD

淡泊

在醫院的門診部裏，我常聽到病人自告奮勇地對我說：「大夫，我可以吃點維他命丸嗎」？又有一次有一個病人在他病愈之後向我稱道說：「維他命丸眞好，我的病全是它醫好的」。的確，維他命在今日是大衆化了，報章雜誌上登着大幅的廣告，都市的攤頭上，維他命丸俯拾即是，價格又很低廉，難怪人人都想一試了。但如果把維他命當作一劑萬靈的仙丹，那就未免近乎迷信了。不過維他命究竟是具有不可磨滅的功效的，這在缺乏維他命的時候便愈覺明顯。

維他命的種類甚多，其中最重要者當推維他命ABCD四種，它們具有各自的性質與功用，含於各種植物食品之中，現在讓我們來分別的談一下。

維他命A爲一種易溶於脂肪的物質，置於高溫度無氧的狀態下頗爲安定，但易爲空氣及强烈光線所破壞。缺乏它的時候，易生夜盲症及皮膚病。維他命A多含於鱉魚肝油，哈利巴魚肝油，及其他各種魚肝油之中，各種綠色及黃色蔬菜、肝、蛋類、牛乳、牛油、杏梅、黃桃、橘柑及香蕉等食品中。

維他命B爲多種維他命之總稱，其中最重要者有三：即維他命B1、維他命B2及尼古丁酸。維他命B1能溶於水，乾置甚爲穩定，易毁於鹼，但不受光與空氣之影響。具有增進食欲、體重、體力之功用，並可防止脚氣病。酵素及米糠內含量最富，他如各種穀類之外皮、豬肉、肝、動物內臟及瘦肉、各種硬殼果、蛋類、莢豆及大多數的蔬菜內均含有少量之維他命B1。

維他命B2性極穩定，易溶於水，受鹼及强光作用後便易破壞。含於酵素、牛乳、肝、麥麩、蛋類、起斯、綠葉蔬菜，豆類及動物之內臟和瘦肉中，缺之此種維他命易生腸胃炎、舌炎等症。

尼古丁酸性亦穩定，易溶於水，爲防止蜀黍疹（Pellagra）之主要因素。缺乏此種維他命，有時可引起腦萎症。上列各種食品中大抵均含有此酸。

維他命B中之次要者有維他命B6及Pantothenic酸，二者雖經長時期之研究，仍難確定其效用，但對人類營養上所具有之價值已無可疑惑，後者對白髮症或可有效。（註）

維他命C係一種有機酸類，新鮮菓類中含量最多，例如：檸檬、橘柑、蕃茄、葡萄、草梅、捲心菜、青椒等，普通新鮮蔬菜中，也含有少許。其性不甚穩定，水溶液遇空氣後即起變化而成暗色，故宜乾置。維他命C可幫助傷口的癒合，所以在開刀以後，醫生常叫病人服用。對於常人，這也是一種重要的維生素，缺之時便會引起壞血病。

最後談到維他命D，它也是重要維生素之一。我們常見有些小孩面黃肌瘦，兩膝向外彎成弓形，甚至長到十歲都不會走路，這就是缺乏此種維他命所引起的軟骨病。因爲維他命D功在調制鈣質的吸收，缺少了它，鈣質的吸收量就會減少，骨格便難於成長了，而且牙齒的生長也將受相當的影響，所以要防止小孩軟骨病，最好多吃一點含有維他命D的食品，如：魚肝油、蛋類、牛油、牛乳等。

上述數種維他命，均爲人生必需的維生素，如果能將各種食品加以適當的配合，維他命本够應用。可惜多數人只顧講究口味，而忽略了營養的重要，以致維他命缺乏之症仍屢見不鮮。作者有鑒於此，特草此篇。玆將上述各種維他命之成人每日必需量列表於後以供讀者的參考：

維他命A	五〇〇〇國際單位
維他命B1	〇·〇〇一八格蘭姆
維他命B2	〇·〇〇二五格蘭姆
尼古丁酸	〇·〇一八格蘭姆
維他命C	〇·〇七五格蘭姆
維他命D	四〇〇國際單位

懷孕及哺兒婦人須照上表增加五分之一强。

編者按：維他命B中所含「本多新酸」（Pantothenic）即爲最近藥房所售瑞士新藥「品鼎」之主要成分，唯應用於人體時是否對白髮及脫髮有確效，尚待試驗證明。

譯著

白璧有瑕之二
神藥盤尼西林

軒轅火棗

盤尼西林（Penicillin）國人目爲神藥。其本身爲何物？有何神效？神至如何程度？亦有弊否？吾人實有一究之必要。玆將探究所得之一部份，借本刊譯著欄，作一簡單扼要之介紹，以補充市上神藥廣告之不是，供國人參攷焉。

西曆一九二九年，英國倫敦大學細菌學教授佛勒銘氏（Fleming）於研究各種葡萄球菌之生長，性質及變種時，無意中發現一種菌素，能抑制某數種細菌之繁殖。於是名此種菌素爲青黴菌素（Penicillin），中文音譯爲盤尼西林。當時以提煉及保存都感困難，且對其滅菌之功能，尚多懷疑，故未能供醫界臨床之用，沈寂十年之久，直至一九四〇年，英國牛津大學教授佛羅累氏（Florey）製定穩定之青黴菌素，并發表其研究報告後，始奠定醫藥之地位。

根據上述，吾人知此神藥，係歐西科學家無意中發現者也。根據上述，吾人知此神藥，既非礦物，亦非植物，亦非禽獸昆蟲，乃細菌之毒素也。根據上述，可見歐西醫藥界人士之精神，實令人景佩，回顧國內中西醫藥界，或滯於舊說，或專事推銷外國成藥，雖不無急起直追之士，然就成績而論，仍多愧感。

盤尼西林愈病之原理，非直接殺菌也，亦非排菌也，質言之：抗菌作用而已。即抑制細菌之裂身繁殖也。盤尼西林係青黴菌（Penicillium Not Atum）所產生之毒素，此種毒素，對人體之毒害甚小，而對某數種致人於病之細菌之毒害甚大，愈病之作用，猶中醫之所謂「以毒攻毒」也。此種以黴菌之毒消滅黴菌之治療學，近五六年歐西學者始發揚光大之。追溯三四千年前，我國已習之釀酒製醬諸法，考其原理，亦利用黴菌之發酵作用也，設若中國理化之學昌明，則盤尼西林早爲國人所發明矣。

査微生物與微生物互相殺伐時，輒散放毒素，是項毒素有能直接殺死對方菌體細胞者，亦有不能殺死對方菌體細胞，而祗能制止其繁殖者，前者謂之殺菌作用，稱其毒素爲殺菌劑，後者謂之抗菌作用，稱其抗菌素爲防腐劑，盤尼西林不能直接殺滅細菌，祗能起抗菌作用，故應稱之爲防腐劑（Antiseptions），以其防腐之力量廣大，而毒害人體之力量較一般防腐劑爲弱，故世之科學家喻爲防腐聖劑，國人隨聲附和，尊之曰「神藥」。有何神效？神至如何程度？不可不究也。

據美國民用盤尼西林療效研究會主任C. S. Keefer氏等諸人之報告，是項神藥對於全部Gram染色陰性桿菌所致之傳染病患，如流行性感冒、傷寒、副傷寒、菌性痢疾，百日咳、大腸菌、浪形熱等等都無效，對於結核病、瘧疾、急性風濕熱、瀰漫性紅斑性狼瘡、傳染性單核白血球增多症、急慢性白血病，潰瘍性腸炎，脊髓灰白質炎，非特異性虹彩炎及眼色素層炎，念珠球菌病，球狀胞子蟲病，天皰瘡，濾過毒性傳染之感冒，花柳性淋巴肉芽腫及牛痘等等多種菌毒，亦都無效。

對於早期梅毒，迴歸熱，細菌性心內膜炎，放線狀菌病等亦非絕對無效。

對於蚓突(俗稱盲腸)破裂，肝膿腫，及泌尿道感染之主要病爲Gram氏染色陰性者，甚至念珠狀鏈桿菌所致之鼠咬熱，及斑疹傷寒等疾患，都尚待臨床試用證實。然則所謂「神藥」也者，良非萬靈也，此尤不可不知。

上述皆盤尼西林無靈或尚待試驗，而未經證實其效用之病痾也。玆再將其已經歐美學者認爲有效之諸病症之臨床報告摘述於下，以明其神至如何程度。

據Florey氏夫婦試用之結果，對於放線球菌病效用並不顯著，渠謂或因劑量太低？對於急性心內膜炎病，治療期中病情大有進步，但藥停則病又作。

據美國National Research Council Committee on Chemotherapeutic Agents作盤尼西林之有組織之臨床實驗之報告略謂，試治五百病人，死亡九四人，無效者四〇人。其中鏈球菌傳染患者共三三人，死亡十七人，且有四人無效。又肺炎球菌傳染患者七六人中，死亡二九人，亦有二人無效。又惡急性細菌性心內膜炎患者七人中，僅三人或輕或愈，餘十四人或死或無效。其餘金色葡萄狀球菌傳染患者等亦有死亡及不效者。惟淋球菌性傳染患者一二九人全數治愈，足證斯藥滅淋頗佳，此亦不可不知者。又據西醫學者稱，腦炎之由於鏈球菌葡萄狀球菌或肺炎球菌者，均應使用盤尼西林，據統計，使用後，仍有百分之二十不免於死亡。但回溯斯藥未發明前，使用磺胺類藥物時期，仍有百分之六十之死亡率，又戰前，磺胺類藥未發明之時期，死亡率幾及百分之百，據此可知盤尼西林之神效，超過一切，然則國內無磺胺類藥物及盤尼西林之城市，染患斯疾者，不可不慎也。

若論盤尼西林之弊，一般學者咸認為對於人體之毒性極低。但亦有人認為使用盤尼西林，可能發生下列之副作用：

發熱，惡寒，甚或戰慄，腹絞痛，蕁麻疹。血栓性靜脈炎，甚或發生肺梗塞形成之危險。亦不可不知也。

前讀新民報，載有英國新聞處倫敦電一則，略謂英國若干科學家，又已發明一種新防腐劑矣，可殺盤尼西林所不能消滅之細菌，名「佛拉瓦卓爾」，他日「佛拉瓦卓爾」來華時，國人可於「神藥」「聖劑」等之尊稱上，冠一「眞」字！屆時吾將再廣集資料，為「眞神藥」作盡義務之補充廣告，以供國人參考焉。

阿司匹靈

雍熹

說起來，阿司匹靈眞可以當得起稱為是一種常用的「家用藥」了。普通一般人，差不多沒有人是會不知道阿司匹靈的了。現在這近幾年來，消炎片和盤尼西林雖然又風靡了天下，可是阿司匹靈仍舊保持着它的地位。因為消炎片只能用於炎症，而且常容易引起各種副作用；盤尼西林則需要醫生打針，而且用的單位動輙數十萬，普通人也不知如何計算，究竟不方便。更重要的是各種病原因不同，病理不同，治療所需要的藥自然也不同。因此，阿司匹靈始終成為一般家庭中的常備藥。

平時我們所理解的阿司匹靈，是一種白色的藥片，在發熱、傷風、或是頭痛的時候，就吃上半片或一片，出一身汗，於是病好了。的確，這點觀念是不錯的。不過原來的阿司匹靈並不是藥片，也不叫阿司匹靈。阿司匹靈是製藥廠把它製成一定份量的藥片後給它的名稱。原來的阿司匹靈，是一種結晶的粉末，沒有顏色，也沒有氣味，但略略具備一點酸的味道。是一種醋酸醇與水楊酸結合的化合物，在水裏的溶解度不大，可是能自由地溶解在酒精中。遇到潮濕或是遇到鹼性的物質時就會被分解而變質。所以，我們平時要把阿司匹靈放在乾燥的地方，如果需要服用的時候，也不要與酸性的食物或藥品同服。

阿司匹靈的作用，與水楊酸和水楊酸鈉甚為相似，但比較上述兩種藥的毒性小得多，普通的劑量很少會引起反胃惡心等不快現象；同時在止痛的效果上來說，似乎也比較上述兩種藥更為有效些。所以，我們平時用阿司匹靈來作為退熱劑、止痛劑、和治療風濕症（纖維質斯）；對於些微的頭痛、神經痛、傷風、感冒等，服阿司匹靈後都會有效；對於風濕痛的治療更為確實，但是很難根治。

通常，一般成年人的劑量是〇·三克一次，換句話說就是一次服一片，每隔三小時後再服一片，一直到痛止了或是熱退了為止。不過要注意，阿司匹靈也絕不是毫無毒性的。服阿司匹靈後如果發覺有水楊酸中毒症狀，如耳鳴，皮膚紅疹等的時候，就應該立刻停止不再繼續。有些人對於阿司匹靈一類的藥有特別的敏感性，在服用阿司匹靈之後，可能全身發出風疹塊，或是危險的急性呼吸道水腫，甚至可以危及生命，這是不可不注意的一點。至於在普通情形下，阿司匹靈總是被認為很少副作用的良藥。比較常見的是能使食慾減退，不過這點不很要緊，幾天之後就會恢復的。

雖然，阿司匹靈的中毒現象極少，可以認為是一種幾乎沒有副作用的家用良藥，但我們也不要太隨便就吃它。藥終竟是不宜隨便吃的。有些人讚美一般庸醫為只會開阿司匹靈和奎甯的醫生，這般所謂「醫生」就是因為阿司匹靈副作用少，很少會發生危險，因此就隨便開方用它，也許他根本不明白阿司匹靈的藥理作用呢。

對於風濕症的病人，用阿司匹靈治療的劑量，要比普通用以治療發熱或頭痛大得多，每二至三小時要服〇·五——一克（兩片至三片），直到有水楊酸中毒現象發現時為止。為什麼要每隔二三小時服一次呢？因為阿司匹靈也和消治龍、盤尼西林等很多其他藥一樣，在身體內停留的時間並不太長，通常，約有百分之四十五的阿司匹靈在體內經過二三小時就被排洩出來了。為了達到治療的效果，就必須保持體內藥量到一個相當程度；所以，每隔二三小時補充一次是必需的。

阿司匹靈，是這一種藥的名稱，不是各個藥廠的商標，各個藥廠和較大的藥房都自已製造，因此有了許多不同的商標，不同的牌子，不同的名字，和不同的價格。不過，只要它在成份上對，它的性質就都是一樣的，不必一定要出很貴的代價買「老牌子」的藥。

疾病的散布者——小食販

·光·

學校開學了，每天在上學和放學的時候，就可以在各學校的門口，看見小學生們一堆堆圍着小攤擔在轉糖、摸彩。高高興興的把新鈔票送到小販們的衣袋裏。這種現象的存在，不但使兒童們浪費金錢，競尚賭博，而且還常要引起疾病的危險。可是，現在的學校裏，對於學生的訓導管理好像都有地方範圍一樣，學生走出校門，就任他去做什麼也不理睬了，這實在是很不好的。

別的問題我們暫不討論，就從可能引起疾病這一點來說吧。我們要請各學校當局的老師們，爲了學生們的健康，一方面要取締這種小食攤擔在學校附近停留，同時要告誡學生，不要在小食攤擔上買東西吃，使他們知道危險性的存在。

如果說這些小食攤擔是疾病傳布者之一，這句話是絕不嫌其誇張的。

大家一定聽得過「病從口入」這句話。雖然我們現在科學的研究已經知道有許多病不必一定要從口入，可是有很多病仍是因爲嘴的不小心而吃出來的，也絕沒有人能够否認。在這一方面，小食攤販就盡了他們製造疾病的義務了。

我們知道，小販們的目的，不過是想得到一些鈔票，因此他們想出各種方法吸引孩子們。然而他們對於自己所售出的物品是不負責任的。各種五顏六色的食物，用低廉的價格買進來，陳列在擔架上。我們不妨去參觀一下，大大小小的糖人身上，灰塵泥土沾滿了一層「衣」，也不知道有多少天了；陳皮梅，甜橄欖盛在破口的碗或瓶裏，任憑蒼蠅和其他小蟲吮吸；小販們爲了好看，還常常去搬動他們的陳列品，可是他的一雙手，那麼髒，也許他剛抹過鼻涕後，在草鞋底上揩擦了一下，也許他剛從地上拾起一張舊報紙來，預備包他的貨品之用。……够了，這一切不是已經足够相信那些食品上正有着無數的細菌麼！

不但如此呢。兒童們在學校裏經過半天或一天，在地上打過彈子，弄得滿手汚泥；或是奔跑的時候跌過交；或是他到處摸觸，手指上儘是灰。看看他們的指甲呀，多黑喲！這樣的一雙手就不洗一洗能吃東西了嗎？

如果說是上學的時候，手很清潔吧，但上學時大半剛吃過早飯或是剛吃過午飯，亂吃東西要增加腸胃不規則的負擔，很容易埋伏下以後胃腸不健全的因素。又何況這些「食物」的本身也是有問題的呢。

教導你的學生，使他們明瞭小食攤販上食物的危險性，使他們自動地不去和這些小販做交易，使他們養成不吃零食的習慣，使他們養成進食之前必先洗手的習慣。那末，同時也就可以養成兒童不亂用金錢與儉約的美德，不把父母給他的錢隨便送到小販手裏，去換取一些可能致病的食物；並且，小販們也會因爲沒有生意而自動不來了，對於學校門前的「觀瞻」不也很有幫助嗎！

說飲

很多人有飲酒的嗜好，只要一杯在手，就萬念俱消，一切都可以不管了。更有些人在不得意的時候，喜歡喝得酩酊大醉，說是「買醉澆愁」。果眞酒能澆愁嗎？

有許多人說酒能幫助血液流動，與身體有益；尤其是在冬天，喝酒之後可以使身體發熱，豈不更妙。可是同時又有許多人覺得喝酒有傷身體，而且醉後失態，常常誤事。每年就說因爲喝醉了酒因而發生意外致死的不幸事件，正不知有多少。在美國，有禁酒的法律，在我們中國，對月淺酌似乎又是極爲文雅的事。至於聲色場所之花天酒地，自然又當別論了。

那末酒到底是如何一件東西呢？還是從我們的本位—醫藥衛生方面來說吧。

以化學性質和藥理說，酒精是酒的主要成分，酒精是一種麻醉劑，不過在實際應用上是沒有人把它作麻醉劑用的。酒精是無色透明，能流動，會蒸發的液體，有特殊芳香，飲後有燒燙之感覺。各種不同的酒則含有不同成分的酒精。普通啤酒中酒精成份最低，只有百分之二——六；黃酒次之，約有百分之十左右；白乾和大麯酒有百分之四十至六十；白蘭地和威司基很兇，含酒精百分之六七十；俄國的伏特加酒則酒精成分高到百分之八十以上，幾乎和純酒精相近了。（純酒精濃度爲百分之九十二，三）

酒精的藥理作用，在對於中樞

討厭的青春面疱

端明

沒有一個青年人是不喜歡漂亮的，尤其是面部的整潔，愛修飾的人總是要不憚煩的打扮一下，小姐們是常照鏡子的，偶然之間，她不覺大吃一驚，啊呀，怎麼我的臉上會生出兩個疙瘩呢？真是討厭，於是她恨心地把它用手指擠了一下，擠出來一點黃色油質栓狀物。原希望它第二天就可以消退的，可是次日一看，別處倒又新生了幾顆。停了幾天，他跑去醫治了。醫生說：「不要緊，以後它自已會消退的」，她十分着急，暗想：「這究竟是甚麼病呢？」

讀者如果也有這種經驗，我想請你先定下心來，這種「病」的確是不要緊的，因為這僅僅是一種青春時期的生理現象，而並非病態。在這個時期，發育最為旺盛，內分泌難免過剩，因此刺激皮脂腺，產生多量分泌物而造成許多疹狀胞。此種現象，男女均可發現，名為「青春面疱」。

青春面疱普通作隆起狀，或小如芝蔴，或大如珠，中間包有一白頭或黃頭，其四週皮膚因加厚而較硬，通常多生於頰部、額部或顎部、亦可漫及頸部、胸部、背部等處。患者並無痛楚，如一旦引起炎症，便可生濃發痛，甚至結痂，留下永久的痕印，這是不能不注意的。

關於局部治療方面，首先要去除面疱口中的栓，每天至少用熱水洗臉三次，並選購上等白香皂一塊，用粗毛巾或軟毛刷將香皂擦洗患部，睡前再用一種（Sulfur-resorcin）藥膏擦患處，並留置過夜，次晨再用香皂洗去。如此經過幾天之後，皮膚便會顯得乾燥，也許面部還感覺相當的不舒服。但不要緊，這樣可以使你的疱口洞開，便於排除分泌物，如果面部變成深紅色而且覺得有刺痛，上法應即暫停一二日。服用內服藥，常無顯著效果，甚至有人因此而加重，特別是碘製劑及溴製劑。食物方面應忌過量之脂肪質及糖食，任何形式之巧克力，魚、豬肉、雞蛋、雀麥粉等最好減用，酒等刺激品則需絕對禁止。每天須有充分運動與睡眠。每日飲水六大杯。保持大便的通暢。依照上法治療，在普通情況下足可治癒。最重要的一點就是要有耐心，因為青春面疱似乎是很頑固的。

上法最為經濟簡便，作者以為最適用，不過治療期間不免要長一點。如果讀者期望得到一種短期的有效療法，現在市上所售青春面疱疫苗（Acne Vaccine），係一種小量注射液，讀者不妨買來一試，有時頗有驚人的效果。如仍難見效，或因皮脂肪腺特殊旺興現象所致，最好用X光治療，較易見效。

青春面疱在治癒之後，仍須注意食品的攝取及面部的衛生，否則也許還會再發的。祝你早日治癒你的面疱，恢復你的「青春」。

酒

田村

神經系統的壓抑；但同時對於腦又有刺激作用。更明白點說，酒精的作用，可使思想、判斷等高級的神經活動受抑制，而各種低級的，受情緒影響的神經活動反被興奮。所以喝酒之後的人，舉動上更雜亂無章，近於無教育的孩子或動物。工作效率和確實性大為減低。但當大量飲酒後，則即使腦的低級活動也被麻木了。

酒能使血管擴張，故使人感覺酒後溫暖。但同時身體內調節體溫的器官也受抑制，所以血管擴張，熱易散失，很容易傷風。

對消化說，酒精能發生很多熱量，所以也是一種食物。並能刺激消化壁增進消化液的分泌，促進食慾。但是這都是指少量而言。過飲或常飲，常造成慢性胃炎，肝硬化等病症。酒精中毒並能使腸壁吸收維他命B的作用減退，引起各種缺乏維他命B的症象。

酒精在身體內之吸收極快，如果酒濃，胃空而且食物中少脂肪及蛋白質則吸收更快。但是消耗及排洩却很慢。只有百分之十五從呼吸及小便中排出，其餘部分都在體內慢慢氧化。

酒精中毒是累積性的，它並能使血管硬化。所以，平常還是以不吃酒為好。而且現在酒也很貴。除非必要的時候，酒可能在治療上有用。警如給發熱的人飲少量的酒，壓抑調節體溫的神經中樞，使體溫降低；或是在臨睡前飲二十CC左右的酒，可能幫助入眠。

酒精的另一個用處是消毒。百分之七十的酒精外用時消毒力很大，因為酒精能使蛋白質凝固，因而使細菌死亡。不過太淡或太濃的酒精，消毒力都要減低的。此外，酒精擦皮膚可使皮膚更硬更緊，增加皮膚的抵抗力。夏天用的花露水，就是酒精的稀溶液。這些酒精的作用，也在這裏附帶說一說。最後一句話，還是希望讀者在看了本文後，有飲酒嗜好的，最好戒除；沒有飲酒嗜好的，請保持不飲酒的好習慣。

國藥性效

姜春華

麻　黃

本經　主中風傷寒、頭痛、溫瘧、發表出汗、去邪熱氣、止欬逆上氣；除寒熱、破癥堅積聚。

「主中風傷寒頭痛、溫瘧、發表出汗、去邪熱氣……除寒熱」，以上所述，皆發汗解熱作用。「中風傷寒」言病之因於風寒，即冒寒性之發熱用之有效。凡發熱者，兼有頭痛骨楚證狀，熱解而疼痛亦除。發表出汗者，言本品有發汗之作用也。據科學實驗，謂本品在胃腸中能縮胃腸之血管，以阻止其蠕動；入血中，能致血壓增高，心跳加速，內臟之血管均被激而收縮，惟以腎臟之血管收縮爲最甚。而外部皮下之微血管，因强力增其鼓出之力，使血液自然轉運於外，故外部皮下之微血管反被激而放大，而汗腺之分泌遂此增多，氣管支之抽搐，亦被激而鬆弛。

「止欬逆上氣」上述作用言「氣管支之抽搐，亦被激而鬆弛」，故治氣管支痙攣之欬逆有效。

「破癥堅積聚」此本是極複雜難確定之籠統病名，後世鮮用，僅古方雜本品於多種藥中用之。至於是否有效，尙待證實。今雖有「稍能增加基本的新陳代謝」之說，但對於癥堅積聚是否爲此作用所影響，亦乏證據。

別錄　五臟邪氣緩急，風脅痛，止好唾，通腠理、解肌、洩邪惡氣，消赤黑斑毒。不可多服，令人虛。

「五臟邪氣緩急風脅痛」五臟邪氣爲抽象病理，「脅痛」可能爲腎臟炎而起。西尾重氏謂「急性腎臟炎等最宜用之」。

「止好唾」好唾常見於姙娠婦人，及精神病者。按發汗藥本有增加唾液分泌之功，今反云止唾，且待徵信。

「通腠理，解肌洩邪惡氣」即發汗作用，古人意指汗腺爲腠理，發汗爲解肌，出汗爲洩邪惡氣。

「消赤黑斑毒」赤黑斑毒乃皮下溢血，由於微血管因病毒或病性而出血，本品之主成份「愛非特靈」，與腎上腺素相似，對於微血管有收縮作用，故能止血而消斑。

「令人虛」古人以汗吐下皆使人憊疲，故云多服令人虛，虛者，乏力憊疲也。

甄權　治身上毒風瘮痺，皮肉不仁，主壯熱，溫疫，山嵐瘴氣。

「身上毒風瘮痺」，瘮古有以爲毒風者。痺，是另一病。痺字之含義，內經雖有四種，但此處連下文皮肉不仁而言，即是麻痺之義。本品據實驗有治蕁麻疹之效（風疹塊爲因血管運動神經障礙而起之疾病，原因甚多。）

「主壯熱」，解熱。

「溫疫」，疫有傳染意義。溫指發熱，發熱而有傳染意味者，即今之急性傳染病，亦解熱意也。

「山嵐瘴氣」古稱黔廣烟瘴之地，有瘴氣之病。近今學者研究，乃是惡性瘧疾之類。本經曾言，治溫瘧，似對瘧疾有如何作用，其實非對病有效，乃對證有效，利用其解熱耳。

大明　通九竅，調血脈，開毛孔，皮膚。

發汗藥有增加鼻黏膜，唾液，氣管枝，汗腺等分泌，古人因謂其有開通作用。

綱目　散赤目腫痛，水腫風腫，產後血滯。

「散赤目腫痛」，本品有收縮血管作用，又有散大瞳孔作用。在眼結膜炎，若局部應用麻黃水洗，可收縮血管而退腫；又因瞳孔散大，對外來光線之刺戟減少，可以止痛。如內服亦奏相當效果。眼科之用木賊草，其理相同。

「水腫風腫」，古書言水腫之名甚多，有風水，石水，腎水，皮水等名。此言水腫風腫，即廣泛性的水腫。古方治水腫有用汗法者，因出汗可以排除皮下瀦水。又倘因腎臟急性或慢性機能不全時，則本應由腎排泄之水分及新陳代謝產物，可由皮膚代替排泄之。

「產後血滯」或謂本品因收縮子宮而使滯留之血液排除，故奏去滯之效，但古方用者甚少。

本品之作用歸納如下：（自一至五信而有徵自六至十尙存疑）

1 發汗解熱
2 氣喘欬嗽
3 除斑透疹
4 水腫
5 赤目
6 癥堅積聚
7 脅痛
8 好唾
9 血滯
10 皮肉不仁

國藥脞談

樊天徒

人參（黨參附）

人參能振起胃機能之衰弱，而助長消化力。能恢復沉降之血壓，而強心復脈。能供給營養液，以補充細胞原形質之缺乏。故仲景於汗吐下後，亡津脫液時，（營養液缺乏也）必用之。脈沈遲或脈不出者，（亡血而血壓低降也）必用之。心下痞鞭者，（胃機能衰弱也）必用之。

人參含有筋肉毒，此毒能使心肌麻痺，但少量則能興奮心機能，充進血壓，增强脈搏。人參中含量本甚微，故用治虛弱症有效。但久服大量，未有不中毒者。惲鐵樵先生嘗謂有富翁某，自以爲虛，恣啖老山參甚多，馴至項背强硬，難以俯仰，神識呆滯，不可救藥，此殆中毒之一列也。據方書云，萊菔子可解人參毒，用人參方劑中，若加萊菔子，便無效。

人參與附子雖同爲强心藥，而功用微異。附子能治心臟官能的障礙，有興奮作用，而無營養作用，所謂「回陽補火」者是也。人參除治官能的障礙外，兼能治實質的障礙，興奮心力，並能增益其營養，所謂「大補真陰」者是也。吾嘗謂附子實兼洋地黃樟腦之所長，而人參則相當於葡萄糖也。

據日人研究，謂人參有利尿作用，因其能擴張腎都血管，而增進其血液循環也。又謂有壯陽作用，與育亨賓相若，殆由薦骨脊受刺激使然。鹽野義有成藥，名「今則驗」者，爲陽痿特效藥，即人參與仙靈脾製劑也。

呃逆有因於心臟衰弱者，西藥如「維他康復」之適應證也。中藥則橘皮竹菇湯亦能治之，因方中有人參故也。

心下痞，噫氣不除，固爲旋覆花代赭石湯證也。但不用人參，則功效不確實，甚或有非但無效，而痞滿反更甚者。蓋旋覆花代赭石二藥同用，服後胃腸間咕嘈之聲，時有所聞，殆遂疑下氣之力甚崚也。但傷其胃氣，轉致虛痞，病必不除。若協以人參，則立於不敗之地矣。

人參以吉林老山參最爲有力，價亦奇昂。普通所用，不外高麗別直，其補力亦相當可靠，於虛弱重症多用之。若目的僅在扶胃氣，則習慣上多用太子參，熱高津液傷者，則多用西洋參，不必用別直也。

熱病經過中，腸滯未清，胃機能未復者，可用太子參或別直，而不可用潞黨。因人參屬五加科，有强心補陰健胃諸作用。而潞黨屬萱科，補力雖强，而不能健胃，祇宜於病後胃機能已復食滯已除之後，而不宜於病勢方張，食滯未去之前，誤用反能招致痞滿。說者謂其能壅氣，其斯之謂歟。

黨參以西潞黨爲最道地，其補力殊不亞於人參，且可久服，無中毒現象。就著者經驗言之，凡久病或脫血亡津液之後，體氣虛弱，肢輭乏力，動輒汗出，氣不足以息，肌肉消瘦，皮下組織鬆懈缺乏彈力，面色皖白，現貧血象，脈輭小或虛大不任按者，除治其原因外，可用黨參配合黃著白朮當歸地黃之類治之，極易見效。且見效之速，較諸西藥補汁如拜耳「健身素」多種維他命等，有過之，無不及。此爲經驗之談，絕非誇誕也。

古中醫書之術語（二）

此篇有著作權不許轉載翻印

陸淵雷

上文略說古醫書能知內臟之部位形態；以下將分篇說明古醫書誤認內臟之功用。但須先說一箇附帶問題：「古中醫對於內臟之功用既錯認矣，則疾病必致誤診，用藥亦必致誤施；然而事實上用藥有效，則又何也？」欲解答此問題，須先知中醫學產生之步驟。中醫學之產生，乃先有醫治方法，隨後始添附以理論。理論從已效之治法中推想而來，並非先有理論而從理論中產生治法。推想則不能必中，故理論有得有失。上古生活簡單，職業之分析不細；人人自耕而食，自織而衣；而通行最多見之疾病，亦人人知有某種飲食物或某種動作可以療治。其後分業漸繁，而比較不常見之疾病，又不能人人自知療法，於是乎有專業治病之醫家。彼時之醫家，非能究研生理病理藥理，以知疾病治療之究竟也；不過其疾病知識與治療方法，比常人所知爲較多較完備耳。其實，今時所謂經驗豐富之老醫者，其技術亦猶是此種情況。江湖上之鈴醫（搖虎撐的）走方（白水野郎中），有所謂「頂法」「串法」者，其儕輩相語，輒言「某人有若干頂若干串」，以第其程度之高下焉。假令僅以治病爲目的，則此種醫家亦可勝任；方法愈多，則癒病之成數愈高；雖知其然而不知其所以然可也。無如人類之求知慾，根於天性；患病服醫家之藥而瘉，自然欲知「我所患者何病？所服者何藥？此藥何以能瘉我此病？」喋喋以問於醫家；甚者，當其患病求治之時，先問醫家以病情藥理，須合於自己之意識，然後肯服其藥焉。在醫家，一方面須應付病家之問難，一方面亦欲滿足其自己之求知慾，於是推想內臟之功用，病變之機轉，就當時通行之三才五行等觀念，加以裝點附會，以說明病情藥性；聊以自慰，且慰病家而已；事實之眞否，固未能實驗證明也。久而久之，習非成是，遂演成五臟六腑十二經絡五運六氣諸理論；保守派中醫所奉爲圭臬之內經難經諸書，皆由此其入也。

例如有人患神經系統之病，其外症爲瘈瘲震掉；積古相傳，治之以某種神經藥而瘉；此醫治方法之久已施行者也。然古醫家不知其爲神經系統之病，推想其故，以爲病之根本在肝；「在天爲風，在臟爲肝，」「肝風煽動，故令瘈瘲震掉；」於是更意想其所用之藥可治肝病，而謂之「平肝」，謂之「祛風」。夫神經病而治以神經藥，醫治方法固不誤也；而醫家之推想，反謂之肝病肝藥，理論則大誤矣。如此相傳，直至近代；其利口而能文者，復從而推波助瀾，高談雄辯，而不自知其根本之誤。古中醫之不能合於世界醫學者，原因即在於此。

中醫之治療法，湯液（即煎藥內服）與鍼灸二大端爲主。湯液內服，醫家謂神經爲肝，肝與神經固不能聲明否認也；鍼灸所用之兪穴，又在四肢軀體而不在其本臟腑；故理論雖誤，無由發覺；臨病時診斷雖誤（如斷爲肝病），治法竟能不誤也。假令中醫不用湯液鍼灸而用大手術，如華佗之「刳斷腸胃，洗滌五臟，」我知理論之錯誤，不待科學傳入而早已發覺；而手術之醫，亦將縮手不敢動刀鍼矣。我因此疑古書相傳華佗之刳割治療，必有故神其說者；不然，佗之內臟知識亦與內經難經無異，遇神經病而誤割其肝，安在其爲神醫哉？

臟腑

依解剖學生理學及世界醫學，凡胸腔腹腔骨盆腔內諸器官，皆名「內臟」，並無臟與腑之分別。分別內臟爲五臟六腑，乃古中醫所獨有，而理由不能成立，當須廢除者也。臟腑二字，在古書中但作「藏府」；加肉傍作「臟腑」者，爲後起之俗字；若依「說文」（現存最古之字典），則幷無藏字，但有臧字；今姑不論，論其所以稱藏府之故。藏者隱藏之意，本爲動詞或形容詞；將隱藏之意引伸出來，則爲「庫藏」「寶藏」之名詞；六朝以後音讀法，隱藏讀平聲，庫藏寶藏讀去聲。府之本義爲「文書藏」，收藏文書之庫藏也；引伸之，則物之所聚皆曰府，故古訓多言「府，聚也；」古音不分平去，府字與聚字同韻，故以聚釋府，謂之「聲訓」。五臟六腑之所以名藏府，亦取「庫藏」「物聚」之意耳。若問所藏何物，所聚何物，請讀下列幾節內經自明：

素問金匱眞言論云：「言人身之藏府中陰陽

、則藏者爲陰，府者爲陽。肝，心，脾，肺，腎，五藏皆爲陰；膽，胃，大腸，小腸，三焦，膀胱，六腑皆爲陽。」（注）此分別藏陰腑陽，又舉出臟腑之名物。

又五藏別論云：「腦，髓，骨，脈，膽，女子胞，此六者，地氣之所生也；皆藏於陰而象於地，故藏而而不寫，名曰奇恆之府。夫胃大腸小腸三焦膀胱，此五者，天氣之所生也；其氣象天，故寫而不藏；此受五藏濁氣，名曰傳化之府；此不能久留，輸寫者也。魄門亦爲五藏使，水穀不得久留。所謂五藏者，藏精氣而不寫也，故滿而不能實。六府者，傳化物而不藏，故實而不能滿也。」（注）女子胞即子宮。地氣所生，象於地，天氣所生，其氣象天，等一類詞句，內經中最多，亦最爲武斷無理由，可不必深求。藏於陰，言其部位深藏也。寫即瀉字，此處專指消化器之「傳送」；如食物入胃瀉於小腸，小腸瀉於大腸，大腸瀉於肛門而排出體外，是也。奇恆，猶言「異常」或「特殊」；奇恆之府，對下文「傳化之府」而言；傳化爲府之常，故不傳化者爲奇恒矣。濁氣，指飲食物中之渣滓；從科學言，即食物中之灰質與纖維質；其歸成爲大小便者也。（古人意小便亦與渣滓同類，其實大不同。）大小便除腎臟外，固不關他臟；今云五藏濁氣者，古人以五藏爲主要臟器；水穀之精華，皆以奉生五藏；故大小便爲五藏所推棄之濁氣也。傳化者，傳送與消化也。不能久留，指府中之水穀而言；水穀即飲食物也。魄門，即肛門。五藏使，爲五藏服役也。滿，謂臟器之本體自滿，中無容物之腔囊也。實，謂臟器之本體有腔囊，可以容外物實之，即水穀之實胃腸膀胱也。化物，即胃腸中之水穀；因其在消化過程中，已變水穀之本形，而未成大小便，故稱化物；猶科學書所謂「胃內容物」「腸內容物」也。

又宣明五氣篇云：「五藏所藏，心藏神，肺藏魄，肝藏魂，脾藏意，腎藏志，是謂五藏所藏。」（注）五藏之藏讀去聲，他藏字皆讀平聲。下三條仿此。

靈樞經水篇云：「五藏者，合神氣魂魄而藏之。六腑者，受穀而行之，受氣而揚之。」（注）受穀而行之，謂受食物而消化輸寫之也。受氣而揚之一句，義不明顯；意者，氣即五藏別論所謂「五藏濁氣」，指大小便；揚豈即新文化家所謂「揚棄」之揚，謂排出體外歟？

又本藏篇云：「五藏者，所以藏精神血氣魂魄者也。六府者，所以化水穀而行津液者也。」（注）此津液，專指食物中之營養份。然則上條之受氣而揚之，即此條之行津液歟？

從以上數節內經看來，臟腑之所以分，乃因其所藏所聚之物不同之故。古人蓋以藏無形之物者爲臟，聚有形之物者爲腑。「神魄魂意志」，「神氣魂魄」，「精神血氣魂魄」，皆無形之物也。中間惟血爲有形之物；然血之爲物，遍身皆到，並非某臟所專藏，古人不容不知；且兩條靈樞所言，皆包舉概括之詞，而非各臟分說；句中「精神」與「魂魄」皆二字相耦成詞，中間若單舉「氣」一字則句法不勻稱，故用習見之血氣二字爲詞，而忘卻血爲有形之物耳。古人之眞意，自當從宣明五氣篇爲正；「血」字之溢出範圍，乃靈樞文字之不謹嚴，非鄙人綜合之不恰當也。至腑中所聚水穀津液，則顯然皆爲有形之物。

（未完）

正告病家和醫師

第二章 現代科學家眼裏的『中國醫學』

許光畯初稿

中醫當眞不科學麼？我們先看看現代科學家的眼光是怎樣批判的。劉郁周氏譯法國醫學博士卜雨雷著「現代科學家眼中的中國醫學」文裏說：

「中國的醫學是綜合性的。由某種外表觀之，好像是原始的醫學。若是我們稍加以回想，則知道中國的醫學，從最古的時代，就由認識生活力與運用生活力作基礎。

「中國的醫學，認定人的身體是不可分離的。而它的生命和宇宙相聯接。它的潛能力的表現，又與世界宇宙間的一切顯露相呼應。這種生活力，在禽獸草木，與一切無機物中都是有的。中國人呼之曰「氣」。中國人的理想，覺得「氣」是：（一）食物在消化器中的變化；（二）氣在呼吸器中的交換；（三）生殖系統的活動力的總結果。

「人身體的反應，由各個人體質之不同，而其變化有甚大的區別。於是醫師應該顧慮各個人體質的形勢，與其組織的因素。在每一個病人之前，最前提的事，就是醫師該當聚精會神的探討所表現的疾病的根源。

「中國人的思想，覺一切都歸之於「生活力」，而此生活力是相對的。惟以此生活力乃有活動。所謂「陰」「陽」兩種力，即是生活力的兩種形態。「陽」——屬於積極的元素。：「陰」——屬於消極的元素：：此兩種生活力永遠在人身體中存在。生命和健康，是兩種生活力平衡的結果。：

「由此以觀，健康乃生活力循環平衡的結果。若是「陽」太過，則有興奮和充血的現象。反之，若是「陰」太過，則發生衰弱和貧血的狀態。

「在某種情形之下，若察知組織亢進，應瀉其有餘之活力。另一光景，則相反的補其活力之不足。因此目的，中國人在幾千年以來，專就生活力循環研究。：：

「爲了確切診斷疾病，和認識生活力循環，中國醫師極注意「脈學」。並記載脈之力量和脈之相互關係。以及脈之勢力的種種變化。可說是至精至微。然而西方醫師讀之，感覺十分困難。

「因爲這些原理，中國醫師成功了演繹臟腑和臟腑的活動能力，並且可以證明臟腑的平衡或不平衡，以及生活力的流動是「實」或是「虛」：：經過往返的考察，中國醫師眞能辨明生活力在人體內循環的狀態。還不祇此，中國醫師若覺得手脈不能證明病症，還需要診察頸脈（人迎脈）和脚脈（趺陽少陰脈）：：

「這些著作，除解剖外，對於各種醫科學都有研究。並且告訴我們，中國在石器時代對於醫學就很昌明。在解剖學之某幾點上，中國醫書也很確實。蘇列德革上先生並證明中國對血循環之繪述，遠在哈而維四十五紀之前。：：

「雖然中國的醫學，始終維持它的陳舊習慣和方式，但是它却不減它的興趣性和發明性。第一：中國的醫學在它的各項計劃中，證明了人的生命係一元化的基本原則。第二：中國的醫學在事實上證明了人的身體由「神」包圍。正如有物質包圍人體而使之活動一樣。活人之體有兩種生活力的活動網。其二種形勢爲「陽」和「陰」。這兩種形勢的活力，係生命與活動的惟一證據。第三：中國醫學證明人之健康係「陰」「陽」平衡和諧的結果。假若這平衡失了常態，就發生疾病，爲着恢復健康，中國的醫學，貢獻了我們很多的方法。：：

「因爲這種種，中國醫學在治療歷史上，應當佔一極重要的位置。以它的精妙，它的識見，它所發明的養生和衛生的重要；又以它能了解氣在自然界所表現的各種形勢；又以它擁有廣大的社會；中國醫至今屹然存在，不失爲現代醫學最大根源的一種」。（原著在法國興東方」雜誌發表，新德果出版。譯文在「新中華醫藥月刊」上發表。）

讀了這位「洋博士的著作，雖祗短短的一篇，可是已把全部「靈素經」的眞精神揭發了出來。我相信，最初他對中國文字，連「扁担長個一字」也不會認識，然而中國人認爲最深奧而難於了解的中國醫學文獻——內經，即靈樞素問。居然給外國人融會貫通而提出了精粹！這種研究科學的精神，多値得效法和敬佩啊！

憑這篇譯文，我們可以推斷出這位「洋博士」已化了至少十年的時間——讀通中文至少是六七年——在研究了「內經」，流覽了「神農本草經。」可是還沒看到我們醫學上的診斷治療處方學，是從內經延長下來的一部最具科學價値的文獻；也是研究中國醫學裏以湯藥治病部份所必需遵守其規律的文獻，東漢未年長沙太守南陽張機仲景老師所著的「傷寒論」和「金匱要略」，或合稱爲「傷寒雜病論」。因爲他祗提出了些脈學，養生，氣運，和針灸（摘錄時略去）的學理，而淺論到中國的「辨症」和「處方」學。——文中所提的「辨症」是仲景所宗的大綱。要是他研究了這部書的話，也許有更多的發明。本着他研究科學的精神，我相信他一定在纖續地採索。也許在不久的將來，可以使我們中國人讀着「洋博士」著述的中國醫學書籍，寫到這裏，眞使我的手在發抖，決不是「汗顏」二字所能形容我感覺到我們中國人的慚愧！自已祖攻裏蒸着的「寶貝，」留着等「洋博士」來掘發！然而這些寶貝，是被封建制度統治者用「科舉」「八股」的方式來埋沒了的。現在呢，要是我們還不省悟，本着洋博士的精神，急起直追，迎頭趕上，集中大家的力量來掘發和整理，而祗是掛着羊頭在賣狗肉，拾些「洋皮毛」喊「開倒車」，那我幾乎懷疑也我們已失掉了中國人的國籍！或者已不是黃帝的子孫！

抱歉我不是喜歡漲紅着臉故意吹毛求疵地找些缺點來幼稚的叫囂着同胞；倒反是怕自命忝居「四强」的同胞，被阿比西尼亞人追上來術騷！也不是爲了生活的壓迫在「發肝火」，而且我自命性情是最和平的。即使突然地受到家裏「老婆」拉痛了耳朵的處分，也還是苦笑着臉在賠不是的。然而爲了科學，爲了醫學的前途，不得不很客觀地檢討一下時弊！

本刊徵稿啟事

（一）文件最好用白話，淺而易解的文言也可以，總之讓大家看得懂，竭力避免學術語專門名詞。

（二）字數每篇最多不得超過三千字，千字以下的短文尤其歡迎。

（三）內容中國學說也好，西洋學說也好，祇要是實用的，大家日常生活必需知道的醫藥衛生常識，如果是融匯中西學說的，那更是十二萬分的歡迎。

（四）稿酬經刊載後稿費從優。

（五）來稿文字編者得加潤色，投稿人如不願潤色者，請於稿端聲明。

（六）來稿未登者，如須退還，請附已寫好退還的地址及收件人之信封，貼足郵票，當卽儘速寄還。

（七）來稿請署眞實姓名詳細地址。

（八）稿件請直接寄送上海（5）哈爾濱路富春里四號，本報醫藥編譯委員會。

本刊定閱價目

月份	期數	定費	掛號	航平	航掛
三月	13	四萬五千元	一萬元	八千元	一萬七千元
半年	26	八萬元	二萬元	一萬五千元	三萬三千元
一年	52	十五萬元	四萬元	三萬元	六萬五千元

附註：定戶請於到期前一期通知續訂本外埠定戶平寄免收郵費其他寄法郵資請照表匯寄

濟世日報 右任

醫藥衛生專刊

第一卷第九期

——本刊每逢星期一出版——

本報登記證內政部京警滬字第三八六號

本報經中華郵政登記認為第一類新聞紙　上海郵政管理局執照第二七〇七號

發行人　章勤　社長　章紹鼎　總編輯　施今墨

本期目錄

中華民國三十六年十月六日　濟世日報社發行　本期售價國幣四千元

社址上海（5）哈爾濱路富春里四號　電話四五二七二

社論

談選舉

敬告中醫師職業團體的候選人與選舉人

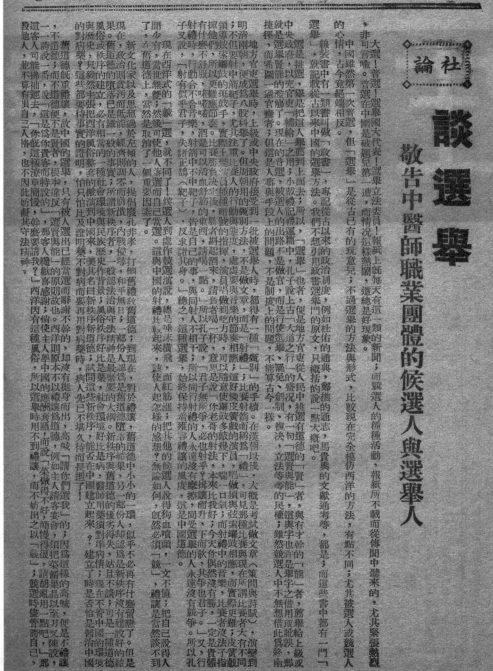

大選！普選！選舉國大代表！選舉立法委員！報紙上既每天有這一類的新聞；而競選人的種種活動，報紙所不載而從傳聞中聽來的，尤其緊張熱烈，非可言喻。普選在中國是破題兒第一遭，而情況這樣熱鬧，這總是好現象。

中國雖然第一次普選，但「選舉」是從古已有的玩意兒；不過選舉的方法與形式，比較現在完全模仿西洋的方法，有點不同；尤其被選人或競選人的心情，古今竟絕端相反。

線裝書中有一類書叫做「政書」，專記從古以來的政治制度，例如杜佑的通典，鄭樵的通志，馬貴與的文獻通考等，都是；而這些書中都有一門「選舉」，就記載從古以來中國的選舉方法。我們不想引用政書選舉門的原文，只概括的說一點大概吧。

選是挑選，舉是把這人舉薦到上面去；所以「選舉」也者，便是地方官吏從人民中挑選有道德的「賢」者，與有才幹的「能」者，薦舉給上級或中央政府，以充官吏「補給」之用；小戴禮記禮運篇中，孔子說上古「大道之行」的盛況，有一句「選賢與能」，這與字也許是舉字之借用或訛誤，那就是選舉賢能的濫觴了。現在的普選，被選人的出路不是做官，而是行使選舉、罷免、創制、複決，立法等等的民權；雖然競選人中不無想借此為終南捷徑，而希圖一過官癮者；但這是人事與手段上的問題，不是制度上的問題，不能算古今一樣。

地方官吏選舉時，上級或中央政府接受到一批被選舉人時，都得有一種「甄別」的手續。在漢朝以後，大概是考試做文章〈策問與詩賦〉，演變到明清兩朝，便成為八股科舉了。但周朝用的甄別方法，不是做文章，而是「射禮」；比賽射箭而稱為「禮」，可見那種比賽與現在所謂比賽者大有不同；不但要射中箭靶子，尤其注重比選人的行動與態度，處處要與音樂的節奏相應；這好像皮簀戲的演員，唱做須與弦索鑼鼓相應，而實際更難；皮簀戲領導弦索鑼鼓的班鼓手，實際上聽演員種種暗號的指揮，演員唱做到吃力時，可以隨意使鑼鼓多敲幾下，喘一口氣；而射禮中的音樂，比賽者沒法子指揮他們，所以更難應節奏。比賽勝負決定後，勝者斟起酒來，請負者喝一杯，意思是說「你老哥的射法，本來比我好；今天你偶然沒有勝，一定是貴體有什麼不舒服，啫啫啫，酒是可以活血舒筋的東西，請喝一點。」所以孔子說，「君子無所爭，必也射乎？揖讓而升，下而飲，其爭也君子。」又，行射禮時，行動合不合音樂，射箭中不中靶子，皆是自已的事，與同射人不相干；所以同行射禮的人永遠沒有摩擦，同受選舉的人永遠沒有競爭。所以孔子又說，「射有似乎君子，失諸正鵠〈靶子〉，反求諸其身。」總之，這種選舉，始終保持着雍容禮讓的風度，這是中國道德。

現在西洋式的「競」選，就不同了！候選人到處作競選演說，總是唾沫橫飛，面紅筋漲；把其他的候選人說得狗血噴頭，一文不值；把自已說得人間少有，當世無雙；然後可使他人落選而自已當選。這與中國的射禮比較起來，該使人起怎樣的感想？無論如何，既然必須「競」，禮讓是當然談不到了，在舊道德上，當然是取消了一個重要因素了。

新文化家以及思想過於左傾的人，提倡廢孔非孝，打倒舊禮教舊道德；到現在，對於禮讓，舊道德中小小的一環，似乎不必再有什麼留戀了。但是現在，政治則貪污而低能，經濟則凋零而崩潰，內戰侵尋，和平無日；一部份人認為是舊道德墮落的結果，另一部份人卻認為是新秩序沒有建設好的結果。舊道德的墮落已是鐵一般的事實；所謂新秩序者，一般認法治與守法精神是最緊要的大綱。新秩序與舊道德的優劣得失，姑且不談；可是一種道德風俗或秩序的建立，必有相當的一種社會環境與民族歷史作背景；風俗秩序好比是藥，社會環境好比是病，醫師用藥須對準病情；現在不管中國的環境與歷史，只毅然主張把西洋的風俗整套的搬演到中國來，美其名曰新秩序新道德；試問這些新秩序，能否在中國建立起來？建立了時是否恰是醫治中國的對病藥？這些都要待事實的證明，怕只怕比及證明藥不對病而要再用對病藥時，病人先已不堪久待而長逝了！

舊道德既重禮讓，故中國的選舉，只有被人選出已經當選而辭謝不幹的，卻沒有挺身而出，高喊「請你們選我」的；因為這樣的高喊，便是不禮讓，不道德；而不道德便不是賢者，根本違反「選賢與能」的原則故也。西洋則原本不以禮讓為道德，例如主人請客宴會，須把菜餚果品以至刀叉陳設，一一誇說一番，說「這是為你貴客而特設的」，那客人纔歡喜感謝；倘使主人學中國的應酬套語，而說「菜做得不好，簡慢得很，請胡亂用一點吧，」那這客人可能拂袖還去，「你既這樣潦草簡慢，幹麼要請我？」西洋因有這種風俗，所以選舉時用不到禮讓，而不妨出之以「競」；競選時儘管誇自已，設他人，並不算有損自己人格，也不因此妨礙其守法精神。

現在中國也競選，也顧不得禮讓了，可是守法精神尚待建設。

以上是談的中國選舉歷史，並不鍼對任何一位候選人而說，讀者萬不可附會以致誤會。以下是對於中醫界選舉人候選人的忠告：

中國的形勢很不利，比較抗戰以前，不但未見好轉，反加深了貧窮。中醫的形勢則更不利，社會上對於大夫的信仰，只見中醫信徒轉變為西醫信徒，而西醫信徒轉變為中醫信徒的，雖然不能說絕無，雖有也少得很。一方面，因為一般教育程度的低落，新進中醫程度的低落更出於意想之外。這樣，以極危險的中醫，處於極貧窮而未能安定的中國；怎樣纔可以開關出一條生路？這個問題，在中醫師職業團體所選出的國大代表與立法委員，不但須想出計劃，而且須有實行的能力。換句話說，這幾位國代與立委，不但須給中醫打算，還須給整個中國打算。

國代與立委既有這樣重大而艱難的責任，第一須是肯苦幹實幹的人，方能勝此艱鉅；倘或把當選作為一種榮譽頭銜，生則用以光輝其壽序，死則用以充實其計告者，決不能為中醫為中國的生存有所努力；此種人，希望不要出來競選；他定要競選時，我們決不投他的票。

孟子說得好，「說大人則藐之，勿視其巍巍然。」倘或對於大人先生心存敬畏，遇簡任以上的文官，上校以上的武官，便察言觀色，努力做個「應聲蟲」，把自已應有的主張完全嚇跑了；甚至以得與大人先生一接談一握手為榮，拍照留聲，以為紀念；此種人決不能為中醫為中國的生存有所努力，希望不要出來競選；他定要競選時，我們決不投他的票。

醫師中營業好，法幣富，交遊廣者，做起事來，自然是用力少而成功多。可是僅有這三個條件，而沒有担當大事的膽識與能力者，我們還是請他不要競選；他定要競選時，我們也決不投他的票。

學識贍博，智略深沈；退食則能操筆為文，開會則能發言動聽；視公事如已事，等富貴於浮雲；中醫界有這種人物麼？我們希望他出來競選，我們擁護他，投他的票。

魄力閎肆，聲氣廣通；有政治之支持，為公眾所擁戴；不肯安洽，不惜犧牲；中醫界有這種人物麼？我們希望他出來競選，我們擁護他，投他的票。

至於醫林耆宿，社會名流；目光不囿於一隅，心量不偏於一派；往昔已有功於醫藥，現今仍盡力作護持；此等人物，我們當然希望他繼續做我們的領袖，請他競選，我們投他的票。

人世間的缺陷，是表演出來的事實，往往不能符合理想，甚至與理想背道而馳。合於理想條件的人物，往往避世避人，不肯出來競選；我們除展轉想法勸駕外，沒有法子強拉他出來。越是與理想條件抵觸的人物，越要死拉活扯地求人家給他簽署提名，定要競選。這是我們力不從心的缺陷。可是不妨事，投票選舉，還是我們的自由。我們中醫界惟一有效而可以做到的辦法是：

事前把國大代表與立法委員的名單細看一遍，看誰最合理想，便投他的票。

國代緊要，立委更緊要；這是關係中醫全體前途的事，也是關係中國前途的事；不能受運動，不能賣面情；務要自己摸出良心，在這破題兒第一遭的選舉權上，發生一份子的有效作用。

懷孕了沒有？

雍熹

『到底是不是有了孕呢？』已經結婚的女子，常要發生這樣的疑問。有時去請教醫生，也會急得不待醫生仔細檢查，就搶着要問：『大夫，是有孕了嗎？』

這種急待知道的神情，也許是一位剛作新娘不久的「小姐」，懷着新奇的心情盼望着醫生會告訴她是不是有了個新生命在自已的肚子裏生長；也許是一位久不生育的太太，虔誠地等待醫生給她一個「恭喜」的診斷，就會比什麼都快活了；也或許是一位三四個孩子的媽媽，丈夫的收入又不能使「家」的經濟情況好一點，那末，新的孩子出世將更增加生活上的陰暗，因此她帶着憂慮的心，像待決的囚犯一般，沉重地注視着醫生的嘴唇，準備接受那可怕的判決。

可是，醫生怎樣診斷呢？我們用什麼方法可以知道是不是懷孕了呢？

通常，我們把懷孕期分為三個階段。簡單一句話就是從受孕日起，陽曆的最初三個月為第一時期，中間三個月為第二時期，最後三個月為第三時期。若以陰曆算，一共也正是十個月樣子（二百八十天。）在每一個時期裏，都有特殊不同的懷孕的症狀，可以用來作為診斷上的幫助。現在我們來分別說一說：——

最初三個月中的症狀

月經停止

這是極重要的一項症象。通常一般人所以會懷疑到自已是否懷孕了，大半也總是因為月經停止。女子在成年以後，就有週期性的月經現象，但在受孕之後，月經即行停止，一直到孩子出世，哺乳期後再恢復。不過，用月經停止來診斷是否懷孕：必須她的月經週期一向很準；否則遲早沒有一定，也就無法知道是否懷孕。月經確已停止。同時我們還要明瞭：受孕後月經固然一定停止；（編者按，親見一人受孕而照常行經，數胎皆不停經。）但是月經停止却並不一定是懷孕，也可能是受其他原因的影響而停止的。較普通的例有——

一、環境與氣候之突然改變，可能使月經停止一二月之久。

二、對於受孕之恐懼心理，或是情緒上强烈之刺激，也可使月經停止。

三、嚴重之肺結核，貧血，腦下腺或其他內分泌病，或是生殖器局部病變等，均能引起月經停止症象。

四、有些婦人幾乎是找不出理由地，常會有月經停止數月之久的不規則現象。

所以，這許多除了懷孕以外能使月經停止的原因，我們也不能不想到。

惡心和嘔吐

惡心和嘔吐是懷孕初期的特有現象，大約在受孕四星期之後發現。照統計數字看，至少有三分之一以上的孕婦有此症狀發生，而第一次懷孕的人，格外厲害。惡心的感覺和嘔吐的症狀大半發現在早晨，而這種現象的持續，通常總要到孕婦感覺到胎動的時候才完全停止。

唾液分泌

在懷孕的初期，唾液的分泌量也略有增加，在診斷上也稍有幫助。但如同時發現有舌炎，脫齒，齒齦出血等現象時，就會是其他的病理情形了。

小便頻數

孕婦的膀胱底部，受懷孕的子宮牽制，因此發生小便次數加多的現象。及至後來子宮體受腹壁之支持後，這種現象也就會消失了。

以上是懷孕初期的症候，除此之外，醫生還可以憑藉身體檢查所得的徵象來幫助診斷：——

乳房

自受孕四星期後開始，乳房即逐漸脹大。孕婦本人並時常感覺乳部有似針刺或蟻行之感覺。此種乳房之脹大，繼續不斷，直至分娩時爲止。乳房皮膚上並有褐色及白色相間之肌紋出現，乳暈色澤亦更加深；乳部感覺更見敏銳，乳頭更易突起。

陰阜與陰道

用窺陰器檢查時，可發現孕婦之陰阜及陰道前壁自受孕後第八至第十星期時起即呈藍色。此種現象係因局部靜脈充血所造成，差不多所有懷孕婦、，都有此同一現象。但若係第一次懷孕則藍色較淺。遇流產或胚胎死亡後，此種藍色即刻消失。除觀察外，此時如用手測驗，可知陰道之硬度亦較平時爲軟。

子宮

子宮頸因充血關係而變軟，白帶之分泌略見增加。子宮體積脹大並且也比平時柔軟，可於懷孕初期之陰道檢查及肛門檢查摸得。子宮之形狀，也逐漸從處女之薄而小者變爲厚而闊者。

體溫

每日測量體溫，也可幫助初期懷孕的診斷。如果每天的體溫都在攝氏三十七度二以上，升降不超過〇、二度，連續保持至十六天以上，那末有百分之九十以上的可能是表示已懷了孕，將要做媽媽的徵兆了。（未完）

證候與疾病

發熱的意見

實秋

一般病人知道發熱是患了病。以爲這個熱，就是病，不知道這個熱，不過是一個證狀。病人請醫生診治，總是希望醫生能够給他退熱。如果醫生能給他把熱退掉，便認爲有效，倘使不能的話，便認爲無效，這實在太不了解病證的意義了，人體溫度，本來是平溫，因了病原體的侵入，或其他的病，身體爲了與病原戰鬥，就發熱了。這是一個戰鬥現象，譬如戰爭的炮聲。在病理方面說，凡人患了急性傳染病，病人身體就產生免疫能力，而高溫度確實比平溫爲適宜；而且有些病菌，在三十七度左右的時候，最宜於繁殖。體溫高了就能抑制它的繁殖。在從前的時候，曾有利用高熱來治病。如白濁的據熱療法，就是給患白濁的人種下瘧疾，讓他發幾個高熱，來對付白濁球菌。由許多事實推想起來，發熱是病人的必要證候，並不一定需要解除它。不過這也不可一概而論的，有些發熱不是必要的，而且是有害的。例如病人因爲熱度太高而致於有痲痺心臟的危險，以及高熱持久，過分消耗體力，或因熱而現不安的狀態妨礙睡眠，意識混濁等，這都對於病人有害的。還有疾病雖然逐漸痊愈，而從前高熱的慣性，仍然存在，腦內的溫熱中樞依然興奮的時候，這種熱當然也有害而無益了。再說到疾病各有個性不同，有一定的經過的。如傷寒病，雖然用退熱藥，當時熱度也可減低，可是過了些時間，熱度仍然要上升的。而它的經過，還是有一定不會怎樣縮短的。——雖然中醫常能舉出縮短病程的說法，然而沒有經過科學的診斷，患者是否傷寒很有問題在內的。

發熱兼有的證候

在發熱的時候，病人有諸種不快的證狀，大抵頭痛最多。頭痛的程度因病人的個性和疾病的個性而不同。例如腦膜炎，腸熱病都有頭痛，而腦膜炎痛的更爲劇烈。但這與其說發熱的兼證，倒不如說是本病所致的局部症狀。除了頭痛之外，還有骨節痛，中醫書裏的太陽病，說頭痛項强身疼，就是指熱病初期的兼證。

發熱的時候，還有消化機能的減弱。大致食慾減退，舌起垢膩，或下利，或便祕，這在中醫學上屬於陽明病。

發熱時候有口渴喉乾的。那是因爲高熱體表發散的水蒸氣格外增加，所以有渴的反應現象。大渴引飲，在中醫學上也屬陽明證。

怎樣處理創傷

楊漢魂

創傷是什麼？

「創傷是什麼？」這個問題，大概不用解釋，每一個人都能理解。在生活中從幼到大，很少有人能保持始終不受創傷的紀錄。除了各人從經驗所理會的創傷的意義之外，如果要用文字來說明創傷的定義，那就是由於劇烈之機械力，給于身體上某一局部之損害，通常均使皮膚破裂；但亦有時可致皮下損傷而無外皮破裂現象。

創傷有幾種？

急劇之機械力所造成的身體上某一局部損害，可以因各種機械力方式之不同而發生不同形式的創傷。大別可以有下列幾種：——

一、撞傷——內部組織受傷，而外表皮膚並無損害，或破裂。

二、挫傷——受粗糙機械面的急劇摩擦，使皮膚受挫部分完全死亡。

三、切傷——或稱爲割傷，傷口有顯明平整之割裂邊緣。

四、刺傷——傷口因尖銳之器物急劇刺入而造成。

五、裂傷——受粗重物之撞擊，傷害較大，傷口不規則，也最嚴重。

六、射傷——槍彈射入所致之創傷。

創傷一旦造成，即成一非常有利於細菌之場所，隨時可被細菌侵入而引起發炎症象。

創傷引起的症狀

急劇之機械力在身體上某一局部造成創傷之後，立刻就有下列幾種症狀發生：——

一、疼痛——疼痛的程度，隨傷口的大小和所在而略有不同。

二、出血——因一部分組織被破壞，該處血管破裂或切斷所致。

三、失去動作能力——最大原因，或即由於劇烈之疼痛，故受傷部分之活動被抑制。

四、受傷處皮膚收縮，形成傷口之一空間。

五、相當程度之發炎，因細菌之侵入而必然發生。

除了這些局部的症狀之外，如果創傷很大，疼痛非常厲害，並且大量出血，未能很快使它停止，那末在嚴重的時候，也甚至於可以引起極嚴重的全身症狀——虛脫（Shock）的。這種時候，如果不予以立刻的急救，就可以危及生命，這一點不能不加注意。

創傷的痊癒

創傷的痊愈，可依受傷的程度，分爲三種等級。

第一級的痊愈，只遺留極小的一個疤痕，所有未被細菌侵入，未發生發炎現象的創傷，痊愈後都屬於這一類。

第二級的痊愈則多半遺留一個較大的疤痕，通常都是傷口較大，或是受細菌傳染化膿發炎後的結果。

第三級的痊愈則遺留之疤癥極大，甚至可使局部之生理活動失去。因傷口太大太深，其癒合全靠結締組織之擴充。

在痊愈期間，能影響傷口癒合之速度的因素很多。主要的幾點有：——

一、身體的健康，血液中有足量之蛋白質及維他命C，則痊愈較迅速。

二、防止細菌，不使侵入傷口，不使有發炎及化膿現象發生，則痊愈較早。

三、設法使裂開之傷口黏合相貼，則創傷較易痊癒。

四、使傷口有適宜之休息。除局部不動休息外，並儘量避免去看它，碰它。除非是必要，切不要每天去揭開傷口的包紮來看。常去動它，將使創傷惡化。

怎樣處理創傷？

遇到有創傷時，處理的通則可分爲兩方面來說：第一是急救，其次是對傷口局部的處理。

甲、急救：

一、用任何可能的方法使出血停止。

二、防止一切可能的污物染入傷口。

三、使受傷部分絕對休息不動。

四、如果傷者有虛脫現象，應立刻救治，不可遲緩。

五、用藥物，減少疼痛。

乙、傷口處理：——

一、如果傷口很小，用防毒藥液或食鹽水，或冷開水洗乾淨後，再包紮起來。

二、如果是很大的創傷，而且有污物存在於傷口內，則應將已損害之身體組織連同污物一併挖出。然後再用消毒藥液沖洗，洗的次數越多越好。洗淨後，再把創口縫合起來。

三、爲防止破傷風菌之侵入起見，必要時給以大量破傷風菌抗毒素注射。

四、如果有血管斷裂等其他現象，應在縫合以前發現並且先處理好。

像撞車、工廠裏機械衝壓、或是自高處跌下等等情況下造成的創傷，都是很嚴重的，不可隨便任意處置。除了前面所說的各項應有的處理之外，爲了防止細菌侵入傷口發炎化膿起見，也可以照醫生的囑咐，服食磺胺類藥物加以預防。

日本住血吸蟲

魯素

最近報上有一段消息，說是某鄉河內生有日本住血吸虫，染着這虫而患病的人很多，將陸續來滬求治。這個日本住血吸虫究竟是什麼樣的東西呢？

住血吸虫的種類很多，除日本住血吸虫外，還有埃及住血吸虫等。日本住血吸虫的雄虫約長一公分半，雌虫約長二公分。大多數的寄生虫如蛔虫、蟯虫、條虫等全是從口中進入人體的，可是這個住血吸虫卻能從健康的皮膚裏侵入進去，發病也比較急性而劇烈。這病在我國的江浙皖一帶普遍地流行着，尤其在江河流域，卑濕地帶的青年和小孩，患之者更多。如果一地流行而不思防止撲滅，或沒有適當的治療，那會遭到大量的死亡，甚至滅村滅族。所以這個病的凶猛並不減於最劇烈的傳染病，是多麼地可怕的呀！

當它的卵子從病人大便排出體外之後，如果遇着潮濕的地方，就可以發育成爲一種週身生有細毛的「纖毛幼虫」，能很活潑地在水中游泳，如果遇到一個中間宿主——是米樣大小的一種螺絲，叫宮入貝，也叫釘螺絲，於是就鑽了進去，變成一個囊子，再經二次變化，一個「纖毛幼虫」竟會變成五六十個生有尾巴的幼虫，叫做「搖尾幼虫」，於是再到水裏去活潑地游泳着。

這時候如果有人赤了足踏在這個生有「搖尾幼虫」的河浜、稻田、溝渠、或者潮濕的草地等裏面，這幼虫就能從這人的皮膚裏面鑽進去。這個被鑽破了的皮膚僅不過好像給蚊子叮了一般地發癢，生了一個小塊，可是鑽了進去的幼虫就在裏面大顯身手了，先來一個大遊行，從毛細血管或者經淋巴道而到達右心，從心而到肺，又經動脈血行或者從肺葉一直下來，穿過橫膈膜，而到肝就在門靜脈管中安居起來而開始發育，這時候已經過十天功夫了，再過十天，已是成虫了，於是就在脈管中雌雄合抱，交配起來。又過四五天，就把卵子產在腸膜裏，卵子的數目着實驚人，一條虫可生三五十萬個卵，於是使腸壁血管因虫卵塡塞而破裂。

住血吸虫在大遊行的時候，病人並無多大感覺，當它在脈管中交配的時候，病證開始發生了，有點頭痛，發點小熱，胃口減小，肚子痛，或者噯哩咕嚕地響，還要打噯氣，不久之後突然怕冷發高熱了，頭重頭痛，氣喘心跳，腹痛腹鳴，一連串的多起來，而大便也像患了赤白痢似地帶着粘液和血液，有魚腥一般的臭氣，每天要下十多次。這時候正是虫在產卵的期間，所以大便裏有卵子可以檢出來。

病人的皮膚蒼白而污穢，而且還會有從脚上面漸漸上升的水腫，或者成爲水鼓脹。如果不早點好好治療的話，終致於死，從頭至尾，僅不過三四月而已。但也有慢性的，是因爲侵入進來的虫數較少，或者由急性病沒有好好的治療而變成的，可以時歇時發，時輕時重地遷延數年至數十年之久。

既然生了這病，當然以早點請醫生治療爲最要緊，可是與其治療於已病，還是避於未病來得好，所以我們應當儘量地利用幾種防避的方法：一、如果不得已而要踏進河浜或者稻田等水濕的地方，切不可赤足，要裹上綁腿，穿上鞋襪。二、病人的大便可聚在一起，非一個月後不能用爲肥料，三、池沼、溝渠裏的宮入貝可以用石灰來撲滅。四、除了人會生這病之外，其他如貓狗、牛馬、猪羊等也能生，所以應當對這種家畜多多注意。

我們城市裏的人是很少會生這種病的，可是切不要因爲不受它直接侵害而漠不關心；如果遇到你在鄉下的親戚或者朋友，應該隨時講解一點關於這病的常識給他們聽聽，教他們怎樣防避；救人一命，勝造七級浮屠，實是功德無量的呀！

牛痘發

種牛痘可以預防天花，已經是家喻戶曉的了。可是種牛痘要做到像現在這樣普及，而不像注射防疫藥針那樣被人恐懼，却也不是一件容易的事。從發明種牛痘這方法的時候起，已經過了一百多年努力的推廣了。

牛痘是怎樣發明的呢？用一句老話：說來話長，也不是一件偶然容易成功的事。在發明的過程中，也經過不少的探求與試驗呢？

第一個把牛痘中的汁液當作預防物的人，是一位農夫，名字叫做吉士推（Jesty），他在西曆一七七四年第一次把牛痘中的漿液接種在他自己妻子的身上。可是這針並沒有引起大家的注意，只不過當時有個傳統的信念，認爲在農村中擠牛奶的人常和牛在一起，而且患過牛痘的人是不會再患天花的。

大約到西曆一七八〇年的時候，琴納氏（Jenner）設想了用牛痘漿液作預防接種以免除天花傳染的觀念。於是他就在他自己那個區域中製取牛痘的苗漿。可是，他得到了兩種不同的漿液，而事實上只有其中之一是能產生預防天花的免疫力的。以後，他又繼續發現了豬痘（Swine-pox），覺得和牛痘也很相像。最後，在西曆一七九六年，他終於做了一個試驗把一個正在患牛痘症的小女孩身上，膿疱中的液汁接種在另一個男孩的身上；之後，琴納發現這個男孩以後就具有了對於再用天花患者膿疱中的漿液去接種的抵抗力。次一年，他做了很多相似的試驗；於是，琴納在西曆一七九八年正式公布了他的方法，希望能够推廣。到西曆一八〇

品鼎——新藥介紹

石古盛

不久以前，在各大藥房的櫥窗裏，忽然先後地出現了一種特殊的陳列品，大概讀者們也都注意到了。是什麼呢？其實不過是一張廣告畫吧了，在那上面印着一大束捲成圈的頭髮，和最主要的一個大字「Panteen」。Panteen究竟是什麼藥？為什麼在廣告上畫這麼一束頭髮？它有什麼用處？是根據一些什麼藥理上的基礎？在目前這個「廣告」世界中，對於任何廣告所宣傳的物品或事情，似乎都應該有先明瞭一下實情的必要。因此，我們想把已經知道關於這種新藥的各種事實，介紹給各位讀者。

原來，這種藥只不過是一種生髮水，它的中文譯名叫做「品鼎」。提起生髮水，也許大家要「呵——」一聲說生髮水有什麼希奇？是的，品鼎不過是一種生髮水，不同的是它含有一種叫做「本多新醇」（Panthenol）的有機化合物，這種「本多新醇」是由含於維他命B中的「本多新酸」（Pantothenic acid）製成的。所以，在品鼎的廣告上就說品鼎是「第一發明含維他命生髮水」。

既然品鼎以含維他命相號召，表示不同於其他生髮水，而它所含的所謂維他命，就是由維他命B中的「本多新酸」製成的「本多新醇」，則我們要明瞭品鼎的特性，只有從「本多新酸」方面去研求了。

我們知道維他命B是一種複合物，包含有很多種不同的維生要素；「本多新酸」也就是其中之一。根據實驗知道「本多新酸」對於皮膚，毛髮，脂腺及汗腺的正常機能的維持很有關係。在作動物試驗的時候，如果以缺少此種「本多新酸」的飼料喂養，則被養的動物，就會逐漸逐漸地失去牠皮及毛上的光澤，毛羽並將漸變灰白、乾燥、而終至於脫落。如果脫落期中，就立刻換以含有充分「本多新酸」的食物飼養，則仍可使毛髮重新再逐漸生出來，並且恢復原來天然的光澤。

這種試驗，證明「本多新酸」對於毛髮皮膚的關係；但也只限於作試驗用的小動物，而並沒有人試驗過「本多新酸」對於人體髮膚的影響，是不是也和對於動物的完全一樣。

「本多新酸」在自然界中的分佈也很廣，因為它是維他命B複合物中的一部分；所以，通常有維他命B存在的地方，也就有「本多新酸」。不過自然物中「本多新酸」的含量不多，所以，如果我們人類或者其他有毛髮的動物，如果能吸收適量的維他命B時，所含的「本多新酸」，大約已可維持髮膚的正常機能。但如已呈缺乏之現象時，則靠天然物中微量的「本多新酸」已甚難達到治療所需的大量。

現在，品鼎所含的主要成份是「本多新醇」，是由「本多新酸」再經化學變化製造而來。因為「本多新醇」可以作外用藥，由皮膚直接吸收。那末，根據動物試驗的結果，就應該是能夠使脫髮再生的生髮妙劑了。

不過，我們要知道，動物試驗雖已有效；對於人是不是也有同樣的功效，是很成問題的事。就好像報紙上一次次宣傳的治肺病特效藥一樣。今天是「藏宗」（Diazon），明天是「鏈黴素，後天又是「使他肺安定」。其實都不過是在作動物試驗的時候非常有效，用到萬物之靈的人身上，就有問題了。所以，在沒有正確可靠施用於人體的統計結果以前，用品鼎或者說用「本多新酸」治禿髮，也只能用這種看法，不能抱什麼過分希望的。而且，從品鼎的廣告看，它含有「適宜芳香劑，乾燥極速，香氣宜人」，簡直已不是「藥」而成為化粧品的身份了。尤其在這外匯高漲之際，洋貨價格貴得不得了，除非有錢人買來作化粧品用，似乎也不值得化如此大代價去買來擦，把自已供作「本多新酸」對人體髮膚作用的試驗材料。

明史

柯侖

〇年，琴納氏的方法傳到了美洲，華脫瀾氏（Waterhouse）又在美洲做了很多的試驗，都證明了琴納氏種痘方法能產生對天花的免疫能力。

自此以後，種痘的方法極快地傳佈到各個文明國家去，並且很快地普及起來。但不幾年之後因為種過牛痘的人又有患天花而死的事實發生，所以有人反對起來。可惜的是琴納氏在西曆一八二三年死了，他沒有知道牛痘在種了數年之後，有再種的必要。在琴納當時，實在完全把牛痘和人的天花看同一種病了。不過，琴納的貢獻是他發現了可以用人患的牛痘膿疱中漿液接種來防止天花的發生。

現在，我們都已知道，牛痘在每隔五六年之後，是必需再種一次的了。至於牛痘與天花是不是同一樣東西的問題，照現在研究所知道的是認為牛痘是天花的變種。把天花膿疱中的漿液接種到牛身上去，從不會有過天花發生，可是卻成為牛痘；相反的，牛痘膿疱中的液體在人體接種之後卻只能產生牛痘而不會成為天花，而牛痘在人體所表現的症狀實在比天花輕得多，因此種牛痘預防天花就成了非常安全的方法了。

趁這個機會，我們再說一下種牛痘的方法。痘苗一定要從破裂了的皮膚接種才能有效，所以，大家一定見過醫生種牛痘要把被種者的皮膚用小刀或針尖劃破幾條，再把苗漿滴上。要注意的就是在劃破皮膚以前，一定要先把那一部分皮膚洗乾淨，消毒好；然後將皮膚劃破要輕重適宜。使表皮恰被劃破而不出血為恰到好處；滴上苗漿後用針尖輕擦一下，然後等它自行吸乾，切不要用火烘或在陽光下晒；乾之後，再用消毒紗布包裹，不使外面的污物染入，以致引起發炎。

鈣與人體的關係

魯素

在我們的身體裏，含有氫、碳、氧、氮、鈣、磷、鉀、硫、鈉、氯、鎂、鐵、碘、氟、矽等十數種原素。氫和氧合成佔我們人體百分之六十五的水；氫和氧和碳合成醣類，也可合成脂肪；氫和氧、碳、氮合成蛋白質；所以這氫、氧、碳、氮四種原素在我們的身體中佔有的成分最多。除了這四種外，就得算到鈣了，約佔人體的百分之二。我們在日常生活中，與純粹的鈣固然很少有機會接觸，可是它的化合物是時常能看到接觸到的，例如大理石是一種碳酸鈣，生石灰是氧化鈣，石膏是硫酸鈣等都是鈣的化合物。我們人體中的骨骼也以一種叫做磷酸鈣的化合物爲主要成份，而人體中所含鈣分的百分之九十九都在這骨骼裏，當然牙齒也包括在裏面。

其餘的一小部份，就廣播在血液和組織裏面，別看他數量小，卻能左右着我們身體的健康，缺了就不成。

在我們人體中的血液，必須要時常保持着鹼性；可是我們平常所吃的魚、肉、蛋之類，富含着蛋白質和脂肪的成份，都能够促使血液變向酸性；所以一方面必須用含有鈣、鐵、鈉、鉀等成分的鹼性食物來中和；酸性食物吃得越多，鹼性食物的需要也就越多；否則就會使血液偏向酸性

血液偏向酸性究竟有什麼害處呢？它能够使身體中毒，而遂漸的衰弱起來，精神不振，容易疲勞和氣喘；長久之後，終于引起疾病；例如血壓增高，動脈硬化。神經衰弱；膽石病；胃酸過多，神經痛，癰痘等等。所以血液的必須鹼性，對我們的健康是有着極大關係的。

在能够保持血液鹼性的鈣、鐵、鈉、鉀四種原素中，其中鐵和鉀二種也有點兒不佳的，由這二種原素造成的鹼性血液稱爲「病態的鹼性血液」，因爲它能够使細胞機能容易衰弱，動脈易於硬化。而且鐵與鈣在人體中是互相頡頏着的，鐵若比鈣多，鈣就會遭到鐵的排斥；鈣若比鐵多，鐵也得照一定比率排出體外。所以我們既要保持血液的鹼性，又要這鹼性是由鈣造成的，這可見得鈣的重要了。

此外，鈣又能影響我們的感情；原來鈣是能够抑制腦神經細胞的亢奮的，血液中鈣分缺乏，會使人變成神經質，容易偏急暴怒；血液中鈣分穩定的人，他的性格也相當穩定，感情很少動搖。反之，若血液中的鈣分時常變動，那末他的性格感情也容易變動，忽而喜悅，樂觀，忽而憂鬱，悲觀地沒有一定。如果是一個沉靜鎮定的人，那就表示他血液中有充份的鈣分。

因此在都市中的人很多神經質，在鄉村中的人就比較滯鈍一點；這雖則與環境有關，但食物的攝取也是極大的原因，鄉村人多吃蔬菜就多吃到鈣。我們身體中鈣分的來源，當然是仰仗於食物的供給了。多食酸性的食物，會使鈣分缺乏；多食含鐵的食物，會使鈣分受到排斥；所以我們必須選擇含有鈣分的鹼性食物，來保持我們人體中應有的鈣分。

含有多量蛋白質，脂肪，碳水化合物的食物，都是酸性食物；如果過量的食用而不用適量的鹼性食物來調和，就會造成酸性血液。蔬菜和果物都是很好的鹼性食物，尤其是平常魚呀肉呀吃得很多的人，更應該多吃點。如蘿蔔，甘藷，捲心菜，莧菜，護菜，大葱等都是含有多量鈣分的食物，都得作爲我們日常很好的食品，此外還可吃點連骨連殼的小魚小蝦。

還有，維生素丙與鈣分也有很重要的關係，如果維生素丙缺乏，不論吃食多少鈣分，也會幾乎毫不吸收地從大便中排洩掉，所以鈣分的攝食，還得注意維生素丙的補足；維生素丙的補足有一個價廉物美的方法，就是日光浴，日光中紫外線能够使人體脂肪中的麥角脂化成維生素丙。

︵編者按︶有一種不常見的病，手腳一陣陣的痙攣發作，疼痛得耐受不住；痙攣厲害時，亙數小時不得弛緩，痛苦萬分。患者女子爲多。中西醫師多不識，其實亦是身體內缺少了鈣。若用中藥內服，則石膏牡蠣瓦楞等俱可擇用，但效力遲緩。不如用西藥鈣劑注射，一針乍下，立刻見效，往往針未拔出，痙攣已完全消失。

又本文末段「維生素丙」，當是「維生素丁」之筆誤，即「維他命D」也。平時只記維他命ABCD，寫文時要譯成甲乙丙丁，極易把次序搞顛倒。但編者畢竟是中醫，對這些問題畢竟未便十分表示自信。所以不敢遷改原文，只於此附注。

霰粒腫

—眼胞痰核—

孝婉

前次，我們說過「偷針顆」；當時我們說偷針顆就是「麥粒腫」，是眼瞼中蔡氏腺被細菌侵入發炎所造成的結果。不過，眼瞼上腫起一個小胞的病，除了麥粒腫之外，還有另一種相類似而實在不同的病症，叫做「霰粒腫」（Chalazion）。在我國古醫書上則叫作「眼胞痰核」；或者也叫做「疣病」。

霰粒腫初起的時候，通常多見於上眼瞼，發生像豆樣大小一粒突起，存在於眼瞼皮下。皮外膚色如常，並無大改變，但突起部的內面則摸了可以感覺是堅硬的一粒，逐漸以緩慢之速度長大而無發炎症象。按之不痛不癢，但爲不雅觀起見，病人或被勸，或自覺地要求治愈。如果我們把眼瞼翻轉來，就可以見到結膜呈紅色或紫色，挺出的顆粒則到後來變成灰色。而其中的內含物則起初爲堅硬的結締組織，長久以後，可能因血行減少而軟化，漸變成灰色的膠狀物，此時就稱爲「霰粒胞」了。

霰粒腫的起因，是眼瞼皮下的邁氏腺——與蔡氏腺略有不同的另一種脂腺——受低毒性細菌的長久慢性刺激，而造成極慢的炎狀而成，結果，邁氏腺的腺組織全部被結締組織所代替，成爲一粒堅硬的突起。我國古時把它叫做「眼胞痰核」，認爲病原由於痰火結成，根本全誤。在外國，從前也曾有人以爲霰粒腫的起因是結核菌的作祟，現在也已證明其不對了。我國一位眼科的陳滋醫師在他的遺著「中西眼科滙通」中說：「痰莫多於肺癆，何肺癆患者，不見眼胞痰核，眼胞痰核患者，未見多痰耶？！」，正指明了這種觀

嗎啡

雍熹

一提到嗎啡，沒有一個人會不知道它是一種大毒物。政府雷厲風行地施行禁毒政策，也就是為了要消滅嗎啡和雅片這些戕害健康，消損國本的毒物。可是，在藥房裏卻仍有嗎啡，可以憑醫師的處方購買；在醫院裏，也還常要用到嗎啡作治療上必需的藥物。所以我們知道，如果應用適當，嗎啡仍舊是一種極好的良藥，為治療上所必需呢！

平常在藥房裏出售的和在醫院裏使用的，不論是針劑或是片劑，它原來都是嗎啡硫酸鹽的結晶；白色，沒有氣味，稍許有點苦味，在空氣中很穩定不會起變化，但是很容易溶解在水裏。

嗎啡對於中樞神經有鎮靜作用，並且這種鎮靜作用是有選擇性的。因此，我們在明瞭它的藥理作用之後，利用它的這種選擇性鎮靜作治療之用。

在極小量應用，每次劑量不超過千分之五至千分之十五克（5——15mg）時，作為止痛劑用，非常靈驗。但多半用於急性痛和已經知道痛的原因時。因為在診斷上，痛也是一點很重要的根據，假使在原因未明前，就用嗎啡把痛的感覺暫時掩蓋了，將使斷診增加困難，貽誤治療的時機甚至生命。

小量的嗎啡，除了能够止痛之外，對於腦的精神作用還有一些影響。它可以壓抑不快的感覺和意念，而發生一種悠然自得的快感，並能增進愉快的想像力。就因為這些作用，所以嗎啡和雅片一樣能使人上癮。

略大的劑量則有催眠作用，使人得到較深較長久的睡眠，而且不易吵醒。

嗎啡能够壓抑呼吸中樞和咳嗽中樞。所以，嗎啡在醫療上又用作止咳劑和止喘藥。不過，在當止咳劑用的時候，必須先明瞭咳嗽的性質。只有「乾咳」可以用嗎啡，如果有痰，就不能用嗎啡止咳，那將使痰液滯留而引起嚴重的後果。用嗎啡來治氣喘雖然可以很快見效，但終非治根的方法，同時應該找出致喘的原因來作根本的醫治。而對於急發性的氣喘，也以用麻黃素治療來解除的好。

嗎啡在局部使用的時候，除了對於消化道之外，可以說完全沒有作用。對於消化道，嗎啡可由其中樞神經作用和局部作用之聯合而造成便祕現象。因為嗎啡可以停止或至少減少腸的蠕動，所以我們在腸出血或腸穿孔的症狀發現時，就用嗎啡去停止腸的蠕動，幫助出血或穿孔部分迅速痊癒，同時也阻止出血部或穿孔部的擴大與惡化。便祕的造成，同時還因為肛門括約肌的收縮與肛門處感覺之消失。

嗎啡的另一個用處是手術前之鎮靜用。在外科手術開始前約一小時，替病人注射一針嗎啡與阿托品的混合藥液，可以減少病人的恐懼心理，同時也可以減少使用麻醉藥後的不良後果。

不過，嗎啡也只有使用適當的時候才是良藥，而不適當的使用就使它成為毒品了。並且，許多時候，即使嚴守規則地應用，也能使有些人發生很不好的反應，在女子或小孩，常常易引起中樞興奮作用，但為時甚短，即繼之以壓抑作用；惡心和嘔吐在應用小量嗎啡的時候，是常有的現象；嗎啡並能影響心臟，使跳動的節律不規則，速率也大大地減低，但是嗎啡對心臟的作用並不直接影響生命。嗎啡還可以使瞳孔收縮，當瞳孔收縮的現象發生的時候，我們就要停止再給嗎啡了。

嗎啡過量，可致危及生命的中毒現象。通常總是陷入沉睡，瞳孔收縮得極小，呼吸非常之慢，每分鐘僅四五次，心臟也衰弱了，最後終至因呼吸停止而死。

總而言之，嗎啡終究是一種毒物，除了醫療上必要，而且不可能用其他藥物代替的時候，總以不使用嗎啡的好。因為嗎啡極易成癮，而且使用後可逐漸增加對它的耐受性，以後的劑量就越用越大，終至不可收拾了。

點的錯誤。

結締組織代替了過氏腺的地位而形成突起的硬粒後，因為結締組織中毛細血管極少，甚至於沒有，所以該部分不能得到足够的營養料，日子久了，漸漸軟化成膠狀物，可以擠出。古籍「瑤函」謂「孽結為癭，流膿出血」；「目經」稱「附贅垂疣，經年潰爛」。這些話，不免都說得太過份了一些。霰粒腫這病症並沒有如此大的惡性。

不過，霰粒腫不治而自行消失的例子很少。生了除不雅觀外雖無大礙，但總以治好為宜。醫治的方法，卻不是藥物所能奏效，必須用手術割治，把突起顆粒內的結締組織或已軟化了的膠狀物全部挖除不可。這一點，不但在現在的科學醫術上如此主張，就是在我國古醫書上也說得很明白。古書上說的治療法說「以指甲擠出如白粉汁即消」（見金鑑）；「翻轉眼胞，亦有形迹。一圓一點，色紫或黃，就此中砭針，盡法刼奪，擠盡膿液，刻日平復如初。」（見目經）；「以左手持鋼柱撥眼皮上，右手翻眼皮令轉，轉到扰肉已突，以左手大指按之，勿令移動，右手持小眉刀尖，略破病處，以兩手大指捻之令出水，所出者如豆許小黃脂；恐根不斷，更以眉刀斷之。此病非手法不能去。」（見原機）這許多方法，和西法手術相符合。現在到醫院裡去，醫生對於霰粒腫也是用手術治療的。最先，醫生在病人眼皮上注射一針古卡因作為麻醉，減少手術時痛苦；然後翻轉眼皮，在突起的顆粒上放置一二粒結晶物的古卡因，等它溶解。麻醉手術完畢後，用鋒利之小刀尖將霰粒腫作一垂直線劃破，於是就有半流體的東西流出；再用一只小匙伸入胞內括挖，出血不會多，一會就停止了。手術完畢後，也不需要什麼包紮，只需塗敷少許昇汞軟膏或是用硼酸水連續洗幾天眼睛，就會完全痊癒了。

不論用那一種方法，不過所用的器械和醫生的手都必須要好好消毒過，這一點在治療上是很重要的。

民間醫藥

葉橘泉編譯

急性胃加答兒（急性胃炎）

原因：本病俗稱傷食。因暴飲暴食，及攝食不易消化之腐敗性食物，如未熟之果實，野菜，肉類等。乳兒多因攝取酸敗之牛乳而起。或過冷過熱之飲食，魚類，菌類之中毒。然有發於感冒性熱性傳染病之經過中者。總之，由於胃部受化學的器械的以及溫熱的急激刺戟而來，食物之不攝生，最易罹患本病。

症狀：輕症則胃部感飽滿壓重，胸脘苦悶，煩渴，惡心嘔吐。重症則食欲缺乏，頻欲嘔吐，吐物呈半腐敗分解，即胃內空虛時，尚不絕吐出粘液，綠色之胆汁。胃部疼痛，且頭痛眩暈。身體倦怠，疲勞者，往往發輕度之熱。舌被厚苔，口內放惡臭，往往便秘。若合併腸加答兒者，則發下利，本病無生命危險，小兒併發高熱時則有危險。

治療法：發熱宜靜臥。胃內尚有食物時，飲以微溫湯，並以指頭探喉，取吐，或用催吐劑，行胃之洗滌法，最為適宜，但須由醫師行之。吐出後，禁止固形食物，最好禁食一二日。若尚無食慾，仍以不食為妙。若感覺飢餓時，飲以冷牛乳，生雞卵。其他刺激性及不消化食物，均須嚴禁。一方服用下列之內服藥。其後依食慾之進行，而漸以少量粥食，及易消化之魚類，逐步移行固形食物。

稀鹽酸 二、○
百布頓 一、○
單糖漿 一五、○
水 一八○、○
右二日量，一日三回分服。

口渴時與以冷茶冰片，或左方：

重曹 四、○
單糖漿 一五、○
苦味丁幾 三、○
水 一○○、○
右二日量，一日三回分服。

若胃部壓重疼痛，施用溫罨法，或濕布熱水袋。痛尚不止者，貼芥子泥，大抵可止。惡心嘔吐者，飲用少量冰片，或沸騰散，或冷炭酸水。若噯氣，嘈囃，用下方：

重曹 一○、○
撒曹 五、○
右每二時，服一刀尖。（約二公分）

民間藥療法：胃中有食滯，或食物中毒時，應早速用催吐劑將食物毒物吐出為要。用溫水一杯，食鹽三匙（小匙）約十二瓦，攪溶，頓服催吐。又南天葉一握，合食鹽搗揉，加水少許，絞取其汁半杯，飲服取吐。此在魚類之中毒最佳。

又南天不僅有催吐之功，且更有鎮嘔之效。若嘔吐過度時，用南天葉二三張，嚼其汁，可以止嘔。此為不可思議之妙藥，殆少量則止吐，多量則有催吐作用也。

又急性胃加答兒，早用下劑亦甚佳；元明粉三四錢，沖開水一杯，頓飲取下。或用蓖麻油一二匙（中國瓢匙）一回飲服，不下再飲一回，下粘膜樣便即愈，尤其於食物中毒時最宜。

又梅肉越幾斯，（烏梅煎成之濃膏）取如豆大一粒，用白開水飲服。本品對於劇甚之胃腸炎有速效，如胃腸炎下利腹痛，服之即止，並能解熱。即用於原因不明之發熱，或腸窒扶斯等病中亦有奇妙之功效。

又望江南子四錢，白花牻牛兒苗三四錢，煎湯服，亦有良功。此方用於急性胃腸加答兒下利者尤佳，即赤痢之初期亦好。

慢性胃加答兒（慢性胃炎）

原因：因急性胃加答兒反復發作，未經治療而成，然亦有初起即屬慢性者。本病原因大抵與急性症相同，總之，由於食物之不攝生。又有因嗜酒者，及齒牙不良，致須物咀嚼不充分而起者。或執坐業之人，運動不足，或過度吸煙者，易犯本病。其他有為胃潰瘍，胃癌等病伴發者。又有併發於心臟病，肝臟病及全身病，貧血，肺癆，萎黃病等者。

症狀：與急性胃加答兒相似，而較輕性。大抵食慾不振，而有時嘈囃似飢。口渴，胃部壓重而感飢渴。有時腹痛，唾液分泌增加，吞酸嘈囃。常發口臭，或噯氣。食則泛泛欲嘔，但不吐物。於嗜酒家則發晨吐。大便多秘結，若併發腸加答兒，則起下利，或便祕與下利呈更替狀態，而無一定之規律。本病患者多呈神經質，頭疼眩暈，身體疲怠，睡眠不安。即向來活潑之人，亦漸次變成陰鬱。妨害營養，呈貧血衰弱狀態。經年累月，不易治癒。若惹起胃擴張症，則其病更為難治，患者往往悲觀，而陷於厭世觀念。

治療法：治療本病之主要點，為食物之攝生。若能嚴守攝生法，則治癒之亦屬輕易。因嚴格的節制食物，使胃安靜休息。一方選擇滋養豐富而易消化吸收之食物，而細細咀嚼，亦為必要之注意點。再翼其減少發作。若能數年數月不再發作，則胃之機能漸次可以健復。再檢查其胃液而進適當之營養。如胃酸缺乏時，應食含有含水炭素之食物，及蛋白質，葡萄酒等。若胃酸過多時，則酒類與鹹味酸味及脂肪性食物，豆類，香味料，新鮮之野菜，澱粉類等，均不宜多食。當常食小量之糜粥，肉湯，牛乳，生卵及半熟卵，瘦肉，魚肉，牝鷄肉等。惟肥肉，貝類，蟹，豆，鰻，油豆腐，菌類，筍等，不宜食。

每餐至少須經一小時之細嚼，隔六小時方可再食。飲酒者，須節制酒類，吸煙者，須禁煙，少運動者，須行充分之戶外運動。每日調整其便通，內服藥物，依據胃液之檢查，由分泌異常狀態之不同，而用藥亦異。如胃酸缺乏時，處方以鹽酸。百布聖減少時，混合百布聖而服用。然一般內服藥，總以稀鹽酸爲主。

其他如冷水浴，冷水摩擦，按摩療法，溫泉療法，海水浴等均有效。又電氣療法，亦有良效。

又本病最有效之療法，爲胃之洗滌法，即每日早晨空腹時以洗胃器洗滌胃內。惜家庭自療，手術不易，往往損傷食道，須請醫師爲之。

又飲用鑛泉，亦佳，以炭酸鑛泉，對曖氣嘈雜有效。加兒斯泉，對胃壓重飽滿之感有效。食鹽泉對貧血衰弱之人有效。鐵泉對貧血有效。鹽都類泉對頑固之便祕有效。

民間療法　望江南種子三五錢，煎湯代茶常服，對慢性胃炎有不可思議之效果。

灸療法　鍼與灸均係刺激胃腸神經之根幹，使胃腸之神經興奮，血液之循環佳良。但其經穴最爲主要。而灸法更由艾火之熱激起白血球赤血球增加，促進自然療能之抵抗力，尤爲合理。玆將慢性胃腸病之祕傳名灸，介紹於下：

取穴法：　先將患者兩足平排，用線一根沿所並兩足之外圍，連足指足跟，圍繞一週，齊頭切斷線之兩端。然後以兩端齊後頸根之兩側按定，引伸中央至背部，成一尖角形，於背上當線尖角之處，以墨點記之。該點之穴，即喘息之經穴。

再將患者之食指，（示指）屈向內而量取其外側中節，是爲同身寸，一節恰當一寸。依此寸法，於喘息穴之墨記處，平向兩傍各一寸處記墨點。再於喘息穴之直下一寸，墨點記之。又於下點兩傍平行各一寸點之，共計六點。兩側之四點，均爲胃腸病之經穴。再於胃腸病之右側兩點經穴之下點再直下一寸，則爲盲腸炎之經穴。

灸法：　取艾絨少許，捻如米粒大，（或半粒米大）放置經穴上，用燃火之線香輕輕點着。候艾火燃至將盡，該部皮膚覺灼熱感時，則輕輕吹去，是爲一火。然後再換艾絨，再點火，依次灸之，以該處皮膚不起泡破皮爲原則。

喘息—依左記背部中心之一點喘息經穴，隔日灸二十一火。通例，十五六歲以下之男女灸七日或十日，殆全部根治。大人三週或四週間續繼施灸爲必要。本灸法往往因年齡而減其奏效率，在五十歲以上者，約半數不能根治，然可奏一時之輕快。此灸不僅限於喘息，即百日咳及頑固之咳嗽，亦有良效。

胃腸病：　依左記喘息經穴之旁左右各一寸處，及下一寸處，共四點經穴，每日各灸七火。兩週及三週間連續施灸，無論如何頑固之胃腸病均可根治。尤其慢性胃腸炎，最有卓效也。

盲腸炎　依前記胃腸病經穴右側之下一寸處，爲盲腸炎之經穴，連灸二三十火。頃刻間盲腸部之疼痛大爲輕快，四十火以上之灸，其痛可全止。

輕症一日施行一回，（二三十火）重症一方面延醫服藥，一方面一日二回施灸，繼續四五日間施灸，有不可思議之卓效。再盲腸炎腹痛，往往發熱，灸後之反應，其熱多少增高一些，但絕不妨事，翌日熱必退。此灸法，若二回後其痛與熱均不退，則速延外科醫施行手術爲要。

民間療法：　葎草，每日四五錢，煎分三次服，有健胃及調整胃腸之效。凡急性胃腸炎，消化障礙，嘔吐下利等，可應用本品。

按葎草爲一年生纏繞草本，繁生路旁，隨處有之。莖長而蔓延，密生短鈎棘。葉對生，掌形分裂，有四五或七裂片，邊緣有鋸齒，葉面很粗糙，葉柄亦有短鈎齒。雌雄異株，雄株夏季葉腋抽生圓椎花序簇生小雄花。雌株有鱗狀苞之短穗狀花序，向下垂，花呈淡綠色。果實形似松球，亦作健胃藥。

胡黃連每一錢，開水泡，每食後半小時飲半杯，對於慢性胃炎，消化不衰，最可著效。凡肺結核之消化不良，或衰弱人或病後胃弱不思食，以本品食前食後飲服，繼續五六日，即可奏效。連續一個月之飲用，慢性胃病，大抵可以全治。

藥物發凡（二）

東台繆銘澤俊德遺著

第二章 舊說藥性之正謬

生於今日，講醫學，論藥理，再談陰陽五行，生尅制化，幾不令人齒冷。若盡焚其書，發奮不學，則二千年之經驗，獨多起死回生之方，棄之可惜。必也探討新知，商量舊學，使明瞭其價值，不妄加罪於古人，後學之態度，應當如此。而故紙堆中，猶如埃及金塔，珍寶纍纍，掘發無窮，惟有目者得識此耳。內經謂「積陽爲天，積陰爲地」，人與天地萬物同一體，橫隔膜以上爲天爲陽，橫隔膜以下爲地爲陰，皆就生理形能觀察出此。中醫傳統的學術，固皆不離陰陽二字。「陽爲气，陰爲味」金元之醫家，即根據於此以論藥，乃有气味之說，粗而不精。日人香川氏加以剪闢，（說見後）足爲國人借鏡。「陰味出下竅，陽氣出上竅，清陽發腠理，濁陰走五臟，清陽實四肢，濁陰歸六腑，味厚者爲陰，薄者爲陰中之陽，氣厚者爲陽，薄者爲陽中之陰，味厚則泄，薄則通，氣薄則發泄，厚則發熱」。元素曰，「附子氣厚，爲陽中之陽。（附子爲熱性强心藥，心之搏動力，在中說謂之氣，其部位在橫隔膜之上，故曰陽中之陽，如此解釋，未嘗不是頭頭是道，然我不願附會其說也。）大黃味厚，爲陰中之陰。（大黃瀉下藥也，少用行小便，多用通大便，故曰陰味出下竅，濁陰歸六腑，其義皆通，其部位又當腹部之陰，故曰陰中之陰，古人立說，先有事實，後有理論，無法解釋藥效之中，法外生法，苦心孤詣，甚於今人學而不思，思而不學處多多。）茯苓氣薄，爲陽中之陰，所以利小便，入手太陽，不離陽之體也。麻黃味薄，爲陰中之陽，所以發汗入手太陰，不離陰之體也。同氣之物，或味不同，同味之物，或氣不同，各有厚薄，故性用不等。」余雲岫曰，『夫百物之生，皆有陰陽，可以附會，（陰陽本不可分，所以分陰陽者，明其體用耳，故知者不言，言者不知。）鄒潤安所謂凡物之生，必陰陽相抱也，今見其發熱也，清頭目也，發汗也，則於其藥之形色臭味土宜時令之中，求其可以附會於陽者而說明之，見其泄下也，利小便也，則於其藥之形色臭味土宜時令之中，求其可以附會於陰者而說明之，其有兩歧而不能一致者，則又造陰中之陽，陽中之陰之說以圓之，則更指揮如意，任所欲爲矣，此徐洄溪所以有廓廓籠統之譏也。後之人，遂而信之，且爲之疏解，爲之辨論，李瀕湖謂淡滲之物，先上行而後下降。劉潛江謂陽有餘而下趨，下合於陰，以說明茯苓下泄之功。至張隱庵葉天士輩，則皆以爲位乎中土，而收上下交通之效。諸說紛紜。實而按之，謂氣之薄者，陽中之陰，何以黃連味厚氣薄，乃以爲陰中陽而升乎。連翹氣味俱輕，亦以爲陰中陽乎。然則其所謂陰陽，非有定例也，凡可以附會藥效，及便已之說者，隨意所欲而取之已耳。瀕湖先升後降之論，以內經「飲食入胃，遊溢精氣，上輸於肺，通調水道，下輸膀胱」，之言爲據，然飲食入胃，其排泄之路，豈特水道，猶有穀道焉，豈特膀胱，猶有直腸焉，然則何物不可言先升後降耶。潛江謂陽有餘，而趨於陰，夫茯苓氣不厚，味不辛，性不熱，既以爲陽中之陰矣，則以陽藥言茯苓，惟見其不足，何得謂之陽有餘耶。張葉輩謂位乎中土，上下交通，則何以上不發汗，（余氏謂陽不足，甚是，陽不足，故雖發汗，但利小便，）而獨下行利水耶。且木通亦謂陽中之陰，亦利小便，何以不曰先升後降耶，乃據其「細孔通理，兩頭皆貫，」以爲說矣。車前與茯苓同功，何不曰先升後降耶，乃以稟肝木之化以達水腑爲說矣。』迷入五里霧中，前人不明後人明，時代進化，知識增高，余氏於中醫，誠爲諍友。

淮南子，「神農嘗百草之滋味，一日而七十毒」，後之著本草者，皆據此謂神農爲藥物之祖，定出藥之形色氣味，主治臟腑百病，其實神農本草經，僅言某藥治某病，某證用某藥，樸而不華，無此蛇足。至金元之間，張潔古及其徒李東垣王海藏輩，始取內經素問藏氣法時論中「肝苦急，急食甘以緩之。心苦緩，急食酸以收之。脾苦濕，急食苦以燥之。肺苦氣逆上，急食苦以泄之。腎苦燥，急食辛以潤之。」及「肝欲散，急食辛以散之，用辛補之，酸瀉之。心欲耎，急食鹹以耎之，用鹹補之，甘瀉之。脾欲緩，急食甘以緩之，用苦瀉之，甘補之。肺欲收，急食酸以收之，用酸補之，辛瀉之。腎欲堅，急食鹹以堅之，用苦補之，鹹瀉之」。又「辛走氣，氣病毋多食辛。鹹走血，血病毋多食鹹。苦走骨，骨病毋多食苦，甘走肉，肉病毋多食甘。酸走筋，筋病毋多食酸」。（按內經謂甘瀉心，苦瀉脾，後世謂苦亦瀉心，酸亦瀉脾，性味功用，亦有參商，吾人何必拘泥此見。）等語，以爲用藥之根本法則。王海藏湯液本草，實薈萃其說者也。其論藥之功用，專以形色臭味，及所生之土地燥濕，方域南北，與夫苗秀花實根莖，採取之時節，以牽合其五行五味五臟等說，在昔無法解釋藥理之際，用宋人理學傳統心法，加以解釋，吾人視之可作爲一種藥理之概念，固無今日藥理立論之精，而有歷代醫人經驗之心血而已。如羅謙甫論牽牛，謂是感南方熱火之化，其所以為此言者，以其味辛辣，久嚼猛烈雄壯也。（余雲岫按，李時珍本草綱目，劉潛江本草述，皆以此為東垣之論，而王海藏湯液本草，則以為羅謙甫之言，而海藏謙甫俱親事東垣者，海藏之言，當為有據，今從之。）是用藥味而牽合氣運也，舍此別無根據矣。（前賢知牽牛為猛下劑，又何必在氣味上作曲解。）又如潔古論黃連，為入手少陰經，手少陰，心也，以黃連為入心也，求其立論之根據，不過內經苦入心之言耳。又謂瀉心火，以其味苦寒，苦入心，寒去熱也，舍此則瀉心火之言，別無根據矣。又以為除脾胃中濕熱，以其花實根色皆黃，而又六七月結實採根，劉潛江所謂色象與告成之時，俱歸中土者也，舍此則除脾胃中濕熱之言，別無根據矣。由此觀之，金元以後所用以說明藥效，先求之於氣味，見有可以附會者則牽而合之，不得，則求之於形色，又不得，則求之於根莖花實苗葉，發生收採之時令，及生產之土宜，多方詭遇，以冀有所弋獲，此種說明方式，自易州（張潔古）而始盛，國人風靡而景從者，將七百年於茲矣。徐洄溪在前清乾隆時，號為能務實者，其作蘭台軌範，識自宋以還，陰陽氣血寒熱補瀉之談，為膚廓籠統，是矣。而其著本草百種錄，注菟絲子曰，「凡藥性有專長，此在可解不可解之間，雖聖人亦必試驗而後知之，如菟絲之去面䵟，亦其一端也，以其辛散耶，則辛散之藥甚多，以其滑澤耶，則滑澤之物亦甚多，何以他藥皆不能去，而獨菟絲能之」。此皆對於形色臭味，有懷疑之心也。而洄溪「雖聖人亦必試驗，而後知之」之言，足以破金元以來，神農生知之謬說，挽盲從古言之陋習，而實漢唐以前講求藥效之正路，乃古人實事求是之切實下手處，特當其時，舍形色臭味土宜時令，更無他種工具可以講明藥理，更無他種道路可以考究藥理，更無他種方法可以疏證藥理，故不得不以形色臭味土宜時令為滿足，實無可如何也。（以上多採取余雲岫氏說）今人研究藥物者，當廢然思返，翻然改計，探討藥物之實效，何者切合某種病機病情，再證以科學之新知，化學之成分，藥盡其用，用無不驗，乃今日講求藥效之正路，否則，是非顛倒，難圖寸進。

日人香川德修著一本堂藥選，（成於西曆一七二九年）其凡例中有云「是選不錄氣味，何則，以藥之才能，不由氣味也，本草所謂氣者，寒熱，溫涼平也，味者，甘苦辛酸鹹淡濇斂也。如附子乾薑，咬之口中覺溫，石膏芒硝，點舌即識寒，大黃黃芩之苦，甘草蜂蜜之甘，桂生薑之辛，玄及（五味子）之酸，五倍子之濇，芒硝之鹹，茯苓之淡是已，此其氣味尤著者也。若夫氣味微而細，雖識別者，不可強知，知亦非有鴻益。而有甘而汗者，吐者，下者。苦而汗者，吐者，下者。熱而汗吐下者。寒而汗吐下者。濇而散者收者。鹹而堅者軟者。則知藥性固有各自之才能，而決不由寒熱甘苦為之矣。或就現在乾藥論焉，則猶可言也。若眾品相和，寒熱混雜，不專是一品，則縱使有效，亦不可必謂此乃是物之所獨為矣。予少年時嘗著煎湯皆溫論，此雖一時有為之激論，亦可見其梗概矣。況乎一藥而甲曰溫，乙曰寒，又甲曰甘，乙曰苦，冰炭黑白，大相背反。如人參，神農本草曰，甘，微寒，名醫別錄曰，微溫，吳普曰，桐君雷公，苦，黃帝岐伯，甘。桔梗，神農本草曰，辛，微溫，名醫別錄曰，苦，吳普曰，神農醫和，苦，黃帝扁鵲，辛鹹，岐伯雷公，甘，李當之，大寒。芍藥，神農本草曰，苦，平，名醫別錄曰，酸，微寒，吳普曰，桐君，甘，岐伯，鹹，雷公，酸。諸如此類，不可勝舉，若斯則其將誰適從，蓋可見其非所要也。如有毒無毒亦然，如白頭翁，神農本草曰，無毒，名醫別錄曰，有毒，甄權曰，有小毒。莨菪，神農本草曰，無毒，甄權曰，有大毒，大明曰，有毒，雷斅曰，有大毒。桔梗，神農本草曰，有小毒，吳普曰，神農醫和岐伯雷公，無毒，是也。凡藥皆有毒，只有大小輕重之分耳，故古人概曰毒藥利疾，其謂無毒上品者，多是方士眩人之誑語耳。此之穀菜肉果常食者，則可謂皆偏有毒矣。故吾門之於藥物，不專主氣味與有毒無毒，唯勉知某藥治某疾為要而已，勿強鑿所以然之理也。」日本漢醫之實事求是，在吉益東洞之前，（日本有名之漢醫著有東洞全集）思想發達已如此，一變至道，而有今日之醫學，豈偶然哉。又曰，「本草舊有相反相畏相惡等，此一時偶有之事，而非決定之說，故不可拘泥，譬如甘草與大戟甘遂芫花海藻相反，而胡洽治痰癖，以十棗湯加甘草。李杲治項下結核，消腫潰堅湯加海藻。朱震亨治勞瘵，蓮心飲，用芫花，二方俱有甘草。觀此可以見古人用藥不拘執矣。而李時珍評之曰，非妙達精微者，不能知此理，吁，亦可笑哉。雖胡李朱三氏，非神非鬼，安得知人所不能知之理乎，意偶忘相反耶，抑將非可必然之事也。時珍又引陶宏景言，古方亦有相惡相反並用，乃不為害，益可準知也。且古方合用相畏相惡者，不可枚數，檢閱方書可見也。」余雲岫曰，「我國金元以後，醫家論說之紛亂，其弊全在視古人為生知萬能，為疑神疑鬼之超人動物，以此桎梏其思想，至今尚不知自求解放，誠可悲也」。藥選又曰，「凡採藥分六氣歲物，或四時五運六淫有用藥式等，並本於素問陰陽大論，引經報使，及五臟六腑，補瀉氣味用藥，張元素為之倡，升降浮沉陰陽，始於李杲，此皆近世醫家之所遵信奉事，日用首務，而究之俱是空論，無益治事，勿泥此等區區之言。」以上所論，可謂一掃雲霧矣。雖然，香川之論，足以解放吾人之思想，而為今日研究藥物之指歸。惟鄙意以為，前人既有升降浮沉寒熱溫涼之說，滿紙皆是，加以剪闢，不如予以解釋，使讀本草者，皆得明瞭古說。所有藥效，不出乎藥物之反應現象，以臨床處方時，知所抉擇而已。例如，桔梗在新說，祛痰藥也，舊說桔梗性升，能載藥上行，以其藥之作用在肺，肺屬上焦，若在咯血時，則宜禁用，以其易於引起咯血也，惟藥量輕，雖咯血時亦可用。若投以麻黃，則血行加速，更易出血，則知麻黃升發之力更大，而在新說，麻黃能增加血壓，此則可知病之於藥，有選擇作用。用得其宜，奏效如神，藥不投機，禍不旋踵。又如大黃，瀉下藥也，舊說性沉下降，善去不守，形容其洗滌腸垢之功，如此而已，而腦充血，腦溢血用此，則又足以誘導上部血液下行，使降低血壓，下部充血，雖藥量重，未必用之即瀉。此可見舊說，升則為浮，藥效作用於上焦者是矣，沉則為降，藥效作用於下焦者是矣，談升降浮沉，實際如此，用今日藥理解釋，轉覺平淡無奇，且以讀古籍，自有會心處，若如前人謂人參補氣屬陽，或謂其生津屬陰，迷於氣味之說，無異痴人說夢，豈怪香川氏之痛斥哉。

傷寒質難

此篇有著作權　不許轉載翻印

（七）

祝味菊答述　陳蘇生筆受

蘇生曰，先賢治新寒外感，用溫散，伏溫內發用淸泄，所論雖未能闇合科學，要亦千百年經驗所積，非憑臆亂投者，章太炎氏序傷寒輯義云，「余聞之莊生，筌者所以在魚，得魚而忘筌，蹏者所以在兎，得兎而忘蹏，醫者以愈病爲職，不貴其明於理而貴其施於事也，不貴其言之有物而貴其治之有效也，治苟有效，無異於得魚得兎，安問其筌與蹏爲」，是知醫學之可貴，不在高深之理論，而在有效之方藥，古人治病，以經驗爲重，其初葢得之於口傳，試用而屢效，遂裒訂而成方書，壽之簡冊，傳之門徒，苟其無效，方必不傳於後，是以傷寒麻桂，問津乏人，溫病芩連，到處風行，是知傷寒多有以淸泄而起者，否則其傳必不廣，其行必不久也，師言傷寒不宜過下，又不宜過淸，若是則溫熱之書可以不讀，景岳八陣，可付覆瓿矣。

師曰，甚哉，世俗謬見之惑人也，醫之處方，溫涼補瀉，汗吐滑濇，各有攸宜，當淸下者，自不厭於淸下，時師以淸下收效者，適値病之可淸下者耳，惜乎知其當然，而不知其所以然，彼師心自用者，執着成見，有熱皆淸，無積亦攻，雖曰有中，其失孔多，夫學識經驗，相輔爲用，學以明理，理明則能應變，驗以致用，用熟則能生巧，礎潤而雨，月暈而風，老農之經驗也，決其必雨，而知雨量之多寡，知其必風，而悉風向之來源，則學者之智識矣，大木爲杗，細木爲桷，欂櫨侏儒，椳闑扂楔，斧斤鋸鑿，各逞其藝，匠氏之工也，相度地質，測算載重，繪圖於尺幅，稽基於不圮，則技師之能矣，醫者亦治學明理，以備臨時之實用，反覆經驗，以證所學之不虛，乃能相得而益彰，彼時俗之流，承襲師傳，以經驗自詡，而不知探索眞理，祗求應付，不問根源，故其治有應有不應，其應也，以爲獨得千古之祕，其不應也，束手技窮，委之天命，此無他，徒有治病之經驗，而無應變之學識故也，彼自號傷寒專家者，汗之不愈則下之，下之不愈則淸之，淸之又不愈，以爲虛也，從而補之，及乎神昏譫語，僉謂邪入心包，芩連牛黃，至寶神犀，雜投而無疑，如是猶不效，則醫家以爲天命而無所悔，病家亦以爲天命而無所怨也，嗟乎，坐視病邪自表入裏，而衞，而營，而氣，而血，而動肝風，而陷心包，預言之證狀，無不歷歷應驗，醫之所料，未嘗不神（指端蠕動，料其生風，多言神煩，料其躁狂），方案所防，不幸皆中，（醫知預後不良，方案預書防厥防脫防變防不測等語，所以炫其有先見之明，而卸失治之責也，）然而徒知其危殆，終無術以救之，此無他，有識病之經驗，無治病之學識耳，夫藥物雖爲治病之工具，然病之痊可，非藥物之力，乃醫者用藥之當，及病體反應之功也，藥物之性能，方劑之功效，反應若何，預後若何，此猶經驗所能知，至於區別病之陰陽虛實，何者爲生理，何者爲病理，何藥爲有當，何藥爲合理，藥之何以有效，何以無效，則非探索眞理不爲功，此學問之所以可貴也，經驗由實習而來，雖可生巧，未能應變，原理未明也，苟能明理，互相印證，則盡善盡美矣，太炎先生慨世人之輕視中醫，是以有筌蹏之說，而引伸之曰，「今有劇病者，中外國工所不療，而鈴醫不識文字者能起之，人亦不能薄鈴醫也，而況過於是者哉」　良以中醫學理，未能自矜　所恃以起劇病，活膏肓者，經驗而已，傷寒金匱，千金外台皆經驗之淵藪，醫書之精粹也，其識病論源諸書，多無足觀，炎老深知此中得失，而欲有以間執讒慝之口，故以筌蹏喩空言無裨實用，葢揚長隱短之意耳，不然，醫學如炎老，而顧輕視學理哉，世人不察，以爲中醫既有經驗，無須學理，太炎先生已詔我矣，昂然以爲遠勝鈴醫，夜郎自大，不思進而研求學理，此醫門之朽木也，夫學說日新，不進即退，西醫之日進，中醫之日退也，爲學者不進進是懼，而況以退爲得乎。

蘇生曰，聆此至論，乃知學理之必須研求，經驗之不可專恃，請銘諸座右，永矢弗諼，師言傷寒用清下而收效，適值病之可清可下者耳，敢問病如何斯可清可下，請闡明之，用解時俗之惑。

師曰，八法幷用，惟症是適，可清可下，惟理是從，知其要者，施得其宜，故藥必有中，不知其要，以藥試病，以病就法，雖或有中，其失必多，吾子曩昔亦曾偏用清下矣，試言所以用清下之故。

蘇生曰，向者承襲時方，視麻桂如蛇蝎，奉溫熱（溫熱經緯）爲圭臬，習見以清下而愈者，亦習見用清下而不愈者，於是正治不愈則從治，從治不應則求其屬以衰之，以爲盡藥療之能事矣，其猶無效者，則以疲藥塞責，坐待其變，病程漫長，不能截之於中道，則待其至危極急，而施以博浪之一椎，是故犀羚牛黃，藥囊中瓌寶也，挽回信譽之最後一擊也，一擊而中，則病家俯首頌德，五體投地，醫家亦意氣激昂，以爲建殊功，肉白骨矣，弟子昔日，亦復不免，今悔之矣，夫變亂內作，不能弭之於未形，亦當抑之於未熾，因循坐視，齎糧藉兵，至於寇賊鴟張，而欲背城借一，幸求一逞，不亦晚乎，病之可以不至譫妄而竟至於譫妄者，醫縱之也，醫成之也，將愧怍之不遑，安在其爲榮譽耶，竊以爲傷寒有可清可下，而醫之失，在於妄清妄下，何則，傷寒所以用清，以其有熱也，所以用下，以其有滯也，所謂表熱者，體溫官能之熱也，裏熱者，實質變化之熱也，表熱灼手，得由他覺以直知，裏熱內燔，得因證候而推知，熱而無汗，知其放溫障礙也，則發汗以散之，熱而有汗，知其生溫亢進也，則清涼以平之，口渴引飲，知胃熱消水，煩躁譫狂，知腦熱生風，口瘡目赤，知熱之上壅，便閉溺黃，知熱之下鬱，清表者和其亢盛之體溫，清裏者制其實質之裏熱，見熱用清，所謂正治也，益水之源，以制陽光，所謂從治也，引火歸源，導龍入海，所謂求其屬以衰之也，此清法之大要也，所謂下滯者，下有形之滯也，痰涎濕濁，積食凝瘀，一切穢腐廢料，足以鬱蒸而爲發熱之資者，皆有形之滯也，留滯爲患，故當下之，然下之之法不同，通導大便，排泄糟粕，此狹義之下也，堅者削之，結者散之，客者除之，留者行之，此廣義之下也，所以消散有形之積滯，排除無用之廢料，勿令爲燃燒之資也，傷寒腸壁炎腫，苟無糟粕當下，自當避免刺激，勿令蠕動，故傷寒禁下者，禁狹義之下，非禁廣義之下也，是以豆卷豆豉宣發酵腐，青蒿佩蘭化濕辟濁，橘半蔞杏之化痰，枳朴查麴之消積，皆收退熱之效者，間接療法也，龍膽酒軍，下清竅之熱，所以低降血壓之高，大戟甘遂，逐胸脇之飲，可以消除肋膜之炎，紫雪牛黃，洗滌包絡，清醒知覺神經也，芩柏梔翹，清泄內熱，消散腸壁炎腫也，清下幷用，消實質之炎熱，是爲直接療法，下以排除體內廢料，去其憑藉，即所以孤邪勢也，清以消退病灶之炎熱，減殺菌毒，即所以衰邪勢也，弟子用清下之故如此，然用之有應有不應，則非愚昧所及知矣。

師曰，吾子所言猶似是而非，軀殼之表有灼熱可按而謂之表熱，軀殼之裏有燔爍之感而謂之裏熱，此不足爲憑也，熱爲一種症象，表熱之因，不盡在表，裏熱之因，未必內生，夫體溫亢進，肌膚未必灼手，不見亢熱四十度而尺膚不溫者乎，陰極格陽，肌表忽然回熱，油竭火燼，燈燄突明，燦爛夕陽，轉瞬黃昏，他覺果足爲憑乎，口渴引飲，有因瀦水太多而津不上升者，初非熱也，神經疲勞太過，亦能虛煩譫妄，豈必腦熱生風，口瘡有因局部不潔，細菌寄生者，有因下元不攝，虛炎上騰者，皆非有熱，目赤爲角膜充血，多因刺激而起，塵埃入目，必紅赤流淚，目豈有熱哉，陰凝之體，大便不暢，小溲久蓄，其溺必黃，亦非熱鬱於下，證狀果足爲憑乎，治病必求其本，執着證狀，一切以想當然爲診斷，此用藥所以不應也，夫人有常溫，超越之則爲發熱，發熱之來，起於刺激，在表之激，大都由於放溫之障礙，在裏之激，大都由於生溫之亢進，吾子據他覺之溫感，憑直覺之證狀，以定表裏清下之法，而不知其不足爲憑，既未究乎學理，宜其用藥有應有不應耳，傷寒用下，下有形之積滯，除無用之廢料，予既已知之矣，傷寒之用清，非清其局部實質之炎熱，乃抑減體工過度之抗病力耳。

蘇生曰，體工抗病之力，傳染性熱病獲愈之機，今乃清以抑之，願聞其故。

師曰，人之體溫，四時無變，生理所需要者，名曰平溫，（平人體溫，常在卅七度間，高低不過半度而已）邪之所干，正氣抗之，病理所需要者，名曰抗溫，（傷寒抗溫最佳卅八九度間）抗邪太烈，矯枉過正，生理所難堪，病理所不需者，名曰亢溫，（傷寒四十度以上持久不降，自覺難堪者，即爲亢溫。）平溫者基溫也，抗溫者善溫也，亢溫者害溫也，傷寒之用清，中和亢熱而維持抗溫也。（本篇完全書未完）

本刊徵稿啟事

（一）文件最好用白話，淺而易解的文言也可以，總之讓大家看得懂，竭力避免學術語專門名詞。

（二）字數每篇最多不得超過三千字，千字以下的短文尤其歡迎。

（三）內容中國學說也好，西洋學說也好，祗要是實用的，大家日常生活必需知道的醫藥衛生常識，如果是融匯中西學說的，那更是十二萬分的歡迎。

（四）稿酬經刊載後稿費從優。

（五）來稿文字編者得加潤色，投稿人如不願潤色者，請於稿端聲明。

（六）來稿未登者，如須退還，請附已寫好退還的地址及收件人之信封，貼足郵票，當卽儘速寄還。

（七）來稿請署眞實姓名詳細地址。

（八）稿件請直接寄送上海（5）哈爾濱路富春里四號，本報醫藥編譯委員會。

本刊定閱價目

月份	期數	定費	掛號	航平	航掛
三月	13	四萬五千元	一萬元	八千元	一萬七千元
半年	26	八萬元	二萬元	一萬五千元	三萬三千元
一年	52	十五萬元	四萬元	三萬元	六萬五千元

附註 定戶請於到期前一期通知續訂本外埠定戶平寄免收郵費其他寄法郵資請照表匯寄

濟世日報　右任

醫藥衛生專刊

第一卷第十期

——本刊每逢星期一出版——

本報登記證內政部京警滬字第三八六號

本報經中華郵政登記認爲第一類新聞紙・上海郵政管理局執照第二〇七七號

發行人 卓勤　社長 卓紹鼎　總編輯 施今墨

本期目錄

中華民國三十六年十月十三日　濟世日報社發行　本期售價國幣四千元

社址上海(5)哈爾濱路富春里四號　電話四五二七二

社論

『謙受益』敬告中醫界同道

我們主張中醫科學化，乃是想從西洋學些「物質」科學，來明白我們中醫「習焉而不察」的原理，來充實我們中醫的學術。同時我們承認東方的宗教、道德、人倫等「精神」科學或社會科學，却比西洋的正確而高明；不但我們不需學西洋，還得請西洋人學我們東方的。這理由說來話長，而且比較沈悶不易說明，這裏姑且不談；只根據這種主張，提出一句中國（東方）的格言「謙受益」，貢獻給中醫同道；我們須先有「謙」的心情態度，纔可以學習一切，包括物質科學在內。

謙，並不是指「見了人滿面堆下笑容，亂作揖，亂鞠躬，亂拉手」的話；乃是指「自己覺得不滿足，差得尙遠」。而這種「不滿足」，並不對「富貴名利，快樂享受」而言；乃是對「學問道德」而言，自然，醫學也是學問的一種，而醫師對病人也極需要道德。有了不滿足的謙德，纔能努力學習，努力修養；學習修養的結果是蒸蒸日上，是進步；這就叫做「謙受益」。謙受益的反面也有一句相聯的格言「滿招損」，就是說自滿了會退化。

中國的儒家提倡謙；道家更進一步提倡「含垢」，老子書上說「國君含垢，瑾瑜匿瑕」。佛家索性提倡「忍辱」，說忍辱是六波羅蜜之一；用「意譯」來說明，佛學有六種成功的工具，而忍辱爲其中的一種。對呀！對極!!忍辱是謙的極點，那末，其結果當然是最速的進步；有最速的進步，還怕不成功麼？只不過忍辱極難，謙也不太容易，這就是筆者爲什麼要提出貢獻的原由。

假使國內只有中醫，而有人說「醫學的缺點很多」時，還不致引起什麼反感。自從有了西醫，中西醫因同業同利之故，不無爭辯摩擦；在這種形勢之下，如果有人批評中醫，或是說「中醫不如西醫」，那極易引起我們同道的反感；如果中醫界有人自己說不如西醫，那準會引起惡罵，「好小子，你是長他人志氣，滅自己威風；」罵罷說出一大篇中醫勝過西醫的話來。在筆者看來，中醫勝西醫的地方不是沒有，但西醫勝中醫的地方正多。爲中醫計，我們應吸收西醫學的地方太多了，我們應向西醫學習的地方太多了。倘一口咬定「我們比他們好」，那是太「滿」而絲毫不「謙」，如何能吸收學習？中西醫的優劣，不是口舌宣傳所能爭，須要拿出眞材實貨，可以比較，可以試驗，才行。

本來，中西醫當和衷合作，共謀民族的健康，用不到什麼爭勝。即使退一萬步言，中西醫須無形的鬥爭；那也用得著兩句格言，「知彼知己，百戰百勝。」而且「知彼」要知道對方的長處，「知已」要知道自已的短處；至於對方的短處，自己的長處，不知道倒不妨事。參謀部如果把敵國的力量估計太低，把自已的力量估計太高，開戰起來，一定是一敗塗地；反過來，倘把敵人估計太高，把自已估計太低，那倒很輕鬆的打了勝仗。

所以，奉勸中醫同道，倘有人說中醫不好，請不必動怒；倘有人說西醫好，也不必妒嫉。只有努力學習，努力修養，才是生存的大道；只有謙光忍辱，才可以學習修養。這就是「子路，人告之以有過，則喜；禹聞善言則拜」的道理；也是東方道德的特長。

我們用東方的道德精神，來學西洋物質科學；相信十年二十年之後，決不會不如西洋人。

懷孕了沒有？（續完）

雍熹

第四至第六個月中的症狀

最初三個月之後，胎兒已逐漸長大。在第四、五、六三個月中，我們把它分作第二時期。在第二時期中，最顯著而能自覺的症候是腹部因子宮的脹大而突出，和胎兒的運動。

大約在受孕後的第十六個星期到第十八個星期時，孕婦即感覺一種前所未有的異樣感覺在自身之腹內，此種感覺即因胎兒之運動所致。聽明的婦人，常能因此種胎動之感覺推算最後一次月經來臨之時間，以自行判斷是否懷孕。初次受孕者，感覺胎動較遲，約在第十六至第十八星期時；甚至遲至第二十星期；但在懷孕多次之孕婦，有些可以在第十星期就發現胎動的感覺了。

胎動的症候之外，醫生之檢查並可得到下列徵象：—

一、子宮肌作斷續之收縮。

二、約自第十二個星期以後，即能自腹部以雙手按摸而得胎兒之頭肢各部及感覺其運動。

三、胎心跳動已可用聽診器聽到，每分鐘約跳動一百二十至一百六十次。通常女胎心之跳動，常較男胎心之跳動略快。

四、面部及頸部之色素略見增加，腹部發現褐色及白色相間之直肌紋，乳暈之色澤更見加深及擴大。

此時，是不是懷孕了這個問題，早就已經解決了。但如為了要更確實起見，仍可作動物試驗，把孕婦的小便注射到兎子體內去，四十八小時後再剖驗兎子的卵巢，加以證明。

最後三月中的症狀

妊娠到受孕後第七、八、九這最後三個月時，一切症狀，大致仍和第二時期中相仿，不過更見顯著。在第三時期中，月經自然仍舊沒有，此時期中若有任何血液自下部流出，則若不是病理現象，即係分娩開始之表示。初期中惡心及嘔吐現象早已消失，如果重新又有這種症候發現，則應該早點去請醫生診察一下，是否有妊娠期中毒現象。胎兒運動在第三時期中，越見劇烈，直至將行分娩之前，始行靜止下來。

在此最後三月中之其他現象尚有：—

一、不痛的子宮收縮隨懷孕日期之增加而愈見劇烈。

二、胎兒運動已可毫無困難自腹外摸得。

三、胎心跳動之聲浪更響，且較易聽得。

四、子宮形狀、大小、硬度、位置等之改變更為明顯。

五、X光透視已可得一完整之胎兒陰影。

我們知道了妊娠的三個時期中各種不同的症候和徵象、就可以根據這許多現象來幫助診斷是否懷孕了。不過有許多症候和徵象，都可能有其他的原因去造成，所以在每一時期中，都要從各方面去找所有可能表示懷孕的症狀，使得診斷更確實，切不可根據其中任何一項現象就認為是懷孕，尤其是初期中的各種症狀，我們都只能說是有懷孕可能的徵兆，除非是許多症狀都同時存在了，才能下一個比較肯定的診斷。

那末，「到底是不是有了孕呢？」前面所說的各種症象，可以幫助你解決這個問題，如果為了確實可靠起見，自然還是請婦產科醫生去診察一下的好。

水的生理和病理

牟允方

生理學家洛勃南（Rubnoy）曾說：人體體內所有的肝醣或指肪，以及蛋白質，如喪失去全部的二分之一，還不致妨礙到生命。若體內所有的水分失去十分之一時，就有生命的危險，這樣看來，水是生命最主要的原素了。所以有人試驗絕食能夠忍耐到六七十天，但是忍不住二三天不飲水。「水是生命的源泉」這是一句名言，誰也不能否認的。

人體的結構，大約三分之二是水的成分。含水分愈多的藏器，代謝的活動也愈旺盛。生理活動的重要因素就是水，水能溶解營養素，使各組織細胞易於吸收；水能輸送營養到各組織；水能運輸代謝產物至排洩器官；水能柔軟組織而使有彈力，以及製造分泌液，調節體溫等等作用。所以水在體內是無時甯息的周迴流動，從飲水入胃到排泄往外，由淋巴管動脈管流向靜脈管，各組織細胞膜的滲出滲入，是不斷的移動着。

健康的人體，體內的水分有一定的含量，保持一定的平衡狀態，飲入的水量和排泄的水量是相等的，這個數量，生理學上叫做轉移量。飲水的入胃，中間經過轉移而排出於體外。排出的狀態，除却小量隨糞而排出外，大部份由皮膚和腎臟而排泄體外，一部份隨肺的呼吸而排泄於體外。排泄的水量跟着飲入的水量的多寡而定，排泄愈多的，飲水也愈多；飲水愈多的，排泄亦愈多。主持這一個機能，叫做調節機能，如果這個調節機能發生障礙，排泄和飲水的量不能相等，體內的水分便不能保持一定的含量，太過或不及，就成疾病的症候。這些症候，我們時常可以看到的。病人身體的熱度上升的時候，代謝機能跟着體熱而亢進，水分的排泄也跟着旺盛。水分過度排泄的結果，體內的水分減少，便發生乾渴喜飲的症候，中醫的陽明病和一般所稱濕熱病，都有這個症候。若排泄的機能發生障礙，體內含水量太過，便起所謂水分中毒的症候。這種疾病，中醫分皮膚的機能障礙和腎臟的機能障礙二種。皮膚的排泄障礙，有頭痛痠楚，身體沉重，肢體之力的感覺，中醫叫做風濕症，治療用發汗的藥，以排除皮膚的障礙，就是恢復其排泄水分的功能。若腎臟的排泄發生障礙，最主要的症候是小溲短少，體內因水分失去平衡，留有乾渴的感覺而不欲飲水，或飲水入口即吐，這種症候，中醫叫做蓄水症，中醫用利尿的藥；以排除腎臟的障礙，就是恢復其排尿功能的。此外如大便溏泄，嘔吐痰涎，以及喘哮促息等，中醫都認為與水有關的疾病，所謂濕瀉、痰飲、停水、都認為水分太過的病變也。

白帶多嗎？

雍熹

女病人來見醫生的時候，醫生往往要問她：「白帶多不多？」有些時候，也許不等醫生開口問，病人就會向醫生陳述說：「這幾天白帶很多。」

常常，很多人會把白帶認爲是生殖器官的一種病。其實，這種想法是不完全對的。充其量，我們只能把白帶的增多認爲是健康上某一種障礙存在時，所表現的病徵之一，而白帶本身，並不就是疾病。所以，病人可以把「白帶多」作爲病情之一告訴醫生，醫生卻不能用「白帶」這個名詞作爲是他的診斷來答病人。

在正常健康的時候，女子生殖器官內面的黏膜就無間歇地分泌着一種黏液，不過分泌量很少，只僅僅足夠使生殖器官內面能夠始終保持濕潤。這種黏液，就是平常所說的白帶。所以，即使在完全健康的狀態下，也還是有白帶的，因爲量少，因此不被注意吧了。

女陰器官內，這種黏液分泌的不健康狀態，可以有幾種不同的方式表現：——

一、黏液的分泌量大爲增加。

二、黏液呈化膿性狀，有惡臭。

三、黏液稀薄如水。

四、黏液中有血。

當白帶中有血的時候，我們把它分歸於另一類，以後再討論。現在，來說說關於白帶的問題。

雖然，白帶是從女生殖器官分泌出來的一種黏液，但是卻常常可以由於生殖器以外，其他部分的病症而引起不正常現象。尤其是處女，很多是營養不良，或是骨盆部的充血而引起白帶分泌過多的症象。通常，我們很容易見到貧血的病人；或者是重病以後體力還沒有完全復元的病人，白帶的分泌量也會略見增加。但是，當這些病人回復了她們的健康之後，也就不再會向醫生訴說自己的白帶多了。同樣的，假如有一位病人的白帶多於尋常，是因爲心臟病或其他任何原因引起的骨盆部充血現象所致，那末，要想使白帶的分泌回復正常，唯一可靠的辦法是醫治心臟病或其他引起骨盆部充血的病症。

由這些例子看，我們可以認爲白帶在有許多情形中所以多的原因，是生殖器官本身以外的；所以，治療的方法，還得要靠本病的痊癒。

不過，除了上面所說的例子之外，我們也不要忽略了很多因爲生殖器官局部病變所致的白帶過多現象。生殖器官任何一部分——陰道、子宮、卵巢如果發生有發炎，循環失常，位置改變等事故，都可以使白帶的分泌量增加。這樣一說，就差不多包括了一切女性生殖器病在內了。換句話說，女性生殖器官的任何一部分如果有了不正常、不健康、或是疾病，都能夠有白帶多的症狀發生。

所以，當病人說白帶多的時候，醫生就應該用窺陰器檢查一下她的生殖器官。看看有沒有陰道炎、子宮頸炎、子宮炎、輸卵管炎、或是卵巢炎這一類病症；或是檢查一下子宮頸是不是太高或太低？子宮體的變曲是不是正常？月經的週期是不是準確？病人是不是患有淋病？如果發現有，那末就要從醫治這些病來着手治療。如果局部的病變一點也沒有，則應該做一次詳細的全身檢查，找出引起白帶過多的眞正原因來。

除了因爲各種疾病所致的白帶過多現象以外，在月經來潮的前後，也會有比平常分泌更多白帶的現象，但這可以說是生理的現象。因爲在月經期中，子宮充血，也就引起較多的白帶分泌。但是，當月經過後，充血現象消失，這種白帶過多的現象也就沒有了。不過，除了這種月經期中「生理的」現象以外，假若發現了白帶多的症象，自然最妥善的辦法，還是去請醫生檢查一下，如果有什麼病變，那麼還是早日治療的好。

六〇六和

有誰還沒有聽見過「六〇六」和「九一四」這兩個名字麼？已經不止一次兩次聽說過它們大名了，是不是？跑出去在街巷上也常會見到有一些畫着紅十字在門口的「醫師」診所，寫着顯明注目的廣告：「保險注射六〇六、九一四」。

大概，任何人都多少知道一些，六〇六和九一四是兩種治梅毒的特效藥。梅毒，就是一般人平常叫做「楊梅瘡」的病，多可怕呢！可是在目前這個社會裏，梅毒卻又流傳得如此兇猛可怕，成了一個嚴重的社會問題。無怪乎六〇六和九一四，要成爲家喻戶曉的藥了。

但是，有多少人明白六〇六和九一四的藥理和作用呢？爲什麼那些「醫師」要在門口寫上「保險注射……」幾個字呢？這些保險注射的「醫師」是不是也的確明瞭他保的是什麼險，爲什麼要保險呢？

六〇六和九一四，實在都是砷的化合物。六〇六是歐主希氏（Ehrlich）所發明，爲一種淡黃色粉狀結晶物，無臭，在空氣中很不穩定，會逐漸變爲暗黑色而增加毒性；所以市上所賣的六〇六，都是封固在玻璃裏的。而六〇六的水溶液因爲酸性太大，不能直接作靜脈注射之用，所以在注射時，必須以含氫氧化鈉的鹼性液臨時配合，再立刻注射。在配合時如果有任何錯誤，或是時間太久，都可以增加六〇六的毒性，以致發生危險。

九一四，也叫做新六〇六，因爲它是由六〇六再研究試驗而得到的一種與六〇六相彷的砷素化學製劑；它的毒性比六〇六小得多，而且非常容易溶解於水，在注射前配合起來也因此簡單得多，可以減少很多危險。可是，九一四對梅毒的治療效用也與毒性同時減小了。然而爲了它的安全，所以現在一般的梅毒治療裏，多半都用九一四，只有在大的醫院裏住院治療時，仍有用六〇六的。

癬

譚評

癬在我國可算是很普通的一種皮膚病。甚或可以說我們每個人大約都生過；不過因為不是要緊的病所以不被注意就是了。

什麼是癬呢？我們常看見街上的窮孩子頭上白白的一片，發痒的很厲害，平常叫做癩痢頭的，就是癬的一種；有些人到了晚上把襪子脫掉就用手去猛抓他的腳椏，越抓越痛快，直到出血為止，人們說是「腳濕氣」，這也是癬的一種；有的人在臉上有一個紅圈圈，也常發痒，且有時還會脫皮，這當然更是大家所熟知的「癬」了。

癬的病原也是由於一種細菌的寄生。平常我們叫他為黴菌，或是絲狀菌，是細菌中最高等的一種，專寄生在人的身上。離開人體時，除非給他有適宜的環境和養料，如把糖，海萊，鹽等配合起來的培養物，是不能生活的。因此他也想了一種和有些小動物，冬眠差不多性質的方法，來渡過離開人體之後的時期，以便傳染給別人。這方法就是利用芽胞生殖，黴菌在他生成芽胞後即可隨着死了的皮膚像鱗片一般掉下來；若再遇到機會到了未被傳染過的人體時，便重新再活起來。所以癬是可以傳染的病。不但是傳染別人，就是自身未生癬的部份也會被傳染的。常看見有人害油灰指甲吧，這就是由於抓腳而傳染上指甲了。

癬在人身體的任何部份都可以寄生，如頭上，手，腳上，腹股溝部陰囊部等等。雖然如此，可是各部份的癬常不相同。如生在頭髮上的普通叫做癩痢的癬，不會傳染到臂膀上，因為皮膚上和頭皮上對於癬菌所供給的食料不同，因此所寄生的癬種類也不同。所以常看見滿頭是癬的孩子，其他部份卻不一定有癬。

你知道癬怎樣傳染嗎？患癬病者身體上時常脫皮的，在這脫掉的皮屑裏，就有很多的癬菌芽胞，這些芽胞再遇到健康的皮膚時，就可以附着寄生而生長起來。這些脫落下來的皮膚鱗片所含的癬菌芽胞，抵抗外界的力量很大，很不容易死；所以假若我們用有癬人用過的毛巾，衣服，鞋襪是很危險的事。像在理髮的時候，是傳染癬病的一個好機會，刀剪替有癬病的人理髮之後，如果沒有經過相當的消毒手續，再用來替另一個人理髮，差不多定會被傳染的。我們中國窮苦的小孩子頭癬多大半是如此傳染的。

還有洗浴，到澡堂去洗澡所穿的公用拖鞋以及洗澡後修腳指揑甲，腳等，都可以是被傳染的途徑。所以即使到公共浴室去洗澡，最好也用自己備的毛巾，拖鞋，更不要揑腳。

說到治療，這種毛病倒並不很容易斷根。因為目前還沒有十分完善的特效藥可用，而且治好後也常會再發。有一次記載一位皮膚科專家說他為何要選皮膚科作他的職業的理由說，第一皮膚病不會有急症，夜裏不會被人叫起來。第二，因為皮膚病是慢性病，病人不會很快治好，也不會被治死。這當然是刻薄的笑話，可是實在也說明皮膚病的確難以根治。

正因為難治，所以，最好還是預防於未生之先。對於癬病的預防法，應絕對遵守下面幾點：—

一、千萬別用人家的毛巾、浴巾。

二、不穿別人的拖鞋，或襪子。

三、在澡堂裏洗澡後，不要揑腳。

四、腳洗完後，用布或酒精將趾間擦乾。

五、腳如出汗太多時，可用腳氣粉使它乾燥。

六、保持身體皮膚清潔。

九一四

雍熹

六〇六和九一四的藥理作用相同，都能夠在血液裏有效地殺滅螺旋形病原虫，因此能使梅毒的各種症狀減輕以至消失，並且連血清反應也由陽性而逐漸回復為陰性。在作梅毒治療的時候，我們一定要等到血清反應回復為陰性時，才能認為痊癒。所以完全的治療，需要作很長時期的間歇性連續注射，絕不是注射幾針之後，外表的症狀減輕就可算了；那樣，就難保日後又會復發。

六〇六和九一四等砷素製劑，在注射時一定要很慢。因為這種藥注入血液，流到心臟後，可引起惡心，嘔吐等不愉快的現象。注射得越慢，則這些現象越不顯著而減輕，快了就不能避免，甚至可以使人暈過去。所以，這點是行注射手術者所必需時時注意的。還有些人，對於砷有特別的敏感，注射後會發生流淚，流涎，或者皮膚炎症等現象，那末就應該把注射的藥量加以適宜的減少。

除了溶解配合時的注意和注射時必需緩慢之外，六〇六和九一四這一類砷素劑的注射，更要求行注射手續的醫生或護士有足夠的經驗與技術。因為這一類藥是不可以溢出靜脈管外的。假使注射在靜脈管外的組織間，可以引起組織的壞死。稍許有一點的話還不頂要緊，可以立刻在附近組織間再注射一點生理鹽水或葡萄糖液去稀釋它，同時用熱罨包治。如果溢出在組織間的量太多時，那就很討厭了。

到目前為止，六〇六和九一四仍是治梅毒的良藥。比較新的發明有一種叫做「馬法生」，也是一種砷化合物，不過毒性非常之大，一定要有經驗的醫生和設備完善的醫院裏才能夠用。至於盤尼西林，則只能對於早期的梅毒可以有效，但也仍有很多例子，盤尼西林治療無效，而仍舊需要六〇六或九一四這種砷化合物的。

除了治療梅毒用之外，六〇六和九一四也能夠消滅寄生在血液中的其他螺旋菌體，所以也能用來治療回歸熱、瘧疾、鴉司病、和文生氏狹性咽喉炎等。

血壓

在見醫生，或是到醫院去的時候，量過你的血壓嗎？常常聽見人說血壓高，或是血壓太低這些話，又怎樣能夠知道呢？這就是要靠血壓計的使用了。就好像人們在發熱的時候，單是用手掌摸摸額頭是靠不住的，一定要用體溫計來測驗才行。

血壓計，是比較價值貴的醫用器械了。它由幾個部分組合而成。最先，就是測量血壓時包繞在上臂的一條布帶，在帶的一端中間，包含一只橡皮袋，這個橡皮袋，由一根皮管和一個有活塞的橡皮球相連接，這樣，在把包有橡皮袋的布帶裹在臂上時，就可以捏擠皮球而打氣使橡皮袋膨脹起來，加壓力於臂上。

橡皮袋上除了一根與皮球相通的皮管之外，還有另一根皮管則通到一只有刻度的表上。這只表有兩種，一種是用水銀柱來表示壓力高低的，另一種是利用彈簧和指針來表示。用彈簧指針的一種，比較輕便，成本也比較便宜；不過容易受各種機械損失而影響準確性。

在使用的時候，我們把包有橡皮袋的布帶綁裹在上臂，大的與心臟相平的地方，因爲臂上此處的動脈壓與心臟出口處大動脈弓的血壓相差極微小。然後捏擠橡皮球，打氣入橡皮袋，到水銀柱上昇到相當高處或指針指到二百度時停止；再逐漸旋開橡皮球旁的螺旋，使袋中氣體逐漸外逸，血壓的高低，就在這時測量而得。

測量的方法，常用的有兩種。一種是用一只聽診筒來幫忙，

關於大便

正角

我們普通往往偏重於討論吃的問題，討論營養問題，而不大談起大便的問題；實際上大便對於健康，也有着極大關係的。你生了一點小毛病去請醫生時，醫生就會問你的大便如何？大便的變動可以作爲診斷疾病的一大幫助，大便因爲與消化有直接關係，消化又與營養有直接關係，故看了大便的良否，就可知道消化的良否，而且可以推斷到營養的良否了；營養的良否，當然可以影響身體的健康。所以就這一點上，即可以知道大便與健康的關係了。大便說起來是平常的，剛生出來的小孩就會厠下一次「胎糞」。可是大便究竟是如何形成的呢？我們爲什麼會有大便呢？吃下去的「香噴噴」的食物，爲什麼就會成「臭烘烘」的大便呢？

食物進入口腔而經過牙齒的細嚼，成爲小粒，再潤以唾液，食物中所含的一部份澱粉就化爲麥芽糖，再由喉嚨下嚥，經食道而到胃中，受胃液的作用，蛋白質、澱粉、脂肪等都起了變化，（編者按：請參看本刊第二期「化異爲同的消化作用」一，）而這時候的食物已成爲液體，於是再入小腸，經膽汁、腸液、胰液的作用，則凡經唾液、胃液尚未變化完全的澱粉、蛋白質、脂肪等都分解成更簡單的物質，後由小腸的黏液膜把這些物質吸收進去。凡不能消化的東西，就進入大腸，經大腸的吸水作用，流動性的物質至此就漸漸地濃厚，結成糞便的形態，等到它大量的下降，到近肛門的乙狀結腸及直腸的時候，刺激肛門括約肌，我們就有要大便的感覺，有了這種感覺之後，我們就需要大便，把蓄滿的糞便一次排泄而出諸體外。

至於在這大便中究竟有什麼成分呢？除了水、氮素、纖維素、粘液、細胞屑及灰分外，還有無數已死的細菌、膽色素變成的糞膽色素，以及澱粉、蛋白質、脂肪經由細菌作用而產生的物質。大便的臭氣就是由蛋白質經過分解後產生出氨、硫化氫、「斯卡托」及「吲哚」等而來的。大便的黃色是由糞膽色素所染成的。

糞便既成，就下降至直腸，由於直腸壁機械的刺激，感覺衝動由盆神經到脊髓，上升而達大腦皮層，倘使大腦皮層，不予阻止，這個時候，直腸收縮，肛門內外括約肌均行寬舒，於是糞塊就被擠出肛門外。

如果這些排泄物，不能每日排出體外，將會在大腸內愈積愈多，一旦水分繼續被吸收了去，於是糞便停滯，停滯愈久，愈形乾燥，乾燥的糞便自將阻塞在大腸的下部，而排便更加困難。大便如果祕阻，可能引起種種不愉快的感覺，如鬱悶頭痛等，若是長期便祕，可以影響到健康。

在健康的大便以形粗質輕，色黃氣臭，鬆而不燥，潤而不薄，便時輕快，便後爽然，一點沒有拖泥帶水的爲最佳。如果形如鉛筆，或如鈕扣，或堅硬如異物，色黑或紅或青或白，氣味不臭或惡臭或腥臭，乾燥難便或夾水而瀉，或夾帶濃血，或便時不暢，便後仍有便意，都是一種不健康不正常的大便。情形較輕的就得注意飲食起居，整理腸胃消化，重的就必須延醫診治了。

至於大便的次數，大多以每日一次爲標準，若每日習慣二次還不生問題，如果三四次以上的，就是一種不健康的情形，如果二日一次的，就已經不大好了，三日四日不大便的，那簡直是一種病態，必須急速設法通便。

要通便，切不要濫用瀉藥，瀉藥須在不得已時才用，平常在早餐前半小時喝一大杯溫開水，飯後半小時吃些水菓，忌吃煎炒炙煿的堅脆的東西和辛辣的，及濃茶咖啡等刺激品，都是防止便祕的好方法。

計

金真

也是最能令人滿意的方法。就是用一只聽診筒的喇叭口按在橡皮袋布帶下面一些，有動脉跳動的地方。當壓力很高時，聽不到任何聲音；在氣體外逸，壓力漸減，水銀柱或指針所指的度數也減小的時候，到某一程度的壓力，就可以忽然開始聽到血流過動脉管的聲音，隨着心臟的收縮而發生。這個時候所表示的刻度數目，就叫心縮期血壓。氣體繼續放出，壓力更減小到某一程度時，所聽到的聲音又突然改變，這時就是心張期血壓。

第二種方法是用指按脉。當打氣入橡皮袋至壓力很高時，動脉管被壓縮，血液不能來，因此摸不到脉息；但在壓力逐漸減低至與心縮期壓力相等時，就立刻又能摸到脉息了。不過，這個方法只能測量到心縮期血壓，而不能知道心張期血壓。

血壓的高低，常可因人而異，因年紀而異，所以不能夠說一定多少高才是正常。不過照平均數說，青年和壯年期的成年人，心縮期血壓約在一百二十毫米左右，心張期血壓約在七十五至八十毫米左右。心張期血壓與心縮期血壓相差的數目，就是叫做脉壓或壓差的（Pu se pressure or differential pressure）。舉例說，假如心縮壓是一百二十毫米，心張壓是七十五毫米，那末脉壓就是四十五毫米。通常，單單知道心縮壓高，是不能說「血壓高」的。假如心縮壓很高，心張壓不高；換句話說是脉壓很高，才可以認為病理的血壓過高現象。

一般說來，老人的血壓要比年青的高些，女子的血壓則平均都比同年齡的男子血壓稍低。

分不出顏色的眼睛

——色盲

孝婉

李阿二失業了很久，仍舊找不到職業，於是他去學開汽車。他化了幾萬塊錢學費後，終於會開了。他就高高興興地去報了名參加駕駛人員考試，預備領一張司機執照。可是，考的那天，他卻又垂頭喪氣地回來。原來他的駕駛技術雖好，卻為了眼睛分不出紅綠兩種顏色而不能及格。

也許有人會奇怪，會有這種奇事嗎？好好的人，一雙眼睛看來一點什麼病也沒有，怎麼會分不清紅綠的呢？對了，這種情形的人，還不能算太少呢。這也是一種眼睛的病，叫做「色盲」，李阿二正是患色盲的病人。

「色盲」這個名稱所表示的病症，換句話說，就是對於某一種，或是幾種顏色，不能分辨。這種病，大半都是由先天性遺傳來的；只有少數一部份分例子，可以在患其他眼病之後，由於網膜上盲點的形成，或是視神經的病壞而產生後天性的色盲患。說到色盲的遺傳，又是一件很有趣的事，因為色盲遺傳與男女性別很有關係。舉兩個例說：如果父親患色盲，母親不色盲，那末子女都沒有色盲。如果父親不色盲，母親患色盲的話呢，他們的兒子就會有一雙色盲的眼睛，而女兒卻是好好的。因為遺傳上這一種特點，所以色盲患者，男子比女子多。照統計，平均男的有百分之三——四是色盲，而女的只有千分之四。

先天性的色盲，又可以分為兩種。有些是全部色盲，所有各種顏色，全都不能分辨。他的眼睛所能見到的，只有黑和白。如果拿一條帶子給他看，他也只能知道深淡不同的「灰色」。這種完全色盲的患者，為數很少。這種病常與眼跳及網膜中心盲點有關；大概是因為網膜層發育的不完全所致。

全部色盲之外，另一種是部分色盲，就是說對某一種或某幾種顏色不能分辨。最多的要算紅綠不分，其次就是青黃不辨了。不過，這種部分色盲的人，平時如果不用方法特地去試驗，常常是並不知道患着色盲的。因為病人自己常能依據經驗所得，對不同顏色的光澤明暗上的差別來分辨。我見過一位病人，當驗出他是紅綠色盲之後，他就告訴我說他騎自行車時，就看交通燈是上面一只燈亮還是下面一只燈亮。因為交通燈的裝置，通常總是綠燈在上，紅燈在下。

普通患有色盲症的眼睛，對於身體的健康並沒有直接影響，所以一般人並不很注意它。可是，由於社會生活的日趨複雜，顏色在日常生活中，尤其是都市生活，或是一些特殊的工作和職業，顏色的重要性日見增加，色盲這種病，雖不直接影響健康，卻可以担任某些職業工作時，增加發生危險的可能，譬如像鐵路上管理標識的人員，各種機動車的駕駛者，航海的水手等，為了安全起見，都不能讓色盲的人去担任。

色盲的成因，據楊——海霍茲（Young-Ho'mooltz）學說的假定是眼球內網膜上缺少對於該項顏色的感覺。象紅綠色色盲患者就是網膜上對於紅色和綠色的感應沒有的關係。

測驗人的眼睛是否色盲，有很多種方法。大致總是用許多有色的東西，讓被測驗的人去分辨。測驗的目的有兩方面：第一是為了科學的研究；其次是預先使色盲的人自己知道對那種顏色沒有分辨能力，可以在選擇職業的時候，避免那些可能因色盲而引起危險的工作。

因為色盲是大半由於先天性的缺陷，所以不是用藥物或手術所能矯正。因此，色盲這種病到現在為止，仍是沒有方法可以治療的。

譯著

白壁有瑕之三 蘆薈與乙醇

軒轅火棗

蘆薈內服爲攻下劑，因其服後既不防阻消化，又不致引起習慣性之便閉，故今之醫多樂用之。藥商多製成各種名稱之通下丸。（更衣丸）

但此藥刺激大腸之力量頗烈，患腸感冒症者忌用，不可不知。又因此藥可以通經行血，孕婦不可服，更不可不知。茲將忌服此藥之腸感冒症之症狀簡述於後，以備參考。腹中鳴痛、下痢（中說之泄瀉）嘔惡、疲倦、不思食、口渴、口臭、食不辨味。

乙醇外用可使皮膚發紅，亦可作收斂藥用，以其具有揮發性能，故可以散熱清涼，亦可洗滌皮膚之汗垢，減少皮膚知覺，減輕自汗盜汗，防治痱瘡，並可用作平穩和緩的反對刺激藥（舜按：意即外攻內效，刺激身體外部，使內部發生作用）倘若外用濃度乙醇，可以殺菌防腐。此藥內服可作麻醉劑。服小量，能使人產生快意與興奮，並使皮膚及內臟血管適度張大，變更血液循環，刺激呼吸。倘若內服極量，可使中樞神經受壓制，以致痲痺。今之醫多以此藥普遍用爲發汗，催眠，刺激神經之藥劑，但久服成癮，不易戒絕。此藥服用過量，可以成爲急性黃色肝臟萎縮症，亦可以成爲萎縮性肝臟硬變症，（舜按：一般學者多認爲「痕諸氏肝臟硬變症」與乙醇無關係。）甚至成爲肝臟瘤癌，不可不知。此藥服用過量最常見者，爲失去知覺，不省人事。至若引起胃腑疾病，亦屬習見，如中毒性胃炎，急慢性胃炎，蜂窩織性胃炎，神經性胃痛，甚至促成胃癌症，尤不可不知。此藥爲近世習用藥，其弊有如上述，茲將其可能引成各種症狀，簡述於後，以備參考。

（甲）急性黃色肝臟萎縮（Acute yellow atrophy of the liver）之症狀：

疲倦、頭痛、肝痛、胃痛、噦嘔、陣吐、便祕、不思食、黃癉進而狂躁、譫妄、痙攣、不能眠、牙關緊閉、再進而入於昏睡，黃疸更甚，肝臟迅速縮小，而瀕於危。

（乙）萎縮性肝硬變（Atrophic Cirrhosis）之症狀：

香酸噯雜、口苦、胃悶、胃痛、右肩胛痛、肝臟增大、脾臟腫脹、下肢腫而沉重、大便通而不整、黃癉、衰弱、進而腹中積水、吸呼困難、而瀕於危。

（丙）肝臟癌瘤（Carcinoma of the liver）之症狀：

疲倦、貧血、瘦弱、發熱、黃疸、嘔吐、口臭、大便通而不整，肝臟增大、四肢浮腫於危。、而瀕

（丁）中毒性胃炎（Toxic gastritis）之症狀：

胃痛、嘔吐、胸際板悶、呼吸不適、慌亂失神。

（戊）急性胃炎（Acute gastritis）之症狀：

噦惡、嘔吐、見食生厭、食味不美、頭痛眩重、腹滿而痛。

（己）慢性胃炎（Chronic gastri is）之症狀：

時而能食、時而不能食、常覺口味不美、喜食香味、辣味、食後怔忡腹滿、噦惡、嘔吐、胃痛、貧血、憂悶煩惱。

（庚）蜂窩織性胃炎（Phle monus gastritis）之症狀：

無力、發熱、腹痛、心窩痛、嘔吐、肢冷、煩渴、下痢（中說之泄瀉）或便祕。

（辛）神經性胃痛（Cardialgia）之症狀：

胃痛發於胃脘，散於左肩胛背部，季肋部，臍部，重壓可使痛減，痛烈則面色蒼白，肢冷脈細，痙攣失神，腹壁堅硬，痛前常覺胃滿，嘔惡，眩暈，痛後倦乏。

（壬）胃癌（Cancer of stomach）之症狀：

嘔、陣吐、胃中悶痛、不思食、便閉或下痢（中說之泄瀉）、貧血、瘦弱。

淋病怎樣妨礙生殖

陳平

張家嫂子結婚已經八年了，她還不曾添過一個小寶寶，心裏自然十分着急，丈夫又在旁埋怨她。她只怕再有幾年不生的話，丈夫便要討「小」了。在中國這個「不孝有三，無後爲大」的社會裏，到那時，她除了咀咒自己命苦之外，似乎再沒其他擺脫的方法。其實，她本身原是絕無缺陷的，作這個孽的却是她的丈夫！也許他在十年以前曾經「尋花問柳」過，幾天以後，他便感覺下部腫漲，有一種白色分泌物從尿道口流出，小便困難，且作劇痛。經醫治療以後，局部的病徵，雖已減退，而實際的病原，並未根除。於是，經過接觸傳染，張家嫂嫂便在不知不覺之中被種下這個病根了——淋病。

淋病的病原爲一種雙球菌，通常寄生於人體尿道黏膜內，只有直接接觸，方可傳染。病菌由尿道口進入尿道，最先附着於前尿道黏膜上，引起急性前尿道炎，黏膜腫漲，使尿道縮小，以致小便困難，且有劇痛，尿道口並有白濁狀的分泌物，此種病徵經適當醫療後，即可減退，有時雖未經醫治，亦可遂自消減。但尿道內部之病情却常在延續，結果向後部蔓延而致後尿道炎，因後尿道黏膜皺折甚多，淋菌藏於其中，不易殺死，這是淋病難於根治的主要原因。此種情形的延續往往變成慢性，於是常可引起攝護腺炎，儲精囊炎，輸精管炎，尿道阻塞，性能衰弱等并發症，這些當然都是可能妨礙生殖的原因。

同樣的，妻子被傳染以後，便會引起陰道炎。因爲發炎部分當常只包括尿道口和前三分之一的尿道，所以除了一種黃白色帶狀分泌物外，病徵是相當輕微的，而且病痛的時間也較短。然而由於陰道的淺近，淋菌當向內蔓延入陰道腺及子宮頸。而且往往當外部病徵減退以後，內部之炎症仍在進行。因此當月經來潮時或月經以後，由於子宮頸的腫漲，淋菌便易隨之侵入子宮，造成急性子宮內膜炎。日久以後，淋菌常可進入輸卵管，引起輸卵管炎和阻塞，如果只有一邊阻塞，自然還有生殖的希望，如兩邊都被阻塞了，那就再無得子之望了。

在很多妨礙生殖的病症之中，淋病是常見的一種。淋病在普通情況之下，多半導源於男子，但等到夫婦都得病以後，則不妊的原因大半起於女方。其實，妻子的淋病和不妊症，本來是可以避免的，只要丈夫於得病之後，絕對避免與妻子性交，並且立刻延醫診治。自從磺胺治劑及最新的淋病特效藥盤尼西林發明以來，淋病再不是什麼頑固不治之症了。不過，如果妻子也染上了淋病，請你千萬記住必須要同時去治，你們的病，而且要趁早去治，否則，等到「病入膏肓」而引起不妊症的時候，那就無可救藥了。同時你也不必埋怨你的太太，就是你再結幾次婚，也許都是無濟於事的。

細菌常識（七）

陸淵雷

凡是生物，不論植物動物，它們體內的物質一刻不停地在消耗，同時也一刻不停地從外界攝取物質來補充，這就叫「新陳代謝」。補充方法，在動物是飲食，在植物是吸收土壤中空氣中的養料。細菌既是植物，當然也不能例外。

欲知細菌吸收些什麼養料，須先研究細菌的身體是那幾種成份構成的。細菌的身體，水份居多，佔百分之八十六；固形份只佔百分之十四。單就固形份說，則蛋白質最多，佔百分之七十二；脂肪佔百分之〇・四九；又有灰份百分之十二，其他百分之十三。

於是可知水爲細菌絕對不可缺少的東西，沒有水時，細菌便不能生活。其固形成份的構成物質爲碳、氧、氮及鹽類；在普通的溫度下，氮與氧爲氣體，碳與鹽類爲固體；又碳氧氮爲原質，鹽類爲化合物。氮爲構成蛋白質之主要物質，科學書往往稱蛋白質及其分解物爲「含氮氣物質」，因碳水化物（澱粉）脂肪不含氮氣故也。蛋白質既佔細菌體固形成份之大部份，則氮氣對於細菌養料之重要，可想而知。

不但細菌，一切高等植物亦恃氮氣爲主要養料，故人造肥料亦用氮爲主要原料。土壤中之「氮氣菌」，大豆根上之「根瘤菌」，皆能從空氣中吸收游離之氮氣。村農視所植大豆之根，若根瘤菌甚多，即可預卜大豆之豐收，而不知其吸收氮氣以充肥料之故。

細菌沒有葉綠質，故不能分解空氣中之碳酸氣而吸取其碳。其吸取碳與氮，乃從含碳含氮之有機物中得之。如葡萄糖、甘油、脂肪等皆含碳；血色素、血清、各種蛋白質皆兼含碳與氮。故培養細菌時所用之「培養基」，不離此種物質。

上面說過，生物的新陳代謝，是把體內的物質消耗，取體外的物質補充。消耗的方法是「氧化」，是使某種物質與氧氣化合。我們知道碳質與氧氣化合時所發生的現象是燃燒，燃燒能發出光與熱；煤炭柴薪皆是碳質（世上最多的原質）所成，點上一把火，使它們溫度高到足夠與氧氣化合時，它們就與空氣中的氧氣化合而燃燒起來；人們利用它燃燒之熱，以煑飯烹菜，以轉動龐大的機器而作工；因爲這個緣故，煤炭燃料成爲日常生活的必需品，從戰爭直到勝利後的現在，一直鬧着恐慌，須要統制配給；徼幸的是，燃燒的另一原料氧氣，在空氣中佔四分之一的大量，可以隨時隨地取用而不須代價；倘使氧氣也像煤炭一樣，須出錢買（純粹的氧氣也須出錢買），那麼，我們的生活也須加一倍困難，我們的經濟也須加一倍貧窮了。

人及高等動物的主要養料有三種：澱粉（碳水化物），蛋白質，及脂肪；這三種養料中皆含碳質。一面從呼吸攝取空氣中的氧氣，與那些碳化合，使發生緩慢的燃燒而生出「熱量」（卡路里），這熱量就變成精神氣力，就是生活的力量；換句話說，人及動物是依賴燃燒而生存。從明末清初以來，醫家的風氣因某種不可告人的原因而喜用寒涼藥，經三百多年的宣傳，社會上習非成是，多喜歡涼性物，不喜歡溫性物；不但害病時服藥如此，連平常的飲食也如此。「涼性」差不多是「鎭靜作用」的代名詞，它能使體內燃燒作用受很大的抑止，這實在是不對的風氣。不過鎭靜也能使人得到目前的舒服，像睡眠休息之後的一種舒服，這就是醫家所以喜用寒涼藥的原因；其實，用食物藥物抑止燃燒所得的鎭靜是「功不補患」的，不如睡眠休息的鎭靜爲無害。

細菌的新陳代謝，也由氧化以消耗其體內物質。當氧化時，也發生若干溫度；不過細菌本身既那麼樣小，由他體內的氧化所發生的熱，當然是小得難以感覺；不過，在造醬釀酒的發黴發酵時，也能覺得那些黴酵物比周圍的空氣暖和，這暖和就是無數黴菌或酵母所發出的氧化熱。

細菌雖一律需要氧氣，然氧氣之取得，有直接吸自空氣者，此種細菌名「需氣性」；亦有從其他物質吸取氧者，名「厭氣性」。需氣性細菌在空氣中發育繁殖；厭氣性細菌則在空氣所不到的組織內，發育最盛。此兩種又各有「通性」與「偏性」之異；在無空氣之處，通性需氣菌亦能發育，但不盛耳；偏性需氣菌則完全不能發育；厭氣菌的通性與偏性與此相反，類推可知。

細菌之營養，與無機物之關係較小，故需要鹽類亦少。不過氯鹽類，磷酸鹽類之鉀、鈉、鎂數種而已。

既知細菌所需之營養，則多數細菌可以用人工培養，以觀察試驗它們的一切情形，以研究預防及治療之方法。不過這種培養與試驗，十分危險，因爲天天同病原菌打交道，有好多人因此送了命；他們是爲了全人類的健康，而付出他自己寶貴的生命了；他們合了儒家的「殺身成仁」，他們也合了佛家的「捨身救世」。像我們一般開業醫師，在醫學上一點沒有貢獻，而靠此養家活口，靠此發富，甚而至於靠此造成自己的特殊地位，同他們一比較，慚愧不慚愧？現在人工所不能培養的病原細菌，不過大痲瘋菌等二三種，其餘皆已培養過研究過，而至今猶在培養中研究中。（未完）

古中醫書之術語（三）

此篇有著作權 不許轉載翻印

陸淵雷

再從臟腑之形態構造上，推究古人分別之意。五臟中肝脾腎皆是「腺體」（下文別有說明）；若謂其中空有容，則並無腔囊；若謂是內外如一之實質，則又組織疏鬆，不似金石之堅滿；其所司何事，所藏何物，誠不易知。（肝與脾之功用，至今生理學未能盡曉。）肺是小氣管與氣泡所成，然肉眼不易觀察；啗猪肺者能辨其孰爲氣管，孰爲氣泡乎？心雖明明有心房心室，然孔竅複雜，觀察極難；且心肌之形態，亦近於肝腎而異於胃腸。五臟皆無顯然之腔囊可以容有形之物，故五臟別論謂其滿而不能實，遂意想以爲藏無形之精神魂魄者矣。至於六腑則不然，剖腹而牽出胃腸，分明是一條長管，從咽頭直到肛門；咽頭吞嚥食物，肛門排泄大便，大便又即食物之渣滓，皆尋常人熟知之事；不必窺其內容，已可確定爲消化器，聚水穀之所矣；而況胃中有未化之穀菜，腸中穀菜漸成大便之形，皆顯而易見者乎？膽與膀胱，形態類小兒所玩之輕氣球，有物則滿，無物則癟。膀胱盛尿，觀察之嗅之嘗之，皆易知也。膽盛膽汁，古人亦必見之，然不能知膽汁有何作用，故古書未有言之者。（古方有用猪膽汁入藥者，乃不能推想人膽汁之功用，古人之不措意於物質如此。）然其形態與膀胱絕類，膀胱聚尿，則知膽亦必有所聚，且所聚者亦必爲有形之物矣。金匱眞言論既以膽爲六腑之一（古中醫通行之觀念），則當「寫而不藏」；然五藏別論又以膽爲奇恆之府，「藏而不寫」；此等矛盾，或由素問非一人所作，或古人本自不精密，以致如此參錯；然由此等參錯，已可見臟腑之分，寫藏之異，皆不甚確鑿矣。三焦當即淋巴系，以後當另文說之，亦是中空容物之管。總之，諸腑皆作囊狀或管狀，中空而可以容物，所容之物又皆易見，故五藏別論謂其實而不能滿，遂意想以爲專聚有形之物者，故謂之府矣。

謂六腑所以聚有形之物，固不誤也。謂五臟所以藏無形之物，則誤矣。肝分泌膽汁與消毒，前已言之；心鼓盪血液，使循環於全身；脾或謂其製造白血球，膵子亦分泌一種消化液；（膵子在古醫書中亦名脾，後文有說。）肺司呼吸，交換碳氧氣；腎分泌小便，排除體內有機廢物；五臟皆有專司，而內經不言，反謂其藏「神魄魂意志」，豈非可怪？神與魂魄，在道家儒家書中，界說不甚明瞭；以意會之，蓋相當於佛家之「識神」，或者魄即「第七末那識」，魂即「第八阿賴耶識」歟？然末那賴耶二識，皆是一種作用而非有形之物，釋以科學名詞，是「能」而非「質」；故「識」與體內體外諸物質，可以互相涉入，互相滲透，而並不專居於某臟器之內。且佛家言「六根」，意根與眼耳鼻舌身五根並列，而不名「心根」；則意根可能即指大腦，故佛家之說與今日之科學並無抵觸。科學證明精神意志皆大腦所司，而內經謂心藏神脾藏意腎藏志，其誤顯然。總之，六腑之功用易曉，五臟之功用難知；古人曉其易曉者，未能知其難知者。又，人之常情，對於易曉者，則輕忽而狎侮之，對於難知者，則敬畏而尊奉之。古人又重精神，輕物質，尊無形，鄙有形；故有「形而上者謂之道，形而下者謂之器」等語。故對於五臟之難知，則特別尊重，以爲藏精神魂魄之所，而爲諸臟器之首要。對於六腑之易曉，則視爲五臟之附屬品（即一臟一腑相表裏之說）。臟腑之所以分，如此而已。其實，五臟中惟心肺眞重要，不可病，病則多死；肝病即不甚劇，脾臟雖割去亦無影響，兩腎割除其一亦不妨。六腑雖不若心肺之嬌貴，亦多致命之病；奇恆府中之腦，重要且在心肺之上，美國有「鐵肺人」照常生活，以其肺臟病廢，用人造的鐵呼吸器代之也；假令大腦或延髓病廢，則死不旋踵，任何科學家不能製「鐵腦」以延其生命。由是言之，臟腑之分，不但全無意義，或且輕重倒置，其當廢棄，不待智者而決矣。

古人既誤認五臟爲主要器官，於是凡百軀體，以及生理病理諸現象，皆依類相從，分屬於五臟，而六腑不與焉。例如血脈屬心，肌肉屬脾，皮毛屬肺，齒骨屬腎，筋爪屬肝，如是者不勝枚舉；偶有合於事實者，大多數爲附會，當於以後臟腑各論中說明之。

陰陽爲相對的概括之詞，下文亦有專篇解釋。內經以臟爲陰腑爲陽者，意謂「臟之部位深藏，其功用微妙；腑之部位淺表，其功用粗略」耳。因此之故，病輕而易治者，古人認爲腑病；其重而難治者，古人則認爲臟病。然其分隸，亦泰半爲附會，亦於各論中詳說。今引古醫書泛論數則，以見其大概：

素問陰陽應象大論云，『故邪風之至，疾如風雨。故善治者治皮毛，其次治肌膚，其次治筋脈，其次治六府，其次治五藏；治五藏者半死半生也。』（註）末句之意謂：病深至五藏而後治之，則其死亡率高至百分之五十。

金匱要略臟腑經絡先後病篇云，『若人能養慎，不令邪風干忤經絡；適中經絡，未流傳腑臟，即醫治之；……』

又云，『問曰，……血氣入臟即死，入腑即愈，此爲卒厥，何謂也？師曰，脣口青，身冷，爲入臟，即死；如身和汗自出，爲入腑，即愈。』又云『脈脫，入臟即死，入腑即愈，何謂也？師曰，非爲一病，百病皆然。……』

難經九難曰，『何以別知藏府之病耶？然數者府也，遲者藏也；數則爲熱，遲則爲寒；諸陽爲熱，諸陰爲寒；故以別知藏府之病也。』（註）難經作問答體，自一難曰至八十一難，曰皆爲問詞。難，讀去聲，「問難』之難也。其答語必冠以「然」字，此爲難經之特殊文法，文理上不甚通順者也。本條承上文一至八難，皆言脈搏之理。數，音索，數與遲謂脈搏之疾速與遲慢。府爲陽藏爲陰，上文素問金匱眞言論已說明。陰陽既是相對的概括之詞，故陽爲熱，陰爲寒；熱則脈數，寒則脈遲。然此但言其大概耳，實際上府病熱病（謂病情屬熱，非指發熱。）亦有脈遲者，藏病寒病亦有脈數者；且熱病雖屬陽，而不必皆屬府；寒病雖屬陰，而不必皆屬藏。古醫書之言，多不合「因明」「邏輯」，而難經則錯誤與語病尤多。

按素問之意，謂邪風從皮毛層層深入，而肌膚，而筋脈，至筋脈則已到軀殼之裡層，更深入則至胸腹骨盆諸腔，而及於六腑；最後則及於五藏。金匱首條，亦謂邪風從經絡流傳腑臟；經絡即筋脈；不曰臟腑而曰腑臟，其意亦謂先流傳於腑，而後及於臟也。今姑不論邪風是否真如此遞入，然古人理想腑淺而臟深，則其意顯然矣。夫皮毛肌膚筋脈，其排列之次序，皆以外包內，以淺包深，固不誤也。至府藏則不然；胸腔之內，惟有心肺，心包於肺之內，肺外更無他包之。若如唐容川之說，以三焦爲油網（即胸膜腹膜腸系膜），而謂三焦包肺，則腹腔內胃腸諸府皆有油網包之，胃腸何以不爲藏而仍爲府耶？而況腹腔之內，肝與脾皆包於胃之外；邪風果由外入內，由淺入深，則當先入肝脾之藏，而後入於胃府。今謂邪風先入府，最後入藏；可知古人先有府淺藏深之主觀觀念，然後從而意想輕病入府，重病入藏，初非病之實情也。觀金匱後二條，皆以病之可愈者爲入腑，必死者爲入臟；夫眞臟病不必死，眞腑病亦不能必愈，上文已說明，則知「入腑」「入臟」，乃等於「輕病」「重病」之代名詞，不可望文生義，刻舟以求劍者矣。金匱又云，「非爲一病，百病皆然；」試問豈有不論何病，入腑而必愈者？故知古人以輕病屬腑，重病屬臟，如是而已。

難經所謂寒熱陰陽，下文亦有專篇說明。今須先說者：病人熱度高，脈搏速而大，面色赤，語聲呼吸粗大有力者，爲陽症熱證。反之，體溫低落，脈搏遲而小，面色淡白，語聲呼吸微細無力者，爲陰症寒症；陽熱症預後較良，陰寒症死亡率較高；此皆難經寒熱陰陽之含義也。然謂陽熱症爲腑病，陰寒症爲臟病，則與金匱之「入腑」「入臟」同爲假設之詞，殊非實際。例如肺炎球菌作用於肺而發眞性肺炎（風溫），臟病也，而初起必見陽熱症；霍亂桿菌作用於陽而發亞細亞霍亂，腑病也，而病起不多時必見陰寒症；故實際上陰寒症不必爲臟病，陽熱症不必爲腑病。總之，古人雖認識臟腑之實物，而不能確知其生理功用與病理變化，而於五臟之功用尤茫昧，一切以理想說之；既以爲臟陰而腑陽，遂以陽熱症爲腑病，以陰寒症爲藏病耳。且金匱但曰入腑入臟，難經但曰臟府之病，皆不實言何府何藏；益知其所謂藏府者，乃相對概括之詞，與陰陽同意，而非眞指爲藏病府病也。（本篇完，全書未完。）

法定傳染病概說

洪貫之

引言

說起傳染病這個名稱，大家總不會陌生；就是某種微生物，直接間接傳入人體之後，因而發生一種特殊的急慢性病症，統統可以叫牠做傳染病。急慢性傳染病的種類很多，微生物的病原體，又可分為細菌和寄生虫兩大類，不過通常習慣上稱為傳染病的只限於某幾種全身病；如限於局部的痧眼白癬等等，以及寄生虫病，雖然也都因傳染而得，醫學上往往並不列入傳染病學的範圍。我現在所要寫的乃是法定傳染病，範圍也就更狹；說得明白一點，就是單單限於某幾種急性的全身傳染病，而不及其他；慢性的自然更不包括在內了。

因為新舊病名的不同，所以從前有一部份人，聽到「傳染病」這幾個字，總覺得新奇刺耳。其實我國古醫書裏，有傳染病記載的，也着實不少；中醫稱為「傷寒」或「溫熱」的病症，都是流行性的，也就是傳染病。此外還有「天行」，「瘟疫」，種種稱謂，何嘗不是「急性傳染病」呢？不過宗古方者，叫牠「傷寒」，奉時方者，叫做「溫熱」，實際上並沒有明確的分野。因為辨證方法，各有不同，以致一病而有數名；或則竟把多種病原不同的病症，統稱為「傷寒」，「溫熱」，或是「瘟疫」，究竟定義如何？却是十分難以分析和肯定的。我這篇概說的用意，不過是要灌輸一點法定傳染病的概念，使社會大衆，對這一方面的知識有正確的了解，並不是專門性的學術研究文字；關於高深的學理，臨牀的處方，也都略而不談。我想，治療處方，有急緩進退的選擇，這是醫師的任務，那是專門性的，當非普通民衆，所能輕易嘗試，應該避免。因為本文既是通俗性的常識，僅僅對於傳染病的事實，加以簡括的說明，諒無不當。似乎也不必要使讀此概說的人，個個成為自療的「醫師」吧！我立意如此，自應在此附帶聲明的。

第一章 傷寒 Typhus abdominalis

『定義』 傷寒這個病名，是中國固有的，內經就有「冬傷於寒」之說，到了後漢時的張仲景，又著了一部「傷寒卒病論」，至今中醫古方派奉為鼻祖。傷寒論確實是我國古代論傳染病的書，不過仲景傷寒論，如果用近代目光來看，牠裏面包括了流行性感冒，肺炎副傷寒，斑疹傷寒，敗血病，胃腸炎等，許多病症，所以中醫所說的「傷寒」，與法定傳染病的「傷寒」（腸熱病），根本不同。這裏所說的傷寒，是因感染傷寒桿菌而起的急性傳染病。牠的主要病變，是身體淋巴組織發生變化，除了固有經過和稽留的熱型之外，幷發皮膚薔薇疹，脈搏徐緩，脾腫，腦神經症狀及腸症等；是急性法定傳染病之最多者。

『原因』 本病的病原體傷寒桿菌，在西曆一八八〇年經Eberth及Koch兩氏發見，其後Gaffky氏，因純粹培養成功，而加以確定。本菌侵入人體的路徑，主由口腔，即細菌與食物或飲料同時嚥下，然後侵入小腸的腺巴裝置，由此經淋巴管，淋巴腺，胸管而入血中，乃傳播到全身各部。傷寒病的流行，因各地而有不同，以七月至八九月間為最多，其餘季節，也有發生的。精神，過勞，和消化障礙，都足為本病的誘因；本病愈後一部份人可獲得永久免症性。在流行時，預防注射，頗能增高名人的免疫力，這是值得推薦的；但是有效期間，不過數月，並不是長期免疫罷了。

『病理解剖』 傷寒特異的變化，在於腸壁。其第一週，腸粘膜腫脹，Peyer氏板及弧立濾胞現髓狀浸潤，為「髓狀浸潤期」。第二週，浸潤部中心陷於壞死，漸次變成痂皮，就是「結痂期」。第三週，懷死部痂皮剝離，形成本病固有的潰瘍，即邊緣因浸潤而現堤狀隆起，叫做「潰瘍期」。第四週，經過良好的，潰瘍因肉芽組織增殖，漸次就愈，貽留有色的瘢痕，這是「瘢痕期」。以上病變，普通在小腸下部和廻盲瓣地方，最為著明。此外有腸系膜腺腫脹，腦實質腫脹，腦膜出血，直腸肌脂肪變性，肝臟腫大，脾臟肥大，和心肌濁混腫脹等病理變化，不過並不是本病所特有的。

『症候』 A 一般經過：傷寒的潛伏期為四——五〇天，平均為一〇——一四，此時無臨床症狀，只在下午體溫微昇。前驅症狀是全身倦怠，寒戰或冷感和熱感交作，頭疼，背痛，食慾缺乏，腹瀉，鼻衄，便祕等。初期有支氣管炎，若有白血球增多併發，每易誤為他病，但不多，全身症狀，現於第一週或十天內。通常多由前驅症狀，漸漸移行於本病，可是發病的日期很難確定；常為頻回的發熱和惡寒；但以戰慄起始者極少。傷寒全程經過，依Wunderlich氏主張，可分為三——四期，如下：

（1）初期：（第一週）前述諸種症狀著明，發熱階梯狀上昇，每農及每晚平均較前日加1—2至1°（C），五—七日達最高點。全身倦怠，前額痛，腰痛，食慾不振，煩渴等，更加增進；脈搏比較徐緩，常帶重複性（重搏），大便多祕結。他覺的口內口唇和皮膚等現乾燥，舌被乾燥白苔，因爲脾腫的關係，左面季肋部份，常訴鈍痛。睡眠不安，往往現一過性鼻出血。

（2）極期：（第二週）一般症狀增進，體溫稽留在最高點，（9—40C）早晚相差不超過一度，脈縛著明徐緩，通常不超過一〇〇至。胸部現薔薇疹，腹部稍稍膨滿，成爲鼓腸，廻盲部起雷鳴和壓痛，屢起下痢，脾腫顯著，肝臟亦稍稍肥大。顏面是無慾狀，陷於嗜眠昏睡，時發譫語，常起氣管枝粘膜炎，尿中現熱性蛋白尿外，Diago反應爲陽性。

（3）不明期：（第三週）熱漸弛張，輕症的，熱度漸漸下降；薔薇疹消失，汗疹（粟粒疹膿胞等）出現，各種症狀緩解，趨向恢復期。但重症患者，此時陷入心臟衰弱，起種種合併症，特別是腸出血，腸穿孔，加答性肺炎等，乃本病經過中最危險的時期。

（4）緩解期：（第四週）熱度弛張，更爲著明，朝晚熱度相差達2C或2C以上，漸次渙散性的下降；脾腫和鼓腸均消失，就此轉入恢復期。恢復期中，病人著明衰弱，貧血，羸瘦，因些微的刺戟，容易體溫上昇，及脈搏頻數，食慾異常亢進，恢復期長短不一，普通至少三週左右。

B症候分論：

（1）熱型：本病熱型頗特異，往往因此得診定本病，合併和病的預後，亦得由熱型的變化而測知。不過定型的熱的經過雖然如上述，可是重症的稽留熱持續二至二週半，常一旦下降，而再上昇，稽留期或緩解期也有達二三週的。如果是輕症，數日乃至十數日即下降。

（2）脈搏：本病患者，脈搏有兩點：第一，體溫達39—40C時，脈搏不過八十至一〇〇至：神經質的或小兒及老人，亦不盡然。第二，爲動脈壁弛緩，及衝隆起著明，就是所謂重搏脈。此種特異，對初期診斷，極有幫助。如患者體素强壯，脈搏持續的在一百二十至以上，即是危險徵象。

（3）皮膚：傷寒有典型的薔薇疹，出現於第七至十天，多半位於腹部或胸背部；此疹爲小圓形，突起於皮膚，往往成羣存在，加壓後褪色，三至七日間消失，因更續發，全部褪色，約需兩週。此外有後期發汗疹，（白痦）對診斷上，也有相當價値。

（4）神經症狀：初期有嚴重的頭痛，限於額部顳顬部，病人因此不安煩腦，小兒有抽搐症狀，此外有譫妄，精神不振，羞明，肌痙攣和嗜臥等，均爲嚴重傳染的表現。若病人頭重，頸項强直，易與腦膜炎相混。

（5）胃腸症狀：初期有惡心，嘔吐腹瀉，等症狀：有時見有腹部膨脹合併腹瀉者，每易誤認作飲食不調，或因瀉劑而引起。第一週末，脾臟腫大，可於肋骨弓下三公分處摸得。

（6）血液：主要是白血球減少。病漸進行，紅血球漸減，血壓亦下降。

（7）腎臟：發熱時，可有蛋白尿，於熱退後，或血毒症減輕後方消失。百分之四十的病人，小便中有傷寒桿菌，稱爲菌尿。偶有急性腎炎症狀，一側或兩側的腎盂炎；腎周圍膿腫少見。

（8）再發：本病通常經四至五週全愈，時有大體經過完了後熱度全不下降，反見上昇，現各種新的傷寒症狀，（薔薇疹和脾腫等）醫學上叫做再燃。也有體溫一旦降至常溫以下，諸種症狀緩解；經數日，十數日，數十日，忽然體溫再行上昇，或同症再三反復，這就叫再發。另外還有異常經過的傷寒病，因其症狀輕重，和經過不同，也有特定名稱，普通分作，逍遙性傷寒，經症傷寒，頓挫性傷寒，電擊性傷寒，無熱性傷寒，遷延性傷寒等。此外小兒傷寒，多屬輕症；老人傷寒，熱低，脾腫缺如，但易起腦症，呼吸和循環障礙，酒客及肥胖者，易致心臟衰弱，均應注意。

「併發症」　本病經過中常併發腸出血、腸穿孔、肺炎、化膿性腹膜炎、腮腺炎、褥瘡、皮下膿腫等；又常能併發脚氣。如有潛伏性結核的，至此亦漸顯著。

「診斷」　本病診斷，並不十分困難。由於徐徐發病，及熱型、緩脈、舌苔、脾腫、鼓腸、廻盲部雷鳴和壓痛，薔薇疹，白血球減少，腦症狀、Diazo反應等，不難得一概念，往往能下診斷；但最確實的、仍爲血清學的及細菌學的實體室檢查法。

「鑑別診斷」　本病宜與急性肺炎、粟粒性結核、結核腦膜炎、敗血病、副傷寒等相鑑別。此外與流行性感冒、斑疹傷寒、肉中毒、旋毛虫病、腎盂炎等，也均有鑑別的必要。

『預後』　應視個體强弱，感染程度，和併

發症的情形，以爲轉移，判斷極應愼重。雖然是輕症，也有突起腸出血和腸穿孔的急變，不得不加注意。一般高熱，數脈，腦症狀顯明，褥瘡早發，以及併發腸出血，腸穿孔，肺氣，肺炎，或是肥胖的酒客，心藏病，腎病，肺病，五十歲以上高年患者等，往往預後不良，小兒比較佳良。死亡率，每因流行的狀況，頗有差異，大抵爲20%——25%。在醫院中的死亡率，有時高出於私人診所的病人，據說是因爲私人診所中，能得早期防禦和治療的緣故。此外曾經預防接種的，發病率和死亡率，均可減低；據美國上校軍醫Gal. Lull氏的報告，在夏令營中接種青年達一百四十萬人，其中只有二百多人感染傷寒病，可見預防注射的效力極大。

『食養』傷寒因爲經過較長，故於食餌方面，應該特別注意；我國有「餓不死的傷寒」之說，西醫從前也主張本病應該絕對飢餓，其實是錯誤的。不過傷寒病人的消化機能障礙，是無可否認的；通常在熱時，主用流動食物，如重湯，牛乳，菜湯，果汁等，或用葡萄糖，加維生素丁，冲服，可能範圍，也得酌進富有Kalore的物質，以免過陷饑餓。（每次宜小量，一日數次。）飲料則爲冷茶，紅茶，清涼劑等。食物過於限制也能引起食慾不振，病人不思飲食，當然亦不可勉強，如病人偶有食慾，可在相當條件之下，徇其嗜好和希望，並應時時更換其食物，注意調味，不可單調，以免倒胃。在熱下降時三至四日以後，可改進藕粉，薄粥，麵包等，副食採鷄卵，魚肉，鷄丁等，最爲適宜，貝類蝦米，和鹹腿，（火腿）硬性食品，應予避免，植物性食品，應選用柔軟而缺少纖維的及含有多量維生素的，不過烹調的適合嗜好，終要顧到。此外病人能飲酒的，可進以適量的紹興酒，啤酒，葡萄酒，白蘭地等。（特別酒客，老人，虛弱者，更需要。）用以興奮神經心臟，並節約體內蛋白質的分解。

正告病家和醫師

第三章　怎樣誕生了中國的『新醫學』

許光岐

前面已經說過，科學是國際性而沒界限的。是「辯證法」的；而不是「機械式」的。醫學不過是科學裏的一個小角度。所以我們認定祇有「醫學」；而沒有「中醫」「西醫」截然劃分着不可結合的鴻溝。陳立夫先生說：「醫學無分古今，事物無分中外。均應博採周諮，以科學方法研究實驗，務求用之有效；施之無害。不宜妄存成見，妄分派別，以狹隘之心境，阻礙醫藥學術之進步。」這主張是現階段中國新醫學的標誌。祇要是醫學範疇裏的人們，都應當認識這卓越的見地。

無疑地，在現階段的中國是分着中醫和西醫兩大源流的。而中醫西醫裏面，也存在着很多不同的派別。這便是仲景所說「各承家技」的毛病。我們主張各派都應當溶化而合流。但是，得注意！我不是說請馬歇爾元帥到中國來做個「和事佬」。使大家相安無事地苟活着。而是說：各派都應溶化合流共同負起追求醫學眞理的責任！我相信，無論什麼醫學，它的眞理祇一個：便是「面對着病症治愈了病」。（當然這不是最高的目標。）在這眞理之下，誰能達到目的，誰便近於眞理；誰便合乎科學。便應當重視這科學記錄，由此出發再研究更進步的療法和基於此的理論。所以，無論是中西醫師，都應相互地交換着經驗。承認這經驗。溶化而合流地整理出一部新醫學的理論。舉例說罷。陳立夫先生報導他以身試藥的實驗說：「我曾遊西北，患痢疾，一位西醫朋友，熱心爲我注射「以米丁」。因注射多一點，喉嚨發痛，全身無力，幾乎將命送脫。回渝後仍由簡齋先生爲我治好。」這當然是事實的記錄。我們研究中國醫學的看了不要以爲陳先生的報導是有利於中醫，甚而誤解他在幫着中醫攻擊西醫而自傲地暗懷着勝利的微笑。相反的，我們應當嚴肅而虛心地接受這經驗的教訓。既然「以米丁」在科學上的記錄是用以治「阿米巴」性痢疾的「特效藥」，爲什麼用來治陳先生的痢疾便「幾乎將命送脫？」第一：要問這位熱心的醫師有沒檢查大便，發現了阿米巴的運動和合諸阿米巴性痢疾一般應具的症狀。第二：要問到應用「以米丁」的質量和方法上對不對。因爲科學上的所謂「特效藥」是狹義的針對着某種對象；經過多少次和多少科學家的實驗；經一致公認才敢公佈了的。它並不是廣泛籠統的「萬靈丹」或「神藥」。假使這位醫師沒把前面的問題澈底弄清楚，而隨便把「以米丁」注射了下去，這祇能說是這一個，單獨指這一個醫師的錯誤。學術不够，該勸化再去學習，免得草菅人命！然而，他不能代表了全體西醫師；更不能低估了西洋醫學的價値而寃屈了「以米丁」。我們祇能說：他是代表了和他同樣低能的部份西醫師的典型。這正和中醫師裏的一個代表了部份低能的中醫師一樣。而且，要是中醫師眞能檢定確是阿米巴性痢疾的話，又何嘗不可用針「以米丁」來減少病家煎藥服藥的麻煩。同樣，倘西醫師不能眞的檢定確是阿米巴性痢疾時，也可以學些中醫的方法，或把簡齋先生的處方研究一下，運用中國醫學上綜合的調整人體生理機能的根本治療方法，負有殺菌排菌之「實」而無殺菌之「名」的根本治療方法，開個仲景的「四逆散」或「白頭翁湯」等方劑來治療，我想最低限度決不致「幾乎把陳先生的命送脫罷？」

我們應當接受任何人合理的批判。余巖（雲岫）先生曾暗地捧着「進口洋商」掛上了「機械論」的科學牌子；戴着有色眼鏡；像剛從鄉下出來便成了「吉普女郎」般得意地批評過，刻毒地中傷過中國醫學。有言曰：

「吾涌濱海斥鹵，人多業漁，舵工之老有經驗者，仰視天文知風雨之期，俯察水色，知地面所在。然皆目不睹經緯之儀；生不知推步之學；皆得之於經驗，所謂審愼乎客觀唯物之現象者也。吾意中醫之已病，亦猶乎此，而籍玄言以自文者，欺人者也。嗟呼！以吾國醫學，積四千年之經驗，名方良藥，流傳人間。設爲中醫者，能降心下氣，習西醫解剖生理病理藥理諸實學，實事求是，以察我國方藥之效用，遠紹神農本草實驗之精神，一變從前虛僞不根之醫說，吾知必有眞理可以發揮，以貢獻於世界者。今也，取確實可憑之事實，而以不可理解之空言，牽强附會之。故聚訟千載，莫知所衷。言發盈庭，而聲不能越國境。其書滿家，曾不能採用於世界也。哀哉！言之無徵，無徵不信，不信，人弗從也。」（內科全書序文，商務版。）

這裏，我們應當接受。本着迎頭趕上的研究精神，認眞地去參習西洋醫學裏的解剖，生理，病理，藥理甚至組織學，細菌學，和遺傳學諸說，來幫助我們整理和發揚中國醫學。但不能像余先生這樣缺乏判斷能力，見了祇要是「洋大人」的東西，不問它的價値如何，便卑躬屈節，「降心下氣」。我們祇能抱着很客觀而「平心靜氣」的態度，凡是醫藥學範疇裏的人，無分中醫西醫，都去探究它的眞價値。中國醫學裏包含着西洋醫學學理而知道其確是如此的，我們儘量引用西說來發揚。來配合時代。不能理解而事實上有保留價値的，也和西洋醫學一樣，保留着記錄，待將來的研究。千萬別「牽强附會」地胡說。不合理而近於玄學的部份，應毫不猶豫地揚棄。同時還需要注意着，以後再也不許產生玄說或異端邪說的立論來淆惑後來學醫的人的耳目！我們嚴謹地高呼着，反對把中國醫學上戴上了頂「洋帽子」；或把中國醫學做了「洋猢猻」的尾巴；反加深地埋沒了它眞精神的作風；便算是「科學化」，「現代化」了中國醫學！這才十足是變相地宰割而盜賣了祖產，或「罪孽深重，禍延先考」的千古罪人！

我們不能死守着古老的園地，和陳修園一樣，迷信着古人的說法全是對的。凡是玄說而不通的地方，硬把抽象的玄說來牽强附會地解釋。也不能和唐容川似的硬說現在西洋醫學裏所說的東西，「我們古人全部都有」這樣自傲自大地偏執。而且膚淺地檢了些道聽途說的西洋醫學，便大胆地錯誤着用來解釋了中國醫學。這兩種態度都不合邏輯。都足以低降了中國醫學的價値。雖然在他們的著作裏都包含着一部份的長處。我們要接受余先生的說法，也便是先哲的說法。「審愼乎客觀唯物之現象，知之爲知之，不知爲不知」的態度來理解中國醫學。也唯有這樣，才能光大發揚了中國醫學，誕生了中國的「新醫學」。挽救了前輩「籍玄言欺人」而造成「言之無徵，無徵不信，不信，人弗從也」的惡果！

舉例說罷，我們讀了素問「四氣調神」篇的「夜臥早起，廣步於庭，被髮緩形，以使志生」一段，不要信着像諸葛孔明上七星壇祭風那般神氣是眞的。——也許在那個時代的道家作法是眞的。而一定要用種種氣運生尅的玄說——氣運生尅之說，也不全都是玄說，一部份還是具有科學價値的。——來代它解釋，以示自已的高明。我們祇要知道了那篇文獻裏所說的不過是「人要配合着時令氣節的變化來適應着攝養身體，避免疾病。」也便够了。這和西洋醫學裏告訴我們「在夏令前要打些霍亂防疫針」的說法有什麼區別呢：再如仲景傷寒論說：「病有發熱惡寒者，發於陽也。無熱惡寒者，發於陰也。發於陽者七日愈，發於陰者六日愈。以陽數七，陰數六故也。」這，我們祇要知道他是在說「惡寒」症狀在病體上陰陽虛實的辨別。前者是陽性的實症；後者是陰性的虛症。它的價値在前半段，那後半段文字，儘可不必了解。何苦一定要引着一套似通非通；似深實淺的陰陽之理；甚至引了河圖洛書易經八卦來和它做了些玄學而沒有價値的解釋？又何苦化着很大的勁兒，費了不少的文墨來辯論這後半段沒甚價値的文字；一定不是作者的「原著」；而是後人所添的「蛇足」？也祇有這類笨。

本刊徵稿啟事

（一）文件最好用白話，淺而易解的文言也可以，總之讓大家看得懂，竭力避免學術語專門名詞。

（二）字數每篇最多不得超過三千字，千字以下的短文尤其歡迎。

（三）內容中國學說也好，西洋學說也好，祇要是實用的，大家日常生活必需知道的醫藥衛生常識，如果是融匯中西學說的，那更是十二萬分的歡迎。

（四）稿酬經刊載後稿費從優。

（五）來稿文字編者得加潤色，投稿人如不願潤色者，請於稿端聲明。

（六）來稿未登者，如須退還，請附已寫好退還的地址及收件人之信封，貼足郵票，當卽儘速寄還。

（七）來稿請署眞實姓名詳細地址。

（八）稿件請直接寄送上海（5）哈爾濱路富春里四號，本報醫藥編譯委員會。

本刊定閱價目

月份	期數	定費	掛號	航平	航掛
三月	13	四萬五千元	一萬元	八千元	一萬七千元
半年	26	八萬元	二萬元	一萬五千元	三萬三千元
一年	52	十五萬元	四萬元	三萬元	六萬五千元

附註：定戶請於到期前一期通知續訂本外埠定戶平寄免收郵費其他寄法郵資請照表匯寄

濟世日報 右任

醫藥衛生專刊

第一卷 第十一期

——本刊每逢星期一出版——
本報登記證內政部京警滬字第三八六號
本報經中華郵政登記認爲第一類新聞紙 上海郵政管理局執照第二七〇七號
發行人 章勤 社長 章紹鼎 總編輯 施今墨

本期目錄

中華民國三十六年十月二十日 濟世日報社發行 本期售價國幣四千元
社址上海（5）哈爾濱路富春里四號 電話四五二七二

來論

也談選舉

平凡

讀了本刊第九期社論「談選舉」一文，不禁有無限的感慨。因爲在我國政治史上自有選舉這門制度以來，已有千百年的歷史，而實際上沒有一次辦得名實相符的。自民國成立以來，就有民選的議員，然而同時也產生了「猪仔議員」的事情。這就是說堂上的議員，是可用錢如收買猪仔那樣收買的。這無異向神聖的選法上投下無比的諷刺。而實際也是選者與被選者的重大恥辱！

在帝王時代，凡是易代或改朔之時，總少不了徵召山林隱逸，明揚仄陋，與夫獎勵孝弟力田那類詔書。這封丹詔是照例發給當時帝王權力所及的地方。這裏有兩種作用：一是表示朝廷能選賢任能。一是收攬人心。可是隱居巖穴之士是否應詔？固然是個問題，而應詔而來的是否賢能？仍然是個問題。不過帝制時代被選的「賢能」是爲帝王做事——做有益於帝王地位之事。（表面上當然爲民，然而在率土之賓，莫非王臣的家天下局面下，那眞有爲民打算，而不爲自己打算的帝王？孟老夫子雖有民爲貴，社稷次之，君爲輕的話，然幾曾見那個帝王接受他的話）？現在據說是民主時代了。爲國家做大事的官兒，都是老百姓自己推選出來的。在文字上確可說是民主了。然而實際呢？現在我國國民教育程度低落而不普及，文盲盈於國中，平時見聞不出十步之外，四面所接觸的人，都與自己相等，叫他們去推選那位去爲國家執行政事？然而操選政的早已看出這老百姓的弱點，他們利用社會上極少數的智識份子，去欺騙他們，一切都可包辦。結果鄉村的選民，被城市吞了去，小城市又被大城市吞了去；這叫做大魚吃小魚，最後選出的代表，也許爲老百姓最憎惡的人。孟子說：「物之不齊，物之情也」。要全國人民智識程度平等，一時是無法做到的。所以無論抄襲歐美民主國家的選舉法，或自創的選舉法，如何周密，上述的弊端，總難避免。這叫做徒法不足以自行。

好在中國的選政史上，此等弊端，古已有之。我們看了兩漢的貢舉，也就可明白了。他們那時競選的方法，雖沒有現在用報章雜誌做宣傳品，但也有結成社團的，如汝南月旦，便是一例；他們裁量人物，對別人非常苛刻，對自己伙伴，卻又極盡吹噓的能事，眞可使泥象登雲；只要自己伙伴中一人得道，其餘鷄犬皆可成仙。到了東漢末年，這種選舉的情形，益發濫惡了。據葛洪抱朴子審舉篇說，那時選舉的情形，是這樣的：「高幹長才，恃能勝己，屈伸語默，聽天任命，窮通得失，委之自然，亦焉得不墮多黨之後，而居有力者之下乎？逸倫之士，非禮不動，山峙淵渟，知之者希，馳逐之徒，蔽而毀之；故思賢之君，終不知奇才之所在，懷道之人，顧效力而莫從；雖抱稷高之器，衰邈世之量，遂沈滯詣死，不得登敍也。而有黨有力者紛然鱗萃，人之官曠，致者又美，亦安得不拾擄而用之乎」？葛老先生所說的是靈獻時代的選舉情形，但似乎也可爲現在「大選熱」中的人物寫照。然那時選出的代表人物，是怎樣的呢？葛老先生接着說：「夫選用失於上，則牧守非其人矣。貢舉輕於下，則秀孝不得賞矣。故時人語曰：舉秀才，不知書，察孝廉，父別居，寒素清白濁如泥，高第良將怯如雞」。唉！眞是糟糕透頂，難怪漢朝天下，不久便亡了！然而民國以來的選舉，能否勝過靈獻時代，我想三十歲以上的讀者都能心裏明白的。

說起職業選舉的盛事，也不是今天才有，遠在漢平帝時候便有了。漢書平帝紀說：「詔徵知天下通知逸經古記天文曆算鍾律小學史篇方術本草，及以五經論語孝經爾雅教授者，所在爲駕一封軺傳遣，至京師者數千人」。而那時我們醫家應徵召而被取的，有記誦淵博的樓護。然而此盛典至民國二十六年與今才又重見。

關於這次職業競選中的中醫團體之國代與立委，我是同意上文「談選舉」的作者所說三種人物中之第一種——學識贍博，智略深沈者。這種人才，最合抱朴子中所說的「高幹長才」和「逸倫之士」的條件。尤其最合於立法委員。因爲法律上一字出入，足以生死人。一團體如不幸選出一位有財無才，或有勢無才，及且夕入木的老朽人物，那無異舉劍自刎。所以我們希望中醫界中如果有學識贍博，智略深沈的人肯出來爲候選人，應該毫不猶疑地投他的票。而那些臨時略施小惠，或假借權位的競選人，不論用什麼方法向你遊說，切不可被其所惑而變易初衷；貿然投他的票。因爲說不定今天略受他們小惠的，明天也許受他們的大害。何況所受的大害，是他們生死存亡所繫的整個中醫呢！馬融自敍中有說：「左手據天下之圖，右手刎其喉，愚夫不爲；何則？生貴於天下也」。又何況他們所施的不是天下之圖，而是至多不過一飯之惠而已，難道便可失身於他們麼？

我想我們中醫界中人，智識的水準，向來是較一般職業爲高而整齊的。千萬不要以耳代目，或感情用事。要知暫時的甘言，往往成爲終生的苦果。所以在寫選舉票時，應該爲自己本身生存着想，推舉有學問有毅力，肯負責的人。千萬不要被有權勢有財力的競選人所欺騙。因爲那些人整天沈游於聲色狗馬之中，那有工夫爲整箇中醫謀生存，和發展中醫的大業。這理由也很簡單而明白的。

數千年來選政的歷史，也足夠教訓了。我希望水準較高的中醫界同志，不要被人蒙上眼睛，任人穿鼻，將這大好建設中醫的機會，輕輕斷送了去。而選出不知書的「秀才」，和聲名狼藉的「猪仔議員」那類典型的中醫國大代表和立法委員！

流產

一，爲什麼會造成流產？

雍熹

一位凸着肚子的年青少婦，帶有愁慮的面容到醫院來，坐在面對着醫生的坐椅上，她說她懷孕已經五個月，經過情形一直都很好。可是昨夜她滑了一跤，腹部剛巧跌在一隻小凳子上撞了一下；今天自己發現，有淡黃色的水斷斷續續地從下部流出來。因此她担心着，希望醫生能給她一個回答：「孩子會掉下來嗎？」這位少婦還說最近在她所居住的衖堂裏有兩家鄰居的太太也都小產了，爲了幫忙，她曾經到那兩位小產產婦的臥室去過，因此她問：「有人說不能去的，去了就也會小產。可是我去過了，怎麼辦呢？」

醫生經過一番檢查之後，確定地診斷着說是羊膜已破了，出來的是羊水，孩子要流產出來似乎已沒法避免，只不過要等時間吧了。自然，最好是就住在醫院裏。

流產，也就是平常我們叫做小產的意思，就是說受孕後胎兒發育還沒有能够離開母體獨自生存以前，或者換句話說，在受孕第二十八個星期以前，就分娩出來。依照受孕到小產間時期的久暫，以及產出胚胎的大小，在臨床上又分爲早期流產，後期流產，和早產。

在懷孕第十六個星期（四個月）以前的小產，產出的胎兒重量只有三四百克左右，長度也只在廿厘米的樣子，換句話說，還不到一呎長。這種小產，就稱爲早期流產。從第十六星期到第廿八個星期（八個月）間發生的小產，胎兒有五六百克重了，長度也增加了些，這時就稱爲後期流產。至於七個月以後生出的胎兒則雖比足月產出的小，已經相差得不太多，在適宜的注意和撫養下，也已有較大的希望可以養活了。

每年在醫院裏，可以遇到不少流產的病人。根據統計的數字看，平均要有百分之二十的孕婦會遇到流產的不幸。而在城市中，流產要比鄉村裏多。因此，流產實在也是個常遇到的大問題。

流產既然是這樣多，這樣常見，那末究竟是些什麼原因造成的呢？因爲一個胎兒的發育成長，關係到父親、母體、和胚胎本身三方面，所以可能造成流產的原因也非常之多。五年前，美國的米克醫生發表了他對流產原因的分類法，是比較完全而合理的一種分類；——

甲、胚胎的死亡

子、遺傳的原因

一、父或母親生殖細胞的不健全，

二、父母親體弱而使胚胎之生命力低弱，

丑、環境的原因

一、胚胎在子宮內位置不好，以致不能得到足够的營養，

二、母親患任何急性傳染病或其他慢性病或中毒症

乙、胚胎與母體分離

子、子宮壁內膜因內分泌失調而不能正常發育，因此不能承受胎兒之生長，

丑、胚胎本身發生病理變象，

丙、子宮肌之收縮

子、引起收縮之原因：

一、體內任何組織阻礙胎兒及子宮之生長，

二、自體外加於腹部之暴力

（一）機械力如跌、撞等，

（二）藥物墮胎，

（三）懷孕後過於頻仍之性交，

丑、任何其他對於子宮肌過度刺激之因素。

由米克醫師的這張分類表，我們可以看出造成流產原因的衆多。因此可知，要防止流產，有些要從父母親身體健康和生殖細胞的健全方面着手，就不是簡單的事；有些要從孕婦的清潔衛生和日常生活注意，不使發生疾病，不使發生意外的打擊，這是容易做到，也是一位將做母親的人應該做到的。此外，在懷孕期間，尤其是第三個月和臨近分娩前的時期，最好要絕對禁止性交。

不過，有的時候，不幸的未來母親竟會接連着三四次的流產。在懷孕期中也一切都注意了，可是每次都找不出適當理由地流產了下來。這該是多麼令人傷心呢！遇着這種例子時，在醫學上稱爲「習慣性流產」。最可能的原因是男女雙方生殖細胞的健全與否，和子宮內膜的能否担任胚胎發育這份工作。這就又關連到內分泌維他命的問題，治療和預防也要從這方面去着手。此外，從臨床記錄知道，梅毒常成爲促成習慣性流產的一個因素，所以，假如孕婦有梅毒症的話，早日治療梅毒也是預防習慣性流產方法中，極重要的一項。可是有一點千萬別忘了，如果孕婦有梅毒需要治療的話，丈夫一定也要檢查一下，也患梅毒，就必須同時治療才對。因爲一般說起來，太太的花柳病，差不多總是丈夫在外面胡鬧帶回來的。

大肚皮

思明

一個正常人的肚皮，普通是不應當太大的。但是胖子因爲腹內積了很多脂肪的緣故，肚子就相當的大；尤其是好喝啤酒的西洋人，到四五十歲年紀，肥油總是喜歡積聚在腹壁上及腹腔內的內臟器官上，如腸壁，大網膜，小網膜上以及腸系膜等處。孕婦在三個月以後，腹部也就漸漸膨脹起來了；這種膨大，一直等到將新生命送到世界上爲止。人人都知道這種「大肚皮」不是病理的，而且生過小孩以後，子宮自然會收縮到未受孕前的大小，肚皮也就不大了。可是許多病，卻以「大肚皮」爲最顯著的症狀。警如我們平日常說的「鼓脹」病，顯然不是肥胖或懷孕。那末這叫做「鼓脹」的「大肚皮」的病理是什麼呢？依病理的原因說，平常可以分爲三種：瘤，腹水，和寄生虫病。

瘤，是老年人的一種病，在腹腔內任何地方都可以生長。它的病原，卻到現在還不十分清楚。目前仍有很多科學家在研究，相信人類的智慧，總能把這種病弄清楚的。不過還須要不斷的努力與合作，才能有成就。

在腹腔內的瘤，常使造成「大肚皮」症狀的是卵巢瘤。這種瘤越長越大，甚至大得人體本身反而好像是附屬於「大肚皮」一般。從病的名字，我們可以知道只有女子才生這種病，而且在初起時，常常會被誤認爲懷孕而恭喜呢。可是時間一久，就可知道診斷的錯誤；而且人也要慢慢的消瘦下來。這種病是非用手術將瘤割除不可的，割去以後就能痊愈，不會像那些瘤一樣割後要復發。生卵巢瘤的人，三十多歲的看起來會像四五十歲老太婆一樣，因爲瘤非常會消耗人的精力。除卵巢瘤外，常見的還有子宮肉瘤也會使肚皮大起來。子宮肉瘤生在子宮壁肌肉，也是一種可用手術割治的良性瘤。身體其他部分生瘤的病也很多，但不會使肚皮脹大，所以現在我們暫且不再多說了。

腹水，就是積集了非化膿性的體液在腹腔裏的意思。腹水的病因有多種，但是大概說起來可分爲兩種：即局部性的和普通性的。局部性的是由於從小腸到肝臟的門靜脈有一部或全部被阻塞而起的，如像在梅毒病或肝硬化時，肝的門靜脈末端都可能阻塞而引起腹水症像；慢性腹膜炎，如結核性的，或肝臟生癌等以及肝門靜脈栓塞；或上下體靜脈被阻等，也都是局部性的腹水的原因。普遍性的病原：如心臟衰弱腎臟發炎等都是。在這種情形時，都是因爲血液循環不暢或腎臟內腎小管和腎小球病所致。在腹腔積水時，腹部脹大多很均勻；皮膚拉得很緊張，好像發光一樣，皮下靜脈血管充血而顯得非常明顯易見。

寄生虫性病的大肚皮——寄生虫在人體內有很多種類，但是能使人肚皮大起來的並不多，否則我們中國人差不多每個人都要大肚皮了。使人大肚皮的寄生虫病，普通常見的有下面幾種；

（一）短小包膜條虫幼虫病，這種虫病的成虫是寄在狗的腸子裏的。成虫很短小，全體也只有三節或四節，共長不過二三厘米，而且這成虫並不害人。不過他的幼虫卻會寄生在人體內的肝臟上。它的幼虫可以生長得很大，因此能使腹部膨脹起來，像懷了孕一樣；除了「大肚皮」之外當然還有別的不同的症徵，不過本文只說大肚皮，所以不詳述了。記得從前北平有一個少女患了這種病，家裏的人懷疑他有不貞的行爲，對她很不滿意，到後來這少女的身體更行衰弱下去了，才到醫院去診治，經過醫生的詳細檢查和血液檢驗，知道是患了短小包膜條虫病。這種病本來是在北方牧羊人及農民間流行的，可是現在生在一個少女身上，因此引起了公共衛生家的興趣，去調查他的病是怎樣被傳染的。結果，查到在他們家裏養着的一條狗患着這種短小包膜條虫的成虫病，而這個少女時常撫摸這條狗，就這樣不幸的將這短小包膜條虫的卵間接從手的傳染，吃了下去，於是幼虫就被孵化出來，寄生在這個少女的腹腔中了。這種病，除去幼虫本體的大外還會使患者發生腹水，所以這樣雙重的原因，腹部更膨漲得厲害了。這種病也是外科手術可以治療的。而且治好後永遠不會再發了。

（二）日本住血吸虫病，這種病是由於日本住血吸虫的寄生所致的，他的成虫寄生在人的血管中。成虫長成後即行交配，後來雌虫到小腸膜上的血管中去產卵。產出的卵同時也可被帶到肝臟和脾臟內去，致使脾肝發生纖維性變化，引起肝硬化及脾臟腫脹，這樣一來，也可以引起腹水，所以肚皮也就漸漸的大起來了。患者除腹大而外還逐漸消瘦下去，食慾不佳。如果病人是在小時被傳染了這種病，發育也被延遲了，常看見廿多歲的病人，樣子仍像十四五歲的小孩子一樣，多半是因爲患了日本住血吸虫病的原因。

（三）黑熱病，黑熱病的病原是一種由白蛉子傳染的單細胞原虫。病的症狀最主要的就是大肚皮，而大肚皮的原因則是因爲肝和脾的脹大。脹大的原因是由於黑熱病病原虫寄生在肝，脾，及骨髓等網狀內皮細胞中，所以使肝脾脹大。尤其是脾臟脹大得特別厲害，有時腹腔內大部分的空間，都被脾臟和肝臟佔據了，而使肚皮凸出來。脾臟脹是很討厭的現象，因爲太大了有時會破裂出血，引起生命危險。除去這種危險外病人還常有食慾不振，體溫時作不規則的昇降，貧血，消瘦等症象。這種病是不能用外科手術的，若是治療得早，只要打針就可以治愈。

（四）瘧疾，一個健康人發過幾次瘧疾後，定會面黃肌瘦，身體乏力。若是瘧疾不治，可能繼續上一兩年，時常復發，這時病人自己也常能覺着肚子裏，有一塊硬塊，這個硬塊也是脾臟腫脹所致。瘧疾原虫是寄生在紅血球裏的，當他長成以後，紅血球就被破壞了。這些破壞了的紅血球都將被脾臟或肝臟的嗜噬細胞所吞噬。所以就使脾臟格外的長大發達起來，結果在腹內造成了一塊硬塊，也成了個「大肚皮」。

從上面所述這些。我們可以知道「大肚皮」的原因實在很多。所以「大肚皮」是一種病徵，而不是單獨的一種病。假若一個人，若不是懷着小寶寶，或是太肥胖，肚皮大起來，是一種很嚴重的病。因此「大肚皮」是應當趁早去瞧醫生才對的。

性病的預防

余克之

無疑的，性病在中國仍舊是相當的猖獗的，特別是在上海，妓女，舞女，私娼，嚮導女，的總數據統計，要佔上海人口的四十分之一。她們不斷地傳播着性病病菌。妓院，舞廳，酒吧，滿街都是。一個內地人初到上海，往往把上海看成一個「消魂」的所在。同時上海的很多人，也花天酒地，歌舞昇平地尋求着「性的解決」。在前幾年，中國紅十字會醫院曾經作過一個統計，他們把住院的病人一一作個梅毒的血清反應。（就是說假如血清反應是陽性的話，病人就有了梅毒的傳染。）他們發現，在病人中有着百分之三十的血清反應是陽性的！這的確是個可怕的統計，告訴了我們，性病在中國，特別是上海，該是多麼一個嚴重的問題！

性病也就是普通所稱的花柳病，它包括有四種，就是，梅毒，淋病，軟性下疳（魚口便毒）及鼠蹊部淋巴腫（橫痃）。其中以梅毒及淋病的百分率最多。普通，這四種病，都是因爲與患有這種病的男子或女子性交以後，病菌透過生殖器黏膜而傳染的。但是，像梅毒，也可以因同病人接吻或握手而傳染到嘴唇或手指。經過傳染以後，大概有幾天到一兩個星期的潛伏期——就是說，在這時期中，雖然已被傳染，但是却還沒有症狀發現。潛伏期有時也會很短，而僅僅祇一天或者幾小時的，像軟性下疳。然後，症狀就出現了，梅毒首先是在生殖器，如男性的龜頭後面，女性的大小陰唇，發現有一點小的潰爛的地方，不痛，摸上去很硬，同時也沒有什麼東西流出來，經過幾天以後，這點潰爛的東西就自已好了起來。再過了些時，病人身上可以發現一些瘢疹，遍身都是，同時，病人也感覺到週身疼痛，關節痛，或者全身的淋巴腺腫大起來；這種現象，經過一個相當時期，也可以會自已好了起來，但是，病却進到了嚴重的階段，雖然病人在表面上看不出什麼，可是它却到內臟裏去侵犯每一個器官了！說起來，梅毒的確是個可怕的病，它幾乎對身體內的每一個器官都有侵害，心，血管，腦子，神經，肝，脾，肺，等等。這樣慢性的進行着，一直到病人死亡爲止。淋病一般講起來，雖然不像梅毒那麼嚴重，但是，也可以破壞整個的生殖系統。起初，病人感到小便時痛，有熱的感覺，然後就有白色，或黃色稠質的液體流出來了。這時候因爲尿道發炎了，炎症慢慢的進行到膀胱的時候，病人覺得小便次數加多，有時小便裏會有血。再嚴重的話，病變一直侵犯到輸精管，乃至副睪丸。軟性下疳也是在生殖器部發現的潰爛，不過看上去很髒，有些東西流下來，而且很痛，摸上去是軟的。至於鼠蹊部淋巴腫則比較少見。在生殖器的病側上方，下腹部與腿部交界的地方，叫做鼠蹊部。在這地方的皮膚下面，有很多淋巴腺，這種病的病原，是種顯微鏡也看不見的過濾性病毒，專門侵犯這一部分，所以使這地方的淋巴腺腫大起來，乃至潰爛！

講起性病的預防來，本來十分的簡單。但是同時也的確很麻煩。這話怎樣講呢？表面上看起來，這話似乎矛盾與不合邏輯，但是，事實上，情形的確如此！我們可以說，所謂性病的預防最有效而且可靠的方法，就是不同有性病的人性交，不嫖妓，不與出賣肉體的人接觸等等。這樣講起來，預防不是太簡單了嗎！反過來說，一切所謂預防，並不是說百分之百可以防止性病，它仍舊有很大的可能性會被傳染，不論你有怎樣嚴密而周到的方法！

但是，假如要做到第一個要求，在目前的情況之下，幾乎是不可能，我們看看目前的中國，特別在上海，有多少人可以舒舒適適地養活一個家？有多少人能夠寬裕地担付一筆結婚的費用？在動盪不安的局面下，又該有多少人，無家可歸，同時也得不到「性的解決」？……這都是問題，都是現實的問題！所以，我們實在有退而求其次，看看這第二個預防的問題了！

簡單的講起來，目前性病的預防，大概不外下面兩種：

（一）像皮套——也就是普通所稱的法蘭西帽，英文名字叫Condow，它是用質料很好的橡皮所做成的，很薄，在性交的時候，用它套在龜頭上，這樣，性交時仍舊可以得到樂趣，但病菌却因這層薄膜，而不會接觸到生殖器了。但是，應用這種套子，是需要相當技巧的，同時假如質料不好的話，當性交時，它又很容易破，那就得不到預防的功效了！

（二）藥物——這種方法從前美國陸軍部曾經公佈過，訂爲他們兵士在各國應用的方法。這方法也比較簡單。在性交以後，馬上洗一個澡，特別把生殖器部——注意到龜頭後面凹下的一部——洗乾淨。同時大腿囊近生殖器的那一部，肛門前的會陰部，也都要洗淨。然後再拿肥皂洗一次，用毛巾擦乾以後，用百分之三十的甘汞軟膏在生殖器上面慢慢的擦，不要過分用力。這樣的擦，最少非到兩小時不可。以上所說的對梅毒的預防有效。對於淋病，可以在性交以後，馬上小便，因爲在這時候，病菌還停留在尿道腔中，它們並沒有侵到尿道壁當中。所以，在一泡小便以後，這些病菌就可以整個的洗掃出來了。然後，在尿道中滴入百分之二十的蛋白銀溶液（Argyrol）或百分之一的Protargol。讓它們在尿道中停留三四分鐘。然後再洗出來！這裏要特別提出的是，上面的方法，以愈快愈好，假如過了十二小時以後，再用這方法已經就失去效用了，因爲病菌早已侵入器官的深層去了！所以，一俟性交完畢以後，馬上必定要照法行之才可！據美國的報告說，經過這樣的處理以後，有百分之九十到九十五的性病可以預防。可見這方法比較是可靠的了！

以前我們曾經講過，這些方法不過是治標，能不能夠絕對預防，我們不曉得。至於治本的方法，這當然牽涉到公共衛生，以及衛生行政，需要我們的政府當局有整個的計劃來辦理性病的防止工作了。

百日咳

綠波

就好像燕子等到天氣冷了就飛到南方去一般，有很多的病，也常常是有季節性的。夏秋兩季最多的病是痢疾，傷寒和瘧疾；到了天冷之後，最常見的病就變成傷風感冒，肺炎和百日咳這些了。尤其是小孩子，到了冷天，小兒科的病人常常是這些可憐的小朋友，一陣陣地咳得面紅耳赤，幾乎連眼球都凸出來了，就是百日咳的病人。現在天氣轉涼，冷天就要到了，未雨綢繆，就來說說百日咳這個題目吧。

百日咳是一種傳染病，它的病原菌是一種叫做百日咳桿菌的微生物。百日咳桿菌[illegible]入人體之後，就使呼吸器官的黏膜發炎，並且發生一種陣發的痙攣性咳嗽和氣急。因爲一般人相信要咳到第一百天才會好，所以就叫做百日咳。不過實際上並不一定是咳到一百天會好。平均說，大約六個星期到八個星期就可以痊癒了；不過有時可能因爲病者不健康，譬如扁桃腺慢性發炎等，也會使病的日期拖長的。如果照八個星期計算，那也只有五六十天呀！

百日咳的發生，常常有地方性流行的現象。尤其是在溫帶氣候的冬天，最爲流行。一年之中，以八九月中患百日咳的人數最少，九月以後逐漸多起來，到每年的二三月時爲最多。而患百日咳的病人，也差不多都是小孩子，通常都是六歲以下的兒童，嬰兒被傳染而患百日咳的也不少；成年人則多半是老年的，也比較更厲害。

百日咳傳染的方法，都從痰沫中細菌的直接傳染，譬如像病人咳嗽時噴出的口沫，或是沾染在衣服上，或是其他物品上的痰唾等。有時，百日咳病還可以從貓或狗而傳染，因爲貓和狗也能被百日咳桿菌侵犯而患百日咳症。因此，預防百日咳的方法，重要的一點就是不與患這病的人接觸，最好不要在一起。

被百日咳桿菌傳染以後，大約要經過十天左右的潛伏期，才漸漸顯出呼吸道黏膜發炎的症狀來。起初是有點乏力，稍許有點發熱和咳嗽，但咳嗽一天天厲害起來，尤其是在夜間更兇。這樣一天比一天咳得兇，一陣嗆咳之後，常有嘔吐現象發生；甚至於臉部現出鬱血的樣子，眼圈也有些浮腫，頭痛。如此繼續，要到五六個星期之後，才逐漸好起來。

雖然百日咳不是非常兇險的大病，可是因爲它常發生於小兒和嬰孩，所以死亡率也相當高；尤其是一歲以下的幼兒患百日咳的，死亡率特別大，直到五歲以上的兒童，患百日咳的死亡率才比較起來大大地減低到百分之一左右。不過我們知道，百日咳能使兒童的抵抗力減低，因此在病的過程中，常會發生其他更討厭的併發症，像支氣管肺炎、肺結核、痙攣、疝氣、尿蛋白症、周圍神經炎等，那就更麻煩了。

但是，假如生百日咳而痊癒了呢，那倒也好，它能像出痲疹（俗稱痧子）或傷寒一般，產生一種終身免疫性，以後就不會再被傳染了。不過，在兒童期，尤其是嬰兒時，究竟身體抵抗力太弱，不能放心讓他去生一次百日咳以求得這種免疫力，所以當在居留的地方百日咳流行時，最好先作預防，以免傳染。預防的方法，除了絕對避免與百日咳病人在一起接觸之外，可以預先打百日咳的防疫苗。這性質和注射霍亂傷寒預防針一樣，是把已殺死的百日咳桿菌體注射到皮下去，使身體產生出抵抗百日咳菌的抗體來。

等到百日咳已經發生以後，各種藥物的治療都只是減輕症狀而已，對於時間上，還沒有什麼辦法可以去縮短病的過程。不過，適當的護理和治療，至少可以減少許多痛苦和危險。主要的是要使患病的孩子睡在床上休息，室內溫度最好保持華氏六十二三度，空氣要流通，衣服要穿暖；食物以牛乳等流質爲主，要少吃多餐；藥物則都沒有什麼實際效用，在痙攣性咳嗽太劇的時期，可以給一點鎮靜劑試試。

總之，百日咳這病，還是預防勝於治療。冷天到了，百日咳的傳染就會廣起來，跟着氣候的轉變，它就要來侵犯你的孩子。小寶寶的母親們，請你們趕緊爲你們的孩子防禦百日咳的侵襲。

（編者按）據個人的經驗，用中藥治百日咳，射干麻黃湯比較最有效，其方，麻黃射干細辛麥冬半夏五味紫菀款冬生薑。祝君味菊用蜜炙麻與局方黑錫丹爲主藥，云亦比較有效。在古醫書中所謂「頓嗽」或「鷺鷥咳」者，即此病也。又，近時在報上見外國已有此病的特效藥發明，以藥物才開始製造，未到中國，看時不甚注意，其名已忘之矣。

愛克司光

金眞

注意過醫生和病家的談話麼？病人向醫生說：「我常咳嗽，每天下午又像有點潮熱，會是肺病嗎？」醫生在聽敲一陣之後說：「最好照一照光才能確定。」照什麼光呢？愛克司光呀！

孩子的左臂跌斷了，祖母帶他去找一位理髮匠接骨；兩天後，骨折的部分更腫更痛起來。到醫院裏一照，才知道理髮匠沒有接對頭。用什麼東西可以照得見骨頭呢？愛克司光呀！

看見過申報上的廣告嗎？「防癆健康檢查，免費螢光透視」。什麼叫螢光透視呢？就是愛克司光檢查。

大概，大家都聽說過愛克司光這個名字了。它究竟是怎樣一架神祕的機器，可以透過我們的身體而照出體內骨骼和內臟的情形來呢？如果要詳細解釋，需要應用到很多物理學和機械學上的學識，非，但出了我們醫藥衛生的範圍，也不很容易懂。不過，我們不妨說一說它簡單的原理。

約略說來，愛克司光是根據科學原理設計出來的一架機器，主要的部分包含一個玻璃的射線管，管中的空氣被抽得幾乎眞空的程度；管內的兩端各有一個電極。在使用的時候，通了電，就可以因爲兩電極間電子的衝擊運動而發生一種波長極短的「光」波，和陽光中的紫外線相彷彿，因爲它的波長太短了，所以我們人類的肉眼便不能看見這「光」；但同時也正因爲它的波長極短，所以穿透性特別強，除了金屬和礦物質外，其他的物質差不多都可以透過，因此它也能透過人的身體而使照片紙感光。在透過人體的時候，皮膚肌肉等都能透過，可是遇着骨骼因爲是鈣質組成，便不能透過，而在照片上留下陰影了。再如遇到身體內某部化膿發炎，愛克司光透過的程度有了改變，所得陰影也就不同了。在醫學上應用愛克司光幫助診斷就是利用它這種短波的透過性。

除了作肺部、心臟、和骨骼的檢查外，有時也用愛克司光來檢查腸胃。不過腸胃器官也是愛克司光能透過的軟組織，所以在檢查之先，必須先飲服一些愛克司光所不能透過的礦物質鹽，在目前爲醫院中所通用的是一種鋇鹽。飲服後依照不同的時間再用愛克司光檢查；換句話說就是鋇鹽到食道時照食道，到胃時照胃，到小腸時照小腸，到大腸時照大腸。這樣，因爲鋇鹽是愛克司光所透不過的，我們就能見到食道、胃、和大小腸的大概情況了。

愛克司光除了幫助診斷之用外，也可以用作治療，像鐳錠一樣用來治癌，或是用來作各種皮膚病的治療。不過有一點應該知道，愛克司光所以能作治療用的理由，就是因爲它具有遏止生機的作用，使病理的生長停止，但同時這種作用也同樣能施於生理的組織上。所以，過度的多照了愛克司光是於身體有害的，甚至於可以使人失去生育的能力，或是即使能生育，也有影響到子女健康和智慧的可能。所以醫院裏愛克司光科的醫生，在工作的時候，都在身前圍一塊金屬的布（通常都用鉛的），因爲這樣可以阻止愛克司光線射到自己身上來，以致受其災害。這種害處是日積月累增加起來，而不像其他的疾病般立刻引人注意的。

那末，愛克司光的機器爲什麼那樣大，那樣複雜呢？那是因爲愛克司光的發生，需要很高的電壓，同時在透視，拍照片，和治療等不同用處時，也需要不同的電力和波長。這些改變電壓，調節電力和波長的機件，也都成了愛克司光機中重要的部分。那怎麼不使機器變複雜呢！

愛克司光是德國科學家樂琴氏（Roentgen）所發明的，所以也叫做樂琴光線。最初因爲不明白究竟這種看不見而又能透過很多物質的光線是什麼性質，所以叫做愛克司光，「愛克司」就是「X」這字母的音，在外國，常用這個字母代表「未知」的意思。現在，我們都明白了愛克司光在醫學上的價值，和愛克司光對醫藥進步的偉大貢獻，但也應該明瞭它的使用並不簡單，更應該明瞭它能爲害健康之點，加以注意防止才對。

生炒熱白菓

寶秋

「生炒熱白菓，香是香來糯又糯」！在馬路邊，弄堂口，常聽到小賣這般唱着。一邊還不住手的用鐵鏟炒着鍋裏的碎碗片，發出鐵塔鐵塔的聲音。

白菓也叫鴨甲子，那是因爲白菓樹的葉子像鴨甲一般；又稱銀杏，因白菓的外表好像杏子，顏色白的，所以稱爲銀杏。照本草綱目說：「熟食：溫肺益氣，定喘嗽，縮小便，止白濁；生食：降痰，消毒，殺蟲。」民間療法有用白菓治痰嗽和白濁的。因爲白菓所含的成份如苦扁桃仁，當中的亞密加他林入胃分解爲蜻酸，如果吃多了，呼吸就麻痺而死，少量有麻痺呼吸中樞而奏鎮欬的功效。古人說服千粒即死，其實服幾百粒就有致死的可能。還有年齡的大小，體質的殊異，各有不同，總之不能多吃，小兒們大約吃十粒左右是無中毒危險的。一般的說，蜻酸的致死量爲〇．〇五瓦，多少粒白菓恰當此數，還沒有分析過。苦扁桃的致死量，大概是小兒吃十個，大人吃六十個到七十個。蜻酸中毒的症狀，爲頭痛，眩暈，蜻酸臭，呼吸頻數，徐脈，意識消失，苦悶，瞳孔散大，痙攣，厥冷，呼吸麻痺。如果孩子們先吃過白果，而後發生這些症狀的，就要注意到蜻酸中毒。治療的方法，最好送醫院治療，因爲醫院一切設備比較完備啊。

月經的生理

石古盛

女孩子到了青春期時，最顯著的變化，就是月經的開始。月經的意思，就是每隔四個星期左右一次，自子宮流出的血液，黏液，和一部分子宮內膜及陰道膣表皮細胞，每次連續約四天左右。

每一次月經來潮所流出的血量，常因人而有很大的差異；而且，即使是同一個人，每一次月經所流出的血量也有多少。最少的一次月經只出血六七西西，而有記錄可查的最多可以流血一百七十多西西。不過太多和太少都是比較少的，平均說起來，每一次月經的出血量，大約在五十西西左右。可是出血的多少，却和月經期日子的長短沒有關係。普通每次月經約需經過四天或五天才完畢，但也有人兩三天就乾淨了，也有人要七八天之後才完全沒有。但是，日子長，不一定就是出血多。

女子在每一次月經期中的出血量如果都很多，那麼因爲血液中的鐵質不斷的損失，就很容易患缺鐵性的貧血症。所以，每次月經都出血太多的話，應該請醫師診察是不是有什麼病態存在；至少，也應該請醫師指示，吃一些鐵質的補血藥才對。

大家都知道女子的月經是一種生理現象。它與卵的成熟以及排卵有密切的關係。如果我們假定一次準確的月經週期是二十八天，而月經期是五天的話；換言之，就是每隔二十八天月經來潮一次，每次流血要到第五天後才乾淨。那末，從流血的第一天算起，前五天爲月經期；第五天到第七天時，新的卵還靜止在卵巢中，這時受了卵巢素內分泌的刺激，就開始成熟起來；從第七天到第十四五天之間，就是新的卵細胞逐漸成熟的時期；及至第十五天時卵胞破裂，成熟卵就到了輸卵管，此時如果性交遇到精細胞，就能受孕。到第十九天左右時，成熟卵已經到了子宮。就從卵細胞成熟，卵胞破裂時起，原來的卵巢素內分泌已經減少或停止分泌，另有一種叫黃體素的內分泌出現，可以促使子宮內壁很快地長厚起來，細血管也特別加多，呈充血現象，以備卵在受精之後，可以被移植到子宮內膜層去發育，所以這時的子宮，完全和受孕初期一樣。

可是，如果這個成熟的卵細胞如果不會有機會受精呢，它不能够永久停留在子宮內。因此黃體素內分泌又漸減少，子宮壁長厚的部分失了用處剝落下來成爲廢物，自然有很多小血管也都破了，於是就流出血來，同時把剝落下來的「廢料」冲出體外，這開始的一天，正是第二十八天。

因此，月經就像這樣週而復始的隨着每一次卵子的成熟而來潮一次。自然不一定剛好二十八天，通常每二十三天到三十天來一次都還算作正常；但是，如果日子太短或太長，就會是病態了。

在月經期中，除了有「血」從陰部流出之外，還可能有其他的現象發生，像惡心，頭痛，腹脹，煩躁不安，易怒等現象，不過這些症狀都並不是病的表示，過了月經期就會消失的。

正因爲月經是與排卵有密切關係的生理現象，所以在懷孕期中，授乳期中，以及青春成年期以前，老年約四十五歲經截期以後，都沒有月經來潮，因爲這些時期，都沒有成熟的卵細胞被排出卵巢。反過來說，女子雖在青年，如果因爲病的原因而月經停止，不再來潮，那末也就沒有受孕的可能，不可能希望有生育了。

關於鏈黴素

——所謂肺癆特効藥——

莫凌

在醫院裏，特別是小兒科，每年都會見到一些可憐的母親們抱着她們的孩子來，告訴醫院裏的醫師們說，她的孩子突然或者幾天的工夫當中發高熱，不想吸奶，煩躁不安，或者昏昏沈沈的睡上幾天，再不然，更使母親們驚慌的是，孩子突然地起筋來，而且抽不停。醫師詳細的檢查了以後，抽出孩子的脊髓液來驗過以後，無可奈何地告訴孩子的媽媽：「你的孩子恐怕沒有什麼希望了！因爲患的是結核性腦膜炎！」然後，母親一定是一陣苦求，請求醫師想辦法。在前幾年，老實講，醫師們對付這種疾病，實在沒有半點辦法，除了眼望着小孩子死去以外！但是最近，他們可以試試鏈黴素了！

鏈黴素是繼盤尼西林最近所發現的一種新藥，同盤尼西林一樣，它也是由一種黴菌中所提鍊出來的，對有一些盤尼西林所不能奏效的細菌，它稍爲能抑止它們的生長，好像肺癆病菌就是其中的一個例子，但是到目前爲止，說它有什麼特殊的效力，還嫌時候太早。上面我們所講的結核性腦膜炎—就是肺癆菌侵入腦膜中所引起的一種病症—有很多人拿它來試試，結果也有幾個病人，因爲長期的注射而救活的！但是，我們並不能因爲有了這點的結果，而決定鏈黴素對肺癆的功效。我們祇可能這麼樣的講：假如結核性腦膜炎不注射鏈黴素，病人必定會死去！若是注射到一個時期以後，病人也許有個機會活下去！

正同盤尼西林剛剛問世的情形一樣，它的製造、提鍊，是椿相當複雜而且相當困難的事，所以價格相當的高。目前上海市面上鏈黴素的售價是每一克（即一百萬單位）八十萬。一個結核性腦膜炎需要注射多少呢？說起來，也够駭人的，每天一克到兩克，連續不斷地注射到六個月。結果下來，即令每天一克吧，六個月下來就是一萬萬四千萬多元了！以現在中國人普通的財富看來，可以擔負得下來嗎？

鏈黴菌素對肺痨——即指肺病——的功效，到目前爲止，還看不出有什麼大的功效。有的人經過幾個月注射以後，說他自已感覺到較前進步，或者甚至於經瑩光透視或照片檢查病變是的確有進步。但是這並不能確定是鏈黴素的功效，因爲有時肺痨經幾個月休息，不給什麼藥物也會有進步的。同時，有很多的病人，即令注射到了六個月也不見有什麼進步。或者，因爲病人沒有適當的休息與營養，可以因注射而更變壞！所以，到目前爲止，我們實在不能够大胆的說，它對肺痨究竟有什麼「特效」！

而且，鏈黴素並不是同盤尼西林一樣安全的東西，它是有毒性的。當然其中有一部副作用是因爲製品不純，而其中因雜物存在而引起的，像發高熱，疲倦，頭痛，耳鳴，關節痛，或者肌肉痛等等，，這些副作用可以因爲製品的精製而消除。但是，有一些副作用卻是因爲鏈黴素本身的作用而引起的！普通注射到三星期以上，經常是要發生長期耳鳴，整天耳朵裏鬧個不休，或者頭昏，覺得四周搖動不定。但是最重要的，而且最令病人討厭的是，耳朵聽不見，耳聾。耳聾可以因停止注射而轉好，但是也可以永久就聽不見了。這該是件多令人討厭的事呢！對於這個副作用是不能够避免的，因爲它可能是聽神經，或者是內耳的損壞！

總之，鏈黴素在目前雖然可以救活一些以前認爲完全無望的結核性腦膜炎，但是對肺痨可以說是並沒有什麼「特效」。何況它又有那麼高的價格，有一些令人討厭的副作用呢？而且，在目前的中國，又有多少達官貴人，巨商大賈有幾億幾萬的去購買這所謂的肺痨特效藥呢？

西藥常識

白璧有瑕之四

救命的强心針

軒轅火秉譯著

每逢談到强心針，便使我想起一件悲慘的事，

六年前的夏秋之交，在四川自流井，川康鹽務管理局收發室主任王兆風君住在我診所附近，他一共生了四個兒子，三個兒子都死了，只剩了一個最小的才兩歲，體質很强健，天資很聽明，王君喜愛萬分，一天忽患痢疾，邀某醫誤投辛烈之品，病轉劇，當經請我去診視，同時請西醫某君，我未處方，讓西醫打一强心針，注射後不及五分鐘，體溫下陷，虛脫而死，王君一見此景，當即昏倒於地。還有某君的兒子患肺炎，也是打了一强心針後不久便死了，又某老先生氣管枝炎也是打了强心針不久便死了，又某女士產後打了一强心針死了，又某小姐肺病打了幾針死了，這一連串强心針殺人的事情，眞是司空見慣，舉不勝舉的例子。我相信讀者諸君，對於强心針殺人的見聞，一定也很多。可是强心針果眞能殺人嗎？顧名思義，「强心針」是使衰弱的心强健起來的意思，病人的心多半是衰弱的，强它一下，豈不很好嗎？縱然無益，也無害呀。這是一般缺乏醫藥常識自作聰明的愚蠢推想，須知任何事物都是有利有害的，倘若爲其過份誇張的有利的宣傳所迷惑而忽略對它弊害的研究，這是最可怕的。

作爲强心劑用的針藥種類很多，如毛地黃、副腎素、咖啡鹼、樟腦化合物、阿托平、奎尼亭、麻黃素等，但其性質與作用，各有各的特殊限制，祇有毛地黃可以普遍使用，醫藥界公認毛地黃對於心臟機能有顯明的功效，爲他藥所比不上，所以毛地黃可稱爲强心劑之王，我們今天不妨先將這個强心劑之王的毒害及其禁忌，告訴大家知道：

國立中央大學藥物學名教授周金黃先生說：「洋地黃對心力衰竭衍與環阻滯最著成效」，這是很確鑿的，接着他又說：「毛地黃之毒性反應，除激惹心肌、心律、復趨失常、噴出量減少等直接影響外，有嘔吐、惡心、腸瀉諸現象」，這幾句話千萬不能疏忽，須知「心肌、心律失常」及「噴出量減少」等的直接影響，都是要人的命的。

英國當代名醫George H. Newns博士說：「毛地黃排泄頗慢，容易產蓄積的惡果（Cumutative effect）」日本醫學博士金子義晁說：「用毛地黃往往起蓄積作用，發生徐脈、速脈、二重脈、嘔吐、泄瀉、腹痛、體溫下降、虛脫等症。」須知虛脫是要人的命的。世界的醫藥學權威Roth en A Haches博士說：「受毛地黃毒素的徵候，有時惡心嘔吐，有時腹痛泄瀉，眼花撩亂，更加表現心臟的衰弱失調，太早收縮，跳動低降，呈現可以聽得見的筋肉纖維之局部震動，以及心跳加速等等現象，倘若遲遇上述任一徵候，應即暫時停止使用」，否則蓄積更甚，必置人於死也，此不可不知。所以他又特意的大書而特書：「被投用毛地黃的病人，應當即使其處於密切看護之下。」意在防其有變也。這尤不可不知。還有一點更重要的，便是毛地黃的禁忌，金子義晁博士說：「高度的動脈硬化症，冠狀動脈硬化症，喀血，出血性素因，神經性期外收縮等都忌用。毛地黃，非心臟萬分衰弱切不可用」這須要切記。

毛地黃的主要成分是Digitoxin Digitalein及Digialeingitalen用毛地黃製劑做的强心針名目繁多如Digilan gen Degilaanogen Digilanib Digalen Digitami、Difitolin Digiherton等等，我不敢否認它的功效，但是我却很希望推銷西藥的角色，切不可因爲它是强心劑之王，便忽略了它們毒害及禁忌，任意盲目的使用，否則一動手便殺人，於是救命針便變成催命針了。

今時國內略識西醫藥皮毛的「新醫」（當然不是指高明的醫師）在四鄉八鎮，到處逢着病人，動手便打强心針，活活把病人打得累積中毒虛脫而死，却裝出一副惋惜的面孔，慨嘆地說：「請我請得太遲了，連救命針都救不了命了！」或是說：「草頭郎中就誤了，病人的心臟太虛了，連强心針都無法使他的心强起來了！」所以病人雖死於非命，而病家却很感激「新醫」，筆者每念及此，不禁毛骨竦然，如臨殺人如麻之邦。

粥譜補

老老恒言所未及者

徐相任

（一）北秫米粥（加鮮山芋紅者尤勝切成骰子塊文火煮）（二）美國麥片粥（三）大麥粉粥（四）蕎麥粉粥（五）西國米粥（非米也極滑潤）（六）小豌豆粥（七）豇豆粥（八）蠶豆花苗粥（九）刀豆□子粥（十）山芋粥（十一）大芋頭粥（廣西所產大而長形者勝）（十二）香粳芋奶粥（十三）葛粉粥（十四）奎紅棗粥（紅棗以氣香開胃勝）（十五）花生醬粥（十六）小榛栗粥（十七）鮮銀杏肉粥（十八）美國紫葡萄乾粥（十九）美國棗子粥（二十）美國金山罐頭梨粥（二一）美國酸橘（俗名檸檬）粥（芳烈通氣）（二二）新會橙自然汁粥（二三）花旗橘肉粥（二四）廣橘自然汁粥（二五）金橘皮粥（二六）美國罐頭荔枝肉粥（二七）雪梨膏粥（二八）鮮蓮瓣粥（二九）紫黑桑椹粥（三十）玫瑰露粥（三一）建蘭葉粥（三二）眞珠蘭粥（三三）□碧葛仙米粥（三四）髮菜粥（三五）金針菜粥（三六）紫芽小嫩薑粥（三七）香大頭菜甲粥（三八）鮮番茄粥（三九）菜花粥（四十）鮮香椿嫩芽粥（四一）美國罐頭蘆筍粥（四二）薺菜絨粥（四三）藥芹萊菔粥（四四）咖啡粥（四五）苦果（俗名可可）粥（四六）紅高麗參鬚粥（四七）黃明附片粥（四八）天生朮粥，老人陽氣虛，便溏足腫，參朮附亦不可少。黃山朮有帶葉者，尤自有淸香氣。（四九）灌夕藜粥（五十）菟絲子粥（五一）山萸肉粥（五二）骨碎補粥（五三）覆盆子粥（五四）蛤蚧尾粥（五五）滴乳石粥（五六）赤石脂粥（五七）江瑤柱粥（五八）鰣魚粥（五九）鴿雀卵粥（六十）臘煉牛羊骨髓粥（六一）純淨蜜蜂粥（淸澈如水者良）（六二）三酪粥（合桃仁杏仁花生可分可合味香美遠勝菽乳也）

粥之作用，在乎濡潤腸胃，流利經脈，以甘淡淸香爲原則。製粥爲譜，以老人氣血就衰，運化力弱，稀粥水分多，粉質少，容易消化敷布，取食養療法，不取藥物療法也。故凡性質峻厲，氣味惡劣，有消耗元氣，妨礙脾胃之可能者，如原書內萊菔子粥之類；瀉利傷腎，（老人便約宜養血，溺澀宜益腎。）極不利於高年者；（原書內側去太甚者六種）皆在甯缺毋濫之列。即粘滯難化，膩濁異常者，亦以少進爲是。庶於食養本旨，不致自相矛盾爾。

有濕痰體，生平絕對不能啜粥者，勿勉强。又粥已滑潤，若非便約，不宜再加油及油質太過之品，如合桃仁之類。老人苦燥者固多，然亦未嘗無陽虛便滑者，未可以一概論也。（甲申五月初伏）

國藥性效

姜春華

杏仁

本經主欬逆，上氣雷鳴。喉痺、下氣、產乳、金瘡、寒心奔豚。

「欬逆上氣」據實驗，本品入胃後，其含有之亞密加他林分解而爲蜻酸。其毒性作用發現甚速，初期刺激呼吸中樞，後則能迅速麻痺之。其鎭欬作用，即屬於此。然本品不能用大量，因大量呼吸即陷於麻痺而死。

「喉痺」本症指喉咽腫塞。今喉科雖用之，然其效可疑。

「下氣」詞意含混，殆指治欬逆之功用爲下氣之效。古人以欬逆爲氣上衝，逆之故也。

「產乳」指新產婦，然未指何病，且俗忌用於產婦。

「金瘡」指刀箭創傷，民間以齒嚼爛作外敷用。

「奔豚」指症狀言，小腹部有氣上衝心下，如小猪之奔跑。此或腸運動神經之病，本品據實驗亦能使知覺末梢麻痺，故能作爲鎭靜鎭痛之用。

別錄　驚癇，心下煩熱，風氣往來，時行頭痛，解肌，消心下急滿痛，殺狗毒。

「驚癇」爲症狀名，即今之抽搐痙攣。本品之蜻酸，可作鎭痙用，至於「殺狗毒」，殆亦指制痙攣之用。

「心下煩熱風氣往來」？

「時行頭痛」時行即急性傳染病，急性熱病多有頭痛者。

「解肌」古作解熱用。本品有無發汗解熱作用待證。

「消心下急滿痛」古稱心下即今胃部。本品有鎭痛作用。

甄權　治腹痺不通，發汗，主溫病，脚氣，欬嗽，上氣，喘促。

「腹痺不通」即便祕，本品因其含有脂肪油，有緩下作用。張元素謂潤大腸氣祕，即指緩下。

「發汗主溫病」發汗即解肌，主溫病即解熱。

「欬……」見前釋。

時珍　殺虫，治諸瘡疹，消腫，去頭面諸風氣，皶皰。

時珍所說，皆外用，消腫殆指局部，去頭面諸風亦指係局部作用。

本品主治如下

1、欬逆
2、喉痺（喉腫塞）
3、便祕
4、驚癇（痙攣）
5、解肌（發汗解熱）
6、奔豚（氣上衝）
7、心下急滿痛（胃痛）

外用

1、金創
2、疥癬
3、皶皰

法定傳染病概說（二）

洪貫之

第二章　副傷寒Paratyphus

（定義）本病因感染副傷寒A菌或B菌而發，牠的症狀，和傷寒病極相似，但是比傷寒病爲輕，所以叫做副傷寒。古時總把牠混在傷寒裡面，有時也混稱濕溫，並沒有特定的獨立病名。

（原因）副傷寒的病原體，副傷寒桿A型菌，是一八九八年Brion氏，Gwyn氏，及Kayser氏等三人所發現；B型菌，是一九〇〇年Schottmuller氏及Kurth氏二人所發見。副傷寒桿菌的抵抗力，要比傷寒菌弱，在土壤，及冷水中，都能够長久生存，本菌的毒素，不能因加熱而破壞。傳染的徑路，是經口的，和傷寒菌一樣。所謂肉中毒的大部份，也是因本菌而起的。

（病理解剖）大體上和傷寒相類，不過病理解剖上的腸炎性病變，却比傷寒劇烈而廣泛，大腸更甚。

（症候）本病潛伏期約三至六日，但亦不一定，可分爲下列二型。

1、傷寒型；和傷寒很難鑑別，牠的特點，就是起病稍稍急激，且熱度像傷寒樣階梯狀上升的爲少。急速的，因惡寒或戰慄而發熱（39°—40°C），熱型起初即弛張，分利或渙散的退熱。全身症狀脾腫和薔薇疹比較的輕度，再發，再燃，及併發發症等亦稀少。脈搏隨體溫而增加，不如傷寒一樣的緩慢，

2、胃腸型：呈急性胃腸炎症狀，即發熱，脾腫，有赤痢樣疝痛，粘液血便裡急後重，或霍亂樣症狀，即吐瀉聲音消失，腓腸肌痙攣等，叫做「歐洲霍亂」，所謂肉中毒的，多屬此型，食後數小時，乃至十數小時內發生，往往發口唇匐行疹。

（診斷）本病臨床上，與傷寒很難區別，胃腸型的，應當與霍亂，赤痢，鑑別，確實診斷，應當用血清學和細菌學的檢查。

（預後）本病預後，大都佳良；但是胃腸型的，間有很險惡的。

（食養）與傷寒同。如是胃腸型的，應參考霍亂的處置。（見後霍亂條）

第三章　斑疹傷寒Typhus exanthematicus S. petechialis

（定義）本病乃由衣虱的媒介，互傳於人而感染。發病急劇，具固有的熱型，皮疹，脾腫，和神經症狀兼發氣管支炎技氣管肺炎，及心藏衰弱等。發生於不衛生的地方，如不潔旅館，監獄戰地等，並有飢饉傷寒牢獄傷寒戰爭傷寒等別名。在病原體研究尚未發達的時代，總是把此病混於傷寒；此在歐西，亦是如此，中國昔時的傷寒發斑，即指本病，並不認爲是一種獨立的疾病。依近代研究所知，本病可分爲（1）眞正流行性斑疹傷寒，（2）散在地方性斑疹傷寒兩種，其差異處如下：

1、眞正性斑疹傷寒：爲大爆發性，流行於春夏，疹子爲出血性，有腦證狀，死亡率頗高，家族傳染多。

2、地方性斑疹傷寒：爲小流行性，流行於秋冬，疹子不出血，如薔薇疹，無腦病狀，死亡率極低，幾至於無，家族傳染少。

（原因）本病病原體，大抵Rickettsia類，（立克氏小體）一九一〇年Ricke ts氏，從墨西哥型斑疹傷寒患者虱中，首先發見，至一九一三年He ler及P.owazek兩氏，又找到這種微生物，後來在一九一六年Rocha-Lima氏才確定牠定名稱。立克氏體雖然在人工培養失敗，但由於確實的特性，已可證明這立克氏體，是斑疹傷寒的病原體。經過本病後，每得永久的免疫性。流行時施行預防注射，也很有價值。

（病史）大戰之後，一定有大疫發生，不然，疫病的流行，也便是飢荒之年，所以古時的疫病，以本病佔多數。歐洲在希臘羅馬時代，已有記錄，十一世紀時，西班牙大流行，一五〇五年以後，意大利有二十年間繼續的大疫，當時被稱爲荒疫，其實也是本病之誤。拿破崙戰爭時，全歐洲流行過本病，一八一六年英格蘭流行，死人四萬餘，一八七八年的俄土戰爭時，俄軍患本病的，幾達二十萬人。我國古時，早就有斑疹傷寒的流行，可無疑問，歷史上所載的大疫，當然有本病的流行在內。近人張子鶴說：仲景傷寒論是專指流行性感冒一病而言，其實也是偏激的武斷，照我的看法，不如說主要的是斑疹傷寒，還覺切合事實；以本病的流行之烈，和死亡率之高，遠出眞性傷寒之上，對照當時情形，却是有可能的。此外，日本上田茂樹著世界社會史，記得他曾說過，東漢末年的疫病是鼠疫，近人陳方之博士，也雷同其說，究竟當時的疫病，是否包括鼠疫，這就需要另爲考證了！

（病理解剖）急性症雖多有脾腫，然慢性症多無之。肺藏常見支氣管炎及支氣管肺炎，肌肉水分缺乏，蠟樣變性，粘膜乾燥而有粘性，大腦

一般充血。各臟器的小血管壁，現結節狀或外套狀的浸淫，內膜玻璃樣變性，而外層增生。經時既久，則細胞浸淫，移行於結締組織，血管的某部份，發生閉塞性動脈內膜炎。凡皮膚發疹部，肌肉、脾、肝、腦、腎各臟器中，均可見此血管變化，尤以腦脚、延髓、及第四腦室基層的血管，變化尤著，小結節周圍神經細胞，因之受害，現種種之腦症狀。

（症狀）潛伏期十至十四日，前驅期一至三日，訴全身倦怠，頭疼，關節痛，食慾不振等，一般前驅症輕微，往往缺如，症狀經過，分述如次：

1、發病期：突然以惡寒戰慄而發熱（40° C），自覺惡心，嘔吐，頭痛，薦骨及四肢痛，顏面潮紅，呈水腫狀乃至無慾狀，結膜著明充血舌苔黃厚，脈搏頻數，一二〇——一五〇至，屢屢陷於不眠，發病三四日，已得證明脾腫及氣管支炎。其餘爲眩暈，眼花閃發，耳鳴，神經性重聽，言語障礙，失神及譫語等。Diazo反應呈陽性。

2、發疹期：起病第四至六日所發之疹，爲帽針頭大，乃至扁豆大，圓形淡紅色薔薇疹，通例由腹部起始，經一二日擴佈於全身，屢達數百個；與傷寒疹不同之點，爲手掌及足蹠亦發現，且決不發再燃。疹雖係充血性，多於二三日內變爲出血性，壓之亦不消失。發疹後持續發高熱，通例於第二週左右渙散的，稀有分利的下降，否則衰弱加甚，既於初期，發現神經症狀，愈見著明，現運動性不安，幻覺，譫語，高度之不眠及昏睡等，有起尿閉和兩便失禁的，往往氣管支炎擴大，成氣管支肺炎，有時喉頭生潰瘍，浮腫，屢起口唇匍行疹。

3、恢復期：發疹漸次褪色，粃糠狀落屑，舌苔剝離，食慾萌芽，諸症狀消失。有時後始坐瘡，壞疽，（手足、鼻尖、）神經痛（下肢、足裏、），稀有後發末梢神經麻痺等症。總計其全經過，約須二至三星期，不再燃亦不再發，此與傷寒不同。

（併發症）併發中耳炎、腮腺炎、肺炎、胸膜炎、腸炎、癤腫、褥瘡、腎炎外，因血塞所致的壞疽，更堪注意。不僅趾，足、軀幹、皮膚、耳翼、鼻尖、陰部等有壞疽，即肺臟亦所不免；這都是病原體作用，致動脈內膜變化的結果，此外亦有併發脚氣的。

（診斷）由突然發病，熱型、發疹、（手掌、足蹠、）腦症狀，Weil-Felix氏反應，Diet氏反應等，不難診斷。

（鑑別診斷）其他發疹性傳染病，體溫多隨發疹而下降，或一時性下降，但本病在發疹以後，持續高熱，此點極應注意。與傷寒病得由（1）發病急激，併惡寒戰慄，（2）神經症狀（早期、高度）（3）發疹狀態，（早期，多數，出血性，現於手掌及足蹠）（4）脈搏頻數，（5）腸症狀缺如，匍行疹出現，（6）白血球增多，（7）Weil-Felix反應等諸點以鑑別之。此外與流行性感冒，流行性腦脊膜炎，及痘瘡等，應加鑑別。

（預後）流行性斑疹傷寒，死亡率約爲一五%—二〇%預後由神經症及循環系症狀而異；老人酒客，肥胖者，預後多不良，小兒較輕。如脈搏細小軟弱，血壓下降，（間有脈數而四肢冷厥者，但此型不多。）兼有重篤的神經症狀時，均爲預後不良的徵兆。惟地方性斑疹傷寒，豫後均佳良，無死亡率。其以Zinsser法則製成的疫苗，爲近日賞用的預防疫苗，當可減少本病受侵害和減輕劇烈程度的功效。至於預防血清，牠的實際價值如何，目前還不能十分洞悉。感染本病後，是否可得終身免疫，亦未確定。

（食養）飲料宜求充分，食品宜取容易消化的，如牛乳，雞蛋，肉湯，果汁等，皆可進食。

傷寒質難

（八）

祝味菊答述　陳蘇生筆受

傷寒極期篇第六

蘇生曰，傷寒進行期中，熱度列級上昇，頭痛煩躁，口渴溺赤，至於極期，壯熱昏迷，譫妄無度，舌形龜裂，脈如釜沸，是即亢溫，舊名熱盛，敢問亢熱何由而成耶。

師曰，傷寒爲有機之邪侵襲腸道，分泌毒素，刺激體溫而病也，醫者當其邪氣未盛，毒勢未張之際，苟能祛其誘因，除其憑藉，弭患於潛伏，潰邪於前驅，則不待進行，邪勢已衰矣，有機之邪，自內蒸發，固非一汗可愈，刺激之因不去，體溫愈激愈高，高溫非生理所能堪，臟腑難禁烈燄燔灼，當此之時，病人將不死於病，而死於抗病之高溫，於是體工別起調節，故生溫亢盛者，放溫亦同時激增，使放散之溫，相當於激生之溫，此調節機能所以消散太過之亢溫，而維持需要之抗溫也，惟是體溫調節作用，有因初期失表，誘因不解，（汗垢瘀塞六氣困束）而致放溫障礙者，有因涼表太過，肌腠不宣，而致放溫失暢者，亦有大汗傷津，過下傷氣，致使放溫無力者，放溫不足，即無以調節其高熱，生之不已，放之不及，勢必造成亢溫，於是神經爲之混亂，心臟爲之衰弱，抗毒素爲之消失，赤血球爲之崩壞，無救於病，徒傷其正，故傷寒之邪，得以鴟張蔓延，進入極期者，多因早期失治，或治之不得其當耳，人身中樞神經，爲指揮抗病之樞紐，因邪激而生溫愈多，則放溫機能亦因之愈旺，汗腺所不及放散者，喘息迫促，使由呼吸以助之，所以增加溫熱之放散也，傷寒當表失表，或表之不得其當，放溫機能不能調節亢熱，則司溫中樞往往失其當度，故生溫片面激進，高溫持續不降，此傷寒極期，稽留熱之所由成也。

蘇生曰，傷寒初期，祛六淫（包括風寒燥濕一切足以障礙放溫刺激生溫者）以宣發腠理，所謂開鬼門也，化內滯（包括痰涎濕濁凝瘀食滯一切廢料穢腐足爲容邪之資者）以清滌腸胃，所謂去陳莝也，節食靜臥，但飲流汁，譬猶堅壁清野也，協助放溫，抑制高熱，所謂亢則害，承乃制也，宣表爲開達伏邪之甚，化滯爲肅清內奸之謀，愼用淸涼，恐自戕其正氣也，戒在頻下，恐刺激其腸壁也，苟體力尙强，未經失治，以自力抗戰，熱壯則自然喘汗，體溫之調節未至失職，雖弗藥猶能自愈，苟體弱而邪重，又復失治，調節機能不能適得其平，則有賴於醫工之調治，是借助藥力以抗邪也，病至極期，邪勢鴟張，壯熱神昏，譫妄無度，舌形龜裂，脈如釜沸，是亢溫也，是熱盛也，夫初期是清，恐抑低其抗力也，今抗邪至於熱亢，熱亢則害日隨之，設猶不清，則體內物質消耗，資源涸竭，舍急下存陰，似無他法可救其死，弟子亦曾以清下起重病，有是證，當用是法，未知吾師以爲然否。

師曰，以抵抗太過而用清，以排泄穢濁而用下，皆似是而非，傷寒極期，抗力豈有餘哉，子知其一，不知其二也，夫傷寒至於極期，病勢嚴重極矣，好轉張轉，決死生於旦夕，當斯時也，正邪各爲其生存而作殊死戰，醫者不僅宜救抗力之過度，尤宜注意調節之失當，壯熱無汗，或汗出不暢，是生溫多而放溫障礙也，麻桂在所必用，徒事清裏，則汗愈少而熱愈壯矣，神昏有由於中樞病勞太甚，抗力不振者，宜有以振奮之，附片在所必用，若清而下之，抑低其抗力，愈虛其虛矣，譫妄無度，神經虛性興奮也，宜鎮靜之，龍磁在所必用，亦非清下所任也，血液上衝於腦，神經緊張，血逆有升無降，則鎮靜中佐以苦降，如酒連之屬，倘清上太過，則鬱血不得下行，清中太過，則敗氣傷中，自戕胃運，下之太激，則刺激潰腐之腸，而有洞穿之慮，夫氣爲血帥，氣升則血升，傷寒始終有汗，長令濡溫，所以導令氣機向外也，血行循環，盈此者絀彼，血流觸勢向表，則上無血逆之患，腦部何致充血，下少纖鬱之瘀，腸鄰何致洞穿，上工者，知病之所趨，先安未受邪之地，防患於未然，彼舌如龜裂，昏由津不上升，脈如釜沸，顯見心疲力絀，將溫之不遑，豈可以亢溫爲熱象，而用清下之劑哉，是故傷寒極期，壯熱神昏，譫語無度，舌形龜裂，脈如釜沸，不必爲熱盛也，其邪氣已卻，抗力猶盛者，雖有可清可下之症，亦無必清必下之理，子偏重於診候，而忽略於病理，是以所治有應有不應，咎在不知其所以然耳。

蘇生曰，微乎哉，此眞扼要之論也，先賢亦有闡明之者，人顧不措意耳，經曰，體若燔炭，汗出而散，謂壯熱無汗，宜於發散也，神昏氣怯，聲低息短，舒氏亦曾丰用濕矣，實則譫語，虛則鄭聲，古人亦有辨之者矣，脈數無力爲虛，從知苦燥舌裂爲格陽，昔人但憑經驗，從證候之異同而別其虛實，知其然不知其所以然，如人入闇，憑虛捫物，各得一端而不見其全，即有所喻，不能使人共喻，可以意會而不可以言傳，故有失之毫釐，差以千里之戒，今我師不徒恃經驗，尤重闡發眞理，巳之所喻，能令人共喻，古人所謂飲上池水，洞見穢結者，夫子有焉。夫血流之趨勢，此盈則彼絀，故病機向表，則上部得以保持其清虛，首府不受衝激，得從容以調節其抗力，神經不爲充血所寄，何來譫妄昏亂之變，此西醫所謂誘導之法也，嘗見就浴於熱湯者，突然暈倒，面色皖白，冷汗淋瀉，侍者習見，不以爲怪，取熱巾覆額，須臾而蘇，蓋浸浴過久，熱湯刺激肌膚，表皮充血，致腦部貧血，神經失其滿濡，故卒倒也，西醫所謂急性腦貧血也，弟子推誘導之理，嘗用大小續命湯治急性腦充血，應手而愈，此無他，誘導血液向表，則上僭頓解也，獨於傷寒，稱確以清下爲務，不知利導之法，微吾師闡之，將終其身不知變也，雖然，猶有餘惑焉，所以持續發汗，無非爲消散亢溫計耳，爲使血液趨向於表，以減輕在內之壓迫耳，若病者發熱而不亢，自汗而有節，則汗法無所施，痲桂無用武之地矣，若是者，將弗藥而聽其自愈乎，抑固守成法，仍予痲桂乎，此惑之一也，西醫對於高熱稽留，亦用匹拉審洞，鹽酸奎甯，安士必靈等退熱劑，以透其汗，每日用多次，每次用少量，使病者在長期經過中減少高熱之痛苦，此亦限制亢溫之義也，然而其效平凡，則又何故，此惑之二也，中醫有張孽蒸者，世世治傷寒名於時，察其處方，始終一味豆豉，無汗用淡，有汗用炒，聞其議論，亦謂傷寒宜令持續暢汗，彼雖不能以科學解釋其原理，然經驗所及，固未可一筆抹煞，江南之人，體質薄弱，腠理不固，與其大量使用痲桂，有化熱助火之嫌，曷若用小劑豆豉，比較輕靈鬆透，而吾師不取，此惑之三也，汗生於液，吾人營養所養之體液也，傷寒病期遙遠，非可速愈，持續出汗，則人身津液幾何，涓涓不塞，可竭江河，古人有久汗亡液，大汗亡陽之戒，蓋液竭則風動，陽亡即虛脫，西醫治傷寒，注重灌輸營養，葡萄糖維他命，皆補充消耗之藥餌也，放散亢溫，在病固爲有利，在正未嘗無害，其法雖良，流弊亦大，竊恐功不補患，此惑之四也，汗爲心液，奪血者無汗，奪汗者無血，持續出汗，血中水份蒸發過多，血漿濃縮，心臟不得不加强工作，以資挹注，然物質不敷支配，牽蘿補屋，捉襟露肘，終難自掩其窘，蓋肌表少血，則汗腺萎縮，經絡少血，則痙攣癱瘓，腦部少血，則喪失神志，心臟少血，則脈搏見代，西醫亦言，汗多能使心臟衰弱，血少每令循環障礙，故其治傷寒，强心之外，若見漿液不足，每用鹽水補充，强心所以振奮心力，鹽水所以補充心液，此中理致，中西不殊，吾師用强心發汗而不用增液，無乃智者之一失，此惑之五也，顧卒教之。

師曰，人體之於病，具有自然療能，傷寒發熱而不亢，自汗而有節，體工應付有方，固可弗藥而愈，醫豈好事者哉，夫疾病者，健康生活之變能也，傷寒病者，邪正相搏，生活狀態之變化尤劇，彼爲獸無知，患病而不死者，恃有自然療能也，人爲萬物之靈，豈爲獸之不如哉，吾人自出母體，以至老死，無時不受外界之支配，所以仍能維持其健康生活者，以其有調節機能也，調節之所不及，於是乎患病，病而亦可以不藥自愈者，以其有自然療能也，肺之有欬，胃之有嘔，腸之作瀉，司溫之發熱，類皆含有自療作用，創口之自然癒合，炎腫之自然消散，瘧之自休，痢之自已，若是者皆自然療能也，病之可以自愈者十常六七，傷寒亦何獨不然，時俗習用輕清，倖而自愈，已令延期，每見不藥可愈之病，而一候又一候，必令其邪正俱憊而後自已，貪天之功，以爲己力，皆造孽之徒也。（未完）

瘧疾忌扁豆

默聲

江浙一帶世俗相傳，害瘧疾的人，不能喫扁豆，吃了時瘧疾不易全愈；即使瘧疾停止，扁豆還是不能喫，甚至扁豆棚下都不能坐立，犯了時瘧疾也要再發。這是一種傳說，雖然傳得很普遍，可是它的原理不明瞭，它的眞確性畢竟還待證實。筆者是中醫，但對於中醫舊法的廣泛忌口，向來不贊成，尤其反對「餓不死的傷寒」那句屁話。但對於瘧疾忌扁豆這一事，因爲言之者多，而所忌又只蔬菜中一種，不喫也無所謂；而瘧疾的不愈或再發，總是很不愉快的事；利害相衡，還是忌一下的好。所以，遇到瘧疾的病人，總歸諄囑他一年以內不要喫扁豆，不要親近扁豆棚，做那「豆棚瓜架，評古納凉」的韻事。可是「知之匪艱，惟行之艱」，自己瘧疾後吃了扁豆，證實了再發的眞確性。

筆者從陽曆四月下旬起，直到五六月之間，害了一個多月惡性瘧疾。雖然沒有驗血，作病原上的確實診斷；但從症狀上，從得效的藥物上，他種病皆在否決之列，惟一可能承認的是惡性瘧，我就斷爲惡性瘧了。這在西醫，或許要說我武斷的。我初起病的十多天裏，自己醫自己，本是用的柴胡常山一類藥，因爲胸口悶而寒熱起落之故。一位常來的朋友，來了兩次，見我依然臥病，便毛遂自薦起來，「要不要我給你看看」？他診察之後，認爲體弱而疲勞所致，是「人」的不足，未必有外邪；乃用厚附片磁石巴戟等強壯劑。吃了數劑，身上的痠楚難受仍然不減，那寒熱都輕微而起落得不分明了。這朋友的老師，也是我的老朋友，聽到了，「怎麼還不好，我去看看。」他用體溫計量見有半度以上的熱，認爲有外邪。我告訴他，本先喫的是柴胡常山一類治瘧藥，但不效；今瘧型已不分明，而又不像別的病，得毋惡性瘧耶？他考慮了一下，說「對！本須驗血，照現在情形也竟無須。」於是這老朋友給我弄來十幾顆拜耳藥廠的老牌撲瘧母星，與消退症狀的中藥柴胡常山附片磁石等同吃，三天之後，痠楚減輕，漸以全愈。眨眨眼到現在，已四個月了。

在陽曆八月裏，飯菜中有扁豆，我漠不關心地喫了。吃過之後，纔想起我是剛害過瘧疾，怕會再發；但喫下的東西既不容易把它掏出，而這禁忌的眞確性亦未大定，也就算了。因爲不曾向太太說起這事，過了幾天，太太支配的菜裏又有扁豆。我也因爲既已喫了一次，何妨再吃；這樣一共喫了三四次，還好，瘧疾並不再發，滿以爲這禁忌不眞確了。直到中秋前一夜，氣溫突然下降，來不及加被褥，受了感冒。喫過兩貼感冒藥，不知怎的又像前次一樣痠楚難受起來，不過症狀較輕，能勉强行動作事，不至臥倒而已。至此乃想起怕是扁豆在作怪，怕是它煽動惡性瘧疾再發。仍懶得驗血，仍買點子撲瘧母星與退瘧的藥同服，第二日即輕快，三日後痠楚完全停止。

這證明我所患的確是惡性瘧，而扁豆確能使瘧疾再發；這是值得報告醫師與瘧疾患者的一件事。

民間藥的補充說明

葉橘泉

考濱萵苣是日本土名，它的學名爲 Statice Japonica, S. et Z.，日文名爲「ハマヂサ」。係磯松科，磯松屬，生於海濱之多年生草本。於根際簇生葉片，其形如匙，長六七寸，厚而光滑，葉柄及葉脉略帶紅色，夏日自葉間抽出花梗，高一二尺，其上半分歧頗多，各小枝上綴以白色之花，排列呈穗狀花，五瓣深裂，爲離瓣，花萼爲膜質。我國植物學辭典名匙葉草。

牻牛兒苗的學名爲 Geraniumnepalense, Sweet，日文名爲「グンノショウコ」。係牻牛兒科，牻牛兒屬，生於田野之多年生草本。莖細長，有節，蔓延匍匐於地上，常達四五尺；葉對生，掌狀分裂，葉面有紫黑色之斑點，葉柄長；夏日葉間抽枝生花，以兩花相集，花瓣五片，有白色及淡紫紅色兩種；後結長形蒴果，熟則五裂，散出種子。此植物之莖葉，乾之供藥用，有治痢之效。名見救荒本草，一名「鬪牛兒苗」。氾水俗呼「牽巴巴」，牽巴巴者，俗謂啄木鳥，其角極似鳥嘴，因以名焉。直隸謂之「邊邊青」，言其葉焯以水則逾青云。日本一名「風露草」。本植物之學名，植物書均作牻牛兒苗，惟日本理科大學植物標本目錄以此學名爲「紫地楡」云。橘泉按：此植物我國有產，蘇州附近鄉間亦有之。憶敵寇盤踞蘇垣時，北局國貨商場被敵財閥大丸公司佔據爲百貨公司，其中闢有藥物部，發售日本民間藥甚夥。作者於診餘之暇，輒至該部觀摩；有一種名「整腸湯」，以紙袋封緘，印有日文說明，即爲此植物之碎切乾草；主治腸炎下利；購者均爲日本居留民及日兵。（我國人因不知其內容而無人問津）又閶門外有丸三藥房者，又名廣濟藥房，開設已久，故人皆呼該店主爲「老東洋」。老東洋認識鄉人亦很多，一日筆者偶至該店買藥品，適見有鄉下人送來乾草兩大綑，筆者初以爲不過是充燃料之柴薪，因見該草悉爲一式纖細纏繞蔓草狀之枯莖，（莖葉均晒乾，不能辨別其形狀），因詢鄉人此何草；鄉人不知草之名，只說老闆教他採取的，鄉間此草很多云。因詢老東洋，老東洋很狡猾，連連揮手說，「你不懂」「你不懂」，一面吩咐店中人趕快搬進去藏起來。筆者乃懷疑到或係牻牛兒，因故意說，這有什麼不懂呢，這是「獅五傘須天烏司」。你們日本人，專門偷偷摸摸弄些亂草來，又要騙中國人的錢了。他聽了笑起來，對我凝視而露納罕的神氣，立刻改變其傲慢的態度，很客氣的對我說，你先生到有研究哩，這藥草你們中醫書上也有記載嗎？這是大丸公司委託我採集的。此藥治胃腸病的功效非常好，在日本無論男女老幼，大家都知道它是很有效的藥草。但從來沒有見過你們中國人來買，你那能知道呢？這時他的店中，有幾種配給品，價廉而物美，據說是日軍部指定專配給日軍及居留民用的，輕易不肯售給中國人，筆者因此而買得數種。其時淪陷區的醫界，正深感到藥荒。市上所售者，都是日本貨；但其中一二功效較可靠者，又被日軍指定。陷區人民之痛苦，殊非外人所能領略到。老東洋在此地二三十年之刻苦經營，本不足圖一家人口之溫飽。但於敵軍盤踞之七八年間，突然間積資不下數百億，（據此間西藥業中人之估計）其貨棧有數處，藥貨之充足，可執蘇州西藥業界之牛耳。後來日酋投降，全部被接收。老東洋多方奔走，擬入中國籍，爲地方政府所不許。卒之一家七八口，被遣送回國。如許資財，遂烟消霧散，一場春夢，即旁觀人視之，亦有不堪回首之慨耶。因牻牛兒的故事而連類及此，拉雜寫出，讀者或不致譏爲蛇足也。

本刊徵稿啟事

（一）文件最好用白話，淺而易解的文言也可以，總之讓大家看得懂，竭力避免學術語專門名詞。

（二）字數每篇最多不得超過三千字，千字以下的短文尤其歡迎。

（三）內容中國學說也好，西洋學說也好，祇要是實用的，大家日常生活必需知道的醫藥衛生常識，如果是融匯中西學說的，那更是十二萬分的歡迎。

（四）稿酬經刊載後稿費從優。

（五）來稿文字編者得加潤色，投稿人如不願潤色者，請於稿端聲明。

（六）來稿未登者，如須退還，請附已寫好退還的地址及收件人之信封，貼足郵票，當即儘速寄還。

（七）來稿請署眞實姓名詳細地址。

（八）稿件請直接寄送上海（5）哈爾濱路富春里四號，本報醫藥編譯委員會。

本刊定閱價目

月份	三月	半年	一年
期數	13	26	52
定費	四萬五千元	八萬元	十五萬元
掛號	一萬元	二萬元	四萬元
航平	八千元	一萬五千元	三萬元
航掛	一萬七千元	三萬三千元	六萬五千元

附註 定戶請於到期前一期通知續訂本外埠定戶平寄免收郵費其他寄法郵資請照表匯寄

濟世日報　右任

醫藥衛生專刊

第一卷　第十二·三期

——本刊每逢星期一出版——

本報登記證內政部京警滬字第三八六號

本報經中華郵政登記認爲第一類新聞紙　上海郵政管理局執照第二七〇七號

發行人　卓勤　社長　卓紹鼎　總編輯　施今墨

本期目錄

中華民國三十六年十月廿七日　濟世日報社發行　本期售價國幣八千元

社址上海（5）哈爾濱路富春里四號　電話四五二七二

社論

醫與藥的互助

除針灸按摩之外，湯藥及丸散膏丹，是中醫應用最廣的治療方法；醫與藥之間，關係的密切，用不到多說。古時醫家自已入山採藥，唐以前古書所云「賣藥」，實際就是行醫，是做開業醫師。現在這種古風是當然不能，也不須恢復的了。現在藥物集中於藥行藥舖；醫師只寫出一張藥方，責任已了；至於藥物的選擇與分配，完全是藥商的責任。所以，治療成績的好壞，藥商與醫師實際上分擔各半的功罪；醫師的藥方開得不中病，或藥商的選擇與分配有些不到家，都可以使治療失效；必須醫師藥商兩方面都沒有失錯，才可以完成治療的成績。這樣說來，醫師與藥商的事業是互相依賴的，醫業與藥業的盛衰是互相影響的。

中醫藥界當前遇到雙重的危機；一重是自已所造成，保守而不進步。一方面，西醫西藥，雖在戰爭時，反因要解決由戰爭所引起的困難，努力研究，有不少的進步；這些西洋的進步，在戰爭時因交通被封鎖，不能絡續傳到中國來，尤其是中國的淪陷區，直到日本投降後，纔把七八年中的進步發明，一起傳到中國；中國人一旦同時見到七八年來的成績，自覺眼前一亮，驚異西醫藥的特殊進步。一方面回顧中醫藥，還是七八年前，甚至數百年前的老樣，這使人起怎樣的感覺？使人於中西醫藥之間有怎樣的選擇？不必說，也不忍說了！第二重危機是政治環境所造成，和平統一之不得實現，生產建設之不得進行，通貨不得不膨脹，物價不得不高昂；這使一般民衆有病時沒有就醫的經濟力，即使經醫師開了醫方，也沒有買藥的經濟力；這使送診給藥的地方極度擁擠，而使普通的醫師藥舖極度蕭索。

第一種危機根本在於學術，普通的開業醫師與藥商，是無能爲力的；論理，學術機關如中央國醫館，各地的中醫學會，中醫學校等，該負起挽救的責任，可是不幸，除卻紙面上的空言以外，還不曾見什麼挽救的辦法，這是醫藥兩界應該共同責問，共同督促的。

第二種危機的治本方法，自然非醫藥界本身所能扭轉；但實行民主之後，醫藥界有了選舉權被選舉權，至少有了參與扭轉的機會與權力了；這裏又要說到國大代表與立法委的緊要，醫藥界不可徇情投票，也不可放棄不投票，必須看準誰有能力參與挽救中國，就投誰的票；這是挽救第二危機的治本方法。至於治標方法，在於醫藥界互助合作，以渡此千百年罕有的難關；那末，本刊所載神州國醫學會改正飲片切製的提議，未始不是一種具體辦法。（見本期三頁）

保守，也不能怪中醫中藥界，一大半是社會風氣與民族性所造成。上海有兩家姜衍澤堂藥舖，戰前是望衡對宇地開設在城南，是上海最老的藥舖了。中國人本來最相信「老牌」，連新出的東西也要安上一個老牌頭銜，何況姜衍澤是眞正老牌！他們兩家爲表示眞正老牌起見，門首幾塊金字招牌舊很了，從來不肯修理加漆；爲的是修理了要失卻老氣。直到招牌剝落得字都看不清了，根本失了招牌的本意；而上海洋場的風氣，也急劇歐化起來，一切要金碧煇煌，他們纔把招牌從新髹漆。這兩家藥舖出幾種膏藥，保珍膏狗皮膏之類，行銷各地很廣；這些膏藥的仿單，也不知是那一年刻的木版，與招牌同樣的老，印出來一片模糊，再也看不清文字了。隨着招牌的新漆，兩家也改用石印的新仿單，文字淸晰而精緻，比起老仿單來，不知要美觀若干倍！可是發出去的貨色，一批批都退了回來，說「這批貨仿單都不對，一定是冒牌，不是老姜衍澤的出品。」兩家經理沒法，只得把一片模糊的老仿單與新仿單一同加入，另加一張說明，說「若干時後，將取消老仿單，專用新仿單了。」這樣經過了好些時候，纔行通了新仿單。這是社會風氣迫使藥舖保守的一例。

改正飲片切製辦法，在倘滯保守性的中藥舖中，似乎不易改變。但中藥從「齒咬」一變爲「擣之如大豆」，再變爲「鮮明飲片」，至少已有兩變了，現在何妨再來第三變！若說從薄切變爲厚切，從飲片變爲杵碎鋸斷，似乎退化而不合潮流；這也不然；在抗戰時，大後方陪都重慶的居民，衣服上補釘越多，越顯得愛國前進；若西裝華挺，反有漢奸發國難財的嫌疑；並不是中華大國民不愛體面，爲的是節約以使抗戰速勝。現在國家社會的需要節約，尤甚於抗戰時期，而飲片的厚切與杵鋸，總不及衣服上大補釘的難看；那末，有什麼難行呢？

醫藥互助以渡難關，可行的辦法似乎不止一兩端。我們希望醫師與藥商，各抒偉見，共資商討。

改正飲片切製

上海神州國醫學會

今年醫藥兩界業務大爲減色，以較往年，竟祇對折左右。其原因固由幣值低落，民生彫敝，而藥價之高，實爲最大原因。夫藥價固與物價關聯，物價高則藥價自不得不高。然中藥飲片，多因太講外觀，切片過薄，以致原料，祇有三成可用；遂使一斤之成本及利潤，全恃此三成上出產；則此三成飲片之價值安得不高而又高耶？因此之故，乃有中藥反較西藥爲貴之怪現象，而使一般信任中藥者，亦不敢服用中藥，而改服西藥。於是，藥店首蒙其害，而醫生亦受池魚之殃矣。且藥店爲切片光滑計，常將原料，久浸水中，多者至數晝夜，脂膏盡去，藥力不及原來之一半，此又一極大損失也。今藥店從業員所得，約計戰前四萬倍，而醫生之診費不過兩萬倍；雖醫生對此絕無絲毫嫉妒之心，而藥店豈不知爲其本身之業務着想，而不思挽救耶？考古書本無飲片，傷寒論所述湯藥，但言咬咀。所謂咬咀者，用牙齒咬碎而已。試問用牙齒咬碎之藥，有無外觀可言？吾人固不能復古而用齒咬，（編省按，陶弘景本草序例云，舊方皆云咬咀者，謂秤畢擣之如大豆。）然則晉時已不用齒咬而用擣碎矣。但於切片之中稍節糜費，得益已多。如於改正之後，一斤之中能有六七成上櫃，則連不切片之藥品計之，平均藥價可減低三成，藥價如能減低三成，則病家自然樂於服用中藥，而醫藥兩界悉蒙其利矣。若恐改正之後飲片外觀不美，有妨業務，雖亦一說，然飲片之外觀，究屬無關實際；且一方之中，大片小片，花梗根葉，泥土石塊，各種俱備，縱求美觀，亦屬有限。除非科學提煉，製成液片粉劑，方能追蹤西藥；否則可謂徒費人工，空耗藥料，枉售高價，不得其益，反受其害。想藥界不乏明達，當能洞鑒及此也。茲爲醫藥兩界業務計，響應政府節約運動，計在純以節省藥料而不損害藥店利益之原則下，列舉應改藥名，及改正飲片切製辦法六項，錄呈公覽，務祈詳加研究，一致主張，向藥界建議付諸實施，無任盼荷。

（一）急須增厚之飲片，計拾種：天麻，黃耆，黃連，烏藥，丹皮，赤芍，乾薑，良薑，桔梗，木通。目下所切飲片，其薄如紙，損失太重。可切一分厚之片，亦足以出味矣。

（二）尚可增厚之飲片，計於朮，百部，射干，山豆根，桂枝，石菖蒲，當歸，柴胡，生草，玄參，丹參，白薇，防風，梗通，紫菀，紫草，茜草，前胡，龍膽草，獨活，紫白前，草河車，黃芩，續斷，川牛膝，苦甘草，木瓜，川芎，秦艽，防已，白蘚皮，茅朮，蘇梗，升麻，威靈仙，山稜，木香，粉萆薢，皂角刺等四十種。雖較天麻等爲厚，然尚嫌取用太少，棄廢太多。亦可改爲一二分厚片，方免無謂損失。

（三）凡必須用水浸泡後，始能切片者，概不再行切片，改爲杵碎。如枳實，枳殼，猪苓，花檳榔，刀豆子，白芍，懷山藥，象貝，金果欖等九味，性質過堅；淡附片，生半夏，生香附，川烏，草烏，南星片，雷丸，白茯，毛菇等九味，形體太小；皆不必切片，逕用原枝原塊打碎，大者五六分，小者二三分即可。如杵不碎者，可用鐵鋸鋸之。

（四）凡切橫片斜片者，皆可改爲直片。如歸身，玉竹，玄參，黃柏，知母，厚朴等六種之橫切；黨參，黃耆，南沙參，丹參，桑枝，蘇梗等六味之斜切；皆可改爲直片。

（五）桑白皮可切大片，如合歡皮然。

（六）香櫞皮，枸橘藜，青皮，最好於鮮時挖去心瓤，再切塊晒乾，方有香味。若來路已經連瓤晒乾，則亦宜挖去之。以其中已發黑，有腐爛之意，不可以入藥，故必挖去，始可應用。此則當增加人工者也。

流產

雍熹

一，有多少種不同的流產

爲什麼會造成流產，以及在什麼情況時會造成流產，這原因已經知道的有很多，絕不是因爲孕婦到小產產婦的臥房中去過了的關係也是很明白的事，因爲流產並不像傳染病一般可以傳染。那末，我們只聽說流產流產的，究竟是不是許多不同的原因造成的流產都一樣呢？如果不同的話，與不同的原因有關係嗎？

現在，就讓我們來說說各種不同的流產吧。

流產預兆 這是說孕婦在懷孕期中，發現各種流產的症狀，表示可能會發生流產，但是並不一定發生。症狀主要的有腹痛，陰道分泌略見增多，出血，子宮感到收縮；不過這時檢查，子宮頸並不見張大；所以流產仍是可能避免的，治療時也以避免流產爲目的，就是：

一、平臥床上，直到腹痛停止爲止。

二、避免過多的檢查，以減少器官的刺激。

三、給孕婦服適量鎮靜劑如嗎啡或溴鹽。

四、注射大量卵巢內分泌素及維他命E。

不可免的流產 有各種流產的預兆，經過各項治療的努力後，如果子宮收縮和腹痛仍舊一陣緊一陣，越加厲害起來，下部出血量也更加多，子宮頸也開始張大，或者是羊膜破裂、羊水流出來了，那麼流產是不可避免的了。在這種情形時需要留意的工作是讓孕婦臥在床上，拿盆把任何從陰道排出的東西都接起來留着，檢查着胚胎出來了沒有。如果血還流得不止，或是胚胎的各部分沒能完全排出，那就要替孕婦——不，現在是產婦了——注射一針麥角素或腦垂體後葉素，幫助子宮的收縮。倘使剩餘在子宮內的胚胎仍不能生下來，最後就只好用手術取出；總之，不能讓它停留在子宮內。

完整流產　當子宮內胚胎的各部分，包括胎盤，羊膜等都完全產下後，子宮收縮的陣痛就停止了。這樣順利的流產，我們稱爲完整的流產。

不完整的流產　假使流產開始到，結果仍有一部分的胚胎留在子宮內不下來，因此腹痛繼續不停止，陰道中也仍繼續出血，同時，子宮頸也始終張大着不能縮小，這時就可以確定不完整流產的診斷了。唯一的辦法是用胚胎產鉗來幫忙，把遺留在子宮內的一部分胚胎取出；同時不要忘了塞一些消毒的紗布在子宮內，以免不斷出血和血液淤積；更不要忘了注射麥角素或腦垂體後葉素。

染菌流產　將要流產或正在流產中的子宮，如果不幸又被細菌侵入，那末就成了染菌流產。這一類情形，大半是因墮胎的不慎所引起。這時子宮因受細菌刺激而收縮，並且不斷流血，而且帶有腐臭，體溫昇高，白血球數量增加。治療的方法，可用手術將子宮內清除乾淨，這是最可靠的方法，但易使子宮受傷，不免有許多危險。現在可以用磺胺類藥物或盤尼西林來治療，因爲侵入的細菌，大半總是葡萄球菌，這兩種藥是很有效的。

習慣性流產　假使一位孕婦連續流產三次以上，找不出什麼確定的原因，大概就屬於這一類了。遇到這種情形，最要緊的是預防。預防工作，要夫婦雙方同時注意。平日要有規則的生活，食物要注意各種養料的配合，尤其需要大量的鈣質和維他命，尤其是維他命E。受孕以後，要絕對禁止性交，並且要按期請醫生檢查，遇有不正常現象，就可以立刻矯治。到了前幾次流產相當的月份前後，應該靜臥床上，避免一切勞動。此外，注射大量的卵巢內分泌素和維他命E，也有一部分功用。

通常常見的流產，就有上面所說的幾種。另外還可以見到一種情形，就是胎兒確已死亡，懷孕的徵象除了腹部膨大外也已逐項消失，可是，胎却不見產下來；這時叫做「遺漏的流產」。遇到這種情形，我們只能靜待死胎的產出；不過，假使等了兩個月還不產出，而各項仔細的檢查已能確定胎兒的死亡，那就應該用手術將死胎除去，才能免除後患。

便祕之害

牟允方

食物下嚥，經過胃小腸和大腸，排出肛門，通常需要二十四個小時。所以一般健康生活的人，每日必須大便一次，如果一日以上沒有大便，就叫做便祕。

大便祕結，食物經過胃腸消化吸收的殘滓，停留在腸內，腐敗醱酵分解，產生一種有刺戟性的毒素，自腸壁吸入體內，而發生一種刺戟性的反應，頭痛，眼暈，身熱，精神不安等，醫學上所謂自家中毒症，中醫叫做熱的症候，或肝陽肝火。這種症候發生於嬰兒比較成人尤爲嚴重。歐洲名醫巴斯噶氏嘗說：「嬰兒常因便祕，體溫上昇，脉搏不規則，煩躁不能安眠，有時發生搐搦，頭項强直，目光斜視，爲毒素侵入神經系所致，或舌有乾燥垢苔，排泄物呈惡臭之嚴重症候。」這些嚴重的症候，據法國麥奇尼可夫氏說，「可能因此致死；但是應用簡單的瀉劑，都能治愈。」

一般疾病的歷程中，往往因大便祕結而症候特別增劇。尤其是急性熱病的經過，身熱自汗而膚層的機能旺盛，腸胃內容乾燥而蠕動減退，最容易發生便祕。病原菌的毒素和便祕的自家毒素協起同作用，而刺戟的症候反應特別沉重。這些沉重的症候，便是中醫書上所謂陽明腑症。

急性熱病的經過，症候最沉重的時期，稱爲極期。這一個階段，中醫都叫做陽明病。陽明病有二種，一種的症候爲神經昏沉，譫妄抽搐的神經系中毒現象，中醫叫做陽明經症。（編者按，陽明經症爲汗多，惡熱，口渴脈洪大；可能有神經症而非必有。）一種的症候有便祕，苔黃，口臭的消化器中毒現象，中醫叫做陽明腑症。所以中醫治陽明病的承氣湯，就用植物瀉劑的大黃配合鹽類瀉劑的芒硝，服後大便下行，腸內毒素排洩，嚴重的症候便自然得以緩解。

這樣說來，便祕是妨害健康的一個可怕的因素。我們無論有病或是無病的時候，隨時要留意防止便祕。古語有一句「便祕是百病之媒」，這確實是一句名言。（編輯部附啓）牟先生：尊稿如蒙減少字迹的潦草性，增加點句的清楚性；使編輯者排版者校對者可以減少許多困難，則尤爲歡迎。

安眠藥

余克之

隔壁王先生一大早就很興奮地跑來告訴我：「××！眞謝謝你！我自從吸進那批股票以後，本來是想做做這筆生意的，但是市面銀根大緊，股票看看是看跌了！所以弄得我好幾天沒有好睡，整夜望着天花板發呆！同時又計劃着怎樣把這批股票脫手，想來想去，實在沒有辦法，但是，一會兒，天也就亮了。這樣下來，一連幾天，鬧得我毫無精神，白天裏又想睡，沒精打采的。自從昨天你給我那片安眠藥，給我吃了以後，噯！的確有效！一上床不一會兒就睡着了！噯呀！這晚上實在是我有生以來最安逸的一夜了！」

前不久，報上有着一個生動的黃色新聞！某舞廳的紅舞女據說是受了上海某洋場惡少的「玩弄」而「遺棄」，感到一個女人，特別是像她那麼樣的一個女人，在目前的社會上，是遭受着各方的「糟塌」的，所以她自殺了。報上抓着這個題目，大事描寫，大事渲染，而且一向被認爲最嚴正，最攏道學臉孔講話的某大報，也破例的登出了這個舞女的遺書；這個舞女，自殺的武器，據說是吃了大量的安眠藥！

安眠藥在目前這個所謂文明高度發達的社會裏，是被一些人在成敗利鈍劇烈競爭下拿來催眠，拿來自殺，雖然有時結果大大的不同，但是被人們的重視，是並沒有什麼分別的！

安眠藥爲什麼可以安眠或者自殺呢？它們究竟有些什麼作用呢？爲明瞭這點，我們似乎不能夠不知道些睡眠的生理。正常的人每天晚上可以入睡，據說是在腦子裏有一個中樞來管轄的，這個中樞大概在叫做「視丘」的一部。但是，爲什麼一個人可以按時入睡，詳細的情形雖然不大明白，不過十幾年以前俄國有個生理學家糾鮑佛羅夫（Pavlov）主張是因爲條件反射的抑制。這雖然是醫學上的專門名詞，普通人不容易懂，但是我們應該明瞭的一點是：睡眠是與大腦的皮質（大腦的最外面一層）的生理作用關係。安眠藥的作用呢？一般人都認爲是直接抑制這個睡眠中樞；又有的人主張並不是睡眠中樞的抑制，而是因爲阻止由外界向大腦皮質傳入的感覺衝動，所以大腦能安靜下來。這一學說似乎近理。當然，你要自殺的大量吃進安眠藥以後，大腦安靜到不能再恢復動作的時候，這個人就沈寂的歸去了！（編者按，請參閱本刊第五期「睡眠的生理」一文，）

安眠藥的作用可以分成四期：

第一期叫催眠期，也就是一般用以安眠劑量的正常作用。在這一期當中精神活動大受抑制，感覺的能力也減少，感到困倦，容易入睡，但是，你假如叫叫他，也很容易醒起來。所以，在這一期當中，假如有疼痛的話，也就不容易睡着了。

第二期叫反射抑制期，就是身體的反射作用（如有人在你的膝蓋上敲一下，你的腿馬上跟着會跳起來，這叫膝反射。）變得遲鈍。但是意識與痛覺仍舊是存在的！

第三期是酩酊期，在這期當中意識沒有了，痛覺也遲鈍了，記憶力顯著地減退；有時還呈不安的狀態。

第四期是叫外科麻醉期。在這時期當中，與外科全身麻醉時相似，人就像死去的樣子，毫無知覺；當然，呼吸與循環是繼續存在不停止的，假如再超過這期的話，循環與呼吸中樞也被麻醉，這人就要一命嗚呼了。

知道上面所講道理以後，我們馬上可以明白，安眠藥雖然可以舒適地使你入睡，忘掉白天一切「傷腦筋」的「嫪什子」，但是，用藥的多少，是有很大關係的。假如稍稍有些不小心，錯用過量的話，你的性命也要活地冤枉送掉了！所以，安眠藥這東西，在很多國家都是嚴密地管制着，除非醫師簽字，證明確實需要的時候，一般人是不能夠亂用的！

現在把普通所用的幾種安眠藥講講：

（一）巴比土（Barbital）又叫凡洛拿（Ueronal），吃藥以後二十分鐘到一小時中可以入睡，睡了後不做夢，而且也感到舒服。藥的作用可以支持六至八小時，所以吃下去以後，你這一夜就可以高枕無憂地睡到天亮；醒後也不會感到疲倦。普通是吃」粒，內含〇，三克（公分）。

（二）洛明拿（Luminal）同巴比土差不多，不過用量少，一片含〇、一克！作用與用量完全同巴比土一樣。」

（三）含水氯醛（Chlotal hydrate）比較安全而且有力，大劑量能降低血壓。每次劑量〇、二五到一克。用時須用水化成稀液以後再服，不然會有刺激性。

（四）副醛（Paraldehyde）安全，作用短。但是它有一種特別的味道，所以一般人都不喜歡用它。每次二到十西西。同時應該稀釋到二十倍，口服或者灌腸。

（五）阿特靈（Adalin）爲一種微弱的安眠藥，但是很安全，可是效力並不準實可靠。劑量、三克

當然，還有很多很多的安眠藥，不過普通不用吧！在這許多的藥當中，你要選擇那一種呢？告訴你一個祕密，在你決定要用安眠藥以先，不要忘記了請教請教你所認爲可靠的醫師！

燙傷以後——

楊漢魂

何謂燙傷？

不用說得，一看這個名詞，就可以知道，燙傷是身體表面組織的一種傷，一種由高溫度的氣體，或液體，或固體所造成的傷；使身體表面組織受高溫度的炙灼而被破壞，甚至局部的失去了生命。

燙傷，至今還是一種常見的外傷，平時手指被開水燙了，肩上或臉上被鍋裏跳出的沸油燙了，或是身體的那一部碰到燒着的爐子上燙了等等，都還是小傷不要緊。如果不幸遇着房子失火，或是汽車爆炸燒了起來，或是使用煤氣爐不小心突然燒了起來，或是開礦的礦洞裏爆炸：：這許多意外的事情，當造成許多危險的燙傷病人，弄得不好，就會送命。由此也可見對燙傷醫護的重要了。

燙傷的程度

對於燙傷的輕重，有很多分類的方法，但在實際上並不需要分得那麼繁瑣。在分別燙傷程度輕重上說，最主要一點依據，就是燙傷的部分在痊瘉以後有沒有疤痕留下來。照這個標準來說，現在一般人就把燙傷的程度分爲四級：——

第一級——僅只表皮細胞受灼傷，眞皮層完全未受損害。因此，在表皮細胞脫除後，毫無被燙之痕跡遺留。

第二級——不但表皮細胞被炙傷，表皮層與眞皮之間的較鬆空間也被波及，所以有水泡形成。但因眞皮層仍未受損害，所以好了以後，也沒有疤痕。

第三級——高溫度一直深透，眞皮層也完全被燙壞了，只有眞皮層下面的皮下組織還保存着沒有損傷，所以好了以後汗毛，脂腺等組織仍能從皮下組織中的「增殖層」重新發生起來。

第四級——從表皮細胞到皮下組織都被燙死了，痊瘉之後就全被疤痕代替了。這是最重的一等燙傷，從受傷到完全好，大約需要三星期到五星期日子。

燙傷後的過程

這裏所要說的燙後過程，是指傷的程度較深與傷的面積較大所引起的後果。如果是小傷，那自然只要小心保護一下，不要把外皮弄破，不要讓汚物染入，不多久就會好了。

在嚴重的燙傷病人，燙傷後的過程中，可能有四個階段依次發生：——

一、虛脫時期——通常如果燙傷的面積很廣，或是燙傷在頭面部，就很容見到虛脫現象發生。一般說來，發生的時間，總在受燙後二十四小時以內。發生虛脫的主要原因是燙傷後細血管的滲透性增加，大量血漿透過血管而到受燙所起的水泡中，因此循環中體液減少，而成虛脫。同時，因燙傷而致的疼痛，恐懼等，也是促成虛脫的一部分原因。

二、血中毒時期——虛脫爲急救所挽回後，時間略久，由已被燙壞的組織間逐漸造成的毒素，經血液循環到身體各部，引起血中毒現象。這現象大約發生在第二天到第五天。可能因血中毒而又再引起虛脫。

三、敗血時期——如果病人逃過了虛脫和血毒時期，但因爲身體表面的傷，免不了會被細菌傳染，厲害的時候，可以引起敗血的症象。

四、結疤時期——最後逐漸痊癒的時候，但因各皮層組織都壞了，所以一定有疤出現。這時期應該注意的是盡可能防止因結疤而致的變形。

燙傷的診斷

即使不是燙傷醫生，但對於燙傷也不致於會認不出。不過說到燙傷的診斷，重要的是燙傷程度輕重的估計。主要一點分別是如果眞皮層沒有被燙壞的話，當水泡揭除後皮色呈淺紅色；如果眞皮層已經損壞了，那就呈暗紅色或棕了色。除了局部受燙的地方之外，如果燙傷得很厲害，還可以有其他全身的病狀，如高熱、疼痛、白血球大量增加，血蛋白質比例增加，噁心、嘔吐、小便帶血等，也是常見的。

燙後的結果

燙傷後的結果，適當的醫治自然是一個重要因素，但大部分決定於燙傷的面積與深度。而其中受燙的面積比較更爲重要。在醫療上，如下面列舉的幾種情形，都是認爲難於挽救生命的：——

一、全身的三分之二受第一級燙傷。

二、全身的二分之一受第二級燙傷。

三、全身的三分之一受第三級燙傷。

四、嬰兒全身的十分之一被燙傷。

如果拿受燙的部位來說，則頭部和腹部如果被燙傷，比較最爲危險。

如何治療？

治療也可以分爲全身的與局部的兩方面。

全身的一方面，最初要防止和挽回虛脫的發生，替病人注射大量血漿去補充他的損失，如果沒有失去知覺，還應該安慰他，不要恐懼，或給予適當的止痛方法使疼痛稍許減輕。以後則要防止細菌的侵染，像預服磺胺類藥等。

局部的治療可以有下列幾個步驟：——

一、將所有水泡揭除，並且洗乾淨。

二、塗敷消毒的油膏——如磺胺類「消治龍」藥膏。

三、用消毒紗布包裹。

以後，如果逐漸到了痊瘉的時期，若僅是第一級或第二級的燙傷還不要緊，假使是第三級或第四級燙傷，那末爲了防止變形，就要作一些適當的外科手術來防止或矯正，如像縫合，或是植皮——從健康的部份移植一些皮膚到燙傷痊瘉的地方來，這又是另外一個題目，我們留着以後再說吧！

維他命B的成份和功效

光

提起維他命，現在一般人大都會知道是一種「補藥」了。而且，大部分人都知道維他命有A、B、C、D好幾種。可是，見了這個題目，會不會覺得奇怪呢？維他命B就是維他命B，是多種維他命中的一種，爲什麼還要說他的成份呢？難道維他命B還是幾種東西合成的嗎？這一問可正問對了，維他命B正是好幾種成份的混合物，不過它們常在一起，同時存在，所以最初發現的時候，就當作是一種了。

維他命B，是各種維他命中最早發現的一種，也是最早被確定認爲食物中對人類生活必需的一種因素。到後來，才又發現維他命B包含了好幾種成分。其中一部分是在鹼性溶液中時，受熱很容易被破壞，但在酸性溶液中却很穩定的維他命B_1；另外一部分是在任何情形時受熱都很穩定的，包括維他命B_2，維他命B_6，尼古丁酸，和本多新酸。這許多不同的成份常在一起存在，可是它們的功用並不相同。而說到「補」呢，維他命固然爲維持健康生命所不可缺少，但在過多了却並不見得能「補」。尤其是維他命B和C，過多了就會排洩出來，只不過是浪費吧了。現在我們就把維他命B的各種成分分別說一說。

維他命B_1　天然的存在酵母素，麥子或穀子的外胚層，豬肉，肝，硬殼果，蛋黃，豆莢，以及各種綠色蔬菜中。它的化學結構已經研究淸楚，所以現在藥用的維他命B_1都是用化學合成法製造的，是一種能溶於水的結晶體，乾燥的時候很穩定不易變，暴露在空氣中或是光亮處也不會被破壞，但在鹼性液中受熱時就被破壞了。所以爲了保持維他命B_1的存在起見，在煑食物的時候，不應該加放小蘇打或其他鹼類物品進去。許多人喜歡加鹼使食物容易煑爛，是很不好的習慣。

當食物中維他命B_1含量不够的時候，人就會感覺到倦怠乏力，食慾不振，同時心智也受壓抑，頭暈，腿和脚感覺麻木或痠痛，便祕，以致體重減輕等現象；同時還影響心臟，在休息時心跳過慢，而稍作勞動時又特別加速，血壓則見降低；而最主要的維他命B_1缺乏症就是脚氣病和神經炎。所以，在上面所說的這些病或症象發生的時候，就應該給予適量的補充。

維他命B_2　也叫做維他命G，或者稱爲「髓糖黃色素」，是一種普遍存在於動植物體細胞組織中，與細胞呼吸之氧化及還原的化學反應有關的一種要素，能够促進細胞的活動。天然的維他命B_2，存在於酵母素，牛乳，肝，麥胚，鷄蛋，綠葉蔬菜，豌豆，及動物肌肉中；能溶於水，不受熱的影響，但是在鹼性液中如果暴晒於光亮之處，就會變質。人的食物中若長久缺少這種成分，可引起口唇炎（唇角破裂），阻礙嬰孩及兒童的發育，口腔炎，舌炎等；與缺乏尼古丁酸的蜀黍疹也有關；維他命B_2缺少，還能引起眼睛怕光，視覺模糊，鞏膜充血等現象，與角膜上起白星及夜盲也有關連。

尼古丁酸　尼古丁酸（Nicotinic acid）也是維他命B複合物中的一種成分，存在於酵母素，肝，麥胚。牛奶，動物肌肉及內臟，以及一部分綠葉蔬菜中。人若缺少這種維他命，就會生一種叫便蜀黍疹的皮膚病，以及因蜀黍症而引起的腦神經退化現象。不過這種病的發生，除了尼古丁酸缺乏的原因之外，還常與維他命B_2，和維他命C有關係，所以在治療的時候，最好是用多種維他命同時給予；至少也應該將維他命B_2，維他命C，和尼古丁酸同時使用。此外我們常聽說的「流火」，主要也是尼古丁酸這種維他命缺少所致，也可以用它來治療。不過要注意，尼古丁酸服後或注射後，常有暫時的皮膚紅癢，血壓略見降低等現象，這是因爲周圍小血管擴張的關係，不久就會恢復原狀的。

維他命B_6，存在於酵母素，肝，米胚，麥胚，及糖漿中，它的性質還沒有能十分明瞭，一般相信對於人類一種面部肌肉强直或發顫的病有治療效用；在醫治脚氣病或蜀黍疹時也多半同時給予維他命B_6。

本多新酸　存在於酵母素，內臟，麥胚，燕糖漿，米皮，蛋黃及麥麩中，和尼古丁酸及維他命B_6，一樣是溶於水而不受熱分解的。對於人的關係尚未完全知悉，不過在動物試驗中知道可以使兎子或老鼠的毛長得多而有光，並能防止鷄的皮膚發炎。

從上面所說維他命B各種成份看來，知道在酵母素，肝，米麥的種皮，以及各種綠葉蔬菜中都有存在，因此我們平時總得到相當量的維他命B而不致缺乏；因此，除非有什麼症狀發現，是不必吃或注射維他命B來「補」的。多了，也不過從身體裏排洩掉吧了，維他命B不能像維他命A一般在身體裏儲藏。至於服用維他命B過量而中毒的現象則尙未有過，如果有也一定是其他原因，因爲維他命B本身各種成份，都不是有毒的物質。

打空氣針及其他

凌莫

常常，在醫院裏，當一個病人被證明他有了肺癆，而且有腔洞存在的時候，醫師告訴他要打空氣針了。往往病人會恐懼，或者甚至於駭唬得要哭了起來，以爲身體內打進了空氣，該是多麼危險的一樁事呢！

同時，我們有時也會碰到這樣的病人，在醫師還沒有開始問他的病歷之先，他會闢口突然的問道：「醫師！我是須要打空氣針吧？」，在他們的心目中想起來，在被認爲有肺癆可能的時候，也許打空氣針是唯一的治療方法。

所以，在今天中國肺癆病人一天增加一天的時候，在「防癆，防癆」鬧得很響的時候，實在有檢討檢討所謂打空氣針價值的必要！

打空氣針是一般人對人工氣胸術的俗稱，所謂人工氣胸是把一定量的空氣打進肋膜腔當中而使已被肺癆菌弄壞的那隻肺能因爲空氣的壓迫而能得到休息，有了休息以後，癆病才可能望他慢慢的痊癒起來。人的肺外面，及胸腔之間有一個空的地方，就是所謂的肋膜腔。在這個空腔中的壓力是比較外面的壓力—就是大氣壓—爲小的。但是，肺內部是與外界相通的，當然，它的壓力也是大氣壓了。這樣，當吸氣的時候，胸腔擴大了，同時肺也跟隨着脹大，就是因爲有這一點小於大氣壓壓力的存在，及肺本身彈力的緣故。假如，我們把空氣打進了這個空腔當中，當然馬上這點小於大氣壓的壓力也變成大氣壓了。所以這時候，肺並不能因爲胸腔的擴大而脹大，相反它會因有了空氣存在於肋膜腔的緣故而縮小。肺縮小了，不動了，可以不因呼吸而再運動，所以它能得到充分的休息。因爲有了休息，肺部的病變可以再因爲身體抵抗力的增加而得到痊癒，假如有腔洞的話，也可以用肺的縮小，而能彼此癒合，乃至痊癒。

什麼時候才可以施行人工氣胸呢？什麼時候又不能夠打空氣呢？一般而言，人工氣胸是要X光照片證明一側肺部有浸潤性病變（Inpiltrative Lesion）而不是滲出性（Exudation）病變的時候，同時有腔洞（Carity）存在於肺的外圍部，是最好施行人工氣胸的時候。沒有經過肺癆專科醫師的詳細檢查，而施行人工氣胸是相當的危險的！

人工氣胸並不是打上一天兩天，一個月二個月就可以治癒肺癆的，至少兩年半不停止的打空氣，不能夠看出它有什麼效果。因爲空氣打進去了以後，過了幾天就被吸收了。所以每隔三天或者一個禮拜要打一次。在第一次打的時候，因爲身體初次的不適應，也許要發生反應，有時也會很厲害，像劇痛，氣急，有時或者面色蒼白，血壓降低，或甚至暈倒！但是，這對病人的生命是沒有妨礙的，經過幾次打空氣以後，病人就會不再感覺什麼了！

在這裏特別要申明的是，人工氣胸並不像什麼特效藥樣對某病的「藥到病除」。它不過是使肺部能夠得到休息的一種方法而已。談到休息，當然指病人身體整個休息而言（包括腦力的休息）。假如施行了人工氣胸術以後，病人不知道休息和注意營養以增加身體的抵抗力，這樣僅僅的讓肺部休息不動，又有什麼用呢！

當然，讓肺部休息，並不僅僅祇有人工氣胸一種。有時，我們可以把支配橫膈膜運動的一支神經夾住，或者割斷。因爲我們知道，橫膈膜是分開胸腔與腹腔二者之間的一層肌肉膜。在呼吸的時候，它可以因神經的支配而上下動。假如我們夾住了這神經，或者割去了這神經，神經的支配傳佈不到這層肌肉膜上面去了。所以在呼吸的時候它不能上下動，因之，肺也可以得到休息的機會了！

有時，病人的肋膜變得厚了，空氣在這個時候是打不進的。或者，打進去了以後，也不能壓迫肺部。這時候，我們就要施一種大的手術了！這手術，也就是一般人所說的「抽肋骨」。學名叫胸廓軟化術，或胸廓成型術，就是抽去幾根肋骨」普通是第一根到第七根，分三期進行，每期抽掉兩根到三根。——肋骨抽去了以後，胸腔軟化了，外面的空氣可以直接壓迫肺部了。當然，經過這樣的手術以後，肺是永遠的縮着，而不會再脹開來了！

最近，在美國有好多醫院已經採用肺癆的根本解決辦法：就是把一葉或者一側的肺割去，因爲它們已經壞到不可救藥的時候，留在身體內有害無益，到不如乾脆割去痛快！這種手術他們叫做肺葉割除術。

在今天，肺癆仍舊是醫學界的一個難傷腦筋的病，沒有特效藥，沒有一個適合每個病人的良好治療方法，但是打空氣針——人工氣胸——仍不失爲一種最簡便而比較有效的方法。在施行之先，當然用不着恐懼，害怕，因爲它是不會有什麼多大危險的！但是，沒有經過專科醫師的詳細檢查，精密診斷，而貿然嘗試，它也許反會給你更多的麻煩！

人體所需之營養素

恕之

宇宙間之生物，皆由許多之微小個體組合成，細胞增殖，即生物長大，細胞停止增殖，生物即開始衰老及死亡。人體亦如一切生物，由不可計算之微小細胞結合而成，由細胞分裂，形成人體各部組織；如骨骼，皮膚，肌肉，血液等等。此類細胞全賴於水，蛋白質，脂肪，醣及其他礦物質來維持牠新陳代謝及生長作用。以上四種物質之成份，不外乎氧，氫氣，碳，磷，磷，鈣，及少量鉀，鈉，鎂，銅，硫，鐵等之元素化合而成。人體中最重要的是氫，氧，碳，氮，但其他元素雖須量少，却不可缺一，若缺了一種即發生一種病症。由這許多元素分別不同結合成另一種單純化合物，稱牠營養素；如上述之蛋白質，脂肪，水等，再由幾種不同營養素集合成如米豆，肉，菜等，吾人稱牠為食物。故人之身體皆由此許多營養素補給構成，身體強弱，即是你所付之營養素多寡及恰當與否，若要知得此項，必須先明瞭你本身各種營養素之需要量。

「水」牠佔了人體全數百分之六十以上，因水是氫與氧結合而成，當飲入體內時，氫，氧元素被體內吸收氧化後，即發生一種熱量，同時產生力能，使體內外能有一種工作，如排泄廢物，輸送營養素，增進消化吸收之媒介，故水對於人體為非常重要之物，吾人可否一天不飲水，這是不可能的事。

「蛋白質」由碳，氫，氧，氮及少量之硫，磷等結合，因生物之細胞構成多半靠牠，牠是補充人體之實質，增助生長，供給能力與熱力。動物和植物不同，動物不能在他自已體內變化其他物質為蛋白質，僅能在食物中攝取之，故每人每日最低量不能少過四十四克；標準量需要一二○克，此量依平常成年人，體重在七十公斤者計算之。

「脂肪與醣」兩者都是碳，氫，氧三種元素不同數目結合成，其功效全是發生熱量，供給人體需要。但醣亦可節省蛋白質之消耗，牠兩者都有密切關係，若每日飲食中沒有牠兩，即引起生理上之障礙。平常標準量每人每日必需五十克脂肪及五伯克澱粉，才可維持一日之消耗。

「礦物質」人體內需要的礦物質，上已述過。他主要功用為構成動物體，組成骨骼之堅硬，及組成輭組織之主要固體成份，調節生理。牠亦是維持生命上必需之物質，亦不能缺少其中一項者。

人體中常感缺乏礦物質鐵，鈣，磷，碘，而易引起顯著之生理現象，今個別略述牠發生現象及其牠對人體功用和需要量：

「鐵」是血中最主要者，缺乏，即發生貧血病。又是構成細胞核的主成份，每人每日需量○•○一五克；出血過多者，或婦女在經期中，懷孕期婦女，嬰兒在生長期需要量較多。

「鈣」大部份是構成人體之骨骼及牙齒之用，若缺牠成為骨骼不健全病症。每人每日需量○•四五克至○•七五，孕婦，乳母，嬰兒需要鈣量更多。

「磷」之功用與鈣同　每人每日一•五克，乳母二•八克，嬰兒更要多；更須注意的，兩者必須在平衡狀況下為宜。

「碘」平常食鹽中含有此元素，缺乏碘元素時即影響甲狀腺之內分泌成甲狀腺腫病（即大頸病）。常人每日○•○一四克，兒童及孕婦加倍量。

每人每日標準營養素量，却不能一概而論，有年齡大小，體格強弱，身體重量不同，性別上不同，一般男性者需量較女性者要多，對於生活環境亦不同，職業上勞者需量多，故每人需要不能一致劃一，不過平常以體重計算，七十公斤中等勞動成年之男子，每日需要標準量大約如下：

蛋白質……120克×4（卡）=480卡

脂　肪……50克×9（卡）=450卡

醣……200克×4（卡）=200卡

共生熱量2930卡（熱價）

由這樣計算得之熱價，夠一日之消耗，由此你們亦不妨依上公式推算可得出你自已每日該多少之蛋白質，脂肪，醣量。

要得到上三種營養素，無非從動植物界中攝取之，動植物所含營養素各各不同，在動物體中富有蛋白質和脂肪，植物體中富有醣，（豆類例外）茲將常見富有營養素之食物選列於下。

富有蛋白質者——瘦猪肉，猪肝，猪腎，猪舌，火腿，牛肉，牛肉汁，牛肝，牛蹄筋，雞肉，鷄肫，雞什，鴨什，鵞肫，鵞什，鴿子，小黃魚，螃蟹，蝦米，乾干貝，淡菜，乾魚翅，乾燕窩，乳酪，紫菜，味精，芝麻醬，豆醬，花生，杏仁，鞭筍乾，乾青辣椒，黃豆，青豆，白扁豆，豆腐皮，豆腐乾，油豆腐，細糠，富有脂肪者——細糠，黃豆，青豆乾，青辣椒，杏仁，椰子，花生，核桃，向日葵子，榧子，南瓜子，西瓜子，芝麻子，猪肉類，羊肉，牛心，肥瘦牛肉，乳酪，及各種油類。

富有醣者——五穀類含量最富，其他如黃豆，青豆，白扁豆乾，碗豆，綠豆，乾金針菜，乾青辣椒，馬鈴薯，炒栗子，蓮子，白菓，荔子，桂園，柿餅，黑棗，紅棗，蜜棗，葡萄乾，甜罐頭牛乳，香菌，冬菇，銀耳，木耳，蜜，糖等。

富有鐵質者——糙米，細糠，菠菜，金針菜，鞭筍乾，榧子，猪血，牛肉汁，蝦米，蚌，淡菜，魚翅，紫菜，香菌，蘑菇，銀耳，木耳，芝麻醬等。

富有磷質者——細糠，紅米，小麥，玉黍蜀，青豆，碗豆，花生，椰子。鞭筍乾等。

富有鈣質者——細糠，米飯，蝦米，淡菜，淡罐頭牛乳，橄欖，青莧菜，油菜，芥菜，麵條等。

醫師的慧眼——X光

林甲

當我們到醫院去做每年一度的體格檢查的時候，最後一步總是要到X光科去照一個透視。我們也常聽到某某親友照X光查出肺病來。究竟X光是怎樣能查出肺病的呢？醫生憑什麼斷定某人是正常，而某人患肺病呢？怎樣就能知道那個人的病很重，那個人的病是初期呢？

X光在我國各大都市普遍的應用不過是最近一二十年的事情，可是它的發現則遠在西曆一八九五年，就是說在五十二年之前；那時有個德國的物理學家叫樂琴（Roentgen），他在一個眞空管內一端裝陽極，一端裝陰極，然後通過相當電壓的電流，管內就有電子自陰極放射到陽極，再由陽極反射出來，就成了一種看不見的光，他第一次發現時自己也很奇怪，於是就叫做X光。現在我們在醫院裏所見那架X光機器，看來好像很複雜，其實還是脫不了樂琴的原理。

至於X光驗病的原理，我們可用下面的比喻來解釋。當我們在房間內，太陽光由玻璃窗射到地板上，映出窗格的影子。我們即使不向玻窗看，從地上的影子出也能實切的曉得那玻窗和窗格的形狀。這是因爲陽光能透過玻璃但不能透過木製的或鐵製的窗格，於是把它的影像映在地板上。X光查病也是這個道理，它能透過人體的軟組織如皮和肉，但不能透過硬組織如骨骼以及有些病理的變化。我們就利用它這種性質來間接的看見骨骼的情形以及有着病理變化的存在。它和太陽光不同的是它不能把影子照到地上或牆上，而只能映在螢光板上，或是印在像片膠片上。

一個正常的胸像，恰如一面擦得潔淨玻窗的影子；胸部脊柱和肋骨好像窗格，再加上當中偏左懸着的一顆心，這都是透不過X光的部分，於是留下了影子。因爲肺部是軟組織可任X光透過，所以其餘的部份應該是淸淸爽爽的，如果是肺有了病變，則有病的地方因爲病理的變化，透光度不同了，就留下不規則的影子，有如玻窗有了污點似的。各種病灶所留的影子也各有不同，只有X光專家的有經驗的眼才能斷定病的種類和程度。

X光不只限用於檢查肺部，他可以幫我們查出許多用普通診斷方法所不能查出來的東西。例如一個孩子不知怎的吞下一枚扣針或鈕扣，醫生的目的當然是馬上願意知道它已經走到什麼地方，是掛在食管上呢？還是存在胃裏？或者已經到了腸中，知道了位置後才能想法處置。可是怎樣查出它來呢！有了X光就方便得多，普通扣針是金屬的，鈕扣是金屬或骨質的，所以也可以在光像上留下一個淸晰的影子，從它映在×光像片的部位我們可以斷定它在消化道的那一段。

一個運動員摔了腿，便馬上腫得高高的，痛得不能碰一碰，我們現在有了X光就可不必用老的診斷方法去搬脚拉腿的增加傷者的痛苦，X光會很確切的告訴我們，這傷是脫臼或是骨折。

此後消化道也可以用X光診斷。例如胃潰瘍，胃癌或是某一段的阻塞等病有時都需要照個X光像片的。腸胃和肺組織一樣都是軟組織，X光可以透過；要想偵察它的情形可先給病人吃一種含有鋇的食物。鋇是不透X光的這樣它存在消化道內就可以留下了影子，如果是胃潰瘍則鋇就填到潰瘍的地方，在像片上就顯出一塊突起；有癌的地方則恰相反；阻塞的地方，鋇就停止到那裏不能下達。

以上所舉不過是一些顯著而易舉的例子，其他如腎臟，輸尿管，子宮，輸卵管，頭部，耳，鼻喉，牙齒等有病時往往都要借用X光來一窺究竟的。總之，在現代醫學的各科中，幾乎沒有一科用不着X光的，所以我們說X光是現代醫生的慧眼實爲不虛。

編者按：本文與上期本刊金眞先生所斥「愛克司光」一文，從不同的角度說明X光在近代醫療上的效用和原理，請讀者將兩文比照參閱。

生藥中生物鹼的提煉法

齊水

生物鹼Alkaloids爲生藥所含化學成分的一種。就其重要性而言，除了配醣體Glucoaides，揮發油Valatile oils，似可與它並論外，其他如脂肪，色素，有機酸，苦味質，炭水化合物等等，雖有時含量頗爲豐富，然其重要性則常不如生物鹼之什一。因爲由現在所知道的生藥的有效成分而言，似乎生物鹼還是最重要與最常見的一種，故今特別的將它的提煉法擇要記在下面，以供喜歡研究生藥，特別是研究國產生藥的同志作一個參考。

生物鹼就其化學性質而言，有時不一定是閉鎖的炭氫化合物，不過一定有氮原子的存在，而且常常有顯著的鹼性。在植物體中常與有機酸結合，所以用醚水或酒精等提取時，常爲其鹽類。它的提煉，可分爲三部，即：(一)浸取，(二)粗製，(三)精製，三部。所謂精製者，乃將粗製品中的各種生物鹼設法分開，不過有時精製與粗製不能明白分開，因爲粗製時亦須將不同的生物鹼盡量的分隔的。

常用的浸取法約有三種：

(一)利用中性溶液　在比較少見的狀況下，生物鹼或者是它的鹽類，可以用水，醚，或者是酒精直接浸取。

(二)利用酸性溶液　常用的酸爲鹽酸，或者是硫酸，以及其他的無機酸，惟在生物鹼易爲這一類酸所破壞時，則改用有機酸，它的濃度則常在百分之一與百分之二左右。

(一)，(二)，兩法亦可並用，即先以酒精(冷熱都可以)浸取，然後除去溶解液(最好用眞空)然後用冰醋酸溶其剩餘物，再將此溶液徐徐傾入水中，(水量以能稀釋冰醋酸至百分之一爲度)並不斷攪拌，或用千分之五至百分之一的鹽酸或硫酸處理亦可。不過都要充分的振盪，最後再用適量的鹼使生物鹼自溶液中析出。

(三)利用鹼性溶液　混合乾燥之生藥粉末，及鹼類(須用弱鹼，如石灰水，氫氧化鋇等，以避免生物鹼之被破壞)，然後濕潤之使成丸劑塊狀物，然後乾燥之，用適宜的溶劑浸取。適宜的溶劑有下列多種：脂肪屬的炭氫化合物(石油醚，苯，輕石油，石蠟油等)醇，四氯化炭，醚，丙酮等是。

鹼性溶液以氨的溶液爲最宜，而又以氨的醇溶液及氯仿溶液爲最宜，(惟須注意氯仿有時能與生物鹼結合或破壞)氨溶液的製備可利用商品氨水加熱，使氨揮發，使經過新製備的生石灰，(氧化鈣)以除水分，然後通入溶劑中即成。

若欲自弱酸性的物質中隔離其他酸或中性的雜質，則可在浸取以前，用百分之五的硫酸鉛處理之，然後以苯或醚等浸取之，則雜質先被除去。若更以鹼處理，而後以前相同的溶劑浸取，則即得。用此法處理後，蒸去溶劑，即可得粗製的生物鹼。在特殊的情況下，更可用適宜的溶劑與生物鹼的水溶液共振搖之，使生物鹼自水溶液中溶入他溶劑中。(溶液得自(一)(二)兩法者若非水溶液，則可先蒸發溶劑而後再以水處理之)然後蒸去溶劑，惟不可蒸乾，而須在濃縮狀態下，在眞空中徐徐蒸發，使可能生成結晶。

就大體而言，利用(一)(二)兩法所浸出的生物鹼，皆可用一種鹼劑使其沉澱，所用鹼劑除氨外，在多種情況下，尙可用鹼性重炭酸及炭酸鹽類，(如鈉鹽鉀鹽是)鹼土屬之鹽氯化合物等。有時浸出的生物鹼同時有多種存在時，亦可用上述各鹼類分別沉澱之，有少數之生物鹼可溶於苛性鹼溶液中。被沉澱的生物鹼可用抽氣濾過，使沉澱留於濾紙上，並使與母液完全分離。

生物鹼的精製通常常在生物鹼未曾沉澱之前，即在生物鹼尚在溶液中時行之，其常用之各法略述如下：

(A)骨炭脫色法　溶液以骨炭脫色時，(骨炭爲新製者)須注意多種生物鹼常能被骨炭所吸收，故在以骨炭脫色後，須以稀酸浸取骨炭，而後以生物鹼試劑試其有無生物鹼之存在。

(B)醋酸鉛法　若爲酒精的水溶液則須以醋酸鉛，或鹽基性醋酸鉛處理之，過量之醋酸鉛則可通硫化氫使之沉澱，在此種處理下，凡水不易溶的生物鹼常存在於沉澱中。

(C)振盪法　利用一種適宜的溶劑與中性或酸性的生物鹼溶液共搖，使一部份雜質溶出，而使生物鹼保留於原液中，然後鹼化之，更以另一溶劑與之共同振盪，使生物鹼溶出，而留大部分雜質於原液中，惟此步手續須反覆行之，至生物鹼不再存在於原液中而止。(可藉生物鹼試驗劑以測之，若爲水溶液時可直接用之否則須用一小部份蒸乾，而後以酸性水溶解之，然後再測)振盪法的精製可反覆行之，至得相當純度而後止。

(D)沉澱法　此法爲上述數法中最迅速而較簡易確實之一法，即利用生物鹼沉澱劑使生物鹼先自溶液中或鹽類析出，然後設法破壞之，使復行分解，分解之法，有時僅須利用振盪等簡單的手續。振盪使分解，更有一利，是可使被多數沉澱劑所能沉澱之非生物鹼物質如蛋白質等與遊離後之生物鹼分離，而蛋白質的沉澱又復可爲他種溶劑之所溶取，而作其他之應用。(未完)

仲景方治驗

薛慶曾

無錫居京滬線之中央，為蘇州以西第一大縣；醫家風氣，向宗蘇派，務取輕淡，以求寡過；學醫者大抵先讀內經，鄙人亦此中之一人也，民國廿七年春間遊上海，購得陸淵雷先生所著傷寒論今釋金匱要略今釋各一部，略一翻閱，但覺深切著明，為自來中醫書所未有；愈讀愈愛，有不終卷不忍釋手之概；因之對于仲景方，對于陸先生，無形中非常敬慕信仰；返錫以後，手不復觸素靈之書，意不復戀蘇派之方藥矣。以告同門諸君，競相傳觀，無不欽佩。不數日，人人各有兩種今釋一部矣。茲聞上海新出醫刊，錄治驗三則，不知堪登簡冊否？非敢衒耀，聊以見古方之卓效，非蘇派輕淡藥可及耳。三十六年重陽節，薛慶曾記於無錫禮社鎮。

一、乾薑附子湯 唐姓婦人

，年四十外，不知其名。素多病，舌苔光滑已廿年。曾因水腫求治，予治之已愈，時在民國廿八年。後一載復病，邀予往治。予以為水腫復發，診視，乃知不然。其人自訴四肢完全無力，而飲食如常，不知飲食物何以不作氣力？予望見其人精神爽然，談笑如常，頗覺訝異。其家人告予，「病者喜與人談笑，不肯安靜休息；若一人獨臥，即煩躁不甯；每日如此。惟一到夜間，則一切如常人，酣眠如故。」予診其脈頗細弱，舌色較去歲為紅，煩躁時微有汗意。因憶傷寒論云，「晝日煩躁不得眠，夜而安靜，不嘔不渴，無表證，脈沈微，身無大熱者，乾薑附子湯主之。」今釋引雉間煥云，「此方，晝日煩躁，夜則安眠者，實能治之，大奇也。」遂書方，附子一錢，乾薑四分，二味；服二劑而愈。

二、十棗湯 勝利前夏日，

病人薛生先，住下薛宕，去禮社一里許。病起已久，至病加劇，方來就診。其病，不思食，胸滿短氣，有似欬非欬之狀；左脅最下之第二肋間自覺跳動，惟不痛；在胃部（因壓迫變位）揉之作雷鳴；脈細輭而數，口渴而不欲飲，舌苔薄白，與常人無異；大小便亦如常。以為胃中積水所致也，與苓桂朮甘湯加健胃之品，二十餘帖，不見少效。當時仍以為藥力未到，仍囑再服。病人則以藥久無效，短氣反益甚，遂赴申請西醫治療。透視後，斷定是肋膜內貯水，抽出水約二千CC。愈後月餘，返鄉調養。約經半載，病復發，病狀如前，遂再來請治。予詢知西醫治療經過，記得傷寒論今釋言十棗湯治漿液性肋膜炎，即用今釋所定分量，分三服，與之。晨服之後，頃間，驟覺患處似火燒灼，發熱片刻，又覺似氣下攻而腹不疼，遂大瀉三次，人反舒服，其病若失，迄未復發。復反調理，右脚屈伸不活利，因無多不便，遂不來治。此症予與十棗湯後，因係峻劑，頗感不安，時時探聽其病狀；後彼遣人送X光底片來觀，方知其詳。今當田忙，已操作自如矣。彼赴申抽水諸費用，至偽幣四千餘萬，猶不免再發；一方面，醫有價廉必效之方藥，而短於診斷，不能及早應用；此等處中西醫似有合作之必要，或中醫能兼習西法診斷，更佳；而陸淵雷先生指出十棗湯治漿液性肋膜炎，其識見經驗誠不可及也。又，後遇陸姓醫師云，此病可以外治，用野莧菜子杵泥合香油敷有效云。

三、大黃附子湯 勝利後月

餘，病人曹正良，今二十八，禮社本鎮。病起於八歲時，腹中時痛時止，雖經治療，終不能斷根，因痛不劇，亦不為慮。近年在錫城經商，痛發轉劇。一次適返鄉而病發，乃就診於予。問得不痛之時盲腸部按之亦隱痛，而有物應手；病發則隆起各指，痛不可按。見痛處皮色紅熱有塊。脈細而數。時時升火面赤，全身徵汗；面色非常萎黃枯燥。舌有紅刺而苔白。當時極感棘手，假令病是盲腸炎，有還延至二十餘年之久者耶？適因病人便閉已數日，偶爾觸機，思大黃附子湯治脅下偏痛，又淵雷先生言「本方寒熱錯雜，必治沈痼之症，」遂書方，生軍八分，附子五分，細辛三分後入，加炙草七分。當時頗無把握，姑輕其劑量，將翻書查考後再與對症藥，故囑其但服一劑。明日不來覆診，意其藥不對，已改就他醫矣。豈知越日竟來覆診，言昨藥一服下腹，即得大便暢通，腹痛大減，遂連服一劑，其病全失，按之亦不覺有塊痛矣。乃為處善後方，桂枝加附子烏藥錯延胡，囑其每月服數劑，至今並未復發。此症是盲腸炎抑是疝氣，殊不能決？中醫治盲腸炎用攻下，西醫則不敢用瀉藥，惟勸人割，不知何救？尚祈指示。

（編者按）此病大概是慢性盲腸炎日久轉劇，不知曾按壓「盲腸炎壓痛點」否？中醫用攻下治盲腸炎，亦在未釀膿時；若已釀膿，則用薏苡附子敗醬散，亦不攻下矣。西醫因腸部堪攻與否極難診斷，故但割不攻，亦是謹慎之意。又，若是盲腸炎，無論用大黃牡丹湯或薏苡附子敗醬散，加入馬齒莧三五錢，極效；此物遍地有之，匍行地面，葉對生如西瓜子大，俗名「猪錐草」，鄉人割以飼猪。單用此草鮮者煎服，亦可愈重症盲腸炎。服時若因藥性太寒腹痛，可加干薑同服。

傷寒質難

此篇有著作權不許轉載翻印

（九）

祝味菊答述　陳蘇生筆受

蘇生曰，傷寒發熱而不亢，自汗而有節，病者不自知其可以自愈也，而有求於夫子，夫子將告以勿藥可愈乎，抑仍爲處方用麻桂乎。

師曰，今日見發熱不亢，自汗有節，調節機能不失其職，所謂順候也，然安知其不亢者終不亢，有節者終有節耶，夫熱汗之相得，僅局部之順候耳，全體機能之變化，未必悉順也，心力能久持否，神經無疲勞否，血行若何，代謝產物有停滯否，胃運若何，營養物質有不足否，如是種種，皆需醫者審察而匡扶之，上工治未病，察病邪之趨勢而支持其抗力，見機在先，無使內餒，所以縮短其過程，保持其眞元者，惟此先機而已，若患生而投藥，亡羊而補牢，如渴而掘井，鬭而鑄兵，不亦晚乎，此其一也，人之發熱，由於溫熱中樞興奮而起，其所以興奮者，有所激而然也，匹拉密洞，撒酸奎甯，安士必林，雖有解熱之功，常伴有不良之副作用，人所共知，其退熱原爲消極療法也，夫傷寒之發熱，毒素刺激體工反抗之象也，苟認爲有益耶，則退熱爲無的放矢，何必多此一舉，以爲亢而無益耶，則當求調節亢勢之計，協助放溫是也，不此之圖，但以退熱爲事，又何益哉。

蘇生曰，西醫退熱劑，大都有發汗作用，發汗即所以協助放溫也。

師曰，退熱藥之發汗，不過一時性耳，經過一定之時間，藥力盡而熱又昇，其發汗作用既不能令其持續，明知其無益，姑妄試之，其目的僅在減輕病人一時之痛苦，非合理療法也，夫退熱藥之發汗，直接作用於中樞神經，其鎮壓司溫，類乎麻醉，性過即復，無有餘蓄，麻桂發汗出於自然，麻黃收縮血管，開放毛竅，桂枝催促血行，宣達肌腠，麻桂並用，血液趨勢向表，經抗力之不斷鼓舞，濈然汗出津津，其開表達邪之效，全賴血液運動之功，初非刺激生溫之故，良相輔國不以小警而妄動，剿擊格鬬，警衛之事也，民有餘力，何必勞師動衆，以驚首府乎，宣發腠理障礙，則放溫自然暢達，何必頻頻擾其元神，有激中樞耶，經云，神靜者昌，神躁者亡，刺激頻仍，神經衰憊之由也，神衰則不能自爲調節，變亂叢生矣，豈但藥效平凡而已哉，此其二也，傷寒病灶在腸，毒素在營，其激在腦，其勞在心，桂枝入營，導麻黃開表以透汗，減輕病灶之壓迫，免除首府之刺激，藥中主將也，豈豆豉所可同日而語哉，彼張氏徒知宜汗，不知其所以然也，清靈鬆透，僅宜可以自愈之證，傷寒病非其治也。

蘇生曰，斯言也，似未足以折世間之口，夫張氏者，淞滬世醫也，醫不三世，不服其藥，張氏則過於三世矣，弟子與張氏未嘗謀一面，乃至若子若姪，亦未嘗通一語，然聞之父老曰，張氏擅治傷寒，嘉惠貧民，日數百號，而不計其酬，私心善之，以爲有德，索閱其處方，清平而含有至理，藥廉而具有實效，父老交口譽之，以爲有學，夫葱豉青蒿，藿佩銀翹，風行海上，蔚爲一派，非張氏一人已也，今吾師以道不同而鄙薄之，無乃不可乎，夫麻桂豆豉其取汗同也，麻桂所可愈，豆豉亦得而愈之，輕可去實者多矣，知亢溫之宜散，則一切可以爲汗者，皆可散溫，何厭於豆豉，且麻桂性悍而走，有散無守，用之有當，覆杯而效，其不當者，禍不旋踵，豆豉爲黑豆所罯，原爲營養品質，得濕熱之氣，醞釀酵發，能鬆透伏邪，蒸汗外解，江南濕熱之鄉，以濕熱鬱蒸之品，宣發濕熱鬱蒸之邪，平穩清靈，祛邪而不傷正，不亦多乎，惲鐵樵曰，湘醫用麻辛，有用至一錢五分者，習見不鮮，施之蘇浙病人，皆安也，所以然者，土厚固然，水亦不同，湘沅襄河及長江上游，其水均從萬山來，挾其陰寒之氣，湖北竹山穀城等處，山居之人，多患喉癭，湖南人非辣椒苦瓜不足以燥脾胃，川醫用藥，動輒兩計，職是故也，吾師川居有年，藥法於川人有驗者，未必有應於江南，入國問俗，入門問諱，臨病人問所便，其間體質不同，病型各異，執一貫之法以概施之，竊恐師道之難行也。

師曰，醫以愈病爲職者也，所以愈病者，憑有學識也，苟有德無學，將以妄爲是，輕則貽誤病機，重則戕賊生命，病而失治，德於何有，世俗所稱譽，天道所不恕也，彼稱譽者頌其皮相之小惠也，正傷寒決非豆豉輩所能愈，每方而用之者，乃感冒傷滯諸症誤認爲傷寒也，夫豆豉，腸胃之鬆發劑也，彼藜藿之徒，穢腐不戒，濕滯舉遏，鬱蒸發熱，所謂腸胃性發熱也，佐以藿佩查麯，滯化而熱退矣，流行感冒，雨淋日炙，表氣失宣，佐以葱蘇荊防，汗出而熱亦退矣，世俗所謂傷寒者，廣義之傷寒也，包括一切發熱病言也，眞正之傷寒，邪毒瀰漫於血分，豈鬆透腸胃所能愈哉，夫麻黃開腠理，桂枝行血分，其意有二，一爲調節體溫，二爲排泄毒素，調節體溫，前已言之矣，排毒之義，吾子知之否乎。（未完）

碘酒

沈默

有大多數的人知道「碘酒」是一種有用的藥劑，不管在家庭、在學校、或在其他機關團體——特別在藥房藥廠和醫療機關，醫生少不了它，就不是醫生也會用它。站在藥物應用的觀點上說，到現在為止，它算是使用最普遍而價錢最便宜的藥物之一。即使人工合成的藥物如何一日千里在改進和發掘，如何優勝劣敗在競爭和交替，碘酒是始終不失去它療治的價值。至於說碘酒究竟是何物，怎樣製成呢，除醫藥界同道之外，曉得很清楚的人恐怕不多，我敢相信，要想知道的人一定不少；為普及藥學常識的灌輸，這是本人寫這篇淺近文章的動機。同時，我想把碘酒的性質、組成、用途、以及保存的方法等來作一次普遍性介紹，也是需要而有意義的。不過要在這裏預先聲明的，本文對含量測定方面將不加敘述。第一，那是藥師的事，也是藥房藥廠及醫療機關化驗室的事；若希望把它也大衆化起來，那是無能為力的。

1、碘酒的命名問題：常用藥物的命名及配製組成等，應依一國藥典做根據，我們翻開中華藥典來看，碘酒者，乃碘及碘化鉀的酒精溶液。仔細一看，發現在碘酒牌號下面，還加一行洋文，那是"Iodine tincture"，所以許多人又把碘酒名之碘酊了。這個翻譯，沒有錯誤，不過碘及碘化鉀酒精溶液居然也稱碘酊，未免與事實不符。試打開藥劑學來看定義，碘酒的眞姓名應該是碘醑（Spirit of Iodire），因為他之成為藥劑，不似製酊劑（Tincture）時必須將植物性生藥或動物性生藥經過滲濾或浸漬的方法將有效成分用酒精抽取出來，亦不似酒劑用酒作溶媒。可是外國藥典一直收它做 Iodine tincture（或 Tinctura Iodi），我們中國也慣叫它做碘酒，習慣成自然了。不過，我的意思能改還是叫他做碘醑來得名正言順。

2、碘酒的組成及種類：前面已經提到碘酒是碘及碘化鉀的酒精溶液，好像可用一言把碘酒的身世都曝露無餘了，其實並不那麼簡單。就名稱說，除了我們日常所稱普通碘酒外，有濃碘酒、稀碘酒、無色碘酒等等，形色紛紜，不能執一而論。就普通碘酒組成說，亦頗不一致。英國藥典有英國規定，美國藥典復有美國的規定，有的藥典規定加入碘化鉀作安定劑，有的又不加，又有的規定加入碘化鈉……。一九〇六年，首次國際會規定碘酒的濃度：碘為百分之十（以重量對碘酒之容量言），用百分之九十五的酒精作溶劑，未加入碘化鉀。先後被法國藥局方及奧地利亞、丹麥、荷蘭、西班牙、瑞士等國藥典所收載。亦因於這種規定，一九一四年英國藥典有濃碘酒新名詞的出現，那時為增加碘在酒精溶液中的安定度，處方中已加入碘化鉀：

碘（Iodine）	一〇克
碘化鉀（Potassium Iodide）	六克
蒸溜水（Distilled Water）	一〇西西
酒精（90% Alcohol）足量製成	一〇〇西西

一九二五年，第二次國際會議重新考慮碘酒的濃度，規定了一紙新處方：

碘	六、五克
碘化鉀	二、五克
酒精（90%）	九一、〇克

一九三六年，美國藥典第十版則規定碘酒為百分之七的碘酒精溶液，大概是參照國際會議規定而產生的，只是碘化鉀用量比值較大，這是迄今仍舊照開的處方，我國醫療機關亦每採用：

碘	七〇克
碘化鉀	五〇克
蒸溜水	五〇西西
酒精（90%）足量配製成	一〇〇〇西西

另外，美國藥學會出版的美國藥方集（N.F.=National formulary）還收載一種濃碘酒叫邱吉爾氏碘酒（Churchill's Iodine tincture）它的組成：

碘	一六五克
碘化鉀	三五克
蒸溜水	二五〇西西
酒精（90%）足量製成	一〇〇〇西西

因為這處方中碘的濃度太大，已不常應用。與濃碘酒同時出現的，有一九一四年英國藥典所收載的稀碘酒，又名消毒用碘酒，應用起來，刺激性較小，殺菌力亦較小，它的組成：

碘	二、五克
碘化鉀	二、五克
蒸溜水	二、五西西
酒精（90%）足量製成	一〇〇西西

不過美國藥典的稀碘酒復與此有所出入，它是以百分之二（W/V）的碘，百分之二、四的碘化鈉溶解在稀酒精（60—70%）中製成，它所用的安定劑是碘化鈉，也是與英國藥典異致的。中華藥典所記載的碘酒亦有兩種，它的普通碘酒處方，與英國藥典的濃碘酒一樣，它的稀碘酒也與英國藥典的稀碘酒無二。

前面我曾提到無色碘酒這個名詞，一般人一定會用好奇的眼光發問它又是什麼，為了它的命名很易引聽為一般的碘酒，不妨也把它介紹一下：我們知道了碘酒的組成，若將碘酒中加入氨水，便呈無色的新藥劑，即所謂無色碘酒。嚴格的說，這藥物不是碘酒而是碘化物的酊劑（應呼醑劑）了。碘與氨水的化學反應：

$$3I_2+6NH_4OH \rightarrow 5NH_4+NH_4IO_4+3H_2O$$

因為碘化錏與碘酸錏都是無色的鹽類，所成的酒精溶液也就無色。這藥劑中既不含游離的碘，在外科上消毒力就不明顯，所以並沒有應用及配製的價值。同時，若在製造上操作不得當，及成分有出入，還可能產生一種危險化合物碘化氮（Nitrogen iodide），我們知道它在乾燥的時候，有發生爆炸的危險！

3、碘酒各成分在藥劑中的地位：每一個處方的組成，必有一定的道理，方能收到醫療上的效用，碘酒自然不可例外。無論前述的那一種碘酒，它們的成分不外乎碘，碘化鉀及酒精（包括乙醇和水）。仔細分析一下各個成分的藥理性能和在藥劑學上的地位，我們不難發覺主成分是碘，它也是這藥劑成功醫療上有消毒力的主體。講到酒精，除了它本身亦有消毒力外，在這裏只是一種溶媒，以次要的地位配合了碘而成為有用的藥劑。因為我們知道碘是不易溶解在水中而易於溶解在有機溶劑如酒精、醚、迷蒙精、二硫化碳等成為紫色或褐色的溶液的。在這裏碘化鉀（或碘化鈉）的用途和地位又是怎樣呢？這問題恐會叫普通的人不解，但是讀過化學的人一定知道碘是不安定的元素，就是在酒精溶液中也不免於揮發而失去。為了減少這種消失，為了要保持碘酒的一定濃度，才加進去碘化鉀。俾碘與碘化鉀在溶液中發生分子附着作用，以生成碘化鉀：

$$I_2+KI \rightleftharpoons KI_3$$

這個「可逆」反應既達平衡，游碘于則較不易於逸去。此外，碘化鉀還在藥理性能上對碘酒的消毒力有點幫助，那就是阻止碘與表皮蛋白質發生沈澱，以收較深部的消毒作用。

到現在為止，尚有許多國家的藥典，仍未收碘酒中加碘化鉀（或碘化鈉）的記載，我們現在知道那種碘酒是要比較不安定的。不過民間與醫療機關照樣還是採用加碘化鉀等安定劑的辦法來配製碘酒。美國藥典在較早的版中，亦還沒有碘化鉀入劑的規定，現在則認定無它不可，足見碘化鉀在碘酒中並不是沒有地位和價值的。

4、碘酒的配製：知道了碘酒的組成，及組成碘酒各員的地位，談到怎樣製成這藥劑的問題，就較簡單。只要有了原料，無論誰都有能力去配製，並且碘酒為家庭性藥劑，似乎每個家庭都需要它和知道配製的技術，以在不必求人原則下，對付不時之需。一般說方法是這樣的：先將規定量的碘化鉀用規定量的水來溶解，碘秤出後投入碘化鉀水溶液中振搖，使之溶解完全；然後加入足量的百分之九十的酒精，俾得所欲配製的容量，混合均勻即得。

5、碘酒的性狀和識別：碘酒是兩種固體和兩種液體混合而成的混合物，它的性狀、並沒有失去組成該藥劑的各個體（原料）的性狀。不過我們知道兩種液體乙醇和水都是無色而可以任意混合的；碘化鉀本身是白色（即無色）的結晶，溶解在溶媒中，不會發生變化的。所以表現出碘酒的特殊物理性狀的，只有碘和酒精。碘是紫黑色有光澤的東西，在常溫易於揮發，發出美麗紫色蒸氣，具有一種殊有的不快臭氣。所以碘酒為紫色或褐色液體。在溶液中碘的揮發性能固然要比固體狀態為小，不過依舊還有很大揮發性能，故碘酒有特殊的碘臭氣，同時，酒精也是極易揮發的東西，帶有我們聞慣的酒精（乙醇）氣味，與碘混在一起，這種特殊氣味，也是依舊散發，因此碘酒還帶酒的臭氣。

具有碘與酒精兩重特殊物理性狀的碘酒，只要和你經過一次介紹，第二次就很容易和它結識，決無難處。除了上述肉眼和鼻的官能可以識別，它之外、進而還可用較科學化的檢定方法來檢識它。基於碘遇到澱粉變藍色的特性，藥典中常用一滴碘酒加入一西西澱粉試液後，用十西西的水稀釋之，仍能呈深藍色這一句話來確定碘酒之為碘酒，并大致說明碘酒的濃度是否够上標準。當然，在一個家庭裏或普通場合要找澱粉試液，那是不可能的；不過要確定碘酒之為碘酒，便毫無問題，記住，我們一日三餐吃的飯大部份就是澱粉。

6、碘酒的用處：談到碘酒應用場合，人人都曉得一點，只是能够確切明瞭的，除醫藥界人士之外，恐怕為數寥寥。試於茲亦詳加介紹，使盡人皆知碘酒該用在什麼場合，以廣收藥劑治療的功能；並免除不必要的危險與痛苦。碘酒一般皆供外用，為皮膚及粘膜消毒藥，消毒殺菌力雖是相當強。一般人的塗擦碘酒以期能消腫毒者，統甚於此。病人在動外科手術之先，外科醫生也常用它來消毒患表。可是，無論那一種藥劑，它的劑量該有一定，碘酒在內用時固有劑量的限定，就外用亦不可用得太多太隨便，不然，必致發生不良後果，如急性皮膚炎等，並常致有表皮脫落現象發生。又碘酒使用於肉面雖有強力的殺菌作用，只是對生活細胞影響太大，致被殺害，故普通碘酒不用於創傷的消毒。此外對於過了急性期之後的關節炎症如變形性關節炎、痛風、肌痛等一類病之對抗刺激，碘酒亦為優良藥劑。腺病、慢性風濕症亦常應用，概使碘游子穿過表皮以收局部對抗刺激之效。碘酒還可以用作根治陰囊水腫及卵巢水腫等症，因為碘的刺激作用能使囊壁粘連的關係。皮膚學家發現碘酒還可以治療皮膚寄生性疾病，不管這種病症是由寄生虫之寄生而起的，抑或由細菌寄生而起的；所以碘酒亦可以處理丹毒（注意，患部四周健康的組織亦應該塗擦碘酒）。另外還有人將微溫的碘酒用作吸入劑，以治療鼻卡他（普通傷風），在旅途中，我們還可以用碘酒消毒飲水等等。

7、碘酒的貯藏：碘酒中含碘的量，藥典均有明白的規定，並且還註明最高與最低的限度。含量不足，則有妨消毒力；含量過高，則刺激性過強，外用會發生皮膚燒灼等副作用。前面說過，碘與酒精都是揮發性的東西，而碘酒的製成，成分有定，若使保存不得法，勢必影響碘酒的濃度。根據多數人的實驗，我們知道這兩種揮發性的東西揮發性能以酒精為大，那麼、若任碘酒暴露空間，經相當時階以後，碘的濃度必大增，甚至不堪應用。所以對碘酒的貯藏，不能不加注意。各國藥典對此問題，都有規定，一般都以藏在棕色能密閉的玻璃容器中置較冷處，若放玻璃瓶中貯藏，瓶塞子必須是玻璃的或橡皮的，木塞子不可用，因為它能為碘所毀壞。至於有人說碘酒應貯藏黑暗之處，似非上策。按我人用碘酒係利用碘的消毒力，若把它貯藏黑暗之處，碘與碘化鉀甚多成為碘化鉀（KI_3），使用起來，無形中減少了游離碘的有用濃度。所以說碘酒最適當的保存方法是將它裝於有玻璃塞子或橡皮塞子的小口瓶中，將塞子塞緊後，放在室內散光射到的冷處，保持溫度在攝氏二十五度以下。

古中醫書之術語（四）

此篇有著作權不許轉載翻印

陸淵雷

肝

今將分別研究古醫書中諸臟腑，究竟有何含義，相當於科學何臟器。依肝心脾肺腎之次序（即舊說之春夏長夏秋冬），先論肝臟。

但古醫書之言內臟，「部位形態是而功用多非是」；今欲說明古醫書所言肝之功用，實爲神經系之功用；則肝與神經系之眞正功用必須先知其大概，故先說科學上肝與神經之功用：

肝爲人身最大之內臟，其組織屬「腺」，故亦爲人身最大之腺體。腺字爲古字書（字典類之總名）所無；英文爲Gland，德文爲Druse；譯者因中國素來未發現此種組織，故無其名，更無其字，乃特造「腺」字以譯之。腺之定義：「凡營分泌之上皮爲腺上皮，集腺上皮而成腺。」然則腺者，係一種臟器，能從血液中攝取原料，以製造身體所需要之某種液體者也；此種製造即所謂分泌。由是可知「腺」字之取義在其右旁之「泉」字，謂分泌如流水之出於泉源也；更可知「腺」字之讀音當如「泉」，今一般讀如「線」者，恐失新造腺字者之原意。

肝居於膈（募原）下右側，其形如楔，或言如斧，謂其一邊薄而彼邊厚也。其厚邊居右，正在右脇下脅內；薄邊則向左伸展，經上腹部之中央（脘部），覆蓋胃之小灣及十二指腸，直至上腹部偏左之處而止。有韌帶五條，以維持其位置之固定；其中「鎌狀韌帶」將肝臟繫於橫膈，支持其重量焉。

肝之分泌物，殆有多種，迄今尚未十分明瞭；其最顯著而人所熟知者爲膽汁，經由膽管膽囊，以輸入十二指腸，所以消化脂肪類食物。

肝之血循環爲特異而可注意之事，須略說之。人身各臟器各組織，皆由動脈管輸入新鮮紅色之動脈血，而由靜脈管輸出汙濁紫色之靜脈血。惟有肝臟，除普通之動脈靜脈外，又多受一種由門脈管輸來之門脈血。門脈者，兼具動脈靜脈兩種之性質，此其所以特異而可注意也。門脈管由脾，胃，小腸及腸系膜之靜脈匯合而成。若以輸出管爲靜脈，以輸入管爲動脈；則門脈管對脾胃小腸腸系膜爲靜脈，對肝爲動脈。若以紅色血爲動脈血，紫色血爲靜脈血，則門脈之血由脾胃腸系膜來者固爲紫色；其從小腸來者，因混有許多乳白色之已消化食物，色不能紫；匯合之後，其紫色終竟較淡於普通靜脈血，但可稱爲準靜脈血耳。門脈管既入肝臟，分枝又分枝，終爲無數微絲血管，散佈於肝臟之全部，此其狀況，與普通動脈管無異。

肝臟既有動脈血之供給，何事又需輸入門脈血？其理尙未明瞭。或謂肝臟爲人體之消毒器，飲食物中如有毒質，經過肝臟之化學作用，即化爲無毒。然此但可以說門脈管中由小腸而來之一部份血液耳。小腸吸收已消化之食物，凡糖類（碳水化物或澱粉），已消化之蛋白質氨基酸類，無機鹽及水，吸收後皆入小腸靜脈，經門脈而入肝；胃即不甚吸收，其靜脈中絕少已消化之食物；脾與腸系膜則根本與消化吸收無關。若脾與腸系膜之靜脈血須經肝臟消毒，則週身之靜脈血何處不須消毒？何不皆經由肝臟耶？故門脈血之所以入肝，迄今猶爲未能解釋之謎。所可知者，肝臟中經流之血液最多，化學作用最複雜，因之爲人身中溫度最高之處；若謂肝臟爲人身中最大之化學工廠，當不遠於事實爾。

神經系爲最複雜而尙有許多不明瞭之臟器，此處只能說極簡單之大概情形。從其組織系統上分類，則有腦脊髓系統與交感神經系統兩類。從其功用上分類，則有動物性神經與植物性神經兩類。就中，交感神經系完全屬植物性神經；腦脊髓神經系大部屬動物性神經，惟迷走神經屬植物性神經。

將佛家道家之「心性」，「識神」，「元神」，「魂魄」等，不隨肉體一同生死之精神作用提開不論，則神經系可謂爲人身之主宰；其主要部分爲腦與脊髓，而最主要者爲大腦。大腦佔顱骨內之大部分；人之知覺，運動，情緒，皆大腦所司。此種作用皆在其外表灰色之皮質，生理學家用種種試驗，已能將大腦皮質某部司某事大概指出。大腦之內部爲白色纖維，司內（腦本部）外（肌表及臟腑等）及大腦本身各部間之聯絡。

中国近现代中医药期刊续编·第三辑

顱骨下之腦，除大腦外，尙有小腦，延髓，橋腦之三腦。小腦在枕骨內，當大腦之下後部；其功用爲維持身體各種動作之平衡，如行步或奔跑時身體不致搖擺或顚仆，乃小腦所平衡也。延髓在小腦下枕骨大孔之前，乃脊髓上端擴大之部；其功用有身體內最重要之幾個神經中樞，即呼吸中樞，心臟節制中樞，血管張縮中樞等。橋腦在延髓之前，大腦小腦之下；其功用不明。從延髓而下，直至薦骨部，居脊椎內者，爲脊髓。合腦與脊髓爲中樞神經，譬猶參謀本部也；從大腦或脊髓發出之神經纖維，爲末梢神經，譬猶通信之電線或傳令兵也。末梢神經又分二種，一爲知覺神經，司傳達身體各部之知覺於大腦，如冷熱痛痒，及目所見之色，耳所聞之聲，鼻所嗅之香臭等是；一爲運動神經，司傳達大腦之意旨於身體各部，使營適當之運動。知覺大半受身體外之影響而來，運動又大半是身體對付外物之方式，故知覺神經爲傳入神經，運動神經爲傳出神經。

由大腦直接發出之神經纖維，共十二對（如耳目手足然，左右成對），皆分布於頭面五官，司其知覺與運動；惟第十對名迷走神經，分布於咽喉心肺，下至胃腸肝脾腎，其運動守一定之反射，大腦意識不能隨意指揮之。大腦之其他神經纖維，則經由橋腦延髓至脊髓，而從脊髓別出纖維，以達於身體各部。皆聽大腦意識之指揮，故皆爲動物性神經。

又，脊髓神經之纖維有一種分枝，僅通至脊髓兩側之「神經節」而止；由神經節別出纖維，即爲交感神經，以達內臟及不隨意識而運動之各部。故交感神經雖屬植物性神經，其功用雖守一定之反射而不聽意識指揮，然引起其反射之「衝動」，仍從大腦傳出，此大腦之所以爲肉體主宰，而有統一政令之功效也。

交感神經節約共二十二對，有纖維上下相連，排列於脊髓兩旁，下至尾骨前面而左右相連。由此神經節發出之神經纖維，廣佈於內臟及身體不能隨意運動之各部。是爲植物性神經。植物性神經之反射作用，對於身體當然有調節保護之功，然有時亦反有害於身體；疾病時若干無益有害之症狀，多由植物性神經之反射而起；即在平時，亦有予人以難堪者。鄙人初出茅廬，即吃過一次植物性神經之大虧，記之以博讀者一粲。

鄙人三十歲以前，以教讀爲業。初次作教員，纔十四歲。當上台之前一夜，將明日功課如何教法，細細擬有腹稿。所以然者，自知年紀太小，必須將初上台數天之打泡戲唱得精采，方能壓服學生也。明日登台，照例點名畢，不免抬頭向滿教室之學生望一眼。豈知雖是小學，學生之年長者已至二十歲左右，最小者亦與我不相上下。我身材矮小，望見四十餘年長學生都同我年稚老師射出奇異目光，有如八九十盞手電燈同時捉賊，一齊向我身上照來。我心下一窘，將昨夜所擬腹稿，嚇得完全忘卻，一時開不出口來。此時自覺面部有一種說不出之難受，當然是害羞所致。我設法俄延，乾欬一聲，嚥一口唾沫。豈知此種動作，反引動學生之輕視，竟格格然笑出聲音來。我覺得面部之難受更嚴重了，竟熱烘烘起來，自知我之面孔已漲得非常之紅。面孔是我之面孔，極應聽我指揮，至少亦須與我通個商量。我心下立即與面孔商談，「面孔兒，我之害羞，爾須爲我包瞞，做成面不改色。爾如此漲紅，豈非代我宣傳害羞，使我更羞耶？快快不要紅！快快不要紅！」豈知我愈商量，面孔愈紅熱得厲害，竟商量不通。我彼時恨極，只差不曾將面孔一刀割下；後來學醫，讀生理書，方知此事原是植物性神經之幫忙，不過因守住反射成法，不能隨事變通，以至「越幫越忙」耳！蓋身體上任何一部感覺難受時，身體惟一之幫忙方法，乃驅血液流向難受之部，以爲保護。驅血之法，將難受部之血管開張，將其近旁之血管緊縮，則血液從壓力較高處過向壓力較低處，難受部自然「充血」也。面部因害羞而難受，身體之幫忙亦如法泡製，將面部血管張大，容受大量血液，而面部顯出紅熱；而且愈羞愈紅，絕不聽商量。所以然者，司血管張縮之神經即迷走神經，乃植物性神經也。此種配置，本欲有利於身體與生命，而我則反因之受累不淺！

許多名人學者謀畫國是，以爲中國必須民主，民主必須有憲法；苟有憲法，雖令庸才當國，依法行事，自不致敗壞；故新道德須培養守法精神，而舊說「有治人，無治法」爲絕對錯誤，當云「有治法，無治人」耳。鄙人從上述之事推想，似乎此種主張並不可靠。以人體譬國家，則植物性神經之反射方法，猶憲法也。植物性神經之固守反射，不聽意識指揮，譬猶守法精神十分堅定，最高當局雖欲發令獨裁，有所不行也。然而此種憲法與守法精神竟使鄙人初次教書時幾乎垮台，則又何也？

（未完）

脛丹毒與橡皮腫

——流火與大脚風

陸淵雷

丹毒是一種急性傳染病；除急性傳染病之一般症狀，如寒戰發熱，頭痛口渴，甚則神昏譫語等等而外；有本病之特殊症狀見於皮膚及粘膜，發紅發腫發晶亮而脹痛。此種特殊症狀發於顏面者，即古醫書之大頭瘟；病重者腫大如豬頭，使熟人望見也不相識。其發於軀幹腰腹臀部者，即古醫書之赤遊丹；而發於下腿（脛）者國人皆呼爲流火。此病像流行感冒一樣，患過一次之後，並不形成免疫性，反而增强其受染素質；故越是屢患感冒的人，越容易感冒；越是患過丹毒的人，越容易再患丹毒。這種情形，與天花白喉傷寒等剛好相反；天花患過一次，終身不患第二次，白喉傷寒等患過後亦可能終身免疫也。

用中藥治丹毒，於「對症方」中加貫衆（管仲）三四錢，極效。例如大頭瘟，則普濟消毒飲（黄芩黄連太子參橘紅玄參甘草柴胡桔梗連翹黍粘子板藍根馬勃白殭蠶升麻）加貫衆；不過一二劑，紅腫即淡而縮；續用貫衆，刻日可愈。惟有脛丹毒——流火，雖重用貫衆，加牛膝木瓜等引經藥，竟絲毫無效。脛丹毒又歡喜在原發部位再發，故發病的那隻脚膀，眞是受累無窮。此病都市較少，鄉村農夫常常患之。鄉農多就外科醫師求治，醫用鋒利小刀，以左手兩指輕捏刀尾，而擱置刀鋒於患部，右手用小棒椎輕敲刀背，邊敲邊將刀從上向下移動，使劃開垂直形的一條極淺裂口；一條既成，再來一條；這樣將患部劃成許多垂直的平行線，一條條沁出血來，可以減輕患部的緊張疼痛。但這種治法在理論上也可能引起病勢的增劇；因爲丹毒的病原是一種鏈球菌，與化膿性鏈球菌是完全同類；其侵入徑路，乃是皮膚或粘膜上之損傷，雖傷處微小到肉眼看不見，丹毒球菌仍能鑽入去，在皮膚及皮下組織作怪而發病。現在小腿上發流火的部位，正是丹毒球菌叢集的地方，把刀劃開皮膚及皮下組織，這是給它更深入而發作更重病症的機會了。何況所用的刀與劃割部位，大抵不注意消毒手續，那就危險性更大。

古醫書所載治流火的方法，用井底泥或河底泥塗敷，乾了剝去，再塗濕的；新鮮而柔軟的菜葉草葉等皆可用，或搗爛塗敷，或原葉包裹，乾了就另換；總之，是冷罨法罷了。現在看來，井底泥河底泥難以消毒，不可用；菜草葉洗淨後當可用，然也不能十分安全，因爲普通的洗不能達到消毒目的，而消了毒時葉子或致變乾變硬，不適用也。若以冷罨爲目的，不如用脫脂綿浸百分之五十的酒精，纏裹患處，外面包紗布，仍灑和水酒精使濕，乾了再灑；酒精既可消毒，又利用它的蒸發，可以蒸散熱度，使冷罨的效力加高。現在民間通行的治法，乃用海蜇皮（鹹魚店中出售）乘濕包裹患部，這除卻冷罨之外，尚未能證明海蜇對丹毒有何特效；而且海蜇皮密緻而不傳熱，患處初被包裹時，尚有一些冷感，包稍久反使熱度的蒸散受障礙，我以爲不大適宜。

前月底，女僕阿茶寒戰發熱臥倒了，我診視一回，給她一劑小柴胡湯，寒熱退了，脚上却發出流火來。她說流火是老病，已發過幾次了。我想當她寒戰發熱之時，脚上一定已感覺熱脹，不過她自己知識低，不懂得須告訴；而醫者治病，沒有什麼必要時，也不會檢視年輕女子的小腿，所以沒有發現。發現了流火，因爲我的技術中沒有確效的方法，也就不再給醫治。阿茶又臥了兩天，大概脹痛好了大半，便起來勉强工作。豈知工作兩天之後，那隻流火脚越來越腫，從小腿直到脚背，望去竟是一隻象脚，不像人脚；這是變爲大脚風，西醫稱爲「橡皮腫」了。脛丹毒與橡皮腫的不同，丹毒則紅潤晶亮，皮膚緊張而見得菲薄；橡皮腫則灰黯毛糙，皮膚擁腫而見得肥厚，有横的深入的皺紋。我的醫治範圍雖然沒有皮膚病或外科病，但也知道橡皮腫是無法醫治的終身疾病。趁這初起時候，或有一線治愈的希望；於是把阿茶帶到一位朋友的診所裏，是外科專家黄寶忠中醫師。黄醫師看了也搖頭，說這是大脚風，終身之疾。他從陸定圃冷廬醫話中檢出一首外治方，說姑且試試。方是晚蠶沙海桐皮木防已片薑黄各三錢，茅山朮二錢，煎湯薰洗；須逐日長期用之。黄醫師與我考慮之下，阿茶的小腿已腫得與大腿一般大，從膝以下二三寸起，盡脚背都腫，就都得浸入藥湯中；若照原方藥量，煎成可以浸她腫脚的水量，將淡得無效了。於是五倍其藥量爲一劑，薰洗了兩天，腫居然大退，已沒有橡皮腫灰黯擁腫的樣子，小腿上再顯出紅潤光亮來了。但藥物雖只五味，因分量之大，以醫生的特別折扣，還須三萬元一劑；阿茶捨不得花錢，也不便要東家多花錢，她決定不再洗了，那隻脚到現在仍然是比衆人偉大。倘使阿茶是一個上海式女子，她一定不惜多費十萬八萬，以恢復她腿上的曲線美；而冷廬這首薰洗方也一定能給她恢復原有曲線的。

依理，磺胺類藥物及青黴素，對丹毒當有效。但我所見到的說這二物的書報，雖列許多適應症，却沒有提起丹毒。假令此二藥對丹毒有效，不知對丹毒所演變的橡皮腫亦有效否？

民間醫藥

葉橘泉編譯

(吐血)

原因：本病大部為胃部出血。其原因多由胃內形成潰瘍，或胃癌，其他間發於月經時，月經閉止，而代償性出血。或因嗜酒者以及嚥下腐蝕性藥物，或强烈刺激物而起，或因心肺肝等臟器疾病，而致胃粘膜起鬱血而來。又血友病，「惠爾霍夫」氏紫斑病，懷血病等，亦有吐血者。女子分娩時，或懷孕時，因鬱血而發者，亦時有之。在十五至四十歲之女人較多。

症狀：因種種原因而致胃粘膜劇烈出血時，自覺胃中有溫暖的流質物，胃部飽滿，起惡心嘔吐，遂即迅速吐出血液，其色略帶紫黑，不若咯血之有泡沫，且多凝結，而不流動，其中往往混有食物之殘渣。若出血多量黑，其一部份每由腸內下流而排泄，其大便呈暗褐樣泥色，或似柏油色，黑而光亮。如大便略呈暗褐時，須行大便之檢查，糞便中有血液混和時，為胃部出血的確實診斷。蓋內服鐵劑或蒼鉛劑，其大便之色亦呈黑色，恰似混血便，須藉此檢查以作區別。再若於糞便中注以溫水，其便中混血時，水必帶血色，此為甚簡易之檢查法。又患者往往呈急性貧血症，其面色蒼白，易陷于腦貧血而失神。

治療法：因原因之不同，而預防及治療法，因之亦異。當吐血時，高枕仰臥，寬衣解帶，絕對安靜。心窩部貼以冰囊，並嚥冰塊。且須禁用飲食，約經一晝夜，略進冷牛乳。可能接受時，再漸次增量。繼續數日間飲服牛乳，及冰塊。若反覆吐血，則胃部不能忍受飲食，當改行滋養灌腸，待出血止後數日，始可進以流動物，牛乳、蛋黃、肉湯等。對於失神時，須改低患者頭部，(平臥)顏面，或胸部噴注冷水，以熱醋或阿摩尼亞嗅鼻。腓腸部貼以芥子泥。嘔吐時，嚥用冰塊，或胃部貼芥子泥。因頑固之嘔吐，而不能攝取滋養物時，當行滋養灌腸。內服止血劑，有時不僅無效，而反促進嘔吐。

(胃潰瘍)

原因：本病是胃粘膜之一部破潰而出血，其原因為胃酸過多，或胃粘膜之一部血管障礙，循環不良而起。十五歲至三十歲間之男女較多。其他如梅毒，尿毒病，及攝取過熱之飲食物等。而發者，亦有之。

症狀：「主要症狀為胃痛，嘔吐及嘔血，其他常伴胃酸多，吞酸嘈雜，食慾亢進，大便祕結等症狀。

胃痛大抵在食後發作。食後數分鐘或一二小時之間，胃部感刺灼樣疼痛，痛甚則吐出胃內容物，吐出物多呈酸性。或於早晨空腹發作胃痛，吐物為清水狀粘液。常發頑固之劇烈嘔吐，致飲食困難。若食後即痛者，為幽門部之潰瘍。

本病主徵為吐血，以此出血可與其他胃痛等之疾病區別。其吐血自然而來，或因身體勞動，精神感動，或起於食後，在女子則易發於月經來時。其血呈暗黑赤色，出血量多寡不定，若小量出血時，不從上部吐出而由大腸排泄柏油狀黑色糞便，出血多量時發眩暈，甚陷於不省人事，但因而直接致死者甚少。本病每易再發，且綿延數月，乃至數年之經過。而治癒後有遺留瘢痕性幽門狹窄，胃癌，穿孔性腹膜炎，惡性貧血等者。故雖治癒，仍須謹加注意。

治療法　絕對安靜臥床為必要，並守食物攝生，嚴禁一切固形食物，且進少量流質。吐血時胃部施以冰罨或冷濕布，二十四小時內禁止一切飲食。吐血止後，改用溫罨法，一切飲食物之攝生，請參照前節吐血項下，即吐血止後，第一週間，與以冷牛乳少量，及生鷄卵黃，肉湯，藕粉湯，百布頓等。從二週間起，予以少量牛乳，與其他滋養流動物，如肉湯，半熟卵，軟麵包少量等。至第三週如完全無病時，方可食少量糜粥、爛肉、軟野菜等。第四週後漸次而移行於普通食。然治癒後一二年內，忌食果物，豆類，纖維之野菜，辛辣物，酒類，香料，强烈之冷熱品等。

酸性之分泌爲妙。

藥劑療法： 較有效者，爲人工加爾斯泉鹽，用以整調便通，制止

民間藥療法： 槵木之根皮，每日四五錢，煎汁一杯一日三回，分服。對於胃潰瘍，及胃痙攣之胃痛，或胃弛緩，胃下垂，擴張等，有促進胃肌之緊張力，及旺盛胃液之分泌，催起食慾，輔助消化等作用。故用於一切胃病，胃弱甚胃癌之初起等，均有效益。

按槵木爲生於河畔和山陰濕之地，落叶灌木，莖高四五尺，至六七尺，叶爲二回羽狀複叶，小叶爲卵圓形，莖與葉都生銳刺，初秋開黃白色花，排列而成複總狀花序，果實呈小球狀，十月成熟，呈黑色，此植物分布於遼冀陝鄂贛川滇等處。

鷄卵殼煆灰，研細粉，每回〇、五——一、〇，開水化服，一日三回食後服。爲胃酸過多，胃潰瘍及神經性胃痙攣等之極合理而有卓效之良藥。

按卵殼之成分，爲鈣質，膠質等，有中和胃酸，被覆粘膜作用。此物所含之鈣，爲有機性鈣鹽，並有滋養强壯之功。鈣之鎮痙及補益作用，早爲近世醫藥學家所闡明，無待贅述。此不但胃病，而肺病及妊婦小兒等佝僂病患者亦大有效益，是項不費錢，而廢物利用的妙藥，誠值得提創也。市上出售之「鈣鎂鎂」呀，「山德士鈣片鈣粉」呀「葡萄糖鈣粉」呀……等，高貴舶來名藥，究其出身，實與本品是同胞兄弟。不過彼等西裝畢挺而受人歡迎，此則赤身裸體，泥護汚身，而常被棄塡溝壑耳。

蒲公英之根，爲極好之健胃藥。凡胃弱消化不良，或急性胃炎，慢性胃加答兒，胃病嘔吐及胃潰瘍；即胃弛緩，或胃擴張，胃下垂等胃病，均有良效。因本品爲有效之苦味健胃藥，每日二三錢，以水一杯煎取半杯，不拘食前食後服，召健胃止痛消炎之功。其中最有著效者，爲急慢性胃炎，胃痛、及胃潰瘍之初期。至於胃弛緩，或擴張下垂，甚或胃癌之初期，服用本品，亦屬合理而有助益之藥物，且無流弊。

按蒲公英爲菊科，多年生宿根草本，隨處有之，田野自生。葉爲羽狀分裂，晚春自叶叢間抽出花梗，高約五六寸至尺許，頂端開黃色之頭狀花，叶無毛，斷之有白色乳狀汁流出。花後結褐色之瘦果，果之頂端，着生白色冠毛，便以散布種子。此草供藥用，惟中藥店雖有蒲公英，但已遺去其根，而只用其草本、及叶，效力大遜。故中藥業之亟待改進，無庸諱言也。

成藥選

徐相任

醫方集解爲醫家所誦習，丸散全書爲藥業所遵循，影響於病家者至深且鉅。顧二書取徑不同，分門亦異，爲便利計，實有亟亟論定之必要。不揣檮昧，爲之斟酌去取，共得成藥二百三十七種，甯缺毋濫，期得一當。庶醫家藥業，皆能有所折衷，而病家亦間接蒙其福焉。歲在丁亥季秋，天眷老人徐相任識。

方中各藥之本性特效，如何始合，如何不合，不能以方下說明爲絕對可信，必宜從本艸各書上切實澈底用功，乃得。蓋藥性是前一步工夫，方法是後一步工夫，不能躐等以求之者也。

從病原上分類

外感門　（一）風　（二）寒　（三）暑　（四）濕　（五）燥
　　　　（六）火　（七）濁　（八）毒　（九）蟲　（十）傷

雜病門　（一）飲　（二）食　（三）濕　（四）痰　（五）氣
　　　　（六）血　積聚癥瘕，皆氣血失和所致，故毋庸另列。
　　　　（七）蟲　（八）痊

內傷門　（一）氣　（二）血　（三）精　（四）神　（五）津
　　　　（六）液　（七）脂　（八）腦　（九）陰　（十）陽

婦　兒　喉　目　傷　外　丸　散　膠　膏　水　酒　露

外感門　共取四十三種

六神麯　午時茶　易老天麻丸　海藏愈風丹　川芎茶調散
防風通聖散　藿香正氣丸　清暑香薷丸　五苓散　六一散
玉屏風散　虎骨木瓜丸　豨桐丸　黃連阿膠丸　千金駐車丸
瀉青丸　涼膈散　甘露消毒丹　香連丸　更衣丸
當歸龍薈丸　三黃丸　廿四製淸甯丸　小陷胸丸　抵當丸
鱉甲煎丸　三斗伐木丸　絳礬丸　二妙丸　槐角丸
萬氏牛黃丸　至寶丹　紫雪丹　碧雪丹　神犀丹
純陽正氣丸　飛龍奪命丹　八寶紅靈丹　諸葛行軍散（勿用蠶粉）
蟾酥丸（去大黃）　玉樞丹　臥龍丹　雷公散

雜病門　共取四十一種

孔聖枕中丹　白金丸　癇症鎮心丸　蘇合香丸　神朮丸
保和丸去連翹加炮薑　除痰二陳丸　牛貝丸
平胃丸　越鞠丸　左金丸　七香餅　豬肚丸
虎肚丸　虎潛丸　禹餘糧丸　大溫中丸　小溫中丸
黃病膨脹丸　青州白丸子　礞石滾痰丸　控涎丹　皂莢丸
金剛丸　威喜丸　滋腎通關丸　縮泉丸　脾約丸

潤字丸陸氏三世醫驗方　指迷茯苓丸　備急丸　烏梅安蚘丸
十棗丸　大黃癰蟲丸　胡盧巴丸　三層茴香丸　濟生橘核丸
大活絡丹　小活絡丹　景岳癰蟲丸　改定肝胃二氣丹改定見後

內傷門　共取七十九種

參附丸　朮附丸　耆附丸　四君子丸　六君子丸
香砂六君丸　五味異功丸　附子異功丸　參苓白朮丸　枳朮丸
橘半枳朮丸　香砂枳朮丸　東垣和中丸　補中益氣丸　健脾資生丸
理中丸　附子理中丸　附桂理中丸　眞武丸　正元丹
二神丸　四神丸　濟生歸脾丸　天王補心丹　平補鎭心丸
四味定志丸　遠志丸　琥珀定志丸　益血潤腸丸　五仁丸
人參養榮丸　養榮丸　七寶美髯丹　八仙長壽丸　脾腎雙補丸
二至丸　三才丸　六味丸　經進萃仙丸張氏醫通方
三才封髓丹　水陸二仙丹　五子衍宗丸　金鎖固精丸　十全大補丸
十精丸徐氏蘭臺軌範方　男八珍丸　人參固本丸　附子都炁丸，
五味子丸　千金補腎丸　四味從容丸　金匱腎氣丸　附桂八味丸
知柏八味丸　左歸丸　右歸丸　茯菟丸　青娥丸
贊化血餘丹凌氏飼鶴亭集方　參乳丸汪氏醫方集解方
坎炁丹臨症指南集方　大補黃庭丸張氏醫通方加附子
青囊斑龍丸　參茸固本丸　天眞丸　大力丸　聚精丸
扁鵲玉壺丸　九還金液丹　九轉靈砂丹　硝磺二氣丹　局方黑錫丹
通幽半硫丸　圖經養正丹　太乙來復丹　腎厥玉眞丸　培元震靈丹
改定綠蕚梅丸凌氏飼鶴亭方改定見後　改定坎離旣濟丸改定見後

改定綠蕚梅花丸　•丁亥九月六日

綠梅三兩　人參三兩　山藥三兩　粉艸一錢　茯苓三兩　紫胡五錢
川芎五錢　歸身兩半　杭芍兩半　川貝兩半　歡花兩半　遠志五錢
菖蒲三錢　川連一錢　吳萸一錢　青皮去肉一兩　木香錢半
晒乾磨粉，煉蜜和丸，每粒晒乾重一錢。每服一丸，百沸湯送。

改定坎離旣濟丸　丁亥九月六日

人參兩三　茯神三兩　粉艸一兩　山藥三兩　蓮肉三兩　棗仁三兩
淮麥三兩　合歡三兩　遠志一兩　交籐四兩　紅棗三枚　龍眼五枚
枸杞三兩　熟地三兩　萸肉三兩　肉桂二錢　川連二錢
麥棗龍煎湯加煉蜜丸

改定肝胃二氣丹

川芎二兩　歸身三兩　川連三錢　吳萸三錢　夏枯三兩　公英三兩
龍涎一錢　九香蟲三兩　生晒磨粉
川楝一兩　香附一兩　青皮一兩　開水磨汁
柴胡一兩　杭芍三兩　旋覆包三兩　代赭醋煆六兩　瓦楞醋煆六兩
狸絳一兩　橘核三兩　青葱管二兩　路路通三兩　取極濃汁，加小猪肝
一具，同前粉汁打爛，和丸，每粒潮重一錢五分，辰砂爲衣，晒令極燥，
白蠟封固。

婦科　共取十六種

逍遙散　四物丸　女八珍丸　柏子仁丸　千金保孕丸
烏骨雞丸　烏鰂骨丸　艾附煖宮丸　調經益母丸　四紅丸
葱白丸　玉液金丹　人參回生丹　失笑散　烏金丸
固下丸

兒科　共取十種

八珍糕　四聖散　琥珀抱龍丸　萬病回春丹　金蟾丸
九味蘆薈丸　雞肝散　鷓鷀涎丸　畫眉散　煖臍膏

咽喉　共取六種

錫類散　碧霞丹凌氏飼鶴亭方　珠黃散　冰硼散
金鎖玉匙散　上清丸

眼科　共取七種

羊肝丸　扶桑丸　杞菊地黃丸　磁硃丸　六黑丸
蒺藜丸　鵝毛管眼藥

傷科　共取七種

蠑峒丹　三黃寶臘丸、七厘散

外科　共取十五種

六神丸　蠟礬丸　飛龍奪命丹　蟾酥丸　梅花點舌丹
犀黃醒消丸　坎宮錠子　離宮錠子　黑虎丹　蹲鴟丸
一筆消　海浮散　普濟萬全膏醫學心悟方　千捶膏
毒蛇狂犬咬特效藥

膏膠　共取十種

十全大補膏　兩儀膏　代參膏　瓊玉膏去琥珀沈香
集靈膏王氏溫熱經緯方　二地膏　二冬膏　桑椹膏
癎症橄欖膏凌氏飼鶴亭方　龜鹿二仙膏　凡補養方（除金石藥）多可作膏
凡異類有情，同氣相求，腥濁之品，多可作膠。

藥酒　共取八種

周公百歲酒　史國公藥酒　百益長春酒　延齡種子酒　東西洋參酒
參桂養榮酒　養血愈風酒　虎骨木瓜酒

凡本艸丸散書，閱若干年，均有重定之必要，勿以其難而置之也。

醫藥衛生信箱

簡約

一、來信字句，力求簡潔，請勿加冗長套語。
二、來信請書姓名地址，但刊覆時署名聽便。
三、來信請逕寄本報編輯課，以免轉送遲延。

（一）

問：編輯先生，我的背後右邊腰部，也不知從什麼時候起，生了一個凸出的肉瘤，已經快有八九年的樣子了，可是也不痛，也不癢，不知究竟是什麼東西？和街上偶然看到的有些人，頸部生一個大包是不是一樣？將來有什麼可能的意外危險沒有？不怕冒昧地相問，請予回答，則眞感激之至了。（馮碩民）

答：馮先生，依你所說的情形看來，很像你背上所長的正是一個瘤，但也許不是肉瘤，而是一個良性的脂質瘤，突出的包內是一大塊黃色的脂肪體。從你所說長了將有八九年了還不見大得不得了這一點說，可以斷定它是良性的，而不是惡性的癌。良性的瘤對身體並沒什麼大害；不過你若自己願意，而且力量能辦得到的話，可以請外科醫師割除。因爲現在雖是良性瘤，但是留在身上，總有可能轉變成惡性癌的趨勢。等變了之後就有致命的危險，那時就要割也已遲了。

有些人頸部突出大包，也有可能是肉瘤或脂瘤，但有時是另一種叫甲狀腺腫的病，因食物中缺少碘質引起的，尤其在雲南和廣西常見。

（二）

問：先生，我的腿和脚每年要發流火，今年特別兇，左脚腫得不能走，而且好像要爛脚一樣。我已經吃完一瓶消治龍了，可是不見好，到底吃消治龍對不對呢？還有什麼其他的好方法嗎？請趕快告訴我，我太痛苦了。（張立本）

答：張先生，你的脚生流火，而且有腐爛的樣子，消治龍是可以吃的，因爲消治龍可以防止發炎，殺死細菌。不過細菌的侵入反是後來的，流火這病原來並不是因細菌而起，却與維他命B中的尼古丁酸有關係。所以，你現在除了服消治龍防止發炎外，還要用維他命B治療。並且，你應該使你的病腿休息，最好睡在床上，把病腿擱起，使它比心臟的位置還要更高一點，可以使血液循環加速。同時，請你務必要多喝水，要注意腿部的清潔，不可讓污物染上。

還有，消治龍的服法要注意，不可亂吃。請參閱本刊第一期「消治龍」那篇文字。

（三）

問：編輯先生，我的身體一向很弱很瘦，可是我很注意衛生。現在天氣又漸漸冷了，人家說冬天是進補的時候，我想吃一些補藥，但不知應該吃些什麼才好？魚肝油好嗎？還有什麼有效的補藥沒有？請介紹我幾種。（湯敏珠）

答：湯小姐，你能够很注意衛生很好，你的健康一定能得到衛生的幫助。不過除了衛生之外，要身體好，還須要同時注意和營養運動。營養方面，冬天進補藥的原則是對的，因爲冬天身體需要發出更多的熱量，消耗多，需要也大，同時，冬天的消化和吸收力也比較好。不過這並不是說春夏秋季就不必注意營養。其次，點是我們想奉勸你一句老話：「藥補不如食補」，假使你的胃口好，食慾佳，那末你有買藥的力量，不如從食物方面取得好的營養，比補藥的功效可能更確實一點。魚肝油可以吃，但不要吃得太多，太多了不易吸收，反能引起胃呆。此外我們不想介紹你什麼現成的補藥。譬如說你若能從各種食物中得到足够的維他命，那又何必去買維他命丸來吃呢？銀耳，燕窩也是一樣，這些東西不過是含有較多的蛋白質，鷄蛋和肉類都有蛋白質，又何必一定要吃銀耳燕窩？不過，假使你的胃納不佳，消化不良，「食補」這方法行不通，那末最好的辦法是先請醫生替你想法恢復食慾，改進消化和吸收，再從「食補」這條大路走。

除了補之外，我們提醒你，應該有適當的運動，至少也應該常在戶外活動活動，陽光和空氣也是大有助於你健康的。

（四）

編者先生：

我每期閱讀 貴刊，覺得增加很多智識，現在有一個問題擬請在 貴刊賜覆。就是我從去年起，不知怎的忽然面孔上生起瘰癧來，先是紅色一個小疱，也不痛，但有點難過，碰了像癢，後來中間好像化膿一樣一點黃色，我就喜歡去擠破它，有時血都擠出來了。我試了擦各種藥膏，可是都不見效，不知倒底是什麼皮膚病？應該如何醫治？又 貴刊第八期所載「討厭的青春面疱」不知是否就是我面上所生這種東西？等候答覆。敬祝撰祺。

讀者吳滋英上

答：

吳生先，依您所說的病狀看來，我們也認爲您面上生的正是所謂青春面疱，但是您忘了告訴我們您的年齡了，所以也還不敢完全決定說是，請您參閱本刊第八期「討厭的青春面疱」一文所說治療方法試試看。

華隆中醫院訪問記

本報記者

凡是僑寓上海的人士，一提到華隆中醫院，可說沒有誰不知道它的成就，它的治績。

華隆中醫院，是國醫權威丁濟萬氏所手創，從民國十九年起，它爲國醫界爭過不少光榮，尤其八一三以後，在抗戰期間，它更爲若干流浪無告的難胞，謀過不少幸福。筆者爲欲明瞭該院內容，並順便拜訪一下本報的常務董事丁院長濟萬先生，因此特於前日擬出大半天的時光，前往一瞻慕名已久的華隆總分兩院。

丁濟萬先生近影

總院是在市中區的黃陂南路，分院是在滬西區的康定路，當記者車抵總院時，天已四點左右，一抹斜陽，橫額在一叢蒼勁的松竹上面，稀疎的枝落，映着傲霜的黃華，微風拂處，滿面清新；雖然秋深到了，院裏依然顯得異常幽靜，異常美麗。橫排是一座大樓，是該院的病房所在地，明窗淨几，高大軒敞，當我跨進辦公室的時候，也正是該院丁院長甫經詢畢住院病客轉來的時候，一經說明來意，他便忻然不辭辛勞的領導記者各處參觀一遍，惜以時近向晚，未遑詳細記載，現在僅就記憶所及，向外界作一概略報道。

該院組織分病房門診兩大部份，病房方面，無論設備，無論看護，每一個醫師，每一個護士，莫不細心診視，莫不和藹招待，可設爲滬上一般醫院所僅見。門診方面又分送診與收費兩部，其中最值得大書特書的就是：送診之外還有給藥的捨施，在還一部份，我們幾手看不出它是一家私置的醫院，很可能的，認此就是純義務性的慈善機關。本來丁院長一生都是作的慈善事業，倒也用不着驚奇。

該院不但各科應有盡有，而且每科都設有專門主任醫師，由於名醫的回春妙手，由於自辦的地道藥材，往往在別處治不好，或者別處所不能治的病，一到華隆醫院，便可立即着手回春，由於它深得一般社會人士信仰，所以它的聲譽也就倜然而起。

八一三抗戰開始，四郊人口都集中在市中區的最爾之地，爲了施診難胞，爲了救亡組國，對這日不暇計的貧病患者，他曾經耗費過一筆相當龐大的資財，丁院長爲維持這筆龐大開支；據說當時曾費過不少心血和勞力，可是他從沒覺得這是一椿苦事，或者不該，他始終覺得這是救濟人羣服務社會最低的起碼工作，諺有之：不爲良相便爲良醫，在丁院長可以說是當之無愧！

滬西一帶，工廠林立，若干勞工階級，是沒有走進各大醫院的資格的，一旦病魔侵來，只有束手待斃，因此，丁院長又於民二十九年在滬西康定路成立一所華隆分院，內部組織，據筆者參觀印像，一切都和總院不相上下，相彷彿，所不同者只是時間的先後，和名稱的區別罷了。

從丁院長縱談中，我知道丁氏藉隸江蘇孟河，提到孟河，誰都知道這是過去鼎鼎大名丁甘仁先生的故里，丁氏卽其後裔。他之所以馳譽杏壇，蜚聲江左，以醫世家者，固由於他的濟世仁術，樂善好施，也可以說是家學淵源，由有自來。

↓華隆中醫院分院外景

↓華隆中醫院總院外景

丁氏爲人，儀態端方，藹然可視，他有著十年以上的醫院經驗，也有著二十年以上的慈善事業，由於業務發展，由於治績優越，在總分兩院中都有著很大的成就，很大的貢獻，這是丁院長的功績，也是我們中醫界的光榮。

丁氏過去既然有此不可磨滅的光榮歷史，在未來自然更能負起復興中醫的偉大責任，這是無待煩言的。不過這一責任，需要我們各同道一致去加重他，不放鬆他，然後才能使他爲我們服更多的務，造更大的福！

總院：上海黃陂南路（貝勒路）五〇五號　電話：八四七二九

分院　上海康定路（康腦脫路）三〇七號　電話：六二三五七

本刊緊要啓事

查本刊問世以來，深承各地讀者愛護，本當一本創刊初旨按期與讀者見面。惟以邇來物價一再高漲，以致印刷紙張陡漲數倍，茲後若予酌予提高售價，則本報勢將不堪賠累，若予增高售價，又不能不顧及讀者之負担。且以紙荒問題，上海市節約運動委員會曾有明文規定，自本年十一月一日起實施紙張節約辦法。本報爲減輕讀者負担，爲適應節約運動，自卽日起將十二十三兩期合併刊行，以後在內容方面，則力求充實加强：在售價方面，則一仍舊日定例，既不減少文字內容，又不增加讀者負担，祇在篇幅方面略予變通，尚希愛好本刊讀者，諸予諒察是幸！

本刊定閱價目

月份	三月	半年	一年	附註
期數	13	26	52	定戶請於到期前一期通知續訂本外埠定戶平寄免收郵費其他寄法郵資請照表匯寄
定費	四萬五千元	八萬元	十五萬元	
掛號	一萬元	二萬元	四萬元	
航平	八千元	一萬五千元	三萬元	
航掛	一萬七千元	三萬三千元	六萬五千元	

本刊廣告刊例

類別	底面	封裏	底裏	專頁	夾文
全面	貳百六十萬元	貳百叁十萬元	二百一十萬元	二百萬元	同右
二分之一	一百五十萬元	一百三十萬元	一百二十萬元	一百二十萬元	一百萬元
三分之一	一百一十萬元	一百萬元	八十萬元	七十萬元	六十萬元
四分之一	九十萬元	七十萬元	六十萬元	六十萬元	五十萬元

濟世日報 右任

醫藥衛生 專刊

第一卷 第十四·五期

——本刊每逢星期一出版——

本報登記證內政部京警滬字第三八六號

本報經中華郵政登記認爲第一類新聞紙 上海郵政管理局執照第二七〇七號

發行人 卓勤 社長 卓紹鼎 總編輯 施今墨

本期目錄

中華民國三十六年十一月十日 濟世日報社發行 本期售價國幣八千元

社址上海（5）哈爾濱路富春里四號 電話四五二七二

社論

國藥瑣言

本刊上一期有神州醫會的「改正飲片切製」……兩篇論藥的文字；這一期又有聶雲台先生的「回生第一丹的療效說明」……是言之有物，不可多得的傑作。……

[illegible]

轉變生活的經截期

——女子從十三四歲時開始有月經，這種現象要到什麼年歲才停止？月經停止的時候和停止以後，在生理上有什麼變化？生活上有什麼影響？

雍熹

隔壁的女傭人，最近常咕噥着說他們的女主人王太太，一向是個好脾氣的東家，不知怎的現在變得那麼難服侍。稍許有點不如意，就罵人，特別容易發怒，連小少爺也因此常被責打，還三天兩天地就和先生鬧氣。

女傭人說的可都是眞話，王太太自已已感覺到最近自已的脾氣特別壞。可是究竟是爲了什麼原因呢？她也想不明白，總覺得近來心裏很煩，因此也很容易激起自己的怒氣。又常常覺得心跳得厲害，夜裏又失眠睡不着，起來又微微有些頭痛。她也自己吃過頭痛粉，服過阿司匹靈，可是都沒有用。本來已經覺得近來特別多出汗了，吃了阿司匹靈之後，更是出汗出得不得了。

王先生與王太太一向是感情很好的，從二十八歲那年結婚到現在，也已經十八年了，兩口子又是同年的總角之交，十八年來始終是恩恩愛愛地，像新婚夫婦一般；生過四個孩子，家庭也算得美滿了。因此，王先生也很奇怪他的太太最近爲什麼會有如此不可解釋的改變呢？所以，王先生勸了王太太好幾次，要她到醫院去請醫生看看。最後，王太太自已也覺得就是失眠，心跳和頭痛，也的確需要去請醫生看看了。

經過醫生的一番診問，才提醒了王太太的注意：她近來這許多「病」，都是從這幾個月來月經的不正常來的。的確，這幾個月王太太的月經來得很不規則，量也一次比一次減少，而最近這個月根本就沒有見紅。而且，白帶却特別多，陰部常有點癢的感覺，小溲的時候則又像覺得有點痛。

醫生又詳細地問了一些關於病和健康的情形後對王太太說：「王太太，您今年不是已經四十六歲了嗎，您最近這許多病症，都是經截期中的現象。現在我先開兩種藥你吃，可以使目前的病情減輕好轉；以後呢，也會逐漸完全好起來的。」

什麼叫做「經截期」呢？

我們都知道，月經按月來潮，是女子到青春發育期以後的正常生理現象。（請參閱本刊第四期「第一次月經來的時候」及第十一期石古盛醫師作「月經的生理」）可是，女子從十三四歲時開始有月經，這種現象要到什麼年歲才停止？對了，大家都知道老太婆不會再生兒育女，就是因爲老太婆的月經停止了。那末，女子在幾歲時月經就停止了呢？

平均說來，女子有生殖能力的時期大約爲三十年，換句話說，就是從十三四歲第一次月經來以後，約經過三十多年，就到了月經停止的年齡，依據統計數字算，總在四十五歲上下的時候。這個時期，就稱爲「經截期」。

經截期各種症象，也正與年輕的女子月經時會有一些不舒適的症狀同樣是生理的。在開始的時候，大約總是月經變得不正常，通常是日子拉長，次數減少，出血量也減少；但也有時會來一次突然的大量出血，以後就停止了。這時候，身體中生殖系統的各部器官，都漸呈萎退現象，子宮內膜和肌層都萎縮，陰道內壁變薄，子宮和卵巢縮小，說不定卵巢分泌的內分泌素也停止分泌了；因此，引起了許多心理與生理上的改變。除眞之外，經截期中常見的症狀，更在白帶大量增多，不規則的血流下陰道流出，小腹部脹痛，以及顯著的神經不安等現象。容易出汗，頭痛，煩躁不安，失眠，心跳，脾氣急燥，或者還會發點熱，都是經截期中常見到的。而白帶多，小便刺痛等，則是因月經停止而來的一種「萎縮性陰道炎」。

說到治療，因爲這根本也是生理現象，所以如果症狀不嚴重時，似乎也沒有必要，不久以後就能回復習慣的。但如果症狀很厲害，那麼可以用點藥來減輕；這就是醫生開給王太太的那兩種藥，一種是溴化合物的鎮靜劑，用來安靜身心；另一種是卵巢分泌的內分泌素，用來減除因經截期中這種內分泌素的突然缺乏，而引起的各種症象。至於萎縮性陰道炎則可用乳酸溶液灌洗陰道，再用內分泌製劑的坐藥塞入，連續兩星期左右，也就能好了。

正因爲經截期是生命中一個生理現象，所以各種症狀在不久之後也就會自然平復下來。但它却在女子的生命史上，又劃分爲了另一個時期，所以它正和青春期中月經開始一樣的有特殊的重要意義呢？

葡萄胎—鬼胎

莫凌

陳先生的太太據說是懷孕了，陳先生這一喜非凡，因爲他們倆結婚後差不多近十年了，還不見陳太太生出半個兒子。看到旁人家有兒女們的「天倫之樂」，常常會埋怨着他太太，同時也埋怨着自已！這一次陳太太懷孕後看看也差不多三個月了，奇怪的是陳太太忽然開始感覺到下腹都有些微微地作痛，有時也會大痛起來。更令她奇怪的是有時下部流血！而且肚皮也奇怪地大起來，不像是三個月應該有的那麼大。起先，她本來不大好意思告訴她丈夫的，後來實在看看不大對，含着羞澀地告訴他了！陳先生一聽也覺得不大對呀！馬上陪他太太去找一位婦產科醫師聽聽，醫師經過一陣子檢查以後，告訴陳先生說：「您太太恐怕是葡萄胎！最好能住進醫院裏來！這一下可駭壞陳氏夫婦了：他們今天聽到了以前聞所未聞的新名詞了！同時，當陳先生知道葡萄胎又叫做鬼胎的時候，這一下可幾乎要駭得暈倒了！這時，祇看見陳先生的臉色蒼白，陳太太的兩淚汪汪哭個不止。經過醫師的一陣解釋以後，陳太太總算勉強地住進醫院裏來了！幾天以後，經過手術把子宮取了出來。等切開子宮一看以後可醫的駭暈了我們可憐的陳太太，滿整個子宮都裝滿了像葡萄那麼樣的小圓球，光光暈亮的，有一種古莫古怪的顏色，然沒有一點小人兒的影子！她在一陣哭，一陣號之下，才在幾天以後回到了家裏！

上面我們所說的葡萄胎，並不是鬼，也不是怪，用不着希奇，更用不着驚恐，它也是在很多正常懷孕的例子當中，可以見到的一種現象。普通大概在一百個正常生產當中，可以見到一個到三個的樣子！正常的時候，當受精懷孕以後，胎兒生成，在胎盤及胎兒的外面有一層薄膜，叫做絨毛膜（Chorion）這層膜或者與胎兒的營養有關；正常時它是依一定的速度，因月數的增加而生長的。假如，這層膜因爲一種特別的原因而加速的生長起來，慢慢地，它就成一顆一顆的葡萄一樣的小囊了！在這小囊裏面也有一種液體存在，長到一個相當的時候，子宮就會整個被它們脹滿，因爲它們長的速度非常之快，不像正常懷孕那樣，所以子宮顯得比正常的懷孕要大；同時，也因爲長得太快，所以有些血管被破壞了，因而會有流血現象，而且病人也感到疼痛。

爲什麼會產生出這種古怪的葡萄胎呢？確實的原因，到目前還不很知道，有人說是因爲子宮內部一層膜的慢性傳染，因之而變性。有人却認爲這是因爲身體中內分泌素的不調和引起的結果。究竟怎樣，目前還是不能確定。

怎樣我們才可以知道一個慢慢大起來的肚子不是正常的懷孕而會是這奇怪的葡萄胎呢？首先當月經不來以後兩三個月，假如覺得肚皮長得很快很大，而且有時陰部流血，有腹痛的現象，最好馬上去請醫師檢查。醫師假如認爲可疑的話，他可以檢查子宮，假如是葡萄胎的話，子宮摸上去就比較軟，而且也不會摸出胎兒的存在。同時更可靠的是，這時拿聽診器到腹部上面去聽，絕不能聽出正常懷孕時胎兒心臟的跳動聲音。假如仍認爲有些可疑的話，也可以照照愛克司光。正常懷孕，有胎兒存在於子宮的話，胎兒的骨骼是可以清楚的照出來的；如果愛克司光照出來沒有骨骼的影子可見，這時，我們也可以大胆地說，這個大的肚子裏面，藏着的是令人可怕的葡萄胎了！

這個可怕的葡萄胎，假如我們診斷出它存在的話，當然要把它弄出子宮爲好。因爲它的可怕，並不在因爲疑心它是所謂「鬼」，不吉祥的東西，而是因爲這種葡萄胎可以再一變而爲另外一種稱爲癌的惡性瘤，叫做絨毛上皮瘤。這種瘤一且存在的話，它可以傳佈到身體另外的部份，像肺裏，肝裏，以及腦子裏，生出些同在子宮裏一樣可怕的瘤出來。到了這時就無可救藥了！

怎樣可以除去這可怕的怪物呢？一旦知道了它存在的話，馬上就要動手術了才是。目前所作的手術大概有兩種。第一種是拿一種叫擴張器的東西，放進子宮口，讓它擴大，然後再拿手伸進子宮裏面，用手指把這些葡萄一顆一顆的摘下來，可是絕對不能用其他銳利的東西括，因爲子宮壁這時很薄，所以很容易因爲不小心而把子宮壁也弄破了。第二種方法是由下腹部將腹部切開，然後找出子宮的所在，也把它切開，再在子宮內取出葡萄胎。這種方法叫做帝王切開術或子宮切開術；另外還有一部人更乾脆地把整個的子宮，連葡萄胎在內都取了出來；因爲生過葡萄胎後的子宮，就有生瘤的趨勢。

葡萄胎並不是怪，也不是鬼。它也是在許多正常懷孕當中，偶而碰到的一種變態。假如你的太太懷孕了！有了上面我們所講的那些可疑的症狀，不要忘了馬上去請教可靠的婦產科醫師，假如醫師告訴你，你太太所懷的正是葡萄胎的時候，也用不着驚怕，馬上請醫師趁早動手術拿去這奇怪的東西吧！

溫度計是否公平？

——試答『一個有趣味的問題』

楊康均

偶然得閑來找永熙擺龍門陣（編者按，擺龍陣爲四川土語，即談天的意思。），見他室內桌上有一疊「醫藥衛生」的刊物，先隨便翻了翻，覺得還不錯，因此借了帶回來細細閱讀，不料永熙却說：「老朋友要借書當然可以，但是有一個條件，你得答應寫一篇文章。」我說：「我是弄機器的，對於活人的醫藥衛生完全不懂，那能替你寫文章？！」誰知他却笑着說：「是呀，正要你幫忙；是一個物理問題，我搞了幾年醫，把物理忘得想不明白了，手邊又找不到書可查。」

於是，他翻出了第六期第四頁來叫我看，並且說：「就是這個問題，請你代我給讀者們一個簡單而容易懂的解釋。」過後，我們又擺了一會龍門陣，也就告辭回到我自己的「舍下」來了。

其實，溫度計公平不公平，只不過是物理學上物體膨脹的問題。「熱脹冷縮」這句話，是大家所知道的。自然界的物質有很多種可以由溫度的改變而成爲氣體、液體、或固體三態，也是大家所知道的。譬如水，冷到攝氏零度時就變成固體的冰，熱到攝氏一百度時，就變成爲氣體的水蒸氣。其他有很多物質也都是這樣。用來做溫度計的酒精或水銀，自然也不能例外。任何物質，因溫度的增減而發生的體積改變，都有一定的規則可尋。譬如說溫度增減攝氏一度，使這樣物質的體積膨大或縮小原來體積的多少，是有一定數字的。凡溫度增加攝氏一度，而使物質的體積膨大的量與該物質當攝氏〇度時的體積比較而得出一個很小的比例數字來，就叫做「膨脹係數」。不過各種不同物質，或是同一物質在不同的狀態時，它們的膨脹係數就各不相同。如像水銀在熱到攝氏三百五十七度時就由液體變爲汽體了。變爲氣體以後的膨脹係數，就不再和液時的膨脹係數相同。所以，陸先生說熱至二千度或四千度時水銀的寒暑表是否公平不甚可靠是對的。事實上，熱至二千度或四千度時水銀寒暑表不但不公平，不可靠，而且已經不能勝任了，因爲到了攝氏三百五十七度時，水銀就已經化成了氣體狀態。

不過我們要明瞭的一點，是水銀在液體狀態中時，是否始終公平可靠地衡量溫度？查一查水銀的冰點是零下三十九度，沸點是三百五十七度，換句話說就是水銀要冷到攝氏零下三十九度才變成固體，熱到攝氏三百五十七度才化成氣體。而在液體狀態時，它的膨脹係數只有一個，因此也始終亭勻的。而實際上使用的水銀寒暑表，尤其是體溫計（氣溫計），所需要測量的溫度相差不過攝氏六七度（體溫計）到四十度左右（氣溫計），而水銀的膨脹係數是〇·〇〇〇一八一八，所以，在幾度到幾十度之內，因膨脹而引起的「不公平」是小得不能計算的。

爲什麼平常使用的溫度計都是水銀的呢？這是因爲水銀的溫度計有幾個好處：——

一、純淨的水銀容易提煉。如果不純淨，膨脹係數就有改變。

二、水銀不附着於玻璃。

三、水銀之脹縮與玻璃之脹縮相差甚大，故不必用極細的毛細管，或極大之泡，即可得易於觀察的指示。

四、水銀的凝固點較常溫低，沸點較常溫高

五、水銀不透光，故在管內之高度，不必加入有色物質即可觀察。

因爲這幾項優點，所以日常所用的溫度計，都可以用水銀的。但如果像在工業上要測量到比攝氏零下三十九度還冷，或是比攝氏三百五十七度還要熱的溫度時，就不能用水銀溫度計，而要改用別種利用氣體體積及壓力關係的溫度計，或是利用熱電效應及輻射現象的溫度計了。工業上測量攝氏三百五十七度以上的溫度用定容氫氣溫度計，攝氏一千一百度以上時用定容氮氣溫度計；攝氏一千五百五十度以上時用熱電效應溫度計，測量極低溫度時則使用氦氣的溫度計，都不是水銀的了。

在我們使用水銀溫度計時，雖然因水銀膨脹而引起的「不公平」可以小得不能計算，但我們卻還應該注意到其他幾點可以被寒暑表利用了，躲在後面，偷偷地不公平的事實。在物理學上把這種不公平叫做「誤差」。使用溫度計時，主要的誤差有下列幾種：——

一、視差——因水銀柱與表上的刻度不在同一平面，而觀察者的視線不易與溫度計之管成直角而生。

二、玻璃泡的脹縮較慢，不能隨溫度增減而立刻改變。

三、測量時，溫度計並不全體受熱，不受熱部分的玻璃不膨脹。

四、製造時溫度計玻管內孔粗細不勻。

五、太細的玻管，因毛細管作用，使水銀的昇降不能順利。

不過這些誤差，都可以想法避免或作精準的較正。可是，我們日常使用的溫度計，並不需要如此的精確度，所以也就不必多此一舉，儘可放心信任寒暑表的公平好了。

茶葉與咖啡因

恕之

飲茶嗜好創始於我國，約在西歷紀元前二千五百年前就有人作牠爲飲料。日久，飲者漸增，傳入外國，現在可說世界各國人民都把飲茶作爲日常嗜好之一。不過各國飲茶方法有不同，我國都是用開水泡來飲，會飲茶的人們對於飲茶都有特別考究，水該那一種水泡茶味特別好，茶葉該那樣才夠味，若是不常飲茶者決不能分別出牠的好壞。茶是山茶科中茶樹之葉子，採茶時間約在每年三四月間。中國境內安徽、湖南、福建、浙江、台灣等地之產量較多，咸外日本，印度，錫蘭，爪哇產量亦多，中國佔世界第一位，印度第二位。茶葉種類有產地不同，採取時間先後不同，製造方法不同，因之名目非常繁雜，如浙江之龍井；武彝之鐵羅漢；祈門之烏龍茶，台灣之紅茶等等，都是我國境內虎虎有名之名茶，其數不可勝述。主要一般都把牠分爲綠茶和紅茶兩種，飲用綠茶者較多，作用相同，飲後能有興奮與利尿作用。此種原因是茶葉中含有一種茶精（Theine）即稱咖啡因（Caffeine），入口中覺得有些澀味，此是鞣酸（Tannin）；紅茶中含鞣酸量比綠茶多，嗜起有一種香味是含揮發油，此外尚含有色素，維他命甲和丙等。茶葉在飲料中算最便宜，因此消耗頗大；商家以營利爲目的，要減輕成本，就有偷工粗製，及贋造等現像，尤其是出口之茶葉攙假成份更多。一般常見贋造（一）是加入已浸過的茶叶，這是攙假方法中最容易，將已泡過的茶葉在太陽下晒乾或用火焙之除去一部份水，再依製茶法製成原來茶葉，攙入大部份未泡的茶葉中。若要證明茶葉中是否有已浸過茶葉加入，一般方法都是選擇一片葉子，你覺得可疑的，捏爲粉末，置於一杯中，此杯須可耐火，上蓋一杯，加熱燒灼，約數分種，取下冷後，用放大鏡觀之，可見杯中有一種針形結晶發亮之物，我們稱牠爲茶素即咖啡因，有此茶素存在者，即可證明此茶葉中未攙假；此法必須多選幾片分別試驗，才可確實證明。還有一種方法更簡便，即選數片茶葉在口中嚐味，若已浸過的茶葉，牠的滋味與香味已失去。（二）加入異種葉子，將可疑茶葉用水浸之，使牠恢復原來茶葉形狀，在放大鏡察之，眞茶葉之垂身長圓形，頭端尖，邊緣鋸齒形，主脈和側脈成爲直角分二支，在三分之二處回上曲，此是茶葉之特徵，可和其他葉分別。（三）加入細沙；此種攙假都是輸出外國之茶葉，商人爲圖利，使重量增加，在國內市場上很少見之，證明可用冷水浸之，有沙者必沉濁，可觀察出。

上已述過茶葉因製造方法不同可分爲綠茶和紅茶兩種。綠茶製法：將採下之茶葉炒熬，搓揉成條形，置於焙爐上，溫度漸次減低，茶葉呈淡綠色帶白色止，篩過，再稍加小火炒之，以增加牠香味和色澤，即可售出。紅茶製法：利用醱酵原理，我國一般採取日光醱酵和雨天醱酵法，將將採下茶葉置於日下或微濕處，使叶萎軟，搓成條，再壓成塊形，使牠行醱酵作用至葉爲褐色，含青臭味全無後，再日光下晒，或火上焙乾即成。

咖啡因的來源，可從山茶科之茶葉中提取，含量約有百分之四；外有無患子科之巴西可可，含量百分之五；梧桐科之可拉樹的種子中含有百分之三；其次茜草科之咖啡樹的種子含百分之一‧五；有人從尿酸中用人工合成法亦可得到咖啡因。咖啡因之成份在茶葉中述過了，牠是一種白色柔劑有絲光之針狀結晶，不溶於水，味苦，藥用爲強心，興奮，利尿等作用；多服有頭痛，耳鳴，不眠，眩暈等之副作用；適用於虛脫，急性腦貧血，痲醉劑中毒，偏頭痛等症。咖啡因單獨應用時很少，多數和其他藥混合應用；例如和非那宗 Antipyrine，非那西汀 Phenacetine，安息酸鈉 Sod. Benzoate，水楊酸鈉 Sod. Salicylate，等成爲一種粉劑或注射液。咖啡因在茶葉中含量對於茶葉好壞，出入相差遠大。提取方法可以用很簡便手續得之，取茶葉一份加水五倍，煑沸過濾，濾液濃縮之，加細石灰混合，用酒精浸提，得出液放置，漸漸即有結晶出來，此結晶即粗製之咖啡咽；再將粗製咖啡因作昇華法得出精製咖啡因，即可供給藥用。

盲腸炎

季桑

盲腸在不少動物身上，是消化器官的一部分，做着消化和吸收食物的工作。但在我們人身上，却已退化成一種多餘的東西，不時還發生疾病，甚至有時因爲它的禍害，叫人損失生命，那就是——盲腸炎。

盲腸炎這名詞，在一二十年前，還不常聽見人說；但在近年來，一犯肚痛，就會有人說：「不要是盲腸炎，趕快請個醫生看看，恐怕還要開刀哩！」可見得盲腸炎這病，已逐漸地被大衆認識了它的重要性。但在不少地方，尤其在一些對近代醫學智識較爲落後的鄉村，依舊以「絞腸瘀」來稱呼盲腸炎。因此，由於病源的不清楚，更不知道對症求治；碰着運氣好，也許吃服把藥，或者針治幾次，糊裏糊塗地暫時好了。或者流年不利，熱不退，痛不止，結果變成了「局部性腹膜炎」，於是開口出膿。更甚或變成了「全部性腹膜炎」，在一兩天內就損失了寶貴的生命！

盲腸炎的發作，大半是急性的，有時這種急性發作非常輕微，患者也就忽略了。至於它的主要症狀是：

（一）腹痛——這種肚子痛是突如其來的，開始可能不太厲害，但隔不了一兩小時，它會叫人痛得在牀上打滾。最初開始是滿腹絞痛，慢慢地集中在肚臍的周圍，最後，這痛就移落在盲腸的所在地——腹部的右下方了。可是痛的程度並不因由全部變爲局部而減少，也許反會更厲害。有時候，這種腹痛也會一開始就在腹部的右下方，但它的性質並沒有兩樣。要是一旦你覺到這腹部右下方的絞痛忽兒又散開來變成了滿腹絞痛，這就告訴你盲腸已經爛穿，已經變成了全部或局部性腹膜炎。要是再不請醫生給你趕緊診治，那簡直是和自己生命在開玩笑。

（二）腹部的壓痛和痙攣；當腹痛集中在腹部右下方以後，稍微碰它一下就會感到非常之痛，而撫摸病人者的手上，也會感到病人的腹肌突然一陣緊張，像拒絕你去碰它似的。所以患盲腸炎的人，幾乎連呼吸都不願用到腹部的起伏來幫助，也決不像患胃氣痛或受涼後肚裏痛的人，抱緊着腹部才會覺到舒服。

（三）惡心或嘔吐：在劇痛的時候，常會有陣陣惡心，或者一次次的嘔吐。不過前者有的較多，後者則不一定有，有時二者都沒有也不是不可能的事情。

（四）體溫：輕微的寒熱，病人有時會因注意力集中在腹痛而被忽略了。很高的熱度則常發現在由盲腸炎轉入局部性或全部性腹膜炎以後。

（五）食慾不振和便秘：不想進飲食，差不多個個患者皆如此。至便秘則僅約三分之二的患者有此症狀。但像痢疾樣的泄瀉或者瀉吐時的水瀉現象是決不會有的。

（五）其他：像血液裏白血球的數目增高等，那些不是一般人或設備不全的醫生所能知道的，除非有着驗血設備的診所或醫院，再或到化驗所去驗血。還有像小便次數增加和摸到一個硬塊在腹部右下方等，，都不是主要或必有的症狀。

其次，談到患了盲腸炎要是不加以治療，或診治得遲了，那末它的後果是什麼？在前面已經說過，假如運氣甚佳，這一次的發作並不很厲害，那末，也許痛一陣以後，也就什麼事都沒有了。不過請注意，這並不是說病完全好了，而是疾病由急性轉入了慢性。過不多時，你常會覺得輕微的陣痛或老覺得不舒服在你腹部的右下方，尤其在吃飽了飯，多走了路，或者很疲乏的時候。這時候你再去看醫生，醫生定會給你個診斷——慢性盲腸炎。如果這次發作是够厲害的，加上治療得太遲，或者你看的醫生欠高明，胡亂地給你吃一些止痛藥和瀉鹽，像治療其他腹痛疾病一樣；那末，其結果，輕一點，盲腸爛穿，變成了局部性腹膜炎，痛不止，熱不退，腹部右下方腫起一大塊，於是免不了開口，出膿，甚至一兩月不得收口！重一點的話，腹痛由局部再帶開來變成全部性，體溫急劇昇高，嘔吐一陣陣地不止；就醫得早，也許可以僥幸更生；否則，寶貴的生命，就會斷送，不知道所以然的會這樣說：「死於絞腸瘀」。至於這些後果演變所需要的時間，短的也許祇要一二十小時，長的大概二三天或再長一些。

所以我們要知道，一次盲腸炎之後，轉成慢性，不用手術是絕不會痊癒的。暫時好了，以後也一定又會復發。

在沒有誤治療之前，希望患者別亂吃瀉藥，更希望醫生們，在沒有確切把握斷定一位因患腹痛來求治的病人，決非盲腸炎之前，也千萬別亂給病人吃瀉藥，上面也會說過，實際情形的經驗也告訴我們，那些不良後果的主因，幾乎大半是亂吃了瀉藥引起的。至於眞正的治療方法，那就祇有割除一法。因爲盲腸在我們人身上，早已是件多餘的東西，所以在醫學衛生發達的國家，常在嬰孩時候，就像施行「割禮」樣地把盲腸這禍害劃除了。在我國，能施行這椿手術的，還僅不過有數的，城市中的醫院能做。所以，普通一般人聽說要破腹割腸，不免有些心驚膽顫，甚至竟有怕開刀的危險而寧願將疾病拖延到不堪收拾，眞叫人可惜！其實，這種盲腸割除術，在設備較完善的醫院裏，簡直像挑開一個膿包樣的簡單，個把星期的住院治療，個把星期的休息，你就可工作如常了。而開刀後的痛苦，也許比你在發作時所受到的十分之一二還要少！還有，要是你一旦確是患了慢性盲腸炎，奉勸你別聽信一般走江湖逛碼頭的醫生，給你打針啦！吃藥啦！以爲這樣就可把病治好，「那眞是百分之百的騙人」，而眞正的有效治療，祇有一法——就是割除。這一點，筆者是個過來人，願以自我的經歷，奉告諸位讀者，以爲同病者鑑。

「附註：盲腸炎眞正的學名叫闌尾炎，因爲發炎的部分是盲腸下端掛着的一段。」

白帶白崩白濁白淫是什麼

江靜波

民國三十五年度中醫師考試的試題中有「白帶白崩白濁白淫，其病狀治法，有何異同？」在古中醫書（本陸師淵雷之主張，凡是未科學化之中醫書無論今人著作，古人著作，一概稱爲古中醫書。）裏面，原有這類症治的記載。所以如果站在古中醫的立場來說，這個試題，不能說牠不對。可是在高呼「中醫科學化」的目前，這些籠統的古中醫病名，實有重行檢討之必要。其實，白帶，白崩白濁，白淫這些名稱，祇不過是生殖器或泌尿器疾病的一種症候罷了。如果我們要「統一病名」的話，這些名詞，是不能算做獨立病名的。

就拿白帶來說罷：古中醫因爲牠是女性生殖器裏排洩出來的一種膠粘如帶狀的白色粘液，所以叫做白帶。其實牠祇是外陰部發炎，陰道炎，子宮炎，子宮內膜炎，子宮癌腫，輸卵管炎，以及淋病等等的一種症候而已。

白崩呢？依照古中醫書的定義祇是白帶的程度加深。子宮頸癌的初期症狀，是排洩大量奇臭的白帶，有人形容牠的排洩量，像個不能自主的小便。這或者就是古中醫書所說的白崩。古中醫書描述白濁的症狀是：「洩如米泔，兼尿澀不利。」這是指的膀胱炎，尿道炎等症。可是後世的醫者，卻又把牠與淋病相混。我們常常在報紙上見到專治五淋白濁的廣告，那就是指的淋病。

白淫或者就是夢遺，滑精，這一類的症候，因爲古中醫書的意思：白淫的排出，是由於意「淫」而排洩的一種「白」色分泌液。

白喉

冷季的流行病之一

譚評之

白喉，從這個名詞上我們就知道是一種會使喉嚨發白色的傳染。而且是使人很害怕的一種病，因為它的死亡率很高，治療上也是不很容易有美滿結果的。同時因為患這種病的多半是小孩子，所以普通一聽到「白喉」總是覺着有一種令人恐懼的嚴重感覺。

白喉的病原

白喉的病原菌是一種桿狀細菌，如果用特別的方法染了色在顯微鏡下看的話，可以看到這種細菌的兩端染着較深的色澤；細菌學家稱這較深的兩端為「極體」，別的細菌都沒有這樣的「極體」，所以它是白喉細菌具有的特點，我們常利用來鑑別白喉桿菌，幫助診斷。

傳染的方式

凡是傳染病，他的傳染方法，總不外乎直接傳染和間接傳染兩種，白喉病當然也不能例外。白喉的直接傳染，是由於直接接觸了患白喉病的人而得病的。白喉病人的鼻腔內，喉管內，唾液中，喉頭部份的白膜內，以及喉部分泌物裏都有很多的白喉桿菌，這些細菌常常借着咳嗽、打噴嚏、說話、接吻而傳染。尤其是病症倘未達到最嚴重的時期，最容易傳染別人。因為病人自已不曉得是白喉病，而和他接觸的人也不知道他正在患病，所以這種病有很多的傳染機會了。尤其是在小學校內，或則幼稚園內，這是時常所看見的情形。還有一種直接傳染的方法，是由「帶菌人」而傳染的。這種帶菌人對別人最為危險，因為在他的喉腔內含有很多白喉桿菌，但對他本人却是毫無害處，也不發生任何病的現象；可是他能夠把病菌傳染給別人。所以白喉病的傳染流行，多半是由於這種帶菌人而使病勢蔓延的。

間接傳染是由於食物或者兒童的玩具等物為媒介。白喉的流行在城市比在鄉間多，這就是因為在城裏人多而接觸傳染的機會也多所致。

白喉的免疫性

兒童生白喉病的比成年人多，也較大人生此病為危險。這是什麼原因呢？因為成年人身體內有所謂「免疫力」，這種免疫力可以使細菌在身體內不能寄生，縱使能寄生了，它所產生的毒素，也會被身體內的免疫力量「抗毒素」中和，而不發生病的現象；假使毒力很大，不能完全中和，也只有一部份的毒素存在身體內，所引起的病狀也就較輕，不會像兒童一樣的嚴重。

人體內的免疫力量，可用一種錫克氏試驗（Schick test）檢查出來。新生的嬰兒根據試驗的結果，身體內的免疫力量同母親體內的免疫力量相等。所以新生的嬰兒很少會患白喉病的；即使不幸被感染上白喉桿菌，也能被免疫力中和，或是僅只有很輕的病象。但是嬰兒體內這種免疫力會漸漸的消失的，大約在三歲時，免疫力降到最底，或竟完全沒有了。但從四歲開始起，因為時常從各種可能方面感染到少量白喉桿菌，免疫力就又慢慢的增加，十歲的兒童免疫力量差不多已增到和成年人的一樣。從這點也可以說明為什麼成年人就不大會生白喉病的原因了；而且就是偶然不幸生了白喉病也不如小孩的嚴重。

白喉桿菌致病的理論及其病理

白喉桿菌致病的主要因素是因為它能產生一種外毒素。這種毒素非常厲害，它能使體內表皮的粘膜致死，發白，成了一層假膜「這就是稱為白喉的一種原因。平常這種白膜常在扁桃體的粘膜上，喉頭周圍，會厭部份、鼻咽內、氣管內、及枝氣管內。在喉部的白膜，附着粘膜上很牢，不容易被擦下來，這一點在診斷上也是一個很重要的特點。外毒素不但能使局部發生壞死的現象，同時並可能由血管將這毒素散佈到全身，所以常將心臟肌及肝臟、腎臟、神經系等組織毒壞，生命常因這種內臟器官的毒壞而發生危險。白喉死亡後解剖檢查，時常發現心肌纖維退化性變、心肌之橫紋也失去了，整個的心臟有時會脹大，因此心臟衰弱而使患者死亡。所以醫院中的醫生們對於白喉患者恢復後期中還是特別注意，而讓病人極端的休息。

此外肝臟腎臟，神經系統等都能因毒素的作用而喪失正常的生理功能。嚴重的白喉患者，常有部份癱瘓的現象，就是因為一部份神經被毒素侵害的緣故。所以從這些病理現象看來白喉病致死的原因可有四項：

（一）嚴重的血中毒現象，這毒素可使心臟肌肉衰弱而使心竭而死亡。

（二）喉咽變窄，阻礙呼吸及飲食。

（三）白喉在喉部，可傳至氣管內致發生嚴重的肺炎。

（四）白喉的毒素能使呼吸器管痲痺，或喉部局部痲痺，致使呼吸窒息，或不能下嚥食物。

白喉的病狀

白喉的潛伏期很短，普通大約為兩三天的功夫。在這個時期內很難診斷一個病人是否患了白喉病；較為厲害的病人，在此期也只感到喉嚨痛，及體溫微高，但是這種病徵絕不會使患者病倒在床上。後來漸漸的喉部會因為充血而發紅，紅的地方更會因為粘膜的壞死而變灰色，最後變成白色。喉部局部的病狀，時常因為病的輕重，及患者抵抗力的大小而不一致。病情輕的，白膜只限於喉部，全身症狀也很輕微；較重的病人則白膜部位很大，蓋滿了腫脹的扁桃體。有時因為軟頷及喉頭腫脹，致使呼吸困難而有聲音可聞，同時因為呼吸困難口亦半開，因此舌面乾，舌苔厚，呼吸很臭；全身症狀也加重，頭痛乏力、出冷汗、心跳不規則等。這時診斷就很容易了，將白膜用喉拭子取出檢查，可以找出很多的白喉桿菌來。

處理白喉病人

因為白喉病是傳染病；因為白喉病狀是由於白喉桿菌所產生的外毒素所致；因為白喉病人好了以後時常會因心臟衰弱而死，所以白喉病是一種很嚴重的急性傳染病。當我們懷疑一個病人所患是白喉病時，應當即刻將病人送往醫院，這樣病人早得確切的診斷後立刻施以適當的治療使病早得痊愈，就不會有心臟衰弱現象發生了。若是診斷已很遲，而病恢復很慢的話，就應當使病人多臥床休息，否則白喉雖好了，病人却常會忽然因為心臟衰竭而死的。此外，因為病後身體很弱，更要預防再被傳染其他的病，如肺炎、感冒等。

白喉病因為是傳染病，所以若是一家中有此病發現，其他小孩應當提快到醫院去注射白喉預防針。同時應當檢查其他的大人，是否會是「帶菌人」，假若是帶菌人的話，就應當即刻去治療，以免再傳染別人。

漫談牛奶

齊水

在這物價異常高漲的當兒，牛奶總算有點例外，就它的價值（Valua）和價格的比較，的確還是一種價廉質高的營養品，何況它還具有一種其他飲料所少有的美味呢？不過，慢着！，隨隨便便飲用牛奶是多少有些兒危險的！

最常見的病牛奶，異常牛奶、不潔奶、滲假奶、不合標準的奶……都是政府應該取締或者限止，而我們也應該注意的幾種牛奶，這種種牛奶我們都有法檢查，不過有的方法太繁了，不是普通家庭或是小地方可以實施的，因此只能把我們知道的簡單而比較還有成效的幾種方法分別記在下面以供讀者諸君的參考。

先說說普通並不多見的幾種不宜飲用的牛奶，呈灰白色鹹乳，奶中有顆粒砂乳（磷酸鎂），絮狀乳，酸敗乳等這些都可以用我們的嗅覺、視覺、毫不困難的覺察。然而下面幾種比較常見的，不合用的牛奶，却都需要憑藉別的。「攙假奶」這類奶中常見的是（一）加水奶，加水奶的檢查方法相當多，而以利用比重計測定乳清的比重最爲簡單便利，一般家庭都還容易辦到，其法：取牛奶加醋少許，使得乳酪沉澱，然後以重計測量乳清的比重，比重若在1.026以下的即爲加水奶，其他有：冰點測定法，牛奶的冰點爲-0.55c°。若是加水奶則冰點隨加水的多少而增高，如加水20%則冰點爲-0.44c°，加30%則爲-0.385c°。乳清屈折率，乳清旋光度，硝酸鹽，氯化物等增減都可以測出是否加水，不過方法比較繁，所用的試藥與儀器也多，不是普通家庭所能普遍採用的，因此這裡也就不多說了。（二）加有米汁，澱粉或者是糊精的牛乳，這類牛乳肉眼觀察比加水奶更不易覺察，但若取此牛奶加入比較多量的碘溶液（碘酊——即碘酒）即可查出。因爲有米汁或其他澱粉溶液的牛奶，一遇碘即有藍色或藍紫色發生；加有糊精的牛奶則顯現紫紅色，非常容易辨別；而且碘酊很容易獲得，所以加有米汁、澱粉、或是糊精的牛奶倒反比加水奶更容易查出了。（三）加豆漿牛奶，此種牛奶爲攙假奶中所最常見者，查檢的方法相當多，皆不易爲普通家庭所能採用的。有兩種簡單的方法尚稱合適；加入純濃硫酸經過十分鐘後，若有紫紅色產生即爲加豆漿的明證。或加水振搖，含豆漿的奶有泡沫產生。前者雖然比較準確，然而濃硫酸易得，純的濃硫酸則非普通所在所可以隨便購得；後者雖然簡易，似乎人人能做，其實並不盡然，豆漿加得多，振搖得法的，果然可以得到良好的結果，振搖不得其法，或是豆漿加得非常稀少的，則所得的結果便沒有理想的好了。其他攙假奶當然是有，因爲在市場上還並不多見，因此也不討論了。

牛奶因爲容易腐敗，所以常有防腐劑的加入，防腐劑有害於人體的很多，就中以蟻醛一種最爲利害，牛奶中加入萬分之一的蟻醛即可使它經數日而不敗。這種牛奶偶然成人飲用少量還不致發生甚大危險。對嬰孩則不然，不說是萬分之一的溶液，即使是十萬分之一的蟻醛溶液對嬰兒的胃壁細胞即有破壞作用。有人用含五萬分之一蟻醛溶液的牛奶餵小貓則見小貓體重日漸減輕，結果瀉痢而致死；由此它的爲危害，可想而知了。檢查的方法倒還簡單，即將牛奶放在試管中（當然玻璃杯亦可以代用的）再沿管壁注加濃硫酸（須含有三氯化鐵）如含有蟻醛則在奶與硫酸之間產生一紫色環，若含量甚少則熱水鍋中加熱約達七八十度（水覺燙手時約六——七十度）只經一分鐘即可見紫環；若加熱後再加熱水稀釋牛奶，則雖然含蟻醛量甚少也可以發見。加蟻醛的牛奶以劣等罐頭牛奶比較多見，我們要多加注意。

煉乳的檢查，只要加水稀釋五倍與鮮牛奶同樣檢查之就可，不過應該注意的是煉乳罐兩端鼓起，則因內容乳已敗，產生多量的二氧化碳故，與變色赤黃色的煉乳（則因有金屬溶入）都不可食用。奶粉加水研和稀釋亦可按牛奶的檢查法檢查，最應該注意的是是否加入米粉，麥粉，豆粉，因爲這些都是奶粉的比較常見和可能的攙假物。

牛奶的成分爲脂肪、蛋白質、乳糖、礦物質、水分、卵黃素、胆汁、檸檬酸、色素、氣體及各種維他命。新鮮乳總比煉乳，或奶粉爲佳，（經過特殊處理的例外）奶的成分常隨牛種個性，年齡，泌乳時期，搾乳時期等等而不同，影響產量及品質甚大，因此而影響產量的多寡有至一與六比的。乳牛產前十五天以內，產後五天以內品質不良。在每年十月至一月間飼料皆爲乾草，所以脂肪含量比較多，二月至九月則反之。搾乳時間早，乳中脂肪含量比較低，晚乳中脂肪比較多，倘依一日搾乳三次，則中午的奶最好，同是一次搾出來的奶若以先後平均分爲四部，則以第四部爲最佳。這幾點當然是供養牛者作參考的，飲用牛奶的諸位讀者恐無法注意及此事。

體格檢查

張溪南

紅藥水

沈默

和碘酒一般，紅藥水是外科常用的消毒藥劑，差不多每個人都聽過，見過，或至用過。提起它，大家總不會覺得生疏吧。

正因爲這藥劑是一種紅色的水溶液，所以一般人予以象形描色的名字，稱它作紅藥水。若稱謂得澈底一點，許多人便給它以紅汞水的命名。由此便知道這怪熟識的藥劑，它的主藥是汞（水銀）的化合物。提到藥劑的主藥，紅汞是紅汞水的關係稱謂，叫它這個名字的人，似乎最多。又有把它取名爲汞溴紅（Mercurochrome）的，名詞更明朗化了。我們亦藉此而知道這藥物的化學組成中，還含有溴元素。美國藥學會所出版的美國藥方集一書又名之以汞溴螢光素（Merbromin），便能完全表明這種藥物的眞面目了。不過無論如何總沒有化學界稱它爲「雙溴羥基汞化螢光素雙鈉鹽」（Disodium Salt of 2,7-Dibromo-4-Hydroxy Mercurifluorescein）來得巧當，能夠把它的形相也如繪如畫的描寫出來。

在國內國外，紅藥水雖然這樣風行廣用，奇怪的是中華藥典以及美國藥典（U.S.P.）等都沒有收載。有關它的文字，祇能在英國藥典（B.P.），英國藥局方（B.P.C.），美國藥方集（N.F.），美國藥方書（U.S.D.=United States Dispensatory），勞民頓氏實用藥物學（Remington's Practice of Pharmacy）等書中找到。這也可說明英美醫藥界並沒有忽略了紅藥水的應用價値，不管新藥如何的在發現與合成。

紅汞的製造，是有機合成化學的園地，也是藥廠的事，並不是很簡單的。上列各書所謂製造，那只是一點原理，只要讀過有機化學的人，誰都明白它不是用「雙溴螢光素（Dibromofluorescein）之鹼性鈉溶液與醋酸汞的酸性溶液煮沸便得到一種不溶性的鹽類」一句話所能製得出來的。況且在螢光素溴化製成雙溴化物的時候，這步反應，也並不單純；如一溴螢光素，四溴螢光素（Eosin）等等不純物也可能由副反應（Side Reactions）的進行而生成的。當然，由於它們的存在，於紅汞配製成紅藥水時，消毒力會大受影響的，注射用更用不着說。

撇開討論紅汞製造的問題，來談怎樣的生成物才能應用於醫療，才能恰到好處來配製成紅藥水及靜脈注射用呢？美國藥方集的規定：將紅汞在攝氏一百十度溫度乾燥之，直至得到一定的重量，然後拿來分析，以汞不少於百分之二四不多於百分之二六，七，及溴不少於百分之十八不多於百分之二一，三爲合格。含有三個結晶水的紅汞，照理論講，含汞應該是百分之二四，九三，含溴是百分之一九，八七。這是我們可以利用分子式計算出來的。

普通紅藥水是百分之二的紅汞水溶液。因爲紅汞是鈉鹽，很容易溶解在水中，所以在配製藥水時，也比較很容易。稱出二公分重的紅汞，把它溶解在少量水中，然後加水稀釋之，使全量成爲一百公撮。這樣，藥劑便告配成了。

如何研究發明

自科學醫術發達以來，世界各國之原始醫學均已淘汰無存，其殘留者亦在將淘汰之列，而中國尚有數萬萬人倚賴舊醫學。固由新醫太少，不敷分配。然在上海新醫叢集之區，仍有大多數人信仰舊醫。予所知新醫好友數人，或美或日舉業，學問優長者，門庭冷落，生活維艱。然則人民之信用，又非盡由新醫太少之故也。細察其原因，亦非盡由於社會智識太低；新社會中受高等敎育之家，亦多有仍信仰舊醫者。彼等固亦信用西醫，而認爲某某等症則中藥可靠，西藥不可靠，此爲習聞之語。即以予數十年所聞見，今尚能記憶紀述者，亦可舉十數例。乃至外科癰瘍等症，予亦素以爲西法最優，而歷年所見聞，則有多例皆新醫久治不愈，而以數張中國膏藥收功者。予當陸續筆而出之，其人皆受高等敎育之人，今向存在，可以質證。今惟舉新醫證明之一症，較易取信。骨癆症在今日最稱難治，西醫惟有截除之一法；輕者或綁石膏模，經年之久，此外無善法。夏愼初醫師所辦醫療雜誌，載宋國賓醫師一文，舉兩例，皆久治不愈之骨癆：其一親赴德與法等國求治無辦法者，回國後，因友人之勸，服國藥小金丹兩月，外貼陽和膏而全愈。夏醫師亦舉兩例，用同法治愈。所舉各例，皆爲兩醫師之親友，日覩其症狀，並見其愈後情形，非得之風聞也。日本渡邊熙博士最喜研究漢藥效方，其所著東洋和漢醫藥續集，亦載數例。南通嚴毓清醫師亦親見一例。友人祝君最近又治愈一例。夫小金丹不過香藥數種，多數爲彊心興奮之品，何以能治愈骨癆？既治愈矣，又數爲科學醫師所證明刊布矣，何以竟不聞續有人討論研究之者？是可異也！小金丹國藥店所在皆有，則可知用之者多有其人。此治愈之數例，各從不同之來源得其勸告，則可知有此經驗者又多有其人。其藥其方又載於各方書，愼重言其療效。然而多數新醫師對於此無法治愈之痛疾，坐視其不治；雖覩此驚人之報告，漠然若不關心，予所不能索解者矣。胡適之博士腎炎症，經協和久治無效，乃改服中藥全愈，其主藥爲黃耆，胡博士曾將各原方抄寄予收。協和醫院曾將黃耆再三化分，不能知其有效成分。然黃耆治愈水腫，乃前人經驗，載於冷廬醫話。分析無所得者，由於化學對於生物分析極難明其眞相。可知欲專從分析以研究生物藥者，非善法也。多數生物藥，必須用生配製成功的藥水，怎樣才算好呢，這是人人要知道的問題，也是値得注意的問題。前面說過，紅汞是螢光素的衍生物，它本身是無色帶有螢光的暗赤色結晶。不要說紅藥水，就是它的二千分之一水溶液，仍帶有黃綠色螢光。所以紅藥水大家都知道是紅色帶有黃綠色螢光反應的液體。嚴格的說，配成了的藥水，不應該有沈澱發生，亦不可過爲紅色，方示良好。我們知道有機藥物的合成，端賴於反應中條件的控制，及所加參與作用原料藥濃度之能以協調，不然，由於副反應的進行，易於生成不純物。紅汞的合成，自難例外。亦常致不純物之生成。若製成的紅藥水紅得意外，那可能於製造中混有水溶性依紅（Water Soluble Eosin）等不純物的緣故。該物爲紅色顏料，亦爲紅墨水的原料物，對於消毒能力，當然遠非紅汞可比了。那麽，紅藥水由於它的存在，自然會減弱了消毒殺菌效能囉。若使紅藥水中含有非水溶性的不純物或紅汞分解的生成物等等，則難免於有沈澱的析出。當然，它們也會直接影響到藥水的有效成分的濃度，而無意中減弱了消毒力。這種現象都是我們所不希望發生的。

紅藥水的判識，並非難事。我們曉得人工合成的有機化合物中，能發螢光的，爲數寥寥；能發螢光的汞及溴的化合物，恐怕只有紅汞了吧。所以在檢識它時，除了肉眼可以觀察顏色及螢光性反應外，若是紅藥水，取出二十公撮後加入三公撮稀硫酸，則有紅橙色的沈澱生成，這是紅汞遇酸分解的緣故。

以消毒力來說，所有金屬化合物的功能，當推汞的化合物最大；紅汞便是汞化物中的一種，它的確是有效的滅菌消毒的藥物，紅藥水除廣用於皮膚及粘膜面之消毒外，且對治療淋病、膀胱炎、腎盂炎以及淋病性眼病、耳炎、鼻炎等，亦著成效。

記得我曾向大家介紹過碘酒的消毒作用及適用的場合。它對生活細胞刺激性，特別的大；當創痛對藥，早有引人恐懼之感。紅藥水就沒有這種缺點。用它可以代替了碘酒來消毒創傷。又如陰囊等敏感的部位，若用碘酒來消毒，必令人不堪苦楚，亦以用紅藥水爲宜。同時，紅藥水的消毒能力，可以保持較久的時間，因爲我們知道紅藥水不似碘酒之易於揮發的緣故。不過，我並不是專爲紅藥水的好處打廣告作宣傳，一味放棄了它的缺點不講。事實上，它有它的缺點，在這裏，我也應該把它們敍述出來。第一、消毒力較碘酒弱而慢；最使人可惡的，是在擦了紅藥水之後，一種紅色痕跡好久不退，弄得患者色相皆非，這些地方都是要比碘酒遜色的。

其實，把患者擦得一臉的碘酒或紅水都不怎麽好，尤其爲婦女們所惡懼。就是在摩登小姐太太們臂上或腿上擦了，她們也會咒駡的。照理面部還些地方，擦碘酒還不及塗紅藥水來得安穩，若是把是否難看的問題放在一邊。況且紅藥水這種缺點，並不是完全無法補救的；我們知道紅汞遇酸會分解，碰到氧化劑也會給破壞了的，我們不妨就利用這種原理，把擦了紅藥水所留下的紅色斑痕，盡行洗去。據許多書中的記載，紅汞遺留的痕跡，可用稀鹽酸處理之，然後用水洗濯，便能乾淨。亦有用次亞氯酸鈉溶液（Chorinated Soda Solution）供洗濯之用的。就是將紅藥水所賜予的紅斑以百分之五的草酸溶液處理後，再用百分之二的高錳鉀溶液也可以移去，無論這斑點是在吾人皮膚表面的，抑或在衣物上面的。

紅藥水應放在小口的小玻璃瓶中，塞緊貯藏。

國藥

聶雲台

牛黄

祝懷萱

牛黄又名西黄，是西域牛肚裏的一種膽石。

日本醫學博士小金井本次原說它對於腸傷寒、疫痢、赤痢、肺壞疽等疾患，都有特效。經過動物試驗，證明兎子經由口的服用牛膽石以後，短期間就見到它抗體中殺菌力最強的溶菌素反應達到最高濕度。渡邊熙博士也說牛黄能治白喉，治百日咳，並且稱讚它是無上的小兒心臟藥和唯一的血液消毒藥。他們都是科學家，他們的報告當然根據文獻上的記載，經過臨證上的實驗，再加以科學上的種種證明，然後發表；絕對不是空談無據的一回事。

古醫書裏用牛黄的方子很多，今把我隨意想到的寫一些出來。像治熱病，神昏的清心丸，治熱毒下痢的紅靈丹，治喉風腫爛的錫類散，治肺癰的醒消丸，這些都是著名的方子，雖然它的功效，不單靠牛黄一味，但牛黄在裏面具有主要作用，那是毫無疑問的。

上面所講幾種病的病原體，有桿菌、球菌、濾過體的不同。牛黄對於消滅各種病原體和病理產生的毒素，都有很強的效力。假如我們把文獻來搜集一下，可知道它的適應症範圍很大。

小金井次原氏的報告書裏最引人注意的，要算是應用牛膽石於一個腸傷寒患者，發病後第四日，由四十度高熱降至三十六度。在全世界尚無其它傷寒特效藥的今日，牛黄這味東西，眞是絕好的試驗材料。

末了，我們還亟需討論的，就是牛黄的本質問題。據僞藥條辨裏曹炳章氏按語，牛黄有家黄和野黄的種種不同；東洋和漢醫學實驗集裏說牛黄日本產的爲最上，均輸出中國，日本市上所售的，乃澳洲及美國之輸入品。我不知道現在上海藥鋪所辨的共有幾種，有日本貨呢，還是完全國產的？我們想要澈底研究的話，須先詳細鑑別它質地的優劣，才能試徵它的功效，究竟怎樣。

回生第一丹療效說明

聶雲台

統治跌打刀銃一切重傷，弔死凍死溺死震死。雖遍體鱗傷，骨折筋斷，或似氣絕，只要身體稍輭，速用此丹灌服，可望轉活。重傷不過三五服，大便如下紫血，更宜。方如下：

大土鱉蟲淨末五錢　自然銅醋淬九次研細淨 [illegible]

療效證例

[illegible]

傷寒質難（十）

祝味菊答述　陳蘇生筆受

正誤

本刊第十一期十三頁上排第廿四行，「以抵抗太過而用清，」「抵抗」係「發熱」之誤；又同頁同排第四十行「其邪氣已抑，抗力猶盛者，」「抗力」係「亢熱」之誤；特此更正。

蘇生曰，傷寒係菌毒爲患，其病原體可以放大檢視，可以人工培養，其染色之標本，血清之反應，皆鑿鑿可據，信而有徵，西醫有免疫血清及疫苗療法，中和其毒素，未聞以發汗爲排毒蹊徑，菌毒果可以從汗排泄，則其汗液中必混有相當毒素，攝取此含毒之液，施以葛氏反應，當有凝集作用矣，其汗當有傳染可能矣，然而未之前聞也，中醫雖有邪束於表，汗而散之之說，此邪乃風寒外客之邪，非細菌內踞之邪，有機菌體不得從汗濾出，細菌所分泌之毒素，雖有從汗排泄之可能，然未有佐證，排泄之義，實所未明。

師曰，一切代謝產物皆屬有毒，常人所以不中毒者，因有排泄機能也，熱病患者，代謝產物旺盛，而排泄機能每多障礙，則暢遂其排泄，乃醫者所應有事，此吾所謂排毒之義也，東醫所謂萬病一毒者，廣義之毒也，吾子所謂細菌之毒者，狹義之毒也，發汗以排毒，所以排泄體工因抗邪而產生之老廢殘物，及血液中未經中和之毒素也，理之所在，即事實所在，不得否認之也，而況傷寒患者之血液中，可能檢得傷寒細菌，傷寒細菌可能從血管中滲出於體腔，吾子必欲得凝集反應而後信，是徵所見之不廣，夫豆豉鬆透胃腸，祇可減飲食酵腐之毒，麻桂促使血液外趨，散溫排毒，兼而有之，豈豆豉所可同日而語哉，惲氏曰，湘醫重用麻辛，水土不同也，移施於江南之人，皆妄也，是說也，吾初亦信之，旣而疑之，終且闢之矣，民國十六年，吾避亂來海上，鑒於水土之不同，習聞體氣之懸殊，入國問俗，不敢孟浪懸壺，息影滬上者一年，常徘徊於名醫之診室，留連於藥肆之店櫃，誠然病不異於三湘，而處方用藥則大不相同也，歸而思其所以，疑莫能釋，夫傷寒痺疾，其病源一致，其所發證狀，中外一轍，證同而方藥可以各異，豈眞水土之不同歟，於是虛心下氣，侍診於名醫某公之門，凡三閱月，深佩其先見莫測，料變若神，然病者往往由輕而重，由重而死，醫者逐步料到，而終不能救其死，由辛涼解表，甘淡驅濕，而至透熱轉氣，清營散血，由宣化濕濁，滋陰清熱，而至滌痰開竅，平肝熄風，醫者逐步做到，而終不能弭其變，於是爽然若失，默然深感，名醫之所以成名醫者，在於料病識變，而不在於劫病救變，嗚呼，熟悉疾病之趨勢，而不能改變其趨勢，雖爲名醫，又何足多哉，然病者以爲膏肓難挽，不咎藥之殺人，至死而不悔，醫者亦以識病而自命不凡，父以傳子，師以授弟，以一盲引衆盲，傲然自得，此其所以爲名醫也，至於砌詞藻於方案，以玄爲博，逞談鋒於應對，以妄爲常，猶其餘事耳，嗟乎，肺腑無語，寃魂莫伸，雖有明眼，難以曉衆，余雖有改革之心，然邪說橫流，獨木難支，衆醉獨醒，孰與爲儔，欲同流合污，犧牲病家以徇俗，爲天良所不許，欲力挽狂瀾，發揮眞理以警世，又爲時論所不容，積重難返，不禁感慨係之矣，於是以治川人之法，稍稍變通以問世，又未盡應手，乃閉戶潛修，研究探討，恍然知東西異治者，非但水土之不同，實亦體質之殊異，遂不顧一切，奮然懸壺，一秉眞理，不屈不撓，以爲人診療，往往應手而愈，蓋江南之人，濱海而處，地卑濕重，氣升陽浮，發育早熟，智識早開，用腦多者，腦神經先衰，勞腎（此腎乃指外腎也）多者，內分泌先竭，神經衰弱者，不耐高熱，易罹譫妄，眞精虧者，虛陽不潛，易於上逆，時人習聞霹靂之音，習嘗霹靂之藥，至死不悔，舉世同風，因時制宜，吾於是有新方之制，麻桂爲傷寒之主要藥，所以散溫排毒也，無汗麻黃後入，有汗麻黃蜜炙，自汗桂芍並用，汗多知膏可兼，其目的不在發一時之汗，而在保持其體溫之調節，神經中樞爲指揮抗戰之首府，神衰者附子以壯之，其爲虛性興奮也，龍磁以潛之，心臟爲血液運輸之樞紐，其疲勞而有衰憊之象者，棗附以强之，腸部爲病灶之所，邪毒之淵藪，其鬱血充盈，組織擁腫特甚，超過病理之所需者，葛根解肌，促令血液外趨，其寒涼太過，腸道凝瘀鬱結者，姜附以溫煦其氣，腹（皮）鬱（金）以宣和其壅，腎氣有支持抗戰之潛力，精泄而溲頻者，用菟絲破故紙，其龍雷無制，虛氣奔豚者，用局方黑錫丹，江南濕重，脾運多困，茅朮半夏宣發中陽，助麻桂以收達表之效，形虛氣怯，神萎力疲，獨任附子振奮細胞，活躍抗力，以奏捍邪之功，此皆苦心揣摩所得，未嘗守川湘之成法也，入國問俗，故有新方之制，夫豈視滬人如川人哉，彼西北之人，腠理緻密，麻桂發汗，動輒五錢，川中名醫，如沈紹九陸景庭輩，其所用之法，豈有麻桂龍磁同用者，彼少見多怪，以其異己而惡之，抑何不思之甚耶，許叔微曰，形有寒邪，雖嬰孩亦可服金液，臟有熱毒，雖羸老亦可服大黃，麻桂用之有當，足使血液外趨，開邪機滲透之道，何嘗有化熱助火之嫌，豆豉鬆發，可制胃腸醱酵，不能制傷寒菌毒，於病又復何取，此其三也。

（未完）

民間醫藥

葉橘泉 編譯

胃癌

原因：

胃癌在全身癌腫中最多，年齡多在四十歲以上，尤其是男子，其原因雖有各種說理，然終究尚未明白，而遺傳的關係往往有之。其人胃酸缺乏，與胃潰瘍恰相反。或胃潰瘍愈復，往往有稱胃癌者。又有續發於胃之外傷，或慢性胃加答兒。嗜好茶酒等誘因，胃癌或生於幽門，或胃小灣，賁門部等，不定。

症狀：

初期無特徵，惟覺食思不振，胃部壓重，消化不良等胃加答兒症狀，殆與慢性胃加答兒相似。其後起胃痛，發噯氣嘔吐，或單純噯氣，或吐出食物、混有殘渣，拔酸性腐敗臭氣。疼痛與嘔吐，漸次劇烈，而痛呈持續性。至癌腫破壞出血時，吐出物內混有暗褐色，咖啡樣，又多作煤狀，或汁粉樣物質；此時不論何人，均能明其爲胃癌。於其按壓胃部，可觸得腫瘤，發生於幽門部者，較易觸得硬固之腫瘤；患在他處，其比較不易觸得。腫瘤最多在心窩之右方，壓之發痛。患者迅速陷於衰弱消瘦，顏面蒼白帶黃色，全身貧血，足蹠浮腫，日日瘦削，呈所謂癌腫性惡液質。全部經過六個月乃至兩年，次第衰弱而轉於危亡。

本病診斷上必要之注意點，爲患者左例鎖骨上窩線，比較的早期起腫脹，然此亦非必發之症狀。又大便初期多秘結，而後期則往往起頑固之下利。早期診斷方法，先於二三日內禁止肉食，俾能於大便中證明其潛在性出血；或於空服時之胃內容物檢查，發見癌細胞，則亦爲有力之證明。

治療法：

除早期即施行外科手術，切除癌腫外，內服藥無法可治。然此種切除手術，僅限於腫瘍範圍小，而癌腫不經淋巴腺轉移於其他臟器時，可行方之。若得手而根治者，大多不致再發。

不能施手術之胃癌，即癌腫有轉移其他臟器者，及腹水腎臟炎，糖尿病肺病等。

幽門癌若施以胃腸縫合術，手術切除，往往可以減除患者之苦悶，而延長其生命。手術之後應注意滋養強壯法，行對症的療法。食餌方面以牛乳肉湯粥，魚類，牛肉之濃汁，豆腐等爲宜；添加所買士同及散拿吐精等更佳；並須節制富有脂肪者，酒類，茶，咖啡等。

出血時，須絕對安靜，嚥用冰塊，心窩部貼冰囊。疼痛時，施行溫濕布。胃液中游離鹽酸缺乏時，食後給與下列之處方：

稀鹽酸 二〇、〇

右藥每食後服十五滴，（〇、七五C、C、）滴於溫水中同服。栗本博士之白屈菜，雖非本病之特效藥，但有亢進食慾之效；故常用作健胃劑。

噯氣帶惡臭時，用下列處方：

撒曹（或安知必林）一、〇

重曹（五、〇〇）

右研和，每食後服一刀尖（二、〇〇）。

民間療法：

濱萵苣，（參閱食道狹窄）

白屈菜之葉，用於胃癌之初期有卓效。每日之用量，如新鮮者五分，乾者三分，煎湯服。或用白屈菜生葉搗碎，酒精冷浸，製成百分之五十丁幾，一日數回，每回五六滴，俟胃癌之疼痛稍稍減輕爲度。此藥係有毒植物，不可過量多服，故服用時宜注意分量。本品雖稱民間藥，但須由醫師指示應用，否則不獲其益，先受其害，慎之慎之。

野蒜之球根焙乾，研細粉，每回〇、五——一、〇，一日三回，陳黃酒送下。對於胃癌之初期，有強力之健胃止痛作用。本品具有強壯性，故對衰弱者之胃病，均有良效。

按野蒜爲自生於路旁之百合科，多年生宿根植物。其根莖及葉，完全與蒜相似，但其地下之球根較蒜略小，亦可供食用，並供藥用，爲強壯性健胃藥。

延齡草之葉與莖根，適用於胃病及類似胃癌，或胃癌之初起。每日用新鮮採集之苗及根，約五錢，加入甘草一錢，或五六分，水一大碗，煎至半碗，去渣，一日三回分服。連服五六日；暫停三四日再服。但在服藥期間，應減少食量，及湯水，則藥力易發揮。

按延齡草爲百合科，多年生草本，生於溪旁，及樹陰等處，潮濕之地上。莖高四五寸，葉爲廣卵形，先端尖，三片輪生於莖頂。於五月間由葉間抽苗花梗，梗端開一帶紫色之花，花蓋六片，排列成爲兩層。此植物隨地有之。蓋胃癌原爲無藥醫治之難病，上述幾種民間藥草，亦不過比較合理，若在初期輕症用之，亦不無助益耳。

醫藥衛生信箱

簡約

一、來信字句，力求簡潔，請勿加冗長套語。

二、來信請書姓名地址，但刊覆時署名聽便。

三、來信請逕寄本報編輯課，以免轉送遲延。

（五）

問：編輯先生，我眞是不幸呀，本來很好的眼睛，不知怎麼會從上星期到鄉下去跑了一趟之後回來，一到天黑，眼睛就摸糊不淸了。如果燈光再暗一點的話，簡直要看不見東西了。這多麼難過呀，我不知道這是什麼病？爲什麼白天又好好的呢？有方法可以醫得好嗎？我才在初中一讀書呢，醫不好的話，將來不是不得了了嗎？請你告訴我吧，我眞着急呀！祝你快樂

林逢生上

答：逢生小弟弟，我們很同情你的不幸，不過你也不用着急，因爲要告訴你一個好消息，就是你的眼睛很容易變得和從前一樣好的。你的病叫做「夜盲症」，俗話叫「鷄盲」，是因爲缺少維他命A所致，只要多吃些魚肝油，維他命丸，或是豬肝，不久就會完全好了。再會，祝你學業進步。

（六）

問：編輯先生，我生痔瘡已有多年，時發時癒，也就沒有去割治。最近痔瘡並未發，但大便常有鮮血，將近一月。如此損失血液，內心甚怕，玆有數問，敬請在貴刊覆示爲盼。

一、痔瘡不發時，大便亦會出血否？

二、似我情形，是否腸內出血？

三、每次大便，損失血液總有好幾西西，現在會不會患貧血？

四、痔瘡不醫要緊否？

此祝

撰安

施喩經敬上

答：施先生，（一）照您說，每次大便出血都很多的話，我們想恐怕仍是因爲痔瘡的關係。也許是所謂內痔，所以您沒有發覺它的「發」。不過大便出血的局部原因有好幾種，所以您最好去請醫生檢查一下。（二）不至於會是腸內出血。（三）長久了會有貧血現象，可請醫師驗血。（四）有病總以醫好爲宜。

（七）

問：編輯先生，我的身體不好，從小就很容易傷風。而且終年有鼻涕，氣味很難聞，別人討厭，有時我自己也感覺得那陣臭味。同學還背地裏叫我「臭鼻子」，不知究係何病？應該如何治療，統請回答告知爲感。此請

編安

王立鑫上

答：王先生，你的病，很像是鼻竇炎，這是一種很討厭的慢性病，它的存在也會影響您的身體健康。要說醫治，也不是吃藥可以奏效的，或許還要動一點小手術。所以，最好到設備好的醫院或診所去，請耳鼻喉科醫師診治一下，最爲可靠。手術之後就能痊癒，也就不再會臭了。或者先試用下面的中藥方：

自行覓取黃魚腦三對，即黃魚頭中白硬如人牙齒般的東西，吃一條黃魚即得一對。再覓橄欖核七枚，要新鮮橄欖的核，鹹橄欖藥製橄欖的核皆不中用。

將二物交中藥鋪，託他們「煅存性」。再由中藥鋪配入炒辛夷二錢，陳葫蘆三錢燒存性，冰片半分，共研極細末，中藥鋪能代你研的。將藥末裝入小口瓶中塞緊，時時取一點出來吸入鼻孔，像人家「吃鼻烟」一樣。把藥末吸完，也許臭鼻涕就沒有了。

本刊定閱價目

月份	期數	定費	掛號	平航	航掛
三月	13	四萬五千元	一萬元	八千元	一萬七千元
半年	26	八萬元	二萬元	一萬五千元	三萬三千元
一年	52	十五萬元	四萬元	三萬元	六萬五千元

附註：定戶請於到期前一期通知續訂本外埠定戶平寄免收郵費其他寄法

本刊廣告刊例

類別	底面	封裏	底裏	專頁	夾文
全面	貳百六十萬元	貳百叁十萬元	二百一十萬元	三百萬元	同右
二分之一	一百五十萬元	一百三十萬元	一百二十萬元	一百二十萬元	一百萬元
三分之一	一百一十萬元	一百萬元	八十萬元	七十萬元	六十萬元
四分之一	九十萬元	七十萬元	六十萬元	六十萬元	五十萬元